D1587667

DATE DUE FOR RETURN

0165796
13.2.92

WIRKUNG DER LITERATUR

Deutsche Autoren im Urteil ihrer Kritiker

Herausgegeben von Karl Robert Mandelkow

Band 6: Jean Paul

Jean Paul
im Urteil seiner Kritiker

Dokumente zur Wirkungsgeschichte Jean Pauls
in Deutschland
Herausgegeben, eingeleitet und kommentiert
von PETER SPRENGEL

Verlag C.H.Beck München

CIP-Kurztitelaufnahme der Deutschen Bibliothek

Jean Paul im Urteil seiner Kritiker: Dokumente zur
Wirkungsgeschichte Jean Pauls in Deutschland / hrsg.,
eingel. u. kommentiert von Peter Sprengel. –
München: Beck, 1980.
   (Wirkung der Literatur; Bd. 6)
   ISBN 3 406 07297 6
NE: Sprengel, Peter [Hrsg.]

ISBN 3 406 07297 6

© C. H. Beck'sche Verlagsbuchhandlung (Oscar Beck) München 1980
Satz und Druck: C. H. Beck'sche Buchdruckerei Nördlingen
Printed in Germany

Inhalt

VII

Abkürzungen und Siglen

Berend/Krogoll = Eduard Berend, Jean-Paul-Bibliographie. Neu bearbeitet und ergänzt von Johannes Krogoll. Stuttgart 1963 = Veröffentlichungen der Deutschen Schillergesellschaft 26.

D = Druckvorlage.

Denkwürdigkeiten = Denkwürdigkeiten aus dem Leben von Jean Paul Friedrich Richter. Hg. von Ernst Förster. Bd. 1–4. München 1863.

E = Erstdruck.

Goethe im Urteil = Goethe im Urteil seiner Kritiker. Dokumente zur Wirkungsgeschichte Goethes in Deutschland. Hg. von Karl Robert Mandelkow. Teil I: 1775–1832; Teil II: 1832–1870. München 1975–1977 = Wirkung der Literatur 5. I/II.

HA = Goethes Werke. Hamburger Ausgabe in 14 Bänden. Hg. von Erich Trunz u. a. Hamburg 1948–1960.

Hanser = Jean Paul, [ab Abt. 2: Sämtliche] Werke. Hg. von Norbert Miller. Bd. 1–6 (Bd. 2: 2., neubearb. Aufl.); Abt. 2, Bd. 1–3. München 1960–1963; 1974–1977 (Hanser-Klassiker-Ausgabe).

HKA = Jean Pauls Sämtliche Werke. Historisch-kritische Ausgabe. Hg. von Eduard Berend. Abt. 1 [zu Lebzeiten veröffentlichte Schriften], Bd. 1–19; Abt. 2 [Nachlaß], Bd. 1–5; Abt. 3 [Briefe], Bd. 1–9. Weimar 1927ff. Berlin 1952ff.

JbJPG = Jahrbuch der Jean-Paul-Gesellschaft. Hg. von Kurt Wölfel 1 (1966)ff.

Jean Pauls Persönlichkeit = Jean Pauls Persönlichkeit in Berichten der Zeitgenossen. Hg. von Eduard Berend. Berlin 1956 (Ergänzungsband der Historisch-kritischen Ausgabe).

Wahrheit = Wahrheit aus Jean Paul's Leben. Heftlein 1–8. Hg. von Christian G. Otto (1–3) und Ernst Förster (4–8). Breslau 1826–1833.

Vorwort

Einhundertfünfundachtzig Jahre nach dem »Hesperus«, einhundertsiebenundsiebzig Jahre nach dem letzten Band des »Titan« erscheint die erste wirkungsgeschichtliche Dokumentation über Jean Paul – auch das ein wirkungsgeschichtliches Zeugnis. Beim Abschluß dieses Bandes denkt der Herausgeber mehr an die Texte, die er nicht aufnehmen konnte, und die Textteile, die dem Rotstift zum Opfer fielen, als an den Umfang des tatsächlich Abgedruckten. Der Leser ist eingeladen, ein Gleiches zu tun und die Grenzen des Buchs nicht mit denen der Wirkungsgeschichte Jean Pauls zu verwechseln. So geschah die Auswahl der zeitgenössischen Dokumente z.T. in Hinblick auf den Abdruck von Jean-Paul-Rezensionen ausgewählter Literaturzeitungen im Jahrbuch der Jean-Paul-Gesellschaft 13 (1978). Auf diese Sammlung sei zur Ergänzung ebenso hingewiesen wie auf die Zusammenstellung repräsentativer Forschungsbeiträge im Jean-Paul-Band der Reihe »Wege der Forschung« (Hg. von Uwe Schweikert. Darmstadt 1974).

Die editorische Behandlung der hier abgedruckten Texte entspricht den generellen Prinzipien der Reihe »Wirkung der Literatur«. Bei Wahrung des Lautstandes und (weitestgehend) der Interpunktion wurden die Texte normalisiert. Die Werktitel und Überschriften wurden grundsätzlich in der originalen Schreibweise belassen. Kursivdruck entspricht Sperrung im Original. Eigene Kürzungen sind durch eckige Klammern [...] bezeichnet. Die vorliegenden Texte wurden in der Regel nach den Erstdrucken wiedergegeben.

Für wertvolle Hinweise und Anregungen danke ich Kurt Wölfel und Norbert Miller, vor allem dem Herausgeber der Reihe, Karl Robert Mandelkow; für ihre Hilfe den Mitarbeitern des Deutschen Literaturarchivs in Marbach a. N. – besonders Herrn Winfried Feifel –, der großen Berliner und der dem Fernleihverkehr angeschlossenen Bibliotheken. Ohne die bibliographische Vorarbeit Eduard Berends wäre dieser Band nicht möglich gewesen.

Berlin, im Januar 1979   *Peter Sprengel*

Einleitung

Wirkungsgeschichte Jean Pauls

Wirkungsgeschichte sollte einst die kultische Aura des Kunstwerks durch Auflistung seiner Anbeter in die Geschichte hinein verlängern. Als sie vor gut einem Jahrzehnt neu ins Gespräch kam, lag ein anderes Interesse zugrunde: das an der Emanzipation des Lesers, der seine Mündigkeit beweist in der aktiven Teilnahme an jenem Kommunikationsprozeß, als den man jetzt Literatur begriff. Wer nicht mehr an die Ontologie eines Kunstwerks glaubte, das aus sich heraus wirke, konnte literarische Tradition nur noch als Abfolge historischer Rezeptionsakte verstehen. Diese galt es zu analysieren, sollte dem Interpreten nicht der literarhistorische Boden unter den Füßen versinken. Inzwischen, scheint es, hat sich zumindest eine theoretische Avantgarde der Rezeptionsforschung vom wirkungsgeschichtlichen Modell, dem sie selbst zu neuer Geltung verhalf, wieder fortentwickelt. In konsequenter Weiterverfolgung des Anteils, der der Aktivität des Lesers am literarischen Kommunikationsprozeß zukommt, wird der Ruf nach leser- oder subjektorientierter Rezeptionsforschung laut; vom Objekt des Textes oder Autors ausgehende Fragestellungen werden eines obsoleten Substantialismus verdächtigt. Eine Rezeptionsforschung, die einseitig die Autonomie des Lesers betont – bis hin zu extremen Behauptungen wie der Unabhängigkeit des Leseakts vom Text – bringt sich jedoch um ihre besten Chancen, die eben in der Vermittlung von Produktions- und Rezeptionsseite, in der Rückkopplung der Rezeptionsergebnisse mit den Vorgaben des Textes liegen. Sie vergißt zudem die prägende Bedeutung, die frühere für spätere Rezeptionen, Wirkungsgeschichte für Wirkungsgegenwart hat. Wir haben in einer Zitat-Collage, die als Kehraus am Schluß dieser Einleitung steht, die Wirkungsmächtigkeit bestimmter Rezeptionsmuster am Beispiel von drei Metaphern demonstriert, die sich als Produkte kollektiver Phantasie von den Anfängen der Jean-Paul-Rezeption bis in ihre jüngste Phase ziehen. Es bleibt freilich offen, zu welchen Teilen die Kontinuität solcher Leitmotive auf die gegenseitige Infektion der Rezipienten oder auf die kontinuierliche Irritation zurückgeht, die das Phänomen Jean Paul offenbar darstellt.

Gervinus hat gesagt, man könne nur Lobredner oder Tadler Jean Pauls sein, ein Mittleres sei bei diesem Autor nicht möglich. Soviel ist auch heute noch richtig: das Urteil über Jean Paul ist kein beliebiges, sondern fordert sehr direkt zur Stellungnahme zu grundlegenden Fragen der literarischen Wertung, des Verständnisses von Literatur überhaupt heraus. Daß es auch heute noch vielfach die Komplementär- oder Kehrseite eines Urteils über die Weimarer Klassik bildet, ist nicht zuletzt Resultat des wirkungsgeschichtlichen Prozesses, der im folgenden nachzuzeichnen ist. Seine Darstellung liest sich streckenweise wie das Negativ einer Wirkungsgeschichte Goethes – ein Tatbestand, der optimal nur im Rahmen einer »konstellativen Wirkungsgeschichte« (Mandelkow) zu erfassen wäre, die sich des ganzen Umfelds der Klassik-Antiklassizismus-Diskussion annehmen könnte. Jedenfalls hat die wirkungsgeschichtliche Zuspitzung des Gegensatzes zur klassischen Kunstrichtung über Jean Pauls ästhetische Exponiertheit hinaus entscheidend zum außerordentlichen Schwanken seiner Beurteilung beigetragen. Die Täler seiner Wirkungsgeschichte sind so tief wie die Höhen hoch – seit Jahren, so hört man, haben wir eine Jean-Paul-Renaissance: es ist eine von vielen, wie der Blick zurück lehrt.

Der folgende Überblick über die Wirkungsgeschichte Jean Pauls ist nicht am zeitlichen Auf und Ab seiner Bewertung orientiert, wenn sich auch das chronologische Prinzip als Grundlinie behauptet. Die Disposition greift vielmehr auf den von Karl Mannheim geprägten, von Hans Georg Gadamer und Hans Robert Jauß erneuerten Begriff des Erwartungshorizonts zurück. Vor einer bestimmten politisch-weltanschaulich-ästhetischen Erwartung (deren freilich meist mehrere zugleich bestehen) konkretisiert sich ein ihr entsprechender Aspekt des Werks – den wir mit dem Mut zur Vereinfachung, aber ohne den Willen zur Verabsolutierung bereits im jeweiligen Zwischentitel schlagwortartig umreißen. Die Vermittlung des Textes mit seiner Rezeption und eine historische (auch sozialgeschichtliche und ideologiekritische Momente umfassende) Lokalisierung heutiger Rezeptionsmuster schien am ehesten in dieser Anlage möglich. Ihr Anliegen ist Wirkung der Wirkungsgeschichte.

Aufklärerischer Horizont: Empfindsamkeit und Geschmacklosigkeit

»Wie aufgehendes Sonnenlicht trifft das aufsteigende Genie die Welt: die sämtlichen Kritiker niesen, die Nachahmer zeugen, und alles fühlt sich neugeboren«[1]. Kaum ein Genie hat die Unwahrheit dieses Satzes krasser an sich erfahren als sein Schreiber Jean Paul. Das ganze erste Jahrzehnt seines Schaffens kann nicht Gegenstand einer Wirkungsgeschichte sein, denn es hat keine Wirkung gehabt. Längst war die Zeit vorbei, in der die Satire als selbständige Gattung didaktisch-pädagogische Funktionen innerhalb der Lesegesellschaft der Frühaufklärung ausüben konnte. Mit Indifferenz oder Ablehnung, wenn nicht »Ekel«[2], reagierte das zeitgenössische Publikum auf die zynische Fassade und die vertrackte Gleichnissprache einer Satirik, die sich durch verschachtelte Anlage und literarisch-gelehrtes Anspielungsniveau selbst um jede Breitenwirkung bringen zu wollen schien. Es hieß die Toleranz schon weit treiben, wenn ein Rezensent in den »Grönländischen Prozessen« Hippels Manier wiederfand[3].

1 Hanser Bd. 3, S. 916.
2 Vorliegende Dokumentation S. 3.
3 Raisonnirendes Bücherverzeichniß Jg. 2, Juli 1783, S. 200. Wiederabgedruckt: JbJPG 5 (1970), S. 145.

»Das begreif' ich nicht, der ist noch *über* Goethe, das ist ganz was Neues.«[4] Mit der von Karl Philipp Moritz so emphatisch begrüßten »Unsichtbaren Loge« (1793) gelang Jean Paul schlagartig, was seine frühere rein satirische Produktion auch nicht im Ansatz erreicht hatte: die Erwartungshaltung des gebildeten Lesepublikums zu erfüllen, ja zu über-erfüllen, d. h. zu durchbrechen und zu überwinden. Aus diesem zwiespältigen Verhältnis von Vertrautheit und Fremdheit resultierte die Sensation, die von seinem ersten Roman und dessen noch weit erfolgreicherem Nachfolger oder, marktstrategisch gesprochen, Nachzieher: dem »Hesperus« (1795) ausgelöst wurde. Die Irritation der Zeitgenossen setzte ein bei der Gattungsfrage. »Unter welche Klasse von Schriften sind Jean Pauls Werke zu stellen?« Weder die Spezies des Romans (vor seiner Ausweitung durch die romantische Poetik) noch die der Satire schien der Verbindung heterogener Elemente in jener neuartigen epischen Großform gerecht zu werden, die Jean Paul durch die Verschmelzung seiner satirischen Ansätze mit sentimentalen Gehalten im Medium des humoristischen Erzählens geschaffen hatte. Der nur lose durch den Faden einer Geschichte verbundene Wechsel »von jeder Art höherer Geistes-Äußerungen von komischer und satyrischer Laune, von Empfindungen des Erhabenen, des Edeln, des Schönen, an der Natur und an menschlichen Charakteren, von unabsichtlich und kunstlos herbeigeführten Spekulationen, Räsonnements, Bemerkungen, von witzigen und scharfsinnigen Gedanken, von Bildern der Einbildungskraft, von Naturgemälden usw.« läßt den Rezensenten der »Oberdeutschen allgemeinen Litteraturzeitung« an musikalische Kompositionsprinzipien denken und den – durch Schützes Übernahme in den ersten Versuch einer Jean-Paul-Biographie gewissermaßen kanonisierten – Begriff des »Geistes-Konzerts« bilden[5]. Ein Begriff, der zugleich vorwärts und rückwärts weist: vorwärts in Richtung auf die romantische Amalgierung von Literatur und Musik, rückwärts auf die rhetorische Lehre von den verschiedenen ›Tönen‹, dem erhabenen und dem niedrigen genus dicendi, die bei Jean Paul sozusagen um die Oberherrschaft ringen (certare).

Erstaunlicherweise kommt im Konzert der gegensätzlichen Stimmen der satirische Part, als Solo jahrelang vergeblich vertreten, jetzt erst richtig zur Geltung. Johann Friedrich Schütze erklärt Jean Paul, den er 1798 in den Rang eines »Lieblingsschriftstellers der Deutschen« erhebt, mit Nachdruck für »einen der größten deutschen Satyriker«[6]. Das »Leben des Quintus Fixlein« – eine Erzählung, die späterhin nur um ihrer idyllischen Weltabgewandtheit und Ich-Versunkenheit willen gelesen werden sollte – wird als »Satyre auf irgendeinen Schullehrer« verstanden[7]. Hinter der Fiktion wittert man Fakten und lobt die »harten Stöße«, die der Verfasser gegen Schulobrigkeit und Klerus austeilt: »Die Betstunden, welche wegen der Aufsteckung eines Turmknopfes gehalten werden, verwirft der Verf. mit Recht; wenigstens sollte die Tragung des Turmknopfes in die Kirche und die Sprechung des Segens über denselben, welche viele altmodische Schwarzröcke für

---

4 HKA Abt. I, Bd. 2, S. IX.
5 Vorliegende Dokumentation S. 11.
6 Vorliegende Dokumentation S. 20 u. 24.
7 Vorliegende Dokumentation S. 8.

ein unentbehrliches Bedürfnis halten, zur Ehre unsrer aufgeklärten Zeiten wegfallen, und von den Vorstehern der Geistlichkeit nicht gestattet werden. Da diese aber zum Teile selbst noch in der Finsternis gern wandeln; so wird es um sie und um ihre Klerisei so bald nicht heller.«[8] Von solch wackerem Aufklärertum, das z. B. im »Fälbel« »viele gesunde Regeln der Pädagogik« entdeckt, hebt sich Friedrich Jacobs' Rezension in der »Allgemeinen Literatur-Zeitung« ab, die die Beschränktheit Fixleins als Hindernis für die Identifikation des Lesers mit dem idyllischen Helden bedauert: »Unsers Bedünkens hätte ein Held wie Goldsmiths Primrose der Absicht besser zugesagt; ein Held, dessen Schwachheiten und Pedantereien zwar oft dem Leser ein Lächeln abnötigen, aber ein Lächeln, wobei das Auge von Tränen überfließt.«[9]

Jacobs spielt damit einen Jean Paul gegen den andern aus: gegen die satirische Komponente seines Erzählens die empfindsame Dimension, die in der Tat den eigentlichen Motor für die modeartige Jean-Paul-Begeisterung der neunziger Jahre abgegeben hat. Freilich ist diese Schwärmerei keineswegs gleichzusetzen mit der im Werther-Fieber gipfelnden und in den Werther-Parodien paralysierten eigentlichen Welle der Empfindsamkeit. Als ›Empfindelei‹ ist letztere der Mehrheit der Leser längst historisch geworden, und eher peinlich fühlt man sich durch den Tränenreichtum der Jean-Paulschen Helden an sie erinnert. Nur hartnäckige Verteidiger des Alten wie Garlieb Merkel erwarten am Anfang des »Titan« noch eine empfindsame Familienszene wie im Rührstück der Jahrhundertmitte: »Ein Sohn, der seinen Vater nie sah und ihn vergöttert, reist dessen erster Umarmung entgegen. Wie anziehend! Wir können das Auge nicht abwenden, bis alles geschah, was die Sehnsucht der kindlichen und der väterlichen Liebe heischte!« Die weitere Durchführung der Szene – der Gefühlskult Albanos, der kontrastierende Starrkrampf Gaspards – entspricht dann aber gar nicht den Erwartungen Merkels: »wie grell, wie widerlich! [...] Es ist wirklich schmerzhaft, aus der Anlage zu einem schönen Kunstwerke – so etwas werden zu sehen«[10]. Eben »so etwas«, eben die radikalisierte und universalisierte Empfindsamkeit eines Gustav, Viktor und Albano entsprach jedoch offenbar genau den emotionalen Bedürfnissen weiter Teile des gebildeten und nicht zuletzt weiblichen Lesepublikums der Zeit. Öffentlich bekennen seine Vertreter, seit Richter schreibe, keine Sprache des Gefühls als die seinige zu kennen[11]. Nichts anderes meint Börne, wenn er drei Jahrzehnte später erklärt, Jean Paul habe das deutsche Volk die Freiheit des Fühlens gelehrt. Freilich begrenzt sich diese Freiheit durch das (sie andererseits überhaupt erst ermöglichende) Erbe der pietistischen Tradition: durch die religiöse Tendenz, mit der die empfindsamen Vorgaben Jean Pauls verinnerlicht werden: »Gustavs Auferstehungstag war auch der meinige«, schreibt Alexandrine von Seckendorff[12]. Der Domschüler Meuse-

---

8 Oberdeutsche allgemeine Litteraturzeitung 10. 6. 1796, Nr. 70, Sp. 1124 f.
9 Allgemeine Literatur-Zeitung 10. 5. 1796, Nr. 143, Sp. 310. Wiederabgedruckt: JbJPG 13 (1978), S. 21.
10 Vorliegende Dokumentation S. 38.
11 Vgl. Anm. 2 zu T 17.
12 HKA Abt. III, Bd. 2, S. 557, Nr. 216.

bach wird am Bußtag des Jahres 1800 durch Viktors Briefbekenntnis an Emanuel zur unmittelbaren Imitation und zur dauernden Anbetung Jean Pauls veranlaßt[13]. Helmina von Chézy liebt Jean Paul als eine »Jesusseele«, für Karoline Herder ist er der »Heiland« ihrer Zeit[14].

Das bedeutendste Sprachrohr, das die – im eben beschriebenen Sinn – empfindsame Komponente der Jean-Paul-Rezeption im Lager der literarischen Kritik gefunden hat, ist der schon genannte Gothaer Altphilologe und Erzähler Friedrich Jacobs. Seine Rezension der »Unsichtbaren Loge«, im Lob noch weit über Knigges anerkennende Besprechung (T 2) hinausgehend, beschreibt die Wirkung auf den Leser als »mannigfaltigste in ein großes Gefühl zusammenströmende Empfindungen« und sieht die Polarität der romantischen und der alltäglichen Ebene durch den »alles durchströmenden Ton der Empfindsamkeit« verbunden[15]. Ähnlich findet die »Hesperus«-Rezension (T 3) das »ganze Gebäude der Empfindungen und Ideen« durch einen gemeinsamen »Hauptzug des Charakters« verklammert, den sie als »eine erhabne Gleichgültigkeit gegen die Sinnenwelt« begreift[16]. Jacobs' Besprechung des »Quintus Fixlein« hebt die sentimentalen Erzählungen des »Mußteils für Mädchen« hervor: »In der Darstellung und Schilderung solcher Nachtstücke, auf denen sich das ergrauende Abendrot des Lebens mit dem Morgenrote der Ewigkeit zu einer erhabnen Dämmerung mischt, zeigt sich die Einbildungskraft unseres Vf. groß und bewunderungswürdig, bei ihr entfaltet sich sein Talent, das Übersinnliche in faßliche Bilder zu kleiden und selbst die Unendlichkeit in den Rahmen bedeutender und begeisternder Worte zu fassen.«[17] Der Jean-Paul-Rezensent der »Neuen allgemeinen deutschen Bibliothek«, Jacobs' Freund Johann Caspar Friedrich Manso, kann sich in einer Sammelrezension Jean-Paulscher Neuerscheinungen (T 9) immer noch nicht von dem »Ozean von Phantasienblüten« losreißen, der ihm aus der »phantasierenden Geschichte« »Der Mond« (im »Mußteil« des »Fixlein«) entgegenglänzt: »Noch jetzt, da die Töne der ersten überwältigenden Empfindung lange verhallt sind, weidet er sich mit Entzücken an dem leisern Nachklang, den sie in seinem Innern zurückgelassen haben, und wiederholt sich aus dem Gedächtnisse den ihm stets unvergeßlichen Schluß«[18].

Auf die Dauer freilich sperrt sich das diruptive Erzählen des Humoristen gegen eine einseitige Einvernahme aus dem Geist der Empfindsamkeit. Wer kann die »Rede des toten Christus« empfindsam genießen, ohne sich ständig durch die

---

13 Vgl. meine Studie: Dokumente sanfter Rührung. K.H.G. v. Meusebach als Leser und Verehrer Jean Pauls. In: Jahrbuch der Deutschen Schillergesellschaft 22 (1978), S. 110–153.

14 Helmina von Chézy, Unvergessenes. Denkwürdigkeiten aus dem Leben. Th. 1. Leipzig 1858, S. 216; Goethe in vertraulichen Briefen seiner Zeitgenossen. Zusammengestellt von Wilhelm Bode. Bd. 2: Die Zeit Napoleons 1803–1816. Berlin 1921, S. 118.

15 Allgemeine Literatur-Zeitung 24. 4. 1795, Nr. 116, Sp. 165. Wiederabgedruckt: JbJPG 13 (1978), S. 11f.

16 Vorliegende Dokumentation S. 6.

17 Allgemeine Literatur-Zeitung 10. 5. 1796, Nr. 143, Sp. 311. Wiederabgedruckt: JbJPG 13 (1978), S. 22.

18 Vorliegende Dokumentation S. 18.

Erinnerung aus der Vorrede gestört zu fühlen, »daß die Stenzin die Hurengebüh-
ren noch schuldig sei«[19]? Jean Pauls krasse Kombinatorik des Disparaten läßt den
aufklärerischen Leser Zusammenhang und Ordnung in einem Grad vermissen, daß
der Verdacht aufkommt, diese »Manier« (so von Anfang an der Ausdruck) beruhe
geradezu auf dem Prinzip der Unordnung, auf der direkten Umsetzung zufällig
begegnender Realitätsfragmente in Literatur. Das »Recept zu arbeiten in Jean Pauls
Manier«, das der anonyme »Vergötterungs-Almanach für das Jahr 1801« anbietet,
läuft auf eine Vorform der écriture automatique hinaus: »Bist du auf freiem Felde
[...], und du stößt mit deinem Fuß an einen Stein; *so schreibe:* du siehst ein Blatt
fallen von einem Baume; *so schreibe:* dir fällt ein Regentropfen auf die Nase; *so
schreibe:* du schaust ein welkendes Gänseblümchen; *so schreibe:* [...]« – und so
weiter, bis den vagabundierenden Poeten (mit dem Ausdruck einer anderen Satire)
»das Schicksal des Tales« ereilt[20]. Mit dem aufklärerischen Prinzip der Einheitlichkeit, gegen das Jean Pauls digressive Erzähltechnik verstößt, kollidiert erst recht
die extreme Spannweite seines Stils. »Richters schwächste Seite ist der Stil« (Merkel[21]). Der Anteil, der an diesem Verdikt der Fortgeltung rhetorischer Stillehre
zukommt, wird am deutlichsten in der einhelligen Ablehnung von Jean Pauls
Versuch, Charlotte Corday zum Muster für die mögliche Übereinstimmung historischer Wirklichkeit und poetischer Idealität zu erheben[22]. Wie soll dichterisches
Pathos in einer historischen Darstellung von einer Kritik akzeptiert werden, die
schon im Roman auf Einhaltung des »reizender Unterhaltung« dienenden »Mittel-
tons« besteht[23]? Knigge über die »Unsichtbare Loge«: »Oft überschreitet die Sprache wirklich die Gränzen der Prosa und artet in die höchste Poesie aus«[24] – Stefan
George hätte diesen Satz wortwörtlich in die Vorrede seiner »Deutschen Dichtung« übernehmen können, mit umgekehrten Vorzeichen freilich.

Der Konflikt zwischen Jean Paul, der auf seinen Grabstein gesetzt haben wollte,
daß kein Mensch mehr Gleichnisse gemacht habe als er, und einer Poetik, die sich
etwas darauf zugute hielt, dem abundierenden Bildgebrauch der vorhergegangenen
Epoche Einhalt geboten zu haben, war unausweichlich. Nicht nur weil eben Bil-
derreichtum im Regelsystem der Rhetorik gleichbedeutend mit ornatus, Prunk,
»höchster Poesie« war, sondern weil Jean Pauls bildlicher Witz darüber hinaus ja
geradezu durch die Tendenz zur Herstellung der paradoxesten Verbindungen charakterisiert war. Das von Jean Paul anvisierte infusorische Chaos aller Ideen
konnte einer auf Rationalität und Natürlichkeit bedachten Stilkritik nur als verkehrte Welt erscheinen. Als Folge eines technischen Defekts erklärt ein Hofer
Pamphlet die bildliche Ausdrucksweise Jean Pauls: sein Fernrohr (und er spricht ja

19 Zeitung für die elegante Welt 22. 7. 1808, Nr. 119, Sp. 948. – In der 1. Auflage des »Siebenkäs« (Bd. 1. 1796) folgte die experimentalnihilistische Vision als »Erstes Blumen-
   stück« unmittelbar auf die satirische Vorrede.
20 Vorliegende Dokumentation S. 44 u. 30.
21 Vorliegende Dokumentation S. 39.
22 Vgl. T 20 und Garlieb Merkel, Briefe an ein Frauenzimmer über die neuesten Produkte
   der schönen Literatur 1 (1800), S. 149.
23 Merkel, a. a. O. Bd. 1, S. 54; Bd. 3, S. 689.
24 Vorliegende Dokumentation S. 4.

selbst vom »Fernrohr der Phantasie«) habe »zwei Objektivgläser und ein Okularglas zuwenig« gehabt – »nun waren die Gegenstände verkehrt. Ein Glas war grün,
das andere rot, das dritte blau, das vierte gelb. Nun denke sich der Leser die
Figuren, die man dadurch sah!«[25] In ihrem Insistieren auf Normalität nähert sich
die aufklärerische Polemik der Jean-Paul-Kritik des Klassizismus. Dessen Krankheitsvorwurf klingt bereits an, wo Jean Paul unter die Leute eingereiht wird, die
»durch die Nägel transpirieren, durch das Zellgewebe verdauen, kurz in der Natur
nichts da lassen wollen, wohin es die Natur gesetzt hat«[26]. Als Gipfel solcher
Perversion – und daher als präzises Sinnbild der Jean-Paulschen Dichtung – nennt
Merkel »die Statuen des Prinzen von Palagonien, an denen jedes Glied ein Meisterstück, jedes Ganze ein Ungeheuer ist. Welch ein Kopf! So lächelt Venus, wenn sie
aus dem Bade steigt und Adonis hinter einer Rosenhecke lauschen sieht! Sie folgen
dem Guß der wallenden Locken und treffen auf einen widerlich gekrümmten
Gänsehals. Unwillig senken Sie das Auge: – er ist den kraftvollen Schultern eines
Löwen eingesenkt, und diese gehen in den Wanst eines Robben über, dem man vier
Schmetterlingsfüßchen unterschob.«[27] Ausnahmsweise trifft sich hier Merkel mit
dem sonst von ihm erbittert befehdeten Goethe, dessen »Italienische Reise« sich in
ausführlicher Polemik gegen den »Unsinn des Prinzen von Palagonien« ergehen
wird[28]. Klassiker und Aufklärer reagieren gleichermaßen allergisch auf die Willkür,
mit der sich Kunst und Unkunst des Barock über die Ordnung der Natur erheben.
Und von Jean Pauls Subjektivismus scheint es dahin nicht weit zu sein: der neue
Gegner wird mit dem alten identifiziert. In der Tat ist das Stichwort ›barock‹ in der
Jean-Paul-Rezeption seit Jacobs' Klage über die »barocken Gleichnisse«[29] fast om-
nipräsent und mit ihm ein zweites, im 18. Jahrhundert fast sein Synonym: das der
Geschmacklosigkeit. »Richter besitzt [...] den verderbtesten Geschmack, den man
je einem Schriftsteller verziehen hat« (Merkel[30]).

Ein schwererer Vorwurf läßt sich im ästhetischen Bereich kaum denken. Mukařovskýs strukturalistischer Entwurf einer Rezeptionsästhetik registriert die Geschmacklosigkeit als »einen der radikalsten Verstöße gegen die ästhetische Norm,
die in der Kunst auftreten können«, erkennt jedoch die Möglichkeit des intentiona-
len Einsatzes dieses Mittels: der Provokation ästhetischen Mißvergnügens als Bestandteil des künstlerischen Verfahrens – etwa im Surrealismus[31]. Ist letzteres bei
Jean Paul der Fall? Manche Leserreaktion auch in heutigen Tagen läßt daran denken. Zunächst jedoch ist der Begriff der ästhetischen Norm in zweifacher Hinsicht
zu historisieren. Einmal seinem Inhalt nach: sich wandelnd im Zusammenhang der
gesellschaftlichen Entwicklung fordert er je Verschiedenes und kann heute für

25 Vorliegende Dokumentation S. 31. Vgl. Hanser Bd. 4, S. 197.
26 Vorliegende Dokumentation S. 48.
27 Vorliegende Dokumentation S. 40.
28 9. 4. 1787 (HA Bd. 11, S. 242–247).
29 Allgemeine Literatur-Zeitung 24. 4. 1795, Nr. 116, Sp. 164. Wiederabgedruckt: JbJPG 13
(1978), S. 11.
30 Vorliegende Dokumentation S. 36f.
31 Jan Mukařovský, Kapitel aus der Ästhetik. Frankfurt 1970 = edition suhrkamp 428,
S. 46f.

schön erklären, was gestern geschmacklos war. Dann hinsichtlich seines normativen Anspruchs: die Krise des Geschmacksbegriffs im ausgehenden 18. Jahrhundert zeigt exemplarisch die Historizität des Verhältnisses zwischen Kunstschaffen und gesellschaftlicher Regulierung. Hier stand nicht nur ein bestimmter Geschmack, sondern die Legitimation der Forderungen des guten Geschmacks selbst zur Debatte. Der Begriff des Geschmacks umfaßte dabei mehr als Ästhetisches. Seinem historischen Ursprung von Gracián her entsprechend war er zugleich wesentlich ethisch bestimmt. »Mit unsrer Vernunft unterscheiden wir das Wahre vom Falschen, das Gute vom Bösen, das Schöne vom Häßlichen. Wir besitzen aber auch bon-sens, *Empfindung* und *Geschmack*, vermittelst welcher wir ohne deutliche Schlüsse das Wahre, Gute und Schöne gleichsam fühlen« (Mendelssohn[32]). Als generelles Intersubjektivitätskriterium, als Schlüsselbegriff der sozialen Kommunikation fungiert der Geschmack in Kants »Kritik der Urteilskraft«, deren historische Wirkung zwar im Beitrag zur Genieästhetik lag, die aber selbst zum wesentlicheren Teil noch Geschmacksästhetik ist: »In allen Urteilen, wodurch wir etwas für schön erklären, verstatten wir keinem, anderer Meinung zu sein; ohne gleichwohl unser Urteil auf Begriffe, sondern nur auf unser Gefühl zu gründen: welches wir also nicht als Privatgefühl, sondern als ein gemeinschaftliches zum Grunde legen.«[33] Als solchen »Gemeinsinn« versucht der spätaufklärerische Kritiker Garlieb Merkel den Geschmack zu restituieren – eintretend für eine Literatur der politischen Öffentlichkeit und ankämpfend gegen die Kluft zwischen Kunstentwicklung und Publikum, die sich Ende des 18. Jahrhunderts immer weiter auftat. Seine Kritik des »Titan« trägt diesem Anliegen Rechnung; sie begnügt sich nicht mit der Auflistung rein ästhetischer Verfehlungen, sondern läßt es sich nicht nehmen, die moralischen Begriffe der außerpoetischen Welt höchst unmittelbar in die poetische hineinzunehmen. Dabei stellt sich alsbald heraus, daß in der Welt des »Titan« »fast alle gute Menschen krank, und die Gesunden Taugenichtse sind« – wir kommen auf das Motiv der Krankheit noch zurück. Wer kann da dem moralischen Kritiker den Schluß übelnehmen, das Buch sei »eine gefährliche Lektüre für jeden, dessen Charakter und Geschmack nicht fest begründet ist«[34]?

Damit läuft Merkel freilich der Zeit hinterher. Die Autonomie des schöpferischen Genies von den Forderungen des regelgebenden Verstandes, Postulat schon der Sturm-und-Drang-Ästhetik, ist wiederkehrendes Motiv der zeitgenössischen Jean-Paul-Rezeption. »Jean Paul ist für kein Jahrhundert geboren, wo die Literatur noch einer Literaturzeitung bedarf! für kein Jahrhundert, wo man die tiefsten

32 Vom Laienurteil zum Kunstgefühl. Texte zur deutschen Geschmacksdebatte im 18. Jahrhundert. Hg. von Alexander v. Bormann. Tübingen 1974 = deutsche texte 30, S. 11.
33 Kritik der Urteilskraft § 22. – Zur Einschätzung der Kantschen Ästhetik als einer Geschmacksästhetik vgl. Hans Georg Gadamer, Wahrheit und Methode. 2. Aufl. Tübingen 1960, S. 31–41 und Hans Graubner, ›Mitteilbarkeit‹ und ›Lebensgefühl‹ in Kants »Kritik der Urteilskraft«. Zur kommunikativen Bedeutung des Ästhetischen. In: Urszenen. Literaturwissenschaft als Diskursanalyse und Diskurskritik. Hg. von Friedrich A. Kittler und Horst Turk. Frankfurt 1977, S. 53–75.
34 Vorliegende Dokumentation S. 40. Vgl. Winfried Theiß, Garlieb Merkel als Rezensent Jean Pauls. In: JbJPG 8 (1973), S. 78–99.

Gefühle ohne Barmherzigkeit in vier, fünf oder sechs taktmäßige Füße einspannen kann, überhaupt für kein Jahrhundert, wo man noch vorsichtig und bedächtlich an dem kindischen Gängelbande der Regel wandeln muß. Die Regel ist für den *Anfang, Vollendung* bedarf ihrer nicht!!« Für Karl Wilhelm Reinhold drückt der »abgeschmackte« Vorwurf der Geschmacklosigkeit Jean Pauls nur die Inkompetenz des Kritikers, das Zurückbleiben der ästhetischen Norm des Geschmacks hinter der Kunst aus: »J. Paul steht meiner Meinung nach zu einem *allgemeinen* Urteil seiner Zeitgenossen ohngefähr in demselben Verhältnisse, wie der *Apoll von Belvedere* zu dem Urteile der *Isländer.* Es kann ja wohl einmal die Zeit kommen, wo die Kultur auch den Nordländer für Italiens Kunstwerke empfänglich macht, aber noch ist sie nicht da, und bis dahin ist jenes nordische Urteil im allgemeinen ein – non-ens.«[35] Reinhold spricht hier ganz im Geist der radikalen Absage, die der von ihm verteidigte Autor zum Zeitpunkt seiner größten Annäherung an die romantische Ästhetik der aufklärerischen Literaturkritik erteilt hat. Das »Einladungs-Zirkulare an ein neues kritisches Unterfraisgericht über Philosophen und Dichter« im »Komischen Anhang zum Titan« (1801) trennt aufs schärfste zwischen Geschmack und genialischem Sinn. Letzterer allein vermag der künstlerischen Entwicklung zu folgen (»Der Genius wird nur vom Genius gefasset«); ersterer ist primär für die Beurteilung wissenschaftlicher oder trivialer Literatur kompetent. Dichtung ist dem Geschmacks-Kritiker erst dann begreifbar, wenn ihre Ästhetik zur allgemeinen Norm geworden ist, d.h. in der Moderne erst mit beträchtlicher historischer Verspätung: »Der Geschmack [...] ist nie früher da als sein Gegenstand, sondern er reift erst *durch* ihn *für* ihn. Das Gegenteil kommt uns so vor, weil ihn oft ähnliche Werke schon entwickelt hatten für ähnliche, z.B. Homer für andere Griechen. Aber wo die Unähnlichkeit mit der ganzen ästhetischen Ewigkeit a parte ante selber zum Lebensgeiste des Werkes gehört, z.B. bei einem humoristischen, da macht dieses erst spät den Geschmack aus seinem Feind zu seinem Freund.«[36]

Die bitteren Ausfälle des »Einladungs-Zirkulares« und des »Giannozzo« gegen Merkel und die »Nicolaiten« (fortgeführt in Schoppes skurriler Unterhaltung mit dem allgemeinen deutschen Bibliothekar im 4. Band des »Titan«) zerstörten schnell die ohnehin gefährdete Balance, die bei den maßgeblichen Vertretern der Spätaufklärung bis dahin zwischen ästhetischer Irritation und Sympathie für die satirische und sentimentale Tendenz Jean Pauls bestanden hatte. Lange aufgestauter Unmut bricht sich jetzt ungehemmt Bahn und findet im »Komischen Anhang zum Titan« allenthalben neue Nahrung. Hinter der ästhetischen Ebene wird dabei sehr bald die moralisch-politische Provokation sichtbar, die für das Selbstverständnis der Spätaufklärung im Subjektivismus der humoristischen Ästhetik gelegen hat. Schon 1797 hatte der »Siebenkäs« die öffentliche »Rüge eines Schriftsteller-Frevels« (T 7) ausgelöst, in der die finanziellen Manipulationen mit der Witwenpensionskasse als betrügerisch entlarvt und die Deutschen, »deren Volksruhm vordem Ehrlichkeit war«, davor gewarnt wurden, sich jetzt »Schelmenstreiche, die den Pranger verdie-

35 Vorliegende Dokumentation S. 63 u. 66.
36 Hanser Bd. 3, S. 910.918.

nen, für launige Ausgeburten schöner Seelen verkaufen [zu] lassen«[37]. Der freie Schriftsteller (miß)verstehe seine Freiheit nicht als Freiheit von bürgerlicher Moral und bürgerlicher Gesellschaft! Eben diese Tendenz wird Jean Paul jetzt von der »Neuen allgemeinen deutschen Bibliothek« zum Vorwurf gemacht. Seine Entgegensetzung »einzelner exzentrischer Geisterregenten« und der Menge, die die Menschen nicht bilden könne, »so wie Hunde keinen abrichten«, wird von Manso als unerhörte Anmaßung eines Sonderlings herausgestellt, der die »konzentrische Menge« offenbar wie »abzurichtende Hunde« verachte, ohne zu bedenken, daß ein Schriftsteller, der auf die Menschen wirken wolle, weder azentrisch noch exzentrisch sein dürfe, sondern einen festen Standpunkt haben, ja mit der Mehrheit gemeinsam haben müsse. Zu Ausfällen auf die »statistischen kleinstädtischen Achtzehnjahrhunderter« und zu selbstherrlichem Sich-Erheben über deren »Brotleben«, wie es die Metapher von Giannozzos Ballonflug ja unvergleichlich deutlich ausdrückt, habe übrigens ein Schriftsteller wie Jean Paul den geringsten Anlaß, der doch am »Treiben der Geschäftsleute«, dem er beiläufig die Annehmlichkeiten seines Daseins verdanke, höchstpersönlich beteiligt sei: »Auch das Bücherschreiben ist ja ein Brotleben geworden, seitdem so manche Schriftsteller, welche allzu faul oder allzu unfähig sind, um ein Amt oder sonst etwas der bürgerlichen Gesellschaft Nützliches zu übernehmen, sich aus Gemächlichkeit dem Studium der Bildung der Menschheit ergeben und es als ein Brotstudium treiben!«[38] Solche Kunstschelte hat ja in Deutschland ihre unrühmliche bis in jüngste Tage anhaltende Tradition. Ihre Anfänge im 18. Jahrhundert sind darum wichtig, weil sie den historischen Punkt bezeichnen, an dem die moderne Literatur aus dem Normensystem der frühbürgerlichen Gemeinschaftskultur heraustritt und sich zum Bewußtsein ihrer Autonomie emanzipiert.

Diese Emanzipation verläuft auf zwei Wegen: die klassische Kunstreligion mit ihrem Sieg des Schönen über die schlechte Wirklichkeit ist der eine davon, der andere die ästhetische Verweigerung im Humor. »Für sich allein würde ein verlassener Mensch auf einer wüsten Insel weder seine Hütte, noch sich selbst ausputzen, oder Blumen aufsuchen, noch weniger sie pflanzen, um sich damit auszuschmükken; sondern nur in Gesellschaft kommt es ihm ein, nicht bloß Mensch, sondern auch nach seiner Art ein feiner Mensch zu sein (der Anfang der Zivilisierung)«[39]. Wenn Kant so das ästhetische Bedürfnis aus der gesellschaftlichen Existenz des Menschen herleitet, erscheint umgekehrt die Vernachlässigung ästhetischer Konventionen im Humor als Verweigerung der gesellschaftlichen Zivilisiertheit: der Humorist stellt sich als zweiter Robinson oder als »Verhängnis im Schlafrock«[40] dar. In diesem Verdikt Nietzsches mag die seiner eigenen heroischen Ästhetik widerstrebende Bürgerlichkeit und Privatheit Jean Pauls mitschwingen; der Skopus des Vorwurfs liegt jedoch im umständlichen Sichgehenlassen des Humoristen, der selbstherrlich jede äußerliche Anforderung ignoriert, jede Anpassung an soziale

---

37 Vorliegende Dokumentation S. 14.
38 Vorliegende Dokumentation S. 49–51.
39 Kant, Kritik der Urteilskraft § 41.
40 Vorliegende Dokumentation S. 214.

Normen verschmäht. »Durch Nachlässigkeit und gleichgültige Hintansetzung der gewöhnlichen Form« sieht das »Berlinische Archiv der Zeit und ihres Geschmakkes [!]« den Verfasser des »Hesperus« charakterisiert. Friedrich Ludwig Wilhelm Meyer, der mutmaßliche Verfasser der Rezension, bringt der Originalität des Humoristen ein gewisses Verständnis entgegen: »Unbekümmert um die Form der Etikette [...] tritt er in die Gesellschaft, und vertrauend auf echte Vorzüge, sagt er sich selbst: man wird mir meine Eigenheiten zu gut halten und mich so verbrauchen, wie ich bin«[41]. Anders das Zentralorgan der Spätaufklärung: »Ein Humorist sein heißt sich alles sehr bequem machen.«[42] Heinrich Julius Ludwig von Rohr bringt solche selbstherrliche Bequemlichkeit bereits ins selbe Bild wie Nietzsche: das des Schlafrocks. »Herr Richter ist bisher beständig vor dem Publikum en negligé erschienen; das fängt an so auszusehen, als glaubte er, es wäre das ganze deutsche Publikum nichts mehr wert.« In aller Freundlichkeit wird der humoristische Autor daran erinnert, »daß der Schlafrock und besonders die Nachtmütze durch langen Gebrauch etwas unscheinbar zu werden anfängt und also wenigstens wohl einmal könnte ausgewaschen werden!«[43]

Aus dem selben Jahr wird über Jean Pauls ungeniertes Auftreten in Meiningen berichtet: »diesen selbst traf man in einen Schlafrock gehüllt, dessen bessere Tage längst zu den gewesenen zählten, und selbst der Unmut der geliebten Frau, die längst für einen neuen und elegantern gesorgt, konnte ihn nicht bewegen, den altgewohnten in den wohlverdienten Ruhestand zu versetzen und sich selbst mit der Pracht des neu angeschafften zu schmücken«[44]. Überhaupt ist uns die äußere Gestalt Jean Pauls höchst nachlässig bekleidet überliefert: in verschlissenem Flausrock mit ausgebeulten Taschen und unvollständigem Knopfbesatz, ohne oder in nicht eben reinlicher Weste und mit offenem Hemdskragen steht sie vor uns. Die Authentizität der zeitgenössischen Anekdoten mag hier ebenso undiskutiert bleiben wie die Frage, welche Rolle beengte Verhältnisse, jugendliches Protestverhalten oder antihöfische bzw. antiöffentliche Affekte bei einem solchen Habitus spielen. Entscheidend ist die wirkungsgeschichtliche Brisanz dieser Tradition vor dem Hintergrund der Überlegung, wieweit solche Reflexe der Persönlichkeit Jean Pauls schon durch eine bestimmte Interpretation seines Werks ferngesteuert sind. Daß genau dies der Fall ist, daß der Formverstoß Jean-Paulscher Prosa umgedeutet wird in einen nachlässig bekleideten Autor, über den man sich dann Anekdoten erzählen kann, die eigentlich nur eine verhüllte Kritik seines Werks darstellen, verraten zwei Äußerungen aus Kreisen, die man zunächst nicht Merkelscher Borniertheit verdächtigen würde. Für Theodor Mundt sind Jean Pauls Kleidung und seine Ästhetik zwei Seiten ein und derselben Medaille: »Auf die Jean-Paulschen Kunstformen ist mir immer der merkwürdige Umstand anwendbar erschienen, welchen der Dichter einmal von einer Gewohnheit an seiner eigenen Person anführt. Jean Paul trug nämlich keine *Hosenträger*, und legte deren, laut seiner Selbstbiographie, zuerst in

---

41 Berlinisches Archiv der Zeit und ihres Geschmackes Oktober 1795, S. 336–338.
42 Neue allgemeine deutsche Bibliothek 96 (1805), S. 208.
43 Vorliegende Dokumentation S. 47.
44 Jean Pauls Persönlichkeit S. 78, Nr. 138.

seinem *einundvierzigsten* Jahre an. Nun läßt sich ohne große Paradoxie behaupten, daß, bei der eigentümlichen Bewandtnis der modernen Kleidung, ein Mensch, der ohne jene Träger sich zu behelfen vermag, keinen Sinn für Kunstformen, wenigstens nicht für die eigene plastische Hervorbringung derselben haben kann. Es setzt dies einen schlampigen Zustand voraus, der die innere Fähigkeit, etwas Kunstmäßiges zu gliedern, notwendig beeinträchtigen muß.«[45] Wie ein aphoristisches Resümee unserer Betrachtungen über die Geschmacklosigkeit als Produkt des historischen Widerspruchs zwischen dem Autonomieanspruch des Humors und dem gesellschaftlichen Kunstverständnis der Aufklärung, die hier fast schon zu einer Ästhetik der Herrenkonfektion abzugleiten drohen, liest sich ein Brief Rahel Levins vom Mai 1800. Kurz vor ihrer ersten persönlichen Begegnung mit Jean Paul schreibt Rahel: »Ich muß mir den Richter immer schmutzig denken! – weil er keinen Geschmack hat«[46].

Einem gesellschaftsbezogenen Literaturverständnis wie dem der Aufklärung ist Wirkungsintentionalität selbstverständlich: der Leserbezug wird stets mitreflektiert. Gerade auf die scheinbare Mißachtung des Lesers im Autonomieanspruch des »Titan«-Autors reagiert die »Neue allgemeine deutsche Bibliothek« ja so allergisch: sie kontert auf der gleichen Ebene, nämlich mit der Drohung des Leserschwunds, und hat im jähen Sturz Giannozzos (den sie ja ohnehin mit dem Autor identifiziert) schon das passende Bild vor Augen[47]. Wegen Mißhandlung des Lesers ist Jean Paul von Anfang an verklagt worden: schon Knigge schimpft das Lesen der »Unsichtbaren Loge« eine »peinliche Arbeit« – Vischer wird ein gutes halbes Jahrhundert später über die »Pferdearbeit« stöhnen, die es bedeute, einen Jean Paul zu lesen[48], und damit einer Vielzahl Jean-Paul-geschädigter Leser und Kritiker das autoritative Zitat zur nichtdiskriminierenden Äußerung eigener Beschwerden an die Hand geben. Hauptstein des Anstoßes damals wie heute ist der gelehrte Witz Jean Pauls: »Was denkt sich endlich der Verfasser, daß er den Stoff zu seinen witzigen Gedanken von allen vier Enden der Welt, aus allen drei Reichen der Natur, Physik und Chemie zusammentreibt, und jeden Leser, der nicht ausgebreitete Erudition besitzet, eine Reihe von philosophischen, physischen, historischen Diktionären an der Hand zu haben nötigt, um seine Anspielungen zu verstehen? Rechnet er die Verlegenheit von Frauenzimmern, erst Männer um die Erklärung vieler Stellen befragen zu müssen, und die noch größere Verlegenheit von Männern, diese Erklärung nicht geben zu können, für nichts?«[49] Die präzise Reaktion

---

45 Theodor Mundt, Geschichte der Literatur der Gegenwart. Vorlesungen. Berlin 1842, S. 95 f.
46 Rahel Varnhagen im Umgang mit ihren Freunden (Briefe 1793–1833). Hg. von Friedhelm Kemp. München 1967, S. 103.
47 Neue allgemeine deutsche Bibliothek 64 (1800), S. 89: »Es wäre freilich möglich, daß Jean Pauls schriftstellerische Laufbahn, welche einer Luftschiffahrt aufs Geratewohl so sehr gleichet, auch ein trauriges Ende nähme.« Ähnlich vorliegende Dokumentation S. 48.
48 Vorliegende Dokumentation S. 203 f.; Friedrich Theodor Vischer, Aesthetik oder Wissenschaft des Schönen. Zum Gebrauche für Vorlesungen. Th. I–III,1 Reutlingen-Leipzig 1846–1851. Th. III,2 Stuttgart 1852–1857, Bd. 2, S. 516 (§ 480 E).
49 Vorliegende Dokumentation S. 12.

auf diese Notlage war Reinholds immerhin zweimal aufgelegtes Lexikon zur »Levana«, im vollständigen Wortlaut des Titels: »Wörterbuch zu Jean Pauls Schriften, oder Erklärung aller in dessen Schriften vorkommenden fremden Wörter und ungewöhnlichen Redensarten; nebst kurzen historischen Notizen von den angeführten Personen aus der Geschichte usw. und faßlicher Verdeutlichung der schwierigsten Stellen im Zusammenhange. Ein nothwendiges Hülfsbuch für alle, welche jene Schriften mit Nutzen lesen wollen. Erstes Bändchen, die Levana enthaltend«[50].

Eine Schrift über Kindererziehung muß natürlich auch von Frauen vollständig verstanden werden können. Nun gehört es aber zu den Paradoxien der Wirkungsgeschichte Jean Pauls und zu den Aporien der aufklärerischen Jean-Paul-Kritik, daß die beim Verständnis Jean-Paulscher Texte scheinbar so benachteiligten Frauen von Anfang an zu seinen enthusiastischsten Verehrern gehörten und eigentlich erst die Jean-Paul-Mode der neunziger Jahre ermöglicht haben. Die »hundert schönen Enthusiastinnen« und »witzig sein wollenden Weiblein« (beide Formulierungen natürlich aus der Perspektive von Nicolais Zeitschrift[51]) werden sich beim Lesen ihres Lieblingsautors wohl kaum ausschließlich auf die sentimentalen Partien beschränkt haben, wie Jean Paul zu unterstellen scheint, wenn er bei der Gliederung seiner Schriften von der Fiktion eines pluralistischen Leseangebots ausgeht: dem »Mußteil für Mädchen« »Jus-de-tablettes für Mannspersonen« gegenübergestellt und dem grotesk-komischen »Komet« gefühlvolle »Ausschweife für Leserinnen« anhängt. Oder wenn er annimmt, daß eine Leserin nur den ersten Teil des »Kampaner Tals« (den idealischen Disput über Tod und Unsterblichkeit) und nicht die satirische »Erklärung der Holzschnitte« haben binden lassen[52]. Rationalistische Literaturkritik versucht, das verwirrende Rezeptionsphänomen durch die Unterscheidung zwischen Begeisterung, die auch pejorativ zur Berauschung verfärbt werden kann[53], und Verständnis zu entschärfen. Auf dieser Grundlage errichtet noch 1833 ein später Verfechter ihrer Prinzipien patriarchalische Grenzpfähle im Terrain der schönen Literatur: »Richter gehört, was freilich am wenigsten manche Frauen zugestehen werden, zu denjenigen Dichtern, welche strenggenommen nur Gelehrte, und unter diesen selbst nicht alle, vollkommen verstehen. Denn daß eine bei dem Lesen dieser Stelle in Tränen zerfließt, bei dem Lesen jene[r] aber vor Lachen aus der Haut fahren möchte, – Wirkungen, die wie bekannt Richters Schriften häufig hervorbringen – beweiset noch lange nicht, daß die Tränende oder Lachende den Dichter vollkommen verstanden habe.«[54] Charmanter, aber in der Sache nicht anders verlaufen die »Zwei Gespräche über Jean Paul«, die die »Zeitung für die elegante Welt« 1808 abdruckt: eine Dame bekehrt einen Herrn zur Lektüre Jean Pauls, um schließlich von ihm belehrt zu werden, daß die schwerver-

50 Leipzig 1808. – 2. Aufl.: Wörterbuch zu Jean Pauls Levana. Leipzig 1811.
51 Vorliegende Dokumentation S. 36.
   Neue allgemeine deutsche Bibliothek 104 (1805), S. 374.
52 »Sie leugnete es nicht«: Jean Pauls Persönlichkeit S. 26, Nr. 40.
53 Merkel: »berauschen lasse ich mich nun einmal nicht« (vorliegende Dokumentation S. 36).
54 Ergänzungsblätter zur [Halleschen] Allgemeinen Literatur-Zeitung Juni 1833, Nr. 53, Sp. 417.

ständlichen Ausdrücke, über die sie bis dahin hinweggelesen hat, Jean Paul eigentlich zu einer reinen Männer- oder Gelehrtenlektüre machen. Erstaunt darf »Sie« am Schluß gestehen, eine »ganz andre Idee« von Jean Paul erhalten zu haben: »ich sehe ganz klar, daß in ihm noch tausend Schätze verborgen liegen, die ich unwissendes Weib vorher nicht ahndete«[55].

Die Gegenversion liefert wiederum Reinhold, den wir schon in Fragen der Geschmacksästhetik als Antipoden aufklärerischer Jean-Paul-Kritik kennengelernt haben. Bei ihm ist es eine geistreiche Dame, die vor zahlreicher Gesellschaft einem bekannten Gelehrten zum rechten Verständnis dunkler Jean-Paul-Stellen verhilft. Seine »wahre Anekdote« soll lehren, »daß man auch ein für das hohe Schöne empfängliches Gemüt mit hinzubringen müsse«[56]. Von hier ist es nicht mehr weit zur These, die ein anonymer Beitrag der »Aurora« von 1804 (T 23) vertritt: »Jean Paul ist bloß ein Schriftsteller für Verliebte«[57]. Und von dort nicht mehr weit zum »Herzensjeanpaul« des Biedermeier.

Klassischer und romantischer Horizont: Formlosigkeit und Universalität

Emil Staigers kritische Zergliederung des »Titan« von 1943 (T 73) gipfelt in der These: mit seinem Bestreben zur Auflösung aller festen Umrisse versündige sich Jean Paul am Medium der Sprache. »Man möchte drum sagen, er habe ein falsches Medium seines Werks gewählt; das richtige wäre die Musik, die Kunst der reinen Phantasie.«[58] Hundert Jahre zuvor hatte Gervinus erklärt: »War Goethe vielleicht mehr zum plastischen Künstler geschaffen, so war es Jean Paul seiner ganzen geistigen Erscheinung nach zum Musiker.«[59] Wo immer das Fehlen fester Kontur und klarer Prägung bei Jean Paul festgestellt wird, liegt die Folie der Goetheschen Klassik zugrunde. Eine Folie, die fast stets normative Geltung beansprucht und zur kritischen Abwertung Jean Pauls führt. Wir hören die Rede eines Schulmanns zum 100. Geburtstag Jean Pauls 1863: »Zum Dichter fehlte Jean Paul jene plastische, formende Schöpferkraft, die uns nötigt, über der Dichtung des Dichters zu vergessen, in deren Gebilden wir selbständige Wesen voll wirklicher Lebensfähigkeit und Lebenskraft erblicken, nicht aber bloß die immer wiederkehrenden Spiegelbilder von dem eigenen Leben des Dichters, ob sie auch den Schmuck kaleidoskopischer Mannigfaltigkeit an sich tragen.«[60] Verständlich, daß man einen so sehr vom Ideal-

55 Zeitung für die elegante Welt 23. 7. 1808, Nr. 120, Sp. 958.
56 Vorliegende Dokumentation S. 68.
57 Vorliegende Dokumentation S. 55.
58 Vorliegende Dokumentation S. 284.
59 Georg Gottfried Gervinus, Geschichte der poetischen National-Literatur der Deutschen, Theil 5. Von Goethe's Jugend bis zur Zeit der Befreiungskriege. Leipzig 1842 = Gervinus, Historische Schriften, Bd. 6, S. 233.
60 Paul Möbius, Erinnerungen eines Schulmanns aus den letzten fünfundzwanzig Jahren. Leipzig 1878, S. 77.

bild deutscher Klassik abstechenden Autor vier Jahre nach Schillers die ganze Nation mobilisierendem Jubelfest kaum zu feiern wagte.

Die Fixierung auf klassische Kunstform, seit Gervinus' Inthronisation des klassischen Doppeldenkmals Barriere jeder Jean-Paul-Rezeption, konnte für die meisten zeitgenössischen Leser kein Problem sein, da sie ja selber erst die Herausbildung des klassischen Kunstprogramms gleichzeitig mit Jean Pauls großen Erfolgen erlebten. In der Tat hat sich der aufklärerische Erwartungshorizont als vergleichsweise offen für die lockere Kompositionsweise der Jean-Paulschen Romane erwiesen. Die frühesten Rezensionen, in denen Jean Pauls Werke rigoros mit der klassizistischen Elle gemessen werden, sind Franz Horns Besprechungen des »Titan« und der »Flegeljahre« in der »Allgemeinen Literatur-Zeitung« von 1804[61]. Vorher verraten schon Jens Baggesens Briefe über den »Titan« eine ähnliche Perspektive: seine Klage über mangelnde »plastische Kunst« und ein gefährliches Übergewicht der »Zentrifugalkraft« über die »Zentripetalkraft« mündet in den Wunsch, Jean Paul möge ein Jahr lang gar nichts schreiben und nur Homer, Platon, Sophokles und (»besonders dreimal hintereinander«) Lessings »Laokoon« lesen: »Es ist doch traurig, daß ich, trotz der unsäglichen Wonne, womit ich die Tropfen und Tränen und Blumen und Strahlen und Blitze des höchsten Himmels in seinen erd- und höllemischenden chaotischen Schriften gesammelt, geschlürft und genossen habe – am Ende, beim Lesen der einzigen Episode von Dido des Virgilschen Gedichts, mir sagen muß: du hättest dieses kleine vollendete Meisterstück doch lieber geschrieben als alle Jean Pauls ungeheure genialische Werke.«[62] Fernab von der literarischen Szene, auf der Horn und Baggesen ihre Rolle spielen, beschreibt die knapp zwanzigjährige Maria Mnioch »Zerstreute Blätter«, die beim posthumen Erscheinen 1798 Herders wärmsten Beifall finden sollten. Ihre von klassizistischen Wertungen freie Vergleichung Goethes und Jean Pauls (T 8) stellt in intuitiver Spontaneität jene polare Sehweise her, deren kanonische Geltung im 19. und 20. Jahrhundert des Ergebnis eines vielschichtigen wirkungsgeschichtlichen Prozesses ist.

Eine entscheidende Station dieses Prozesses war Jean Pauls Weimar-Reise von 1796. War sie als Versuch zur Annäherung an Goethe und Schiller gedacht, so konnte dieser Versuch nicht gründlicher mißlingen. Jean Pauls Bindung an den mit Klassik und Frühromantik zerfallenen Herder vollendete seine einzelgängerische Isolation. Die bald nach der Rückkehr nach Hof verfaßte »Geschichte meiner Vorrede zur zweiten Auflage des Quintus Fixlein« (1797) bezichtigt den Weimarer Formenkult offen inhumaner Tendenzen; ihre zugleich auf den jungen Friedrich Schlegel zielenden Ausfälle gegen die Gräkomanie werden in den »Palingenesien« (1798) erneuert. Die bei der 2. Auflage des »Hesperus« eingefügte Vorrede zum 4. Heftlein (1798) mußte mit ihrem nachdrücklichen Bekenntnis zur Manier – auch Homer und Goethe hätten eine – die Diskrepanz zu letzterem noch vergrößern,

61 Allgemeine Literatur-Zeitung (Halle) 14. 3. 1804, Nr. 79/80, Sp. 625–629. 633–640 u. ebenda 18. 9. 1804, Nr. 268, Sp. 585–588. Wiederabgedruckt: JbJPG 13 (1978), S. 28–36. 36–40.
62 An Jacobi 14. u. 28. 6. 1800. In: Aus Jens Baggesens Briefwechsel mit K. L. Reinhold u. Fr. H. Jacobi. Leipzig 1831, S. 316 u. 318.

der in seinem programmatischen Aufsatz von 1788 die subjektive Manier eindeutig der idealen Objektivität des Stils untergeordnet hatte und sich beispielsweise im Briefwechsel mit Schiller darüber erfreut zeigte, »daß wir immer mehr die Manier los werden und ins allgemeine Gute übergehen«[63].

Dabei hatten Goethe und Schiller 1795 den »Hesperus« als »Tragelaphen von der ersten Sorte«[64] durchaus wohlwollend aufgenommen und 1796 zunächst sogar eine mögliche Zusammenarbeit mit Jean Paul erwogen, von der sie sich eine »Reinigung seines Geschmacks« versprochen haben mögen (»Es scheint leider, daß er selbst die beste Gesellschaft ist, mit der er umgeht«, äußert Goethe[65] ganz im Sinne der aufklärerischen Verbindung von Geschmack und Soziabilität). Jean Pauls Koalition mit Herder bringt jedoch die schnelle Wende: in den »Xenien« dient er gleich fünfmal als Zielscheibe literaturkritischer Polemik[66]. Folgenreich hat sich vor allem seine Denunziation als Verschwender erwiesen: »Hieltest du deinen Reichtum nur halb so zu Rate wie jener [d. i. Manso] / Seine Armut, du wärst unsrer Bewunderung wert.« Das Motiv mangelnder poetischer Ökonomie, aus den »Xenien« sogleich in Briefe Lichtenbergs und Jacobis übernommen[67], gehört seitdem zum Standardinventar von Jean-Paul-Rezensionen und -Würdigungen; nur Börnes Bild von Jean Paul an der Pforte des 20. Jahrhunderts hat in ähnlich verheerender Weise zum gedankenlosen Nachsagen verführt. Denn der Vorwurf der Xenie erhält sein eigentümliches Gewicht doch erst vor dem Hintergrund der klassischen Poetik, deren organologischem Denken sich jeder Formverstoß als pathologischer Auswuchs darstellen mußte, dem nur durch Anbindung an die Harmonie antiker Kunst vorzubeugen sei: »Künstler! zeiget nur den Augen / Farben-Fülle, reines Rund! / Was den Seelen möge taugen, / Seid gesund und wirkt gesund.«[68] Jean Pauls Affront gegen solche humanistische »Kultur-Hygiene«[69] findet sein einprägsamstes Bild in Goethes Gedicht »Der Chinese in Rom« (1796), dessen äußerer Anlaß (eine Indiskretion Knebels, ein Mißverständnis Goethes) hier gleichgültig ist:

Einen Chinesen sah ich in Rom: die gesamten Gebäude
Alter und neuerer Zeit schienen ihm lästig und schwer.

63 An Schiller 26. 12. 1795.
64 An Schiller 10. 6. 1795 (vgl. Schiller an Goethe 12. 6. u. Goethe an Schiller 18. 6. 1795).
65 An Schiller 18. 6. 1795.
66 In der Zählung der Weimarer Ausgabe und mit den Daten der Erstveröffentlichung: Xenien 41 u. 276 (1797) u. Xenien aus dem Nachlaß 84 u. 87 (1893) sowie 157 (1856). Hier zitiert: Xenie 41 u. N. 87 (HA Bd. 1, S. 210 u. 233) sowie unten (»Fratzen«) Xenie aus dem Nachlaß 84.
67 Vgl. Jacobi an Dohm 13. 12. 1797: »Die Natur scheint alle ihre Gaben an ihn verschwendet zu haben, er aber ein schlechter Wirtschafter zu sein« (Aus F.H. Jacobi's Nachlaß. Ungedruckte Briefe von u. an Jacobi u.a. Hg. von R. Zoeppritz. Bd. 1.2. Leipzig 1869, Bd. 1, S. 199) u. Lichtenberg an Benzenberg Juli 1798: »er weiß seinen Reichtum nicht immer mit Geschmack anzuwenden« (Georg Christoph Lichtenberg, Schriften u. Briefe. Hg. von Wolfgang Promies, Bd. 4. Briefe. München 1967, S. 988).
68 HA Bd. 1, S. 327.
69 Nach Schadewaldt im Nachwort zu: Ernst Grumach, Goethe und die Antike. Eine Sammlung. Bd. 1.2. Potsdam 1949, Bd. 2, S. 1048.

»Ach!« so seufzt' er, »die Armen! ich hoffe, sie sollen begreifen,
 Wie erst Säulchen von Holz tragen des Daches Gezelt,
Daß an Latten und Pappen, Geschnitz und bunter Vergoldung
 Sich des gebildeten Augs feinerer Sinn nur erfreut.«
Siehe, da glaubt' ich im Bilde so manchen Schwärmer zu schauen,
 Der sein luftig Gespinst mit der soliden Natur
Ewigem Teppich vergleicht, den echten reinen Gesunden
 Krank nennt, daß ja nur Er heiße, der Kranke, gesund.[70]

»Wenn Goethe einen recht lächerlichen Widerspruch ersinnen wollte, so war es freilich der heut vom Reisenden so oft und mit Ekel beobachtete: ein gelber Beschauer vor antiken Trümmern.«[71] Kommerells rassistische Aktualisierung tut Goethes Gedicht so Unrecht nicht. In der Tat erscheint der asiatische Fremde hier ja als Metapher krankhafter Entartung gegenüber der normativen Gesundheit antiker Überlieferung. Und Jean Paul gehört die zweifelhafte Ehre, als erster unter Goethes literarischen Gegnern die Metapher der Krankheit ausgelöst zu haben – Jahre bevor sich Goethe in seinen langanhaltenden Kampf gegen »die falschen, krankhaften und im tiefsten Grunde heuchlerischen Maximen« der Romantiker verwickelte, der dann auf die simple Formel hinausläuft: »Klassisch ist das Gesunde, romantisch das Kranke.«[72] Die Anwendung der Krankheitsmetapher auf den geistigen Bereich hat sich in den letzten zweihundert Jahren als Ideologem äußerster Durchschlagskraft erwiesen[73]. Sie ist in Deutschland entscheidend durch Goethe geprägt worden; so bedient sich z. B. die Fraktion des Poetischen Realismus in ihren Abgrenzungsbemühungen von der Vormärzliteratur des Goetheschen Argumentationsmusters mit einer Hartnäckigkeit, die Gutzkows (des Selbst-Betroffenen) gereizten Spott hervorruft: »Man liest soviel Rühmens und Preisens über Schriftsteller, die man ›gesunde Naturen‹ nennt. Wer gesund ist, kann von Glück sagen. Ein Verdienst ist es eben nicht.«[74]

Goethes Krankheitsvorwurf gegenüber Jean Paul ist doppelt motiviert. Der realistischen Ausrichtung seiner Poetik galt »solide Natur« als Voraussetzung gesunder Dichtung. An eben jener aber schien es dem Autodidakten aus der Provinz zu mangeln. »Richter in London – was wär' er geworden! Doch Richter in Hof ist / Halb nur gebildet, ein Mann, dessen Talent euch ergötzt.« Wie ein Kommentar zu

70 HA Bd. 1, S. 206.
71 Max Kommerell, Der Dichter als Führer in der deutschen Klassik. Klopstock – Herder – Goethe – Schiller – Jean Paul – Hölderlin. Berlin 1928, S. 378.
72 An Rochlitz 1. 6. 1817 u. HA Bd. 12, S. 487. Vgl. zu Eckermann 2. u. 5. 4. 1829 u. Gertrud Hager, Gesund bei Goethe. Eine Wortmonographie. Berlin 1955 = Veröffentlichungen des Instituts für Deutsche Sprache und Literatur 5. Der zeitliche Vorlauf der Jean-Paul-Kritik Goethes vor seinem Kampf gegen die romantische Kunstrichtung wird von Hager übersehen.
73 Vgl. Susan Sontag, Krankheit als Metapher. München 1978 = Reihe Hanser 162; Clemens Heselhaus, Die Metaphorik der Krankheit. In: Die nicht mehr schönen Künste. Grenzphänomene des Ästhetischen. München 1968 = Poetik und Hermeneutik III, S. 407–434.
74 Unterhaltungen am häuslichen Herd 2 (1854), S. 80.

dieser mit säkularer Verzögerung edierten Xenie liest sich Goethes Äußerung über »welthistorische Gegenstände in Bezug auf die Poesie«: »Die englische Geschichte ist vortrefflich zu poetischer Darstellung, weil sie etwas Tüchtiges, Gesundes [!] und daher Allgemeines ist«[75]. Wo kein großer Gegenstand dem Dichter Objektivität abnötigt, droht dagegen das Überwuchern der Innen- über die Außenwelt. So die eine von zwei Möglichkeiten zur Erklärung des Subjektivismus, die Schiller ins Auge faßt: »Ich möchte wissen, ob diese Schmid, diese Richter, diese Hölderlins absolut und unter allen Umständen so subjektivisch, so überspannt, so einseitig geblieben wären, ob es an etwas Primitivem liegt, oder nur der Mangel einer ästhetischen Nahrung und Einwirkung von außen und die Opposition der empirischen Welt, in der sie leben, gegen ihren idealischen Hang diese unglückliche Wirkung hervorgebracht hat.«[76]

Wenn Schiller hier geneigt ist, das letztere zu glauben, so weist die Beschreibung seines ersten persönlichen Eindrucks von Jean Paul eher in Richtung eines »Primitiven«, einer ursprünglichen Anlage, und präludiert der geistesgeschichtlichen Anschauung Kommerells, der Jean Paul in Weimar mit Sokrates in Athen vergleicht: die zutiefst innerliche Natur ins Zentrum der Sinnenkultur verschlagen. »Ich habe ihn ziemlich gefunden, wie ich ihn erwartete; fremd wie einer, der aus dem Mond gefallen ist, voll guten Willens und herzlich geneigt, die Dinge außer sich zu sehen, nur nicht mit dem Organ, womit man sieht.«[77] Kein schärferer Gegensatz ist denkbar zu Goethe, dem sich Schiller gerade wegen seines »beobachtenden Blicks« zuwendet, »der so still und rein auf den Dingen ruht«[78], und nicht zufällig bedient sich Emil Staigers Goethe-Biographie gerade der Kontrastfolie Jean Paul, um das systematische Sehtraining des Italienreisenden als Streben um klassische Objektivität zu charakterisieren[79]. Goethes »Übung alle Dinge, wie sie sind, zu sehen«, seine »Treue, das Auge licht sein zu lassen«[80], beruht auf dem unverbrüchlichen Glauben an eine den Dingen innewohnende Harmonie oder Gesundheit. Wer wie Jean Paul »Fratzen« sieht, ist selber schuld: »Die klare Welt bleibt klare Welt: / Im Auge nur ist's schlecht bestellt.«[81] In der Pathologie seiner Optik liegt neben dem Mangel an »solider Natur« der zweite und gewichtigere Grund für Goethes Anwendung der Krankheitsmetapher auf Jean Paul. Der Chinese in Rom ist diese Metapher nicht mehr losgeworden. Selbst Verehrer wie Friedrich Theodor Vischer werden fortab vom »krankhaft erweiterten Herzen« Jean Pauls sprechen[82]. Der Erzähler der »Unsichtbaren Loge«, der sich ja selbst, getreu seinem Vorbild Sterne, mit tausend Krankheiten geschlagen glaubt, hätte sich nie träumen lassen, in welchem Ausmaß die Geschichte seiner Wirkung vom Motiv der Krankheit beherrscht werden sollte. Bekannte Leser wie der schon

75 Zu Eckermann 11. 6. 1825.
76 An Goethe 17. 8. 1797.
77 An Goethe 28. 6. 1796.
78 An Goethe 23. 8. 1794.
79 Vgl. Emil Staiger, Goethe. Bd. 2: 1786–1814. 3. Aufl. Zürich 1962, S. 11–17.
80 An Herder 10. 11. 1786.
81 Goethes Werke. Weimarer Ausgabe. 143 Bde. Weimar 1887–1919, Abt. I, Bd. 3, S. 352.
82 Vorliegende Dokumentation S. 202.

genannte Meusebach, Adolf Pichler und Gerhart Hauptmann erleben ihre erste und wichtigste Begegnung mit Jean Paul auf dem Krankenlager; nach ihrer Gesundung distanzieren sie sich z. T. wieder von ihm. Daß Krankheit für Jean Paul empfänglich stimme, ist auch die implizite These von Hesses »Kurgast« (erschienen im Jean-Paul-Jahr 1925): indem sie mit fortschreitender Gesundung des Tagebuch-Ichs die Anleihen bei Jean Paul zurücknimmt, denunziert noch die liebevolle Nachahmung den humoristischen Autor als pathologisch.

Friedrich Bouterwek, der Göttinger Philosoph und Ästhetiker, wendet sich 1798 degoutiert von der chaotischen Manier des »Kampaner Tals« ab (T 12). In der »Levana«-Rezension von 1806[82a] differenziert er seine Kritik durch die Suche nach historischen Parallelen; die Heranziehung manieristischer Strömungen wie Preziösentum und Marinismus bezeugt den Abstand des 19. Jahrhunderts von der pauschalen Diffamierung des Barock in der Aufklärung und zugleich seinen charakteristischen Hauptzug: den, zumal in Göttingen, heraufziehenden Historismus. Ähnlich kommt Goethe zwei Jahrzehnte nach seinem polemischen Gedicht auf ein dort durch die diskriminierende Schlußwendung gewaltsam unterdrücktes Element zurück: den im Vergleich Jean Pauls mit einem Chinesen angelegten Keim einer historisch-komparatistisch verfahrenden Stilkritik. Angeregt durch eine Bemerkung des Orientalisten von Hammer, begreift Goethe nun in der »Vergleichung« des »West-östlichen Divan« (T 31) Jean Pauls alles und jedes miteinander verknüpfende Erzähltechnik als »eigentlichst orientalische Weise«. Der Krankheitsvorwurf von 1796 wird in aller Form zurückgenommen, wenn Goethe die eigentümlichen Resultate des Jean-Paulschen Verfahrens mit der Vertracktheit einer verbildeten Welt erklärt, in der die kühne Kombinatorik natürlich nicht die gleichen ursprünglich poetischen Effekte erreichen kann wie bei den persischen Dichtern. Nicht der Humorist ist krank, sondern die Gesellschaft, in und von der er schreibt.

Der außerordentliche Positionswechsel, der zwischen dieser späten und Goethes früheren Stellungnahmen zu Jean Paul liegt, ist nicht primär durch ein gewandeltes Verhältnis zu Jean Paul etwa aufgrund erneuter Lektüre oder der Lektüre neuer Schriften zu erklären (Goethes vielzitiertes Lob eines Teils der »Levana« bleibt doch recht peripher), sondern allein aus jener allgemeinen auch den Denker Goethe erfassenden Umorientierung, die am einfachsten als Sieg des Geistes der Romantik bezeichnet wird. Der Romantik gehört die historische Denkrichtung, die die späten Urteile selbst der Romantik-Gegner Bouterwek und Goethe beeinflußt; die Besonderheit ihrer Jean-Paul-Rezeption läßt sich daher nicht treffender charakterisieren als mit dem von ihr für ihn gefundenen Bild der alten Stadt. In seiner großen enthusiastischen Würdigung (T 28) bringt Görres Jean Pauls angebliche Verstöße gegen den guten Geschmack in folgendes Bild: »Aus Rümpfen und Säulen und Köpfen und Basreliefen hat er wohl einmal Mauern aufgebaut, und hinwiederum wie die Ägyptier aus alten Wandstücken Bilder ausgehauen und die uralten Hieroglyphen, womit sie beschrieben sind, nicht ausgelöscht, ehe er die seinigen darauf

82a Göttingische Anzeigen von gelehrten Sachen 27. 12. 1806, Nr. 207, S. 2057 ff.

getragen«[83]. In genau dem gleichen Sinn schreibt schon 1797 Baggesen an Erhard: Jean Paul »sieht als Schriftsteller aus, wie eine Sammlung aus allen Trümmern Babylons, Persepolis', Roms und Nürnbergs, auf *einem* Platz auf gut Glück untereinander zusammengehäuft, – als Stadt aussehen würde; hat also freilich nicht die entfernteste Ähnlichkeit mit den Mannheims, Karlsruhen, Petersburgen und Washingtons, die unsre neueren geschmackvollen Schriftsteller in ihren Werken aufgeführt haben, allein in seinem wunderbaren neuen Hierusalem kommen auch Säulen und Portale und Türen und Triumphbogen zum Vorschein, die ich noch in keiner geradlinigten Stadt oder Schrift gesehen habe – und so wahr es ist, daß er der *verruchteste* und *gottloseste* aller gotischen Schriftsteller ist und von jedem Grammatiker eine derbe Ohrfeige für jedes Blatt verdiente, so gewiß ist es auch, daß er der *göttlichste* unter allen ist, und von jedem Dichtergefühl einen Lorbeerkranz für jede Seite haben sollte.«[84] Mit außerordentlicher Treffsicherheit wird hier das ästhetische Ordnungsbedürfnis des 18. Jahrhunderts mit der Einheitlichkeit und Systematisierbarkeit absolutistischer und bürgerlicher Architektur identifiziert; wie das historisch gewachsene Wirrwarr orientalischer bzw. mediterraner Metropolen oder des altdeutschen Nürnberg der geplanten Dürftigkeit moderner Reißbrettstädte an geschichtlicher Substanz überlegen ist, so der polyperspektivische Stil Jean Pauls den Forderungen des aufklärerischen Geschmacks[84a]. Das ihn auszeichnende Plus an Lebenssubstanz geht über das Historische hinaus ins Sakrale: die Hieroglyphen seines Jerusalems bezeugen die religiöse Inspiration des Dichters. – Schade, daß Jean Paul in seinen »Fata und Werken vor und in Nürnberg« (Untertitel der »Palingenesien«) zwar die Monotonie des »geradlinigten« Erlangen beklagt und sich dabei pikanterweise gerade auf Baggesens »Labyrinth« beruft[85], aber in seiner Nürnberg-Beschreibung so wenig von dem romantischen Geist verspüren läßt, der in Tiecks »Sternbald« die Dürer-Stadt umweht. So findet die Romantik nur in seiner Form ihr Nürnberg-Bild wieder.

»Sein Schmuck besteht in bleiernen Arabesken im Nürnberger Styl.«[86] Nur

83 Vorliegende Dokumentation S. 90.
84 An Erhard 17. 5. 1797. In: Denkwürdigkeiten des Philosophen und Arztes Johann Benjamin Erhard. Hg. von Karl August Varnhagen von Ense. Stuttgart-Tübingen 1830, S. 435 f.
84a Aus dieser Analogie heraus ist auch Karoline Herders Vergleich des »Hesperus« mit dem Straßburger Münster zu begreifen (mit dem sie zugleich für Herder selbst zu sprechen behauptet): »es geht uns [...] wunderbar damit; das ganze Gebäude ist mit lauter einzelnen Bildern eingelegt – das Gemüt und der Geist verweilen dabei – gerührt, gestärkt, belustigt und erholend; wir möchten das Ganze fassen und sind unwillig, daß wir unter den tausend Empfindungen nicht weiter kommen [...] Wenn Sie das *Münster in Straßburg* gesehen hätten, so würden Sie mich verstehen und mir dieses Gleichnis nicht mißdeuten. Vielleicht ist der Geist jenes Baumeisters in Ihnen wiedergekommen! Und weil wir der steinernen Bilder nicht so nötig haben als der geistigen, so baut er nun aus andern Materialien der jetzigen Zeit was es bedarf im Geschmack der vorigen« (an Jean Paul 29. 6. 1797. In: Jean Paul und Herder. Der Briefwechsel Jean Pauls und Karoline Richters mit Herder und der Herderschen Familie 1785 bis 1804. Hg. von Paul Stapf. Bern-München 1959, S. 21).
85 Hanser Bd. 4, S. 809 mit Bezug auf: Baggesen oder Das Labyrinth, St. 5 (1795), S. 332 ff.
86 Vorliegende Dokumentation S. 26.

scheinbar faßt dieser Satz aus Friedrich Schlegels berühmtem zwischen polemischem Verriß und zärtlicher Anerkennung schillernden Athenäumsfragment 421 (T 13) Görres' Orientmetapher (die Arabeske als Ornament in maurischer Architektur) und Baggesens Nürnberg-Gleichnis zusammen. Denn Nürnberger Stil heißt hier wohl soviel wie Nürnberger Trichter oder barocke Poetik, und der Begriff der Arabeske, eindeutig negativ gewendet, läßt hier nichts von der zentralen Bedeutung ahnen, die er sonst für die frühromantische Literaturtheorie besitzt. Anders im »Brief über den Roman« (T 16), den Schlegel nach erneuter Lektüre Jean Pauls verfaßt: »Richter hat dadurch bei mir sehr gewonnen«[87]. Der Begriff Arabeske bildet hier Ausgangspunkt und Ziel der Argumentation und Jean Paul sein vorzügliches Demonstrationsobjekt. Der humoristische Roman gewähre den gleichen Genuß wie die »witzigen Spielgemälde [...], die man Arabesken nennt«. Daher kann Antonio (= Friedrich Schlegel) auf Amalias (= Karoline Schlegels) ersten Kritikpunkt an Jean Paul, seine »Romane seien keine Romane, sondern ein buntes Allerlei von kränklichem Witz«, entgegnen: »Das bunte Allerlei von kränklichem Witz gebe ich zu, aber ich nehme es in Schutz und behaupte dreist, daß solche Grotesken« – hier gleichbedeutend mit Arabesken – »und Bekenntnisse noch die einzigen romantischen Erzeugnisse unsers unromantischen Zeitalters sind«[88]. In einer depravierten Zeit kann sich die Arabeske nicht in jener Idealität, in der sie für Schlegel höchstes Ziel der Poesie darstellt, sondern nur als »Naturpoesie« entfalten; in dialektischer Volte begrüßt Schlegel aber gerade diese Anpassung an die Krankheit der Zeit als Chance: »was in so kränklichen Verhältnissen aufgewachsen ist, kann selbst natürlicherweise nicht anders als kränklich sein. Dies halte ich aber, solange die Arabeske kein Kunstwerk, sondern nur ein Naturprodukt ist, eher für einen Vorzug und stelle Richtern also auch darum über Sterne, weil seine Fantasie weit kränklicher, also weit wunderlicher und fantastischer ist.«[89]

Eingangs seiner Erzählung »Das steinerne Herz« (1817), die zahlreiche Anspielungen auf Jean Paul enthält[90], beschreibt E.T.A. Hoffmann den Wohnsitz des Hofrats Reutlinger wie folgt: »Schon von außen findest du das Landhaus auf altertümliche groteske Weise mit bunten gemalten Zieraten geschmückt, du klagst mit Recht über die Geschmacklosigkeit dieser zum Teil widersinnigen Wandgemälde [...] Auf den in Feldern abgeteilten, mit weißem Gipsmarmor bekleideten Wänden erblickest du mit grellen Farben gemalte Arabesken, die in den wunderlichsten Verschlingungen Menschen- und Tiergestalten, Blumen, Früchte, Gesteine darstellen und deren Bedeutung du ohne weitere Verdeutlichung zu ahnen glaubst.« Nach weiteren Beispielen für das »Barocke, Überladene, Grelle, Ge-

87 An Karoline Schlegel 20. 10. 1798. In: Romantiker-Briefe. Hg. von Friedrich Gundelfinger. Jena 1907, S. 242.
88 Vorliegende Dokumentation S. 32.
89 Vorliegende Dokumentation S. 33. Zum Begriff der Arabeske bei Friedrich Schlegel vgl. Karl Konrad Polheim, Die Arabeske. Ansichten und Ideen aus Friedrich Schlegels Poetik. München-Paderborn-Wien 1966 (S. 134–197 über den »Brief über den Roman«).
90 Vgl. Heidi Stromeyer, Jean Paul im Lichte der Kritik. Phil. Diss. Freiburg i. Br. 1952 (Masch.), S. 93–96.

schmacklose dieses Stils« endet die umfangreiche Deskription mit einer Anrede an den Leser mit Phantasie, die zu denken gibt: »Es wird dir so zumute werden, als sei die regellose Willkür nur das kecke Spiel des Meisters mit Gestaltungen, über die er unumschränkt zu herrschen wußte, dann aber, als verkette sich alles zur bittersten Ironie des irdischen Treibens, die nur dem tiefen, aber an einer Todeswunde kränkelnden Gemüt eigen.«[91] Das ist Jean Paul, mit den Augen Friedrich Schlegels von 1800 gesehen: die Arabeske als Phantasie des Leidens.

Amalia tadelt ferner an Jean Paul, »daß er sentimental sei«. Antonio reagiert ähnlich abrupt wie auf ihren ersten Vorwurf: »Wollten die Götter, er wäre es in dem Sinne, wie ich das Wort nehme und es seinem Ursprunge und seiner Natur nach glaube nehmen zu müssen. Denn nach meiner Ansicht und nach meinem Sprachgebrauch ist eben das romantisch, was uns einen sentimentalen Stoff in einer fantastischen Form darstellt«[92]. Auf diese wichtige Definition des Romantischen folgt keine konkrete Anwendung auf Jean Paul, vielmehr werden die das Romantische konstituierenden Elemente in den beiden Begriffsreihen sentimental – Musik – Liebe einerseits, fantastisch – Malerei – Witz andererseits entfaltet, und es bleibt dem Leser überlassen, sich die Frage zu stellen, wieweit Jean Paul dem idealen Anspruch der romantischen Poesie genügt, die Schlegel auch andernorts als Synthese der Pole »Poesie der Liebe« und »Arabeske/Satura des Witzes« bestimmt.

Für den zweiten Pol ist diese Frage weitgehend schon durch den ersten Teil des »Briefs«, und zwar positiv, beantwortet, indem dort ja die arabeske Natur des humoristischen Romans betont wird. Schon das Athenäumsfragment preist den »Adamsbrief des trotzigen, kernigen, prallen, herrlichen Leibgeber« als »humoristischen Dithyrambus« und stellt den »Siebenkäs« als Jean Pauls bestes Werk heraus: »je komischer, je näher dem Bessern; je dithyrambischer und je kleinstädtischer, desto göttlicher: denn seine Ansicht des Kleinstädtischen ist vorzüglich gottesstädtisch«[93]. In der Bevorzugung des »Siebenfromage« (Brentano) sind sich Friedrich Schlegel, die Verfasser der Athenäums-Imitation »Die Eumeniden«, Ludwig Tieck und Ferdinand Solger einig[94]. Keineswegs beruht der Wirkungserfolg des »Siebenkäs«, wie Wolfgang Harich annimmt[95], nur auf dem geschichtsphilosophisch reduzierten Bewußtsein des entpolitisierten Bürgertums im 19. und 20. Jahrhundert; gerade die Generation, die mit dem Bekenntnis zu Fichte und der Französischen Revolution in die literarische Arena trat, zieht die humoristischen Dithyramben Jean Pauls seinen (in der Terminologie Harichs:) heroischen Revolu-

91 E.T.A. Hoffmanns Werke. Hg. von Georg Ellinger. Teil 1–15. München [1912], Teil 3, S. 255f.
92 Vorliegende Dokumentation S. 34.
93 Vorliegende Dokumentation S. 26.
94 Vgl. [Franz Horn u. Adolph Wagner], Die Eumeniden oder Noten zum Text des Zeitalters. Zürich 1801, S. 197; Uwe Schweikert, Jean Paul und Ludwig Tieck. Mit einem ungedruckten Brief Tiecks an Jean Paul. In: JbJPG 8 (1973), S. 23–77, hier: S. 56f.; Solger's nachgelassene Schriften u. Briefwechsel. Hg. von Ludwig Tieck u. Friedrich v. Raumer. Bd. 1.2: Leipzig 1826, Bd. 1, S. 8–11.
95 Wolfgang Harich, Jean Pauls Revolutionsdichtung. Versuch einer neuen Deutung seiner heroischen Romane. Reinbek bei Hamburg 1974 = das neue buch 41, S. 547.

tionsromanen vor und das um eines Prinzips willen, das Harich gerade diesen vorbehalten glaubt: desjenigen der Totalität oder, romantisch gesprochen, der Universalität. Schlegels Begriff der Arabeske ist ganz wesentlich auf die Vorstellung »unendlicher Fülle« hin konzipiert[96]. Solger erscheint der Humor als »ganz universeller Standpunkt der Sinnlichkeit«: »Der Künstler nimmt in der Existenz selbst das Göttliche wahr« – und zwar gerade in ihren allerzeitlichsten und sinnlichsten Ausläufern. Für »diese unerschöpfliche Vollständigkeit des Sinnlichen und ganz Gemeinen« seien eben »Richters Blumenstücke« das beste Beispiel. Überhaupt gilt Solger das »Ausmalen der Einzelnheiten in ihrem Wechsel« als Jean Pauls Stärke; seine Kritik an ihm setzt da ein, wo er – wie auch am Schluß des »Siebenkäs« – »in das fade Idealisieren gerät«, d.h. die Idee jenseits der Realität in einem leeren Begriff statt in der dialektischen Vermittlung mit der mannigfaltigen Wirklichkeit sucht: »ohne die feine Ausarbeitung des sinnlichen Stoffes schwebt der Trieb, der vollkommen angefüllt und gebunden sein soll, unvollendet in der Luft und wird so eine Beute der gemeinen Einbildungskraft, welche sich bestrebt, durch ihn allgemeine und leere Gedanken darzustellen. Dergleichen erleben wir auch zuweilen an Richter, wenn er zu erhaben philosophiert oder schwärmt und eben dadurch ganz in das Unbestimmte und Grundlose gerät.«[97]

Jean Pauls erhabene Schwärmerei, die ihn die eine Bestimmung der romantischen Poesie, die »Arabeske/Satura des Witzes« nur mit Einschränkungen erreichen läßt, läßt ihn die andere, die »Poesie der Liebe«, fast völlig verfehlen. Bei aller Anerkennung musikalischer Kompositionsprinzipien[98] – und zwischen Musik und Liebe hatte Schlegel ja eine enge Verbindung hergestellt – kann die frühromantische Generation nicht übersehen, daß im Stofflichen Jean Pauls Spiritualisierung der Liebe zur Seelenfreundschaft ihrer Philosophie der Wollust als Konzeption einer universellen Erotik konträr zuwiderläuft. Daher der Vorwurf schlechter Sentimentalität – »Seine Madonna ist eine empfindsame Küstersfrau« (Schlegel[99]) – und der Prüderie. Ungebremst durch persönliche Rücksichten, karikiert Ludwig Tieck im »Jüngsten Gericht« (1800) den Freund. Während sich die schamhaften Frauen, die wegen ihrer »unanständigen Scham« verdammt werden, »mit vieler Dezenz« entfernen, tritt dort Jean Paul auf, beklagt mangelnde Motivation und Poesie und läuft »in aller Eile den Prüden nach, die schon weit entfernt waren und von denen er nur die letzte erhaschte. ›Edle reine Seele!‹, rief er aus, ›liesest du noch so fleißig die Rolle der Klotilde?‹«[100] In theoretischer Prosa erheben die Rahmen-

96 Vgl. Polheim, a.a.O. S. 56–62.
97 Karl Wilhelm Ferdinand Solger, Vorlesungen über Ästhetik. Hg. v. Karl Wilhelm Ludwig Heyse. Leipzig 1829. Repr. Darmstadt 1969, S. 215–219 u. ders., Erwin. Vier Gespräche über das Schöne und die Kunst. Hg. von Wolfhart Henckmann. München 1970 = Theorie u. Geschichte der Literatur u. der schönen Künste Bd. 15, S. 353.
98 Vgl. Novalis: »Richter poetisiert musikalische Fantasien« (Novalis, Schriften. Die Werke Friedrich von Hardenbergs. Hg. von Paul Kluckhohn u. Richard Samuel. 2. Aufl. Bd. 1–4. Darmstadt 1960–1975, Bd. 3, S. 320).
99 Vorliegende Dokumentation S. 26.
100 [Ludwig Tieck], Das jüngste Gericht. Eine Vision. In: Poetisches Journal. Hg. von Tieck, Jg. 1, St. 1. Jena 1800, S. 221–246, hier: S. 239.

gespräche des »Phantasus« (1. Band 1812) denselben Vorwurf, daß Jean Paul nämlich »zu prüde« sei: »Ein Autor, der so das Gesamte der Menschennatur, das
Seltsamste, Wildeste und Tollste in seinen humoristischen Ergießungen aussprechen will, darf in diesen Regionen des Witzes und der Laune kein Fremdling sein,
oder aus mißverstandner Moral mit der Unzucht und Unsitte auch die Schalkheit
verachten wollen«[101]. Novalis diagnostiziert beim »züchtigen Richter« geradezu
verdrängte Sexualität, Angst vor der eigenen Phantasie: »denn er ist ausgemacht –
ein geborner Voluptuoso«[102]. Aber nur einer mit »Löchern in der Hose«, wie
Heinrich Heine sagen wird, der dem nackten Sterne den Vorzug gibt[103].

Untrennbar von der Ablehnung der Spiritualisierung der Liebe bei Jean Paul ist
die Kritik seines Frauenbildes. Wer von der Frau die Einlösung der frühromantischen Kunsttheorie erwartet[103a], kann sich in der Tat nicht mit der nebelhaften
Idealität einer Beata, Klotilde oder Natalie zufrieden geben. »Seine Frauen haben
rote Augen und sind Exempel, Gliederfrauen zu psychologischmoralischen Reflexionen über die Weiblichkeit oder über die Schwärmerei.« »Seine Weiber sind
immer einen Zoll über die Liebe erhaben und wachsen über den Helden hinaus wie
die wachsende Jungfrau auf einem Wappen über dem Helm, und um Menschen zu
sein, fehlt ihnen nichts als die erdigten Teile, welche den zarten Gallert ihrer
sublimen Sentimentalität zu einer tüchtigen Faser zusammenarbeiten könnten.« So
Schlegel und Schleiermacher 1798[104]. Das Erscheinen des »Titan« (1800–03) mit
dem über drei Bände hingezogenen Leiden und Sterben Lianes, der ätherischsten
Frauengestalt im ganzen Werk Jean Pauls, mußte erneut den romantischen Protest
hervorrufen. »Der Titan soll Jean Pauls bestes Werk sein? Ich möchte ihn für sein
schlechtestes halten«, erklärt der junge Solger 1803: »Es ist zu verwundern, daß die
Leute in diesem Garten-Eden sich nicht besser befinden. Aber sie sind insgesamt
krank; ja es ist ihr größtes Verdienst, und sie sind ordentlich recht stolz darauf, daß
sie so kränklich sind. Die Gesundheit überlassen sie den Alltagsmenschen, z.B.
Rabetten. Ich bin freilich kein Alban; indessen habe ich doch gewagt mir einmal
recht vorzustellen, ob ich mich wohl in eine solche Liane verlieben könnte. Es wäre
mir nicht möglich.«[105]

Schon wieder der Vorwurf der Krankheit. Freilich hat es hier mit ihm eine
andere Bewandtnis als im Fall von Goethes Kritik an Jean Paul. Denn mit den
Krankheiten und krankhaften Übersteigerungen der »Titan«-Figuren versucht
Jean Paul ja ganz bewußt, – wie Herders es sehen: als »Arzt seiner Zeit«[106] – der

101 Ludwig Tieck, Schriften. Bd. 1–28. Berlin 1828–1854, Bd. 4, S. 112.
102 An Caroline Schlegel 27. 2. 1799. In: Novalis, a.a.O. Bd. 4, S. 280.
103 Vorliegende Dokumentation S. 141.
103a Vgl. Hannelore Schlaffer, Frauen als Einlösung der frühromantischen Kunsttheorie.
In: Jahrbuch der Deutschen Schillergesellschaft 21 (1977), S. 274–296.
104 Vorliegende Dokumentation S. 26; Wilhelm Dilthey, Leben Schleiermachers. Bd. 1.
Berlin 1870, Anhang: Denkmale der inneren Entwicklung Schleiermachers S. 96.
105 Solger's nachgelassene Schriften. A.a.O. S. 92f.
106 Karoline Herder, Erinnerungen aus dem Leben Joh. Gottfrieds von Herder. Hg. von
Johann Georg Müller, Th. 3. Stuttgart-Tübingen 1830 (Herder's sämmtliche Werke.
Zur Philosophie und Geschichte Th. 22), S. 244.

Gegenwart ihre eigenen Gebrechen vorzuhalten. Die Gestalt, bei der er selbst den Zeitbezug am deutlichsten hervorhebt, ist zugleich diejenige, die die romantische Generation am meisten fasziniert hat: Roquairol. Friedrich von Oertel sucht hilflos nach Bildern: »ein Komet, jetzt in der Sonnennähe in Glut zerschmelzend, jetzt in der Sonnenferne in Spalte sich brechend, ein hochgenialischer, kräftiger, wilder, verwüsteter Mensch, ein Vulkan, der seine grünende Decke von Orangenhainen selbst in Lava begrub und kraft des innern Feuerherdes neue Haine zwischen ihr hervortreibt, ein verfinsterter Seraph«[107]. August Klingemann, der es als Verfasser der »Nachtwachen« ja wissen muß, erklärt in seiner Besprechung des »Titan«: »Unter den männlichen Charakteren ist Roquairol der vorzüglichste; und zwar nicht, wie es oft wohl der Fall zu sein pflegt, ein Phantom in Jean Pauls Humor gehüllt, sondern aus der Tiefe des Lebens selbst hervorgerufen und ein kolossales Denkmal für ein großes Kapitel aus der Zeitgeschichte. Dieses Spielen und Verspielen seiner selbst ist bis zum leisesten Hauche in sich getreu«[108]. Brentano erkennt sich mit »Vergnügen« in Roquairol wieder und fragt sich nur, wie Jean Paul ihn ohne persönliche Kenntnis so genau porträtieren konnte[109]. Wenn sich der junge Rosenkranz in seinen »Aesthetischen und Poetischen Mittheilungen« (T 35) in die Gestalt Roquairols vertieft, geht es ihm um die »teuflische Bestimmtheit« seiner Charakterlosigkeit und den »tiefen romantischen Zug«, der darin liegt, daß er »in der fortgesetzten Vernichtung seines wirklichen Lebens sein eigener Schuldner wird«[110]. »Wolfhart«, die Skizze eines Romans, mit der Rosenkranz durch Rückgriff auf die Religion als Agens die Vollendung des romantischen Romans erproben will, kopiert Roquairol in der Gestalt des Barons von Bilsen, der »die von sich als solcher wissende Eitelkeit und Bosheit darstellen« und so »der *Teufel* in der Form unserer Zeit« sein soll[111]. Die Romantik, könnte man mit Rosenkranz' großem Lehrer vielleicht sagen, gelangt hier zum Bewußtsein ihrer selbst; jedenfalls arbeitet sie sehr direkt ihrem späteren Interpreten in die Hände. Walther Rehms »Roquairol. Eine Studie zur Geschichte des Bösen« (1950) wird von der »Säkularisation der Hölle« sprechen und unter dem Baudelaire entnommenen Motto stehen: »Se livrer a Satan, qu'est-ce que c'est?«[112]

Als Friedrich Schlegels Athenäumsfragment über Jean Paul erscheint, legt dessen Freund Friedrich von Oertel sogleich energischen Protest ein. Die mutig und konzis formulierte Replik (T 14) hat nur einen Fehler: sie verkennt Schlegels Position. Es war 1798 durchaus nicht mehr vonnöten, mit geschichtsphilosophischen Argumenten gegen die Verabsolutierung griechischer Simplizität Sturm zu laufen, da Schlegel sich längst vom extremen Standpunkt seines »Studium«-Aufsatzes entfernt hatte. Oertels Verteidigung von Jean Pauls Humor, Religiosität und Men-

---

107 Jahrbuch der neuesten Literatur 15. 7. 1801, St. 13, Sp. 97.
108 Vorliegende Dokumentation S. 53.
109 Jean Pauls Persönlichkeit S. 212.
110 Vorliegende Dokumentation S. 111.
111 Karl Rosenkranz, Aesthetische und poetische Mittheilungen. Magdeburg 1827, S. 38.
112 Orbis Litterarum 8 (1950). S. 161–258. Wiederabgedruckt in: Walter Rehm, Begegnungen und Probleme. Studien zur deutschen Literaturgeschichte. Bern 1957, S. 155–242.

schenliebe als notwendiger Resultate des Entwicklungsprozesses der Menschheit zielt daher gewissermaßen ins Leere. Und doch nicht völlig: denn auch jetzt noch redet Schlegel ja keineswegs einer rückhaltlosen Modernität das Wort, sondern sah die entscheidende Chance gegenwärtiger Poesie in der Verbindung antiker und moderner Elemente: daher die außerordentliche Verehrung Goethes als »Statthalters des poetischen Geistes auf Erden« im Kreis der Jenaer Romantik[113]. Die Abwendung der Romantiker vom klassischen Weg der Synthesis von Erneuerung und Bewahrung sollte 1806 in der Niederlage Preußens, dem deutschen Zusammenbruch des Ancien régime, ihre historisch-politische Bestätigung erfahren, bahnte sich aber schon nach der Jahrhundertwende an. Von daher ist es weniger paradox als folgerichtig, wenn 1804 eine zweite Replik auf Schlegels Athenäumsfragment erscheint, die Oertels Attacke auf höherer Ebene fortsetzt und vollendet. Joseph Görres' »Coruscation« (T 25) mündet nach Widerlegung einzelner Vorwürfe Schlegels, die der Reihe nach durchgegangen werden (Weichheit Jean Pauls, Tränenreichtum, Familienähnlichkeit seiner Figuren, Frauenbild), in ein Fazit äußerster poetologischer Brisanz: »Jean Paul ist überhaupt ganz eigentlich der Repräsentant des Modernen. Dieses wilde Durcheinandertreiben von regellosen Kräften; diese seltsamen Kurven, die sein Genius so oft statt jener einfachen Schlangenlinie beschreibt [...] ist das Bild der Zeit, die Heldenzeit der Literatur.«[114] Die Vorzeichen sind vertauscht: die arabeske Abweichung von der einfachen Linie, von Schlegel mit der Kränklichkeit des Zeitalters entschuldigt, signalisiert jetzt die geradezu heroische Gesundheit und Überlegenheit moderner Literatur. Ihre und Jean Pauls Stärke sei die »Tendenz nach organischer, lebendiger Universalität, in der das Wort Fleisch wird und das Fleisch Wort«. Ein romantisches Credo, das auch die zentralen Intentionen des jungen Schlegel mitaufnimmt und insofern als Schibboleth der romantischen Jean-Paul-Rezeption angesprochen werden kann.

In einem Brief vom Februar 1816 spricht Clemens Brentano sehr distanziert von den Anfängen der romantischen Bewegung, als man »die unschuldig bewegte Selbstheit unter dem Namen der Sentimentalität mit oft armer, toter und tötender Weisheit verhöhnte und immer nach Objektivität schrie, während im Jean Paul die letzte Phantasie einer sterbenden Zeit den schimmernden Regenbogenfuß wehmütiger Erinnerung an alles Verlorene und einer frommen, sehnsüchtigen Hoffnung zu der Zukunft diesseits und jenseits setzt: über diese Brücke wandelt Isis und sucht die Glieder ihres zerrissenen Gemahls«[115]. Brentano verdeutlicht nicht nur den von Görres mitgetragenen Wandel der romantischen Anschauungen auch und gerade im Verhältnis zu Jean Paul, er charakterisiert mit den vorangehenden Worten über »das große Talent unserer kombinierenden, symbolisierenden, formellen Zeit« nicht nur sehr treffend die Begabung seines Freundes, sondern er gibt in seiner eigenwilligen Adaption orientalischer Mythologie auch selbst eine prakti-

113 Vgl. Goethe im Urteil I, S. XLIV–LV.
114 Vorliegende Dokumentation S. 62.
115 An Fouqué Februar 1816. In: Clemens Brentano, Briefe. Hg. von Friedrich Seebaß, Bd. 2. 1810–1842. Nürnberg 1951, S. 162 – Vgl. Görres' Anwendung der Brücken-Metapher auf Jean Paul: vorliegende Dokumentation S. 82.

sche Probe von dem Verfahren, mit dem Görres in seiner großen Rezension »Ueber Jean Paul Friedrich Richter's sämmtliche Schriften« (T 28), die 1811 in den »Heidelberger Jahrbüchern« erschien, dessen dichterisches Genie zu erfassen versucht. Görres setzt selten wieder erreichte quantitative und qualitative Maßstäbe im kritischen (wenn auch nicht im eigentlich wissenschaftlichen) Umgang mit Jean Paul. Man mag bezweifeln, ob sein Schwelgen in Creuzerscher Mythensymbolik der Intention des bildlichen Witzes Jean Pauls gerecht wird: offenkundig aber ist die – zutiefst romantische – Bemühung um einen inspirierten Nachvollzug des dichterischen Verfahrens. Man mag sich an den monotonen Reihen stoßen, die Görres wiederholt durch Auflistung Jean-Paulscher Werke und Figuren erzeugt: immerhin zeichnet sich seine Rezension vor den meisten anderen in diesem Band versammelten Texten durch den Ernst aus, mit dem sie der Eigenart und Vielfalt des Jean-Paulschen Oeuvre (soweit es damals vorlag) Rechnung zu tragen sucht. Zugleich schimmert in diesem Verfahren der Reihenbildung, dessen sich ja auch Novalis in seinen Figurentabellen zum »Wilhelm Meister« bedient, der romantische Glaube an die kosmosartige Unausmeßbarkeit des Kunstwerks (zu dem sich Görres hier die einzelnen Schriften Jean Pauls zusammenschließen) durch.

Und doch ist der so sehr um Objektivität bemühte Text durch und durch subjektiv, die sachliche Aufzählung tendenziöses Programm. Man hat vom Manifest der Hochromantik gesprochen[116]. In der Tat läuft Görres' Interpretation auf den konsequenten Nachweis der Modernität Jean Pauls in jeder einzelnen Bestimmung und die Forderung nach Emanzipation der modernen Literatur aus der Vormundschaft antiker und klassischer Kunstpraxis hinaus. Wie die moderne Analysis über die Euklidsche Geometrie und der gotische Dom über den griechischen Tempel ist die moderne Poesie über das Vorbild der alten hinausgewachsen. »Ehren wir die Alten als unsre Ahnen und Stammhalter in der Kunst; aber lassen wir uns durch sie in unsrer Eigentümlichkeit nicht irre machen, nur dadurch können wir so weit wie sie gelangen.« Nie genannt, aber stets mitgemeint ist, wenn von antiker Kunst die Rede geht, die an ihr orientierte Goethesche Klassik. Auf Goethes Kosten wird hier Jean Paul ein Tempel errichtet, und im geheimen Bezug auf ihn liegt die diabolische Perfidie des Schlußgleichnisses: »Wir gehen sehr kalt an schönen Werken vorbei, an die gleichwie an Schandsäulen die Erbauer angebunden sind [...] Wie in ägyptischen Tempeln, nachdem man durch alle Kolonnaden und Gänge und Hallen durchgeschritten, trifft man zuletzt auf eine Bestie im Heiligtum, bei der man aber nicht wie dort den Trost der symbolischen Deutung hat. Hier aber brennt im Feuertempel die ungetrübte Flamme des Genius, gehütet von reiner, keuscher Kunst, und man fühlt sich im Gotteshaus, und nicht im Palast, den der Teufel dem gebaut, der sich ihm verschrieben.«[117]

Zum erstenmal erscheint hier die folgenreiche Antithese vom Egoismus, der Goethes Kunstschönheit korrumpiere, und dem Geist der Liebe, der Jean Pauls Dichtung beseele. Görres verleiht dieser Liebe, die er nicht müde wird in immer

116 Goethe im Urteil I, S. LXI.
117 Vorliegende Dokumentation S. 78 u. 92.

neuen Bildketten zu umschreiben, unverkennbar politische Dimensionen – so am
Ende von § 1 in jenem langen Passus, der die Wärme-Kälte-Metaphorik Jean Pauls
auf den Dichter selbst anwendet. Er endet mit dem Satz: »Grade in dieser Zeit, wo
der Ring des geistigen Polarzirkels gebrochen scheint und der alte Winter aus
seinem Ufer tritt und das Treibeis weit hinunter bis an die Wendezirkel der innern
Welt sich verirrt, ist seine und jede andre Dichtung in seiner Liebe, eine Gabe des
Himmels, ein warmer Sommer, der das Eismeer und seine Gletscher in ihre Schran-
ken treibt.«[118] Der Republikaner und Patriot Görres bahnt hier der Jean-Paul-
Rezeption Börnes und Herweghs (wie auch der Goethe-Diffamierung des ersteren)
den Weg. Er reicht zugleich seinem Freund Achim von Arnim die Hand, dessen
Rezension des »Schmelzle«[119] gleichfalls unüberhörbare politische Akzente setzt.
So arbeitet die Heidelberger Romantik der Heidelberger Burschenschaft vor, die
»Jean Paul Richter, dem Lieblingsdichter der Deutschen! dem Kämpfer für Frei-
heit und Recht« 1817 ein dreifaches Hoch bringen wird[120].

Biedermeierlicher und liberalistischer Horizont: Gemüt und Gesinnung

»Heute ist weithin heiterer Himmel mit tiefem Blau, die Sonne scheint durch mein
geöffnetes Fenster, das draußen schallende Leben dringt klarer herein, und ich höre
das Rufen spielender Kinder.« Derart biedermeierlich umrahmt, träumt Albrecht
in Stifters »Feldblumen« (1841) von einem idealen Atelier. In der angrenzenden
Wohnstube würde er auf- und niedergehen, schreiben oder »auf ein Stündchen
Vater Hans Paul« zur Hand nehmen[121]. – Die biedermeierliche Rolle Jean Pauls als
Requisit alltäglicher Behaglichkeit weist auf einen grundlegenden Wandel der ästhetischen Einschätzung Jean Pauls hin. War sein Verhältnis zum aufklärerischen
ebenso wie zum klassischen und romantischen Erwartungshorizont mehr durch
die Enttäuschung und Infragestellung als durch die Erfüllung bereits bestehender
literarischer Bedürfnisse geprägt, ist jetzt erstmals eine dauerhafte Übereinstimmung zwischen den Interessen eines breiten Publikums und der charakteristischen
Signatur der Jean-Paulschen Prosa gegeben. Diese Übereinstimmung bahnt sich
bereits Mitte des ersten Jahrzehnts des 19. Jahrhunderts an, als das Erscheinen der
›Sachbücher‹ »Vorschule der Ästhetik« und »Levana« sowie der formal gebändig-
ten »Flegeljahre« zu einer merklichen Versachlichung der Jean-Paul-Kritik beitrug.
Richter sei, so das zweideutige Lob des »Freimüthigen«, »jetzt nur noch der halbe
Jean Paul: – endlich scheint der Geschmack seinem Humor, wie Bellerophon dem
Hippogryphen, Zaum und Gebiß angelegt zu haben«[122]. Die Anpassung geht je-

118 Vorliegende Dokumentation S. 81.
119 Veröffentlicht in: Monatshefte für Deutschen Unterricht 33 (1941), S. 282f.
120 Jean Pauls Persönlichkeit S. 174.
121 Adalbert Stifter, Erzählungen in der Urfassung. Hg. von Max Stefl. Darmstadt 1963, S.
33 u. 35.
122 Vorliegende Dokumentation S. 56.

doch keineswegs einseitig von Jean Paul aus, sondern ist eine wechselseitige: mit der abnehmenden Geltung des aufklärerischen Stilideals wächst die Empfänglichkeit für hohe Stillagen, und die Neigung zu ihrer Verwendung im Wechsel mit niederen führt zur Herausbildung des biedermeierlichen Mischstils. Eben der – freilich weit krassere – Wechsel zwischen ›italienischer‹ und ›niederländischer‹ Tonlage charakterisiert die Diktion Jean Pauls, und so kommt es, daß dieser nicht lange nach Merkels Urteil über den Stil als seine schwächste Seite in den Rang eines stilistischen Vorbilds avanciert[123]. Im Spannungsreichtum seiner Prosa und dem humoristischen Lachen unter Tränen findet sich eine Epoche bestätigt, die ihr eigenes Wesen als Zerrissenheit begreift, deren eigenes Lachen immer wieder in Weinen, deren Weinen in Lachen umschlägt[124]. Daß Jean Paul der aktuellen Stimmung des Weltschmerzes als erster den Namen gegeben hat, ist nur ein weiteres Symptom für die Affinität seiner Sprache zur Erlebnisstruktur des Biedermeier.

Die von Berthold Emrich sorgfältig dokumentierte[125] außerordentliche und weit über das Rein-Literarische hinausgehende Breitenwirkung Jean Pauls im Biedermeier, seine Omnipräsenz im damaligen Leben wäre kaum möglich ohne ein Phänomen, das für die Wirkungsgeschichte Jean Pauls von grundsätzlicher Bedeutung ist: die Rolle der Jean-Paul-Anthologien bzw. der florilegischen Rezeption Jean Pauls. »Es kamen die Sammlungen schöner Stellen auf für Stammbücher, die Chrestomathien, und Schiller und Jean Paul gaben die reichste Ausbeute« (Laube[126]). Zwischen 1797 und 1963 erschienen nach der Bibliographie von Berend/Krogoll nicht weniger als 105 Produkte dieses florierenden Industriezweigs. Ihre Spannbreite reicht von wenigen Zeitschriftenseiten bis zu den 12 Bänden und 4057 Seiten des verkappten Nachdrucks, den D. A. Gebauer 1826–1837 veranstaltet[127]. Die bedeutendsten Vertreter der Gattung im 20. Jahrhundert sind George/Wolfskehl (»Jean Paul. Ein Stundenbuch fuer seine Verehrer«, 1900) und Richard Benz (»Blumen-, Frucht- und Dornenstücke aus Jean Paul's Werk«, 1924), unter Jean Pauls Zeitgenossen aber zweifellos der Dresdener Professor Karl Heinrich Ludwig Pölitz, dessen »Jean Pauls Geist oder Chrestomathie der vorzüglichsten, kräftigsten und gelungensten Stellen aus seinen sämtlichen Schriften« (4 Bände, 1801–1816) ein außergewöhnlicher buchhändlerischer Erfolg werden sollte[128]. Auf Pölitz' Sammlung spielt Carl Julius Weber an, der im »Democritos« eine äußerst kritische

123 Vgl. Friedrich Sengle, Biedermeierzeit. Deutsche Literatur im Spannungsfeld zwischen Restauration und Revolution 1815–1848. Bd. 1.2. Stuttgart 1971/1972, Bd. 1, S. 594–647.
124 Vgl. Walter Höllerer, Zwischen Klassik und Moderne. Lachen und Weinen in der Dichtung einer Übergangszeit. Stuttgart 1958.
125 Berthold Emrich, Jean Pauls Wirkung im Biedermeier. Phil. Diss. Tübingen 1948 (Masch. Vervielf.). Die hervorragende Untersuchung macht das Biedermeier zur besterforschten Phase der Wirkungsgeschichte Jean Pauls.
126 Vorliegende Dokumentation S. 136.
127 Jean Paul. Das Schönste und Gediegenste aus seinen verschiedenen Schriften und Aufsätzen, nebst Bildniß, Leben und Charakteristik. Ausgewählt von D. A. Gebauer. Bd. 1–12. Leipzig 1826–1837.
128 Vgl. Peter Horst Neumann, »Das Schaf« oder K. H. L. Pölitz' Jean-Paul-Kitik »mit den Zähnen«. In: Text und Kritik. Sonderband Jean Paul. Hg. von Heinz Ludwig Arnold. Stuttgart 1970, S. 75–82.

Haltung zu Manier und Form der Werke Jean Pauls einnimmt: »Aber der *Geist Jean Pauls,* einzelne Schilderungen, witzige Vergleichungen und Einfälle, glückliche Wortspiele etc. werden bleiben, wie die Sprüche toter Weisen, wenn das Caput mortuum, das wahrlich fast ⅓ seiner Werke ausmacht, ins Feuer wird geworfen und vergessen werden, wie die Systeme hochfliegender Aprioristen. Es ist in der Tat schade, daß die *Chrestomathie* aus *Jean Pauls Werken* so schlecht geraten ist; sein Esprit verdiente einen bessern Chemiker.«[129]

In der Sache hätte Weber Pölitz freilich kaum nachdrücklicher unterstützen können. Wenn sich dieser in der »Vorerinnerung« zur 3. Auflage (1817) des ersten Teils seiner Sammlung um Legitimation seiner schon damals nicht unumstrittenen Unternehmung bemüht, komplettiert er das aufklärerische Literaturverständnis, von dem er eigentlich ausgeht, um aktuelle Argumente aus dem Arsenal der klassischen Ästhetik: da Jean Paul »diejenige Kraft, oder wenigstens diejenige Neigung des Willens abgeht, ohne welche die innere Organisation eines ästhetischen und literarischen Ganzen nicht zum notwendigen unauflöslichen Zusammenhange gestaltet werden kann«, »eignet sich vielleicht kein neuerer Schriftsteller mehr als Jean Paul dazu, daß aus seinen Schriften eine Chrestomathie ausgezogen werde. Das Schöne und Treffliche in seinen Schriften steht so isoliert da, daß es gewöhnlich aus dem Zusammenhange, in welchem es vorkommt, herausgerissen und einzeln aufgeführt werden kann, ja daß es durch dieses Isolieren noch überdies gewinnt.«[130] Gerade die Berufung auf den klassischen Werkbegriff macht den freibeuterischen Umgang mit Jean Pauls Texten möglich. Denn daß diese keine geschlossene Einheit demonstrieren, ist so offensichtlich, daß der klassizistische Rezipient ihnen auch gleich jegliche ganzheitliche Strukturiertheit absprechen möchte. So noch 1923 Rudolf Alexander Schröder, der dem Leser folgenden Freibrief zum Ausschlachten Jean Pauls ausstellt: »Wenn er die Spreu vom Weizen gesondert hat, wird er sich der verbleibenden reichen Ernte doppelt erfreuen. Er braucht ja nur das Ganze in seine gesonderten Eidyllien zu zerlegen, um dann jedes einzelne rein zu genießen. Darf er sich doch auch sagen, daß das, was er aufgibt, ein in Bezug auf Jean Paul im Grunde Unwesentliches sei«[131].

Das Biedermeier freilich geht in seiner florilegischen Rezeption Jean Pauls ebenso wenig wie in Wirklichkeit Pölitz von Kriterien klassischer Ästhetik aus. Die Epoche, die in vielem Traditionen der Spätaufklärung fortführt oder aufgreift, übernimmt auch deren lockeren Werkbegriff und die damit im tiefsten zusammenhängende Betonung des Gebrauchswerts von Literatur. Auf diesen hat es offenkundig eine 1801 erschienene Blütenlese abgesehen, die unter dem Motto »Für Humanität und Menschenbildung« »Sentenzen aus Jean Pauls und Hippels Schriften; aus Dya-Na-Sore, Agnes von Lilien, Walther und Nanny« zusammenstellt. Waiblinger, selbst leidenschaftlicher Jean-Paul-Leser[132], findet nichts dabei, das

129 Carl Julius Weber, Sämmtliche Werke, Bd. 17. Stuttgart 1838, S. 113 f.
130 Wiederabgedruckt in: Neumann, a. a. O. S. 78 f.
131 Rudolf Alexander Schröder, Die Aufsätze und Reden. Bd. 1: Vorbilder und Weggenossen. Berlin 1939, S. 263.
132 Vgl. Wilhelm Waiblinger, Drei Tage in der Unterwelt. Ein Schriftchen, das Vielen ein

Büchlein Mörike zu empfehlen, für den es die erste Begegnung mit Jean Paul wird, der Anfang einer folgenreichen Beziehung[133]. Wie sich in der florilegischen Rezeption Jean Pauls Spätaufklärung und Biedermeier die Hand reichen, wäre übrigens wahrscheinlich deutlicher noch als an den gedruckten Anthologien an handschriftlichen Exzerpten aus dem großen Exzerpierer nachzuweisen, den Individual-Anthologien der Zeit, von denen sich manche erhalten hat[134]. – Jean Paul seinerseits paßt sich der florilegischen Rezeptionshaltung an, wenn er in verschiedenen Taschenbüchern Sammlungen von Aphorismen oder Polymetern veröffentlicht wie zum Abschreiben für Stammbuchblätter. Überhaupt kommen Jean Pauls immer häufigere Beiträge für das »Morgenblatt«, Cottas »Taschenkalender für Damen« und andere Almanache entschieden der biedermeierlichen Vorliebe für literarische Gebrauchs- und Kleinformen entgegen, die sich außer in der Hochkonjunktur für Chrestomathien ja gerade in der Blüte des Almanachwesens zeigt. Arbeiten an der Grenze zwischen Essay und Dichtung wie »Die Schönheit des Sterbens in der Blüte des Lebens« (1814), »Erinnerungen aus den schönsten Stunden für die letzten« (1816), »Über das Immergrün unserer Gefühle« (1819) entsprechen von Gattungsform und Erscheinungsweise ebenso wie von ihrer inneren Tendenz her in idealer Weise dem Erwartungshorizont des Biedermeier: »Lies doch eine kleine Schrift von Jean Paul, ›Über das Immergrün unserer Gefühle‹«, so Fanny Mendelssohn-Bartholdy an eine Freundin, die den Bruder verloren hat, »gibt es wohl einen Schmerz, kann das Geschick uns eine Wunde schlagen, welche dieser edle Menschenfreund, dieser tiefe Herzenskenner, dieser hilfreiche Engel nicht tröstend und heilend berührt?«[135] Die gewissermaßen an Traditionen seines Frühwerks anknüpfende Vorliebe des späten Jean Paul für epische Kleinformen und den lockeren Zusammenschluß solcher »Werkchen« (wie im »Katzenberger«) zu spezifischen durch das Prinzip der Separation (statt Integration) geprägten Großformen – P.H. Neumann hat für sie den Begriff der »Korpusstruktur« eingeführt[136] – ist von herkömmlicher Literaturgeschichtsschreibung als Altersschwäche gedeutet worden, konnte aus produktionsästhetischer Perspektive nur als nachlassendes Gestaltungsvermögen erscheinen; vor dem Hintergrund der beschriebenen Formen der Jean-Paul-Rezeption möchte man in ihr eher die frühzeitige Anpassung an die neuartigen Bedürfnisse des biedermeierlichen Lesepublikums erblicken. Jean Paul schreibt quasi für Anthologien, der »Katzenberger« (vor allem in der zweiten Auflage) ist selbst schon ein Almanach.

Anstoß seyn wird, und besser anonym herauskäme. Stuttgart 1826, S. 79–83; ders., Die Tagebücher 1821–1826. Hg. von Herbert Meyer. Stuttgart 1956 = Veröffentlichungen der Deutschen Schillergesellschaft 22 (s. Register).

133 Eduard Mörike 1804–1875–1975. [Katalog der] Gedenkausstellung zum 100. Todestag im Schiller-Nationalmuseum Marbach a.N. Stuttgart 1975, Nr. 124.

134 Vgl. z.B. das wohl aus dem zweiten Jahrzehnt des 19. Jahrhunderts stammende Ms. Germ Qrt 1891 (SBPK Berlin) mit Exzerpten aus »Siebenkäs«, »Hesperus«, »Titan« und (entschieden überwiegend) »Levana«.

135 Jean Paul-Blätter 7 (1932), S. 19.

136 Peter Horst Neumann, Die Werkchen als Werk: Zur Form- und Wirkungsgeschichte des Katzenberger-Korpus von Jean Paul. In: JbJPG 10 (1975), S. 151–186.

Zu solcher Vertauschung der Produktions- mit der Rezeptionsperspektive scheint Jean Paul von sich aus aufzufordern, wenn er in seinen Spätwerken »Fibel« (1812) und »Komet« (1820–1822) die Exzesse einer narzißtisch übersteigerten Einbildungskraft parodiert und dagegen die Parole des »stillenden Still-Lebens«[137] setzt. Kommt das nicht einer Absage an Geniekult und Genieästhetik und der Zuwendung zum Publikum des Biedermeier gleich? So jedenfalls hat ihn die damalige Zeit verstanden. Denn wenn es auch eine falsche Generalisierung wäre, die biedermeierliche Jean-Paul-Rezeption ausschließlich auf den idyllischen Teil seines Schaffens festzulegen – man lese nur in Hauffs »Bettlerin vom Pont des Arts« (1826) das 20. Kapitel, um sich von der nachhaltigen Wirkung des »Hesperus« zu überzeugen –, so ist die Tendenz zur Betonung des idyllischen Aspekts auch und gerade im Sinne einer Entscheidung für die idyllische Lebensweise unverkennbar. In der Bevorzugung der satirisch-idyllischen Figuren Schmelzle, Rabette und Fixlein gegenüber den heroisch-sentimentalen Gestalten des »Titan« (Gaspard, Liane, Schoppe) glaubt sich der Rezensent des »Kometen« mit vier Fünfteln des Publikums einig[138]. In seinem Geburtstagsgruß von 1824 dankt D. Lenksloß Jean Paul für »so manche köstliche Stunde der Ergötzung, Rührung und Erhebung«, vor allem aber für das idyllische Lebensprogramm des »Quintus Fixlein«[139]. Meißners Brockhaus-Artikel über Jean Paul (T 29) stellt den Humoristen Jean Paul heraus und betont an seinem Humor – gleichfalls unter Rekurs auf das dem »Fixlein« vorangestellte »Billett an meine Freunde« – die Zuwendung zum Kleinleben (»mit vieler Behaglichkeit und Wollust«) in einem Grad, der den Widerspruch eines religiösen Interpreten (T 30) hervorruft. Vilmars Literaturgeschichte endlich sieht Jean Pauls größtes Verdienst darin, in den Wirren der Revolutionszeit der »deutschen Herzlichkeit und Innigkeit, der deutschen Herzensunschuld und der deutschen treuen Liebe« eine Zufluchtsstätte geboten zu haben: »Und kehrten ähnlich rohe, kalte, öde Zeiten wieder – vielleicht dürfte Jean Paul zum zweiten Male eine Heimat werden, in welche zartere, dem Weltkampfe nicht gewachsene Seelen sich vor den vorüberbrausenden Wettern bergen könnten, um für bessere Zeiten unverletzt aufbewahrt zu bleiben.«[140]

»*Dieser* Schriftsteller ist gewiß ein *guter Mensch*«[141]. So Schütze in seiner Jean-Paul-Biographie, aus den Schriften auf den Menschen schließend. Im gleichen Jahr 1798 erklären die Gothaischen gelehrten Zeitungen, von Lichtenberg zitiert (T 11), und Mniochs »Zerstreute Blätter« die Blickrichtung des Lesers auf die Persönlichkeit des Autors als Besonderheit des humoristischen Erzählens. Meusebach notiert 1814 denselben Gedanken, wie Mnioch den Gegensatz zu Goethe hervorhebend[142], und diesen Gegensatz hat natürlich auch Varnhagen im Auge, wenn er das ge-

---

137 Hanser Bd. 6, S. 367.
138 Allgemeines Repertorium 1821, Bd. 2, S. 94.
139 Abend-Zeitung 22. 3. 1824, Nr. 70, S. 279.
140 A. F. C. Vilmar, Geschichte der deutschen National-Literatur, Bd. 2. 3. verm. Aufl. Marburg-Leipzig 1848 (1. Aufl. 1844), S. 320.
141 Vorliegende Dokumentation S. 24.
142 Jahrbuch der Deutschen Schillergesellschaft 22 (1978), S. 151, Nr. 27.

ringere Interesse an Jean Pauls Autobiographie damit erklärt, den Menschen Jean Paul habe man ja auch schon in seinen Romanen gefunden, die Biographie könne mithin nichts qualitativ Neues neben das Erzählwerk setzen[143]. Wer Jean Paul liest, liest in einem anderen und prägnanteren Sinn Jean Paul, als wer Goethe liest, Goethe. Das gilt vor allem für das Biedermeier, dessen Wertschätzung für den Autor ganz wesentlich auf seiner sogenannten Menschlichkeit, der Evidenz seines Gemüts beruht. Nicht nur in seiner Dichtung, auch und gerade im Dichterleben sucht und findet man Lebenshilfe. Dabei wird das Leben immer durch die Brille der Werke gesehen: auch hier dominiert stillendes Still-Leben. Jean Paul hat sein künftiges Familienleben in der »Konjekturalbiographie« ja selbst antizipatorisch als Idyll vergegenwärtigt; sein Rückzug in die Provinz, nach der Verheiratung prompt in die Tat umgesetzt, und sein Bayreuther Leben mit täglichem Gang zur Rollwenzelei, Braunbier, Pudel und Fliegenzucht mußte wie die systematische Inszenierung eines literarischen Genres wirken. Wilhelm Neumann, zusammen mit Varnhagen von Ense Hauptverfasser des parodistischen Romans »Die Versuche und Hindernisse Karls«, verleiht dem Dichter schon 1808 idyllisierende – freilich ins Komische verzerrte – Züge: Jean Paul begegnet in der Pose eines dicken Mannes, der im Schweiße seines Angesichts Erdbeeren in ein Körbchen pflückt und sich über die Beschwerlichkeit des Bückens mit der Weisheit der Mutter Natur tröstet, »daß sie die Him-, Brom- und Erdbeeren dieses Lebens so niedrig wachsen läßt, damit sie uns süßer werden durch die Mühe«[144]. Im Bericht seines Bayreuth-Besuchs vom Herbst desselben Jahres schildert Varnhagen Jean Pauls Familie als Hort deutscher Innigkeit und Liebe, als idyllisches Refugium des wahren Deutschland vor dem Hintergrund der französischen Fremdherrschaft: »In solchen Gesprächen und Beschäftigungen [d. i. Spielen mit den Kindern] ging ein guter Teil des Abends hin, ich fühlte mich ganz beglückt in der Mitte dieser schönen, reinen Familie, die so herzlich gegen mich war und mich schon keine Fremdheit mehr empfinden ließ«[145]. Der Jean-Paul-Besucher artikuliert dieselbe Empfindung wie der Jean-Paul-Leser.

In seiner Hinwendung zu Jean Paul als menschlichem Vorbild wurde das biedermeierliche Publikum entscheidend bestärkt durch die ab 1826 erscheinenden Bände der noch von Jean Paul begonnenen und von Otto/Förster mit Hilfe des Nachlaßmaterials rekonstruierten (Auto-)Biographie »Wahrheit aus Jean Pauls Leben«. Die Bedeutung dieser Biographie ergibt sich für den Rezensenten der »Jenaischen Allgemeinen Literatur-Zeitung« allein schon daraus, »daß kein deutscher Dichter in dem Maße die Unabhängigkeit des Geistes und die Erhabenheit einer edlen Menschennatur über den Druck des irdischen Daseins so heldenmütig erwiesen hat wie Jean Paul«: »Sein Glück im Unglück ist ein Beispiel, das niemals völlig verlorengehen kann.« Jean Paul als Heros des darbenden Kleinbürgertums, als hilfreiches Exempel für die Tröstungen der Innerlichkeit! »In dieser Beziehung ist sein

143 Jahrbücher für wissenschaftliche Kritik Oktober 1829, Nr. 63, Sp. 468 f.
144 [Varnhagen – Neumann – Bernhardi – Fouqué], Die Versuche und Hindernisse Karls. Eine deutsche Geschichte aus neuerer Zeit, Theil I. Berlin-Leipzig 1808, S. 185.
145 Jean Pauls Persönlichkeit S. 104.

Beispiel erhebend und wirkungsvoll, und eine Lebensgeschichte wie die seinige muß, selbst wenn sie auch nicht einen der seltensten Menschen zu schildern hätte, wie die erquickendste Arznei allen denen empfohlen werden können, welche das Leben *belastet* hat.«[146] Wenn der Rezensent bei näherem Eingehen auf die »Selberlebensbeschreibung« feststellt: »Die Arbeit gleicht mehr als einmal *Fibels* Leben und hat allen Reiz dieser Dichtung«, formuliert er eine Maxime bürgerlicher Autobiographik im 19. Jahrhundert: die Darstellung des eigenen Lebens als Idylle. Sie ist nur möglich bei entsprechender Gewichtung der Kindheit oder gar Beschränkung auf dieselbe. Für Goltz und Kügelgen, die direkt oder indirekt durch Jean Pauls Vorbild beeinflußten Verfasser von Autobiographien[147], deren großer Publikumserfolg nicht zuletzt auf der verklärten Wiedergabe der eigenen Kindheit beruhte, erhält der Abbruch der »Selberlebensbeschreibung« (die ja ursprünglich viel weiter angelegt war) just mit dem Ende der Kindheit wirkungsgeschichtlichen Sinn – in der Terminologie Mukařovskýs: das unbeabsichtigte Ende schlägt in ein beabsichtigtes um[147a].

Drei Feiern markieren die abgöttische Verehrung Jean Pauls in der Epoche des Biedermeier. Die erste ist die angeblich von Hegel angeregte Verleihung des von Heinrich Voß (dem Dekan und eigentlichen Promotor) verfaßten Ehrendoktordiploms an den »poetam immortalem lumen et ornamentum saeculi / decus virtutum principem ingenii doctrinae sapientiae / Germanorum libertatis assertorem acerrimum / debellatorem fortissimum pravitatis mediocritatis superbiae / virum qualem non candidiorem terra tulit«[148]. Vom Enthusiasmus des anschließenden Empfangs durch die Burschenschaft legen zahlreiche Berichte eindringliches Zeugnis ab. Wenn Jean Paul, den Studenten die Hand drückend, gesagt haben soll[149]: »In meinen Werken könnt ihr euch irren; aber hoch erfreut es mich, daß ihr in mir den deutschen Mann erkennt: ja, für Deutschland, für Recht will ich wirken, bis ich sterbe«, so kann er nur den Gegensatz ästhetischer und politischer Einschätzung seiner Schriften gemeint haben, denn seiner Person kam schon hier keine andere Rolle als diejenige einer sinnlich-leibhaftigen Bestätigung der Legende zu, die sich aus seinen Werken, vor allem aber aus der schwärmerischen Rezeption dieser Werke gebildet hatte. Sakral verfärbt und vom irdischen Urheber mittlerweile abgelöst, ist es eigentlich dieser Heiligenschein, dem die Stadt Bayreuth am Abend des 18. 11. 1825 ein kunstvoll arrangiertes Leichenbegängnis ausrichtet. »Man hatte diese Zeit gewählt, weil in solchen Abendstunden der Verewigte die großen Ent-

146 Jenaische Allgemeine Literatur-Zeitung Dezember 1830, Nr. 233, Sp. 421 f.
147 Bogumil Goltz, Buch der Kindheit. Frankfurt 1847; Wilhelm von Kügelgen, Lebenserinnerungen eines alten Mannes. Berlin 1870. Vgl. Sengle, a.a.O. Bd. 2, S. 234–237.
147a Jan Mukařovský, Beabsichtigtes und Unbeabsichtigtes in der Kunst (1943). In: Mukařovský, Studien zur strukturalistischen Ästhetik und Poetik. München 1974, S. 31–65.
148 »Den unsterblichen Dichter, Licht und Zierde des Jahrhunderts, Muster der Tugend, den Fürsten des Genies, der Wissenschaft und Weisheit, den feurigsten Verteidiger deutscher Freiheit, den schärfsten Bekämpfer aller Verderbtheit, Mittelmäßigkeit und Anmaßung, den lautersten Mann, den je die Erde getragen« (Jean Pauls Persönlichkeit S. 173).
149 Jean Pauls Persönlichkeit S. 175.

würfe seiner wundervollen Schöpfungen zu fassen und zu durchdenken gewohnt war«. Drei davon, »Unsichtbare Loge«, »Vorschule« und »Levana«, werden von ausgewählten Schülern »seiner Leiche voran auf schwarzen Kissen und umflort im Zuge getragen«. Das Geläut aller Kirchen der Stadt und eine Choreographie der Fackelträger, die nur der Leser der Originalreportage (T 32) voll würdigen kann, vervollständigen das Gesamtkunstwerk der Prozession. Durch die Rede des Geistlichen, der ein Jean-Paul-Zitat über das geistige Fortleben Jesu stillschweigend auf diesen selbst anwendet, erhält die Zeremonie eine fast blasphemische Zuspitzung. Zu sich selbst gelangt erscheint der Dichterkult des Biedermeier schließlich in der Feier, die die sogenannte Berliner Mittwochgesellschaft 1829 anläßlich des 66. Geburtstags des »seit Jahren in die Blütenhaine seiner verwirklichten Ahnungen hinübergegangenen Dichters« veranstaltet. Der Gastgeber Moritz Gottlieb Saphir wartet nach dem Tee mit einer handfesten Überraschung auf: »Hierauf öffnete Herr M. G. Saphir ein bis jetzt verschlossen gehaltenes Nebenzimmer und im hellen Glanz strahlte den erstaunten Gästen das Bildnis Jean Pauls aus einer Nische von blühenden Sträuchern und Blumen und Lampen entgegen, umgeben von den Statüen des Ruhmes und der Unsterblichkeit, die ihm ihre Kränze reichten; getragen von den Büsten Goethes und Schillers und überragt von der Statüe des Apollo von Belvedere, der seine Hand liebend und segnend über den Geliebten und Auserwählten hielt, während zu seinen Füßen die Wissenschaft und Kunst treulich zu dem Freunde aufblickten. Ein Baldachin von rotem Damast, von goldenen Knöpfen und Rosetten gehalten, bildete den Rahmen zu einem Bilde, das von der entgegengesetzten Wand herrlich beleuchtet, in der Tat einen reizenden Effekt machte und zur längeren Beschauung einlud.«[150] Eine perfekte Allegorie, deren abgeschmackte Künstlichkeit sich in den anschließend vorgetragenen Texten noch fortsetzt[151].

Nichts könnte deutlicher die zunehmende Erstarrung des literarischen Geschehens in der Restaurationszeit, die wachsende Entfremdung der Literatur von der Gesellschaft in den zwanziger Jahren verdeutlichen als die Abfolge dieser Jean-Paul-Feiern 1817, 1825 und 1829. Wenn der liberale Flügel der literarischen Intelligenz um 1830 seinen Kampf gegen die museale Entartung der Literatur und das dahinterstehende politische Kräfteverhältnis und für eine neue – fortschrittliche – Einheit von Literatur und Leben aufnimmt, wird er gerade den Namen Jean Pauls auf seine Fahne schreiben. Das Junge Deutschland protestiert damit gegen die Jean-Paul-Rezeption des Biedermeier und setzt sie gleichzeitig fort. Denn auch und gerade für das Biedermeier waren Jean Pauls »Herz und seine Schriften [...] eins und dasselbe« (Heine[152]), beruhte die Faszination der mythischen Person Jean Pauls auf der Verschmelzung von Leben und Werk. Wenn freilich das Bieder-

150 Berliner Schnellpost für Literatur, Theater und Geselligkeit 28. 3. 1829, S. 148.
151 Vgl. vor allem: M. G. Saphir, Erinnerungsrede an Jean Paul. Ebenda 31. 3. 1829, Nr. 38, S. 149–151. Wiederabgedruckt in: Saphir, Gesammelte Schriften, Bd. 2. Stuttgart 1832, S. 133–142; Eduard Oettinger, Die Aloe der deutschen Literatur. Parabel. Ebenda 9. 4. 1829, Nr. 42, S. 167 (auszugsweise zitiert in Anm. 1 zu T 8).
152 Vorliegende Dokumentation S. 139.

meier deren entscheidende Vermittlung im Gemüt sah, setzt das Junge Deutschland in Weiterführung burschenschaftlicher Ansätze an dessen Stelle die (politische) Gesinnung; aus dem »Hohenpriester« des Herzens (Hebbel[153]) wird der »Tribun und Apostel« des Fortschritts. Mit einem Kunstgriff, der auf den ersten Blick eher den Eindruck einer redaktionellen Notlösung macht, hat Heine in der »Romantischen Schule« (T 41) die Vorläuferrolle Jean Pauls für die Jungdeutschen und die von ihnen erstrebte neue politische Qualität der Literatur unvergleichlich genau bezeichnet. Er schaltet die kurze Vorstellung der Hauptvertreter des Jungen Deutschland (Laube, Gutzkow, Wienbarg, Schlesier) einfach in den Jean-Paul-Passus ein: wie Jean Paul »sich ganz seiner Zeit hingegeben« hat, so wollen die »Schriftsteller des heutigen jungen Deutschland [...] ebenfalls keinen Unterschied machen [...] zwischen Leben und Schreiben«[154].

Heines Vorstellung des Jungen Deutschland ist unvollständig, sie unterschlägt, und angesichts ihrer Einbettung ist das umso auffälliger, gerade die konsequentesten Jean-Paul-Verehrer und -Nachfolger. Das ist vor allem Ludwig Börne; mit gewissem Recht könnte man hier auch Wolfgang Menzel nennen, der inzwischen freilich längst zum erbitterten Gegner der Jungdeutschen geworden war. Wenn Heine ohne Namensnennung von »jenen Zeloten« spricht, »die unseren großen Meister schmähen«, erwähnt er sowohl das Motiv seiner Weglassung als auch ihrer Jean-Paul-Verehrung. Denn über alle persönlichen, politischen und literarischen Gegensätze hinweg verbindet Börne und Menzel, daß ihre Jean-Paul-Propagierung zwar an eine individuelle Beziehung anknüpft, ihre Stoßkraft und leidenschaftliche Zuspitzung aber erst aus der Konfrontation mit Goethe bzw. mit dessen ›Statthaltern auf Erden‹, den Goetheanern und dem durch sie verbreiteten Goethebild empfängt. Dennoch läßt sich eigentlich weder von Börne noch von Menzel sagen, daß bei ihnen das Jean-Paul-Bild – als Kehrseite der Goethekarikatur – mit dem Gesicht zur Wand hänge[155]. Menzel bemüht sich um eine gewisse Ausgeglichenheit und versucht die deutschen Ausläufer der Querelle des anciennes et des modernes sichtlich zu umschiffen, wenn er Jean Paul und Goethe als die »eigentlichen Dioskuren der modernen Poesie« nebeneinander stellt. Das Rühmlichste an Jean Paul sei der »Adel der Gesinnung«. Mit dieser Erklärung wendet sich der Burschenschafter Menzel zugleich gegen die Kritiker im eigenen Lager. Denn seit Arndts polemischer Breitseite von 1810 (T 27), die immerhin noch in einem Jean-Paul-Nekrolog von 1825 zustimmend erwähnt wird[156], lag der Vorwurf auf dem Tisch, als »verbrecherischer Verweichlicher« und »Nervenausschneider menschlicher Kraft« bedrohe Jean Paul die Mannesmoral der deutschen Jugend. Arndts Einschätzung wurde freilich keineswegs von allen Fraktionen der Burschenschaft geteilt: in den Stammbuchblättern der Erlanger Burschenschaft häufen sich um 1820

153 An Elise Lensing 17. 1. 1837. In: Friedrich Hebbel, Sämtliche Briefe. Hg. von R. M. Werner. Bd. 1: 1829–1839. Berlin [1904], S. 145.
154 Vorliegende Dokumentation S. 139.
155 So Emrich, a.a.O. S. 135.
156 Vgl. Einleitung zu T 27.

L

politische Jean-Paul-Zitate[157]; Karl Ludwig Sand, der Mörder Kotzebues, soll mit Jean Pauls Corday-Aufsatz in der Tasche verhaftet worden sein – die zweite Auflage des »Katzenberger« dokumentiert die historische Möglichkeit dieses Jean-Paul-(Miß-)Verständnisses durch eine distanzierende Fußnote[158]. Menzel legt den von Arndt ausgelösten Streit bei, indem er Jean Pauls Weichheit zugibt, aber in freiwilligen Verzicht auf kämpferische Härte umdeutet: »Keiner hätte solch ein Teufel sein können, und keiner war so ein frommer kindlicher Engel wie er.«[159]

Für Ludwig Börne, den vielleicht größten Goethe-Gegner aller Zeiten, ist Jean Paul zugleich Kontrafaktur zum abgelehnten Goethe und ideales Selbstporträt. Seine berühmte Denkrede von 1825 (T 33), eine Meisterleistung deutscher Rhetorik, ist die erste Formulierung des liberalistischen und rührt zugleich schon an die Grenzen eines sozialistischen Jean-Paul-Bilds. Mit der Kongenialität des Aufklärers würdigt Börne Jean Pauls Leistung im Kampf um die Freiheit des Denkens und Fühlens – man beachte die Einsicht in die historische Rolle der Empfindsamkeit; es spricht der »Emporkömmling« und radikale Demokrat, wenn Börne Jean Paul als »den Dichter der Niedergebornen«, »den Sänger der Armen« preist und vom saturnalischen Fest des Humors redet. Glühende Begeisterung entfacht Börnes Rede in Jean Pauls Neffen Richard Otto Spazier, der die entscheidenden Momente seines eigenen Jean-Paul-Verständnisses hier vorweggenommen sieht und seinem »Biographischen Commentar«, der ersten und auf lange Sicht einzigen Jean-Paul-Biographie von Format, eine enthusiastische Widmung an Börne voranstellt, die in dessen Identifikation mit dem Vult der »Flegeljahre« gipfelt: »Sie sind Quod Deus *Vult*, der in jener Maskennacht mit der Flöte in die weite Welt zog und den der Dichter ziehen lassen mußte, weil in seinem armen und beschränkten Leben nur für den *Walt* Raum war! [...] Wahrlich, Börne, hätte Er Sie gekannt, Er hätte Sie sehr geliebt!«[160] »Auf meine Preußen«, schreibt Heinrich Laube anläßlich von Spaziers »Commentar«, »[...] freue ich mich aber wie ein Kind, wenn sie das Gebrüll eines auf den Kopf geschlagenen Rindviehs anheben werden, daß man ihnen den reinen Jean Paul revolutionär gemacht«[161]. Borussisches Wutgeschrei mußte erst recht die Replik auslösen, die der junge Georg Herwegh 1839 auf Ruge/Echtermeyers Manifest »Der Protestantismus und die Romantik« verfaßt (T 43). Hatten die »Halleschen Jahrbücher« Jean Pauls Subjektivismus herausgestellt und als Rückschritt gegenüber dem Geist der Reformation bewertet, erhebt Herwegh Jean Pauls Humor zum legitimen Nachfahren Luthers: »Alles Bestehende ist unwahr; die Wahrheit liegt weit darüber hinaus, in Gott oder im Fortschritt [...] Der Humor ist Demokrat; daher denn auch der komische Roman für unsere Zeit von

157 Vgl. Karl Schwarz, Über Jean Pauls Beziehungen zur Burschenschaft. In: Jean Paul-Blätter 18 (1943), S. 110–118.
158 Hanser Bd. 6, S. 337, Anm. 1.
159 Vorliegende Dokumentation S. 114.
160 Richard Otto Spazier, Jean Paul Friedrich Richter. Ein biographischer Commentar zu dessen Werken. Bd. 1–5. Leipzig 1833 (Widmung unpaginiert).
161 An Börne 19. 1. 1833. In: Michael Holzmann, Aus dem Lager der Goethe-Gegner. Mit einem Anhange: Ungedrucktes von und an Börne. Berlin 1904, S. 217.

so hoher Bedeutung ist.«[162] Im gleichen Sinn wird Vischers »Aesthetik« alles Komische für demokratisch erklären[163], und Herweghs Behauptung, vor dem strengen Maßstab des Humors würden weder Fürst noch Proletarier bestehen, sondern dem Ideal zustreben und sich einander annähern, findet ihre direkte Fortsetzung in der Schilderung der humoristischen Perspektive, die Raabes Roman »Die Leute aus dem Walde« (1862/1863) gibt: »Da schwand mancher Glanz, welcher den Unerfahrenen wohl blenden konnte; da fing aber auch das Dunkle an, zu leuchten und einen hellen Schein zu geben. Das eine verlor, das andere gewann; Gegensätze glichen sich aus; was durch unendliche Fernen für immer getrennt schien, griff ineinander zu Gutem und Bösem; der Mann in Purpur und köstlicher Leinwand mußte nach der harten, mit Schwielen bedeckten Hand fassen, um sich aufrechtzuerhalten im Gewühl.«[164] Aus Jean Pauls Vernichtung des Endlichen durch Kontrast mit der Idee macht das Jahrhundert der Sozialen Frage die Annäherung der Klassengegensätze. Der Humor, die ästhetische Versöhnung des Unversöhnlichen, ändert sich mit den Widersprüchen, die für unlösbar gehalten werden.

Mit beträchtlicher Sachkenntnis geht Herwegh des weiteren gegen die Parallelisierung vor, die Ruge/Echtermeyer zwischen Jean Paul und dem subjektiven Idealismus Fichtes vornehmen. Er führt dagegen den Zusammenhang aus, der erst fast 130 Jahre später in Wolfgang Harichs Buch über »Jean Pauls Kritik des philosophischen Egoismus«[165] seine wissenschaftliche Darstellung finden wird, und stellt dem »Selbstgenuß des abstrakten Ich« (Ruge[166]) das altruistische Prinzip der Liebe gegenüber: »Jean Paul, der Prophet der Liebe [...] soll ein Egoist gewesen sein?«[167] Man verwechsle Herweghs Berufung auf die Liebe Jean Pauls nicht mit biedermeierlicher Erbauung an seinem Gemüt. Wie schon bei Görres und Börne, und bei beiden mit der gleichen politischen Ausrichtung, wird hier die Liebe als weltanschauliche Haltung, als politische Einstellung, als Gesinnungsfrage betont. So ja auch seitens der konfessionellen Literaturgeschichtsschreibung, die weder auf katholischer (Eichendorff) noch auf protestantischer Seite (Vilmar, Gelzer) der freireligiösen Denkungsart Jean Pauls froh wird, aber nicht zuletzt angesichts der zentralen Bedeutung der Liebe bei Jean Paul feststellen muß, er rühre oft sehr nahe an den Mittelpunkt der christlichen Heilswahrheit[168]. Das Schillern seines Liebesprin-

162 Vorliegende Dokumentation S. 151.
163 Vischer, a.a.O. Bd. 1, S. 470 (§ 221, Anm.).
164 Wilhelm Raabe, Ausgewählte Werke in sechs Bänden. Hg. von Peter Goldammer u. Helmut Richter, Bd. 2. Berlin-Weimar 1964, S. 475.
165 Wolfgang Harich, Jean Pauls Kritik des philosophischen Egoismus. Belegt durch Texte und Briefstellen Jean Pauls im Anhang. Leipzig 1967 u. Frankfurt [1968].
166 Vorliegende Dokumentation S. 144.
167 Vorliegende Dokumentation S. 152f.
168 Vgl. Joseph Freiherr von Eichendorff, Ueber die ethische und religiöse Bedeutung der neueren romantischen Poesie in Deutschland. Leipzig 1847, S. 91–93; ders., Der deutsche Roman des achtzehnten Jahrhunderts in seinem Verhältniß zum Christentum. 2. Aufl. Paderborn 1866, S. 161–172; A.F.C. Vilmar, a.a.O. S. 316–320; Heinrich Gelzer, Die neuere Deutsche National-Literatur nach ihren ethischen und religiösen Gesichtspunkten. Zur innern Geschichte des deutschen Protestantismus. 2. umgearbeitete u. verm. Aufl. Th.I.II. Leipzig 1847–1849, Th.II, S. 226–274.

zips zwischen radikaldemokratischem Engagement und christlicher Humanität hat der Verbreitung seiner Schriften keinen Abbruch getan, im Gegenteil: das Gutachten der österreichischen Zensur von 1826 (T 34) rühmt die sittliche Tendenz Jean Pauls in den höchsten Tönen und stellt zur Entschuldigung seiner Freisinnigkeit fest, er sei dem »selbstsüchtigen« (!) »Streben des großen Haufens« immer entgegen gewesen[169]. Ein Vertreter des Altruismus, so ist wohl zu verstehen, schreibt keine ›Revolutionsdichtung‹.

Am Ende seiner langen Besprechung von Spaziers »Biographischem Commentar« stellt Littrow der unumstrittenen – biedermeierlichen – Hochschätzung für den Menschen Jean Paul die Frage nach der literarischen Qualität seiner Werke, ihrer möglichen Klassizität gegenüber: »viele seiner Werke werden ohne Zweifel als Glanzpunkte unserer Literatur auf die Nachwelt übergehen. Aber werden sie dieser Nachwelt auch als Muster dastehen, sich darnach zu bilden?« Außerstande, »über diesen rätselhaften Geist, über diesen literarischen Sphynx« zu urteilen, enthält sich Littrow einer Antwort[170]. Nicht so jene Jungdeutschen, die sich, mit Heine zu sprechen, vom antigoethischen Zelotismus freihalten. Laube, Wienbarg und Heine selbst verneinen glatt die Frage nach der ästhetischen Qualität der Prosa Jean Pauls. Ohne »Ahnung von Kunst und künstlerischer Darstellung«, heißt es in Ludolf Wienbargs »Ästhetischen Feldzügen« (1834), »goß er eine Flut von Gedanken und Gefühlen aufs Papier hin«: »so gleichen seine Perioden dem Zickzack der Blitze und sind nicht selten wie diese taube Schläge, die wohl erschüttern, aber nur momentan, und keine Nachwirkung zurücklassen«[171]. Die gleiche Kritik übt im selben Jahr Heinrich Laube, der zugleich in historisch höchst aufschlußreicher Weise die dagegen stehende Einstellung des breiten – biedermeierlichen – Lesepublikums zu Jean Paul charakterisiert: »wenn ich mit dem Wort heraustrete, daß ich als ästhetischer Kritiker an Jean Paul mäkeln und aussetzen will, da springen noch heute die meisten deutschen Leser von ihren Stühlen auf [...] Ihr ganzes Herz hängt noch an der schönen Seele Jean Pauls, unsers bravsten Mannes, er ist ihre innigste Liebe, und wer leidet's denn, wenn dieser nachgesagt wird, sie habe nicht so schön ausgesehen, als unser Herz geglaubt.«[172] Unter ausdrücklicher Beziehung auf Menzels Hervorhebung der Gesinnung unter Hintansetzung der Form macht Laube seine gegensätzliche Auffassung vom ästhetischen Urteil als Grundlage jeder literarischen Kritik deutlich. Das Fazit ist kurz und spielt unüberhörbar auf Menzels Schlußsatz an: »Jean Paul denkt wie ein Engel, aber er schreibt durchaus nicht wie ein Engel«[173].

Wenn Laube abschließend biographische Bedingungen als mögliche Ursache für Jean Pauls Abweichung von der ästhetischen Norm heranzieht, steht er sichtlich unter dem Einfluß Spaziers, der – von den zitierten Hinweisen im Goethe-Schillerschen Briefwechsel und einer Andeutung Madame de Staëls abgesehen – als erster

169 Vorliegende Dokumentation S. 108.
170 Jahrbücher der Literatur 75 (1836), S. 188f.
171 Ludolf Wienbarg, Ästhetische Feldzüge. Berlin-Weimar 1964, S. 185f.
172 Vorliegende Dokumentation S. 136f.
173 Vorliegende Dokumentation S. 138.

das biographische Erklärungsprinzip auf Jean Paul angewandt hat: die Hypertrophie der Phantasie als Folge äußerer Enge und Einschränkung. Wienbarg ergänzt es um die historisch-politische Dimension und kann sich dabei auf Argumente aus Jean Pauls eigener Ästhetik stützen. Dessen Witz mußte nach Wienbarg das politische Ziel verfehlen und in Sentimentalität zerfließen, weil ihm der rechte Kampfplatz fehlte, »wo er mit der Freiheit vereint gegen verrostete Helme und Kapuzen zu Felde zieht«; dieser Kampfplatz – und damit der rechte Witz – sei aber erst der Gegenwart des Jungen Deutschland gegeben[174]. Zur biographischen und politischen tritt, sich mit beiden überschneidend, die geographische Erklärung. Auf seiner Frankenreise von 1837 besucht Immermann Jean Pauls Lebenszentren: Bayreuth »mit seinen bronzierten Markgrafen, mit den Porzellan-, Schnecken- und bunten Kieselwundern, der Eremitage und Fantaisie« und den Geburtsort Wunsiedel im »bizarren, mit den wunderbarsten Naturspielen ausgestatteten« Fichtelgebirge. Als »geschmacklos aber eigenartig« erscheint Immermann die ganze Umgebung, der daraus den Schluß zieht: »Man muß Bayreuth, man muß das Fichtelgebirge besuchen, um Jean Paul in seiner Genesis verstehen und entschuldigen zu lernen.«[175]

Entschuldigungen oder Erklärungen, die der Entschuldigung dienen, werden, wie man sieht, Mode. Sie versagen da, wo nicht mehr – wie doch immerhin für Heine oder Laube – die Identifiktation mit der Autorgesinnung möglich ist. So bei Immermann, der seiner früheren Jean-Paul-Verehrung auf bzw. in der »Fränkischen Reise« eine herbe Absage erteilt. Die Reise endet in Goethes Arbeitszimmer und ihre Beschreibung mit den Worten: »Hierher soll man junge Leute führen, damit sie den Eindruck eines soliden, redlich verwandten Daseins gewinnen. Hier soll man sie drei Gelübde ablegen lassen, das des Fleißes, der Wahrhaftigkeit, der Konsequenz.«[176] Den radikalen Gegenpol zu dieser konservativen Ablehnung Jean Pauls vertritt Theodor Mundt, der die ästhetische Schlampigkeit der hosenträgerlosen Existenz Jean Pauls konsequent in der politischen fortgesetzt sieht: im »haltungslosen« Auseinanderfallen von Körper und Geist, von philiströser Wirklichkeit und politischem Freiheitstraum. Das genüßliche Aushalten dieses Widerspruchs erscheint Mundt als Erbkrankheit des deutschen Charakters: »So sehen wir gerade zu der Zeit, in welcher die französische Revolution aus den Formen des öffentlichen und persönlichen Lebens eine so gewaltige, die ganze Menschheit erschütternde Frage erhoben, in unserm Deutschland einen Dichter erstanden, der, ein erschöpfender Ausdruck aller Geistestiefen und Gemütsherrlichkeiten des deutschen Nationalcharakters, mit dem ächt deutschen Talent einer Himmel und Hölle zerwühlenden Innerlichkeit begabt, als das Höchste und Liebste doch nur die Idylle der Beschränkung uns vor Augen führt.«[177]

174 Wienbarg, a.a.O. S. 192f. unter Bezug auf Jean Pauls »Vorschule der Ästhetik« § 54: »Notwendigkeit deutscher witziger Kultur«.
175 Karl Immermann, Werke in fünf Bänden. Hg. von Benno v. Wiese, Bd. 4. Frankfurt 1973, S. 325f.
176 Immermann, a.a.O. S. 354.
177 Mundt, a.a.O. S. 96f.

Die deutsche Nation vom tatenlosen Gedankenreichtum fort und hin zur politischen Praxis zu führen, ist erklärtes Anliegen der Literaturgeschichte von Georg Gottfried Gervinus, deren Jean Paul betreffender Band gleichzeitig mit Mundts Vorlesungen 1842 erschien. Die Darstellung der Entwicklung der deutschen Literatur bis zur unüberschreitbaren Blüte des klassischen Jahrzehnts soll das Bewußtsein nationaler Identität herstellen und zugleich die Sinnlosigkeit aller nachklassischen Kunstbemühungen demonstrieren, denen kein Erfolg als der zweifelhafte beschieden sein könne, die nationalen Energien vom wichtigeren politischen Handeln abzulenken. Jean Pauls Verurteilung ergibt sich für Gervinus zum einen zwangsläufig aus seiner Absolutsetzung der Klassik: Goethes Wortgebrauch entspricht, wie schon Varnhagen bemerkt hat[178], die Charakterisierung Jean Pauls als pathologisch im Doppelsinn von leidenschaftlich und krankhaft; auf Schillers Unterscheidung musikalischer und plastischer Poesie geht seine abwertende Bezeichnung als musikalischer Dichter zurück, deren Folgewirkung wir schon angedeutet haben[179]. Der andere und gewichtigere Grund für die Ablehnung Jean Pauls ist Gervinus' ureigene kriegerische Bürgerlichkeit. Wer sich, blind für alle großen politischen Verhältnisse, in die Nacht der Phantasie vergräbt[180], wer Schreiben als Selbstzweck betreibt und sich so nicht nur dem politischen Leben entfremdet, wer unmoralische Gestalten (Siebenkäs) oder »Naturen, die auf der Erde unnütze Kostgänger sind und auf die die Sicherheitspolizei ein Auge haben muß« (Emanuel im »Hesperus«), als Ideal der höchsten Menschheit darstellt[181], wer sich – »ein unangenehmer jüdischer Zug« – zum Stichblatt des eigenen Witzes macht[182], der kann nicht Gervinus' Mann sein. Gervinus' nationalistisch-philiströse Borniertheit sollte aber nicht übersehen lassen, daß ihm – vielleicht gerade aufgrund seiner monomanischen Einseitigkeit – Charakterbilder von außerordentlicher Geschlossenheit und Einprägsamkeit gelingen. Das gilt vor allem für seine Darstellung Jean Pauls, die in dessen Wirkungsgeschichte einzigartige und im 19. Jahrhundert in den wesentlichen Punkten fast unumstrittene Geltung erlangt hat. Solche Popularität ist nur dank eines für Gervinus typischen Verfahrens möglich, das Rolf-Peter Carl als »Konzentration auf einen Punkt« beschreibt[183]. Dieser Punkt heißt im Falle Jean Pauls Juvenilität. Frühreife, energisches inneres Leben, Melancholie, rege Phantasie, Übergewicht der Reflexionen über die Handlungen, Misanthropie, falsche Kraft und Weichheit, jugendliche Empfindung werden dem Leser als Beweismittel für die »durchgehende Juvenilität« eines Autors eingehämmert, dessen Entwicklung ungefähr da aufgehört hat, wo er anfing zu schreiben. Gervinus bereichert damit die wirkungsgeschichtliche Polarität Goethe – Jean Paul um einen neuen

178 S. Anm. 2 zu T 44.
179 In »Über naive und sentimentalische Dichtung« (1795). Vgl. Friedrich Schiller, Sämtliche Werke. Hg. von Gerhard Fricke u. Herbert G. Göpfert. Bd. 5. 2. Aufl. München 1960, S. 734 f.
180 Vorliegende Dokumentation S. 161 f.
181 Gervinus, a. a. O. S. 239.
182 Ebenda S. 231.
183 Rolf-Peter Carl, Prinzipien der Literaturbetrachtung bei Georg Gottfried Gervinus. Bonn 1969 = Literatur und Wirklichkeit 4, S. 163–168.

wesentlichen Aspekt: wer könnte dem Proteus, der das Prinzip der Metamorphose immer wieder an sich selbst vollzog[184], schärfer entgegengesetzt, deutlicher unterlegen sein als ein Dichter, der – wie es echohaft bei Dilthey (T 60) und bis in jüngste Tage nachhallt – keine Entwicklung hatte? Denn für den auf männliches Handeln ausgehenden Gervinus ebenso wie für den auf Reife bedachten Poetischen Realismus der Folgezeit ist Jugendlichkeit nur ein Defizit, ihre Zuerkennung ein verkapptes Todesurteil.

Gervinus' Juvenilitätsthese enthält auch eine rezeptionsästhetische Dimension. Ein Autor wie Jean Paul könne seine volle Wirkung nur bei einem jugendlichen Leser erreichen; sein bester Beurteiler »wird der sein, der einmal mit ihm geschwärmt und dann sich gefaßt hat«[185]. Dieser Beurteiler ist Gervinus selbst, dem in der Lehrlingszeit Jean Paul zum entscheidenden geistigen Erlebnis wurde[186]! Der Umschlag von jugendlicher Jean-Paul-Begeisterung zur späteren Jean-Paul-Kritik (wobei sich die Heftigkeit dieser nur aus der Heftigkeit jener erklärt) macht damals Epoche: bei Platen, Rückert, Hebbel, bei Keller, der die enthusiastische Widmung in der ersten Fassung des »Grünen Heinrich« (T 46) später kürzt und mit einem bitteren Zusatz versieht, – und bei Stifter. In der zweiten Fassung (1844, drei Jahre nach der ersten Ausgabe, zwei Jahre ›nach Gervinus‹) träumt das Erzähl-Ich der »Feldblumen« immer noch von einem idealen Atelier und einer angrenzenden Wohnstube. Das Buch aber, das es in dieser hin und wieder zur Hand nehmen will, trägt jetzt nicht mehr den Namen Jean Pauls, sondern Goethes.

Idealistischer und realistischer Horizont: Subjektivität und Idyllik

Wenn der Hegel-Gegner Gervinus von der Juvenilität Jean Pauls spricht, wendet er im Grunde nur Hegels Jean-Paul-Kritik ins Psychologische: der Historiker und der Philosoph treffen sich im Vorwurf der Subjektivität Jean Pauls. Als Exhibitionismus einer bloß partikularen Subjektivität verurteilt Hegel den subjektiven Humor der romantischen Kunstrichtung, vor allem aber eines Erzählers wie Jean Paul, der in falschverstandener Originalität zwischen objektiv zusammenhanglosen Gegenständen die willkürlichsten Beziehungen herstelle[187]. »In diesem Beziehen und Verketten des aus allen Weltgegenden und Gebieten der Wirklichkeit zusammengerafften Stoffs kehrt das Humoristische gleichsam zurück zum Symbolischen, wo Bedeutung und Gestalt gleichfalls auseinanderliegen; nur daß es jetzt die bloße Subjektivität des Dichters ist, welche über den Stoff wie über die Bedeutung gebie-

---

184 Vgl. Karl Robert Mandelkow, Der proteische Dichter. Ein Leitmotiv in der Geschichte der Deutung und Wirkung Goethes. Groningen 1962. Auch: Neophilologus 46 (1962), S. 19–31.
185 Vorliegende Dokumentation S. 156.
186 Vgl. den Teilabdruck der Autobiographie in: Georg Gottfried Gervinus, Schriften zur Literatur. Hg. von Gotthard Erler. Berlin 1962, S. 476–479.
187 Vgl. Georg Wilhelm Friedrich Hegel, Ästhetik. Mit einer Einführung von Georg Lukács. Bd. 1.2. 2. Aufl. Frankfurt o. J., Bd. 1, S. 289.

tet und sie in fremdartiger Ordnung aneinanderreiht. Solch eine Reihe von Einfällen ermüdet aber bald, besonders wenn es uns zugemutet wird, uns mit unserer Vorstellung in die oft kaum erratbaren Kombinationen einzuleben, welche dem Dichter zufällig vorgeschwebt haben. Besonders bei Jean Paul tötet eine Metapher, ein Witz, ein Spaß, ein Vergleich den andern, man sieht nichts werden, alles nur verpuffen. Was sich aber auflösen soll, muß sich vorher entfaltet und vorbereitet haben. Nach der anderen Seite streift der Humor, wenn das Subjekt in sich ohne Kern und Halt eines von wahrhafter Objektivität erfüllten Gemütes ist, gern in das Sentimentale und Empfindsame herüber, wovon Jean Paul gleichfalls ein Beispiel liefert.«[188]

Mangelnde Objektivität ist mit den abfälligen Bemerkungen über die »Trivialität Jean Pauls« gemeint, mit denen der alte Hegel seine jugendliche Hörerschaft schockiert[189]. Andererseits erkennt er ausdrücklich die Möglichkeit eines »gleichsam *objektiven* Humors« an, der sich durch »Verinnigung in dem Gegenstande« auszeichne[190]. Hegel weist hier auf Tendenzen der Kunst nach dem Ende der Kunst hin und scheint in prophetischer Formulierung die Bedeutung zu antizipieren, die der Humor für die ästhetische Grundlegung des Poetischen Realismus erlangen sollte[191]. Er gibt zugleich die Problematik an, die die Ästhetik nach ihm vorrangig beschäftigen wird: Kann es eine moderne – und das heißt in erster Linie humoristische – Poesie geben, die die Einseitigkeit des subjektiven Humors in Richtung auf ästhetische Versöhnung oder Objektivität überwindet? Es ist die Kontinuität dieser Problemstellung, die bei Christian Hermann Weiße, Arnold Ruge und Friedrich Theodor Vischer den gleichen Widerspruch erzeugt: den wirkungsgeschichtlich faszinierenden Widerspruch nämlich zwischen einer ästhetischen Theoriebildung, die sich z.T. sehr direkt an Jean Pauls »Vorschule« anlehnt[192], und einer Gesamtbeurteilung Jean Pauls, die dessen Subjektivismus eine klare Absage erteilt.

Weißes »System der Ästhetik« (1830) zeigt sich in der Polarität des Erhabenen und des Komischen deutlich von Jean Paul (und Solger) beeinflußt; es verrät seinen geistigen Ahnherrn Hegel in der idealistischen Dialektik, die hier die empirisch-psychologische Argumentation Jean Pauls ersetzt. Hatte dieser den Vorgang des Komischen als erster um den subjektiven Kontrast des Betrachters erweitert, der dem komischen Objekt sein eigenes Wissen leihe und dadurch erst den Effekt des Lächerlichen erzeuge, so ist dieser Akt des Leihens für Weiße mehr als nur subjek-

188 Ebenda Bd. 1, S. 575 f.
189 Nach Theodor Mundts Bericht in Freihafen 3 (1840), Heft 4, S. 188 f. zit. in: Walter Grupe, Mundts und Kühnes Verhältnis zu Hegel und seinen Gegnern. Halle 1928 = Hermaea XX. Repr. Tübingen 1973, S. 34.
190 Hegel, a.a.O. Bd. 1, S. 582.
191 Vgl. Wolfgang Preisendanz, Humor als dichterische Einbildungskraft. Studien zur Erzählkunst des poetischen Realismus. München 1963 = Theorie und Geschichte der schönen Künste. Texte und Abhandlungen 1, S. 126–133.
192 Vgl. Götz Müller, Zur Bedeutung Jean Pauls für die Ästhetik zwischen 1830 und 1848 (Weiße, Ruge, Vischer). In: JbJPG 12 (1977), S. 105–136. – Ich verdanke dem Aufsatz wertvolle Hinweise.

tive Illusion, ist vielmehr die objektive »Ergänzung oder Wiederherstellung des in sich mangelhaften und gebrochenen Objekts«[193]. Die höhere Einsicht des Lachenden hebt die Negativität des Belachten auf: die dem Lächerlichen inhärente Häßlichkeit wird, mit Weißes Worten, »nicht durch einen empirischen oder historischen, sondern durch einen absolut geistigen Prozeß unterdrückt oder zur Unwirklichkeit herabgesetzt«[194]. Über den Trümmern der Wirklichkeit erblüht die Schönheit des absoluten Geistes. Einem so rigiden Streben nach Versöhnung kann Jean Pauls Dichtung kaum genügen. Weißes zweiteilige Rezension von »Wahrheit aus Jean Pauls Leben« (1833/1834) reflektiert dies Ungenügen gleich eingangs in der Einschätzung Jean Pauls als eines problematischen Künstlers: »Wie kann [...] der auf den Namen eines Künstlers Anspruch machen, der eben jene trübe Mischung, welcher zu entgehen wir aus dem Leben in die Kunst flüchten, in die Kunst mit hinübernimmt; der sein Werk wie ein Buch voll reiner und unreiner Tiere vor dem Beschauer ausbreitet?«[195]

Weiße hilft sich mit einem scholastischen Kunstgriff: mit der Aufspaltung Jean Pauls in einen guten und schlechten Jean Paul, in einen weißen und schwarzen Magus. Jenem gehört das Talent der Charakterdarstellung und die Feinheit der Komposition, beide von Weiße in unverkennbarer Frontstellung gegen die frühromantische Jean-Paul-Rezeption gewürdigt (Teil dieser impliziten Romantikkritik ist auch die Abwertung des Jean-Paulschen Humors). Der schwarze Magus aber, der auch die Vorzüge des weißen weitgehend zunichte macht, ist die Sentimentalität Jean Pauls. Weiße präzisiert Hegels Subjektivitätsvorwurf, wenn er in dem »Übermaße des Empfindens und des Strebens nach Empfindung« die »Quelle von Richters poetischer Krankheit« erblickt und auf diese Ursache nicht nur den sentimentalen Überschwang, sondern auch dessen Gegenpol, das räsonierende Element in der Prosa Jean Pauls, zurückführt: »Wäre nicht die tiefere und kernhaftere Anlage seines Genius, so würde er, wie die Helden der Siegwartschen Periode, in dem aufgelösten Elemente jener Empfindungsseligkeit zerfließen: – aber diese Anlage eben treibt den Gegensatz jener kalt berechnenden und ebenso schneidend zersetzenden als keck kombinierenden Verstandestätigkeit hervor, die, obgleich auch noch ihrerseits mit jenem Krankheitsstoffe behaftet und an sich keineswegs eine rein künstlerische oder sittliche, doch eben als der Gegensatz zu dem, worin der Urquell der Krankheit liegt, von vielen, die diesen Quell erkannt haben, als das allein Ächte und Gesunde in Jean Paul angesprochen wird.«[196] Die Dominanz der Krankheitsmetaphorik verrät bereits, woher der Wind weht: aus Weimar. Goethe und vor allem das Denkmal, das dieser sich mit der Veröffentlichung seines Brief-

---

193 Christian Hermann Weiße, System der Ästhetik als Wissenschaft von der Idee der Schönheit. Bd. 1.2. Leipzig 1830. Repr. Hildesheim 1966, Bd. 1, S. 239 (§ 32 E).
194 Ebenda Bd. 1, S. 226f. (§ 31 E).
195 Christian Hermann Weiße, Rezension über »Wahrheit aus Jean Paul's Leben« in: Jahrbücher für wissenschaftliche Kritik Dezember 1833, Nr. 107–110 und Januar 1834, Nr. 15–17. Wiederabgedruckt in: Weiße, Kleine Schriften zur Aesthetik und ästhetischen Kritik. Hg. von Rudolf Seydel. Leipzig 1867. Repr. Hildesheim 1966, S. 197–227, hier: S. 200.
196 Ebenda S. 210f.

wechsels mit Schiller gesetzt hat, bildet denn auch die Folie, vor deren Hintergrund im zweiten Teil der Rezension (T 39) Jean Pauls schriftstellerische Existenz entfaltet wird. Die bemerkenswerten Einsichten in Jean Pauls Arbeitsweise und sein Verhältnis zum Publikum, zu denen Weiße hier gerade seine klassizistische Perspektive verhilft, hindern ihn nicht, sich bei der Lektüre des »Vita-Buchs« an die »Tagebücher von geistreichen Unglücklichen« erinnert zu fühlen, »die mit Wahnsinn oder Selbstmord endigten«[197].

Ruges »Neue Vorschule der Ästhetik« (1837) führt die von Weiße eingeleitete Umbildung der Jean-Paulschen Ästhetik zu einer Metaphysik des Schönen weiter, in der das Komische der ästhetischen Versöhnung dient. Neu gegenüber Weiße ist die politische Dimension, die Ruge der Befreiung des Subjekts durch selbstbewußte Anschauung des unfreien Subjekts verleiht – einer Befreiung, an der das letztere gleichfalls teil hat, da sein Irrtum im Belachtwerden ja objektiv aufgehoben wird[198]. Der ästhetischen Verbesserung der Welt, für die Ruge hier die theoretischen Grundlagen schafft, läßt er selbst den Kampf um ihre politische Veränderung folgen. Das von ihm zusammen mit Theodor Echtermeyer im zweiten Jahrgang der »Hallischen Jahrbücher« herausgegebene Manifest »Der Protestantismus und die Romantik« (T 42) ist als Generalabrechnung mit allen restaurativen Kräften der Gegenwart angelegt. Die Restauration und ihre Ideologie wird mit der Romantik identifiziert, was Julian Schmidt leicht süffisant so erklärt: »Aus dem bekannten Hegelschen Satz: Das Wirkliche ist vernünftig, wurde nun: Die Vernunft ist das Wirkliche, und was ihr nicht entspricht, ist unwirklich, Schein, Romantik und muß aufgehoben werden.«[199] Ihre eigene Philosophie dagegen, die klassische Kunst und den preußischen Staat (an den sie damals noch glaubten) verstehen die Junghegelianer Ruge/Echtermeyer als legitime Erben der Reformation, wobei sie sich freilich darüber im klaren sind, daß gerade die von ihnen bekämpfte Romantik entscheidend von Luthers »innerer Freiheit« geprägt ist[200]. Die hier schon sichtbar werdende Unsicherheit der historischen Zuordnung tritt vollends in der Beurteilung Jean Pauls zutage. Einerseits erscheint Jean Paul als Vollendung des innerlichen Prozesses über Goethe und Schiller hinaus, wie sie historisch notwendig sei, um die einstige Verwirklichung der klassischen Ideale zu ermöglichen. Andererseits erscheint er bald als Übergang zur Romantik – »So leitet Jean Paul von der klassischen zur romantischen Periode über [...] Die Natur wird wieder Herr über den Geist, das Gemüt über die Vernunft: die Romantik und ihr Dämmer bricht über Deutschland herein« –, bald als ihr heimlicher Gipfel: »Jean Paul setzt die *Willkür* an die Stelle der *Freiheit*«; »Jean Paul ist der subjektivste Idealist, der sich denken läßt, ein mit Jacobischen, Hamannschen, Herderschen Elementen behafteter Fich-

197 Vorliegende Dokumentation S. 134.
198 Arnold Ruge, Neue Vorschule der Ästhetik. Das Komische mit einem komischen Anhange. Halle 1837. Repr. Hildesheim-New York 1975, S. 115–121.
199 Julian Schmidt, Geschichte der deutschen Nationalliteratur im neunzehnten Jahrhundert. Bd. 1.2. Leipzig 1853, Bd. 2, S. 472.
200 Vgl. den Abschnitt »Die Romantik in ihrem Begriff« in: Hallische Jahrbücher für deutsche Wissenschaft und Kunst 14. 10. 1839, Nr. 246, Sp. 1962–1966.

tianer«[201]. Der Eudämonismus des idyllischen Lebensprogramms beruhe auf dem
»Selbstgenuß des abstrakten Ich, das sein reines Sein [...] als das allein wahre
behauptet«[202]; Jean Pauls Theorie des Humors erweise ihn selbst wider alle verba-
len Bekundungen des Gegenteils als den größten poetischen Nihilisten. »Kommerells Interpretation des Jean-Paulschen Humors steht praktisch auf dem gleichen
Standpunkt wie Ruge; nur die Formulierung ist modern« (Emrich[203]). In der Tat
erfährt die von Hegel indizierte Subjektivität Jean Pauls in den »Jahrbüchern« eine
erst bei Kommerell wieder erreichte Radikalisierung.

Fast vier Jahrzehnte später hat Ruge seine historische Einordnung Jean Pauls
gegen den »nachgeborenen Junghegelianer« (Rößler[204]) Paul Nerrlich zu verteidigen, der Jean Pauls Beitrag zur modernen Poesie gerade in seiner Verwurzelung in
dem von Ruge als Romantik verketzerten Christentum erblickt; auch die Bedeutung des Komischen für Jean Paul, das wesentlich auf einem Akt des freien Selbstbewußtseins basiere, sichere ihm die, verglichen mit Goethe und Schiller, größere
Modernität. Nerrlich hat seine Auffassungen erstmals in »Jean Paul und seine
Zeitgenossen« (1876) und wieder in seiner Jean-Paul-Biographie von 1889 (T 57)
geäußert; die Übersendung des erstgenannten Buchs an Ruge löst einen lebhaften
Briefwechsel aus, in dessen Verlauf der junge den alten Hegelianer zunehmend in
die Enge treibt. Wenn die Weltgeschichte nach Hegel der Fortschritt im Bewußtsein der Freiheit ist, kann das Christentum kein Rückschritt gegenüber der Antike,
kann der transzendente Jean Paul kein Rückschritt gegenüber dem diesseitigen
Goethe sein: »*Jean Paul* ist viel moderner als *Goethe* [...] Ich bringe dieses Moderne wieder mit seinem Christentum zusammen, denn ich kann den Satz, daß
unsere Zeit auf antiker Kultur basiert, so wenig unterschreiben, daß ich mir das
Christentum aus der Geschichte nicht wegdenken kann, ohne damit die Gegenwart
zu etwas völlig Unerklärlichem zu machen.«[205]

Nerrlich steht schon ganz auf dem Boden der Ästhetik des dritten Hegelianers,
von dem hier die Rede sein muß: Friedrich Theodor Vischers. Von Vischer stammt
die von Nerrlich übernommene Auffassung des Komischen als »letzter und höchster Frucht in der Ästhetik«[206]. Ähnlich seinen Vorgängern bemüht sich Vischer
um Objektivierung des Komischen durch Konstruktion einer universalen das lachende und das verlachte Subjekt einschließenden menschlichen Subjektivität; der
dualistischen Zerrissenheit des Jean-Paulschen Humors stellt er das monistische
Weltbild des Idealismus entgegen: »das Komische ist schlechtweg pantheistisch«[207]. Ähnlich Weiße hebt Vischer bei Jean Paul die Polarität Empfindsam-

201 Arnold Ruge, Gesammelte Schriften. Bd. 1–10. Mannheim 1846–1848, Bd. 1,
    S. 246.230.236.
202 Vorliegende Dokumentation S. 144.
203 Emrich a.a.O. S. 175, Anm. 1.
204 Constantin Rößler, Ein nachgeborener Junghegelianer. In: Preußische Jahrbücher 66
    (Juli–Dezember 1890), S. 165–183.
205 An Ruge 19.6. 1878. In: Arnold Ruge, Briefwechsel und Tagebuchblätter aus den
    Jahren 1825–1880. Hg. von Paul Nerrlich. Bd. 1.2. Berlin 1886, Bd. 2, S. 431.
206 Vischer, a.a.O. (s.o. Anm. 48) Bd. 1, S. 40 (§ 8 E).
207 Ebenda Bd. 1, S. 400 (§ 183 E). Vgl. Berthold Emrich, Friedrich Theodor Vischers Aus-

keit-Reflexion hervor, ähnlich Ruge betont er die politische Potenz des Humors: »So hat J. Paul über den Staat gedacht und durchschaut die Verdorbenheit des öffentlichen Lebens mit strengem, grausamen Blicke. Er ist es, in welchem der sentimentale Humor, der jetzt als bloße Hälfte auf die eine Seite tritt, mit dem härtesten Realismus und radikalsten Hasse der Schlechtigkeit der öffentlichen Zustände zu einer widersprechenden Einheit zusammenfällt. Zunächst erscheint dieser herbe Geist, dieser Nordpol seines Ich, als gesundes und heilsames Gegengift gegen seine Empfindsamkeit und stille, allzuweiche Heimlichkeit. Zieht man einen Teil der letzteren, das unendliche Mitleiden mit den Armen und Gedrückten, aber mit Weglassung der Auflösung, die er diesem Schmerze durch das Bild lächelnder Zufriedenheit gibt, herüber zu dieser herben Seite, so steht ein Republikaner, ein Kommunist, ein Demokrat vor uns.«[208]

Vischer geht über Ruge hinaus, wenn er die mangelnde Objektivität des Jean-Paulschen Humors, sein eklatantes Defizit an Versöhnung (zwischen der aus Rousseau geschöpften politischen Anschauung und der Geschichte, zwischen dem Wahnsinn des öffentlichen Lebens und der schönen Seele[209]) als Mangel der Zeit erklärt und mit der Forderung nach einer Wirklichkeit verbindet, in der der Fortschritt im Bewußtsein der Freiheit sichtbare Formen angenommen hat: »Diese zersetzende Absichtlichkeit nun ist von einer unzufrieden strebenden Zeit wie die unsrige gar nicht zu trennen. Alles, was jetzt Reflexion, Diskussion, Kritik, unverwirklichter Zweck ist, muß erst durch eine große reale Bewegung Zustand, Sein, Natur, Wirklichkeit geworden sein, dann ist wieder Naivetät, Instinkt möglich. Goethe hat gesagt, er wolle den Deutschen die Umwälzungen nicht wünschen, welche nötig wären, wenn sie wieder eine klassische Poesie haben sollen [...] Es ist aber gleichgiltig, was wir wünschen, es fragt sich, was kommen muß, und so viel ist gewiß, *wenn* wieder Blüte der Phantasie kommen soll, so muß vorher eine Umgestaltung des ganzen Lebens kommen.«[210] Die Poesie als Blume der Wirklichkeit: Vischer nimmt hier, in der 1848 erschienenen Zweiten Abteilung des Zweiten Teils seiner »Aesthetik« eine Argumentation auf, die sich noch deutlicher in seiner Besprechung der »Mystères de Paris« von 1844 ausgeprägt findet[211]. Die ihr zugrunde liegende Auffassung vom Naturschönen, d. h. der objektiven Existenz der Schönheit in der Geschichte als Voraussetzung jeder künstlerischen Versöhnung hat Vischer nach 1848 nicht weiterverfolgt, ja in der »Kritik meiner Ästhetik« (1866-1873) dezidiert widerrufen: »der Abschnitt vom Naturschönen muß heraus!«[212]

Nicht lange nach dieser Palinodie tritt die paradoxe Situation ein, daß Vischer ein Buch über Jean Paul rezensiert, das eben die von Vischer aufgegebene Überzeugung von der Angewiesenheit der Kunstschönheit auf gesellschaftliche Vorausset-

einandersetzung mit Jean Paul. In: Festgabe für Eduard Berend zum 75. Geburtstag. Weimar 1959, S. 139-159, hier: S. 145.
208 Vischer, a.a.O. Bd. 1, S. 470 (§ 221 E).
209 Vgl. ebenda Bd. 1, S. 471 (§ 222 E); Bd. 2, S. 516 (§ 480 E).
210 Ebenda Bd. 2, S. 524 (§ 484).
211 Vgl. Müller, a.a.O. S. 131 f.
212 Friedrich Theodor Vischer, Kritische Gänge. N.F. Heft 5. Stuttgart 1866, S. 11.

zungen zur Grundlage einer umfassenden Analyse des Dichters macht. Karl Christian Plancks Monographie über »Jean Paul's Dichtung« von 1867 (T 52) sieht dessen Humor »im Lichte unserer nationalen Entwicklung«, versteht sich selbst als »Stück deutscher Kulturgeschichte«. Planck geht von der These aus, daß die politische Misere Deutschlands um 1800 der Kunst nur zwei Möglichkeiten gelassen habe: entweder der Idealität den Zeitbezug oder dem Zeitbezug die Idealität zu opfern. Obwohl Plancks dialektische Argumentation anerkennt, daß gerade die Flucht der Klassiker in den griechischen Mythos ihrer Dichtung die Perspektive auf die natürlichen Aufgaben des Menschen gesichert habe, ist mit der Formulierung der Alternative doch schon die Entscheidung gefallen: für eine Kunst, die die Gebrochenheit der Verhältnisse zu ihrer eigenen macht, für Jean Pauls ungemilderte Wiedergabe des für seine ganze Zeit charakteristischen Widerspruchs von hypertrophiertem Phantasieleben einerseits, erbärmlicher Alltagswirklichkeit andererseits. Plancks hartnäckig insistierende Kontrastierung der historischen Authentizität des Jean-Paulschen Humors mit der trughaften Harmonie der klassischen Kunst macht sein Buch nach Görres und Börne zu einem Höhepunkt der antiklassizistischen Tradition in Deutschland[213]. Sein gegen Gervinus gerichteter Nachweis der Entwicklung Jean Pauls, in der sehr plausibel verschiedene Stufen unterschieden werden, hat der Jean-Paul-Forschung ebenso weitergeholfen, wie ihr die gewaltsamen allegorischen Bezüge gefährlich geworden sind, die hier wiederholt zwischen bestimmten pragmatischen Elementen (wie in den »Flegeljahren« dem van-der-Kabelschen Testament oder dem Abschied Vults) und dem künftigen Schicksal der deutschen Nation hergestellt werden, wobei denn oft genug Plancks eigene organologische Staatsideen durchschimmern. Der Leser glaubt das berufliche Scheitern und das unglückliche Ende des Verfassers mitzulesen: denn Unzeitgemäßeres konnte es nicht geben, als 1867 den süddeutschen Ständestaat gegen Preußen oder Jean Paul gegen Goethe auszuspielen!

Vischers ausführliche Rezension (T 53) trägt dem Trend der Zeit Rechnung. Vischer, der sich selbst immer wieder zur Traditionslinie Fischart-Jean Paul hingezogen fühlte und bei Erscheinen seines »Auch Einer« (1878) als »Jean Paul redivivus« betitelt wurde[214], distanziert sich hier vernehmlich von der Formlosigkeit seines großen Vorbilds. Plancks historisch-politische Erklärung kann Vischer im jetzigen Stadium seines ästhetischen Denkens nicht akzeptieren. Ihm bleibt nur der Rückgriff auf die klassizistische Krankheitsmetapher (»krankhaft erweitertes Herz«, »bizarr verschlungenes Gehirn«) und der Weg einer anthropologischen Relativierung des Humors zur Privatsache: »zwiespältige Geister wird es immer geben, auch bei befriedigten Nationen, in wohlbestellten öffentlichen Zuständen; der Humor neigt immer und überall zu ruhelosem Neuerzeugen von Kontrasten,

---

213 Vgl. Karl Robert Mandelkow, Wandlungen des Klassikbildes im Lichte gegenwärtiger Klassikkritik. In: Deutsche Literatur zur Zeit der Klassik. Hg. von Karl Otto Conrady. Stuttgart 1977, S. 423–439, hier: S. 430.
214 W. Lang, Jean Paul redivivus. In: Im neuen Reich. Wochenschrift für das Leben des deutschen Volkes in Staat, Wissenschaft und Kunst 8,2 (Juli–Dezember 1878), S. 781–789.

zu ewigem Herüber- und Hinüberschicken; die Welt, die Gesellschaft, der Staat bietet dem krankhaft genialen Geiste jederzeit Stoff genug, um grimmig zu lachen, schmerzlich zu weinen, und nur selten gemütlich zu lächeln«[215]. Dieselbe Relativierung spricht aus Vischers Jean-Paul-Gedicht von 1878: »Du Kind, du Greis, du Kauz, Hanswurst und Engel, / Durchsicht'ger Seraph, breiter Erdenbengel, / Im Himmel Bürger und im Bayerland! // [...] In Bier und Tränen mächtiger Kneipant!«[216] Nur in der Mimikry von Kumpanei und Anbiederung kann Jean-Paul-Verehrung noch überleben.

Vischers Stellung zu Jean Paul in den 60er und 70er Jahren ist deutlich bestimmt durch den Einfluß des Realismus in dem Sinn, wie ihn neuere Untersuchungen als geistige Reaktion des liberalen Bürgertums auf die politischen Ereignisse von 1848/ 1849 beschreiben[217]. Wenn Sengle die Auswirkungen des Revolutionsdesasters auf kulturellem Gebiet als »Kahlschlag« bewertet[218], so ist Jean Paul dessen prominentestes Opfer. Die Forderung nach Objektivität dringt aus dem Kreis idealistischer Ästhetik hinaus und wird zum Gemeingut realistischer Poetik; die praktischen Hinweise, die Spielhagens Romantheorie zu ihrer epischen Realisierung gibt, laufen auf eine konsequente Negation des (nicht nur humoristischen) Erzählers hinaus[219]. »Jean Pauls Stil erregt nur noch Grauen« (Sengle[220]). Grund dafür ist vor allem die endgültige Aufgabe der biedermeierlichen Drei-Töne-Rhetorik und die Festlegung auf die mittlere Stilebene, vorformuliert (und danach immer wieder zitiert) bei Gervinus: »Mit Kothurn und Sokkus je an *einem* Fuße wandeln, ist ein hinkender Gang.«[221] Gervinus' Jean-Paul-Kritik hat überhaupt viele der Antworten geprägt, die die realistische Epoche auf die Frage nach der Bedeutung Jean Pauls zu geben hat. Friedrich Wilhelm Ebeling, der in seiner »Geschichte der Komischen Literatur« einen auch seitdem unerreichten Gipfel der Jean-Paul-Schelte liefert[221a], schreibt geradezu aus Gervinus ab. Nur selten, so bei Vischer und bei Lorm[222], wird Kritik am Schreckensregiment der Literaturgeschichte laut. Bogumil Goltz' Seitenhieb auf die »gar zu hausbackene Mittelmäßigkeitsphilosophie« eines »philiströsen Realismus« stellt ihn selbst ins Abseits[223].

215 Vorliegende Dokumentation S. 206 f.
216 S. den Abdruck des ganzen Gedichts in Einleitung zu T 53.
217 Vgl. den Forschungsbericht von Helmuth Widhammer: Die Literaturtheorie des deutschen Realismus (1848–1860). Stuttgart 1977 = Sammlung Metzler 152.
218 Sengle, a.a.O. Bd. 1, S. 222.
219 Vgl. Winfried Hellmann, Objektivität, Subjektivität und Erzählkunst. Zur Romantheorie Friedrich Spielhagens. In: Deutsche Romantheorien. Beiträge zu einer historischen Poetik des Romans in Deutschland. Hg. von Reinhold Grimm. Frankfurt-Bonn 1968, S. 165–217.
220 Sengle, a.a.O. Bd. 1, S. 307.
221 Gervinus, Geschichte der poetischen National-Literatur. A.a.O. S. 240.
221a Vgl. Friedrich W. Ebeling, Geschichte der Komischen Literatur in Deutschland während der zweiten Hälfte des 18. Jahrhunderts. Bd. 1–3. Leipzig 1869, Bd. 3, S. 660–663.
222 Vgl. Hieronymus Lorm [d.i. Heinrich Landesmann], Humor in Deutschland. Zum hundertjährigen Geburtstag Jean Pauls. In: Oesterreichische Wochenschrift für Wissenschaft, Kunst und öffentliches Leben Bd. 1 (1863), S. 353–359.
223 Vorliegende Dokumentation S. 184.

Ganz allgemein wird Jean Paul seine scheinbare Affinität zur Romantik zum Verhängnis. In ihrer radikalen Ablehnung alles Romantischen kann die realistische Kritik an Vormärzpositionen wie die Ruge/Echtermeyers anknüpfen; der wachsende Einfluß der klassizistischen Tradition wird sie in ihr bestärken. »Blödsinn ist der zartere Ausdruck für Romantik.«[224] Man wende diese Übersetzung Julian Schmidts auf Ebelings Ausfälle gegen den »Plunder« und »Trödelkram« Jean Pauls an oder auf Fontanes Notiz zum »Katzenberger«: »Sieben Achtel ist Quatsch«[225]. Die Ablehnung ist so zeittypisch wie die Schnoddrigkeit, mit der sie sich artikuliert, ja wird von den Zeitgenossen selbst als Ausdruck des Zeitgeists begriffen. So Karl von Holtei, der es 1863 ganz verständlich findet, daß der 100. Geburtstag Jean Pauls im Gegensatz zur nationalen Erhebung, die vier Jahre zuvor Schillers Jubeltag ausgelöst hat, in aller Stille begangen wird: »Wahrlich, es paßt nicht zum Wesen unserer Zeit, es verträgt sich nicht mit der Richtung unserer Jugend, einzufahren in die tiefen, gehaltreichen, hinter verwunderlichen Gewächsen und Dorngebüschen versteckten Schachte seiner Weisheit, Wahrheit, Tugend und Milde. Dazu haben sie in unserer Zeit keine Zeit mehr.«[226] Ähnlich hat schon 1846 Wilhelm Heinrich Riehl das völlige Vergessensein Jean Pauls aus dem neuen Ernst einer Zeit erklärt, die über den Dichter des Gemüts hinausgewachsen sei: »Politische, religiöse, soziale, industrielle Fragen durchkreuzen wirr unser Denken und Sinnen, der Drang der energischen Tat hat unsre tiefste Seele gepackt, immer unwiderstehlicher reißt uns die Gegenwart in den wild brausenden Strudel des öffentlichen Lebens« – Jean Pauls Gestalten, »deren Öffentlichkeit der häusliche Herd, deren Politik eine Politik des Herzens, deren selten bestrittene Konfession schwärmerische Liebe, deren soziale Frage die heitere Gesellschaft, deren höchstes industrielles Problem der Ein- und Austausch trauter Rede ist«, können da schwerlich die »Ideale der ganzen Zeit« bleiben oder wieder werden[227].

Unverkennbar ist es der Jean Paul des Biedermeier, nicht der engagierte Zeitgenosse der Französischen Revolution und der Befreiungskriege, von dem man sich hier distanziert: Wirkungsgeschichte macht Wirkungsgeschichte. Es geht denn auch weniger um eine Kritik der nur noch historisch interessierenden Sentimentalität des 18. Jahrhunderts als um eine Absage an die Gefühlskultur des Biedermeier, wenn Moriz Rapp die »ekstatischen Gefühlssteppen« beklagt, die der Jean-Paul-Leser zu durchwandern hat[228]. »Wie Oasen erheben sich hier und da kleinere schön gehaltene Stellen aus diesem Wirrwarr, aber kaum hat man sich auf sie niedergelassen, so treibt der Wirbelwind uns wieder von dannen«, klagt Hillebrand[229], und

224 Die Grenzboten. Zeitschrift für Politik und Literatur 1849/I, S. 161. Vgl. Hermann Kinder, Poesie als Synthese. Ausbreitung eines deutschen Realismus-Verständnisses in der Mitte des 19. Jahrhunderts. Frankfurt 1973 = Ars poetica. Studien zur Dichtungslehre und Dichtkunst 15, S. 148.
225 Vorliegende Dokumentation S. 213.
226 Karl von Holtei, Jean Paul (Zum 21. März 1863). In: Holtei, Charpie. Eine Sammlung vermischter Aufsätze. Bd. 1.2 [in 1 Bd.]. Breslau 1866, S. 119–126, hier: S. 123.
227 Vorliegende Dokumentation S. 164.
228 Vorliegende Dokumentation S. 191.
229 Joseph Hillebrand, Die deutsche Nationalliteratur seit dem Anfange des 18. Jahrhun-

noch bei Fontane tönt es: »Sahara, aber welche Oasen drin!«[230] Die Lektüre Jean Pauls als Expedition in die Wüste! Das kolonialistische Gleichnis erweist sich als Variante florilegischen Leseverhaltens. Welches aber sind die Blumen, die der realistische Leser pflückt, die Oasen, die seinen Durst stillen? Goltz gibt einen Hinweis: »Und dann wieder entzückt dieser Zauberer, dieser Nebelbilder- und Phantasmagorieenpoet unsere Seele, wenn er endlich erschöpft all diese Witzquälereien und Empfindungsungeheuerlichkeiten, diese ganze Museumswirtschaft von Spirituskuriositäten und anatomischen Präparaten, von Herbarien und Petrefakten verschwinden und ein Idyll erstehen läßt, wo alles klar und bar ist, wo wir den firnen Wein des Lebens und die Elemente des Lebens kosten.«[231]

Das Idyll ist das eigentliche Zentrum der realistischen Jean-Paul-Rezeption. Sie ist nicht zu verwechseln mit biedermeierlicher Betonung der vermeintlich idyllischen Grundhaltung Jean Pauls. Gegen diese polemisiert 1846 Hillebrands Literaturgeschichte mit vormärzlichem Pathos: »Die Wutz-Idylle ist das eigentliche Grundthema der ganzen J. Paulschen Romanwelt, in welcher das gedrückte Kleinleben überall, selbst durch die höchsten Ätherbilder des Hesperus und Titan, hindurchweint.« »In allem [...] lebt und spricht das Schulmeisterlein, der jung-alte kleinlebige J. Paul.«[232] Der spezifisch realistische Horizont wird erst in Rudolph Gottschalls Jean-Paul-Artikel von 1855 (T 57) sichtbar: es ist die Dorfgeschichte[233] des 19. Jahrhunderts, die hier einen neuen Zugang zu Jean Paul eröffnet. Vor ihrem Hintergrund kann Gottschall den Schöpfer eines Wutz, Fixlein und Fibel als »Vater der *modernen Poesie*, [...] der subtilsten Tendenzromane wie der neubackenen Dorfgeschichten« feiern. Jean Paul habe die Poesie auf das Volksleben zurückgewiesen und der Humanität, dem »heiligen Gral unserer klassischen Tafelrunde« – sehr im Gegensatz zum »exklusiven« Artusritter Goethe – »in den beschränktesten Kreisen des deutschen Volkslebens eine herzerfreuende Wirklichkeit gegeben«[234]. In dieser frührealistischen Wertung schwingen gleichfalls noch vormärzliche Ideale mit; die zunehmende Anbindung der Poetik an die klassizistische Tradition macht derartig einseitige Lobeserhebungen Jean Pauls in Zukunft unmöglich. Eher apologetisch formuliert Hettner 1870, sich des beliebten Verfahrens der Aufspaltung Jean Pauls in eine gute und schlechte Hälfte bedienend: »Lassen wir nicht Jean Paul, den unvergleichlichen humoristischen Genremaler, entgelten, was Jean Paul, der manierierte Historienmaler, gesündigt hat.«[235] Als Spitzweg der Literatur sei Jean Paul unbestritten.

derts, besonders seit Lessing, bis auf die Gegenwart, historisch und ästhetisch-kritisch dargestellt. Th. I-III. Hamburg-Gotha 1845/1846, Th. III, S. 91.

230 Vorliegende Dokumentation S. 213.
231 Vorliegende Dokumentation S. 182. Vgl. Rapps Urteil über die »Unsichtbare Loge«: »der ganze Roman würde sich in eine Sandsteppe [!] verlieren, wenn nicht glücklicher Weise die Idylle des Wutz hinten angehängt wäre« (Moriz Rapp, Das goldne Alter der deutschen Poesie. Bd. 2: Schiller, Hebel und Jean Paul. Tübingen 1861, S. 299).
232 Hillebrand, a.a.O. Th. III, S. 94.
233 Zur Geschichte der Gattung und zur zeitgenössischen Diskussion um sie vgl. jetzt: Jürgen Hein, Dorfgeschichte. Stuttgart 1976 = Sammlung Metzler 145.
234 Vorliegende Dokumentation S. 172.
235 Vorliegende Dokumentation S. 212.

Typisch für die Zeit des aufkommenden Biographismus, typisch aber auch für bestimmte veristische Momente der realistischen Ästhetik ist die Betonung der persönlichen Erfahrung des Autors. Aus der »eignen Lebenserfahrung«, die sich Jean Paul in seiner Schwarzenbacher Lehrtätigkeit erworben habe, sei – so Julian Schmidt – alles Vortreffliche geschöpft, was seine Schulmeisteridyllen enthalten[236]. Auch die »Propaganda für eine bessere und würdigere Stellung der Schulmeister«, die Charles Edouard Duboc in Jean Pauls Idyllen findet, lebe davon, daß »er selber die Not der Schulmeisterei an der Quelle und mit eigener hohler Hand schöpfte«[237]. Für Moriz Rapp schließlich bezieht der »Siebenkäs« seinen eigentümlichen idyllischen Reiz vor allem daher, daß der Dichter in der gedrückten Lage des Armenadvokaten seine eigene Schriftstellerexistenz in Hof abgebildet hat, wobei freilich Lenette für die Mutter einspringen muß. In der Interpretation des »Siebenkäs« als Idylle sind sich alle Vertreter der realistischen Literaturkritik einig. Rapp beweist nur besondere Konsequenz darin, daß er, um den idyllischen Charakter des Romans rein herauszupräparieren, alle nichtidyllischen Momente (soweit sie nicht als kleine Schwächen entschuldbar sind) radikal hinauskatapultiert. Das gelingt ihm mit Hilfe der rigiden Zweiteilung des Romans in ein den Ehestand des Armenadvokaten umfassendes »vollendetes Meisterstück der deutschen Idylle« und eine danach einsetzende und nur der Verklammerung wegen bisweilen schon früher hervortretende »humoristische Schnurre« (Siebenkäs' Tod und Hochzeit). In seinem Bemühen um Idyllisierung des ersten Teils schreckt Rapp auch vor Harmonisierungen wie der Behauptung nicht zurück, »daß dieser Siebenkäs und diese Lenette vollkommen für einander geschaffen sind und daß sie das glücklichste Ehepaar zusammen darstellen mußten«[238]. Was sich solcher Verharmlosung entzieht – am unmißverständlichsten natürlich die experimentalnihilistische Vision »Rede des toten Christus« (ein Text, der in der Übersetzung Villers' der französischen Romantik entscheidende Anregungen gab und noch den jungen Vischer zu einer Nachahmung provozierte[239]) –, wird als Anhängsel in der »leersten Manier des Dichters« abgetan[240].

Mit seiner Zweiteilung des »Siebenkäs« kann Rapp einen nicht unwichtigen Nebenerfolg verbuchen: die moralische Reinigung des idyllischen Helden. Denn die pflichtvergessene Manipulation mit den ehelichen Banden, zu der Leibgeber Siebenkäs in der zweiten Hälfte des Romans verführt, mußte den vehementen Protest einer realistischen Leserschaft hervorrufen, die sich mit Gervinus ebenso wie mit den spätaufklärerischen Kritikern Jean Pauls einig weiß im Verlangen nach durchgängiger Anwendbarkeit bürgerlicher Moral auch auf das fiktive Terrain des Romans. Im Chor der Kritiker tönt die Stimme Julian Schmidts hervor, der schon

236 Vorliegende Dokumentation S. 175.
237 Vorliegende Dokumentation S. 196f.
238 Vorliegende Dokumentation S. 188.
239 Vgl. Robert Minder, Jean Paul in Frankreich. In: Festgabe für Eduard Berend zum 75. Geburtstag. Weimar 1959, S. 112–127; Emrich, Friedrich Theodor Vischers Auseinandersetzung mit Jean Paul. A.a.O. S. 137f.
240 Vorliegende Dokumentation S. 187.

in der biographischen Situation, die dem »Siebenkäs« unterlegt ist: im unbeirrten Festhalten des jungen Jean Paul an seinen literarischen Zielen trotz aller finanziellen Bedrängnis, »den Krebsschaden der Zeit versinnlicht« findet: »seine Sittlichkeit wurde durch die Idee untergraben, daß er zu einer großen Laufbahn bestimmt sei und daß der Genius andre Pflichten habe als sonst die Sterblichen«[241]. Zum Roman selbst heißt es lapidar: »Das Buch ist eins der unsittlichsten, die in Deutschland geschrieben sind, ebenso unsittlich als G. Sands Indiana.« Ebenso gefährlich wie die Verherrlichung weiblicher Untreue sei der bürgerlichen Ehe die »exzentrische Subjektivität des Pflichtbegriffs«, mit der Jean Paul ein »Verhalten, das im bürgerlichen Leben ins Zuchthaus führt, [...] als das wahrhaft geniale, als das dem freien Menschen geziemende« darstelle[242]. Schmidts Rüge, die bis ins wörtliche Detail (»exzentrisch«) die Polemik der »Neuen allgemeinen deutschen Bibliothek« aufnimmt, steht im Gesamtzusammenhang der gerade von den »Grenzboten« vorgetragenen frührealistischen Kritik am apolitischen Subjektivismus der klassischen Epoche[243]. Hatte das 18. Jahrhundert den Menschen über den Bürger gestellt, so kehren Schmidt/Freytag das Verhältnis entschieden um. Dieser entnimmt jenem das Motto zu »Soll und Haben«: »Der Roman soll das deutsche Volk da suchen, wo es in seiner Tüchtigkeit zu finden ist, nämlich bei seiner Arbeit.« Vor solchem Maßstab versagt Jean Paul nicht anders als Goethe, auch mit seinen scheinbaren Dorfgeschichten: »Sein Respekt vor dem Naturwüchsigen war angekünstelt; er zeigt uns die Naturmenschen nur in ihrer Sonntagsstimmung, oder humoristisch verzerrt, nicht in ihrer wirklichen Arbeit«[244].

Schmidts Radikalismus wird nicht zur herrschenden Tendenz; der Bürgerliche Realismus nimmt als Poetischer Gestalt an. Was Jean Paul von Schmidt angelastet wird: die Distanz zur Arbeitswelt, schlägt ihm bei der Mehrheit der Realisten als poetische Überhöhung zum Lob aus. Gottschall stellt den Reichtum der Jean-Paulschen Idyllen über den »dürftigen Inhalt« der Dorfgeschichten, »in denen nur die praktische Tüchtigkeit des Bauernlebens, das Treiben in der Dorfschänke, in den Ställen, auf dem Felde ohne weiteres als Tenierschen Genrebild hingestellt wird«. Während in neueren Dorfgeschichten »rohe Zustände zu rustikalen Verbrechen ausarten und die Pathologie der Gesellschaft sich den brutalsten Stoff aussucht«, bewahre die Idylle Jean Pauls noch den arkadischen Anklang ans goldene Zeitalter, atme sie noch »den ganzen Reiz geistiger Unschuld und Harmlosigkeit«[245]. »Die Schilderungen seiner Schulmeister haben nichts von dem deutlich bewußten Ausnützen eines traurigen Themas, wie es die modernen englischen Tendenzromane zur Kunstgattung erheben möchten und wie es selbst zuweilen den Genius von Charles Dickens auf Irrwege führt« (Duboc[246]). Der Poetische Realismus sieht in Jean Pauls Darstellungen des einfachen Volkes ein Geheimnis

---

241 Vorliegende Dokumentation S. 175.
242 Vorliegende Dokumentation S. 177.
243 Vgl. Goethe im Urteil II, S. LIII–LV; Widhammer, a.a.O. S. 68–70.
244 Vorliegende Dokumentation S. 176.
245 Vorliegende Dokumentation S. 168f.
246 Vorliegende Dokumentation S. 196.

seiner eigenen Poetik verwirklicht: von »Dorfgeschichten und Proletariatsromanen« seien sie durch den »Zusammenhang mit dem erhabensten Stoffe« unterschieden, durch den »erhabensten Gesichtspunkt [...] des ganzen, in seiner mannigfaltigen Gestaltung dennoch einigen Menschentums« (Lazarus[247]). Es ist dieser Zusammenhang prosaischer Wirklichkeitstreue und poetischer Verklärung, der Zeising in Jean Paul den ersten Vermittler zwischen »klassischem Formalismus« und »heutigem Substantialismus« erblicken läßt: »und die Erinnerung an ihn wird vielleicht die erste Anregung zur Herstellung eines neuen Schienenweges zwischen dem Realismus und Idealismus«[248].

Die Perspektive der realistischen Generation auf Jean Paul ist die Perspektive des Eisenbahnzeitalters. Goltz, der der Eigenart des Dichters zunächst in naturkundlicher Bildlichkeit gerecht zu werden versucht, greift gleichfalls zur Bahnmetapher, um Jean Pauls Synthese von »Idealismus und Realismus, Mechanismus und Organismus« zu demonstrieren: »Wie in der wirklichen Welt, so hasten in Richters Romanen Maschinen auf eisernen Bahnen durch Urwälder, über Abgründe und Ströme oder durch die Labyrinthe der Zivilisation«[249]. Sternberger hat die Einbettung der Eisenbahn in die Landschaft, die Amalgamierung von Dampfmaschine und Natur als typisch für die Optik des 19. Jahrhunderts beschrieben[250]. Die mit der Eisenbahn eingeleitete »Industrialisierung von Raum und Zeit« (Schivelbusch[251]) wendet sich insgesamt freilich gegen Jean Paul. »Die nötigste Predigt, die man unserm Jahrhundert halten kann, ist die, zu Hause zu bleiben«, hatte dieser im »Quintus Fixlein« erklärt; hundert Jahre nach seiner Geburt sieht von Holtei Jean Pauls Denkmal im Licht moderner Gasbeleuchtung: »und auf vielbefahrenen Eisenbahnen bringt der Dampfwagen etwaige Zuschauer von allen Ecken und Enden herbei. Der Dampfwagen, die ›Lokomotive‹, – dieses eigentlichste Motiv, daß eben *niemand* mehr *zu Hause bleiben will*«[252]. »Jean Paul wird nicht mehr so gewürdigt wie er verdient«, so Schmidt 1875 in bemerkenswerter Distanzierung von seiner früheren Kritik: »Seine Sprache erfordert eine größere Geduld, als wir in unsern Dampfzügen auftreiben können«[253]. In eigenartiger Abweichung von diesem Argumentationsschema sieht Lorm schon Jean Paul vom Geist des Eisenbahnzeitalters geprägt. Die Zeilen des Feuilleton seien heutzutage die »Schienen«, die »ein Talent mit unsäglicher Geschwindigkeit an ein inneres und äußeres Ziel bringen«,

247 Moritz Lazarus, Das Leben der Seele in Monographieen über seine Erscheinungen und Gesetze. Bd. 1.2. Berlin 1856/1857, Bd. 1, S. 212.
248 A. Zeising, Jean Pauls Stellung zur deutschen Literatur (Zum Jean-Paul-Jubiläum in München). In: Morgenblatt 23. 4. 1863, Nr. 17, S. 401–404, hier: S. 404.
249 Vorliegende Dokumentation S. 182.
250 Dolf Sternberger, Panorama oder Ansichten vom 19. Jahrhundert. 2. Aufl. Hamburg 1946, S. 22–47, bes. S. 34 f.
251 Wolfgang Schivelbusch, Geschichte der Eisenbahnreise. Zur Industrialisierung von Raum und Zeit im 19. Jahrhundert. München 1977.
252 Holtei, a. a. O. S. 122 mit Bezug auf Hanser Bd. 4, S. 12.
253 Julian Schmidt, Berthold Auerbach. In: Schmidt, Bilder aus dem geistigen Leben unserer Zeit. Bd. 4: Charackterbilder aus der zeitgenössischen Literatur. Leipzig 1875, S. 37–149, hier: S. 39.

zu einer mehr technischen als künstlerischen Fertigkeit nämlich und einer knapp befristeten Unsterblichkeit. Für den langsamen Reifungsprozeß des echten Künstlers sei keine Zeit mehr.

Überraschend ist die Anwendung auf Jean Paul: »Der Verfasser von ›Ehestand, Tod und Hochzeit‹ hat zwar den Begriff des Feuilletons noch nicht gekannt, war aber unstreitig nichts weiter als der größte Feuilletonist, der bis jetzt gelebt hat«[254]. Das ist eine Aktualisierung aus dem Geist des »feuilletonistischen Zeitalters« (Hesse[255]), die Jean Paul schlecht bekommt. Sie findet ihre Parallele in Dubocs Auffassung Jean Pauls als Rhetoriker (T 51). Im Schatten einer Ästhetik, deren entscheidende Normen aus der Zeit vor Eisenbahn und Feuilleton datieren, bedeuten solche Aneignungen den Tod des Dichters Jean Paul.

Impressionistischer, nationalistischer, geistesgeschichtlicher Horizont: Lyrik, Mystik, Tragik

Im Wagnerkult kommt der falsche Bayreuther zu Ehren – Alfred Kerrs Diktum, den Deutschen auf der Rollwenzelei ins Stammbuch geschrieben[256], erhält seine vollste Geltung im Rückblick auf das späte 19. Jahrhundert. Dasselbe Bürgertum, das Jean Paul als literarischen Spitzweg belächelte, suchte in Wagners Mythen die verlorene eigene Größe. Heinrich von Stein glaubt die Bayreuther Dioskuren 1882 noch in der Gemeinsamkeit des »hohen Sangs von Glaube und Liebe« geeinigt: angeregt durch das Erlebnis fränkischer Landschaft, werde mancher Festspielgast Jean Paul zur Hand nehmen[257]. Lokalpatriotische Verse der Folgezeit zeigen das im Rausch der »Wagnerraserei« vergessene Grab Jean Pauls: nur ein altes Mütterchen weiß noch den Weg, der Bildungsphilister nicht. Auch im Tod erweist sich Jean Paul der Prunkliebe Wagners entgegen als Dichter der Niedergeborenen[258].

Aus der Warte des neuen Heroismus konnte sich Jean Paul in der Gestalt, die ihm Biedermeier und Realismus geliehen hatten, nur als »Verhängnis im Schlafrock« präsentieren. Nietzsches hämische Glosse legt den Maßstab elitären Herrentums an die Jean-Paul-Interpretation des Bürgertums an, ohne diese selbst zu verändern. Es blieb Stefan George vorbehalten, das Bild Jean Pauls der heroischen Kunst- und Lebensauffassung des Fin de siècle zu amalgamieren, den vermeintlichen Verfasser von Kleinbürgeridyllen als Schöpfer »heldengedichtlicher abschlüsse« zu rehabilitieren. Seine Lobrede von 1896 (T 58) bedeutet den bis heute

---

254 Lorm, a.a.O. S. 359.
255 Hermann Hesse, Gesammelte Werke. Bd. 1–12. Frankfurt 1970, Bd. 9, S. 15.
256 »Vergessen Dich die Deutschen heut? / Du bist der Meister von Bayreuth« (7. 8. 1902). Freundliche Mitteilung von Philipp Hausser, Bayreuth.
257 Karl Heinrich von Stein, Stimmen aus der Vergangenheit. In: Bayreuther Blätter 5 (1882), S. 252–257. Unter dem Titel »Jean Paul« wiederabgedruckt in: von Stein, Zur Kultur der Seele. Gesammelte Aufsätze. Hg. von Friedrich Poske. Stuttgart-Berlin 1906, S. 81–89.
258 Franz Ulrich Apelt, Der Jungfernbund und andere Gedichte. Berlin 1903, S. 41; Eduard Herold, Am Grabe Jean Pauls zu Bayreuth. In: Der Wächter 4 (1921), S. 505.

tiefsten Einschnitt in der Wirkungsgeschichte Jean Pauls. Nicht nur wegen der Radikalität, mit der hier der Visionär den Realisten ablöst, die eben noch als »Steppe« und »Manier« geächteten Träume und Gefühlsergüsse ins Zentrum des Werks treten, der Höhenzug »Unsichtbare Loge« – »Hesperus« – »Titan« (mit diesem als Gipfel) das mäßige Gefälle der deutschen Romanschule verdrängt. Sondern vor allem deshalb, weil hier erstmals – nach Ansätzen in der romantischen Rezeption des Humors – die Sprache Jean Pauls in ihrer konstitutiven Bedeutung für seine Dichtung gewürdigt wird. Die historische Voraussetzung, die das ermöglicht, ist die Poetik des Impressionismus: »wenn andere mit der worte klarheit und richtigkeit siegten so hat Er mit der worte verschwindend zarten abschattungen gewirkt, über ihren geheimnisvollen unsichtbar rauschenden und anziehenden unterstrom aufschlüsse gegeben und zuerst – ein vater der ganzen heutigen eindruckskunst – die rede mit unerwarteten glänzen und lichtern belebt mit heimlichen tönen mit versteckten pulsschlägen seufzern und verwunderungen«[259].

Noch 1891 hat George gegenüber Hofmannsthal unter Verweis auf französische (u.a. Verlaine und Mallarmé) und englischsprachige Autoren geklagt: »Unsere Klassiker waren nur Plastiker des Stils, noch nicht Maler und Musiker«[260]. Wenn er 1896 die »Lobrede auf Jean Paul« direkt neben diejenigen auf Verlaine und Mallarmé stellt und in ihr Jean Pauls Bedeutung darin zusammenfaßt, daß er es gewesen sei, der der deutschen Sprache die »glühendsten farben« und die »tiefsten klänge« gegeben habe, so ist offenkundig, daß George jetzt gefunden hat, was er damals suchte: einen neuen Klassiker. Einen Klassiker, der den deutschen Symbolisten die Emanzipation vom französischen Vorbild erlaubte, ihrer importierten Ästhetik die autochthone nationale Weihe lieh. Die literaturpolitische Funktion des Jean-Paul-Lobs wird bestätigt durch zwei lyrische Zeugnisse: »Jean Paul« im »Teppich des Lebens« und die gleichfalls durchgängig auf Jean Paul bezogene »Hehre Harfe« des »Siebenten Rings«: »In dir nur sind wir ganz«; »Alles seid ihr selbst und drinne«[261]. Sie wird vollends manifest in der dreibändigen Anthologie, die George 1900–1902 zusammen mit Karl Wolfskehl herausgibt: ihr dritter Band ist dem Jahrhundert Goethes, ihr zweiter Goethe selbst, der erste – als »Stundenbuch fuer seine Verehrer« – der »grössten dichterischen kraft der Deutschen«: Jean Paul gewidmet. Der Klassiker Jean Paul erweist sich als Lyriker: »In diesem bande gedachten wir von Jean Paul das zu sammeln was ihm heute seine neue und hohe bedeutung verleiht: [...] die unvergängliche schönheit seiner gedichte die er selbständig oder lose angewoben seinen bunten erzählungen mitgegeben, der unvergängliche zauber seiner träume, gesichte und abschlüsse in denen unsre sprache den

259 Vorliegende Dokumentation S. 218.
260 Corona 9 (1939), S. 667.
261 Stefan George, Werke. Bd. 1.2. München-Düsseldorf 1958, Bd. 1, S. 201.307; vgl. Bernhard Böschenstein, Umrisse zu drei Kapiteln einer Wirkungsgeschichte Jean Pauls: Büchner – George – Celan. In: JbJPG 10 (1975), S. 187–204. Wiederabgedruckt in: Böschenstein, Leuchttürme. Von Hölderlin zu Celan. Wirkung und Vergleich. Studien. Frankfurt 1977, S. 147–177.

erhabensten flug genommen hat dessen sie bis zu diesen tagen fähig war.«²⁶² Im Arrangement George/Wolfskehls, dekoriert von Melchior Lechter, schlägt das sentimentale Pathos Jean Pauls in heroisches um. Edle Jünglinge begegnen einander in extremen Momenten. Liebe, Tod und Traum bewegen sie und ein Hauch von Homoerotik.

Georges Lobpreis Jean Pauls war im eigenen Kreis nicht unumstritten oder jedenfalls nicht unzweideutig. Im selben Jahr, in dem Georges Auswahl Jean Paul als zweiten Klassiker neben Goethe inthronisiert, dekuvriert ihn eine graphologische Studie Friedrich Gundolfs als ersten Romantiker. Das heroische Vorbild Georges erscheint vom Fieber der Gegenwart angesteckt: »In solcher Unregelmäßigkeit aller Elemente, welche dieser Handschrift für den fühlenden Beschauer den Stimmungston fiebernder Lebendigkeit hinzufügt, bekundet sich [...] die große Eindrucksfähigkeit des Urhebers, seine außerordentliche ›Reagibilität‹.« Der fliegende Atem, das Überstürzende mancher Werke Jean Pauls bestätige sich in seiner Handschrift, die »Vorliebe für abduktive Bewegungen und verhältnismäßig zarte i-Punkte« verrate die »rasch sich entflammende Begeisterungsfähigkeit«²⁶³. Wenn der George-Kreis zur systematischen Verdrängung des Anteils, den er selbst an der romantischen Tradition genommen hat, und zur Verketzerung derselben als Ursprung moderner Zersetzung auch erst nach dem Bruch mit Hofmannsthal übergeht, ist doch nicht zu verkennen, daß bei Gundolf eine andere Seite Jean Pauls dominiert als bei George: statt Albano Roquairol oder – um es in der lyrischen Antithese auszudrücken, mit der George den Gegensatz der »Titan«-Figuren aufnimmt – statt des »Erkorenen« der »Verworfene«²⁶⁴. In der Kampfansage an die Moderne, die Gundolf 1910 unter dem Titel »Formen der Lüge« formuliert, charakterisiert er den Typus des »Reizsamen (Phantastischen)«, des Intellektuellen (wie man jetzt zu erkennen glaubt:) Hofmannsthalscher Prägung, als modernen Roquairol: »Roquairol dürften wir ihn nennen nach seinem dämonischen ahn – nur ist er ein enkel und wo jener vernichtend war ist er nur verfälscher und entwerter.«²⁶⁵ Solche Nachkommenschaft wirft zweifelhaftes Licht auf den Ahnherrn.

Heroisches Pathos oder Pathologie der Moderne – der Widerspruch, der sich in den Jean-Paul-Aktualisierungen Georges und Gundolfs andeutet, klingt gleichfalls im einzigen unter den jetzt immer zahlreicher werdenden Beiträgen der wissenschaftlichen Zunft zu Jean Paul an, der sich dezidiert vom Rezeptionsmuster des 19. Jahrhunderts lossagt. Die Studie des Ästhetikers und Pädagogen Johannes Volkelt über »Jean Pauls hohe Menschen« (1908) läßt keinen direkten Einfluß Georges erkennen, gelangt in der Nachzeichnung des heroischen Profils vor allem der

262 Deutsche Dichtung. Hg. u. eingeleitet von Stefan George u. Karl Wolfskehl. Bd. 1: Jean Paul. 2. Ausgabe. Berlin 1910, S. 5–7.
263 Friedrich Gundolf, Die Romantiker. I. Jean Paul. In: Graphologische Monatshefte 4 (1900), S. 13–22, hier: S. 16.20.
264 George, a.a.O. Bd. 1, S. 198.
265 Friedrich Gundolf, Formen der Lüge. In: Blätter für die Kunst. 9. Folge (1910), S. 100–104. Wiederabgedruckt in: Der George-Kreis. Eine Auswahl aus seinen Schriften. Hg. von Georg Peter Landmann. Köln-Berlin 1965 = Neue Wissenschaftliche Bibliothek 8, S. 137–140, hier: S. 139.

»Titan«-Figuren aber zu überraschend ähnlichen Resultaten. Volkelt feiert die sittliche Erhabenheit der Helden Jean Pauls und setzt sie der moralischen Vergiftung modernster Literatur entgegen. Auch da zeigt sich der Schatten Roquairols: die vielleicht »genialste Schöpfung Jean Pauls« trägt die Züge eines Dorian Gray![266] Erst Kommerells Jean-Paul-Buch von 1933 wird den Widerspruch von Monumentalität und Modernität, Größe und Krankheit versöhnen. Schon seine Dissertation (1924) beruft sich auf Volkelt als die einzige literaturwissenschaftliche Position, an die ein neues Jean-Paul-Verständnis – das des George-Kreises nämlich – anknüpfen könne[267].

Die öffentliche Resonanz auf Jean Pauls 150. Geburtstag 1913 zeigt die steigende Bewertung des Autors im allgemeinen Bewußtsein. Unter den Gedenkartikeln zeichnen sich die des Boheme-Literaten Johannes Nohl durch die Tendenz zur Aktualisierung und Radikalisierung des Jubilars aus, wie sie sich schon an der Titelgebung ablesen läßt: »Jean Paul als Antiphilister«, »Jean Pauls revolutionäre Lebensanschauung«, »Jean Paul, der Dichter des Unbewußten«, »Jean Paul der Flieger«[268]. Der fünfzig Jahre zuvor als hoffnungslos veraltet abgetan wurde, wird jetzt zum Kronzeugen für alles, was neu und teuer, was modern und unbürgerlich ist. Für die Stoffe der Naturalisten (freilich nicht für ihre naturalistische Behandlung), für Nietzsches dionysisches Erleben ebenso wie für Scheerbarts kosmische Phantasien; noch Benjamin wird den letzten Vergleich erneuern[269]. Selbst Ansätze zur damals aktuellsten Bewegung, dem Futurismus, findet Nohl in Jean Pauls »musikalischem sukzessiven Aufnehmen und Genießen von Landschaften«: »Wenn wir von Verhaeren und etwa Heinrich Manns ›Kleiner Stadt‹ absehen, so hat in unserer Zeit der Kinematographen noch keiner das Fluten der Erscheinungen und die schöpferische Freude daran gegeben wie Jean Paul in allen seinen Werken, vornehmlich in den ›Flegeljahren‹ und im ›Giannozzo‹.«[270] Nohls Paraphrase des »Giannozzo« in »Jean Paul der Flieger« (T 62) weist in eigentümlicher Weise auf die Bedeutung voraus, die Walter Höllerer als Jean-Paul-Interpret wie als Autor dem Flugmotiv abgewinnt[271]. Jean Pauls Phantasie vom Fliegen ist ihrer technischen Realisierbarkeit soweit voraus wie seine Erzählkunst der Optik eines Zeitalters der technischen Reproduzierbarkeit; der durch die Eisenbahn überholt schien, gewinnt durch Flugzeug und Kino neue Bedeutung.

Die Saat Georges trägt, man sieht es, reiche Früchte. George hatte ja als erster die

266 Johannes Volkelt, Jean Pauls hohe Menschen. In: Volkelt, Zwischen Dichtung und Philosophie. Gesammelte Aufsätze. München 1908, S. 106–161, hier: S. 141–143.
267 Max Kommerell, Jean Pauls Verhältnis zu Rousseau. Nach den Haupt-Romanen dargestellt. Marburg 1924 = Beiträge zur deutschen Literaturwissenschaft 23, S. 23–27.34.
268 Berend/Krogoll Nr. 1316, 1814, 1500 und T 67.
269 Walter Benjamin, Gesammelte Schriften. Bd. 3. Hg. von Hella Tiedemann-Bartels. Frankfurt 1972, S. 412f.
270 Johannes Nohl, Jean Paul. Zum 150. Geburtstage (1763 – 21. März – 1913). In: Berliner Tageblatt 21. 3. 1913, Nr. 146.
271 Vgl. das Nachwort zum »Titan« (Hanser Bd. 3, S. 1146f.) und Walter Höllerer, Vögel wie du und ich. Ein Bericht zu der Komödie »Alle Vögel alle«. In: Sprache im technischen Zeitalter 66/1978, S. 131–137.

ästhetisch-artistischen Valeurs der Jean-Paulschen Prosa zur Grundlage einer Neubewertung gemacht. Es verleiht der Wirkungsgeschichte Jean Pauls eine Folgerichtigkeit, die ans Paradoxe grenzt, wenn es nun gerade Hofmannsthal ist, von dem es im George-Kreis hieß, er sei vom Tempel auf die Straße gegangen[272], der hier Bedenken anmeldet. Seine differenzierte Würdigung (T 61) bewegt sich zunächst ganz in den Bahnen Georges, indem sie die »wahrhaftigen Gedichte« preist, die Jean Pauls großen Romanen eingelegt seien: »Die deutsche Dichtung hat nichts hervorgebracht, das der Musik so verwandt wäre, nichts so Wehendes, Ahnungsvolles, Unendliches.« Dann aber kommt der Umschlag: Hofmannsthal stellt dieser Poesie der Ferne die Idyllendichtung Jean Pauls als demütige Hingabe an die Nähe gegenüber. Hier walte eine Poesie, die »vielleicht noch seltener und kostbarer« sei »als jene Ahnungen und Träume«: »Nach einer erhabenen Ferne strebt in Träumen und halben Träumen etwa auch ein zerrissenes und zweideutiges Gemüt, aber um das völlig Nahe in seiner Göttlichkeit zu erkennen, dazu bedarf es eines vor Ehrfurcht zitternden und zugleich gefaßten Herzens«[273]. Es ist sicher richtig[274], daß sich im Gang dieser Argumentation Hofmannsthals eigene Entwicklung spiegelt: vom Ästhetizismus seines Anfangs zur späteren Sorge um das Humane. Vor dem Hintergrund der Wirkungsgeschichte Jean Pauls bedeutet Hofmannsthals Betonung der Idyllen und ihres ethischen Werts einen Rückgriff auf Traditionen des 19. Jahrhunderts. Er teilt diesen Rückgriff mit Hermann Hesse, dessen lebenslange Wertschätzung Jean Pauls vor allem dem Verfasser des »Siebenkäs« und der »Flegeljahre« gilt. »Jede wahre Dichtung ist Jasagen, entsteht aus Liebe, hat zum Grund und zur Quelle Dankbarkeit gegen das Leben, ist Lobpreis Gottes und seiner Schöpfung.« In hundert Melodien ströme diese dankbare Liebe aus dem »Siebenkäs« – so Hesse 1923 im Nachwort zum Roman: »und all diese Melodien zusammen, die frohen und die schmerzlichen, die verhaltnen und die gelöst hinströmenden, singen den Sinn des Lebens, singen die tiefe, innige Frömmigkeit eines großen Herzens, das sich keiner Lust und keinem Leide dieser Welt verschließt [...] und bereit ist, in allem die Stimme des Ewigen zu hören«[275].

Angesichts des politischen Zusammenbruchs Deutschlands nach dem Ersten Weltkrieg regt Hesse zur Jean-Paul-Lektüre als zur Einkehr beim deutschen Wesen an. Ob ausgesprochen oder nicht, ist es tatsächlich der Bezug zur politischen Gegenwart, der der Jean-Paul-Rezeption der Zwanziger Jahre die Brisanz, Intensität und Extensität gibt, die sich nicht zuletzt in der Flut von Publikationen zum 100. Todestag Jean Pauls 1925 zeigt: im Laufe eines Jahres erscheinen nicht weniger als vier Biographien des Dichters[276]. Nur ganz vereinzelt dient dabei der Rekurs

272 Vgl. Richard Alewyn, Hofmannsthals Wandlung. Frankfurt 1949 = Wissenschaft und Gegenwart 18. Wiederabgedruckt in: Alewyn, Über Hugo von Hofmannsthal. 3. verm. Aufl. Göttingen 1963 = Kleine Vandenhoeck-Reihe 57–57b, S. 161–179.
273 Vorliegende Dokumentation S. 229.
274 Vgl. Astrid von der Goltz, Die Bedeutung Jean Pauls für deutsche Dichter des 20. Jahrhunderts. Phil. Diss. Tübingen 1955 (Masch.), S. 102–107.
275 Hesse, a.a.O. Bd. 12, S. 221.
276 Zwei davon beschränken sich allerdings auf den jungen Jean Paul: Friedrich Burschell, Jean Paul. Die Entwicklung eines Dichters. Stuttgart-Berlin-Leipzig 1926; Walther

auf Jean Paul, so nahe das seine politischen Schriften zu legen scheinen, pazifistischen oder demokratischen Intentionen[277]. Wo die Aktualität Jean Pauls nicht allgemein mit der Abwendung vom Materialismus begründet wird, die der Krieg ausgelöst habe[278], (und selbst da) überwiegt zumeist die Rolle des Dichters als Führer zu neuer nationaler Größe. Josef Müller ruft 1925 zur Gründung einer Jean-Paul-Gesellschaft auf, indem er »den Wunsiedler Denker und Dichter als den besten Führer« empfiehlt; die Geschichte der tatsächlich im selben Jahr gegründeten Gesellschaft hat über lange Jahre – bei anfangs durchaus vorhandenen gegensätzlichen Tendenzen – den Verdacht nicht auslöschen können, daß es gerade die antisozialistischen und antisemitischen Akzente des Aufrufs waren, die ihm Gehör verschafften[279]. Als »Heilsgeschichte des Deutschen« (Benjamin) legt Kommerell 1928 sein Buch »Der Dichter als Führer in der deutschen Klassik« vor. Unter radikaler Verdrängung der wirkungsgeschichtlichen Mittlerfunktion des 19. Jahrhunderts wird hier im Wechselspiel persönlicher Feind- und Freundschaften das Bild des Weimarer Musenhofs als Utopie einer heroischen Verwirklichung deutschen Wesens, als Vorwegnahme jenes deutschen Aufstands gegen die Zeit errichtet, den hundert Jahre später George ausrief. Das Gruppenbild mit Goethe, in dem auch Jean Paul an der Seite Herders seinen Platz hat (obgleich die eigentliche Gegenposition zu Goethe hier Hölderlin einnimmt), erweist sich als zurückprojizierter Georgekreis. Dessen geheimes Deutschland ist jedoch – wie Benjamin, die Hände noch zerschunden von den Dornen des »schön blühenden Rosenbuschs aus Georges Garten«[280], am Schluß seiner Rezension bemerkt – nicht zu trennen von jenem politischen Deutschland, »in welchem die Tarnkappe neben dem Stahlhelm hängt«[281]. Solche Klassikpflege dient der Aufrüstung.

Kommerells Beschwörung des Goethekreises (freilich unter Einschluß Jean Pauls) ist nur bedingt repräsentativ; die eigentliche Tarnkappe des Nationalismus der Zwanziger Jahre heißt Antiklassizismus. In der Programmschrift »Goethe oder Herder?« (1924) leitet Josef Nadler seine Entscheidung gegen die vermeintlich einseitige Künstlerexistenz Goethes und für die nationale Führerrolle Herders aus den Zwängen der historischen Situation ab: »Der Kulturtypus unseres werdenden Zeitalters ist nicht Goethe, sondern Herder. Über uns, das Geschlecht eines strudeln-

Meier, Jean Paul. Das Werden seiner geistigen Gestalt. Zürich-Leipzig-Berlin 1926 = Wege zur Dichtung 1. – Zu den Biographien von Alt und Harich siehe das Folgende.
277 So bei Fritz Klatt und Claup: Klatt, Jean Paul als Verkünder von Frieden und Freiheit. Der romantische Idealismus und sein Aufruf zur Tat. Berlin 1919. Neudruck Hamburg 1947 [!]; Claup, Jean Paul. Zu seinem 100. Todestage am 14. November 1925. In: Echo der Jungen Demokratie. Jean-Paul-Gedächtnisblatt. Nürnberg November 1925, S. 3–5.
278 Vgl. Wolfgang Roemisch-Arosa, Jean Paul und wir. Dresden 1926, S. 43.
279 Josef Müller, Führer und Verführer. Zum Zentenarium Jean Pauls. 14. November 1825. In: Augsburger Post-Zeitung 21. 10. 1925, Nr. 241. – Vgl. Michael Töteberg, Die Rezeption Jean Pauls in der Jean-Paul-Gesellschaft 1925–1945. In: JbJPG 9 (1974), S. 177–190.
280 An Gershom Scholem 27. 7. 1929. In: Walter Benjamin, Briefe. Hg. von Gershom Scholem u. Theodor W. Adorno. Bd. 1.2. Frankfurt 1966, Bd. 2, S. 499f.
281 Walter Benjamin, Wider ein Meisterwerk (1930). In: Benjamin, Gesammelte Schriften. A.a.O. Bd. 3, S. 252–259, hier: S. 259.

den Chaos, ist es verhängt, nicht überkommene Formen zu pflegen, sondern formlos, formfrei, formenbefreit zu sein im Dienste der schaffenden und zeugenden Gedanken«[282]. Wenn es eine geschichtliche Parallele zur Gegenwart gebe, dann sei es das Zeitalter der Mystik, die Epoche schöpferischer Unruhe vor der endgültigen Überwindung des formgebundenen Mittelalters in der Reformation. Die entscheidenden ästhetischen Voraussetzungen für dieses Bekenntnis zur Formlosigkeit oder, positiv gewendet, zur dynamischen Form liefert natürlich der Expressionismus, der auch erst die Barock-, Hölderlin- und Kleist-Renaissance der Zwanziger Jahre ermöglicht – Bewegungen, die auch ihrerseits auf die Jean-Paul-Rezeption zurückwirken, wie Zuckers und Benjamins Nachweis barocker Strukturen bei Jean Paul zeigt[283]: »Unsrer Zeit, die den Expressionismus erlebt hat und, ganz abgesehen von der Fragwürdigkeit vieler seiner Erzeugnisse, noch immer die lebendigen zur Ausdruckskunst drängenden Kräfte in sich fühlt [...] liegt Maßlosigkeit, wenn sie geistiger Erlösung gilt, näher als Maß, ist der Kosmos, der Rausch unbedingter Hingabe, tiefer verwandt als begrenzte Realität und wohlabgewogenes Sagen« (Henz[284]).

Nadlers Entscheidung für die Formlosigkeit ist nicht nur ein ästhetisches Votum. In ihr drückt sich die Unzufriedenheit des Nationalisten mit den enger gezogenen Grenzen des Deutschen Reichs ebenso aus wie die des Konservativen mit den Institutionen der Republik und darüber hinaus die Krise eines Bürgertums, das an der individualistischen Vereinzelung des Liberalismus verzweifelt, wie sie ja letzten Endes jeder fixierten Kunstform zugrunde liegt, und unterwegs zu neuen kollektiven Ganzheiten ist. Formsprengung gleich Volksverbundenheit, welcher Couleur auch immer. In dieser Gleichung liegt der Schlüssel für die nationalistische Aufwertung Jean Pauls, die sich schon in einem Gedenkartikel von 1913 anbahnt: »Statt des Goetheschen Heidentums bietet er christliche Mystik, statt der ruhigen selbstsicheren Objektivität schrankenlose Versenkung ins Ich, statt eines über der Zeit und dem Leben stehenden souveränen Weltbürgertums einseitig leidenschaftliche Heimatliebe« (Landau[285]). Ihren Gipfel erreicht diese Tradition in der Antithese von Deutschheit und Form, heimischer Scholle und europäischem Geist, die Walther Harich ins Zentrum seiner Jean-Paul-Biographie von 1925 rückt. Anläßlich der ersten Reise Jean Pauls nach Weimar stellt er mit der Frage nach der weiteren Entwicklung des Dichters zugleich die »Frage nach der Verwirklichung des deutschen Geistes«: »Kann große deutsche Dichtung [...] den Boden, in dem sie wurzelt, zurückstoßen und in die reine Form europäischer Geistigkeit eingehen? Oder ist sie den Kräften der Erde ewig verbunden?«[286]

Harich beantwortet die Frage im Sinne Nadlers, dem er in Königsberg persönlich nahestand[287]: Jean Paul behaupte sich als deutscher Dichter, indem er dem

282 Josef Nadler, Goethe oder Herder? In: Hochland 22, 1 (1924/1925), S. 1–15, hier: S. 14.
283 T 67 und T 69.
284 Rudolf Henz, Jean Paul und unsre Zeit. In: Kölnische Zeitung 28. 11. 1925, Nr. 383.
285 Paul Landau, Jean Paul, der Deutsche. Zum 150. Geburtstag unseres »siebenten Klassikers«, 21. März. In: Berner Tageblatt 20. 3. 1913.
286 Walther Harich, Jean Paul. Leipzig 1925, S. 385.
287 Vgl. Marianne Jabs-Kriegsmann, Walther Harich. Ein Beitrag zur Literaturgeschichte

mystischen Quell treu bleibe, der ihn mit den Tiefen des Volks verbinde, und nicht wie Goethe die gotische Begeisterung seiner Anfänge dem Formalismus westlicher Latinität opfere. Die Formulierung der Alternative und ihre Durchführung auf immerhin 850 Seiten verrät beste konservative Tradition: wenn nicht den Einfluß von, so doch die Affinität zu Thomas Manns »Betrachtungen eines Unpolitischen«, die gleichfalls auf der Polarität westlicher Formung und östlicher Mystik, Rationalität und Musik, Zivilisation und Kultur beruhen. Während Manns gleichzeitig erscheinender »Zauberberg« diese Gegensätze in den Diskursen Naphthas und Settembrinis nur aufnimmt, um sie einer epischen Vermittlung zuzuführen, ist Harichs Buch ein einziges Plädoyer für Naphtha. »Auf einmal war mir der Sinn unseres Zusammenbruches klar: wir haben jene ganze große östliche mystische Wesensseite verloren, die durch die Namen Hamann, Herder, Jean Paul (auch ein Sohn des deutsch-slawischen Grenzgebiets) gekennzeichnet wird. Diese Männer gilt es dem Bewußtsein wieder lebendig zu machen [...] In diesem Buch habe ich alles niedergelegt, was ich über die Gegenwart zu sagen habe, auch wenn es unter dem Bild einer hundert Jahre zurückliegenden Zeit gesagt ist.«[288] Harichs Jean-Paul-Buch ist denn auch alles andere als eine Künstlerbiographie, wie man nach seinem »E. T. A. Hoffmann« (1920) hätte erwarten können. Heißt es dort noch: »Künstler – das ist der Mensch ohne Geschichte«[289], so erscheint Jean Paul jetzt nur noch als Exponent der »nach einer deutschen Form ringenden Bewegung«[290]. Die Interpretation des »Titan« – auch für Harich Hauptwerk Jean Pauls – verrät ihre spezifische Tendenz schon durch die Identifikation der Lehrerfigur Dian mit Herder; sie gipfelt in der Überwindung »jedes verkappten Literatenideals«: »Albano ist die einzige Gestalt innerhalb der abendländischen Literatur, die einer Jugend als allseitiges Ideal eines wirkenden Menschen nahegebracht ist«[291]. »Vorzüglich handle«[292] – im Sinne dieser seiner eigenen Maxime interpretiert Harich Jean Paul: seine Biographie ist ein einziger Aufruf zur nationalen Tat.

Man wird Harich zugute halten müssen, daß er sich die nationale Praxis anders vorgestellt hat, als sie dann eingetreten ist. Sein Antiklassizismus weist durchaus noch Spuren vom demokratischen Engagement eines Görres und Börne auf. Wiewenig die bürgerliche Öffentlichkeit der Mittzwanziger solche Zwischentöne noch zu realisieren bereit oder fähig war, zeigt Hans Francks Harich-Adaption (T 64): »Unser Schicksal, unser Menschsein erfüllen und überwinden wir nur in den – von Jean Paul unablässig vorgelebten – Schauern todwilliger, todseliger, lebenwirkender, letzter Hingabe.«[293] Man warnt vor einer Überbetonung der mystischen Seite

der Zwanziger Jahre. Bonn 1971 = Abhandlungen zur Kunst-, Musik- und Literaturwissenschaft 104, S. 8.
288 Walther Harich, Mein Anfang. In: Die Truhe. Blätter für ostdeutsche Geschichte und Heimatkunde 26. 7. 1925.
289 Walther Harich, E. T. A. Hoffmann. Das Leben eines Künstlers. Bd. 1. 2. Berlin 1920, Bd. 1, S. 9.
290 Harich, Jean Paul. A. a. O. S. 5.
291 Ebenda S. 593.
292 Hanser Bd. 4, S. 1023.
293 Vorliegende Dokumentation S. 242.

Jean Pauls (in Verkennung des Stellenwerts, den sie bei Harich einnimmt): »Besonders unsere Feinde sähen nichts lieber, als daß wir Träumer im Sinne Jean Pauls wieder würden und uns mit einem selbstgebauten Reich der Träume begnügten« (Lemke[294]), und setzt dagegen die wohlverstandene »deutsche Verwirklichung«: zum weichen Herzen gehöre »auch die eiserne Kraft«, zur ruhsamen Bürgerlichkeit »auch Völkerwanderung und rastloser hochgereckter Wille zur Eroberung der Unendlichkeiten des Geistes und des Alls« (Gayda[295]). Nichtsdestotrotz bewähren sich nach der Machtergreifung die Fragen nach der Bedeutung des Gefühls für Jean Paul und seiner »dynamischen Weltanschauung« als Lieblingsthemen faschistischer Jean-Paul-Rezeption. In seinem Vortrag vor der NS-Kulturgemeinde Bayreuth (T 71) beschwört Benno von Wiese den Bekenntnischarakter deutscher im Gegensatz zu romanischer Dichtung, und A. Zeheters Themenkatalog zur Nazifizierung des Dichters (T 70) beruft sich auf Alfred Baeumler, der die nationalsozialistische Kultur als Kultur des Gefühls definiert habe – »wobei dieser Begriff nicht mißverstanden werden darf«[296]. Allerdings nicht.

»Woher kommst du junger Mann?«, fragt Wilhelm Meister Albano. Dieser antwortet: »Du irrst. Ich bin ein Jüngling.« Im fiktiven Dialog der Romanhelden am Schluß des Jean-Paul-Kapitels in Kommerells »Der Dichter als Führer« (T 68 a) verteidigt Albano die Unbedingtheit seines jugendlichen Idealismus gegen Wilhelms männliche Resignation. Die Andersartigkeit seines Antipoden anerkennend, verabschiedet ihn dieser: »Wohin gehst du deutscher Jüngling?«[297] Im Gegensatz zu Harichs politischer Jean-Paul-Interpretation, die ja die Reifung Albanos zum Mann der Praxis akzentuiert, sieht eine Reihe von Interpreten die Bedeutung Jean Pauls gerade in der Jünglingshaftigkeit seines Wesens begründet. Ihrer negativen Bewertung beraubt, feiert Gervinus' Juvenilitätsthese in geistesgeschichtlicher Typenbildung fröhliche Urständ. »Eine Zeit, die sich abwendet von der ›rechnerischen Wertempfindung‹ des Jahrhundertbeginns und sich wieder zur Seele bekennt, sieht in diesem Dichter der Farben und Klänge, des Träumens und Sehnens und Zweifelns einen Künder ihrer eigenen Sehnsüchte und Nöte und eine Verkörperung des ewig Jünglinghaften im deutschen Wesen«[298]. Die Jünglingshaftigkeit Jean Pauls, hier bei Kluckhohn noch ein Aspekt unter anderen, bildet in Johannes Alts Biographie von 1925 den Angelpunkt der ganzen Argumentation. Schon die Einleitung (T 63) ordnet Jean Paul in Anlehnung an Gundolfs »Simplizissimus«-Aufsatz[299] in die Traditionslinie Wolfram-Grimmelshausen ein und faßt sein Wesen in den Begriff des »tumben Toren«. Alt folgt dabei einem für den George-Kreis

294 Ernst Lemke, Jean Paul. † am 14. November 1825. In: Der Reichsbote 14. 11. 1925 Morgenausgabe.
295 Franz Alfons Gayda, Jean Pauls Wiederkehr. In: Der Geisteskampf der Gegenwart 63 (1927), S. 428–432.
296 Vorliegende Dokumentation S. 272.
297 Vorliegende Dokumentation S. 254 u. 258.
298 Paul Kluckhohn, Jean Paul und die Gegenwart. Zum 100. Todestage des Dichters am 14. November. In: Danziger Neueste Nachrichten 14. 11. 1925, Nr. 268.
299 Friedrich Gundolf, Grimmelshausen und der Simplizissimus. In: Deutsche Vierteljahrsschrift für Literaturwissenschaft und Geistesgeschichte 1 (1923), S. 339–358.

typischen Verfahren: der Suche nach der alle geistigen Äußerungen eines Individuums prägenden »Gestalt«; er zeigt sich zugleich geistesgeschichtlichen Traditionen verpflichtet in der Betonung des Bildungsromans und der Beziehung dichterischer Figuren auf Grunderfahrungen des Autors.

Jean Paul in der Sicht Alts ist wesentlich identisch mit dem Walt der »Flegeljahre«. In dessen naiver Weltunkenntnis spiegle sich Jean Pauls eigene Fremdheit gegenüber der Zeit (der »Zopfwelt«, wie Alt nach George sagt); die ihn selbst beherrschenden widersprüchlichen Kräfte magischer Entwirklichung und heroischer Verleiblichung (George!) habe Jean Paul in Walts Träumerei und Liebe einerseits, in seinen Freundschaften andererseits verbildlicht. Im Auseinandergehen der Zwillinge am Ende des Romans komme die Begrenztheit der durch den Humor erzeugten Versöhnung von Innen und Außen zum Ausdruck, trete die letztlich tragische Entfremdung des tumben Toren Jean Paul von der Welt hervor. In tragischem Zwielicht sieht auch Karl Wolfskehl 1927 die »Flegeljahre« (T 66). Für ihn besteht Jean Pauls Bestimmung und Gesetz darin, »Leben und Helle dieser Erde zu sein, *indem er sich – nicht erfüllt*«[300]. Das Scheitern der Brüderfreundschaft bezeuge daher Jean Pauls eigenes Schicksal: den Punkt, wo er selbst als Dämon endete und ins Philistertum zurücktrat. Wolfskehl vertauscht die geistesgeschichtliche Argumentation Alts mit einer mythischen Deutung, wie sie in entfernt vergleichbarer Form Werner Deubel 1925 auf Jean Paul angewandt hat – und zwar unter Rekurs auf Ludwig Klages, den Gesinnungsgenossen Wolfskehls aus der Münchner Kosmiker-Zeit (T 65). Wolfskehls Aufspaltung Jean Pauls in die Polarität Dämon-Philister lag nach Nohls und Landaus Aufsätzen von 1913 gewissermaßen in der Luft[301]; sie geht letzten Endes auf eine Bemerkung zurück, die schon der alte Gervinus über Jean Pauls Arbeitsweise gemacht hat: »Der Mann, in dem ein Dämon mehr als in jedem andren wirksam schien, trieb diese Pedanterie des kleinlichen Gelehrten aufs Alleräußerste; der in seiner Schreibart am regellosesten war, hatte sich für diese Studierart [...] Reglements und Marschrouten vorgeschrieben.«[302] Wie im Falle der Juvenilitätsthese oder in Diltheys Deutung Jean Pauls als Musiker (T 60) bleibt die geistesgeschichtliche (hier: die mythische) Deutung Jean Pauls zunächst dem Rezeptionsmuster des 19. Jahrhunderts verpflichtet, das sie nur neu bewertet und spekulativ überhöht.

Zur Originalität wissenschaftlicher Erkenntnis bricht geistesgeschichtliche Jean-Paul-Betrachtung erst in Kommerells großem Wurf von 1933 durch (T 68 b). Tragik herrscht auch hier: »Jean Paul hat einmal ein Schicksal gehabt: Weimar, und ist einmal ein Schicksal geworden: als er den Titan schrieb.«[303] So der erste Satz und die leitende These des zentralen Kapitels »Der Titan als tragischer Entwurf«, dessen Durchführung freilich erheblich von Alts Auffassung des Romans abweicht. Dieser hatte vom Scheitern des »Titan« gesprochen und die entscheidende Zäsur

300 Vorliegende Dokumentation S. 247.
301 Johannes Nohl, Jean Paul als Antiphilister. In: März 14. 6. 1913, Nr. 24, S. 370–377; Landau, Jean Paul, der Deutsche. A. a. O.
302 Gervinus, Geschichte der poetischen National-Literatur. A. a. O. S. 223.
303 Max Kommerell, Jean Paul. Frankfurt 1933, S. 204.

ans Ende des zweiten Buchs gesetzt: danach zerbreche die heroische Konzeption Jean Pauls unter dem Einfluß der kleinlichen Moral jener Zopfwelt, der er sich nicht habe entziehen können. Für Kommerell erreicht der »Titan« seine tragische Vollendung erst in der dramatischen Beschleunigung, mit der an seinem Ende die einkräftigen Gestalten ihrem Untergang entgegentreiben. Richtet sich schon die Hervorhebung der straffen Komposition gegen Georges Verständnis Jean Pauls als Lyriker, dem eine Blütenlese schöner Stellen gerecht werde, so erst recht Kommerells These von der Selbstspaltung als entscheidender Voraussetzung für die tragische Anlage des »Titan«. Jean Pauls Kampf mit dem Jahrhundert sei, wie er selber wisse, ein Kampf mit dem Feind in der eigenen Brust. Kommerell nimmt hier Gundolfs Annahme von der pathologischen Gefährdung Jean Pauls auf; die Divergenz zu gesunder Leiblichkeit, dem Leitbild orthodoxer George-Ästhetik, und der Gegensatz zum poetischen Repräsentanten dieses Leitbilds: zum hier antithetisch stets präsenten Goethe, wird vollends perfekt in der Explikation Schoppes als der Gestalt, in der die Tragik des tragischen Romans kumuliert. Denn Schoppe ist Humorist.

Der Humorist ist für Kommerell die eigentliche »Gestalt« Jean Pauls, die Erfahrung der Entfremdung von Körper und Geist die geheime Mitte seiner Dichtung. »Ich bin Ich« – Jean Pauls kindliche Erleuchtung und Schoppes Wahnsinn einigt die Radikalität eines Denkerlebnisses, wie sie sich sonst nur bei Nietzsche finde. Denn hinter der Komik des Humors lauert furchtbarer Ernst: »Jean Paul wollte das Gelächter der Götter über den Lebensjahrmarkt erregen und erregte statt dessen den Schauder über den Riß in seinem Geist, der ein Riß im neuzeitlichen Menschen ist: dem Menschen, der den Weg des Geistes ins Leben, der die Gebärde verloren hat.«[304] Die existentielle, fast tödliche Konsequenz, mit der Jean Paul die »Unentrinnbarkeit des Ich-Seins« gestaltet, gibt seiner Dichtung die Größe und überzeitliche Geltung zurück, die ihr die Zuschreibung modernen Bewußtseins und die Aufgabe der Führerrolle (»Jean Paul ist, als Humorist, kein Führer«[305]) genommen hat. Nichtsdestotrotz wird sich George, der das Buch seines abtrünnigen Schülers auf dem Krankenbett mit Spannung erwartet haben soll, eher an der Vergegenwärtigung der »Singenden Prosa«, der »Gedichte« und »Träume« erbaut haben, in der vieles von seiner »Lobrede« weiterwirkt. Freilich ist nicht zu übersehen, daß auch die Sprachlichkeit Jean Pauls in die Perspektive einer genuin modernen Krisenerfahrung einrückt: »Das Gestalten vollzieht sich hier durch Sprache, ist das Sprechen selbst, und das Urteil über Wert und Unwert der Schöpfung wird erst über deren sprachliche Form gefällt [...] Hier ist ein Wille des Ausdrucks, dem die Gegenstände bloß dienen, um seine letzte Möglichkeit zu erschöpfen«[306]. Kommerells eigene Sprache trägt diesem Tatbestand Rechnung: die Grenzenlosigkeit der Darstellung spiegelt die des Gegenstandes, so wenig wie der Redestrom Jean Pauls versiegt der seines Interpreten. »Das Buch hat etwas Monströses«, so Holthusen,

---

304 Ebenda S. 419.
305 Vorliegende Dokumentation S. 265.
306 Kommerell, Jean Paul. A.a.O. S. 30.

»es ist eine Art Perpetuum mobile des textauslegenden Eifers, das schließlich nur mit Gewalt gestoppt werden kann.«[307]

Benjamin hat vor diesem zweiten »Meisterwerk« Kommerells viel von der ideologiekritischen Reserve aufgegeben, mit der er dem ersten begegnet war. Trotz vorhandener und monierter Ansätze wagt er es nicht, Kommerell definitiv der Diffamierung des Denkens zu bezichtigen. Der heutige dem Jargon der Zeit wie der Schule fernerstehende Leser mag angesichts mancher archaisierender, ja ritualisierender Passagen anders entscheiden. Man denke nur an Kommerells Vergleich der »Stufenerlebnisse« des Jean-Paulschen Jünglings mit Initiationsriten primitiver Stämme: ihre elementare Gewalt läßt ihn den »Gesang des Wachstums« vernehmen, den »Ausdruck hartgeschlossener Häuptlingslippen« imaginieren[308]. Das Dichterhaupt scheint sich da nicht, wie Benjamin formuliert, »von dem grauen Hintergrund der Ewigkeit«, sondern von dem des tausendjährigen Reichs abzuzeichnen[309]. Derselbe Hintergrund gibt den geistesgeschichtlichen Studien Walther Rehms über die Gestaltung des Unglaubens und des Bösen bei Jean Paul ihre dunkle Färbung[310]. Wahl und Wertung der Themen sind von unreflektierter Aktualität: die Schrecken des Nationalsozialismus öffnen dem Literarhistoriker die Augen für die Abgründe der Romantik. Wenn Rehm deren – mithin auch seiner eigenen Zeit – innerste Gefährdung in der von Roquairol vertretenen Ruchlosigkeit einer Phantasie erblickt, der das Leben selbst zum Schauspiel gerät, so enthält diese an Kierkegaards Romantikkritik angelehnte[311] Verdächtigung moderner Reflexivität ebenso wie Kommerells Rede vom »Bewußtseinsfrevel« des Humoristen[312] ein gestrichenes Maß Konservativismus. Rehm teilt ihn immerhin mit einem so unverdächtigen Zeitgenossen wie Heinrich Mann, dessen Kritik am Faschismus konsequent aus der am Artismus: aus der Analyse des Künstlers als Schauspieler seiner selbst, hervorwächst: »Pippo Spano«, »Der Tyrann«, »Der Untertan« und »Lidice« folgen hierin einander wie Sprossen einer Leiter[313]. Der Faschist als letzter Roquairol – das wäre die ideelle Verlängerung der geistesgeschichtlichen Jean-Paul-Rezeption über Gundolf, Kommerell und Rehm hinaus.

307 Hans Egon Holthusen, Max Kommerell und die deutsche Klassik. In: Holthusen, Das Schöne und das Wahre. Neue Studien zur modernen Literatur. München 1958, S. 38–182, hier: S. 58.

308 Kommerell, Jean Paul. A.a.O. S. 98.

309 Vorliegende Dokumentation S. 268.

310 Rehms Studien »Experimentum suae medietatis« (T 72) und »Roquairol« (a.a.O.; s.o. Anm. 112) erschienen 1940 und 1952.

311 Walther Rehm, Kierkegaard und der Verführer. München 1949.

312 Kommerell, Jean Paul. A.a.O. S. 351.

313 Vgl. u.a. Friedrich Carl Scheibe, Rolle und Wahrheit in Heinrich Manns Roman »Der Untertan«. In: Literaturwissenschaftliches Jahrbuch N.F. 7 (1966), S. 209–227; Elke Emrich, Heinrich Manns Roman »Lidice«: eine verschlüsselte Demaskierung faschistischer Strukturen. In: Amsterdamer Beiträge zur neueren Germanistik 4 (1975), S. 55–112 (bes. S. 75 ff.). – Ironischerweise haben gerade Walther Rehm und seine Schüler Gerhard Lutz und Georg Specht die kritische Dimension des Artismus-Motivs verkannt: vgl. Klaus Schröter, Anfänge Heinrich Manns. Zu den Grundlagen seines Gesamtwerks. Stuttgart 1965, S. 180–182.

Gegenwärtige Horizonte: Modernität, Engagement, Realismus

Nach dem Zweiten Weltkrieg ist es so still um Jean Paul, wie es nach dem Ersten laut um ihn gewesen ist. In beiden Teilen Deutschlands trat man die Flucht aus Diktatur und Krieg zur Humanität der Goetheschen Iphigenie an. Entwickelte sich auf der einen Seite die aus der Volksfrontpolitik des antifaschistischen Kampfs hervorgegangene Konzeption des Kulturellen Erbes zum Instrument einer fast dogmatischen Kanonisierung der Weimarer Klassik, so taten auf der anderen Seite die restaurativen Tendenzen der gesellschaftlichen Entwicklung ein übriges, dem Dichter des Maßes und der Entsagung neue Aktualität zu verleihen. Im Goethejahr 1949 wäre eine Zuwendung zu Jean Paul nahezu pietätlos gewesen. Staigers Verdikt über den »Heiland derer [...], die im Leben zu kurz gekommen« sind, lag noch in der Luft: »Der Mann, der uns das Leben entfremdet, kann uns im Leben nicht geleiten«[314].

Auf die Dauer freilich konnte der Einfluß der westlichen Moderne, die in das kulturelle Vakuum Nachkriegsdeutschlands hineinflutete, nicht ohne Rückwirkung auf die Jean-Paul-Rezeption bleiben. Max Rychner erkennt 1956 Tendenzen modernster Lyrik in Jean Pauls Sprache wieder und beruft sich auf Giraudoux, um eine neue Auseinandersetzung mit Jean Paul anzuregen[315]. Die satirisch-allegorische Prosa eines Günter Grass und die Wortartistik eines Arno Schmidt mußten neue Zugänge zu Jean Paul eröffnen. Auf diese und andere Anzeichen einer ästhetischen Tendenzwende hin startet der Hanser-Verlag 1959 seine Neuausgabe des gesamten erzählerischen Werks und der großen theoretischen Schriften Jean Pauls. Stand die verlegerische Realisierung der von Eduard Berend freilich schon lange vorher vorbereiteten Historisch-Kritischen Ausgabe 1927 am Ende der Jean-Paul-Bewegung des ersten Vierteljahrhunderts, so ist es jetzt der Buchhandel, der eine neue Phase der Jean-Paul-Rezeption mit initiiert. Zum Zustandekommen dieses Rückkopplungseffekts hat nicht zuletzt beigetragen, daß im Gegensatz zur philologischen Neutralität der Editionen Berends (deren wissenschaftliche Bedeutung für die heutige Jean-Paul-Forschung übrigens gar nicht hoch genug veranschlagt werden kann) die von Norbert Miller verantwortete neue Ausgabe mit Nachworten versehen war, die aktuelle ästhetische Akzente setzten. Ihr Verfasser Walter Höllerer beschreibt die experimentelle Arbeit mit der Sprache, die epiphanienhafte Konzentration und die universale Dynamik seiner Prosa als Maßstäbe einer avantgardistischen Poetik. Sein eigener Roman »Die Elephantenuhr« (1973) ist über einzelne direkte Anspielungen auf Jean Paul, ja die Jean-Paul-Forschung hinaus vor allem in der Polarität von Nah und Fern und in der Aufspaltung des Subjekts, die an die Paare Siebenkäs-Leibgeber und Walt-Vult erinnert, durch Jean Pauls Vorbild geprägt. Wenn hier Giannozzo, »großer Luftschiffer und Über-Ich des

---

314 Vorliegende Dokumentation S. 285.
315 Max Rychner, Gedenken ohne Gedenktag. Jean Paul (1763–1825). In: Die Tat. Zürich 7. 7. 1956, Nr. 184. Wieder in: Rychner, Antworten. Aufsätze zur Literatur. Zürich 1961, S. 102–111.

großen Gian Paul«, angerufen wird, um die betonierten Systeme der Gegenwart aufzusprengen[316], zeichnet sich Jean Pauls Bedeutung für Höllerer ab. Als die eines Antisystematikers und Systemsprengers hat er sie in der Bayreuther Rede von 1975 selbst definiert und anhand der verändernden Abbildung von Wahrnehmungen entfaltet, mit der Jean Paul, ein innovativer Semiologe der Sinnlichkeit, selbst neuartige Wahrnehmung ermögliche[317].

In seiner als Broschüre weitverbreiteten Studie über die »Erzählweise Jean Pauls« (1961) wendet Wolfdietrich Rasch erstmals die Erkenntnisse moderner Erzähltheorie auf Jean Paul an. Digressionen und Metaphernspiele geben zunächst die dissonante Struktur der Wirklichkeit und die Weigerung des Autors wieder, diese so, wie sie ist, zu akzeptieren. Sie werden jedoch episch vermittelt durch die Figur eines fiktiven Erzählers, dessen Omnipräsenz ihn zum eigentlichen Inhalt des Romans (Beispiel: »Siebenkäs«) macht. Die unbedingte Freiheit des Erzählers ist es, die sich im ständigen Abschweifen und dem Erzeugen der willkürlichsten Kombinationen artikuliert. Daher die Attraktivität solcher Erzähltechnik für Rasch: »Das Hervortreten des Erzähler-Ichs bei Jean Paul bedeutet nicht Selbstgefälligkeit und eitle Ichbezogenheit. Im Ich verwirklicht sich jene Freiheit, die nicht nur eine notwendige Eigenschaft des Dichters, sondern für Jean Paul der Grundwert des Menschen ist [...] Der Dichter ist ein großes Exemplum für die Freiheit des Menschen, die allein im Ich, in seinem subjektiven Geist sich verwirklicht.«[318] Rasch formuliert hier das Credo einer liberalistischen Ästhetik. Aus ihr speist sich das Interesse an der Erzählforschung, die in Deutschland in den 60er Jahren einen bemerkenswerten Aufschwung nimmt – bis hin zu Isers Leerstellentheorie, die die Freiheit des Lesers garantiert, sich seinen je eigenen Text zu machen[319]. Sie steht auch hinter jeder Aktualisierung Jean Pauls, die die individuelle Phantasie betont, mit der dieser Autor geschrieben hat und gelesen werden will. Die sachliche Adäquatheit, die solche Deutungen für sich haben, dürfte weniger ihre Interesselosigkeit als ihre Komplizenschaft mit der Autorgesinnung bezeugen.

Der Liberalismus als politische Gesinnung gibt neben der, wie sich zeigte: gleichfalls von liberalen Motiven getragenen, modernistischen Ästhetik den zweiten Horizont ab, vor dem sich ein aktuelles Jean-Paul-Bild konturiert. Während sich die meisten Gedenkartikel westlicher Medien zum 200. Geburtstag Jean Pauls 1963 im Herstellen aktueller literarischer Parallelen überbieten – Frisch, Dürrenmatt und Ionesco werden dabei in nicht weniger enge Beziehung zu Jean Paul gebracht als Proust, Faulkner, Kafka und Thomas Mann –, schlagen die Beiträge Robert Minders und Hans Mayers andere Wege ein. Minder unternimmt den Versuch einer politischen Aktualisierung, wenn er in Fälbel den Untertan im Sinne

316 Walter Höllerer, Die Elephantenuhr. Frankfurt 1973, S. 479. 481. 489.
317 Walter Höllerer, Aktualität von Jean Paul. Bayreuther Rede. In: JbJPG 10 (1975), S. 9–28.
318 Wolfdietrich Rasch, Die Erzählweise Jean Pauls. Metaphernspiele und dissonante Strukturen. München 1961, S. 30.
319 Wolfgang Iser, Die Appellstruktur der Texte. Unbestimmtheit als Wirkungsbedingung literarischer Prosa. Konstanz 1970 = Konstanzer Universitätsreden 28.

Heinrich Manns, in Katzenberger den zynischen KZ-Arzt präfiguriert sieht. Er fällt sich freilich selbst in den Rücken, indem er die Besonderheit des Jean-Paulschen Schreibens aus dem Trauma kindlicher Erziehung ableitet: »Hier sind die Ketten des Gefangenen geschmiedet worden«[320]. Das ist nichts anderes als Goethes Krankheitsvorwurf, auf das Niveau moderner Soziologie und Psychoanalyse gebracht! Mayers Aufsatz »Jean Pauls Nachruhm« löst in der Kurzfassung der »Zeit«[321] den wütenden Protest Walther Killys (T 78) aus, der sich vom Standpunkt absoluter Dichtung(swissenschaft) und einem Jean-Paul-Verständnis aus, das sehr nahe bei George liegt, gegen den »ideologischen Mißbrauch«, die Rosafärbung des Dichters, zur Wehr setzt. Dabei hat Mayer nichts anderes getan als Vischer in seiner »Aesthetik« 1846, nämlich die Spannung des Jean-Paulschen Humors aus dem Widerspruch zwischen einem aus Rousseau geschöpften politischen Ideal und der tatsächlichen Misere Deutschlands erklärt[322]. Mayer nutzt die Möglichkeit, an der verringerten Spannweite des Humors in verschiedenen historischen Adaptionen die zunehmende Anpassungsbereitschaft des deutschen Bürgertums, seine zunehmende Entfernung von jenem Ideal des »Denkens der dritten Position« abzulesen, das er in Jean Paul vertreten sieht. Als aufgeklärter Humanist, der über den Fronten steht, ist Jean Paul kaum rosa, geschweige rot.

Wie weit mußte sich die Germanistik von den politischen Kräften des sie tragenden Staats abgekoppelt haben, oder wie weit mußte dieser Staat seiner eigenen Idee untreu geworden sein, daß die Inanspruchnahme eines Dichters für das Grundverhalten eines bürgerlichen Demokraten Schockreaktionen wie die Killys auslösen konnte?! Die auf Politisierung der Hochschulen und Liberalisierung der Gesellschaft ausgehende Oppositionsbewegung der 6oer Jahre knüpft an den Antiklassiker Jean Paul an. Dessen chaotisches Erzählen verspricht Fortschrittlichkeit gegenüber der künstlerischen Disziplin Goethes, dem eine Ungerechtigkeit lieber als der Ausbruch von Unordnung war; die persönliche Engagiertheit des Humoristen sticht vorteilhaft von der politischen Zurückhaltung des Klassikers ab. Peter von Haselberg zitiert aus der unter ähnlichen politischen Vorzeichen entstandenen Jean-Paul-Biographie Spaziers zeitgenössische Briefe über Goethes Verhalten nach der Schlacht bei Jena und stellt Jean Pauls politische Schriften dagegen, deren metaphorische Verschlüsselung sich primär aus sklavensprachlicher Überlistung der Zensur erkläre. Esoterik schlägt in Exoterik um: »Es sind die Metaphern, welche die miserable Realität sich einverleiben, nicht umgekehrt, und erst die Metaphern reißen die erstarrte Realität hinein in die Möglichkeit einer Verwandlung durch die Geschichte.«[323] Dieselben Eigenschaften seiner Prosa, die Jean Paul

---

320 Vorliegende Dokumentation S. 294.
321 Die Zeit 22. 3. 1963, Nr. 12, S. 13. Die vollständige Fassung in: Études Germaniques 18 (1963), S. 58–73. Wiederabgedruckt in: Mayer, Klassik und Romantik. Pfullingen 1963, S. 147–164. Siehe auch Einleitung zu T 78.
322 Vgl. Vischer, Aesthetik. A.a.O. Bd. 1, S. 471 (§ 222 E).
323 Peter von Haselberg, Musivisches Vexierstroh. Jean Paul, ein Jakobiner in Deutschland. In: Zeugnisse. Theodor W. Adorno zum 60. Geburtstag. Frankfurt 1963, S. 162–182. Wiederabgedruckt in: Jean Paul. Hg. von Uwe Schweikert. Darmstadt 1974 = Wege der Forschung 336, S. 181–207, hier: S. 191.

aus avantgardistischer Sicht als Vorläufer der Moderne erscheinen ließen, verleihen ihm jetzt das Gepräge eines Revolutionärs: »Die Art und Weise [...], in der Jean Paul gegen die Erzähltradition, den Erzählstoff, das ›Material‹, das Faktische im Erzählen durchgehend rebelliert und alles, was bei konventionellen Autoren als die Hauptangelegenheit sich darstellt, in bloßes Rankenwerk verwandelt, ist eine Form des Protestes, die seinem aufklärerischen Grundzug wie seiner politischen Haltung genau zu entsprechen scheint« (Wuthenow[324]).

Wiederum wird das Bild des Idyllikers Jean Paul demontiert. In mehreren Studien werden seine Idyllen als Schein-Idyllen, als subtile Instrumente der Gesellschaftskritik dechiffriert. Zugleich enthalte die idyllische Phantasie den utopischen Verweis auf ein besseres Dasein. In diesem Sinn interpretiert Marie-Luise Gansberg in Anlehnung an Blochs Philosophie der Hoffnung die Gestalt des Walt in den »Flegeljahren«. Die gegensätzlichen Brüder können sich nicht versöhnen, der von Herman Meyer als Strukturgesetz des Romans beschriebene »Dualism zwischen Poesie und Wirklichkeit« kann deshalb keiner Synthese zugeführt werden, weil der objektiv-historische Stand der Emanzipation des deutschen Bürgertums keine Vereinigung von politischer Analyse und utopischer Perspektive zuläßt[325]. Eine ähnliche politische Deutung des Bruderzwists war bereits, man erinnert sich, bei Spazier und Planck angeklungen. Gansberg ihrerseits findet mit ihrer utopischen Aufwertung der Phantasie Nachfolger in Dorothee Sölle, die in theologischem Verständnis von der »Unendlichkeit der Wünsche« spricht[326], und F. C. Delius, der Giannozzos Aufflug ungeachtet seiner anarchistischen Vereinzelung progressive politische Funktion zuspricht: das Bild erfüllter Libido protestiert gegen die triebhemmenden Instanzen der Gesellschaft[327]. Mit kaufmännischem Gespür fürs Aktuelle wechselt der Hanser-Verlag den Werbeslogan: hatte er für seine Jean-Paul-Ausgabe zunächst mit einem Heißenbüttel-Zitat geworben, das auf die ästhetische Aktualität abhob (»Jean Paul ist lesbar, in der Zeit der Beckett und Sarraute mehr denn je«), so heißt es jetzt mit Blick auf den Pariser Mai 68: »Die Phantasie an die Macht!«[328]

Gleichzeitig oder wenig später werden Zweifel an der Subjektivität laut, für die Jean Pauls Dichtung eintritt. Hartmut Vinçons Topographie »Innenwelt-Außenwelt«

324 Ralph-Rainer Wuthenow, Ein roter Faden. Jean Pauls Politische Schriften und sein Verhältnis zur Französischen Revolution. In: JbJPG 3 (1968), S. 49–68, hier: S. 64.
325 Marie-Luise Gansberg, Welt-Verlachung und ›das rechte Land‹. Ein literatursoziologischer Beitrag zu Jean Pauls »Flegeljahren«. In: Deutsche Vierteljahrsschrift für Literaturwissenschaft und Geistesgeschichte 42 (1968), S. 373–398. Wiederabgedruckt in: Jean Paul. A.a.O. S. 353–388. Vgl. Herman Meyer, Jean Pauls »Flegeljahre«. In: Meyer, Zarte Empirie. Studien zur Literaturgeschichte. Stuttgart 1963, S. 57–112. Wiederabgedruckt in: Jean Paul. A.a.O. S. 208–265.
326 Dorothee Sölle, Realisation. Studien zum Verhältnis von Theologie und Dichtung nach der Aufklärung. Darmstadt-Neuwied 1973 = Sammlung Luchterhand 124, S. 168–280.
327 F. C. Delius, Der Held und sein Wetter. Ein Kunstmittel und sein ideologischer Gebrauch im Roman des bürgerlichen Realismus. München 1971, S. 135.
328 Vgl. die Glosse von Gerhard Amanshauser in: Pestsäule H. 1 (September 1972), S. 1f. und die Werbeanzeige in: Die Zeit 12. 9. 1975, Nr. 38, S. 33.

(1970) erhebt im Gefolge Adornos den Vorwurf objektloser Innerlichkeit, einer Vorform totalitären Bewußtseins[329]. Heinz Schlaffer (1973) und Volker Ulrich Müller (1974) decken die Ohnmacht der Subjektivität auch da auf, wo sie sich verleugnet: hinter der heroischen Fassade des »Titan« und der scheinbar unangekränkelten Naivität Albanos, die in Wahrheit bedenklich nah an Roquairols Schauspielertum und Schoppes Orientierungslosigkeit grenzt: denn der Humor selbst ist Ausdruck einer Legitimationskrise, des Verlusts des archimedischen Punkts[330]. Von der Verdächtigung der Subjektivität ist es nicht weit zu der der Ästhetik. Schon von Haselberg sah die politische Intention Jean Pauls durch die ihr andererseits unentbehrliche Metaphorik gefährdet: »Nur hat die Technik übers mögliche Ziel triumphiert, der ästhetische Effekt über den politischen.«[331] Ähnlich Burckhardt Lindner in seinem Beitrag zum Sonderband »Jean Paul« der Reihe »Text + Kritik«, dessen erste Auflage (1970) überhaupt als das zentrale Dokument der politischen Jean-Paul-Rezeption angesprochen werden kann: »Die politische Ambivalenz des Schönen Scheins [...] überwältigt am Ende die Intention des Dichters«[332]. Obwohl von sehr anderen Voraussetzungen ausgehend, fügt sich die 1971 erscheinende Dissertation Uwe Schweikerts[333] bruchlos in diesen Horizont ein: Jean Pauls Spätwerk »Der Komet« sei als Selbstparodie der Kunst zu lesen, als Widerruf des ästhetischen Anspruchs, den Klassik, Romantik und früher auch Jean Paul vertreten haben. Enzensbergers Liquidierung der Kunst scheint nachzuwirken.

Schon einmal stand das Ende der Kunst und die Absage an ihre kultische Aura zur Debatte. Wenn Wirkungsgeschichte nicht historistischer Selbstzweck, sondern Orientierungshilfe bei der Bestimmung des eigenen Standorts sein soll, drängt sich in der Tat eine Analogie auf: die zwischen der von Börne eingeleiteten liberalistischen Jean-Paul-Rezeption in der ersten Hälfte des 19. Jahrhunderts und der politischen Aktualisierung des Dichters in den 60er und frühen 70er Jahren. Damals wie heute wurde Jean Paul als politischer Autor gegen eine Klassik ausgespielt, an deren Abriß man heftig arbeitete; damals wie heute wurde neben Begeisterung für seine fortschrittliche Gesinnung auch der Vorwurf eines radikalen Subjektivismus geäußert (Ruge); damals wie heute wurde – auf freilich sehr unterschiedlichem Niveau – das Verhältnis von politischem Bewußtsein und ästhetischer Formung diskutiert (Laube). Gerade der historische Vergleich, der hier im übrigen nicht

329 Hartmut Vinçon, Topographie: Innenwelt-Außenwelt bei Jean Paul. München 1970.
330 Heinz Schlaffer, Der Bürger als Held. Sozialgeschichtliche Auflösungen literarischer Widersprüche. Frankfurt 1973 = edition suhrkamp 624, S. 15–50; Volker Ulrich Müller, Die Krise aufklärerischer Kritik und die Suche nach Naivität. Eine Untersuchung zu Jean Pauls Titan. In: Literaturwissenschaft und Sozialwissenschaften 3. Deutsches Bürgertum und literarische Intelligenz 1750–1800. Hg. von Bernd Lutz. Stuttgart 1974, S. 455–507.
331 Von Haselberg, a.a.O. S. 190.
332 Burckhardt Lindner, Politische Metaphorologie. Zum Gleichnisverfahren in Jean Pauls Politischen Schriften. In: Jean Paul. Hg. von Heinz Ludwig Arnold. Stuttgart 1970 = Sonderband Text + Kritik, S. 103–115, hier: S. 114.
333 Uwe Schweikert, Jean Pauls »Komet«. Selbstparodie der Kunst. Stuttgart 1971 = Germanistische Abhandlungen 35.

verabsolutiert werden soll, hilft die Grenzen der gegenwärtigen politischen Jean-Paul-Rezeption erkennen: die Fixierung auf die Autorgesinnung, die sie bei aller revolutionären Einfärbung als linksliberale Protesthaltung ausweist. Denn von einem eigentlich marxistischen Verständnis Jean Pauls läßt sich wohl nur da sprechen, wo die Klassenlage des Autors, seine objektive Stellung in der Klassenauseinandersetzung zum Ausgangspunkt einer Bewertung gemacht wird.

Wenn hier abschließend so etwas wie ein marxistisches Jean-Paul-Bild angedeutet werden soll, so sind zunächst Defizite anzumelden. Marx/Engels' abfällige Bemerkung über den »literarischen Apotheker« Jean Paul[334] wirkt bis zu Lukács' Verdikt über seine »kleinbürgerliche Versöhnung mit der elenden deutschen Wirklichkeit« nach[335]. Karl Hertling steht 1906 mit seiner Hoffnung, das Proletariat als »würdigstes Publikum« für Jean Paul zu gewinnen[336], auf völlig verlorenem Posten. Denn auch im realen Sozialismus verhindert die Geltung der auf Objektivität zielenden Lukácsschen Ästhetik für lange Zeit jede Annäherung an den großen Subjektivisten. »Jean Paul war kein revolutionärer Schriftsteller«, heißt es mit erfreulicher Klarheit in Geerdts' Literaturgeschichte[337]. Erst mit der Aufweichung des Sozialistischen Realismus bahnt sich eine Wende an, und es ist bezeichnend, daß es gerade eine schriftstellerische Avantgarde ist, die hier mit neuen Wertungen vorangeht[338]. Zu einem spezifisch marxistischen Jean-Paul-Bild führt dieser wohl noch andauernde Prozeß freilich weder in Fühmanns Einordnung Jean Pauls in die Reihe der großen Dichter des Mitleids[339] noch in Günter de Bruyns kenntnisreich-liebevoller Jean-Paul-Biographie[340]. Zu sichtbar steht hier – wie auch in Helmut Richters Plädoyer für Jean Paul (T 77) – das subjektive Engagement im Vordergrund, zu leicht läßt sich auch hier die Parallele zur Jean-Paul-Rezeption des 19. Jahrhunderts, ja – wenn man an die Konzentration des Interesses auf die idyllischen Erzählungen denkt – der des Biedermeier ziehen.

Aus diesem hier äußerst skizzenhaft umrissenen Rahmen fallen nur die Forschungen Wolfgang Harichs über das satirische Frühwerk und die Erkenntnistheorie Jean Pauls, vor allem aber sein monumentales Opus über »Jean Pauls Revolutionsdichtung« (1974) heraus. Mit seiner Studie über »Satire und Politik beim jungen Jean Paul«[341] hat Harich wirkungsgeschichtliches Neuland betreten: die gegenwärtig anhaltende Entdeckung des satirischen Frühwerks mit eingeleitet, von

334 Marx/Engels, Werke. Hg. vom Institut für Marxismus-Leninismus. Berlin 1958ff., Bd. 7, S. 256. Vgl. Görres' Gleichnis von der »Offizin« des Humors: vorliegende Dokumentation S. 78.
335 Georg Lukács, Skizze einer Geschichte der neueren deutschen Literatur. Berlin 1955, S. 39.
336 Vorliegende Dokumentation S. 223.
337 Deutsche Literaturgeschichte in einem Band. Hg. von Hans Jürgen Geerdts. Berlin 1971, S. 258.
338 Vgl. Günter de Bruyn, Jean Paul und die neuere DDR-Literatur. In: JbJPG 10 (1975), S. 205–211.
339 Franz Fühmann, 22 Tage oder die Hälfte des Lebens (1973). Frankfurt 1978 = suhrkamp taschenbuch 463, S. 73–75.
340 Günter de Bruyn, Das Leben des Jean Paul Friedrich Richter. Halle 1975.
341 Sinn und Form 19 (1967), S. 1482–1527.

dessen Rezeption – es ist die erste seit fast 200 Jahren – möglicherweise grundlegende Veränderungen des künftigen Jean-Paul-Bildes zu erwarten sind. Harichs Versuch einer neuen Deutung der »heroischen Romane« Jean Pauls erregte Aufsehen nicht nur durch die radikale Aufwertung, die hier der (in der DDR) bislang Geächtete als »noch unabgegoltenes Geisteserbe der Linken«[342] erfuhr. Sondern durch die Methode: erstmals wird hier nicht Jean Pauls Gesinnung, sondern sein Realismus zum Anlaß einer literaturpolitischen Rettungsaktion genommen. Wenn der »Titan« als Gipfel der Dreiergruppe von Romanen, die Harich in der Tradition Georges in den Vordergrund stellt, im Widerspruch zum subjektiven Radikalismus Jean Pauls in eine Revolution von oben mündet, liegt darin für Harich ein »Sieg des Realismus« (im Sinne des berühmten Briefs von Engels an Margaret Harkness) über die revolutionäre Ungeduld des Autors[343]. Nicht das persönliche Engagement Jean Pauls, sondern geradezu seine Unterdrückung wird somit zur Grundlage der Aktualisierung. Damit harmoniert vollkommen die klassizistische Ästhetik, der Harich, auch anderweitig als Konservativer in aestheticis berüchtigt[344], Jean Paul hier einverleibt. Was bei solchem Reduktionalismus von Jean Paul noch übrigbleibt, läßt sich mühelos im Sinne des Sozialistischen Realismus lesen: die hohen Menschen fungieren als positive Helden und ziehen durch ihr überlebensgroßes Vorbild den Leser nach sich auf der Bahn einer geduldigen Revolution. Nicht umsonst hat sich Harich, dessen Buch ein Jahr nach Jean Pauls verspätetem Einzug in die Walhalla erscheint, selbstironisch als »stalinistischen Stefan George« bezeichnet.

Daneben und dagegen macht sich freilich bei Wolfgang Harich ein anderer Einfluß geltend: der seines Vaters Walther Harich, dessen antiklassizistische Jean-Paul-Sicht hier in eigentümlicher Weise wiederauflebt. Hier wie dort erscheint Jean Paul im Bunde mit Herder gegen Goethe, wird Albano gegen Wilhelm Meister ausgespielt[345], versteht sich die Jean-Paul-Darstellung (zumindest retrospektiv) als Aufruf zur politischen Tat, als Entdeckung eines neuen nationalen Führers[346]. In seinem Bestreben, Jean Paul als großen Realisten zu inthronisieren, kommt dieser antiklassische Affekt Harich gefährlich in die Quere. Er verleitet ihn wiederholt dazu, Jean Paul als radikalen Linksaußen gegen Weimar aufzubieten – etwa in jenen Tiraden über seinen »Plebejerstolz«, die auf den wiederholten Refrain hinauslaufen: »So war Jean Paul«[347]. Harich verstößt damit gegen den eigenen Vorsatz, Jean Pauls Bedeutung auf die objektive Tendenz seiner Romane statt auf seine subjektive Gesinnung zu gründen. Der Anlauf zu einem marxistischen Jean-Paul-Bild à la Lukács – und Harichs westdeutscher Rezeption hat das nicht geschadet –

342 Wolfgang Harich, Jean Pauls Revolutionsdichtung. A.a.O. (s.o. Anm. 95), S. 8.
343 Ebenda S. 184. Vgl. Marx/Engels, a.a.O. Bd. 37, S. 42–44.
344 Vgl. Wolfgang Harich, Der entlaufene Dingo, das vergessene Floß. Aus Anlaß der Macbeth-Bearbeitung von Heiner Müller. In: Sinn und Form 1/1973, S. 189–218.
345 Harich, Jean Pauls Revolutionsdichtung. A.a.O. S. 456.
346 Ebenda S. 160 und passim.
347 Ebenda S. 340–343. Die Börne-Attitüde bedient sich des Börne-Zitats: vgl. vorliegende Dokumentation S. 105.

bleibt in linksliberaler Identifikation mit der Autorgesinnung stecken. Das vorgebliche Denkmal eines Klassikers des Realismus zeigt keinen. Kann Jean Paul nur als Antiklassiker Klassizität erreichen?

Martin Walsers Parteinahme für Jean Pauls »Existenz«, gegen Goethes »Programm« (T 79) scheint das zu bestätigen.

Urwald – Garten – Feuerwerk

Aus der Wildnis ersteht wieder ein Garten[348].

Feuerwerker endigen alles gewöhnlich mit einer Raketengarbe[349].

In dieser ästhetischen *Wildnis* findet der Geschmack, der sich an den Werken der Alten erprobt hat, weder Weg noch Steg (1800). Einer üppigen indischen Wildnis gleicht er (1832). Glaubt man nicht [...] die feinen Wurzelfasern aller jener zahl- und schrankenlos emportreibenden Gefühlspflanzen zu erkennen, die Jean Pauls Werke gleichsam zu phantastisch poetischen Gebirgswäldern machen (1833)? Gedanken und Gefühle, die zu ungeheuren Bäumen auswachsen würden, wenn er sie ordentlich Wurzel fassen und mit allen ihren Zweigen, Blüten und Blättern sich ausbreiten ließe: diese rupft er aus, wenn sie kaum noch kleine Pflänzchen, oft sogar noch bloße Keime sind, und ganze Geisteswälder werden uns solchermaßen, auf einer gewöhnlichen Schüssel, als Gemüse vorgesetzt (1836). Immer Wald, und dichter Wald gibt keine anhaltende Lockung, Gruppierungen im Dickicht, verrankt durch allerlei Unterwuchs, machen keinen Eindruck – wollte man einen solchen verschaffen, so müßte frevelhaft die Axt an ganze Partien gelegt sein (1840). Bei diesem modernen Urmenschen geht es wie im Urwalde her (1860). Die Phantasie Jean Pauls ist wie ein Waldesgrund voll üppig wuchernder Sproßkraft. Da wächst und verschlingt sich alles und wird zur Heimat von tausenderlei Kleinleben; es ist ein Gebüsch, darin die Nachtigall nistet, an den Ranken reifen saftige Beeren, und blaue Glockenblumen schließen am Boden ihre Kelche auf [...] Alles ist reich, strotzend, tausendfältig – aber alles ist auch verbuscht, jeder Zweig lebt sich aus und nichts wird zum hohen festen Stamme, zum geschlossenen, hochaufragenden Walde (1863). du bist der führer in dem wald der wunder (1900). Wer die kühne Tat vollbringt, größere Romane Jean Pauls ganz und aufmerksam durchzulesen, dem mag es wohl vorkommen, als ob er durch einen ungepflegten Wald wanderte, in dem Schling- und Wucherpflanzen sich von Baum zu Baum ziehen, wo fremde Steine und Muscheln aus den Flußbetten blitzen und seltsame Vögel um

348 Hesperus 17 (März 1959), S. 49 (Untertitel zum Artikel »Der Jean-Paul-Garten auf dem Adamiberg«).
349 Jean Paul, Gedanken XI [597]. Aus dem Druckmanuskript der HKA, das mir Herr Feifel/Marbach a. N. dankenswerter Weise zugänglich machte, zitiert mit Genehmigung der Deutschen Staatsbibliothek Berlin (DDR).

die Äste flattern (1913). Der Urwald des Gemüts in Seelentiefe, / dunkel von oben und dem Taucher kaum / mehr als gespenstiger Massen Schattenraum, / starrend, als ob in Zauberbann er schliefe (1914). Gewiß, es gibt veraltetes und abgestorbenes Gewächs, das nur literarhistorische Pietät mit Sorgfalt an dem Urwald dieses wuchernden Schriftstellertums hegen zu müssen meint: aber aus erdhafter Wurzel gewachsen ist alles, auch das Fallobst und die trockenen und verkrüppelten Zweige (1925). Ein Wandrer sucht des Waldes kühlen Schatten auf, / Ließ hinter sich des Tages dumpfe Sorg' und Müh'. / Zum Frieden einer höhern Welt sehnt sich sein Herz / Und fern in Abendkühle winkt der düstre Tann. // Doch fand Erquickung er nicht alsobald beim Marsch, / Nur mühsam bahnt auf schmalem Pfad er sich den Weg. / Voll Staunen sah er undurchdringliches Gestrüpp, / Von knorr'gen Wurzeln wird der müde Fuß gehemmt / Und weglos kämpft er gegen Waldeswildnis an. // Schon dacht' er mutlos umzukehren ohn' Erfolg, / Zu suchen breite Bahn und festen, sichern Pfad. / Da plötzlich tönt ein fernes Klingen in sein Ohr. / Und weiter schreitend schwillt der Ton zum hellen Klang. // Bezaubert hält er lauschend seine Schritte an / Und unter seinen Füßen schwillt das Moos / Und über ihm geht durch die Luft ein Tannenrauschen, / Wie Äolsharfen klingt es durch den deutschen Wald (1926). Lianen, mannshohe Schlingpflanzen, tropische Wucherung – es verschlägt den Atem (1963). Zu Jean Paul gelangt man nicht gleichsam im rasanten Sportwagen eines raschen, seitenfressenden Leseabenteuers [...] Und manchmal wird es sogar nötig sein, auszusteigen und sich mit Messer und Beil einen Weg durch den unwegsamen Urwald dieser üppig wuchernden Dichterphantasie zu bahnen (1963).

Überhaupt aber hat sich uns bei diesem Buche oft das Bild eines Waldstückes aufgedrängt, in welchem nur das üppige Buschwerk, das die schönsten Baumgruppen und Aussichten versteckt, vorsichtig ausgehauen zu werden braucht, um sich in einen romantischen *Garten* zu verwandeln (1795). Vielleicht ist es der Mangel einer [...] beherrschenden Vorstellung, was in Jean Pauls Romanen die Fruchtbarkeit so oft in Üppigkeit ausarten läßt; so daß unter den Lustgärten und Lustwäldern, welche gleichsam unter jedem seiner Schritte aufsprießen, der Weg sich öfters den Augen entzieht (1796). Wer wollte einen fruchtbaren Garten darum missen, weil er neben den schmackhaftesten Gewächsen auch Unkraut trägt (1797)? Denn unser Blick wandelt hier nicht in einer leeren Einöde, nicht in einem verwickelten Labyrinthe, sondern in einem überall offnen und zugänglichen Naturgarten (1800). Titan kam mir vor wie ein Karikaturgarten, der keinen Totaleindruck zu machen fähig ist. Es sind einzelne ausgesuchte Partien der wahren, schönen Natur darinnen, aber mit solchen erkünstelten Formen und gesuchten Zieraten vermischt und umstaltet, daß man vor diesen jene gar nicht rein genießen kann (1801). Ein Irrgarten bleibt es in dieser und mehreren Rücksichten immer – aber ein Zauberer hat ihn angelegt (1803). Doch ich wollte Sie in einen Garten führen, wo die Früchte eines Morgen-, Mittag- und Abendlandes treiben in schönem wunderbaren Licht, wo das Auge herumschauend und wählend sich nicht satt sehen kann an den Farben neuer und eigner Mischung (1805). Richters Buch ist gleich einem höchst angenehmen Garten. Ein reiner Himmel wölbt sich über ihn; es weht darin eine reine Luft;

er liegt in einem fröhlichen Klima; tausend Blumen stehn in sinnvoller Bedeutung rechts und links (1807). Wie durch einen Zauber steht ein herrliches Gebäude da, umringt von lieblichen Wäldern und Blumengärten und Auen. Sowie wir dies Heiligtum betreten, umweht uns warme Luft in milder Frühlingssonne und Blütenstaub; bald tief bewegt, bald froh erweckt, werden wir in das Eden der Unschuld hineingezogen, wo unsre Blicke Blumen um uns her aufblühen lassen, aus denen wie aus Raffaelischen Arabesken Genien erwachsen; und siehe, das sind unsre Kinder, und sie segnen mit uns die Levana (1814). Ach wie so gern, Jean Paul, pflück' ich deine herrlichen Früchte, / Hab' ich glücklich den Zaun blühender Hecken passiert (1818)! Es ist in der Tat ein ungeheurer Irrgarten, in welchem der Leser ihm oft mit Anstrengung vergebens nachkeucht (1832). Jean Paul ist mir ein reicher, üppiger Blumengarten (1843). Wenn oft ein undurchdringliches gestrüpp uns den weg durch den anmutigen duftenden garten mühsam macht [...] (1896). Kein hohes ragendes Schloß, kein stolzer Marmorbau, klar gegliedert, wie bei den andern da, war das; sondern eben ein Irrgarten, in dem man umher taumelte, betört und freudig erregt, und dessen man doch bald müde wurde, weil man, je tiefer man eindrang, immer wieder neuen verworrenen Wegen folgen mußte, ohne zum Ziel zu gelangen (1913). Eine üppig inmitten des durchdringenden Moderduftes ihrer eigenen welken Abfälle wie ein farbenlodernder Traumgarten blühende Phantasie (1925). Auch hier hat er seinen verwilderten, aber nie vergessenen Garten Eden mit Dornenhecken, Wolfsgruben und Schnappeisen umgeben. Und wer zu Liane, der schönen Elfe, vordringen will [...], der muß sich durch Mondrausch, Nebelduft, an entzahnten Kiefern vorbei, durch Höllenringe und Reisig zwängen (1963).

Jean Paul überrascht uns hier wieder mit einem genialischen (Rez. möchte sagen) *Feuerwerke:* das letzte, welches er im vorigen Jahrhunderte zu geben gesonnen war. Zufriedenheit mit den allenthalben gut angebrachten gelehrten Verzierungen, Erhebung durch das Steigen der pathetischen Raketen, stille, herzliche Freude an den leuchtenden Feuerrädern der Wahrheit sowie lautes, unwillkürliches Gelächter über die kleineren Zwischenspiele des Witzes: – dies sind die unausbleiblichen Wirkungen dieses Jean-Paulischen Ernst- und Lustfeuerwerkes. Wie bei einem gewöhnlichen mechanischen Feuerwerke oft, aus Ernst oder aus Spaß oder aus beiden zugleich, nach gewissen Leuten, welches freilich nicht artig ist, *geworfen* oder ihnen etwas angehängt wird, ebenso geht es auch hier nicht leer ab. Die armen Rezensenten sind es, auf deren Rücken und Perücken Jean Paul seine feuerspeienden Frösche hupfen und platzen läßt (1800). Der Vf. sucht immer, bloß durch einige pikante Einfälle, eigentliche Leuchtkugeln, die nicht immer in der nächsten Verbindung stehen, zu gefallen (1810). Und diese Anschaulichkeit des Vortrags wird zur geistigen Lebendigkeit erhöht durch das freie Spiel des Witzes und der Ironie, jener phänomenologischen Feuerkugeln, die aus dem stillen, ewigen Flammenmeere eines echten humoristischen Enthusiasmus, einer wahrhaften Gotttrunkenheit hervorbrechen (1814). Wir aber haben mit einer sich selbst genügenden Überzeugung erkannt, daß in ihm unter den zahllosen Blitzen, die in der Luft wieder spurlos verpuffen, ein herrlicher Strahl niedergezückt hat, der, mit den Feuerkräften einer ewigen Geisterwelt geschwängert, zündet und in nie zu verlöschender Flamme fortlodert. Wir wünschen uns einen Teil des herrlichen Humors, der über diesem wahrhaft genialen Dichter von dem ersten Blitz seiner geistigen Fulgurationen geschwebt hat (1818). Man sieht nichts werden, alles nur verpuffen (vor 1831). Der Strahl des leuchtenderen Phöbus in Italien hätte diesen Dichter nicht wie Goethen auf die Spitze seiner Schöpfungen stellen können, sondern er vergrub sich in die Nacht, sich steigernd, und bedurfte für das Feuerwerk seiner Phantasie, das bloß im Dunkel leuchtete, nur einen kleinen Funken zum Zünden (1842). Es ist das bunte Feuerwerk, welches er in dem milden Dunkel der Sommernacht in tausend sprühenden, springenden, gaukelnden Büschen, Garben und Rädern vor uns spielen läßt (1844). Und inmitten der Abendröten und Regenbogen, der Lilienwälder und Sternensaaten, der rauschenden und blitzenden Gewitter, inmitten all des Feuerwerks der Höhe und Tiefe [...] (1854). Beim Feuerwerk mit Witzen und Worten, mit Bildern und Einfällen verlor er gar häufig über dem Spiel das Ziel aus den Augen (1863). Zynischer Humor prasselt störend, die Frauen zurückschreckend und verletzend dazwischen (1863). Der Kunstform unbarmherziger Vernichter!/Du Feuerwerker, der romanische Lichter/Aufwirft und Wasser, Kies und Kot und Sand (1878)! Bei dem Versuch, seinen Stil zu charakterisieren, stellt sich einem unwillkürlich das Bild eines Feuerwerks ein (1913). Der Hesperus ist ganz auf Expansion und Kosmos eingestellt, der Held jede Minute bereit, in das All aufzuwirbeln, Hintergrund und Fabel sinken neben einem gewaltigen Rhythmus aus Farbe, Licht und Ton und musikalischer Bewegung zu Nebensächlichkeiten herab (1925). Schräg stieg sein Licht mit Wundergarben/Steil über Weimars Sternenbeet/Und sprühte aus in tausend Farben,/Rakete halb und halb Komet://Die sieben Himmel standen offen/In dieses Leuchtens fremdem Gischt/Hoch über schwarzen Abgrundsschroffen –/Doch kaum entzündet, wars verzischt (1925). So auch sprüht und funkelt das Feuerwerk des Witzes und der Geistesblitze, die sich zündend folgen, und überglänzt das weitläufige Werk, viel von ihm in Schatten tauchend, die es zudunkeln (1950).[350]

350 Nachweise:
  Urwald: Bouterwek in: Göttingische Anzeigen von gelehrten Sachen 20. 12. 1800, Nr. 202, S. 2016; Carlyle 1832 (vorliegende Dokumentation S. 117); Neumann in: Jahrbücher für wissenschaftliche Kritik Oktober 1833, Nr. 61, Sp. 484; Heine 1836 (vorliegende Dokumentation S. 140); Laube, Geschichte der deutschen Literatur, Bd. 3. Stuttgart 1840, S. 278; Goltz 1860 (vorliegende Dokumentation S. 182); Auerbach, Jean Paul. Eine Doppelbetrachtung zu dessen hundertjährigem Geburtstage, 21. März 1863. In: Auerbach, Deutsche Abende N.F. Stuttgart 1867, S. 175; George 1900 (zit. Einleitung zu T 58); Schwabe in: Deutsche Tageszeitung. Berlin 20. 3. 1913; von Schaukal, Standbilder und Denkmünzen 1914. Der Ehernen Sonette 2. u. 3. Reihe. München 1914, S. 28; ders. in: Der Gral 20/2 (November 1925), S. 69; Caselmann, Wanderung im Dichterwalde Jean Paul's. In: Jahresbericht über die Oberrealschule in Bayreuth für das Schuljahr 1925/1926, S. 38 f.; Minder 1963 (vorliegende Dokumentation S. 290); Rappl in: Unser Bayern. Heimatbeilage der Bayrischen Staatszeitung 12/3 (März 1963).

Garten: Jacobs 1795 (vorliegende Dokumentation S. 7); Allgemeine Literatur-Zeitung 17. 11. 1796, Nr. 361, Sp. 426; Gothaische gelehrte Zeitungen 6. 12. 1797, Nr. 97, S. 878; Hamburgischer Unpartheiischer Correspondent 17. 9. 1800, Nr. 149; Pözile 1801, Nr. 1, S. 187; Klingemann 1803 (vorliegende Dokumentation S. 54); Köppen in: Nordische Miszellen 2 (Januar 1805), S. 61; Gutsmuths Zeitschrift für Pädagogik, Erziehungs- und Schulwesen 1807, S. 311; Voß in: Übersicht der neuesten Literatur. Beilage zum Morgenblatt 11. 11. 1814, Nr. 22, S. 87; Grillparzer, Sämtliche Werke. Bd. 1. Stuttgart 1872, S. 160; Carlyle 1832 (vorliegende Dokumentation S. 117); Keller 1843 (zit. Einleitung zu T 46); George 1896 (vorliegende Dokumentation S. 219); Hermann in: Zeit im Bild 11/13. Berlin 1913, S. 643; von Schaukal in: Jean-Paul-Jahrbuch 1 (1925), S. 3; Georg Schneider in: Jean Paul Friedrich Richter. Leben, Werk und Deutung. Würzburg 1963, S. 31.

Feuerwerk: Neue Würzburger gelehrte Anzeigen 15. 1. 1800, Nr. 4, S. 48 (vgl. Jean Pauls Kommentar im Brief an Thieriot vom 23. 2. 1800: HKA Abt. 3, Bd. 3, S. 294); [Münch in:] Jenaische Allgemeine Literatur-Zeitung Dezember 1810, Nr. 296, Sp. 567; [Ast in:] Wiener Allgemeine Literatur-Zeitung Juli 1814, Sp. 864–883. Wieder in: Neue Rundschau 1957, S. 656; Meißner in: Zeitgenossen VIII (Bd. 2, Abth. 4) Leipzig-Altenburg 1818, S. 162; Hegel, Ästhetik. A. a. O. Bd. 1, S. 575; Gervinus 1842 (vorliegende Dokumentation S. 162); Vilmar, Geschichte der deutschen National-Literatur. A. a. O. Bd. 2, S. 317; Keller 1854 (vorliegende Dokumentation S. 167); Zeising in: Morgenblatt 23. 4. 1863, Nr. 17, S. 403; Holtei, Charpie. A. a. O. S. 123; Vischer 1878 (zit. Einleitung zu T 53); Berend in: Münchner Neueste Nachrichten 21. 3. 1913, Nr. 146; Henz in: Kölnische Zeitung 28. 11. 1925, Nr. 383; Simplizissimus 9. 11. 1925, Nr. 32; W. S. in: Jean Paul, Das genau betrachtete Frauenzimmer. München [1950] = Münchner Lesebogen 98, S. 3.

Dokumente

1 *[Anonym]*

Rezension über »Grönländische Prozesse« 1784

Es mag vielleicht vieles wo nicht gar alles wahr sein, was hier der Hr. Autor in einem bittern Tone über Schriftstellerei, Theologie, Ahnenstolz, Weiber und Stutzer etc. sagt; allein die Sucht witzig zu sein reißt ihn durch das ganze Werkchen so sehr hin, daß wir nicht zweifeln, die Lektüre desselben wird jedem vernünftigen Leser gleich beim Anfange so viel Ekel erregen, daß er sich selbiges aus der Hand zu legen genötiget sehen wird.

2 *[Adolph Freiherr von Knigge]*

Rezension über »Die unsichtbare Loge« 1794

Die Bitterkeit, mit welcher der Verfasser in der Vorrede (und nachher auch in einzelnen Stellen des Buchs) gegen Rezensenten deklamiert, erweckt kein günstiges Vorurteil für ihn. Gute Schriftsteller pflegen eine solche Sprache nicht zu führen, schlechte Skribler hingegen, durch ihr böses Gewissen getrieben, suchen im voraus dem Publiko den Tadel, den sie erwarten, verdächtig zu machen. Warum läßt sich aber der Verf. dieses Buchs zu solchen Künsten herab, da er alle Talente besitzt, um jede Forderung zu befriedigen, welche die Kritik an einen Schriftsteller solcher Art machen kann, obgleich freilich bei dem vorliegenden Werke auch dem billigsten Kunstrichter noch viel zu wünschen übrig bleibt? Doch zuerst von dem Guten! Eine reiche Phantasie; inniges, warmes, edles Gefühl; feiner Witz und originelle Laune; Kenntnis des menschlichen Herzens und der Welt; Belesenheit, Darstellungskunst, Reichtum der Sprache und Gewalt der Diktion leuchten aus diesem Werke hervor; man stößt auf meisterhafte Schilderungen, auf die scharfsinnigsten Bemerkungen und auf ächt komische, ganz unerwartete Einfälle und Wendungen. Aber wieviel wilde Auswüchse muß man nicht dagegen übersehen! Da dies Werk eigentlich aus einer Anzahl von Biographien und Portraitten besteht, die auf gewisse Weise ein sonderbares Ganzes ausmachen und in der Geschichte eines jungen Menschen zusammenfließen; so läßt sich hier kein Auszug daraus und keine genaue Zergliederung liefern. Wir müssen uns mit einzelnen Bemerkungen über das Ganze begnügen; zuerst fällt es gar sehr auf, daß der Verf. oft die Gelegenheit, einen witzigen Einfall anzubringen, mit Gewalt herbeiführt und daher Veranlassungen nimmt, von einem Gegenstande auf den andern zu springen, die nicht etwa bloß unerwartet, sondern oft würklich ganz unpassend sind. Sodann zeigt sich durchaus in dem Buche eine nicht sehr gefällige Sucht, immer etwas Ausgezeichnetes, Unerwartetes, Unerhörtes und Bizarres an den Tag zu bringen. Diese offenbart sich in Form und Materie. Vergebens sucht man im ganzen Werke etwas, wodurch der Titel des Buchs erklärt würde. Nur ganz am Ende des zweiten Teils ist die Rede von einer geheimen Verbindung, zu welcher Ottomar gehört haben soll; allein es sind nur ein paar Worte davon hingeworfen. Warum steht hinter dem Titel jedes Teils noch ein andrer, nämlich »Mumien«? Die Vorrede ist der Vorredner genannt, statt Kapitel steht Sector (oder, wie der Verfasser schreibt: Sektor) und diese Sectoren haben noch andre Bezeichnungen von den Sonntagen, an denen sie geschrieben sind; dann finden sich noch Extrazettel und was der Spielereien mehr sind. Die häufigen Digressionen erwecken nicht die Aufmerksamkeit, sondern die Ungeduld der Leser. Was für Zweck und Folgen hat die höchst unwahrscheinliche achtjährige unterirdische, einsame Erziehung des Haupthelden dieser Geschichte, durch einen jungen Herrnhuter? Ottomars lebendig Begrabenwerden, seine Auferstehung, der Schuß, der ihn am Ende des zweiten Teils trifft und der auf seinen Wink aus der Wand kömmt, sein Kabinett von Wachsfiguren, des Professors Hoppedizels alberner Einfall, als ein verkleideter Dieb einzubrechen, – dies und viel solcher Züge und die gesuchte bizarre Mischung in fast allen hier dargestellten Charakteren – dies alles sind Luftsprünge der Phantasie, eines bessern Genies unwert. Paradoxie herrscht auch in manchen Räsonnements z. B. über Erziehung, Studium der Alten etc. Oft überschreitet die Sprache wirklich die Gränzen der Prosa und artet in die höchste Poesie aus. Bilder mit den glühendsten Farben ausgemalt häufen sich; ein üppiges Gemälde verdrängt das andre. An manchen Stellen hingegen wird der Ausdruck, der kräftig sein soll, plump, platt und unedel, und dann wieder ist in dunkle Worte und Pathos ein dünner, kleiner, armseliger Gedanke eingehüllt. Durchaus ist Anordnung affektiert und Manier für Originalität untergeschoben. Alle diese Fehler machen, trotz der mannigfaltigen Schönheiten, das Lesen eines solchen, aus zwei dicken Bänden bestehenden, klein gedruckten Buchs, in großem Formate, zu einer Art von peinlicher Arbeit. – Übrigens achtet der Verf. das Urteil der Rezensenten zu wenig, als daß ihn diese freimütige Äußerungen (wie wir das auch in der Tat nicht wünschen) abschrecken sollten, sein Werk fortzusetzen und zu vollenden.

3   *[Friedrich Jacobs]*

Rezension über »Hesperus«   1795

Ein Rez., welcher seine Pflicht gegen Publikum und Autoren vor Augen hat, der nicht seine Laune oder seinen individuellen Geschmack für eine gewisse Manier (was wohl noch besser ein Mangel an Geschmack hieße) zum Maßstabe der Vollkommenheit machen, sondern über alles so urteilen möchte, wie es Recht und

Billigkeit fodert, befindet sich hauptsächlich bei zwei Gattungen von Kunstwerken in Verlegenheit; bei denen, welche wegen eines allzuschwachen Zusatzes von Geist diesseits der Linie des Schönen fallen, und an das Gebiet der Mittelmäßigkeit anstreifen, und bei den Werken humoristischer Köpfe, die oft das reine Gepräge des Schönen vorsetzlich verwischen, und die Gestalten ihrer Einbildungskraft lieber auf zylindrische oder konische[1] oder Hohlspiegel, als auf eine ebene Spiegelfläche fallen lassen. Das Richtscheid der Regeln läßt sich an solche Werke nicht anlegen, die ohne jenes Richtscheid gearbeitet sind; und wie soll man sonst dem Publikum und dem Autor beweisen, daß er Recht oder Unrecht habe? Auch läßt es sich nicht im allgemeinen zu dem Publikum sagen: Seht hier ein schönes, oder ein witziges, oder ein erhabenes, oder ein rührendes Buch! Denn das Urteil, welches die eine Seite bestätigen würde, würde auf der andern widerlegt scheinen; aber wohl kann man sagen: Seht hier das Werk eines Kopfes, der eine Welt in sich trägt, die er nach seinen Launen geschaffen und eingerichtet hat, und in der er schwärmt und scherzt, nicht eben immer nach unserm Geschmack, wahrscheinlich auch nicht immer nach dem eurigen, aber doch ganz nach dem *seinigen*. Schriftsteller, wie Jean Paul – dessen »*Unsichtbare Loge*« unsern Lesern wahrscheinlich noch im Andenken ist – können noch weniger auf ein einstimmiges Urteil des Publikums rechnen, als *Ungers*[2] neue deutsche Schrift, welche die einen zu rund, die andern zu eckigt, einige zu fett, andere zu mager fanden; und die Leser, deren Beifall sie erhalten, werden sich fast in ebenso viel Klassen teilen, als der Individuen sind. Diejenigen, welche in einem Roman nichts als Geschichte suchen – und dies sind drei Fünfteil der Leserinnen – werden sehr bald ein Werk beiseite legen, dessen dritter Teil mit Reflexionen und Beschreibungen angefüllt ist, und die Geschichte von siebzehn Monaten in drei starken Bänden ausspinnt, und sie werden nach irgendeinem Ritterroman oder einer alten Sage greifen, in welcher die Begebenheiten so übereinander stürzen, daß der aufmerksame Leser nicht einmal daran denken kann, etwas denken zu wollen; diejenigen, welche zufolge des Umschwungs, welchen die Meinungen der Lesewelt innerhalb 15 Jahren erlitten haben, jedes innige hochgespannte Gefühl, jede zärtliche Rührung bei dem Anblicke der Natur – der Sonne, des Mondes und der Sterne – für Empfindsamkeit halten; und diejenigen, welche vor lauter *Würde* nicht zu lachen wagen; endlich auch diejenigen, welche das Erhabne und Große nur unter den Großen suchen – für alle diese wird der »Hesperus«, der auch wohl ein Sirius[3] heißen könnte, nichts weiter als ein trüber Nebelstern sein, dessen Sonnenkraft sie höchstens glauben, aber durch ihre angelaufnen Guckgläser auf keine Weise erkennen können. (Daß der Vf. selbst manchen Nebel[4] um seinen Stern geblasen hat, muß dabei billiger Weise auch in Anschlag gebracht werden.) Von demjenigen Teile der Lesewelt aber, der dieses Buch mit seinem Beifall beschenkt, dürfte, bei einem etwas genauern Nachforschen, leicht in Erfahrung gebracht werden, daß er denselben vorzüglich dem Hofkaplan, der seine Ratten mit der Trommel – beruhigt; dem Apotheker, der sich mit dem Doktor und seinem eignen tauben Bruder wegen der Erstgeburt herumbalgt; der Umarmungsszene mit Agnola, bei welcher sie nur auf eine ganz unverantwortliche Weise in ihrer Hoffnung betrogen werden[5], – und allen Szenen, die diesen ähnlich sind, schenkt, und daß er demnach in das Allerheiligste des Werks ganz und gar nicht eingedrungen ist. In diesem Allerheiligsten, dessen Eingänge wir aber, unsrer Achtung gegen den Geist des Vf. unbeschadet, oder vielmehr aus Achtung gegen denselben, etwas freier wünschten, liegt ein Reichtum von erhabnen und rührenden Ideen, von großen und neuen Bildern, von treffenden, feinen und tiefen Bemerkungen aufbewahrt, die mit Verwunderung gegen den Kopf, in dem sie erwacht sind, und gegen den Geist erfüllen, welcher sie aufgefaßt und dargestellt hat. Dem ganzen Gebäude der Empfindungen und Ideen in diesem Werke liegt aber, so wie in dem frühern desselben Vf., ein Hauptzug des Charakters zum Grunde, eine erhabne Gleichgültigkeit gegen die Sinnenwelt, die sich aus einer allzu heißen Anhänglichkeit an eben dieselbe entwickelt; eine Stimmung des Gemüts, das sich unter der Fülle überströmender Empfindungen unaufhörlich zu dem Gedanken der Unendlichkeit, des Todes, der reinen Tugend und, was diesem ähnlich ist, erhebt; alle seine Freuden durch diese Erhebung adelt und dem Staube entreißt; alle seine Leiden durch einen Blick über die Gränzen des Lebens hinaus lindert oder vernichtet; und bei dieser Entfernung von dem Menschlichen doch alles, was menschlich ist, liebt, pflegt und trägt. Die Darstellung einer solchen Gemütsstimmung nun ist es ohne Zweifel, was in dieses Werk von so ungleichartigen Teilen Einheit bringt, und welche dem Leser am Ende selbst übrig bleibt, wenn sich die einzelnen Eindrücke verdunkeln und zu einem Ganzen zusammenfließen; sie ist es, welche mehr oder weniger in allen den Personen herrscht, für welche der Vf. zu interessieren sucht; welche am reinsten und hellsten strahlt in Dahore, dessen idealischer Charakter durch seinen indischen Ursprung gerechtfertigt wird, dann in Klotilden, in Viktor, dem Helden der Geschichte, in Julius, in der Pfarrerin, in Flamin; und dann in einer entgegengesetzten, absteigenden Reihe von Personen, wie die Farben eines doppelten Regenbogens, erblaßt und verschwindet. Es ist ganz diesem Zwecke der Darstellung angemessen, daß die Personen der ersten Reihe auf den hellen Grund einer schönen und reizenden Natur gestellt sind, die der Vf. mit den glänzendsten Farben seiner Einbildungskraft malt, und neben deren lichtesten Stellen er die großen Schlagschatten der erhabnen Denkungsart seiner Heldin fallen läßt; die Personen der zweiten Reihe hingegen in der Kerkerluft des Hofes atmen und wirtschaften, und in den Paradiesen der Natur nur als Störer der Freude und des Friedens erscheinen. Zwischeninne und auf dem Mittelgrunde des Gemäldes steht der Held des Romans, dem eine gewisse satyrische Laune bisweilen den äußern Anstrich der Hofleute gibt, und den eine gränzenlose Gutmütigkeit und sein nach allgemeiner Liebe sehnendes Herz oft zu Menschen niedrer Art herabzieht, indem er sie zu sich hinaufzuziehn hofft; der durch sein Inneres aber an alle die hohen Menschen gekettet ist, die hier als seine Lehrer, Geliebten und Freunde auftreten. Die Beschreibungen der Natur – unter denen sich eine Menge von Prunkstücken befinden, die aus dem Pinsel eines Claude Lorrain[6] nicht wärmer und wahrer hätten hervorgehen können – machen, wenn unsre Ansicht des Ganzen nicht unrichtig ist, einen wesentlichen Teil der Darstellung aus, indem der Vf. immer das Unsichtbare und Überirdische an das Sichtbare knüpft, und mit einem ächt poetischen Fluge von der Erde zum Himmel emporsteigt. Dabei können wir indes doch nicht verbergen, daß uns diese Beschreibungen allzu gesucht, und überhaupt die Veranlassungen zu hohen Gefühlen und Rührungen allzu geflissentlich aufgesucht scheinen. Es wird doch fast gar zuviel in diesem Buche geweint, und ob wir schon die Tränen, welche das Gefühl des Erhabnen hervorlockt, von denen zu unterscheiden wissen, mit denen ehemals unsre empfindsamen Romanenschreiber ihre Werke wässerten, so dünkt es uns doch, als ob hierin und in dem, was damit zusammenhängt, selbst die reiche Phantasie des Vf. eine gewisse ermüdende Einförmigkeit nicht ganz habe vermeiden können. Überhaupt aber hat sich uns bei diesem Buche oft das Bild eines Waldstückes aufgedrängt, in welchem nur das üppige Buschwerk, das die schönsten Baumgruppen und Aussichten versteckt, vorsichtig ausgehauen zu werden braucht, um sich in einen romantischen Garten zu verwandeln. Dieses gilt von der Geschichte, den Schilderungen, der ganzen Art des Ausdruckes und selbst von einzelnen Worten. (Besonders von so grotesken Zusammensetzungen, wie *Monds-Epiktetslampe, Edenkompetenzstück, Nationalkonvent der Menschheit* u. dgl.) Diese Üppigkeit in dem Nebenwerke mag wohl auch vorzüglich schuld sein, daß so viele der handelnden Personen wie die Schatten einer Zauberlaterne vorüberziehn und nur eine Seite ihres Körpers zeigen; daß die Umrisse oft schwanken, und daß sich über das Ganze ein gewisses Helldunkel ergießt, das zwar der *lyrischen* Wirkung des Ganzen sehr günstig, aber der Anschaulichkeit, die man in einem pragmatischen[7] Werke erwarten und fodern darf, nachteilig ist. Dabei scheint es nun auch noch überdies, daß so mancher Auswuchs nicht durch das üppige Treiben des Humors hervorgestoßen, sondern absichtlich, als *Beweis* desselben, angeküttet worden, oder daß der Vf. zum wenigsten einem gewissen Hange zur Sonderbarkeit, deren es zur Empfehlung seiner Arbeiten gar nicht bedarf, nicht genug widerstanden habe. So wüßten wir z.B. nicht, wie die äußere Form der Geschichte gegen diesen Vorwurf absichtlicher Sonderbarkeiten zu retten wäre, da die Geschichte fast nichts von ihrem Interesse verlöre, wenn sich der Autor nicht eingemischt, und also auch keine *Hundspostage,* sondern *Kapitel,* keine Schalttäge, keine Extrablätter, und was noch mehr aus jener Form und lediglich aus derselben geflossen ist, geschrieben hätte. In derselben Verlegenheit würden wir uns bei vielen einzelnen Stellen befinden, in denen der Ausdruck so seltsam, so rätselhaft und überladen ist, daß man ein Mißtrauen in den Geschmack des Vf. setzen und fürchten könnte, er werde sich auf diesem Wege in einen Styl hineinarbeiten, der seine ästhetische Wirkung eben dadurch vernichtet, daß er sie allzu vollständig erzwingen will.

[...]

4 *[Anonym]*

Rezension über »Leben des Quintus Fixlein«   1796

Die Absicht des Verf. dieses Buches – der sich am Ende eines witzelnden Billettes Johann Paul Friedrich Richter zu Hof im Voigtlande unterschreibet – scheinet nur

7

diese gewesen zu sein, seinen Lesern bekannt zu machen, auf welche Weise er seine Zeit zubringt, und sie meistens mit Possen zu unterhalten, an denen wir wenigstens keinen Geschmack finden konnten. Vielleicht daß manche sich schon durch die Ansicht des Titels nichts anders versprechen und dann durch die Lektüre selbst in ihrem zuvor gefaßten Urteile bestärkt werden. Wir behaupten dadurch keinesweges, daß das Ganze mit Possen angefüllt sei, und können es auch nicht, ohne Unwahrheiten zu sprechen. Einige Aufsätze verdienen allerdings im Ganzen genommen gut genannt zu werden, und selbst in den übrigen finden sich wahre und gute Gedanken und auch gute Stellen, die uns von den Fähigkeiten des Verf. eine für ihn vorteilhafte Idee beibringen, und uns die Äußerung des Wunsches abzwingen, daß er doch dieselben auf etwas Besseres und Nützlicheres wenden möge. Denn durch Schriften dieses Inhaltes wird wahrhaft nichts gewonnen, selbst nicht einmal das bei jedem Romane beabsichtigte Vergnügen bewirket. »Quintus Fixlein« machet dem Titel zufolge den Hauptteil des Buches aus, und kann auch der Hauptteil genannt werden, weil er der stärkste ist: im Grunde aber ist er der 2te Teil des Buches, und soll offenbar eine Satyre auf irgendeinen Schullehrer sein. Ob dieser Abschnitt wohl gar auf einen Lehrer zu Hof im Voigtlande Bezug habe, dem die erhitzte Fantasie des Verf. dergleichen Fata und ein seichtes Ingenium andichtet, und irgendeinen Umstand seines Lebens so ausschmücket, können wir nicht entscheiden, weil wir zuwenig Bekanntschaft in dieser Gegend haben. – Warum der Verf. »aus fünfzehn Zettelkästen« hinzu setzet, erkläret er S. 84[1] also: »Seine (Fixleins) Mutter mußt’ ihm nämlich die Landkarte seiner kindlichen Welt unter dem Kauen mappieren und ihm alle Züge erzählen, woraus von ihm auf seine jetzige Jahre etwas zu schließen war. Diesen perspektivischen Aufriß seiner kindlichen Vergangenheit trug er dann auf kleine Blätter auf, die alle unsere Aufmerksamkeit verdienen. Denn lauter solche Blätter, welche Szenen, Akte, Schauspiele seiner Kinderjahre enthielten, schlichtete er chronologisch in besondere Schubläden einer Kinder-Kommode, und teilte seine Lebensbeschreibung, wie Moser[2] seine publizistischen Materialien, in besondere Zettelkästen ein.« – Es würde sich dieser ganze Abschnitt noch gut lesen lassen, und auch gewiß Unterhaltung gewähren, wenn der Verf. dabei etwas psychologischer und philosophischer zu Werke gegangen wäre, nicht so sehr nach poetischen Floskeln gehascht, öfters schwülstige Ausdrücke gebraucht, und so sehr nach gemeiniglich unerträglichen Vergleichungen gejagt hätte. Man siehet es der Schrift oft an, welche geflissentliche Mühe er sich gegeben habe, etwas aufzufinden und, sollte es auch mit Haaren hergezogen sein, anzubringen. Eben dieses gilt aber nicht allein von diesem Aufsatze, sondern auch von den übrigen, besonders von dem ersten oder so genannten Mußteil[3], welcher zwei Erzählungen enthält, worin er auf das Gefühl der Frauenzimmer zu wirken suchet, und es auch wohl könnte, wenn er seine Fantasie nicht so sehr in Meteoren herumschwärmen ließe. Hier muß alles durch Engel, Träume und Fantasien bewirket werden. –

Einige Gedanken über Jean Paul bey Gelegenheit der
Recension der Jean Paulischen Schrift (in den gel. Anzeigen vom vorigen Jahre Nr. XXII S. 450[1])   1797

In Werken genialischer Köpfe findet der Leser nicht allemal gleich anfangs den
unnachahmlichen schöpferischen Geist des Verfassers. Als Mendelssohn[2] den »Tristram Shandi« las, eilte er von Digression zu Digression, und konnte die rechte
Laune Yoricks[3] nicht treffen, bis er zur Predigt vom Gewissen kam, wo er ihn erst
lieb gewann. So mag es auch schon manchem beim Lesen der »Lebensläufe nach
aufsteigender Linie«[4] von Hippel gegangen sein, bis er erst bei Minchens Briefen
inne wurde, wessen Geistes Kind dieses Werk sei.

Dieses läßt sich auch auf die Schriften Jean Pauls anwenden. Auch in diesen weiß
man nicht immer sogleich, mit wem man zu tun habe. Der gute und schöne,
schalkhafte und unbefangene, starke und doch zarte Genius dieses Mannes spielet
mit uns, wie er will, und wir können nicht allemal uns Glück wünschen, ihn
gebannt und festgehalten zu haben. Wie will man ihn also nach dem gewöhnlichen
Maße messen, wo alles genau nach Schuh und Zoll und Linie eintreffen muß? –

Jean Paul vereiniget in sich eine Fülle von Vernunft, schwelgender Fantasie,
tiefer Empfindung und schöner Darstellungsgabe, und alle diese Göttergaben sind
in ihm so verwebt und verschlungen, daß man nicht weiß, ob man seinen philosophischen, humoristischen oder empfindsamen Charakter am meisten bewundern
soll? Er erscheinet uns bald so, bald anders, wie ihn der Gott in ihm treibet[5].

Ich bin indessen der Überzeugung, daß seine Schriften, so wie die aller derer, die
ein eigener Geist stämpelte, nicht zu jeder beliebigen Zeit zu lesen sind; sie müssen
– als die Frucht auserlesener Stunden – nur dann zur Hand genommen werden,
wenn auch in uns der Funke schöner Fantasie sich reget, wenn wir uns wecken,
wenn wir uns aus dem so gewöhnlichen Schlummer des alltäglichen Menschenlebens aufreißen wollen. Sind wir nun nicht in der echten Stimmung, und gehen zum
Lesen solcher Werke, so laufen wir Gefahr, Unsinn anstatt Vernunft, Ziererei und
Empfindelei anstatt reiner Empfindsamkeit, Plattheiten anstatt wahren Witzes und
Humors zu finden.

Ich liebe Jean Paul als Schriftsteller, und, wie man saget, ist er auch so liebens-
würdig als Mensch; eben deswegen kann ich mich nicht enthalten, folgende Bemerkung beizufügen. Der Geist seiner Schriften scheinet gegen den herrschenden Egoismus unserer Zeit gerichtet zu sein. Deswegen suchet er den Menschen zu erschüttern auf alle mögliche Art: aber oft zerreißet er unsere Nerven zu schrecklich, und
daher findet man bei ihm nicht immer, was wir doch oft so nötig haben, – Besänf-
tigung und Ruhe. Seine bisher erschienenen Schriften sind sich in diesem Punkte
noch immer gleich: – wenn wird nun auch einmal Balsam aus seiner Feder fließen?
Aber vielleicht glaubt Jean Paul durch das, was wir verwunden nennen, zu heilen
und zu beruhigen? Mein Herz wenigstens kann ihm hierin nicht völligen Beifall

geben. Der Egoismus unserer Zeit erfordert ernstliche Fehde: aber der Sturm unserer Zeit verdient auch, daß man beitrage, ihn zu beschwören und zu beruhigen – und wenn nur Jean Paul wollte, so könnte er es. – Wieland ist mir auch in dieser Rücksicht groß. Wer fühlt sich nicht beruhigter nach der Lektüre seiner Schriften? Der »Agathodämon«[6] gibt neuerdings den vollen Beweis davon. –

6 [Anonym]

Rezension über »Siebenkäs« und »Biographische Belustigungen« 1797

So alltäglich und gemein Klagen der Schriftsteller gegen ihre Rezensenten sind, so selten höret man von freiwilligen Schuldbekenntnissen der ersteren oder der letzteren. Unser Gewissen dringet uns heute, ein solches seltenes Beispiel zu geben, und auf die sehr bitteren Klagen Jean Pauls gegen die Rezensenten ein reuiges mea culpa[1] an unsre Brust zu klopfen; nicht darum, weil wir ein ungerechtes Wort gegen ihn gesprochen, sondern weil wir so lange keines von ihm gesprochen haben. Schon im Jahre 1793 beschenkte uns Jean Paul mit seiner »Unsichtbaren Loge« (zwei Bändchen), im Jahre 1795 mit »Hesperus oder 45 Hundsposttage« (3 Bändchen), bald darauf mit dem »Leben des Quintus Fixlein«, und jetzt mit beiden obengenannten Werkchen. Alle diese Werke gehören unter die geistreichsten Produkte unsers Zeitalters, und berechtigen ihren Verfasser zu einer der ersten Stellen unter Deutschlands Schriftstellern: und doch haben wir es bis jetzt versäumt, ihm in unsern Blättern ein seiner würdiges Denkmal zu stiften, und die Augen unsrer Zeitgenossen auf ihn zu wenden. Über Bücher wie Menschen waltet, wie es scheint, das nämliche neidische Schicksal, das es dem wahren Verdienste immer so schwer machet, sich unter dem vordrängenden Wuste von Mittelmäßigkeit empor zu arbeiten, und dem Blicke des Kenners bemerkbar zu machen: selbst wenn es durch die Sonderbarkeit eines Aushängeschildes (was wir aber an den Titeln des Verfassers so wenig als im bürgerlichen Leben billigen können) den umschweifenden Blick der Zuschauer auf sich heften will, so wird doch auch dieses schreiende »Horcht! Horcht!« zu oft von der Unbedeutendheit und Mittelmäßigkeit nachgeahmt und gemißbraucht, als daß es die Aufmerksamkeit des Kenners reizen könnte. Ist es im Grunde etwas anderes als Zufall, was dem Rezensenten, da einmal nicht alles, was geschrieben wird, auch gelesen und rezensiert werden kann, die Gegenstände seiner Beurteilung zuführt, und ihm so oft mit mittelmäßiger Ware Langeweile, so selten mit guter[2] Geistes-Nahrung bringt? Doch auch des schriftstellerischen, wie jedes anderen Verdienstes Lohn kommt zwar später, aber bleibt länger. Blüten, auf welche auch Früchte folgen, mögen es wohl leiden, daß fruchtlose Blumen zu Markte gebracht zu werden eilen, weil sie, wenn sie des Morgens nicht abgesetzt werden, noch ehe es Abend wird, gewiß verwelken.

Aber unter welche Klasse von Schriften sind Jean Pauls Werke zu zählen?, werden die Leser fragen. Rezensent befindet sich bei Beantwortung dieser Frage in einiger Verlegenheit. Alle diese Schriften tragen zwar das äußere Gewand von

Romanen. Wenn aber das pragmatisch[3] sich entwickelnde, an dem mehr oder weniger verwirrten Faden von Hindernissen und Beförderungsmitteln auf- und abschwebende Geschehen einer interessanten Begebenheit das Wesen des Romans ausmacht, so gehören Jean Pauls Werke unter die Unbedeutenderen dieser Art; denn was er geschehen läßt, ist meistenteils wenig und unbedeutend; und der nächste beste Ritterroman ist in dieser Hinsicht ein Meisterstück gegen sie; auch müßte Rezensent befürchten, sie durch die Bezeichnung mit dem zweideutigen Namen von Romanen der Lesung von Leuten zu empfehlen, die gewiß keinen, und der Lesung anderer zu entziehen, die gewiß allen Geschmack daran finden würden, und dadurch dem Zwecke dieser Anzeige schnurgerade entgegen zu wirken.

In Ermangelung eines erst noch zu erfindenden, diese Gattung von Schriften bezeichnenden Namens möchte Rezensent sie Geistes-Konzerte nennen. Wie die harmonische Mischung verschiedener Töne und ihre melodische Aufeinanderfolge, durch irgendein den herrschenden Charakter des Stückes bestimmendes Thema unter die Form der Einheit gebracht, durch das dadurch erregte zwecklos scheinende, aber doch zweckmäßige Spiel unbestimmter Empfindungen dem Gemüte gefällt, es vergnügt und belebt; wie man ähnliche Versuche mit dem Spiele der Farben mehr gewagt als ausgeführt hat: so läßt sich auch ein melodischer Wechsel, nicht von Tönen und Farben, sondern von jeder Art höherer Geistes-Äußerungen von komischer und satyrischer Laune, von Empfindungen des Erhabenen, des Edeln, des Schönen, an der Natur und an menschlichen Charakteren, von unabsichtlich und kunstlos herbeigeführten Spekulationen, Räsonnements, Bemerkungen, von witzigen und scharfsinnigen Gedanken, von Bildern der Einbildungskraft, von Naturgemälden usw. an den Faden irgendeiner Geschichte als ihr Thema angereihet denken, in welchem unter dem Scheine eines freien Spieles alle Kräfte des Geistes harmonisch und gleichzeitig beschäftiget, belebet und eben dadurch gereiniget und gebildet würden. Werke dieser Art sind die Schriften Jean Pauls, und es würde dem Rezensenten schwer werden, mehrere Bücher der Art zu nennen, in welchen sich eine gleiche Masse von Witz, von Laune, von Satyre, von reinen Gefühlen für Sittlichkeit, für Natur, von den wahresten und treffendsten psychologischen, pädagogischen, tiefphilosophischen ganz anspruchslos hingeworfenen Bemerkungen, von edeln, großen, guten und doch menschlichen Charakteren usw. zusammengedrängt fände. Vielleicht dürfte man »Tristram Shandys Leben« als Muster in dieser Art Geistes-Musik (im edleren griechischen Verstande) nennen: auch bei Jean Paul wehet Yorickischer[4] Geist, und man glaubt zuweilen sein Säuseln zu vernehmen; aber man darf und muß hinzusetzen: hier ist mehr als Sterne. Der Geist unsers Zeitalters ist stärker, männlicher geworden, als der Geist von Sternes Zeitalter es war; er bedarf kräftigerer Nahrung; er erlaubt ätherischere Schwünge zu wagen; und diese Nahrung, diesen Schwung findet er bei Jean Paul. Vorzüglich gilt alles bisher Gesagte von »Hesperus«, demjenigen der Richterischen Werke, welches sein Schöpfer selbst kaum mehr zu übertreffen imstande sein dürfte, und das sich zu den übrigen, velut inter ignes luna minores[5], verhält.

Wenn ein Kunstrichter so lange in einem Atem fort gelobet hat, so darf man nichts eher[6] erwarten, als daß er nun mit einem langen Aber sich wieder Luft verschaffen, und vielleicht seine verhaltene Amtsgalle umso reichlicher ausgießen werde, besonders in unserm Falle, wenn diese Galle durch das von der Wahrheit abgedrungene Geständnis eigner Schuld noch verschärfet wird. Doch die gute Laune, in welche ein vortreffliches Werk den[7] Kritiker versetzt hat, kann auch darauf wirken, seinen vorgehabten amtsmäßigen Tadel in freundschaftlichen Rat für den liebgewonnenen Verfasser zu verwandeln. In diesem letzteren Falle befindet sich Rezensent gegen Jean Paul. Ein anderer Kunstrichter hat ihn schon erinnert, daß er seinen Personen den Strom von Tränen zu häufig fließen lasse[8]; und auch Rezensent muß gestehen, daß seine Tränendrüsen mit einer so starken und häufigen Kompression derselben nicht sympathisieren können. Worauf er ihn aber vorzüglich aufmerksam machen möchte, ist der Witz, von dem eine so reichliche Ader in allen seinen Werken strömet, welche ihm aber nicht überall klar und leicht genug zu fließen scheint. Wahrer Witz, sagt Pope irgendwo[9] (gewiß ein Mann, der in dieser Sache das Recht hat, mitzusprechen), besteht, um nach Hebammenart zu reden, in vollkommner Empfängnis und leichter Entbindung. An dem letzten Erfordernis scheint es Jean Pauls Gedanken oft zu fehlen; es folgen neue Empfängnisse auf Empfängnisse, ehe die Produkte der ersten sich noch von ihren Umwickelungen losgemacht und in ausgebildeter Wortgestalt dargestellt haben. Oft steckt Gleichnis in Gleichnis, Witz in Witz, wie eingeschachtelt. Manchmal entgegen ist der Verf. grausam genug, sich eines witzigen Gedankens nicht nur wie auf freier Bürsche zu bemächtigen, sondern ihn durch langes Verfolgen gleichsam zu Tode zu hetzen. Und ob es schon Wesen des Witzes ist, Dinge auf *einen* Platz zusammenzubringen, die sich ihres Zusammenkommens an diesem Orte selbst wundern müssen, so sollen sie sich denn doch so leicht zusammenfügen, daß ihnen der Schriftsteller nicht erst noch zuzurufen Not hätte, daß sie zusammengehören, und zu sagen, was sie hier miteinander vorzustellen haben; so wenig ein Maler auf seine Zeichnungen hinaufzuschreiben Not haben soll, was sie bezeichnen, was doch hier manchmal der Fall ist. Was denkt sich endlich der Verfasser, daß er den Stoff zu seinen witzigen Gedanken von allen vier Enden der Welt, aus allen drei Reichen der Natur, Physik und Chemie zusammentreibt, und jeden Leser, der nicht ausgebreitete Erudition[10] besitzet, eine Reihe von philosophischen, physischen, historischen Diktionnairen an der Hand zu haben nötigt, um seine Anspielungen zu verstehen? Rechnet er die Verlegenheit von Frauenzimmern, erst Männer um die Erklärung vieler Stellen befragen zu müssen, und die noch größere Verlegenheit von Männern, diese Erklärung nicht geben zu können, für nichts? Und wenn er nun das Unglück haben sollte, woran er selbst schuld wäre, in irgendeiner weiteren Ausgabe mit notis ad modum Minellii[11] um und um verbrämt zu erscheinen, grauet ihm nicht im voraus davor? Der Witz gehört durchaus unter die Leichtbewaffneten; er muß sich frei bewegen können, und keine Art Last muß seinen Gang aufhalten. Wollte man sich aber auch mit dem Verfasser wieder aussöhnen, was man denn auch beinahe immer tut, indem mehrerenteils der folgende Gedanke mit sich fortreißt, indem uns der vorhergehende aufzuhalten schien, so fürchtet Rezensent doch imitatorum servum pecus[12]: und man soll doch im Reiche der Literatur so wenig als in dem der Sitten Ärgernis geben.

Rüge eines Schriftsteller-Frevels   1797

Herr Jean Paul Friedrich Richter stellt in einem der neusten Erzeugnisse seiner fruchtbaren Feder: »Ehestand, Tod und Hochzeit des Armenadvokat Siebenkäs« (3 Bändchen. Berlin 1796 und 97) in dem Helden der Geschichte und seinem Freunde Leibgeber zwei Menschen auf, welche die innigsten Freunde, und nicht nur in schwärmerischer, oft überspannter Empfindsamkeit sowie in der eigensten Laune, sondern auch sogar im äußern Ansehn einander zum Verwechseln ähnlich sind. Um seinen Freund Siebenkäs von der drückendsten Dürftigkeit, und von dem Mißverständnisse, in welchem er mit seiner zwar guten, aber für ihn nicht passenden Gattin lebt, mit *einem* kühnen Streiche zu befreien, beredet ihn Leibgeber, sich durch einen künstlich bemäntelten Scheintod aus seiner peinlichen Lage zu reißen und unter Leibgebers Namen eine einträgliche Gerichtsbeamtenstelle in einem Winkel von Deutschland anzutreten, die ein Graf diesem herumziehenden Sachwalter und Schattenrißschneider angetragen hat. Das möchte nun allenfalls noch hingehen. Die Frau Siebenkäs, die sich von ihrem Ehebande ebenso gedrückt fühlt als ihr Mann, wird frei, und kann einen andern heiraten, den sie schon liebt, ohne es sich zu gestehen; Kinder sind nicht da, und der Graf wird sich bei dem an bleibende Verhältnisse mehr gewöhnten Armenadvokaten wahrscheinlich besser befinden als bei dem zum Herumschweifen geneigten Leibgeber. Vier Personen gewinnen also offenbar bei dem verstellten Handel, und niemand verliert als das Ehegericht die Gebühren, die es für die umschiffte förmliche Scheidung hätte ziehen können. Nach den Grundsätzen der Glückseligkeitslehrer[1] würde sich also gegen die sittliche Güte des ganzen Beginnens wenig aufbringen lassen, wenn auch die Ansprüche der Richter auf mögliche, aber nicht wirklich gewordene Gebührenquellen sich bei jenen Sittenlehrern einer größern Gunst schmeicheln dürften, als sie in der Tat genießen. Aber man höre weiter, wohin den »guten Leibgeber, der (nach seines Geschichtschreibers Versicherung S. 86[2]) physisch und moralisch hinter einer zottigen Bärenbrust das schönste Menschen-Herz trug«, von dem S. 175[3] gesagt wird: »Niemand log so gern und so oft aus Satyre und Humor als Leibgeber; und niemand feindete ernste Ungerechtigkeit und Verschlagenheit intoleranter an als er«, wohin diesen ehrlichen Deutschen die Begierde, seine Freunde glücklich zu wissen, noch ferner reißt. »Höre«, sagt er S. 43[4] zu Siebenkäs, »dein Tod kann zwei Witwen geben ... Ich berede Natalien (seine Freundin, die, ungeachtet sie arm ist, einem reichen, aber nichtswürdigen Gecken, mit welchem sie versprochen war, den Abschied gibt), daß sie sich bei der königl. preußischen allgemeinen Witwenverpflegungs-Anstalt auf deinen Tod eine Pension von 200 Tlr. jährlich versichern läßt.* Du kannst es der Witwenanstalt wieder heimzahlen, sobald du

---

* Jede Mannsperson darf für eine ledige Weibsperson bei dieser Anstalt eine Pension versichern lassen. Beide werden als Eheleute angesehen, und sie behält wie eine wahre Witwe bei der Heirat die Hälfte.

Überschuß erringst etc.« Dieses bleibt nicht etwa ein vorübergehender Einfall, sondern wird pünktlich ausgeführt, und Siebenkäs unterstützt die Überredungskunst seines Freundes mit folgenden an die abreisende Natalie gerichteten Zeilen (S. 111[5]): »schlagen Sie Ihrem und meinem Freunde und mir die letzte Bitte nicht ab, die er an Sie tun wird. Ihre Seele hat ihren Stand weit über den weiblichen, die jede Sonderbarkeit erschreckt. Wenn Sie nein sagen, so wird mich in der letzten, blinden, tauben Minute, wenn das Mixturenregister[6] des Lebens mit seinen Mißtönen und Endtrillern ausklingt, noch Ihr Nein durchschneiden, und ich könnte meine traurende Seele nicht mit dem Troste stillen: Sie hätte vielleicht anders geantwortet, hätte Sie es voraus gewußt. Denn Sie wissen es voraus. Das Schicksal wirft mehrere Pfeile auf unser Herz als auf unsern Kopf, möge nur aus ihrer Hand kein Pfeil herkommen!« Natalie willigt nicht ohne Schwierigkeit ein, und zieht, nachdem Siebenkäs in seiner Vaterstadt mit allen Förmlichkeiten gestorben ist, die ihr auf diesen Fall beschiedne Pension, ohne jedoch etwas von dem zu ihrem Besten gespielten Betruge zu ahnen, der, so grob er auch ist, den beiden edeln Freunden weder Vorwürfe ihres eignen Gewissens noch die geringste Mißbilligung ihres Geschichtschreibers zuzieht.

Sollte es nicht einer Frage im R. A.[7] wert sein, ob je von irgendeinem Schriftsteller seinem Volke das geboten worden ist, was Herr Richter durch diese Geschichte den Deutschen bietet, oder ob diese allein, deren Volksruhm vordem Ehrlichkeit war, sich jetzt Schelmenstreiche, die den Pranger verdienen, für launige Ausgeburten schöner Seelen verkaufen lassen?

8   *Maria Mnioch*

Aus: Gedanken über mancherlei Lektüre
Goethe und Jean Paul.   1798

Freund *Jean Paul* stellt uns die Mannigfaltigkeit des Menschen und seines Herzens dar, als in *einer* Person, nämlich der *seinigen.* – Die verschiednen Charaktere in seinen Gedichten* sind so vorgeführt, daß sie mir als Schilderungen der verschiednen Seelenzustände nur *eines* Menschen vorkommen.** Um mich künstlich auszudrücken (wenn's erlaubt ist, und insofern ichs verstehe!) es sind menschliche Gebrechlichkeit und menschliche Größe in verschiednen Mischungen und Graden, oder kurz die *ganze Menschlichkeit,* wie sie sich nach *Verschiedenheit* der *Stimmung* und *Veranlassung,* nach *Tag* und *Stunde, gutem* und *bösem* Wetter der Laune, des Schicksals und der Gesundheit, – *beinah in jedem Individuum zeigt,* wenigstens *innerlich.*

Bei *Goethe* erscheinen *alle Charaktere* als für sich *bestehende Personen.* Es ist

---

* Die Verfasserin kannte nur *einige,* und ich weiß nicht sicher anzugeben, *welche?* –
** Hierzu dürfte wohl schwerlich *Matthieu* im *Hesperus,* oder *Blaise* in den *Frucht- und Dornenstücken* zu rechnen sein.

die Menschlichkeit in einzelne Menschen zerlegt, und *so* dargestellt, wie sie in *einzelnen* Menschen nach gewissen Hauptzügen erscheinet.

Bei *Goethes* Schilderung vergessen wir über dem Gemälde den Künstler! Bei *Jean Paul* nie! – Wir *lieben mehr* den *Jean Paul,* und *bewundern mehr* den *Goethe!* – *Jean Paul* hat *Manier; – Goethe* hat sie nicht. –

Goethe ist *Künstler,* und seine Werke sind *Kunst, schöne* und *erhabne Kunst* voll *Natur* und *Unschuld* (nämlich seine frühern Werke). – *Jean Pauls* Schriften sind wundersam gestaltete, schöne, große, verworrene *Naturgewächse* (aus der Seele des Verfassers), woran Rosen blühen und Veilchen, und viel dunkle Trauerblumen. Auch wächst allerhand Obst an seinen verschiednen Zweigen, süßes und säuerliches, jedes nahrhaft, jedes (genossen zu seiner Zeit) labend, erquickend und stärkend. An *einem Baum*[1] hat man einen *ganzen Obst- und Blumen-Garten.* – Seine Werke lassen sich nicht mit *einem* Namen benennen.

Goethe verläßt, wenn er dichtet, seine eigne Individualität; und ich bin der Meinung, daß, wenn wir seine Lieder ausnehmen, von keinem seiner poetischen Werke mit einiger Sicherheit ein Schluß auf seinen eignen Charakter, sein eignes Herz gemacht werden kann. Wenigstens gibt er selbst dazu keine Veranlassung und berechtigt uns nicht dazu. – Wenn aber *Jean Paul* (wie jeder humoristische Schriftsteller dieser Art, und wie jeder ernste lyrische Dichter) *anders dächte, empfände* und *handelte,* als seine Werke sprechen; so sind wir getäuscht, und ich müßt' es nicht wissen, wenn mich seine Schriften noch ferner erfreuen sollten.

9   *[Johann Caspar Friedrich Manso]*

Rezension über »Siebenkäs« und »Leben des Quintus Fixlein«   1798

Der Engländer Hume[1] macht in seiner bekannten Geschichte seinen Landsleuten den Vorwurf, daß, ob sie wohl, in Absicht auf Einbildungskraft, Verstand und Geist, wenn man diese Eigenschaften abgesondert betrachte, in ihren Werken keinem Volke der Welt etwas nachgäben, sie doch in der, welche diese Vermögen vereinige, im Geschmack, ihren Nachbarn, den Franzosen, weit nachständen, und ein großer Philosoph unsrer Tage[2], der diese Behauptung aus ihm anführt, scheint sie ebenfalls für wahr anzuerkennen. Unsres Bedünkens kann sie nicht bloß von den Engländern gesagt, sondern auch auf uns Deutsche mit demselben Rechte, und vielleicht nie mit größerm als in der jetzigen Periode unserer Literatur, angewandt werden. Die widersprechenden Urteile, die oft über den nämlichen Schriftsteller, ja zuweilen über das nämliche Buch eines Schriftstellers gefällt werden, woher rühren sie anders, als von der seltenen Vereinigung und unglücklichen Würdigung jener Eigenschaften. Indem die eine Partei Einbildungskraft, Verstand und Geist als die einzigen Erfordernisse eines ästhetischen Werkes betrachtet, gibt sie viel zu bereitwillig die Forderung an den Geschmack auf, und indem die andere sich nicht selten mit kalter Regelmäßigkeit und Ordnung begnügt, übersieht sie die Bedingungen, ohne welche ein noch so künstlich zusammengesetztes und wohlgeordnetes Ganze weder eine Wirkung hervorbringen noch einige Teilnahme erregen kann.

Vielleicht springt die Trennung dieser Eigenschaften bei keinem Schriftsteller neuerer Zeiten mehr in die Augen als bei Jean Paul. Auch nicht eins seiner Werke gewährt einen befriedigenden reinen Genuß. Wo man hinblickt, stößt man auf Sonderbarkeiten, welche allen Forderungen der Kritik trotzen, und alle ihre wohl-begründeten Erwartungen täuschen. Bald werden wir mitten in der rührendsten Schilderung durch einen humoristischen Einfall auf eine unangenehme Weise ge-stört, und bald in dem vollsten Erguß der Laune von ihr ab- und in eine ihr völlig fremde Empfindung hineingezogen. Bald verderbt ein gemeiner Gedanke oder ein niedriger Zug in einer Beschreibung den ganzen Eindruck, den sie beabsichtigt, und bald sind Spaß und Ernst so seltsam gemischt, daß es zweifelhaft bleibt, welches Gefühl der Verf. in dem Leser hervorrufen wollte. Zuweilen wird man durch eine aus allen Reichen der Natur und aus dem weiten Gebiete der Kunst zusammengeraffte und aufgeschichtete Gelehrsamkeit gleichsam belästigt und un-terdrückt, und zuweilen durch unzeitige philosophische Abschweifungen ermüdet. Das eine Mal beleidigt er durch ein auffallendes Wortgepränge und durch einen Prunk, der an Schwulst gränzt, und überall einen verdorbenen und verderbenden Geschmack verrät, und das andere Mal verwirrt er durch eine Reihe von Bildern, die in einer magischen Laterne nicht bunter und unzusammenhängender aufeinan-derfolgen können. Endlich, wie geringfügig und unbedeutend ist gewöhnlich der Inhalt und Gehalt seiner Geschichte! Wieviel Unwahrscheinlichkeit in der Erfin-dung, Anlage und Verkettung der Begebenheiten untereinander, und wie unbe-rechnet und unvorbereitet ihre Wirkung! Alles scheint eine Schöpfung des Augen-blicks und des Zufalls, nichts das Werk der Überlegung und Sorgfalt, alles mehr darauf angelegt, den Leser nach Lust und Laune zu äffen, als ihn nach Absicht und Zweck zu vergnügen.

Aber bei allen diesen Ausbeugungen und Abweichungen von der Linie der Schönheit und Vollendung, wieviel Großes, Herrliches, Edles! Zu welcher Höhe erhebt sich die nimmermüde Phantasie des Dichters, und zu welchen Gefühlen reißt er die Seele unwiderstehlich mit sich fort, wenn er das Endliche verläßt, und zu den Regionen des Überirdischen – des Todes, der Unsterblichkeit und der Tugend – (in sein eigentümliches Vaterland und wahre Heimat) sich aufschwingt! Verloren in diese Genüsse, wünscht man vielleicht lebhafter als je, daß der Dichter sie uns durch nichts verkümmert, sondern vielmehr seine ganze Kraft aufgeboten haben möchte, um sie uns unvermischt und unvermindert zu schenken, aber gewiß empfindet man auch niemals stärker als in solchen Augenblicken, um wieviel mehr diese ungeregelten Kinder einer sorglosen genialischen Einbildung wert sind, als die regelrechten einer bedächtig um sich schauenden. Diese haben gleich jungen Bäumen, die unter der Zucht der Schere gehalten werden, ihre wilde Üppigkeit, aber mit ihr zugleich auch ihre Fülle und Kühnheit abgelegt, während jene, als ächte Zöglinge der Freiheit, zwar selbstgenügsam und trotzig, aber auch zugleich ungeschwächt, stark und lebendig dastehn. Und dieser Ausspruch gilt nicht bloß von den Schilderungen, welche Gegenstände, die außerhalb der Sinnenwelt liegen, darstellen; er gilt mit dem nämlichen Rechte auch von den Gemälden der Natur und des Menschenlebens. Jene, die eine vorzügliche Stelle in den Werken unseres Schriftstellers einnehmen, ja gleichsam ein wesentlicher Bestandteil und oft das Bindungsmittel seiner Dichtung sind, zeichnen sich durch einen Reichtum aus, an dem nichts zu tadeln ist, als daß er zuweilen in Pracht und Schwelgerei ausartet, und diese geben die Wirklichkeit mit einer Wahrheit, Treue und Wärme wieder, die mit Bewunderung für den Verfasser erfüllt. Doch wir gehen zu den einzelnen Werken über, von denen hoffentlich niemand nach dem, was gesagt worden ist, einen Auszug erwarten wird.

Gegen die »Blumen-, Frucht- und Dornen-Stücke« des Verfassers ließe sich, auch wenn man bloß auf einen einzigen Punkt, – auf die innere Wahrscheinlichkeit, seinen Angriff richten wollte, eine lange Anklageschrift einreichen. Die Ver- und Entwickelung der Geschichte beruht nämlich teils auf dem Umstand, daß Siebenkäs einem seiner Freunde so durchaus ähnlich ist, daß er nicht nur stets und überall mit ihm verwechselt wird, sondern sogar in das jenem zugedachte Amt einrückt, ohne einen bedeutenden Verdacht zu erregen, teils auf der nicht [weniger] seltsamen Erfindung, daß er unter dem Beistande dieses seines ihm treu ergebenen Freundes eines Scheintodes sterben und kraft seines testamentarischen Willens, dessen Sonderbarkeit ebenfalls niemandem auffällt, zum Schein beerdigt werden, in der Tat aber zum Hause hinausschlüpfen kann, während ein Klotz in seiner Stelle den Sarg einnimmt und ausfüllt. Aber was könnte es helfen, diese und ähnliche Einwendungen gegen Jean Paul geltend zu machen? Er würde mit völliger Gemütsruhe seine Exzeptionsschrift[3] abfassen und bemerken, daß er das ganze Argument einräume, ohne darum seinen Prozeß verloren zu haben, immaßen die Wirkung seines Kunstwerks nicht auf den Plan und dessen Vollkommenheit, sondern auf ganz andre Tugenden und Schönheiten berechnet sei. Und in der Tat entsinnt sich der Rezensent unter den Werken, die ihm von diesem Schriftsteller zu Gesichte gekommen sind, keins gefunden zu haben, das so viel humorische Laune, mit soviel inniger Empfindung und lehrreicher Weltkenntnis gepaart, in sich schlösse, als dieses. Wer wollte ein so steifer kalter Anhänger des ästhetischen Systems sein, daß er nicht bei den Szenen der herzlichsten Freundschaft und bei so manchen der Wirklichkeit abgelauschten Schilderungen des häuslichen Lebens der Mittelklasse, wie sie uns hier mitgeteilt werden, der einengenden Vorschriften vergessen, oder wer die Verstöße gegen die Regeln der guten Schreibart so übel empfinden, daß er nicht bei so vielen kräftigen Schilderungen und Darstellungen etwas von seiner Strenge willig nachlassen sollte. Nicht um eine Probe von der Manier des ohnehin bekannten Verfassers zu geben, sondern um den Vorurteilen, die noch immer zu allgemein gegen diese Manier ankämpfen, entgegenzuarbeiten, heben wir einige Stellen aus. [...]

Bei »Quintus Fixlein« ist man zweifelhaft, ob man mehr die Verbrämung rechts und links oder das Kleid empfehlen soll. Letzteres ist nämlich die Geschichte des oben genannten Helden selbst, und erstere ein vorangeschicktes Mußteil[4] für Mädchen, und einige Ius de tablette⁵ für Mannspersonen. Es wird darauf ankommen, wie der Leser gelaunt ist. In guten und fröhlichen Stunden wird er sich gewiß an den ehrlichen Fixlein anschließen und bald seine mancherlei unschuldigen Schwächen belachen, bald sich seiner kleinlichen Geschäftigkeit freuen. In Stunden hingegen, wo die Seele feierlicher gestimmt ist, wird er am liebsten in den Ozean von Phantasienblüten untertauchen, der ihm aus der Geschichte »Der Mond, oder Eugenius und Rosamunde« so freundlich entgegenglänzt, und über ihn schwelgen und sich genießen. In der Tat, so anmaßlich es ist, unter mehrern schönen Stücken einem ausschließend den Vorzug zu geben: so kann Rezensent doch nicht umhin, zu bekennen, daß unter allen lieblichen Gemälden, deren in Jean Pauls Schriften so viel sind, ihn keines mit dieser Gewalt gefesselt und zu einer wiederholten Beschauung gereizt hat, als diese kleine nach seinem Gefühle, mehr als jede andere, einfache und doch zugleich reiche Dichtung. Noch jetzt, da die Töne der ersten überwältigenden Empfindung lange verhallt sind, weidet er sich mit Entzücken an dem leisern Nachklang, den sie in seinem Innern zurückgelassen haben, und wiederholt sich aus dem Gedächtnisse den ihm stets unvergeßlichen Schluß: »Ja wohl ist sie (die Erde) im Schatten. Aber der Mensch ist höher als sein Ort: er sieht empor und schlägt die Flügel seiner Seele auf, und wenn die 60 Minuten, die wir sechzig Jahre nennen, ausgeschlagen haben: so erhebt er sich und entzündet sich steigend, und die Asche seines Gefieders fället zurück und die enthüllte Seele kommt allein, ohne Erde und rein, wie ein Ton, in der Höhe an. – –«⁶ [...]

Wir schließen diese Anzeige, durchdrungen von einer aufrichtigen Hochachtung gegen die mannigfaltigen Talente ihres Verfassers; aber nicht ohne den Wunsch, daß er uns bald mit einem Werke beschenken möge, daß nicht bloß durch die Vollkommenheit einzelner Teile gefalle und rühre, sondern als ein schön zusammenstimmendes und vollendetes Ganzes belohne, und als solches zu einer wiederholten Beschauung einlade. Gewiß werden unter den denkenden Lesern Jean Pauls sehr viele sein, die willig eine ganze Menge der gelesensten Romane gegen einzelne vortreffliche Stellen desselben hingeben und zu ihnen unaufhörlich und mit immer neuem Vergnügen zurückkehren; allein ungleich wenigere dürften sich wohl überwinden, seine Bücher nicht stellenweise, sondern ganz zu mehreren Malen zu lesen, oder, wenn sie es über sich vermögen, denselben vorteilhaften Eindruck, den die erste Bekanntschaft gewährte, ungeschwächt in sich erhalten.

10   *Johann Friedrich Schütze*

Jean Paul Friedrich Richter   1798

Gewiß ist gegenwärtiges Dezennium an Revolutionen aller Art ungleich reicher als je eines in den Jahrbüchern der Menschengeschichte. Und bei einer so allgemeinen und heftigen Gährung fehlt es denn auch nicht an Männern, die die Bewunderung ihres Zeitalters sind; fehlt es nicht an Taten und Geistesprodukten, die allgemeine Aufmerksamkeit erregen. Freude ist es für jeden Weltbürger, wenn er mit aufmerksamen Blicke auf die Geschichte des menschlichen Geistes hinsieht; wenn er der allmählig von Stufe zu Stufe fortschreitenden Ausbildung desselben nachspürt; wenn er sieht, wie immerzu große Geister sich empor schwangen, und die Menschheit ihrem Ziele näher rückte. Aber wer kann sich zugleich auch des Lächelns enthalten, wenn er oft enthusiastisch von Genie und Geistesgröße rühmen hört, und, indem er mit forschendem Auge etwas näher tritt, etwa ein Mücke findet, die ihren Glanz von der nahen Flamme borgt.[1]

[...]

Ein Mann von Gewicht in der gelehrten Welt pries einen jungen Dichter von Hoffnung als ein Mundilumen[2]; dies feuerte das junge Genie an, dies reizte die Verleger, dies spornte die Käufer, dies bewirkte, daß von Messe zu Messe sein Name vor Büchern und Schriften stand, deren Inhalt das nicht leistete, was man, jener Hoffnung und Anpreisung zufolge, erwartete. Man fand das Verhältnis der – *Mücke zur Flamme.* Wie lange dauerte es, und die Mücke starb an der Flamme. Sie hätte dauern können, aber man hatte sie frühreif gemacht, zur Übereilung, zur Vielschreiberei verleitet ein Genie, aus dem etwas [hätte] werden können, das nun nicht ward. Ein Wurm nistete in der Frucht und sie fiel ungereift vom Baume. Ein paar Almanachs-Verse gründeten oft den temporären Ruf eines Jünglings und – die *»Grönländischen Prozesse«* machten keine Sensation. Der Verfasser hätte mutlos werden können und müssen, ihm und seinen Debütkindern fehlte es an (nicht an Wert) Mäzenaten, Hebammen, Ausposaunern (reitenden Postillonen), Meß- und Markthelfern; er hätte verstummen mögen, dieser – Engel oder Mensch des Lichts, und für immer hätte die Welt eine Reihe meisterhafter Geisteswerke entbehrt. Aber sein Geist fachte sich von neuen aus sich selbst, an der reinen Glut der Sonne wärmte, durch sie beseelt, sich Apollens und aller Musen Liebling. – Mit Mühe gelang es seinen spätern Geisteskindern, durch die Menge Zöglinge von Bastards-Musen durch und zu Gesicht zu kommen. Einige Rezensenten (nur wenige) taten ihre Pflicht; aber Neid und Dünkel schielten aus so manchen Urteilen hervor: Leser lasen und klagten: man verstehe, fasse, begreife nicht alles in allen Werken des großen Jünglings. (Er ist jetzt 30 Jahr.) Man war aber zum Teil gewohnt und verführt, viel Leichtverständliches in dem Fache zu kaufen, zu lesen, zu belächeln, zu bewundern und zu vergessen. Man war, im allgemeinen gesagt, ohne Anwendung auf einzelne im deutschen Lesepublikum, sehr davon zurückgekommen und zurückgeleitet, beim Lesen und über das Gelesne im Fache der schönen Literatur zu *denken.* Was man nicht alsobald begriff, und wo es viel zu bedenken, um es zu verstehen, gab, war man gewohnt zu überschlagen, und man schlug oft und bald das Buch ganz und gar zu. So war die Modelektüre in einigen Jahrzehnten beschaffen. Einige wenige Werke beschäftigten einige wenige Gelehrte, teils die sie selbst zu Tage gebracht, die Autores, teils die sie gekauft, einbinden, in ihre Bücherschränke einschieben lassen, auch wohl gelegentlich benutzten oder benutzen wollten. Posaunt vor und nach der Erscheinung – es erschienen unter andern Geistern die Menge die trefflichsten und herrlichsten Ritter- und Fehderomane –, zu Lieblingsschrift und Lieblingsschriftsteller erhoben ward manches Mittelmäßige, Platte, Gemeine, mancher Geist- und Kraftlose. Welch ein Verkehrtheit, und wer mag sie

den Jahrzehnten ableugnen, in denen wir lebten! Was für deutsche Lieblingsschriftsteller haben wir nicht erlebt, wenn wir sie nach dem Dafürhalten und den
Angaben mancher (vor)lauten Sprecher dafür rechnen wollen!

Wieland und *Goethe*, die, wenn mein Korrespondent recht hat, *Jean Paul Fried-
rich Richter* in allen seinen Geistes-Konzerten (so nennt sie eine gelehrte Zeitung
sehr passend[3]) mit Teilnahme täglich lasen und wiederlasen[4], ergriffen das Wort
und priesen der Welt den Mann. *Wieland* nannte laut vor der Welt das »Kampaner
Thal« mit Achtung und Auszeichnung[5]. Die berühmten und berüchtigten
»Xenien« gaben dem *Jean Paul* folgendes (freilich zweisinnige) Lob:
Hieltest du deinen Reichtum nur halb so zu rate wie jener (?)
Seine Armut, du wärst unsrer Bewunderung wert.[6]

Dieser Schriftsteller, dessen Werke alle von dem frühesten bis zu dem der letzten
Messe den Stempel des Genies tragen, verdiente den Namen eines Lieblingsschriftstellers der Deutschen. Er trägt ihn nicht, und es wird darauf ankommen, ob
man ihn je damit begaben wird, auch, wie die Leserei dermalen ist, damit begaben
kann, indes so mancher Held der Rittergeschichts- und Novellenhelden und -hel-
dinnen des Tages diesen Namen (zwar nur in Zeit- und Flugblättern, unter Fri-
seurs- und Zofenhänden, am Kaffee und Nachtisch) trägt. Um meine Mitgenossen
auf diesen Schriftsteller aufmerksamer zu machen, sie nicht bloß zur Lesung, zum
Studium seiner Werke anzureizen, ergriff ich die Feder, zugleich aber, um einem
Manne, den ich nicht persönlich, nicht einmal durch Briefe, nur aus der Schrift und
Handschrift* kenne, dessen von *Pfenninger*[8] gestochnes Kupferbildnis vor mir
hängt, meinen lebhaften Dank öffentlich zu sagen für so manche schöne Stunde
meines Lebens, die ich ihm verdanke; für den Ersatz, den er mir für so manche
unverschuldet mir getrübte gab. Er hat mich oft über diese kleine ärmliche Welt
und ihre Menschen hinaus in höhere Regionen geführt, mich zu dem herrlichsten
Vorgefühl einer Künftigkeit vorbereitet und zu Tränen gerührt. Er (dieser bei
weitem nicht genug Gelesne und Gewürdigte) hat mich wieder oft aus einer ver-
stimmten Laune in die heiterste Stimmung hineingetrieben, mich mit der Welt und
den Menschen, die sein Mutwille neckte, sein Ernst züchtigte, seine Geißel schlug,
mehr (wenn gleich nicht ganz) versöhnt als stärker verunwilligt und entzweit. Er
schrieb mir und andern so oft aus der Seele; aber besser als ich und andere ihm aus
der Seele geschrieben haben könnten. Wer kann, um nur einige Beispiele zu geben
aus vielen, seinen *Beweis, daß die Bettler die wahren Barden jetziger deutscher
Nation sind*, wer den der *Vorzüge schlaffer vor den straffen Dichtern* (in den
»Biographischen Belustigungen«), wer das »*Wort über die Puppen*« (in der »Unsichtbaren Loge«), wer die Charakteristik des Pfarrers Eymann und des Hofapo-
thekers Zeusel und den Streifschuß auf den Friseur Meuseler, das »Extrablatt über
töchtervolle Häuser« (alles in dem trefflichen »Hesperus«), wer die Charakteristik
des Matthieu und des Blaise (jener steckt im »Hesperus«, dieser in den »Blumen-,
Frucht- und Dornenstücken«) ohne Lächeln, ohne inniges Wohlgefallen über den
Zeichner und die Zeichnung, ohne wohltätige, zur fröhlichen Laune führende

* S. unten.[7]

Eindrücke lesen? Wer ohne innige Rührung die Charakteristik und biographische Entwicklung des Emanuels – Dahora, wer ohne sie die Worte und Briefe des Edlen und der Klotilde* (im »Hesperus«), wer die in alle Werke zerstreuten Ideen über Lebensweh, Tod, Grab und Unsterblichkeit (voraus im »Hesperus« und »Kampaner Thal«)? Wie viele Dunkelheiten im Herzen der Weiber hat er aufgehellt, und wie sehr verdient er es, einer der wärmsten Verteidiger dieses bessern Geschlechts gegen die Lästerung des andern schlechtern über sie, wie sehr verdiente er es, daß Weiber, für die, wie er einmal sagt[9], er ganz eigentlich schrieb, ihn in Schutz nehmen – wenigstens zu lesen sich mühen. Es lohnt für sie der Mühe. Daß sie (Weiber) ihn lesen *können,* und mir, mehr aber ihm, dafür dankten mit Freude, daß sie durch mich ihn kennen und lesen lernten, davon hab ich Beweise, die ich zur Nachahmung empfehlen kann.

Man könnte nach dem Vorgängigen etwa verführt werden oder sich verführen lassen, mich für einen parteiischen Lobredner *meines* Lieblingsschriftstellers zu halten, der an seinem Lieblinge (was ich nie vergesse, auch itzt nicht, mir zugleich Lehrer, in dessen Schule ich gehe, den ich oft, aber gewiß nicht immer, fasse, aber desto emsiger studiere) alles liebt und lobt und bewundert, und diesem muß ich vorbeugen in der Zeit. Zuerst also ist es nie meine Sünde gewesen, und wird es immer weniger, je weiter ich lebe, und je mehr ich begreife, wie sehr unser Wissen und Erkennen Stückwerk sei: leicht zum Bewundern hingerissen zu werden, und parteiisch zu lobreden. Auch bin ich, wie andere, in meinen mit und ohne Namen (und pseudonymen[10]) bekanntgewordenen Schriften immer mehr zum Tadel als zum Lobe geneigt und sehr oft berufen und notgedrungen gewesen.** Ich habe manche Torheiten deutscher moderner Sitten und Denkweisen, so gut ich vermochte, gerügt, und man hat es mir nicht immer gedankt. Ohne nun grade berufen zu sein, einen *Richter,* über den ich mich zum Richter aufzuwerfen wage, auch zu tadeln (so wenig als ihn zu loben, werden ihm oder mir Ungeneigte eher sagen); so will ich doch, da ich einmal so weit in den Text geraten bin, wenigstens nicht abbrechen, will *auch hier* meine Unparteilichkeit nicht unbewährt lassen. Ich will sagen, nicht bloß was ich meine, sondern auch, was kompetentere Richter als ich mir über diesen *Richter* sagten, was wir tadelten. Ein sehr feiner Denker, ein Gelehrter, den die Welt kennt, den ich auf *Jean Pauls* Schriften aufmerksamer machte, der sie nach der Reihe las, fällte über ihn folgendes Urteil: »Ihr Jean Paul ist ein nicht bloß witziger, sondern, was ihn von so vielen bloß witzigen Köpfen wesentlich unterscheidet, denkender und kenntnisreicher Kopf. Schade nur, daß auch er *mitunter* in den Fehler der Witzigen überhaupt verfällt und – witzelt.« Dies Urteil könn[t]e hart scheinen ohne es zu sein. Das ubi plura nitent etc. – plurima vota valent![12] wem dringt es sich hier nicht ein in den Text. Ich fahre demnach fort

---

* Warum spricht oder schreibt sie nicht mehr, und warum ihre tiefe und endlose Traurigkeit so unerklärbar? A. e. Frauenzimmers.
** Man wird es nicht als Eitelkeit deuten, daß ich Herrn Bötticher in Weimar für sein meiner Hamburgischen Theatergeschichte in Ansehung der Unparteilichkeit derselben, mir beigelegtes Lob hier öffentlich danke. Es steht in Wielands deutschem Merkur, auch in einer Anmerkung.[11]

– nicht zu loben. Was mir nicht immer wenigstens gefällt, oft mißbehagt, sind die
Wort- und Eigennamens-Spiele z. B. mit dem französierenden Kammerjunker Ma-
thieu (im »Hesperus«), der zuweilen Matthäus heißt und Evangelist, Jenner, Januar
u. a. *Jean Paul* (mein Aufsatz über ihn, mein Lob und Tadel wächst mir unter der
Feder, aber ich kehre von diesen zu jenem bald not- und liebegedrungen zurück)
Jean Paul, dessen Werke größtenteils in das Fach der Romane und, wenn man will,
Biographien[13] nur uneigentlich passen, hat oft es für gut gefunden: »die Geistesäu-
ßerungen seiner komischen und satirischen Laune, wie seiner erhabenen rührenden
Ideen, wie seiner Raisonnements, Bemerkungen, witzigen und scharfsichtigen Gedanken und Naturgemälde (die ich noch nicht einmal lobte) an den Faden irgendeiner Geschichte als ihr Thema anzureihen, in welchem unter dem Scheine eines
freiern Spiels alle Kräfte des Geistes harmonisch und gleichzeitig belebt und eben
dadurch gereinigt und gebildet würden.«* Es gehört, sage ich, zu seinen – Eigenheiten, die ich, statt sie zu loben, zu tadeln mich erdreiste: daß er in mehreren
seiner biographischen und romantischen Dichtungen den Faden der Geschichte
sehr oft da abreißt, wo sie am interessantesten wird, wo die Spannung des Lesers
auf den Ausgang, auf irgendeine Entwicklung des verknoteten feinen Ganges aufs
höchste gestiegen ist, und den früher gezogenen Faden nie in irgendeinem spätern
Werke wieder anknüpft. Dies ist im »Hesperus oder den 45 Hundspottagen« nicht
der Fall, wo alles einen hohen Grad von Vollendung erreichte, der Evangelist nicht
ausgeschlossen, heißt er gleich, ein Deutscher, Mathieu. Wohl aber in einem[15] von
Jean Pauls schönsten und edelsten Geistes-Konzerten, in der »Unsichtbaren
Loge«, enthaltend[16] ein Erziehungsistem als Haupt- und durchgeführtes Moment,
wo, wenngleich der Kompositeur seine Ursachen haben mogte, warum manches,
die *dunkle*, unterirdische Loge betreffend, im Dunkel bleiben sollte, ihn diese
Ursachen nicht beim Leser[17] und bei der Leserin, die ihn lesen und lieben, entschuldigen. Sie wollen, und mit einigem Rechte, irgendeinen Aufschluß über die
endlichen Schicksale der so interessanten Menschen, mit denen sie bekannt wurden, und sie erhalten – keinen. Der Verfasser stürzt *sie* und *sie* in Dunkelheit, doch
nicht immer in die des Grabes. Dies ist ferner in den »Biographischen Belustigungen« der Fall, wo die Geschichte des Lismore und der Adeline auf eine für die
Helden und Leser der Geschichte höchst schmerzhafte, und, ich muß zusetzen,
ungelegene Weise abbricht. So eben in dem trefflichen »Kampaner Thal«, dieses,
wie *Wieland* sagt, »merkwürdige Produkt moralischer Phantasie-Schöpfung«[18]. Ich
weiß sehr wohl, daß die Geschichte, das Thema nur Vehikulum, Fuhrwerk ist,
dessen sich dieser Autor, wie mehrere vor ihm (aber nicht wie Er) bedienten, um
mit ihren Ideen, Meinungen, Maximen und Lebensregeln leichter in die Lesesäle,
Zimmer und *Boudoirs* der lesenden und *schmollenden* Damen und Herrn deutscher Nation einzu-fahren, aber ich weiß nicht, ob jenes Wissen meine Rüge ent-
behrlich und den Autor (man vergesse nicht, daß er Liebling ist und *bleibt*) entschuldigt macht. Nicht bloß gewöhnliche, d.i. Roman- und Geschichte-Leser und
Leserinnen, derentwegen sich der Verf. des Fuhrwerks bediente, gehn mit der zu

* Ob. A. L. Zeit. Jan. 1797, S. 319.[14]

vielen angenehmen gemischten unangenehmen Empfindung von der Lektüre, die aus dem Unbefriedigtsein in Hinsicht auf den Schluß und Aufschluß der Geschichte entspringt. Nicht bloß, sage ich, solche, die gewöhnlich von einem Buche die letzten Blätter (des Aufschlusses wegen) zuerst lesen, und dann über die Vorrede, (und selbst wenn diese »Sieben Bitten und Beschluß«, wie im »Hesperus«, mit ankünden) hinweg ins erste Kapitel springen. Nicht bloß solche, kein Leser, keine Leserin (ich gehe immer auf diese mit [ein], weil er sie hauptsächlich verdient und will) von Geschmack und Gefühl wird sich leicht darüber zufrieden geben, daß die großen und kleinen, schönen und häßlichen Menschen, mit denen ihr glücklicher Dichter sie zusammenführte, die sie wie ihn zu lieben oder durch ihn zu hassen verführt wurden, für die sie sich zu interessieren gezwungen sind, so auf einmal ihnen mit der Geschichte aus den Augen gerissen werden. Machte gleich die Fülle schöner Ideen, Gleichnisse, Naturansichten, Räsonnements, Charakterzüge den sichersten und bleibendsten Eindruck; so kann und wird man es ihm doch nicht vergeben und vergessen (oder vergeben wohl, aber vergessen nie, selbst ich dem Liebling nicht) dies gewaltsame Abschneiden, Abkappen des Geschichtsfadens oder Geschichtsseiles, womit er oft seine Helden und Leser durch so lachende oder traurige aber immer schöne Gegenden zog, um jene und diese nun auf einmal dem Aufschlusse so nahe – stehn zu lassen. Die Menschen seiner Schöpfung sind oft und oft mit so lebendigen wahren und schönen Charakterzügen gezeichnet, ihre Verhältnisse unter- und zueinander sind so eng miteinander verflochten; man ist so innig mit ihnen vertraut geworden, man will wissen, wie es am Ende mit ihnen wird – nicht eben eine Hochzeit der Hauptheldenschaft, wonach jungen Leserinnen aus dem Mädchenchor am Schlusse lüstet – man will ihr Beisammensein oder Auseinandergesprengtsein in dieser Welt, man will wissen, wer treu bleibt oder falsch wird dem Bunde der Freundschaft und Liebe, ob der oder die nicht für Jahre voll Leiden und Klagen kurz vor dem Abgang aus diesem Leben in ein etwas anders und gewiß! bessers, ein Jährchen Ersatz erübrigt, kurz man will irgend einen Aufschluß über die *endlichen* Schicksale der besten, bösesten,* wichtigsten Menschen im Buche und dieser – vacat.[21] Da steht man ohne diese Menschen, von ihnen gerissen, ungewiß über das, was aus und mit ihnen wird, allein und grollt. Es versteht sich, daß es nicht Unvermögen des Dichters ist, so schön und befriedigend zu enden, als er begann, es ist – soll ichs heraussagen? – Eigenheit, Eigensinn, Lust, die Leser zu necken, die ihn oft, aber nie so grausam anwandelt als am Schlusse.

[...][22]

Mag die an Schwärmerei grenzende Verehrung eines großen jungen Mannes, die in einigen Stellen des bisherigen Aufsatzes über ihn einige Leser zu finden glauben und zu tadeln sich berufen finden möchten, mir das Lächeln oder Kopfschütteln

---

* Bei dieser Gelegenheit darf ich erwähnen, daß mir einmal einer unsrer wenigen bessern Romanschreiber und Menschenzeichner sehr Unrecht zu haben schien, als er am Schlusse eines seiner Romane den Lesern erzählte, wie es am Ende des Lebens und Buchs mit den guten Menschen seiner Dichtung ward[19]. Mit den bösen meint er, hab es eine andere Bewandtnis und Leser würden sich nicht darum kümmern, ob Lohn oder Strafe ihr Los sei. Dormitabat Homerus.[20]

manches jungen und alten, großen und nicht großen Mannes (die Miene und Geste dürfte leichter für das letztere zeugen) zuziehen: ich wagte es drauf. Nur dies noch, was mir mehr als alles gilt, und was ich gern der ganzen Welt, so laut ich kann, zurufen möchte, sei mir erlaubt, zum Schlusse hinzusetzen oder zu rufen: *Dieser Schriftsteller ist gewiß ein guter Mensch!* Aber ich möchte noch hinzusetzen: »und einer der größten deutschen *Satyriker*«, und wenn man mir dies eingeräumt hätte, wünschen: daß, weil man doch oft nicht recht genau wissen will, in welches Fach der schönen Literatur man seine Geistes-Konzerte einrangieren solle, sie gern in dies Fach – nach dem a potiori fit denominatio[23] – eingeordnet und gefacht werden könnten.

11   Georg Christoph Lichtenberg

[Jean Paul]   1798

Jean Paul Friedrich Richter hat sehr viel geschrieben. Ein Verzeichnis seiner Schriften steht im deutschen Magazin. Altona, 1798. Febr.[1] Dieser Aufsatz enthält auch noch einige andere Nachrichten von diesem außerordentlichen Kopfe.

Ein Urteil über *Jean Pauls* Romane in der Gothaischen gelehrten Zeitung 1798 Nr. 74. S. 659[2] ist vortrefflich. Man kann nichts Besseres und Gründlicheres über diesen sonderbaren Schriftsteller sagen. »Das Interesse«, heißt es da, »das er erregt, ist nicht sowohl ein Interesse an seinen Personen und deren Geschichte, als vielmehr an ihm und seinem Geiste und seinen Erfindungen[3], wie sie sich in der Erzählung offenbaren. Statt daß wir sonst den Verfasser über seinen Erzählungen[4] vergessen, ist es hier umgekehrt; wir vergessen die Personen und die ganze Geschichte über dem Verfasser.«

Jean Paul ist auch zuweilen kaum erträglich, und wird es noch weniger werden, wenn er nicht bald dahin gelangt, wo er ruhen muß. Er würzt alles mit Cayennischem Pfeffer, und es wird ihm begegnen, was ich einst S... weissagte: er wird, um sich kalten Braten schmackhaft zu machen, geschmolzenes Blei oder glühende Kohlen dazu essen müssen. Wenn er wieder von vorne anfängt, wird er groß werden.

Jean Paul sucht den Beifall seiner Leser mehr durch einen coup de main[5] als durch planmäßige Attacke zu erobern.

12   [Friedrich Bouterwek]

Rezension über »Das Kampaner Thal«   1798

Unter allen Schriftstellern, die je, in Prosa oder Versen, Scherz und Ernst, Torheit und Weisheit, Gefühl und Possen, und was nur irgend ästhetisch und philosophisch gefallen und mißfallen kann, auf die barockeste Art durcheinander geworfen haben, reicht keiner an den schon durch mehrere ähnliche chaotische Schöpfungen mit Recht berühmt gewordenen Verf. dieses Buchs. *Sterne*, mit dem man ihn noch am ersten vergleichen könnte, ist gegen ihn ein Cicero[1] an Regelmäßigkeit der Anordnung und des Ausdrucks. Einen Auszug aus diesem Buche zu liefern, fühlt Rez. sich so unfähig, als eine Pindarische Ode in eine Tabelle zu bringen[2]. Nichts als die zügellose Laune des Verf. hält den Gedankenfaden zusammen. Sein Buch hat, wenn ja einen Anfang, doch gewiß weder Mitte noch Ende. Querfeldein wird erzählt, phantasiert, philosophiert, sarkastisiert, gerührt und amüsiert. Und in diesem Quodlibet[3] erkennt man auf jeder Seite einen der trefflichsten Köpfe. Durch Freiheit des Geistes und Adel des Gefühls, durch die lieblichste Schwärmerei und die gerechteste Satyre zieht er unwiderstehlich selbst den Kritiker an. Warum muß neben dem Schönen so viel Frostiges, neben dem reizend Natürlichen so viel Gezwungenes und bei den Haaren Herbeigezogenes, neben dem Treffenden so viel Mattes, neben dem Witzigen so viel kindisch Possierliches ein Buch entstellen, das sonst jeder Leser von Geist und Seele zu seinen liebsten Büchern zählen würde? Warum muß sich ein solcher Kopf, und, wie es scheint, recht absichtlich, gerade in dem vernachlässigen, was ihn auszeichnet? Si qua fata aspera rumpas, Tu Marcellus eris[4].

13 *Friedrich Schlegel*

Aus: Fragmente   1798

Vielleicht würde eine ganz neue Epoche der Wissenschaften und Künste beginnen, wenn die Symphilosophie und Sympoesie[1] so allgemein und so innig würde, daß es nichts seltnes mehr wäre, wenn mehre sich gegenseitig ergänzende Naturen gemeinschaftliche Werke bildeten. Oft kann man sich des Gedankens nicht erwehren, zwei Geister möchten eigentlich zusammengehören, wie getrennte Hälften, und nur verbunden alles sein, was sie könnten. Gäbe es eine Kunst, Individuen zu verschmelzen, oder könnte die wünschende Kritik etwas mehr als wünschen, wozu sie überall so viel Veranlassung findet, so möchte ich Jean Paul und Peter Leberecht[2] kombiniert sehen. Grade alles, was jenem fehlt, hat dieser. Jean Pauls groteskes Talent und Peter Leberechts fantastische Bildung vereinigt, würden einen vortrefflichen romantischen Dichter hervorbringen.

Der große Haufen liebt Friedrich Richters Romane vielleicht nur wegen der anscheinenden Abenteuerlichkeit. Überhaupt interessiert er wohl auf die verschiedenste Art und aus ganz entgegengesetzten Ursachen. Während der gebildete Ökonom edle Tränen in Menge bei ihm weint, und der strenge Künstler ihn als das blutrote Himmelszeichen der vollendeten Unpoesie der Nation und des Zeitalters haßt, kann sich der Mensch von universeller Tendenz an den grotesken Porzellanfiguren seines wie Reichstruppen zusammengetrommelten Bilderwitzes ergötzen, oder die Willkürlichkeit in ihm vergöttern. Ein eignes Phänomen ist es; ein Autor, der die Anfangsgründe der Kunst nicht in der Gewalt hat, nicht ein Bonmot rein ausdrücken, nicht eine Geschichte gut erzählen kann, nur so was man gewöhnlich gut erzählen nennt, und dem man doch schon um eines solchen humoristischen Dithyrambus willen, wie der Adamsbrief des trotzigen, kernigen, prallen, herrlichen Leibgeber[3], den Namen eines großen Dichters nicht ohne Ungerechtigkeit absprechen dürfte. Wenn seine Werke auch nicht übermäßig viel Bildung enthalten, so sind sie doch gebildet: das Ganze ist wie das Einzelne und umgekehrt; kurz, er ist fertig. Es ist ein großer Vorzug des »Siebenkäs«, daß die Ausführung und Darstellung darin noch am besten ist; ein weit größerer, daß so wenig Engländer darin sind. Freilich sind seine Engländer am Ende auch Deutsche[4], nur in idyllischen Verhältnissen und mit sentimentalen Namen: indessen haben sie immer eine starke Ähnlichkeit mit Louvets Polen[5] und gehören mit zu den falschen Tendenzen, deren er so viele hat. Dahin gehören auch die Frauen, die Philosophie, die Jungfrau Maria, die Zierlichkeit, die idealischen Visionen und die Selbstbeurteilung. Seine Frauen haben rote Augen und sind Exempel, Gliederfrauen zu psychologischmoralischen Reflexionen über die Weiblichkeit oder über die Schwärmerei. Überhaupt läßt er sich fast nie herab, die Personen darzustellen; genug daß er sie sich denkt, und zuweilen eine treffende Bemerkung über sie sagt. So hält ers mit den passiven Humoristen, den Menschen, die eigentlich nur humoristische Sachen sind: die aktiven erscheinen auch selbständiger, aber sie haben eine zu starke Familienähnlichkeit unter sich und mit dem Autor, als daß man ihnen dies für ein Verdienst anrechnen dürfte. Sein Schmuck besteht in bleiernen Arabesken[6] im Nürnberger Styl. Hier ist die an Armut grenzende Monotonie seiner Fantasie und seines Geistes am auffallendsten: aber hier ist auch seine anziehende Schwerfälligkeit zu Hause, und seine pikante Geschmacklosigkeit, an der nur das zu tadeln ist, daß er nicht um sie zu wissen scheint. Seine Madonna ist eine empfindsame Küstersfrau, und Christus erscheint wie ein aufgeklärter Kandidat. Je moralischer seine poetischen Rembrandts sind, desto mittelmäßiger und gemeiner; je komischer, je näher dem Bessern; je dithyrambischer und je kleinstädtischer, desto göttlicher: denn seine Ansicht des Kleinstädtischen ist vorzüglich gottesstädtisch. Seine humoristische Poesie sondert sich immer mehr von seiner sentimentalen Prosa; oft erscheint sie gleich eingestreuten Liedern als Episode, oder vernichtet als Appendix das Buch. Doch zerfließen ihm immer noch zu Zeiten gute Massen in das allgemeine Chaos.

14 *Friedrich von Oertel*

Ueber Jean Paul Richter. Herrn Friedrich Schlegel gewidmet   1798

Alle die, zu denen *Jean Pauls* Genius faßlich spricht, bezeugen einstimmig, daß seine Dichtungen ihr Herz zugleich erweichen und stärken, erschüttern und stillen, ihre Seele über das Leben erheben und mit dem Leben aussöhnen, ihren Geist mit den reichsten Ideen, und zu eignen befruchten; daß sein Humor, eins mit seiner Erhabenheit, (die Verachtung des Kleinlichen mit der Begeisterung für's Große) sie auf dem Standpunkte befestigt, wo sie ihr moralisches Ich vor der Verstimmung durch bürgerliche Verhältnisse, seine Menschenliebe auf dem, wo sie es vor der Verstimmung durch Selbstsucht sichern. Könnte nun diesen Dichtungen wirklich der Name eines Kunstwerks abgesprochen werden, so wäre der Schade nicht für sie, sondern für dieses, und wir müßten dann nur auf eine neue Benennung sinnen, die ihren Wert bezeichnete.

Wenn eine neue Naturerscheinung unsern Geist mit Erstaunen und Bewunderung erfüllte, wenn ein Komet[1] unserm Planeten genug sich nähern könnte, um, dem Monde gleich, unsre Nächte zu erleuchten, möchte dann immer einer den Beweis versuchen, dieser Anblick sei nicht erhaben; es würde nichts dabei herauskommen, als die Mühe ein neues Wort dafür zu erfinden. Führte er aber zum Grunde seines Beweises gar das an, daß er des Kometen Ankunft nicht vorher berechnet habe: so würde er damit nicht mehr Glück bei uns machen, als Herr Friedrich Schlegel mit seinen Urteilen über Jean Paul Richter.

»Der Dichtung Schleier aus der Hand der Wahrheit«[2] umwebt nie etwas anders als ein Kunstwerk, und da ist es, wo uns nur immer eine wahre Idee in einer schönen Form erscheint. Die Wahl und die Stellung der Formen hängt von dem Stoffe den sie sinnlich darstellen, weit inniger ab, als sich ein Theoretiker gestehen will, der die Reinheit und Freiheit der Form gern mit ihrer Leerheit erkauft[3], der nicht sieht, daß die einseitig gepriesene Simplizität derselben erst durch den Reichtum der Ideen, die zu formen sind, ihren Wert gewinnt, daß also diese Simplizität, selbst in der glänzendsten Darstellung, in dem frappantesten Stile noch nicht verfehlt wird, wenn nur eben die Idee, die auszudrücken ist, den Schimmer des Ausdrucks notwendig macht. Die Kunst ist der Brennspiegel, in dem sich alle Strahlen der menschlichen Natur konzentrieren, und es gehört eine Anschauung, eine Analyse der letztern dazu, um das Wesen der erstern von allen Seiten zu bestimmen. Leer und tot ist die Bestimmung des Begriffs der Sittlichkeit ohne empirische Kenntnis der Leidenschaften und Triebe, die der moralische Mensch nach reinen Vernunftgesetzen lenken und regieren soll; leer und tot ist die Bestimmung des Begriffs der Kunst ohne empirische Kenntnis der menschlichen Natur und des unerschöpflichen Stoffs, den der Künstler nach ästhetischen Gesetzen beherrschen soll.* Jede reine Theorie ist ein Geist, der erst von der Erfahrung das Organ erwartet, wodurch er uns sein lebendiges Dasein zeige.

Wenn Herr Friedrich Schlegel mit seinem System a priori[4] nicht auslangt, um einen Dichter, der sich in seinen Wirkungen auf uns als einen ächten Künstler offenbart, gehörig zu würdigen, so gelingt's ihm nicht besser, wenn er die Griech-

---

* Diese Bestimmung erhält nämlich ihr Leben erst durch die Überzeugung, daß in der Erfahrung kein Fall gegeben werde, der die Anwendung des Begriffs unmöglich mache. Hätte der Mensch statt der Hand einen Pferdehuf, so könnte die Bestimmung des Begriffs der Sittlichkeit und der Kunst immer dieselbe sein; lebendig in dem Menschen zu werden, vermöchte sie bei diesem empirischen Hindernis doch nicht.

heit⁵ zu Hülfe ruft. Denn wie jede Idee ihre eigentümliche Form verlangt, um dargestellt zu werden, so erfordern die neuen Ideen, die der immer fortschreitende menschliche Geist unaufhörlich entwickelt, auch eigentümliche neue Formen. Ein Beispiel davon sind eben die charakteristischen Kennzeichen, die Jean Pauls Genius von dem griechischen Dichter unterscheiden – sein Humor, sein religiöser Schwung, seine Menschenliebe. Den ersten hatten die Griechen in dem schönsten Zeitalter ihrer Dichtkunst darum nicht, weil in Staatsverfassungen, wo sich der Mensch frei als ein harmonisches Ganzes entwickeln kann, wo er und der Bürger nicht divergieren, die Achtung des Wahren sich nicht als Verachtung des Wirklichen äußern darf; religiöser Schwung, wie wir ihn dem Glauben an einen höchsten, moralischen Gesetzgeber verdanken, mußte denen fehlen, deren Götter nur veredelte, oft gar nur mächtigere Menschen waren; und die Begeisterung der Menschenliebe kannten die griechischen Dichter so wenig, daß die größten Helden des ersten derselben⁶ grausam und unmenschlich erscheinen, – ein Zeugnis, nicht gegen die Dichter, sondern gegen ihr Zeitalter und dessen rohe Sitten. Zählen wir also bloß diese drei Quellen so unzähliger neuer Einfälle, Empfindungen und Ideen, die zur sinnlich vollkommnen Darstellung ebenso viel neue Formen verlangen, so erkennen wir deutlich, daß ein neuerer Dichter in eine griechische Theorie der Kunst nicht einzupassen, sondern einzupressen wäre. Nicht der absichtlichen Wahl, sondern dem Mangel eines so reichen Stoffes, wie dieser es offenbar ist, dürfen wir die gerühmte griechische Dichtereinfalt beimessen; und wenn Homer jetzt lebte, so zweifeln wir sehr, ob er Herrn Friedrich Schlegels Theorie zu Ehren, diesen Stoff wegwerfen würde, um ja die fatalen moralischen Wirkungen eines Meisterwerks zu vermeiden, ja nicht zu interessieren, ja nicht die Herzen zu rühren, zu erheben, zu veredeln, um ja so einfach, d.h. so leer zu sein, als es Herr Friedrich Schlegel fordert.

15   *[Johann Theodor Benjamin Helfrecht]*

Aus: Shakal, der schöne Geist   1799

Zwote Shura.

Shakal kehrt in diese Karawanserei auch ein, schreibt darinnen die Bemerkungen auf seiner bisherigen Reise auf, und reiset dann weiter.

So war der Zustand der Gelehrsamkeit, als auch *Shakal* anfing, die ungeheure Anzahl der Bücher zu vermehren. Er war in Strom unter ungünstigen Winden. Ich wundere mich nicht, daß auch ihn der Strom mit sich fortriß. Die Art seines Studierens, die so vermischte Lektüre, sein Verlangen, die fast allgemeine Begierde nach dem Neuen, d.i. nach dem Sonderbaren, Unerwarteten und Unerhörten* zu

---

* ––Indictum ore alieno, –
Nil mortale loquar.   Horaz.¹

befriedigen, lassen schon vermuten, von welcher Art seine Schriften sein mußten. Seine Exzerpte gerieten in Gärung und brachten nun monströse Erscheinungen hervor, wie sie nur je die heidnische Mythologie geliefert hatte*. Oft sahen sie aus wie Spöttereien, worin er Groß- und Kleinmänner, Leute aus allen Ständen, wie in einem Guckkasten, worin er auch sogar seine Wohltäter zur Schau ausstellte; oft wie Moral, wie Schilderungen, wie Träume, wie namenlose Gestalten**, die kaum jemals die schöpferische Imagination so wunderbar zusammengesetzt hatte, selbst in der Fieberhitze; oft waren sie fast wie Romane, aber dabei der manchfaltigste Potpourri; oft konnte man mit aller Anstrengung der prüfenden Beurteilung keinen Titel finden. Er schrieb zuerst:

1. *Streitsachen aus dem Königreiche Tangut*[4]. Aber sein Buch enthielt nichts weniger. Er wollte nur seine Leser ein wenig zum Besten haben: und die meisten Toren haben es gern, wenn man sie zum Besten hat. Darum kaufte man es auch begierig und las [es] allenthalben, wo es Toren gab. Die Verständigen lasen es zwar auch zum Teil, bedauerten aber den Verlust ihrer Zeit und warnten andere. Denn sie sahen, daß man hier Exzerpte ohne Ordnung und Zusammenhang bunt durcheinander geworfen hatte. Allein das Lob der großen Menge drang laut in Shakals Ohren. »O schreib' uns mehr!« riefen die Anbeter der Frivolität, und er schrieb

2. *Auszüge aus den vornehmsten Schriften des Ormuzb*[5]. Darinnen machte er tausend Späßchen, und alles lachte, alle dicke Bäuche fühlten die wohltätige Wirkung bei dem wichtigsten Geschäfte der Verdauung. Sie verstanden zwar das wenigste. Denn Shakal streute auch viele Samenkörner tiefer Wahrheit unter dem Tauben- und Hühnerfutter mit aus. Doch fanden sie hin und wieder seltsame Verbindungen und Vergleichungen, stechende Spöttereien, die sie auf ihren Nachbar deuten konnten, die größte Abwechselung von allen möglichen, was nur geschrieben werden konnte, die Quintessenz einer ausgebreiteten Lektüre; und wenn sie auch aus den widersprechendsten Ingredienzien zusammengesetzt war: so gefiel sie doch umso mehr, und wer am wenigsten verstand, der lachte am lautesten. Shakals Lob erschallte von Zunge zu Zunge; und bald war in ganz Granada kein Tor, der nicht dem andern zurief: »Hast du Shakals Schriften gelesen? Das ist ein charmanter, ein superber Mann! Wird er uns nicht bald wieder ein Buch schenken?« Das Lob spornte Shakaln und auf den Tadel achtete er wenig. Er machte also aufs neue alle nötige Zurüstungen zu der Kompagnie, welche er zur Armee von witzigen Schriften stellen wollte, womit man gegen allen wahren guten Geschmack, dem man längst den Krieg erklärt hatte, zu Felde zu ziehen fortfuhr.

Die Bücherverkäufer machten großen Gewinn mit Shakals Schriften und bezahl-

---

* Ora Medusae – canes utero sub virginis, – Chimaeram, –
  Quadrupedesque hominum cum pectore pectora iunctos,
    Tergeminumque virum, tergeminumque canem:
  Sphingaque et Harpyias, serpentipedesque Gigantes,
    Centimanumque Gyen, semibovemque virum.   Ovid.[2]
** Vanae species, aegri somnia[3]. Anmerkungen des Jesuiten, der sich hier auf seine Belesenheit in den lat. Auktoren etwas zugute tut.

ten ihn auch gut. Hiervon aber machte er den edelsten Gebrauch. Er zog nach Alhama[6], ernährte seine dürftige Mutter und reichte seinen Geschwistern alle Notwendigkeiten des Lebens auf eine so uneigennützige Art, als sie nur denkbar war. Wo er sonst etwas Gutes im Stillen tun und eine heilsame Anstalt befördern konnte: da war niemand williger als der edeldenkende Shakal. Selbst Bequemlichkeiten und äußerlichen Schmuck versagte er sich, und hielt sich für glücklich, wenn er den Seinigen wohltun oder sonst die Summe des Guten vermehren konnte. – Er las und exzerpierte nun von neuem, und machte Anlagen zu künftigen Schriften. Seine Lesebegierde war so stark, daß er auch fast immer bei dem Spazierengehen las, wenn er auch zuweilen das Schicksal des Tales hatte. Die Anstrengung bei seinen Arbeiten versüßte ihm sein treuer lieber Selim[7], in dessen angenehmen Umgange er selige Stunden verlebte. Nichts kann man an Selim tadeln, als daß er seinen Freund in dessen literarischen Beschäftigungen nicht mehr zurechtwies, und daß er, von der Freundschaft verblendet, alles schön fand, was nicht schön war. – Aber Shakal war nicht bloß ein Mann für die Studierstube. Er suchte manche Gesellschaften auf, in welchen er Menschen studieren konnte. Denn dieses war seine Hauptsache. Einen neuen Charakter gefunden zu haben, gab ihm einen Festtag: und Alhama hatte so wenig Mangel an Toren, daß es ihm am Stoff zu Beobachtungen nicht fehlen konnte. Hier herrschte ein seltsamer Ton. Das Empfindsame und Rauhe war wunderbar vermischt. Man hatte überhaupt damals angefangen, von feinen Sitten zur Barbarei, vom übertriebenen chinesischen Zerimoniell zu ungezähmter Frechheit, die man edlen freien Anstand nannte, von Formeln und Komplimenten zu grober Wildheit und beleidigenden air sans façon überzugehen. Denn die Mode liebt nur Extreme. Wir wollen uns einmal in eine zahlreiche Gesellschaft versetzen. Wenn hier ein schmachtender Liebhaber bei seiner Nurmahal girrte; so warf unterdessen ein Poltron mit mächtiger Faust nach heftigem Zank einem andern Trinkgefäße an den Kopf. Unterdessen man auf Guitarren spielte oder in fröhlichen Tänzen dahin schwebte; so schraubte ein witziger Renommiste alle, die das Unglück hatten, sich ihm zu nähern, auf die pöbelhafteste und ungezogenste Weise. Der Geruch vom gekäueten Betel und Tabaksrauch vermischten sich mit dem Balsam aus Jericho oder mit Spezereien aus Arabiens Gefilden und Bergen. Gelehrte Gespräche und ungestüme Flüche, Schmeicheleien und Grobheiten, ein traulicher Handschlag, und ein Backenstreich standen nicht selten im Kontrast. Welcher Stoff für einen Schriftsteller, wie Shakal! Die umliegenden Gegenden luden auch die Schuld nicht auf sich, nichts zu den lächerlichen Schilderungen Shakals beizutragen. Aber noch reiften seine Sammlungen nicht zur Herausgabe. Denn er wollte nun stärkere Werke schreiben. [...]

Nunmehr wurden die Früchte seines Fleißes wieder sichtbar: aber er nahm sie ab vom Baume des Erkenntnisses, ehe sie genugsame Reife erlangt hatten. Daher schmeckten sie denen, welche sie wirklich genießen wollten, und feine Geschmacksnerven hatten, herb; nur die, welche stumpfe Sinnen hatten, oder die sich mit dem wundervollen Ansehen begnügten, riefen: »göttlich sind sie! so lieferte noch kein menschlicher Verstand die Resultate seines Nachdenkens!« Die wunderseltsamen Titel zogen Bücherverkäufer und Leser an. Erstere stritten sich darum, wer Shakals Schriften sollte abschreiben lassen und überboten einander zu Shakals Vorteile; letztere konnten des Lesens nicht satt werden.

Nenne mir, Engel der Wahrheit, von dem Ewigen mit vier Paar Flügeln versehen*! nenne mir die Namen der Bücher, welche wie jene Griechen dem Bauche des verderblichen hölzernen Rosses, dem Geiste Shakals entstiegen, und Verwüstung im Reiche der Gelehrsamkeit anrichten! – Zuerst kamen

[3.] *die Katakomben*[8], eigentlich ein Labyrinth ohne Ausgang. Zwar Tränen entrannen im Anfange dem Auge der fühlenden Seele; aus schauerlicher Stille des Grabes stieg sie zum Vorgefühl der Unsterblichkeit, dann zum Wonnegefühl der jenseitigen Seligkeit auf. Hernach aber sanken alle hohe Empfindungen bald zum Überdrusse herab. Denn nun mischte sich unter das Edle und Erhabene, das Schlechte, Mittelmäßige und Niedrige, unter das Gefühlvolle das Groteskekomische, das Häßliche unter das Schöne, das Schäckichte unter das Einfache, wie die Waren auf einem Jahrmarkt vermischt sind. – Diesem Buche folgte

4. *Sirius*,[9] ein Buch, zum Teil unter dem Einflusse dieses Gestirns geschrieben. Es war nicht ohne vorzügliche Stellen, gute Maximen, Schilderungen, Charakterzeichnungen: aber Karikaturen, überspannte Gefühle und übertriebene Grundsätze mischten sich darunter: und das Ganze glich dem Erdballe voll herrlicher Anlagen, als noch nicht die Elemente voneinander geschieden waren. Es sollte alles neu und ungewöhnlich sein**, und wurde unförmliche Masse.

5. *Pankratius Wieselein*[11]. Viel Wahrheit, viel Verdrehetes und Schiefes, viel Unwahrscheinlichkeit und viele Possen, dabei ein kleiner Pranger für ehrliche Männer, die nicht ohne Fehler sind, wie andere Erdensöhne auch.

6. *Betrachtung der Menschenkinder von Turme Libanons herab*[12]. Ja, aber mit [einem] seltsamen Perspektive***. Es hatte zwei Objektivgläser und ein Okularglas zuwenig. Nun waren die Gegenstände verkehrt. Ein Glas war grün, das andere rot, das dritte blau, das vierte gelb. Nun denke sich der Leser die Figuren, die man dadurch sah! – Dann erschienen

7. *Iman der Greis*[14], und

8. *Der Cazi Elscherbet*[15]. Beide enthielten ähnliche Materialien auf eben die Manier bearbeitet.

7. *Sevennenthal*[16]. Hier hatte er sehr künstlich einen Teil des Korans in eine Reisebeschreibung und Liebesgeschichte verwandelt.

8. *Nonsens**** in einer Vorrede*[17]. Der Titel sagte alles. Wenn man bloß das Schlechte in seinen Schriften in Anschlag bringen wollte; so könnte man sagen, diese war eine der besten Schriften, weil sie eine der kürzesten war. Diese Bücher wurden von der Menge sehr bewundert.

Aber auch Weise fanden darinnen viele einzelne Schönheiten, herrliche Früchte

---

* S. Koran, Kap. XXXV.

** V. Quinctilian. de inst. or. Lib. VIII. prooem. c. 4. »Quid? quod nihil iam proprium placet – – quasi ulla fit verborum, nisi rei cohaerentium, virtus.«[10] Anm. des Jesuiten.

*** Diese Stelle beweiset, daß schon die alten Sarazenen im 13ten Jahrhunderte tubos[13] hatten.

**** Ein Ausdruck, den er den Franken abborgte.

einer gründlichen Beurteilung, gute und edle Grundsätze, treffende Gemälde solcher Gegenstände, die schwer zu zeichnen waren: aber sie beklagten die Einmischung des Schlechten; sie beklagten, daß alles ohne Proportion und Ebenmaß im Ganzen, ohne Plan und Ordnung bunt und kraus durcheinander geworfen[18] war, und daß man ohne Schwindel* ihn kaum lesen konnte.

Außer diesen Büchern schrieb Shakal eine Menge kleiner Flugschriften, sendet in gelehrte Manufakturen seine[20] Beiträge ein, und fuhr fort, den Abgang seiner Materialien durch Lesen und Exzerpieren zu ersetzen. Kaum war ein Mann in Granada tätiger und arbeitsamer als Shakal, und viele sagten: »Wie hättest du Mann von herrlichen Genie dem Vaterlande nützen können, wenn — —

(Große Lücke selbst in der arabischen Urschrift, wie der Maleyer bezeugte.)

16   *Friedrich Schlegel*

Aus: Brief über den Roman   1800

Das unsrige [sc. Gespräch] fing damit an, daß Sie behaupteten, Friedrich Richters Romane seien keine Romane, sondern ein buntes Allerlei von kränklichem Witz. Die wenige Geschichte sei zu schlecht dargestellt, um für Geschichte zu gelten, man müsse sie nur erraten. Wenn man aber auch alle zusammennehmen und sie rein erzählen wolle, würde das doch höchstens Bekenntnisse geben. Die Individualität des Menschen sei viel zu sichtbar, und noch dazu eine solche!

Das letzte übergehe ich, weil es doch wieder nur Sache der Individualität ist. Das bunte Allerlei von kränklichem Witz gebe ich zu, aber ich nehme es in Schutz und behaupte dreist, daß solche Grotesken und Bekenntnisse noch die einzigen romantischen Erzeugnisse unsers unromantischen Zeitalters sind.

Lassen Sie mich bei dieser Gelegenheit ausschütten, was ich lange auf dem Herzen habe!

Mit Erstaunen und mit innerm Grimm habe ich oft den Diener die Haufen zu Ihnen herumtragen sehn. Wie mögen Sie nur mit Ihren Händen die schmutzigen Bände berühren? – Und wie können Sie den verworrnen, ungebildeten Redensarten den Eingang durch Ihr Auge in das Heiligtum der Seele verstatten? – Stundenlang Ihre Fantasie an Menschen hingeben, mit denen von Angesicht zu Angesicht nur wenige Worte zu wechseln Sie sich schämen würden? – Es frommt wahrlich zu nichts, als nur die Zeit zu töten und die Imagination zu verderben! Fast alle schlechten Bücher haben Sie gelesen von Fielding bis zu Lafontaine. Fragen Sie sich selbst, was Sie davon gehabt haben. Ihr Gedächtnis selbst verschmäht das unedle Zeug, was eine fatale Jugendgewohnheit Ihnen zum Bedürfnis macht, und was so emsig herbeigeschafft werden muß, wird sogleich rein vergessen.

* Eine verwirrte Lektüre ist freilich zuweilen, wie ein Veitstanz und steckt auch die Leser mit an. Aber ich glaube doch, der weise Albezor habe zu viel getadelt. Vielleicht lauerte ein kleiner Neid im Hintergrunde, weil er nicht auch mit solchem Witz, mit solcher Gedankenfülle schreiben konnte. H. G.[19]

Dagegen erinnern Sie sich noch vielleicht, daß es eine Zeit gab, wo Sie den Sterne liebten, sich oft ergötzten, seine Manier anzunehmen, halb nachzuahmen, halb zu verspotten. Ich habe noch einige scherzhafte Briefchen der Art von Ihnen, die ich sorgsam bewahren werde. Sternes Humor hatte Ihnen also doch einen bestimmten Eindruck gegeben; wenn gleich eben keine idealisch schöne, so war es doch eine Form, eine geistreiche Form, die Ihre Fantasie dadurch gewann, und ein Eindruck, der uns so bestimmt bleibt, den wir so zu Scherz und Ernst gebrauchen und gestalten können, ist nicht verloren; und was kann einen gründlichern Wert haben als dasjenige, was das Spiel unsrer innern Bildung auf irgendeine Weise reizt oder nährt.

Sie fühlen es selbst, daß Ihr Ergötzen an Sternes Humor rein war, und von ganz andrer Natur als die Spannung der Neugier, die uns oft ein durchaus schlechtes Buch, in demselben Augenblick, wo wir es so finden, abnötigen kann. Fragen Sie sich nun selbst, ob Ihr Genuß nicht verwandt mit demjenigen war, den wir oft bei Betrachtung der witzigen Spielgemälde empfanden, die man Arabesken nennt. – Auf den Fall, daß Sie sich selbst nicht von allem Anteil an Sternes Empfindsamkeit freisprechen können, schicke ich Ihnen hier ein Buch, von dem ich Ihnen aber, damit Sie gegen Fremde vorsichtig sind, voraussagen muß, daß es das Unglück oder das Glück hat, ein wenig verschrien zu sein. Es ist Diderots »Fataliste«[1]. Ich denke, es wird Ihnen gefallen, und Sie werden die Fülle des Witzes hier ganz rein finden von sentimentalen Beimischungen. Es ist mit Verstand angelegt, und mit sichrer Hand ausgeführt. Ich darf es ohne Übertreibung ein Kunstwerk nennen. Freilich ist es keine hohe Dichtung, sondern nur eine – Arabeske. Aber eben darum hat es in meinen Augen keine geringen Ansprüche; denn ich halte die Arabeske für eine ganz bestimmte und wesentliche Form oder Äußerungsart der Poesie.

Ich denke mir die Sache so. Die Poesie ist so tief in dem Menschen gewurzelt, daß sie auch unter den ungünstigsten Umständen immer noch zu Zeiten wild wächst. Wie wir nun fast bei jedem Volk Lieder, Geschichten im Umlauf, irgendeine Art wenngleich rohe Schauspiele im Gebrauch finden: so haben selbst in unserm unfantastischen Zeitalter, in den eigentlichen Ständen der Prosa, ich meine die sogenannten Gelehrten und gebildeten Leute, einige Einzelne eine seltne Originalität der Fantasie in sich gespürt und geäußert, obgleich sie darum von der eigentlichen Kunst noch sehr entfernt waren. Der Humor eines Swift, eines Sterne, meine ich, sei die Naturpoesie der höhern Stände unsers Zeitalters.

Ich bin weit entfernt, sie neben jene Großen zu stellen; aber Sie werden mir zugeben, daß wer für diese, für den Diderot Sinn hat, schon besser auf dem Wege ist, den göttlichen Witz, die Fantasie eines Ariost, Cervantes, Shakespeare verstehn zu lernen, als ein andrer, der auch noch nicht einmal bis dahin sich erhoben hat. Wir dürfen nun einmal die Forderungen in diesem Stück an die Menschen der jetzigen Zeit nicht zu hoch spannen, und was in so kränklichen Verhältnissen aufgewachsen ist, kann selbst natürlicherweise nicht anders als kränklich sein. Dies halte ich aber, solange die Arabeske kein Kunstwerk, sondern nur ein Naturprodukt ist, eher für einen Vorzug, und stelle Richtern also auch darum über Sterne, weil seine Fantasie weit kränklicher, also weit wunderlicher und fantastischer ist.

Lesen Sie nur überhaupt den Sterne einmal wieder. Es ist lange her, daß Sie ihn nicht gelesen haben, und ich denke, er wird Ihnen etwas anders vorkommen wie damals. Vergleichen Sie dann immer unsern Deutschen mit ihm. Er hat wirklich mehr Witz, wenigstens für den, der ihn witzig nimmt: denn er selbst könnte sich darin leicht Unrecht tun. Und durch diesen Vorzug erhebt sich selbst seine Sentimentalität in der Erscheinung über die Sphäre der Engländischen Empfindsamkeit.

Wir haben noch einen äußern Grund diesen Sinn für das Groteske in uns zu bilden, und uns in dieser Stimmung zu erhalten. Es ist unmöglich, in diesem Zeitalter der Bücher nicht auch viele, sehr viele schlechte Bücher durchblättern, ja sogar lesen zu müssen. Einige unter diesen sind, darauf darf man mit einiger Zuversicht rechnen, glücklicherweise immer von der albernen Art, und da kommt es wirklich nur auf uns an, sie unterhaltend zu finden, indem wir sie nämlich als witzige Naturprodukte betrachten. Laputa[2] ist nirgends oder überall, liebe Freundin; es kommt nur auf einen Akt unsrer Willkür und unsrer Fantasie an, so sind wir mitten darin. Wenn die Dummheit eine gewisse Höhe erreicht, zu der wir sie jetzt, wo sich alles schärfer sondert, meistens gelangen sehn, so gleicht sie auch in der äußern Erscheinung der Narrheit. Und die Narrheit, werden Sie mir zugeben, ist das lieblichste, was der Mensch imaginieren kann, und das eigentliche letzte Prinzip alles Amüsanten. In dieser Stimmung kann ich oft ganz allein für mich über Bücher, die keinesweges dazu bestimmt scheinen, in ein Gelächter verfallen, was kaum wieder aufhören will. Und es ist billig, daß die Natur mir diesen Ersatz gibt, da ich über so manches, was jetzt Witz und Satire heißt, durchaus nicht mitlachen kann. Dagegen werden mir nun gelehrte Zeitungen z. B. zu Farçen, und diejenige welche sich die allgemeine nennt[3], halte ich mir ganz ausdrücklich, wie die Wiener den Kasperle. Sie ist, aus meinem Standpunkte angesehen, nicht nur die mannigfaltigste von allen, sondern auch in jeder Rücksicht die unvergleichlichste: denn nachdem sie aus der Nullität in eine gewisse Mattheit gesunken, und aus dieser ferner in eine Art von Stumpfheit übergegangen war, ist sie zuletzt auf dem Wege der Stumpfheit endlich in jene närrische Dummheit verfallen.

Dieses ist im Ganzen für Sie schon ein zu gelehrter Genuß. Wollen Sie aber, was Sie leider nicht mehr lassen können, in einem neuen Sinn tun, so will ich nicht mehr über den Bedienten schelten, wenn er die Haufen aus der Leihbibliothek bringt. Ja, ich erbiete mich selbst, für dieses Bedürfnis Ihr Geschäftsträger zu sein, und verspreche Ihnen eine Unzahl der schönsten Komödien aus allen Fächern der Literatur zu senden.

Ich nehme den Faden wieder auf: denn ich bin gesonnen, Ihnen nichts zu schenken, sondern Ihren Behauptungen Schritt vor Schritt zu folgen.

Sie tadelten Jean Paul auch, mit einer fast wegwerfenden Art, daß er sentimental sei.

Wollten die Götter, er wäre es in dem Sinne, wie ich das Wort nehme, und es seinem Ursprunge und seiner Natur nach glaube nehmen zu müssen. Denn nach meiner Ansicht und nach meinem Sprachgebrauch ist eben das romantisch, was uns einen sentimentalen Stoff in einer fantastischen Form darstellt.

Vergessen Sie auf einen Augenblick die gewöhnliche übel berüchtigte Bedeutung des Sentimentalen, wo man fast alles unter dieser Benennung versteht, was auf eine platte Weise rührend und tränenreich ist und voll von jenen familiären Edelmutsgefühlen, in deren Bewußtsein Menschen ohne Charakter sich so unaussprechlich glücklich und groß fühlen.

Denken Sie dabei lieber an Petrarca oder an Tasso, dessen Gedicht[4] gegen das mehr fantastische Romanzo des Ariost, wohl das sentimentale heißen könnte; und ich erinnre mich nicht gleich eines Beispiels, wo der Gegensatz so klar und das Übergewicht so entschieden wäre wie hier.

Tasso ist mehr musikalisch und das Pittoreske im Ariost ist gewiß nicht das schlechteste. Die Malerei ist nicht mehr so fantastisch, wie sie es bei vielen Meistern der venezianischen Schule, wenn ich meinem Gefühl trauen darf, auch im Correggio[5] und vielleicht nicht bloß in den Arabesken des Raphael, ehedem in ihrer großen Zeit war. Die moderne Musik hingegen ist, was die in ihr herrschende Kraft des Menschen betrifft, ihrem Charakter im Ganzen so treu geblieben, daß ichs ohne Scheu wagen möchte, sie eine sentimentale Kunst zu nennen.

Was ist denn nun dieses Sentimentale? Das was uns anspricht, wo das Gefühl herrscht, und zwar nicht ein sinnliches, sondern das geistige. Die Quelle und Seele aller dieser Regungen ist die Liebe, und der Geist der Liebe muß in der romantischen Poesie überall unsichtbar sichtbar schweben; das soll jene Definition sagen. Die galanten Passionen, denen man in den Dichtungen der Modernen, wie Diderot im »Fatalisten« so lustig klagt, von dem Epigramm bis zur Tragödie nirgends entgehn kann, sind dabei grade das wenigste, oder vielmehr sie sind nicht einmal der äußre Buchstabe jenes Geistes, nach Gelegenheit auch wohl gar nichts oder etwas sehr unliebliches und liebloses. Nein, es ist der heilige Hauch, der uns in den Tönen der Musik berührt. Er läßt sich nicht gewaltsam fassen und mechanisch greifen, aber er läßt sich freundlich locken von sterblicher Schönheit und in sie verhüllen; und auch die Zauberworte der Poesie können von seiner Kraft durchdrungen und beseelt werden. Aber in dem Gedicht, wo er nicht überall ist, oder überall sein könnte, ist er gewiß gar nicht. Er ist ein unendliches Wesen und mitnichten haftet und klebt sein Interesse nur an den Personen, den Begebenheiten und Situationen und den individuellen Neigungen: für den wahren Dichter ist alles dieses, so innig es auch seine Seele umschließen mag, nur Hindeutung auf das Höhere, Unendliche, Hieroglyphe der einen ewigen Liebe und der heiligen Lebensfülle der bildenden Natur.

Nur die Fantasie kann das Rätsel dieser Liebe fassen und als Rätsel darstellen; und dieses Rätselhafte ist die Quelle von dem fantastischen in der Form aller poetischen Darstellung. Die Fantasie strebt, aus allen Kräften sich zu äußern, aber das Göttliche kann sich in der Sphäre der Natur nur indirekt mitteilen und äußern. Daher bleibt von dem, was ursprünglich Fantasie war, in der Welt der Erscheinungen nur das zurück, was wir Witz nennen.

Aus: Briefe an ein Frauenzimmer über die wichtigsten
Produkte der schönen Literatur in Teutschland
[Über »Titan«, Bd. 1]   1800

> Some to Conceit alone their Taste confine,
> And glitt'ring Thoughts struck out at ev'ry Line;
> Pleas'd with a Work where nothing's just or fit;
> *One glaring Chaos and wild Heap of Wit.*
>
> *Pope.*[1]

Wissen Sie wohl, meine Freundin, daß es eine sehr gefährliche Anmutung ist, die
Sie mir da thun? Ich soll Jean Pauls »Titan« beurteilen? – Der bloße Gedanke, daß
man ihn tadeln könne, macht hundert schöne Enthusiastinnen, die bei Richters
Schriften vor dunkeln Gefühlen fast in Ohnmacht fallen, erblassen; und ebenso viel
schwachsinnige Männer, die gar nichts sein würden, wenn sie nicht immer – berauscht wären, fahren grimmig und mit gesträubtem Haare auf, und drohen Krieg,
wenn man zu richten wagt, wo sie nur *bewundern können.* Sie versichern treuher-
zig, – ohne zu bedenken, was sie da gestehen – seit Richter schriebe, kenneten sie
keine Sprache des Gefühls, als die seinige*, und – ich –

Ein wenig Geduld, meine zartfühlenden Damen, und Sie, meine begeisterten
Herren! Auch ich schätze Richters Talente, sein lebhaftes, inniges Gefühl, seinen
glänzenden Witz, seine flammende Phantasie; – ja, ich liebe den edeln Menschen in
ihm: – aber *berauschen* lasse ich mich nun einmal nicht. Reichen jene Anerkennun-
gen hin, Sie ruhig weiter lesen zu machen, so werden Sie also eine *unparteiische*
Prüfung des »Titans« erhalten; wo nicht, so lasse ich Sie, und wende mich – zu
Ihnen, meine Freundin, um Ihnen zu sagen, daß der »Titan« mir eins der schönsten
und widersinnigsten, der anziehendsten und langweiligsten Bücher scheint, die seit
– Richters vorhergehendem Werke herauskamen. Schlagen Sie ihn auf, wo Sie
wollen, fast überall werden Sie auf eine höchst interessante Situation stoßen, die
mit dem lächerlichsten Bombast beschrieben ist; überall auf Gemälde von dem
glänzendsten Kolorit, die nichts als Arabesken sind: Engel, die auf dem Kopfe
stehn, und Meerkatzen, die aus rosigen Morgenwölkchen herabgrinsen; – auf
scharfsinnige, witzige, blendend-wahre Bemerkungen, die aus Abenteuerlichkei-
ten, wie Syrenen aus einem Sumpfe, hervortauchen, sich wieder darin versenken
und uns mit sich hinabziehn. Hat man das Buch einmal in die Hand genommen, so
kann man sich nicht mehr entschließen, es niederzulegen; und doch fühlt man sich
tausendmal versucht, es wegzuwerfen.

Woher diese Sonderbarkeit? Sie fließt aus der Natur des Verfassers selbst. Richter besitzt ein glänzendes Genie, aber den verderbtesten Geschmack, den man je

---

* S. das dritte Heft des hanseat. Magaz.[2]

einem Schriftsteller verziehen hat; Kraft, eine poetische Welt zu schaffen, aber nicht Einsicht genug, sie zu ordnen; kränklich lebhaftes, verworrenes Kunst*gefühl*, und zu wenig, allzu wenig Künstler*sinn*. –

Es wäre zu voreilig, jetzt, bei dem ersten Teile, schon von dem Plane des Werkes zu sprechen: aber die Bestandteile desselben und die Manier, die in ihm herrscht, reichen hin, jenes Urteil zu begründen. Ich setze voraus, daß Sie den »Titan« gelesen haben; und so lassen Sie uns mit den Charakteren anfangen.

Jeder einzelne ist bestimmt gezeichnet und kraftvoll prononciert; jeder ist lebendig, und bildet sich fort, ohne sich untreu zu werden. Gegen ihre poetische Wahrheit ist also nichts einzuwenden, sollten ihresgleichen auch in der Wirklichkeit nirgends anzutreffen sein, und mit der Phantasie hat Richter sich abgefunden: aber auch der Geschmack, auch der Verstand haben Ansprüche, und zwar sehr wichtige, an jedes Kunstwerk zu machen. *Der Geschmack* fordert, daß man ihm keine widrige und unnatürliche Gestalten vorführe: denn, wenn es gleich dem Künstler freisteht, sich seine Wesen nach dem Bedürfnisse seines Werkes zu *erschaffen*, so steht es doch auch wieder dem Zuschauer frei, der wilden Schöpfung den Rücken zuzukehren, wenn sie sein Auge beleidigt. Da der Künstler aber gehört und gesehen werden will, so übernimmt er die Verpflichtung zu gefallen. Es ist daher nicht genug, daß sein Werk ganz *das* sei, was er machen wollte, sondern er muß auch etwas Vortreffliches haben leisten wollen: sonst – auch Breughels[3] Höllenszenen sind poetisch wahr; aber wer weilt mit Genuß vor ihnen?

Die Forderungen des Verstandes sind noch bestimmter. Er läßt es sich nicht verwehren, die Erkenntnisse, die er in der wirklichen Welt sammelte, in die poetische mit hinüberzunehmen. Geschehen lassen, mag der Dichter in der letzten, was er will und zu motivieren weiß: aber die moralischen Begriffe muß er nicht verwirren. Was er vortrefflich nennt, muß auch wirklich vortrefflich sein; und umgekehrt: er muß uns nie Unsinn für Verstand, Schwäche für Adel geben. Aber – lassen Sie einmal alle Charaktere, die im »Titan« erscheinen, vor sich vorübergehn, und sagen Sie selbst, ob er uns nicht in eine Welt versetze, in der fast alle gute Menschen krank, und die Gesunden Taugenichtse sind. Seine edeln Weiber, die kleine Chariton ausgenommen, sind nervenschwache Empfindlerinnen von der guten Frau Wehrfritz an, die darüber in bittre Tränen ausbricht, daß sich Albano den ledernen Zopf abreißt, bis auf die bejammernswürdige Liane, die von einer empfindsamen Floskel ihres Bruders blind wird. Die einzige ganz Gesunde, die Doktorin Sphex – welch ein widerliches Gänschen! – Ist denn das aber wirklich so? Sind die weiblichen Vorzüge durchaus mit *Nervenschwäche* verbunden, vielleicht gar auf sie gegründet? – Die Frauenzimmer sollten Richtern einen Prozeß darüber machen, daß er sie nur in Kranke und Dumme zu teilen weiß.

Die Männer gehören zu diesen Weibern. Die Edeln, Kraftvollen delirieren; die Besonnenen sind Schwächlinge, Narren oder Schurken: z. B. der junge Fürst, D. Sphex, Zefisio usw. – Dieser Don Gaspard, der die Menschen weder liebt noch haßt; der seinen Sohn in zwanzig Jahren nicht sieht, und ihn dann eine weite Reise machen läßt, um ihm an einem bestimmten Orte ein wunderliches Testament seiner lieben Seligen mündlich mitteilen zu können, und ihn dann gleich wieder nach

Hause schickt; – Albano, der sich, wie die arabischen Pferde, die Adern öffnet, als ein Knabe empfindsame Wallfahrten anstellt, als junger Mann in die Bäume klettert, um sich zu wiegen, und einem Unbekannten, von dem er nur tolle Streiche weiß, in einem bombastischen Briefe seine Freundschaft anträgt; Roquairol, der sich im dreizehnten Jahre aus Liebe erschießen will, und ewig den tragischen Helden macht; Schoppe, der unaufhörlich Bizarrerien[4] sagt und tut, den Pasquino[5] anbetet, sich neben dem fürstlichen Leichenzuge badet und den Herbeieilenden im Wasser eine barock-humoristische Rede hält: – welche unnatürliche Karikaturen! Wo gibt es solche Menschen? und, gäbe es welche, könnte man besser tun, als sie, zwar nicht gleich einsperren, aber doch genau bewachen zu lassen?

Aber treten Sie den armen Patienten näher! Hören Sie, was sie in ihrer kläglichen Zerrüttung radotieren[6]! Sie werden erstaunen über die vortrefflichen Sachen, die ihnen entwischen. Verzeihen Sie ihrem traurigen Zustande das Krause des Ausdrucks, das Verwirren tausend fremdartiger Dinge: und die genialischen Ansichten, die unter die Plattheiten, die köstlichen Bilder, die unter die Fratzen gemischt sind, werden Sie für Ihre Nachsicht reichlich belohnen. – Beobachten Sie die hysterischen Weiber. Die Zartheit, mit der sie in ihren Phantasien handeln, der Adel, mit dem sie ihre Krankheit äußern, rühret Sie, ziehet Sie unwiderstehlich an. Das eben, meine Freundin, ist es, was Richters Werke zu einer so gefährlichen Lektüre macht, sowohl für junge Frauenzimmer, deren Charakter noch nicht gebildet ist, als für die Kunstjünger, die zeitlebens funfzehn Jahr alt sind. Bei den ersten verwandelt sich Mitleiden nur zu leicht in Liebe, und diese läßt sie ins wirkliche Leben hinübertragen, was ihnen nicht einmal im Buche gefallen sollte. Die letztern begreifen nicht, daß *Richter* ungeachtet seiner Fehler gefalle, sondern glauben, es geschehe *durch* sie. Sie ahmen ihn nach und erreichen ihn in allem – was man ihm verzeiht.

Lassen Sie uns weiter gehn und die Situationen betrachten, in die er seine Helden versetzt. Jede beinahe ist mit Genialität ersonnen: – aber wie führt er sie durch! Gleich die erste kann zur Probe dienen. Ein Sohn, der seinen Vater nie sah und ihn vergöttert, reist dessen erster Umarmung entgegen. Wie anziehend! Wir können das Auge nicht abwenden, bis alles geschah, was die Sehnsucht der kindlichen und der väterlichen Liebe heischte! – Der eine ist ein schöner Jüngling, voll überströmender Lebenskraft; der andre ein welker, abgestorbener Greis, der kaum noch Atem genug hat, sich über den Anblick seines Sohnes *beinahe* zu freuen. Echt dichterischer Kontrast! Aber wenn Albano sich, wie gesagt, die Adern öffnet, um weicher zu empfinden; wenn Don Gaspard, in dem Augenblicke da jener ihn sieht, vom Starrkrampf ergriffen wird und wie eine Bildsäule dasteht: – wie grell, wie widerlich! Hören wir nun vollends die abenteuerlichen Sachen, die der Vater dem Sohne zu sagen hat; treten wunderbare Erscheinungen auf; rufen Stimmen vom Himmel – Es ist wirklich schmerzhaft, aus der Anlage zu einem schönen Kunstwerke – so etwas werden zu sehen, und leider widerfährt R.'n ein ähnliches mit jeder andern Szene, – die einzige ausgenommen, da Albano Dians Gattin besucht und mit Lianen spazieren geht. Diese ist, das ekle Laxiertränkchen[7] abgerechnet, vortrefflich angelegt, und mit einer bezaubernden Zartheit durchgeführt.

Ich komme zu seinen Naturgemälden. Wie reich, wie lebendig, wie kraftvoll und majestätisch! Jede Wahrnehmung wird zum Gefühle; jedes Gefühl zum Bilde! – Aber was für platte Vergleichungen, was für unausstehliche Witzeleien mischt er überall ein! Auch hier wollen wir uns gleich an die erste Szene halten. Vater und Sohn sollen einander auf einer Borromäischen Insel[8] begegnen. Recht gut! So bekommt die schöne Gruppe ein schönes Piedestal[9]. – Albano fährt in einer Sommernacht über den Lago maggiore, und, nehmen wir die Schilderung des folgenden Morgens dazu, so müssen wir gestehn: jene paradiesische Gegend ist vielleicht nie von einem zauberischeren Lichte beleuchtet worden, als ihr Richters Phantasie wird. Wenn wir aber dabei lesen: »Aronens Stadt lege Lunens Blanc d'Espagne auf, und werfe den Mondschein wie einen *Pudermantel* um; der heilige Borromäus habe den *Mond* wie eine *frisch gewaschene Nachtmütze* auf«[10] so überläuft uns ein ästhetischer Schauder vor dem gotischen Unwitze. Doch vielleicht wenden Sie ein, Schoppe sage es. Warum läßt der Verfasser das wunderliche Geschöpf zu Worte kommen? Ähnliche Geschmacklosigkeiten finden wir auch da, wo Schoppe nicht spricht.

Richters schwächste Seite ist der Stil. Er hat eine üppige Phantasie: jedes Blatt beweist es durch irgendein kräftiges Bild, noch mehr aber tun es seine Beschreibungen, z. B. des Tartarus; – er hat einen treffenden, mutigen Witz: erinnern Sie sich nur des Brotdienstes S. 64[11], der Charakteristik der deutschen Kunstliebhaberei S. 68–73[12], der Spielgesellschaft[13], der Hof-Idylle[14] usw. – er hat eine ungeheure Belesenheit (daß sie nicht wirkliche Gelehrsamkeit sei, verrät sich doch hier und da), die ihn in den Stand setzt, sehr oft durch merkwürdige Notizen zu überraschen: – aber gerade diese Vorzüge sind es, die seinen Stil verderben. Sie verleiten ihn, um mit Richters eigenen Worten zu sprechen, – mit jeder Idee zu kokettieren, und weil er *immer* witzig, poetisch, belesen schreiben will, geht es ihm endlich wie den starken Branntweintrinkern, denen am Ende kaum Scheidewasser[15] pikant genug scheint. Er verfällt in einen bildernden Bombast, dergleichen weder Cyrano de Bergerac[16], noch Lohenstein[17] aufzuweisen hat, und selbst das Athenäum[18] nur mit Mühe zusammenbringen kann.

S. 5 will er erzählen: »Albanos Erzieher hätten ihm eine sehr hohe Idee von seinem Vater beigebracht«; und er sagt: *sie waren eine chalkographische Gesellschaft die den Autor seines Lebensbuches gar herrlich vor das Titelblatt in Kupfer stach.*[19] – Als Magister Wehmeier seinen Eleven auf der Vogelstange erblickt, schaudert ihm nicht, bricht ihm nicht der Angstschweiß aus: nein! das wäre zu alltäglich gewesen. *Er stürzt ins Plongierbad des Eisschauders, und steigt wieder heraus, unter das Tropfbad des Angstschweißes.*[20] Gestehen Sie, das heißt Witzelei und Preziosität ein wenig weit treiben! – Als der fürstliche Leichenzug anhebt, drängen die Frauenzimmer des Orts sich etwa nicht an Fenstern und Thüren zusammen, sondern *der Salpeter der weiblichen Volksmenge schießt an Fenstern und Mauern an.*[21] Nun wahrlich, mit diesem einzigen Blümchen hätte der Verfasser verdient, daß jede seiner Gönnerinnen auf eine Viertelstunde für ihn zur schmollenden Salzsäule anschösse. –

Doch genug über Richters Vorzüge und Fehler. Wollen Sie im allgemeinen mein

Urteil über ihn? Seine Werke kommen mir vor, wie die alten katholischen Gebet-
bücher, in denen der Text immer durch Bilderchen erläutert wird. Sagt er: »Maria
die *Hülfreiche*«, so zeigt der Rand eine Apotheke; »Maria die *Schützerin*« hat einen
zottigen Reisemantel neben sich; und heißt sie »die *Retterin*«, so wird sie mit einer
Feuersprütze versinnlicht; – oder wie die Statuen des Prinzen von Palagonien[22], an
denen jedes Glied ein Meisterstück, jedes Ganze ein Ungeheuer ist. Welch ein
Kopf! So lächelt Venus, wenn sie aus dem Bade steigt und Adonis hinter einer
Rosenhecke lauschen sieht! Sie folgen dem Guß der wallenden Locken, und treffen
auf einen widerlich gekrümmten Gänsehals. Unwillig senken Sie das Auge: – er ist
den kraftvollen Schultern eines Löwen eingesenkt, und diese gehn in den Wanst
eines Robben über, dem man vier Schmetterlings-Füßchen unterschob.

Mißfallen Ihnen diese Vergleichungen? Hier haben Sie ein anderes Bild, – denn
nur in Bildern mag ich über einen Schriftsteller wie Richter urteilen – ein Bild, das
selbst seinen wärmsten Verehrern nicht unlieb sein wird. Er ist ein Genius, der *auf
Wolken hinschwebt*, und lächelnd sein Füllhorn umstürzt. Ananas und Bohnen,
Pisangäpfel[23] und taube Nüsse fallen herab – und er selbst sieht nicht hin, was ihm
entfalle. Aber, nicht wahr, meine Freundin, er sollt' es doch tun?

Über seinen Anhang sag' ich Ihnen nichts. Fast alles Gute und Nachteilige, was
ich über das Hauptwerk schrieb, gilt auch von diesem – und von allen Richterschen
Werken. – Alle sind, von *einer* Seite betrachtet, vortrefflich; von einer andern
höchst fehlerhaft und zurückstoßend, und durch diese Verbindung eine gefährliche
Lektüre für jeden, dessen Charakter und Geschmack nicht fest gegründet ist.

18   *[Friedrich von Oertel]*

Rezension über »Titan«, Bd. 1   1800

Der Leser, dem eine vielseitige Geistesbildung die Fähigkeit verlieh, die mannichfaltigen, selten oder nie so innig vereinigten Eigenschaften, die wir an dem Richterschen Genius wahrnehmen, in dessen bisherigen Werken zu fassen und zu würdigen, findet in dem vor uns liegenden seine Erwartungen übertroffen. Was in diesem, wie in den früheren, ihn erfreuet und erhebt, ist des originellen Dichters reine
und feste Tendenz, »Menschenliebe an Menschenkenntnis zu entzünden«[1], dieses
Ideal verbundner Kraft und Liebe, mit Schöpfermacht vor unser inneres Auge
gerückt; dies tiefe, aber reizbare, dies weiche, aber energische Gefühl neben dem
besonnenen, philosophischen Scharfblicke; diese glühende Phantasie neben dem
reichen Witze; diese Kenntnis des Herzens und sogar der Welt neben der ausge-
dehntesten Belesenheit; dieser Schwung in die höchste Geisterregion neben dem
britischen Humor; dieser religiöse Enthusiasmus neben der ernsten Satyre; der für
das äußere Gebiet der Natur, wie für das innere des Menschen, in gleich glänzende
und ächte Farben getauchte Pinsel. Diese allgemeine Gleichheit des *»Titan«* mit
seinen ältern Brüdern hindert ihn nicht, sich von letztern mit bedeutender Individualität zu unterscheiden, und vor ihnen, welche trotz ihres hohen Wertes mehr

dem Künstler als dem Kunstwerke Bewunderung gewannen, wesentliche Vorzüge zu behaupten, – den unbedingten der klarer hervorgehenden Einheit des Gegenstandes, für den wir uns interessieren sollen, die bedingten der Einheit des Vortrags, und der sparsameren, gewählteren Verteilung der Gleichnisse und Bilder – bedingt, weil nur die Rücksicht auf unsre Empfänglichkeit sie zu Vorzügen macht. Der *erste* war für einen Dichter, welcher alle seine schöneren oder erhabneren Gestalten lebendig genug hervorzuheben, reich genug auszustatten weiß, um jede derselben je nach Stimmung, Geschlecht, Charakter der Leser diesen zum Liebling, mithin durch eine verzeihliche Täuschung zur Hauptperson zu zaubern, nur so zu erreichen, daß die, welche es schlechthin und entschieden sein sollte, mit der reinsten Glorie einer durch das Individuell-Bestimmte, doch scharf vom Phantastisch-Allegorischen gesonderten Idealität geschmückt erschien. Den *dritten* aber konnte der Dichter nur vermöge der seltensten Selbstverleugnung erringen, indem er, um den Glanz seiner Einbildungskraft und seines Witzes unsern Augen anzupassen, uns nur den Reichtum zu geben, aber nicht die Verlegenheit des Reichtums, viele schillernde und funkelnde und blendende Ideen aufopfern mußte, damit wir der erkornen freudiger genössen. Unsern Dank dafür besiegeln wir durch das frohe Bekenntnis, daß die Anzahl der feinsten, tiefsten, originellsten Bemerkungen über Menschen, Welt, Leben, Natur, Geschick, die die in des Dichters früheren Werken reichlich ausgestreuten noch übertrifft, daß Harmonie, Ebenmaß und Rundung, Hoheit des Plans (soweit dieser bis jetzt angedeutet werden konnte), Pracht des Ausdrucks und Wärme des Kolorits uns dies neueste als einen Tempel ansehen lassen, zu dem wir durch die »Mumien«[2] und den »Hesperus« nur wie durch majestätische, kolossalische Vorhallen geführt wurden.

Ein jugendlicher Alkide[3], aber nicht ungewiß am Scheidewege, sondern durch das Göttliche in ihm fest bestimmt, das Rechte nur zu wollen, stark durch sein eignes Herz, und durch heilige Unschuld ein Selbstgebieter seines Innern, stehet Albano de Zesara unter der herrlich geschmückten Einzugspforte des Gedichtes. Wie einem Triumphator folgen wir ihm in das unübersehbare Gebiet einer unerschöpflich reichen Phantasienwelt, in der wir entzückt und ahnend um uns schauen, und unsre Augen von Wunder zu Wunder über einzelne Lichtpunkte in noch ungemessene, dämmernde Fernen gleiten. Auf der Isola bella im Lago maggiore öffnet sich die magische Bühne, und uns umfänget eine Natur, auf deren Gemälde nur *Richters* frühere Leser vorbereitet sein mögen, eine so hohe, reiche, daß wir erstaunen, sie von der menschlichen, mit der wir bald bekannt werden, noch übertroffen zu sehn. Eine Feuer- und eine Wolkensäule[4], die wechselnd den Jüngling aus Deutschland hieher führten, zeigen sich neben ihm, *Dian*, ein idealisierender Grieche, und *Schoppe*, einer jener Humoristen, deren Scherze auf den dunkeln Grund des ernsten Denkens, so wie die Grotesken und Arabesken ihrer scharfschneidenden Satyre auf den himmelblauen Boden eines menschenliebenden Herzens gestickt sind. Mit ihnen genießt Albano, ein Apoll an Schönheit und an Kraft und an Genie, wie die heiße, bange, freudige Sehnsucht nach seinem Vater, dem hier nach langer Trennung versprochnen, es ihm vergönnet. Seine, wie unsre, Erwartung höher zu spannen, schimmern hin und wieder hellere Züge von der beinahe noch unbekannten, aber schon furchtbaren Geistesgestalt des ältern de Zesara durch; und der warme, liebende Sohn hat einen ganzen Tag mit erschütterter Seele nach Gaspard verlangt, ehe dieser, nur von kleinen Blitzen seiner Ordenskette und von größern geistigen umsprüht – beide nichts erwärmend, und eine Nacht nur trennend, damit sie wieder fester sich schließe – vor Albano in sinkender Dämmerung erscheint. Des Ritters körperliche Gebrechlichkeit hebt durch den Kontrast dessen innere Energie, des Sohnes andringende Liebe dessen erstarrende Kälte; schmerzlich wehet diese des Jünglings weit geöffnetes Herz an, aber es zusammenziehen kann sie nicht, denn das heilige Feuer darin wehret ihr. Ehe der nächste Morgen erwacht, ist *Gaspard* wieder verschwunden, und eine seltsame Maschinerie angelegt, in welcher eine doppelte, sich entgegenstrebende, Absicht auf den Jüngling offenbar wird, deren Schlüssel uns nur die Folge geben kann. Die Worte aus dem Äther herab, die aus dem See auftauchende Sirene, der rätselhafte Mönch, und des Ritters Orakelsprüche – sowenig der Sinn von alle dem noch hier im ersten Teile des Dichterwerks sich entwickelt – genügen uns, indem sie für den Liebling bestimmt ein Schicksal erwarten lassen, würdig, von dem jungen Heros im Kampfe bestanden und besiegt zu werden. Wie in den ersten Szenen bleibet dieser in allen folgenden die Hauptfigur, mitten in der übrigen bedeutend verschlungnem Tanze vorragend.

Unter ihnen zeichnen wir *Roquairol*, unsers Helden künftigen Freund, aus – obschon sein dunkelleuchtendes Antlitz nur erst wie ein Mond über den Rand unsers poetischen Horizontes heraufschwebt – und dessen Schwester *Liane*, das holdeste Wesen, das je ein Glücklicher träumte, das je der Glücklichste fand. Die letztere vorzüglich erscheinet in diesen doch nur erst andeutenden Blättern schon aufs innigste in *Albanos* Leben verwebt. Wenig nur, aber entscheidend sind die Auftritte, welche diese drei zusammenstellen; denn des Helden Jugendgeschichte – die Dekomposition[5] des Bodens, worin dieser kräftige Sprosse wurzelte und gedieh – füllet den Raum zwischen *Zesaras* Aufenthalte auf Isola bella und dem in Pestitz, der Residenz des Fürsten von Hohenfließ, in der jener, des Vaters Anordnung gehorsam, die hohe Schule der Gelehrsamkeit und der Welt bezieht. An der feierlich-schauderhaften Stelle[6], an der wir von diesem Bande, und einer jungen, aber ewigen, unter den Zuckungen erschütterter Herzen doch frei geschlossnen Freundschaft scheiden, wissen wir also noch nichts, als daß *Albano* eine Geliebte fand, aber eine schweigende, verschleierte, und einen Freund, und daß er durch beider Besitz über das *eine*, was er achtet, wonach er dürstet, beruhigt, gegen alles, was von außen ihn treffen kann, gerüstet dasteht.

Alle Charaktere, auch die minder bedeutenden (wie in der Spielgesellschaft beim Minister) sind, wäre es nur mit wenigen Strichen, aufs schärfste umrissen und voneinander gesondert. Die edelsten, verklärtesten selbst, wenngleich nahe an das Übermenschliche gränzend, bleiben doch weit vom Unnatürlichen. Das Ideale ist vom Phantastischen durch innere Wahrheit, von der Wirklichkeit durch innere Notwendigkeit streng geschieden, dort, indem das Widersprechende, hier, indem das Zufällige verbannt ist; und des Dichters magischer Stab[7], der es schafft, ist kein anderer, als der, den Erinnerung oder Entfernung uns selbst für die Bilder unsrer

Geliebten in die Hand gibt. Wie er, ziehen wir dann die Linien fest, welche in der ewig wandelnden und verwandelten Welt der Erscheinungen verfließen. Nur so reihet er seine Gemälde aus der äußern Dresdner Galerie in die innere, aus der niederländischen Schule in die italiänische[8], welche die Wirklichkeit nicht abschreibt, sondern in ihre Teile zerwirft, und diese nach neuen vom Genie eingegebenen Gesetzen zu einem zweckmäßigen Ganzen bildet. –

In welchem reinen Krystall die Natur sich unserm Dichter spiegele, mit welchem zauberischen Firnis er ihre glühenden Farben zu fixieren, ihre in der Wirklichkeit zerstreuter lodernden Strahlen, durch seine Phantasie zu Licht und Flamme konzentriert, uns zuzublitzen wisse, zeigen hier die Landschaftsmalerei der Isola bella, die Pfingstnachtreise *Albanos*, und seine Wanderungen im Park von Lilar; doch nicht etwa tote Schilderungen beweisen des Dichters Kunst, er belebt und beseelt die Natur durch ihre Reflexe auf ein menschliches Gemüt, durch ihre Harmonie mit einem Menschenherzen. Man sehe die Donnereinweihung bei *Albanos* und *Lianens* erster Kommunion, und das erhabene Nachtstück im Tartarus! – Der Leser, der hier wie in einer frühern Szene weniger Maschinerie wünscht, richte nicht, bevor mehr Data zu einem reifen Urteilspruche sich ergeben. Ein Dichter wie dieser schürzt keine Knoten, um sie zu zerhauen.

Der Parnassusgipfel, zu dem alle sympathetische Regungen unsrer Brust uns im Gefolge des Helden erheben, ist die unbeschreiblich liebliche Darstellung der Szene im Flötenthale. Hier ist lauter süßes, reines, heiliges, ineinander wallendes Jugendleben. Und wie menschlich schön schließet sie der Dichter mit der rührenden Entschuldigung seiner idealischen Schöpfungen! mit der treffenden und sowenig – von Jünglingen und genialischen Frauen – beherzigten Erinnerung: »poetische Träume nicht ins Wachen zu tragen«[9]. Möchte diese äcʰt philosophische Stelle wenigstens *sie* auf den rechten Standpunkt setzen, wenn auch nicht jene Welt- und Geschäftsleute, die den Dichter nur als einen Werber für Privattollhäuser betrachten!

Von den Bildern, Gleichnissen, und feinen, aber tief gegriffenen Bemerkungen, welche dieses Werk enthält, können wir keine Probe geben. Einzelne Tropfen aus einem See gewähren noch immer keinen Begriff von dessen Umfang und Tiefe. Der vorausgesandte Traum der Wahrheit – die Zueignung an vier schöne und edle Schwestern auf dem Throne – ist eine schöne Allegorie, die nur schmeichelt, weil sie keine Schmeichelei ist. – Über die Benennung der Jobelperioden und deren Zykel, wie über die vorbehaltnen obligaten Blätter und die Entstehung des »*Titan*«, gibt der Vf. in dem Antrittsprogramm zu diesem Auskunft[10]. Der zarte Leser, dessen Ohr durch das Ungewöhnliche der ersten beleidigt werden sollte, kann übrigens, ohne allen Schaden an seiner oder des Dichtwerks Seele, die Jobelperioden zu Büchern, und die Zykel zu Kapiteln umtaufen.

19 *[Anonym]*

Ein gut Recept zu arbeiten in Jean Pauls Manier, nach
Jean Paul   1801

No. I.

Zieh einen grauen Friesrock an, der Regen und Wetter wohl vertragen mag, desgleichen auch ein Paar Stiefel von ächtem polnischen Rindsleder, stülpe einen
runden Hut tief über dein Antlitz, ergreif' einen derben Knotenstock, schließ die
Tür deiner Kammer fest hinter dir zu, und entweiche stillschweigends aus deiner
Heimat. Hab' aber wohl acht, daß du ein gut und starkes Schreibtäflein benebst
mancherlei Stiften bei dir führest.

Bist du nun über die Gränzflur deiner Heimat gekommen, so sei ganz stille,
grüße niemand, rede mit niemand, sondern hab' nur allein acht auf die Werke der
Natur und der Menschen. Merke und schreibe!

Bist du auf freiem Felde, den Stecken unterm Arme, das geöffnete Täflein in der
linken, den Stift in der rechten Hand führend, und du stößt mit deinem Fuß an einen
Stein; *so schreibe:* du siehst ein Blatt fallen von einem Baume; *so schreibe:* dir fällt ein
Regentropfen auf die Nase; *so schreibe:* du schaust ein welkendes Gänseblümchen; *so
schreibe:* du riechst eine Losung; *so schreibe:* trittst du in einen Kot; *so schreibe:* fällst
du scribendo[1] auf die Nase in selbigen; *so schreibe:* du hörst zirpen ein Heimchen; *so
schreibe:* es brüllt ein Ochse; *so schreibe:* es schlägt eine Nachtigall; *so schreibe:* es
klefft ein Fuchs; *so schreibe:* es sticht dich eine Wespe; *so schreibe:* es donnert oder es
friert; *so schreibe.* – Und auf diese Weise kannst du gewiß und voll Zuversicht sein, daß
du das geheimste Wesen der Natur erspähet habest.

Trittst du nun aber entweder in ein Dorf oder Stadt, mag dies sein Kupachtel
oder Nürnberg[2], und kommst nun unter die Menschen: so merk auf alles daselbst
und schreibe. Hat einer eine gebogne Nase; *so schreibe:* hat einer ein breites Maul;
so schreibe: hat einer eine Warze am Backen; *so schreibe:* hat einer einen großen
Hundszahn; *so schreibe:* hat einer eine schiefe Hüfte; *so schreibe:* sieht einer aus
wie der bleiche Mond; *so schreibe:* sieht einer aus wie ein Braubottig; *so schreibe:* –
spricht einer theologisch; *so schreibe:* verliebt; *so schreibe:* juristisch; *so schreibe:*
medizinisch; *so schreibe:* chemisch; *so schreibe:* theatralisch; *so schreibe:* wie ein
Stutzer; *so schreibe:* wie ein Präsident; *so schreibe:* wie ein Waschweib; *so schreibe:*
– Und dann kannst du getrost sein, alles Wissenwürdige aus der Menschheit in dein
Täflein getragen zu haben.

No. III.

[...]

Wenn du nun so das, was in dein Schreibtäflein eingetragen worden, quodlibet-
artig[3], und so, ut fert rerum farrago[4], benutzest: so bedenke ferner folgende weise
und vortreffliche Regel.

Stelle keines von den Dingen, welche du beschreibest, also vor, wie andere tun, oder so, wie sie gewöhnlich angesehn zu werden pflegen; sondern gib davon eine neue von der gemeinen Vorstellungsart gänzlich abweichende Vorstellung.

Dieses ist allerdings ein gar großer und wichtiger poetischer Kunstgriff, und gar bedeutendes Arcanum[5] der Kunst! das aber, leider – von allen Ästhetikern, vom Quinctilian[6] an bis zu Ramlers Batteux[7], und Sulzern[8] zu erwähnen vergessen worden ist. Freilich setzt derselbe zu guter praktischer Ausführung eine gute Imaginationem[9] voraus! – Das, was am wenigsten in die Augen fallen kann, das mußt du am mehrsten hervorziehen, und an das Licht zu bringen suchen. Tu dann recht viel aus deinem Ingenio[10] dazu; und du kannst dann versichert sein, daß du vor den Leuten für einen großen und tiefen Seher passieren wirst.

Eine fernere Regel, welche aus der eben erwähnten entsprungen, ist aber wiederum diese:

Lache ja nicht da, wo andere lachen, und weine nicht, wo andere weinen: sondern lache, wo man weint; und weine, wo man lacht.

Diese Regel gründet sich auf den Grundsatz: *suche so originell zu sein, als dieses dir immer nur möglich ist;* und: *hüte dich ja, das nachzutun, was ein andrer dir schon vortat.*

Wenn, wie Salomo sagt[11], alles eitel und närrisch ist auf dieser Welt, so darfst du nicht einer von denen sein, die zum Narren gemacht werden; sondern du mußt der erste sein, der da Narren macht. Einem Weisen, sagt Salomo ferner[12], steht es übel an, zu tun, was das Volk tut. Er muß tun, was das Volk nachmachen soll. Jedoch, auch dieses nicht gerechnet, so bedenke, was für eine große Kunst du hiermit übest. Du bewirkst ja durch dieses antidotum[13] das so nötige Gleichgewicht unter den Menschen, und wirst also ein wahrer geistlicher Seelenarzt; wofür dir notwendig aller Menschen Zungen Lob-, Ehr- und Preislieder anstimmen müssen.

Die letzte und vorzüglichste Kunstregel in diesem Rezept ist endlich die:

Alles, was du zu sagen gehabt, gib ja nicht so von dir, daß man dich sogleich und daß dich jedermann verstehe. Schreibe also so mystisch und deshalb so abrupt, als es dir nur möglich sein mag.

Eine Kunstregel unsers Rezepts, die, als wahre Bereicherung ästhetischer Wissenschaft, in den ältern Zeiten gleichfalls noch nicht gekannt ward, und – o Gloria – erst den neuesten Zeiten ihre Entstehung zu verdanken hat.

Zwar der schlechten Ingeniorum gibt es, leider! noch genug, welche da meinen, daß das, was gesagt werden solle, deutlich, wohl zusammenhängend und in einer guten Schreibart dargestellt werden müsse. Allein, wie alt, wie gemein, wie niedrig ist dieses nicht!

Dunkel mußt du schreiben, damit dich entweder gar niemand, und du dich wohl selbst nicht, oder irgend jemand dich nur selten versteht. Dies bringt Ehre und Ruhm.

Dir, daß du ein sogar unbegreiflich großer Geist seist, dessen Werke und Gedanken man[14] so wenig als die Werke Gottes in der Natur, verstehen und ergründen könne.

Aber nicht dir allein, sondern auch denen, die dich verstanden zu haben glauben, und sich nun mit dieser ihrer Kraft der Erkenntnis vor andern zu brüsten vermögen.

Wer sprach so dunkel als die Propheten des A.T., und war mehr geehrt? – Wer schrieb so dunkel als Skt. Augustin, Tertullian, und Hieronymus; die ehrwürdigen Patres[15] etc.: – Wer schrieb dunkler als Albertus Magnus, Alexander ab Hales, Anselmus Canterburiensis[16]; die Scholastiker: – wer schrieb dunkler als die neueste Schule der Philosophie; die kritische genannt: – wer schrieb so dunkel als Jean Paul; der größte aller Dichter und Philosophen, die je diesen Erdball betraten und schrieben; das erhabenste aller Originalgenien unsrer Tage! und wer ward mehr gepriesen und bewundert? – Nie enthüllt sich den Sterblichen ganz die Götterkraft! –

Abrupt mußt du ferner schreiben. Denn wo der Stil plan und fließend ist, da fehlt der Reiz für das Gemüt. Stoßweise muß der Leser erinnert werden, daß er dich liest.

Bedenk', daß dieses Recipe[17] mit Fleiß in diesem Stil dir zum Beispiel verfasset worden. Befolg' dasselbe wohl. Probatum est[18].

20   [Heinrich Julius Ludwig von Rohr]

Rezension über »Der 17. Juli oder Charlotte Corday«   1801

Was hätte aus dem herrlichen, in seiner Art einzigen Stoffe, unter den Händen eines Schriftstellers, der mit der historischen Kunst vertraut gewesen wäre, eines J. Müller[1] – Schiller, u.a.m. werden können! Aber der Rez. gesteht offenherzig, daß Herr Richter ihm hier gar nicht Genüge getan hat. Man findet hier zwar alles Gute dieses fruchtbaren Schriftstellers. Eine lebhafte Einbildungskraft, schöne Tiraden, empfindungsvolle Aufwallungen usw., aber auch alle Auswüchse, welche sich in seinen andern Schriften finden: die heterogensten Zusammenstellungen, das beständige Haschen nach dem Seltsamen, die beständige Jagd nach poetischen Bildern und nach ganz fremden Gleichnissen, die genialisch sein sollenden Übergänge vom Platten und Gemeinen zum Erhabenen und Schauererregenden. Zuweilen bringt sogar die Begierde, alles wer weiß wie neu und witzig zu sagen, Herrn Richter zu Concetti[2], welche nahe ans Sinnlose gränzen. So sagt er z.B. S. 139[3] »Daß durch die französische Revolution, ein zugleich verfeinerter und moralisch vergifteter Staat (dessen Kubikwurzel Paris ist, wird in einer Note hinzugesetzt) – seinen Galeerenring zerbrach.« Solche bunte und affektierte Schreibart dient sicherlich nicht zu einer guten historischen Darstellung! Diese muß ernsthaft und lebhaft, die Schreibart muß natürlich sein und sich gleichbleiben. Die Geschichte zu schreiben, ist ein sehr ernsthaftes Geschäft; denn sie ist die Lehrerin der Menschheit, und ganz etwas anders als »Hundsposttage«[4] oder ein spaßhafter kleinstädtischer »Quintus Fixlein«.

Das Durchlesen dieser, bei allen nicht zu verkennenden einzelnen schönen Stellen, doch im Ganzen mißratenen historischen Skizze, hat auf den Rez. einen so unangenehmen Eindruck gemacht, eben weil er einen Mann von Talent immer mehr straucheln sah; so daß er nicht umhin kann, über die Art Bücher zu schreiben, eines Verfassers, den man gern lieben möchte, und welcher doch so oft zurückstößt, hier ganz offenherzig seine Meinung zu sagen.

Herr Richter hat sich eine Manier gemacht, worin er alles aufs Papier werfen kann, was und wie es ihm eben einfällt, gut oder schlecht, weitschweifig oder körnig, platt oder edel, selbstgedacht oder aus dem Kollektaneenbuche⁵ zusammengesucht; alles gilt bei ihm, und er kümmert sich gar nicht um Ordnung, Zusammenhang und klaren Sinn. Dieser Schriftsteller gleicht einem Manne, der alle, die zu ihm kommen, im Schlafrock ungekämmt und mit der Nachtmütze auf dem Kopfe empfängt. Nun sieht man freilich bei einem interessanten Manne nicht auf die Kleidung; sondern nimmt ihn, wie man ihn eben findet. So hat denn auch das deutsche Publikum Herrn R. von Anfang an als einen wirklich sehr interessanten Mann wohl aufgenommen, ohne auf manche in die Augen fallende Unschicklichkeiten zu sehen. Aber eben diese Nachsicht hätte ihn erinnen sollen, die Unschicklichkeiten sich nach und nach abzugewöhnen. Wenn jemand nicht nur in seinem Zimmer vor seinen Bekannten sich unangekleidet zeigen, sondern auch öffentlich immer im Schlafrock und Pantoffeln erscheinen wollte – was würde man von dem denken? Herr Richter ist bisher beständig vor dem Publikum en negligé erschienen; das fängt an, so auszusehen, als glaubte er, es wäre das ganze deutsche Publikum nichts mehr wert. Das würde einen Mangel der Achtung gegen dasselbe anzeigen, der einem Schriftsteller, der auf die Achtung des Publikums seinen Ruhm gründet, nicht ziemen würde. Wenigstens wenn es nicht Selbstgenügsamkeit, sondern nur Mangel an Aufmerksamkeit auf sich selbst wäre: so wird er es um so weniger übelnehmen, daß einer der Umstehenden ihn an etwas erinnert, worauf er selbst nicht denkt, daß der Schlafrock und besonders die Nachtmütze, durch langen Gebrauch etwas unscheinbar zu werden anfängt, und also wenigstens wohl einmal könnte ausgewaschen werden! Wenn Herr Richter übrigens auch zuweilen – z. B. wenn er sich mit historischen Skizzen beschäftigen will – irgendein ganz simples Kleid anzöge wie andere ordentliche Menschen: so würde es ihm vermutlich recht wohl anstehen, selbst wenn es ihn anfänglich ein wenig genieren sollte; er würde wenigstens dadurch dem Verdachte entgehen, als setze er einen Wert darauf, auch in der besten Gesellschaft sich äußerlich eine ganz andere Gestalt zu geben als andre Menschen, und glaube etwa gar im Ernste, Jean Paul, ohne weiteres, bedeute mehr als Johann Paul Richter. Ein Späßchen wird leicht ungeschmackt, wenn es oft wiederholt wird. Es ist Herrn Richter gelungen, durch seine fremde Gestalt Aufsehen bei einem gewissen Teile des Publikums zu erregen. Das Aufsehen war nun erregt; man lief ihm nach. Sollte er bloß denen gefallen wollen, welche ihm bloß wegen des fremden Ansehens nachliefen? Das ist ihm nicht zuzutrauen. Er würde sich aber nicht durch bloße Seltsamkeiten, deren selbst die Gaffer durch die beständige Vervielfältigung müde werden möchten, bei dem schätzbaren Teile des Publikums in der Achtung erhalten, welche er durch seine übrigen Talente und guten Eigenschaften wirklich verdient.

Und doch möchte man zuweilen glauben, Herr Richter setze auf ein fremdes

Ansehen viel zuviel Wert, und wende deshalb zu seinen Zwecken oft die unrechten Mittel an. Er sagt S. 143[6] »die Weiber leben eigentlich mehr in Ideen als wir; sie denken mehr mit dem Herzen, wir mehr mit dem Kopfe, und sie irren oft durch ihr ganzes Leben, um die versperrte Wirklichkeit herum.« Wenn der Rez. nicht ganz irrt: so beurteilt hier Herr Richter das weibliche Geschlecht ganz falsch. Daß es von Seiten des Herzens zarter ist, als das männliche, ist gewiß; aber die Frauenzimmer sind wirklich nicht so verkehrt, mit dem Herzen denken – das heißt ungefähr, mit den Händen gehen zu wollen; und wenn ein einzelnes Frauenzimmer etwa in der Idee lebt, wird sie von Männern und Frauen viel geschwinder für eine Närrin erkannt, als eine phantastische Mannsperson. Aber man möchte wohl Herrn Richter zurufen: Mutato nomine *de te* fabulam narras. Denn wenn man seine Schriften einige Tage hintereinander lieset (ein nicht leichtes Geschäft, dem sich aber der Rez. unterzogen hat, um diesen wunderbar scheinen wollenden Mann von allen Seiten zu kennen und zu vergleichen): so kann man sich kaum enthalten zu glauben, daß Herr Jean Paul zu den Leuten gehöre, welche mit dem Kopfe Leidenschaften erregen, mit dem Herzen demonstrieren, durch die Nägel transpirieren, durch das Zellgewebe verdauen, kurz in der Natur nichts da lassen wollen, wohin es die Natur gesetzt hat. Es ist schade, daß ein Mann von so guten Anlagen die Grille im Kopfe hat, in seinen Schriften alles fremd und seltsam zu kehren, und immer um die von ihm selbst versperrte Wirklichkeit einer guten Schreibart herumzuirren! Je weniger er solcher Grille künftig Raum geben will, desto mehr wird er seine guten Anlagen wirklich ausbilden; desto mehr wird er seinen Ruhm aufrecht erhalten, welcher sonst unvermerkt sinken dürfte, und schneller, als er sich vielleicht selbst vorstellt.

21 *[Johann Caspar Friedrich Manso]*

Rezension über »Komischer Anhang zum Titan«, Bd. 2   1801

Noch müssen wir ein paar Worte sagen von dem sogenannten komischen Anhang zum zweiten Teile des »Titans«, der aber in der Tat weder komischer noch ernsthafter ist, als der »Titan« selbst; denn auch in diesem Anhange geht alles in der gewöhnlichen Jean-Paulschen Leier fort, so wie auch in der Vorrede zum zweiten Bande. Diese sowohl als das sogenannte »Einladungszirkular an ein neues kritisches Unter-Fraischgericht[1] über Philosophen und Dichter«, und das »Seebuch des Luftschiffers Giannozzo« enthält mehrere offene und versteckte Angriffe auf die Allg. Deutsche Bibliothek, weil die Verf. so unvorsichtig gewesen sind, den so genialischen Jean Paul am Ohrläppchen zu zupfen, und ihm etwas laut in die Ohren zu rufen: Freund! gepinselt ist nicht gemalt.

Ob solcher Dreistigkeit scheint Hr. Jean Paul nicht wenig irritiert zu sein; er schämt sich sogar nicht des ziemlich verbrauchten Witzes, die Verf. der A. D. B. Nicolaiten zu betiteln, wozu er noch den ganz neuen Bannfluch hinzufügt: »daß sie Menschen ohne allen poetischen und philosophischen Geist sind«[2].

Solche Herabwürdigung wäre nun freilich der kürzeste Weg, sich dieser überlästigen Zensoren zu entladen; aber Hr. Jean Paul hat durch das »Einladungszirkulare« noch einen weitern Weg genommen. Es enthält Instruktionen von ganz neuer Art, wie die Schriften solcher Leute, dergleichen Hr. Jean Paul einer ist, besonders die neuesten Philosophen und Poeten, die seine Freunde sind, rezensiert werden müssen, wenn ihm die Rezensionen gefallen sollen.

Er setzt gleich § 2 fest: »Die Erde wird bloß von Menschen verändert, die nicht von ihr verändert werden; die Menschheit empfing alle ihre akademischen Grade nur aus der Hand einzelner exzentrischer Geisterregenten. Die Menge konnte die Menschen nicht bilden, so wie Hunde keinen abrichten.«[3]

Das ist eine ganz neue Lehre! Da nun, wie aus allem erhellt, Hr. Jean Paul sich vorzüglich für einen einzelnen exzentrischen Geisterregenten hält: so sieht man wohl ein, der Sinn dieser Lehre soll ungefähr dahin gehen, daß wir konzentrischen Leute, da wir zur Menge gehören, nicht uns, ein Hund den andern, abrichten können; sondern daß es dem exzentrischen Menschen Jean Paul aufbehalten bleiben soll. Aber unser Mann macht, wie es ihm wohl zuweilen begegnet, wenn er einen erhabnen Gedanken glaubt erhascht zu haben, wenig mehr als ein leeres Wortspiel, und das Kompliment, welches hier seine Eitelkeit seiner eigenen Exzentrizität machen will, ist ziemlich verunglückt. Es ist ein großer Unterschied zwischen einem über seine Zeit erhabenen Geiste und zwischen einem selbstgefälligen Sonderlinge, der seine Seltsamkeit für das Zeichen eines überschwenglich großen Geistes und sich daher für einen Auserwählten hält. Ein solcher Sonderling affektiert gemeiniglich, alle die nicht so seltsam sind wie *er*, d. h. die Menge zu verachten, uneingedenk, daß die Männer, welche gesunde Vernunft und gesunde Beurteilungskraft mit geprüften Einsichten und Kenntnissen verbinden, in Deutschland doch in nicht geringer Anzahl vorhanden sind, so daß sich niemand schämen darf, der Menge dieser verständigen Leute beizutreten. Wohl aber schämt man sich billig, unter den *einzelnen* exzentrischen Leuten gefunden zu werden, welche alles für verächtlich und abgeschmackt ausgeben, was außer ihrem engen Gesichtskreise liegt, in welchem, ihrer Meinung nach, allein die Sonne aufgehen soll, indes alles andere in Finsternis und Nebel vergraben liegt. Dergleichen Schriftsteller, die sich so exzentrisch als allein weise dünken, und alles verachten, was nicht in ihren Zirkel gehört, hat Deutschland jetzt bei Dutzenden, ohne daß sie jemand für etwas Sonderliches hält, außer sie sich selbst. Die Verf. der »Lucinde«[4], der »Genoveva«[5], der »Fragmente des Novalis«[6], der »Gigantomachie«[7], der »Eumeniden«[8], und eine Menge anderer exzentrisch sein wollenden neuerern Schriftsteller, welche immer von der neuen Zeit reden, worin durch sie ein ganz neues Licht soll aufgegangen sein, werden wahrlich die Menschen nicht bilden, so wenig wie unser Jean Paul; ob er gleich sonst mit ihnen nicht in gleiche Reihe zu stellen ist. Er und die obigen alle sind in ihren Schriften nicht sowohl exzentrisch als azentrisch, d. h. sie haben keinen eigentlichen festen Punkt, wovon sie ausgehen; sondern sie lassen sich bloß von ihrer wetterwendischen Laune und von ihrem Dünkel hin und hertreiben[9]. Wer die Menschen bilden will, muß nicht allein für sich selbst auf einem festen Punkt stehen; sondern auch mit ihnen den einen oder mehrere Punkte gemein haben; sonst hofft er vergebens, daß er auf sie wirken könne. Homer, Aristoteles, Sokrates, Luther, Friedrich der Große und Voltaire haben gewiß die Menschen gebildet, und niemand wird sie für exzentrisch halten, am wenigsten auf die Art, wie Jean Paul exzentrisch zu sein trachtet. Sie schlossen sich an die allgemeine Natur des Menschen an; aber sie erhoben sich über dieselbe und über ihr Zeitalter, und ihnen folgte die vernünftige Menge. In diesem Fall ist Jean Paul nicht, welcher sich eine eigene Jean-Paul-Leibgeberische Natur schafft, worin alles ganz anders gehen soll als in der gewöhnlichen Natur, indem er seine jedesmalige Laune für ein erhabenes Ideal hält, wonach er andere Menschen bilden will. Er betrachtet dabei, wenn ihn eine mürrische Laune antrifft, die von ihm abzurichtende und doch von ihm verachtete konzentrische Menge, die auf Erden neben ihm wandelt, ungefähr wie abzurichtende Hunde, gegen die er Strenge brauchen würde, wenn es nur gehen wollte. Glauben die Leser etwa, daß wir Hrn. Jean Paul allzuhart beurteilen? Daß dies nicht der Fall ist, erhellet aus mehrern Stellen seiner Schriften, wo jetzt schon der Mißmut und die mürrische Verachtung der Menschen durchscheint, welche zuletzt die Folge des Dünkels ist, der sein Ich in den Mittelpunkt der Welt setzen, und alles darnach abmessen möchte. Unter andern ist davon ein Beispiel ein sanfter Idyllentraum, den der Luftschiffer Giannozzo, in welchen sich Hr. Jean Paul zu verlarven für gut fand, gern träumen möchte. (Anhang S. 42[10].) Dieser Traum verdient, daß wir ihn ganz hieher setzen:

»Ich dachte an das Himmelsglück, ein Gespenst zu sein – da tat sich eine Pandorabüchse, ein Äolsschlauch[11] von Phantasien auf. Ihr Geister! wie gern wollt' ich Grenzsteine verrücken, und unrechtes Gut einsammeln, wenn ich dadurch die Geistermaskenfreiheit überkäme, daß ich in schrecklicher Gestalt umgehen, und jedem Schelm, der mir gefiele, das Gesicht zu einem physiognomischen Anagramm[12] umzeichnen könnte. Bald würd' ich vor dem Oberkriegskommissär als ein sanfter Haifisch gähnen – bald einen welken roué mitten in seinen impedimentis canonicis[14] als eine Riesenschlange umhalsen, wie den Laokoon[15] – bald vor einem Sortiment von Bratenröcken, das die Käferfreßspitzen schon in die braune Pastete setzt, aus dieser belebt und naß aussteigen, als gräuliche Harpye und fast täglich würd' ich fait[16] davon machen, daß ich diese statistischen kleinstädtischen Achtzehnjahrhunderter ohne Geister und Religion mitten in der Kammerjägerei ihrer Brotstudien, Brotschreibereien, und ihres Brotlebens, mit etwas Überirdischen (ich fahre z.B. als ein Engel durch den Saal) aus der Trödelbude ihres abgeschabten Treibens und Glaubens hinaussprengte, so daß sie sich lieber für toll hielten und für krank, und sogleich nach dem Kreisphysikus schickten. – Ach! das sind sanfte Idyllenträume!«

Wie mögen wohl diese Phantasien Idyllenträume heißen können? wenn die sanften Idyllenträume unsers Jean-Paul-Giannozzo schon so schrecklich sind, was werden nicht erst seine schrecklichen Träume sein! Mit welchem exzentrisch-gräulichem Gesichte würde dann dieser Geisterregent, nachdem er in seinem Traume der Menschheit sehr pomphaft alle ihre akademischen Grade erteilt hat, eine zehnfache Geißel ergreifen, um die Menge, diese Menschenhunde, damit abzurichten! Aber wie? Wenn etwa Jean Paul vergessen hätte, daß ihm selbst wohl noch einige

Bildung nötig wäre, daß es ihm nützlich sein könnte, in sich selbst zurückzukehren und seinen Dünkel und unbedingten Zorn über die Menge etwas zu mäßigen? Gesetzt nun, auch ein Rezensent bediente sich der Geistermaskenfreiheit (wenn sie *einem* erlaubt ist, wird sie auch andern erlaubt sein), und erschiene vor ihm, nicht als eine der gräulichen Harpyen, die

> Diripiunt[que] dapes, contactuque omnia foedant
> Immundo[17];

sondern als ein ernsthafter, wohlmeinender, wenngleich beschwerlicher Freund, ihm zurufend: »Törichter! Ehe du auf andere wütend losfährest, so siehe in Dein Innerstes, und bedenke was Du tust! Verachte nicht das statistische Treiben der Geschäftsleute, durch die der Staat bestehet; worin Du selbst Schutz und Sicherheit, und alle Annehmlichkeiten des Lebens genießest, unterdessen sie auch für Dich mühsam arbeiten! Sei nicht so sinnlos, diese in ihrer Art schätzbaren Männer, mit Schelmen und Schlemmern in eine Klasse zu setzen! Schone, Du Unbesonnener! doch wenigstens um Dein selbst willen der Kammerjägerei der Brotschreibereien! Auch das Bücherschreiben ist ja ein Brotleben geworden, seitdem so manche Schriftsteller, welche allzu faul oder allzu unfähig sind, um ein Amt oder sonst etwas der bürgerlichen Gesellschaft Nützliches zu übernehmen, sich aus Gemächlichkeit dem Studium der Bildung der Menschheit ergeben, und es als ein Brotstudium treiben! Es reisen ja

> ›The mob of gentlemen who write with ease‹[18]

zur Leipziger Messe, um ihre geschriebenen Hefte, wie jeder Buchhändler die gedruckten, aufs bestmöglichste an [den] Mann zu bringen! Es ist also von Dir, der Du selbst eine Kammerjägerei treibst, die dergestalt ein Mittel zwischen Bücherschreiben und Buchmachen hält, daß es oft schwer zu bestimmen ist, in welche Klasse Deine Schriften gehören, gewiß doppelt unklug, die Miene anzunehmen, als wären die Geschäfte des Staats und die Industrie der Staatsbürger – von Dir Brotleben genannt – eine Trödelbude gegen Dein genialisches oder humoristisches – wie Du Dir einbildest – überirdisches Geschreibsel!«

Was könnte der Idyllenträumer wohl zur Verteidigung seines unanständigen humoristischen Ausfalls vor dem Richterstuhle der Vernunft antworten? Besser wäre es, wenn Jean-Paul-Giannozzo auf die Stimme eines warnenden Freundes hören, wenn er suchen wollte, vom wahren Werte seiner bisherigen Schriftstellerei und von den großen Mängeln derselben sich selbst Rechenschaft zu geben. – Alsdann würde er von dem Idyllentraume zurückkommen, daß *er* und seinesgleichen der Menschheit akademische Grade erteilen könnten; daß seine Laune, gleichviel, sei sie witzig oder platt, weit wichtiger wäre, als alles menschliche Wissen, Treiben und Tun.

[...]

Brief an eine Dame bei Uebersendung des Titan von Jean Paul   1803

Sie fordern mich auf, Ihnen bei Übersendung dieser oder jener interessanten Schrift zugleich mein Urteil über dieselbe mitzuteilen. Das scheint beinahe bei dem ersten Anblicke, als wollten Sie mich zum Rezensenten einweihen; allein ich hoffe Sie besser zu verstehen, und zweifle daran, daß Sie sich mir ruhig gegenüber wie die Dame des Herrn G. M.[1] setzen würden, um ähnlichen ästhetischen Kämpfen beizuwohnen. – Ein wildes Tier unter Damen! Gott behüte! Zumal wenn es kein Löwe ist, wie im angeführten Falle. – Wer könnte mir auch dafür einstehen, daß nicht ein zweiter Rezensent sich über meine Rezension hermachte; und diesem Schicksale will ich mich nicht aussetzen, zumal da es leicht zu befürchten wäre, indem der schlechten Rezensionen jetzt fast mehrere sind, als der schlechten Romane, und es vielleicht einmal einem boshaften satyrischen Kritiker einfallen könnte, sich bloß an die ersten zu halten. –

Schriebe ich eine Rezension, so würde ich sogleich damit anfangen, daß der beikommende »*Titan*« viele Fehler hat. Allein da ich Ihnen bloß einige Bemerkungen ins Blaue hinein zusende, die Sie mehr unterhalten als belehren sollen, so sage ich Ihnen in einer mutwilligen Laune, daß es bei manchen Schriften der Fehler sein würde, wenn die Fehler darin fehlten; und zu diesen Schriften rechne ich besonders die Richterschen Romane – oder wollen Sie sie lieber *humoristische Darstellungen*, oder *sentimentale Dichtungen* nennen? denn *Romane* im Sinne der Kunsttheorien sind sie so eigentlich nicht, obgleich sehr viel Romantisches in ihnen anzutreffen ist.

Die Fehler, von denen ich sprach, fließen aus der scharf konzentrierten Individualität her, die die Richterschen Schriften überall charakterisiert[2], und grade deswegen dulde ich sie neben dem Vortrefflichen gern, weil ich jede kräftige und durch sich selbst vollendete Individualität liebe. Ein Individuum, wie *Richter*, trägt eine Welt in sich, und dieser Schriftsteller ist daher billig mehr der Liebling der Damen – die den Verfasser neben seinem Werke gern noch besonders lieben – als der Kunstrichter, vor denen er sich ämsig hinter sein Gemälde zu verbergen suchen muß, damit sie es als *allgemein* und *objektiv* lobpreisen können; dahingegen die schönere Hälfte die Menschenliebe über die Kunstliebe nicht vernachlässigt. –

Nichts ist mir ärgerlicher gewesen, als wenn die Kunstrichter bei ausgezeichnet originellen Schriftstellern alles recht nach der Regel und nach dem Maße verlangen, das sie ihrer mehr oder minder beschränkten Bildung gemäß, an die Kunstwerke zu legen belieben, und einstimmig Feuer rufen, wenn eine mächtige Kraft auch einmal die Schranken sprengt und sich im Freien, gleichsam außer dem Kunstreviere umhertreibt. Freilich kann in einem so regelrechten Zeitalter, wozu sich das unsrige auszubilden bemüht, die *Kraft* selbst eben nicht das Hauptsächlichste sein, worauf man hinsieht; sie reden deshalb auch immer von der *Schönheit*, als der ruhigen Erscheinung des Unendlichen, und wenn der Strom, der den Himmel und die Erde in sich abspiegelt, sich einmal kühn in seinem Flußbette aufregt und die Bilder grotesk und eckigt durcheinander zieht, so klagen sie über die aufgehobene Schönheit, ohne die Macht des Stroms selbst zu bewundern. – Dies alles sind Gleichnisse; aber sie lassen sich so ziemlich auf *Jean Paul* und seine Kunstrichter anwenden, und ich füge nichts weiter hinzu, weil ich nicht Lust habe über die Kunstrichter zu kunstrichtern. Über unsern Schriftsteller aber bemerke ich noch im allgemeinen, daß ich, so sehr er oft auch gegen die Schönheit verstößt, doch mehr Schönheit und Poesie in seinen Schriften gefunden habe, als in manchen unserer objektiven und allgemeinen Kunstwerke, die man oft deshalb nicht recht lieben kann, weil sie die Schönheit zu sehr ins Allgemeine betreiben und eine liebenswürdige Individualität ganz dabei vernachlässigen.

Unter Jean Pauls Schriften waren mir bis vor der Herausgabe des »Titan« die ersten beiden Teile des *»Siebenkäs«* durchaus am liebsten. Die Damen möchten vielleicht den *»Hesperus«* vorziehen, weil sie einen gewissen Platonismus in der Erscheinung und daher auch in der Poesie gern protegieren. Ich für mein Teil muß bekennen, daß ich unserm Dichter ungern folge, wenn er sich zu den Höhen der Geisterwelt hinaufschwingt und unter Nebelsternen umhertreibt.

Im *»Titan«* hat er sich am lebendigsten und reichsten ausgesprochen, und ich zweifle, daß er auf diese Schrift noch eine andere wird folgen lassen können, in der seine Individualität so vollendet und üppig sich darstellt. Das Werk ist sein Apollo – eine Venus möchte ihm nicht gelingen, indem ihr der schöne irdische Anteil fehlen dürfte. Reine idealische Gestalten sind indes grade seine Stärke nicht, eben weil in den seinigen die bestimmtere Individualität entdeckt sein will – und der *Albano* selbst, als die Hauptgestalt des »Titan«, lebt noch mehr in ihrem Verfasser, als in sich selbst, und der beste Teil, der von ihr in der Erinnerung des Lesers zurückbleibt, ist bestimmt *Jean Paul.*

Liane ist eine Rose, die zu zart blüht, um nicht zu verwelken. Sie ist eine Kranke in dem unteren Leben, und ihr feinerer Sinn scheint den Tönen einer andern Welt zu lauschen; deshalb ist auch ihre Blindheit so äußerst charakteristisch. Um *lieben* zu können fehlt ihr viel, ich möchte sagen alles – und doch ist sie lieblicher als eine Liebende. – *Lindas* Liebe ist auf einer andern Seite unnatürlich; sie liebt als Mann und Weib zugleich, und darum wirkt ihr Schicksal kaum tragisch. Überall ist, soviel auch in Jean Pauls Schriften geliebt wird, die Liebe selbst doch eben der Hauptgegenstand nicht, indem sie darin erst *erfunden* werden dürfte; sie ist überall zu einseitig, entweder zu metaphysisch oder zu sinnlich, das letzte indes am seltensten. – *Idoine* ist nur Nachhall und Echo aus Lianens Leben und ihr sterbliches Bild. Die reine zur Antike entrückte *Chariton,* sowie die ökonomische *Rabette* möchten modernen Damen vielleicht nicht sehr gefallen.

Unter den männlichen Charakteren ist *Roquairol* der vorzüglichste; und zwar nicht, wie es oft wohl der Fall zu sein pflegt, ein Phantom in Jean Pauls Humor gehüllt, sondern aus der Tiefe des Lebens selbst hervorgerufen und ein kolossales Denkmal für ein großes Kapitel aus der Zeitgeschichte. Dieses Spielen und Verspielen seiner selbst ist bis zum leisesten Hauche in sich getreu, und schon bei seinem ersten Auftreten ist es klar, daß dieser furchtbare Verschwender des Höchsten und Heiligsten in den Marionettenspielen, die er überall mit sich selbst aufführt, zuletzt seine eigene Figur, und womöglich auch die seines Mitspielers, zerschlagen muß. – Der Onkel, der ihm bei seinem Trauerspiele zu dem unteilnehmenden mechanischen Chorsänger verhilft, gehört schon mehr zu den Phantomen, ob er gleich etwas von einer grellen Wahrheit an sich hat. Er ist fast ebenso mechanisch wie seine Dohle, besonders in seinem Hasse.

In einem edleren Style ist der Ritter *Gaspard* gebildet; überall aber gibt es in der Hofgalerie des Buchs eine Stufenfolge von Menschen mit ausgebrannten Herzen, die sich nur durch die Kühnheit ihrer Systeme übereinander erheben. –

Was am meisten bei dem »Titan« zu bedauern ist, ist, daß *Leibgeber* darin stirbt, dieses groteske Standbild von Jean Pauls Humor, von dem nur jetzt sein *objektives* Ich, *Siebenkäs* zurückbleibt. Daß jener toll wird, ist übrigens eben nicht zum Verwundern, indem Menschen dieses Schlages im Verhältnisse mit den ächt und systematisch Vernünftigen, schon von Natur toll sind. –

Ein großer Teil des »Titan« besteht aus Naturschilderungen, von denen viele zauberisch schön sind. An Landschaftspinselei ist dabei nicht zu denken, vielmehr haust er mit einer wilden Kühnheit in seinem Reiche, oft wie ein zweiter Tempesta[3], und führt aus antithetischen Massen eine zweite Schöpfung hervor, in der sich doch die erste alte lieblich spiegelt. Seine Kraft bleibt auch hier, selbst wo er zerstört, noch bewundernswürdig.

Das Buch enthält übrigens ungewöhnlich viel Geschichte; aber es möchte schwer sein, sich daran zu halten, indem er die Geschichte überall zu seinem Sklaven macht und sie niemals freigibt. Ein Irrgarten bleibt es in dieser und mehreren Rücksichten immer – aber ein Zauberer hat ihn angelegt.

23   *[Anonym]*

Eduard an Theodor
(Aus einem ungedruckten Roman)   1804

Diesen Morgen, ehe ich Deinen Brief erhielt, schrieb ich an Dich, in der Absicht, Dir mein Mitleid zu bezeugen, und Dich zu trösten. »Sieh, Freund! – sagte ich – ich komme zu Dir mit trüber Seele, und zeige Dir ein Antlitz, das Dir wohltun muß, weil Du Deine Leiden darauf wiederfindest. Armer! Du leidest an einer Krankheit, die – ach! ich kenne ihre Qual, vom Geiste aus den Körper zerstört, die der Arzt nicht heilt, sondern die Liebe, in welcher sie ihren Ursprung hat« usw. Nun, da ich Deinen Brief gelesen habe, sehe ich nicht ein, daß ich mich täuschte, sondern daß Du Dich auf diesen Artikel nicht einlassen willst. Also »manum de tabula!«[1]–

Wenn Du aber glaubst, und Dein Brief scheint so etwas zu verraten, daß die Krankheit, worüber ich klage, diejenige sei, die ich bei Dir mutmaße; so irrest Du. Ich wiederhole es, ich kenne sie, ich habe an derselben gelitten, mehr, als ich fähig wäre je zu beschreiben, wenn ich auch alle Qualen des Tartarus zu Vergleichungen brauchte, und, wenn Du willst, ich leide auch jetzt noch, aber nur so, daß ich mit Schiller sagen kann:

Das süßeste Glück für die traurende Brust,
Nach der schönen Liebe entschwundener Lust,
Sind der Liebe Schmerzen und Klagen.[2]

Wenn es also auch Schmerzen sind, so sind es doch solche, worüber sich wohl weinen, aber nicht scherzen läßt. – Du magst Dir dieses als einen Artikel zur Menschen- und Herzenskunde notieren, und dann will ich Dir auch bekennen, daß, wenn es mir wirklich darum zu tun gewesen wäre, den Zustand Deines Herzens zu sondieren, daß ich dann nichts Unebeners hätte tun können, als was ich in meinem vorigen Briefe getan habe. Genug davon.

Oder auch nicht genug; denn was ich Dir über *Jean Paul* zu sagen schuldig geblieben bin, hängt genau damit zusammen *. *Jean Paul* ist bloß ein Schriftsteller für Verliebte; – ich nehme das Wort im besten und edelsten Sinne – kein anderer kann ihn lesen. Die Liebe, und zwar die höchste, idealische hat ihn gebildet, das heißt, hat ihn zum überirdischen Menschen gemacht. Sie taucht seinen Pinsel in die Glut des Morgenrotes, wenn er seine Landschaften malt, sie zaubert Elisium um ihn her, wenn er einen Maitag schildert, sie versetzt ihn unter Edens kühlende Palmen, wenn sein Busen oder die Welt für seine glühenden Gefühle zu enge wird. Daher die Hoheit, der Adlerflug seines Geistes, und die Kindlichkeit seiner Gefühle, daher die alle Grenzen der Sinnenwelt weit überfliegende Schwärmerei, und seine stille Freude an jedem Blümchen der Erde; daher sein brennender Durst nach höherem Genusse, und seine Sehnsucht nach Ruhe; daher die ewige Zwietracht seines Geistes, seine Ebbe und Flut, der ewige Wechsel des brausenden Sturmes mit der leisesten Stille.

Er verachtet die Welt, und doch hat er sie, oder die Schöpfung so lieb; er spottet des gewöhnlichen Menschen, und sinkt mit Tränen der Liebe der ganzen Menschheit an den Busen; er tritt alle irdische Größe in den Staub, und verehret jede menschliche Empfindung. Der Mensch ist ihm Alles und Nichts: ein Insekt, so wie er im gemeinsamen Leben erscheint, ein Gott, nach seinem Ideale, was er sein könnte. Daher sind seine Helden und Heldinnen entweder überirdische Wesen, wie sein *Emanuel,* sein *Gustav,* oder *Viktor,* seine *Beata,* oder *Klotilde* etc., oder die menschlichsten Geschöpfe, Marionetten oder Naturkinder, *Oefel,* oder *Wutz* etc. Diese sind die Gegenstände seines Witzes und seiner Laune; so wie jene die Gegenstände seiner Begeisterung. Alle zusammen in einem bunten Gemische bilden das sonderbarste Gemälde von Engeln und Menschen, Halbgöttern und Amei-

---

* Eduard schrieb an Theodor: »*Jean Paul!* Ich soll nicht lachen, daß er dich beim Schopf genommen, und in den neunten Himmel versetzt hat? – Aber ich muß über diese höchst billige Forderung lachen. Wen *dieser* Geist nicht begeistert, der ist nicht wert, daß er seinen Blick zu den Sternen erhebt. Ich kann dir dieses Mal kein detailliertes Urteil über diesen Jean Paul mitteilen; aber gerade noch so viel, dir das Geheimnis ins Ohr zu sagen, daß du – herzlich verliebt bist. Woher ich das weiß? – daher, daß – – – aber, daß ich ein Tor bin, dir es eher zu sagen, als du es mir eingeräumt hast.«

sen; ein Gemälde, worauf Schönheit und Karikatur, Weisheit und Torheit, Himmel und Hölle beisammen sind; ein Werk göttlicher Phantasie, tiefer Menschen- und Herzenskunde, des feinsten Witzes, der beißendsten Satyre und unnachahmlicher Laune.

Aber, was habe ich denn sagen wollen? – Nun recht! *Jean Paul* sei ein Schriftsteller für *Liebende.* Statt des Beweises habe ich eine Charakteristik desselben entworfen; aber ich dächte doch, sie enthielte den Beweis; und, wenn ich nun noch hinzusetze, daß ich folgendermaßen schließe: »Wer diesen schwärmerischen, überirdischen, in Liebe schwelgenden, vor Liebe rasenden, exzentrischen Jean Paul *mit Entzücken* liest, *der liebt* – liebt, oder hat geliebt, das ist *eins*« – so habe ich ja meinen Ausspruch in meinem vorigen Briefe belegt – und bewiesen? –

Lebe wohl, und antworte bald. Sie, der Götter und der Menschen Herrscherin, nehme Dich in ihren Schutz.

Dein Eduard.

24 *[Karl Leopold Heinrich Reinhardt?]*

Rezension über »Flegeljahre«, Bd. 1–3   1804

Jean Paul behandelt beinahe den lieben Gott, wie Clementi[1] Haydn: er macht – Auszüge aus seiner *Schöpfung.*

Es will jedoch verlauten, Haydn sei in geschmackvollere Hände geraten. –

Welch ein Chaos von reifen und unreifen Kenntnissen, – von Brocken aus allen Fächern der Gelehrsamkeit, mit Einschluß der sieben freien und aller unfreien Künste und Handwerke – von echtwitzigen, bloß schimmerreichen und platten Einfällen – von erhabenen, tiefgedachten und seichten, falschen Gedanken – von schönen und zarten, – kränklichen und überspannten Gefühlen – überhaupt von Trefflichkeiten und Bizarrerieen jeder Gattung in den Schriften dieses genialen, originellen Schriftstellers!! Sie sind – mit einem Worte – Quoddeusvultiana, wie er in vorliegenden Romane ein Kapitel[2] überschrieben hat, allein die Quodlibets[3] haben bekanntlich nur dann wahren Kunstwert, wenn alle Einzelheiten derselben untereinander in Beziehung stehend, von einem feinen, umfassenden, verständigen Geiste ausgewählt, geordnet und zu einem *harmonischen, sinnvollen Ganzen* verbunden sind. In Richters älteren Werken war dies nie, und in seinen neueren dürfte es wohl auch nicht der Fall sein. Indes ist Richter jetzt nur noch der halbe Jean Paul: – endlich scheint der Geschmack seinem Humor, wie Bellerophon[4] dem Hippogryphen, Zaum und Gebiß angelegt zu haben. Das Tier stellt sich im »Titan«, besonders in den letzten Teilen desselben, ganz fromm an und fast wie zugeritten – es geht nicht mehr durch, es schmeißt und beißt nicht mehr, und kurbettiert[5] – ohne beträchtliche Bogen- und Seitensprünge, – recht artig den Helikon hinauf – nur leider! auch wieder herunter; Roß und Mann kehren am Schlusse des Werks von ihrem Wolkenfluge, aus der Nachbarschaft des Himmels zur Erde zurück – die schöne Idealwelt verwandelt sich in die gemeine wirkliche, die Poesie in Prosa – das bezauberte Publikum wird entzaubert, es erhält – was ihm weiser vorenthalten werden mußte – den Schlüssel zum Ganzen, nicht – *Petri Himmelsschlüssel.* – Hätte Jean Paul zu rechter Zeit abbrechend, seinen »Titan« unvollendet gelassen, so würde er vollendeter sein. Er hat wie ein gemeiner deutscher Steinmetz den Torso eines Skopas[6] ergänzt – es mit seinem eigenen Werke gemacht, wie Herr X. Y. Z. mit Schillers »Geisterseher«[7]. Schiller selbst wäre nicht Schiller, wenn er jemals dieses Zauberwerk durch einen *erklärenden* letzten Teil vollendete, das heißt – vernichtete, denn nie läßt sich der weise Künstler in die Karte sehn – er gibt höchstens nur Winke, nie die Auflösung selbst. Er will nicht, daß man vom Gastmahle seines Geistes mit vollem Magen, gesättigt aufstehe wie von einem Kartoffelgerichte – sein Wunsch und Zweck ist: daß man das letzte Blatt seines Werks mit jenem schmeichelhaften Unwillen umwende, welchen vergebliches Verlangen nach der Fortdauer angenehmer Empfindungen einflößt. –

»Warum ich mich in einer Rezension der ›Flegeljahre‹ mit Bemerkungen über den ›Titan‹ aufhalte?« – Darum: der Rückblick vom *neusten* auf das *vorhergehende* Werk eines Schriftstellers ist jederzeit interessant – oft sogar notwendig, damit man beide – sowohl den Schriftsteller als seine Werke – besser verstehe, ganz durchschaue und fasse.

Aus einer Vergleichung des »Titan« mit den »Flegeljahren« ergibt sich das Resultat: daß sich zwei ganz verschiedne, einander beinahe entgegengesetzte Charaktere in Jean Paul vereinigen, – der *humoristische* und der *romantisch-sentimentale. Jener* offenbarte sich vorzüglich in *diesem, dieser* in *jenem* Romane.

Man könnte von Jean Paul sagen, er habe viel Ähnliches von seinen Namensvettern, den Aposteln, – vom *Johannes* das Sanfte, Zarte, Schwärmerische, Bilderreiche und Mystisch-Barocke, – vom *Paulus* das Kühne, Kräftige und Schneidende. – Er vereinigt in seiner Person die Charaktere der beiden Haupthelden des vorliegenden Werks und scheint, mit Bewußtsein und Absicht, aus den beiden Hälften seines eignen Ichs, den welterfahrnen spöttischen und dennoch guten *Quoddeusvult* und seinen Zwillingsbruder, den kindlichen, liebenswürdigen, dabei aber etwas mondsüchtigen *Gottwalt* gebildet zu haben.

Trotz seinem reichen schöpferischen Geiste geht es dem guten Jean Paul nicht besser, als Lafontainen[8], und vielen andern Romandichtern, die sich der Polygraphie befleißigen: – es sind immer *dieselben* Puppen, womit er spielt; in jedem neuen Werke putzt er sie nur mit schönen Läppchen auf eine *neue* Weise schön heraus. *Vult* z. B. oder (ohne Abkürzung) Herr *Quoddeusvult* in den »Flegeljahren« ist offenbar kein anderer Mensch, als der alte selige *Schoppe* aus dem »Titan«; hat jedoch während seines Scheintodes, in der Pause zwischen beiden Romanen, die *Querflöte* spielen gelernt, worauf er sich denn in den »Flegeljahren« als Virtuose, nicht sonder starken Applaus, bisweilen hören läßt. Ebenso wird ferner der an Hyperdelikatesse und Hysterie – Maladien[9], woran alle Haupheldinnen Jean Pauls laborieren – sanft dahingeschiedenen *Liane*, allhier unter dem Namen *Wina* eine fröhliche Urständ verliehen; vorher aber ist ihr in den elisäischen Gefilden der Star operiert und etwas Rot aufgelegt worden, so daß flüchtige Beobachter sie schwerlich wiedererkennen werden. – Auch *Albano* hat – ein seltner Fall! – bloß stark *zurück*gelebt in das *jünglingische* (wenn ich so sagen darf) aus dem *männlichen* Alter hinein, und tut folglich, als Hauptperson und *Gottwalt*, in den »*Flegeljahren*« keineswegs dar, daß er im »*Titan*« mit Nutzen gereist ist.

Doch Scherz beiseite! – Sind die Lieblingscharaktere eines Schriftstellers – *schöne* Ideale oder auch nur in vorzüglichem Grade interessant; so ist's grade nicht unangenehm, wenn sie mit jedem neuen Werke gleich Phönixen – ins Leben zurückkehren. Eines gewissen Schriftstellers[10] flache Tugendhelden freilich, die ohne deutlichen Begriff von *wahrer* Tugend, unaufhörlich von Tugend *schwatzen*, und einer fixen Idee zur Liebe, wie Don Quixote, ihr Lebelang mit Windmühlen und Schafherden in einem lächerlichen Kampfe liegen und erst am Ende ihres, ohne Not, qualvollen Scheinlebens, gleich dem Ritter von la Mancha, zur Raison kommen: – o! möchten doch diese lieber gar nicht auftreten, als ein paar hundertmal nacheinander, bald in Husarenpelzen, bald als Landprediger mit einer Azel[11], bald wieder als Titusköpfe[12] und so weiter! – Jean Pauls Revenants hingegen haben in der Tat für Geist und Herz magnetische Kraft, und so schüttelt man ihnen denn bei jeder neuen Auferstehung von den Toten gleich treuen, geliebten, von einer Reise zurückkehrenden Freunden herzlich die Hand; ja es ist gewissermaßen ein Trost, daß man ihnen, wenn sie scheiden, mit Zuversicht: à revoir! nachrufen kann.

Indes – soooft ein Schriftsteller *alte Charaktere* wieder einführt, muß er mit Anstrengung seiner Einbildungskraft darauf bedacht sein, daß er sie in *neue Verhältnisse* bringe. Jean Paul tut das wirklich. Die »Flegeljahre« sind reich an Situationen und Szenen von hinreißender Schönheit, dahin gehört z. B. die Erkennung der Zwillingsbrüder auf dem Herrnhutischen Kirchhofe[13] und viele andere noch bessere, wobei besonders der Kontrast in den Charakteren *Vults* und *Walts*, der hier trefflich benutzt ist, desgleichen die eifersüchtige Freundschaft des erstern, häufige Veranlassung geben. Wie ein liebender Genius umschwebt unsichtbar und bewahrt der weltkundige Flautotraversist seinen unerfahrnen Bruder, der unter gar schwierigen Bedingungen zum Universalerben einer wichtigen Erbschaft eingesetzt worden, vor den Fallstricken und Fußangeln, die ihm von den im Fall, daß er strauchle, substituierten Miterben, wahren Kakodämonen[14], deren Zahl auf sieben gesetzt ist – überall in den Weg geworfen werden. Die Charaktere der letzteren sind zwar nur mit flüchtigen, aber dabei scharfen, kecken Umrissen gezeichnet, was auch von den übrigen Nebenpersonen gilt. Überhaupt habe ich schon oft die Bemerkung gemacht, daß sich Richter, wie Michelangelo, in seinen Kartons oft genialischer und größer zeigt als in seinen mit Fleiß ausgeführten Gemälden – den einzigen Siebenkäs, Leibgeber, Schoppe, Quoddeusvult, oder wie sonst der echthumoristische drollige Kauz heißen mag – ausgenommen. Sollte dieses Original in einem neueren Romane Jean Pauls einmal ganz fehlen, so würde *ich* wenigstens ihn gar nicht lesen. Doch auch der Charakter Roquairols im »Titan« war, obgleich nicht künstlerisch verschönt, doch mit großer Wahrheit und tiefer Seelenkenntnis dargestellt.

In der Kunst, durch Gruppierung der einzelnen Gestalten einen bestimmten Effekt hervorzubringen, darf sich *Richter* dreist mit jedem Meister der Vor- und Mitwelt messen. Er versteht es ganz, das Herz zu ergreifen und den Leser vom

Lachen zum Weinen die ganze Folge der Gefühle durch empfinden zu lassen. Dem Auge Demokrits selbst würde er wenigstens *eine* Träne entlocken und Heraklits Morosität[15] zum mindesten *ein kleines Lächeln* abgewinnen. Die Tendenz seiner Romane gefällt mir indes im Ganzen gar nicht, oder vielmehr sie *miß*fällt mir recht sehr. Alle darstellenden Künste (mit Ausnahme der *schwarzen* Magie) streben dahin, uns mit der Welt und den Menschen, *wie sie sind*, zu befreunden, indem sie uns ahnen lassen, *wie sie sein könnten*, zugleich aber uns belehren, wie wir die Metamorphose ins Bessere, sowohl mit jenen als mit uns selbst, bewirken können; sie suchen mithin unsre irdischen Verhältnisse zu *verlieblichen* – nicht, wie Jean Paul, uns dieselben zu *verleiden*, gewähren uns eine richtige Ansicht und Schätzung der Dinge, lehren uns, mit männlicher Resignation bei unverschuldetem Unglück frohsinnig durch das Leben wandeln – kurz: glücklich sein und glücklich machen, d.h. wie wir es anzufangen haben, das Wahre, Gute und Schöne zu empfinden und zu befördern. Jean Pauls Produkte beseelen aber wohl nur selten jemand durch schönes Gefühl des Daseins zum *Fortleben*. Mir ist kurz nach der Lektüre derselben, unter Menschen auf Erden jederzeit zumute, als sei ich zur Strafe mit Bösewichtern in einen gemeinschaftlichen Kerker geworfen. Andere Leser, besonders weibliche, deren ich einige kenne, fangen dabei gar an, zu – *himmeln*, sie sehnen sich aus diesem *Rosen*tale, *Jammer*tal von ihnen genannt, hinweg und hinauf in Abrahams Schoß, ja! sie verspüren bisweilen gar Anwandlungen von melancholischer Tollheit und Trieb zum Selbstmorde. Das ist Tatsache.

Jean Paul tut daher nicht wohl, seinen eigentlichen Beruf als Schrifsteller so sehr zu verkennen. Er würde größeren Beifall verdienen, wenn er statt mondsüchtiger Karikaturen vorzüglich schöne freie Ideale zeichnete – Menschen, die an Leib und Seele gesund, allen Gegenständen die Sonnenseite abzugewinnen wissen, über die Narren lachen, die Schurken zu bessern versuchen und – wenn das nicht geht – kräftigst ihren Schurkereien entgegenwirken, übrigens unter guten und gescheiten Leuten, deren man, Gott sei Dank! noch überall in der Welt antrifft – im Arme der Freundschaft und Liebe sich wohl befinden. – Sollte das denn gar nicht möglich sein? – Ich dächte, doch. –

Der Nutzanwendung wegen, will ich erzählen, nach welcher Methode ich Richters Schriften zu lesen pflege. Sooft ich auf ein Extrablättchen, einen von ihm also genannten Streckvers (sive[17] Polymeter) oder ein anderes Hors d'œuvre stoße, wird auf dem Rande des Buchs mit Bleistift ein † gezeichnet und schnell fortgeblättert bis zu dem Punkte, wo der humoristische Herr Verfasser den historischen Faden wieder aufzunehmen, die Laune hat. Bin ich auf diese Weise mit dem Werke selbst fertig, so hole ich die überhüpften Stellen, gleichsam als Dessert nach. Dabei befinde ich mich herrlich.

Aus einer Materie in eine ganz heterogene, aus dem Schwitzbade in den Schnee geworfen zu werden, ist eine gar zu verdrießliche Sache. Ich glaube daher, das Publikum würde sehr wohl tun, wenn es meinem Beispiele folgte und während dem Lesen selbst den Fehler verbesserte, der nun einmal dem liebenswürdigen Sonderling nicht abzugewöhnen ist.

Aus: Coruscationen   1804

Sie[1] sprechen so viel und so oft von der Weichheit *Jean Pauls* und haben gar so viel
an seinen zarten Gestalten zu tadeln; warum tadeln sie nicht die Luft, daß sie gar so
expansibel ist und sich nicht zu Quadern behauen läßt? Warum rufen sie dem
Äther nicht zu: werde Stein, damit wir dich betasten und begreifen können! Muß
denn alles wägbar auf dieser Zentnerwaage sein, und gibts denn keine höheren
Regionen, als die der ästhetischen Chemie, wo nur die ponderablen Stoffe gelten,
und Verwandtschaften und Scheidungen nach Maß und Gewicht sich messen lassen? – Aber der Tränenreichtum! – Kennt ihr nicht das wahre Medium der Poesie,
die Schwermut, die wie ein Frühlingsmorgennebel die Phantasie umhüllt, und ihre
Zaubergesichte reflektiert? Die Träne ist der Tautropfen, der sich ans Auge hängt,
wenn der Nebel fällt, wie das trübe Lächeln sein Aufsteigen in höhere Regionen
bedeutet. Wollt ihr diese Nebel nicht, wohl, so siedelt euch auf den Alpengipfeln
des abstrakten Wissens an, da steht ihr erhaben über ihnen, und seht sie unter euch
tief im Tale ziehen! Schmelzt diese transparente Liane, wie sie zerflossen in ihrem
milden Dufte schwebt, mit dem starren, bereiften Vließritter, in dem Erfahrung
und Lebensklugheit erkältend alles Duftige rein niedergeschlagen haben, schmelzt
diese beiden Gegensätze zusammen, und ihr bekommt Menschen, wie sie auf allen
Straßen herumlaufen, treffliche Ziffern für den Kameralisten, aber für den Dichter
leere Nullen. – Seine Figuren sollen so viel Familienähnlichkeit haben. – Aber was
ist's denn, das dem Dichter seine Individualität fixiert, und seinen Werken das
eigentümliche Gepräge gibt? Es ist das Grundprinzip, nach dem seine Natur sich
gestaltet hat, das ihn in allen seinen Produktionen beherrscht, und das da, wo er
wirklich dichtet, nicht bloß aus der Umgebung auffaßt, in ihm dichtet, und in der
Begeisterung des Genies in ihm sich offenbart. Die Unendlichkeit der Persönlichkeit liegt nur in der Unendlichkeit der Richtungen, in die sie von dem einen fixen
Punkte aus sich ergießen kann; nur das ganze Geschlecht umschließt in der Unendlichkeit der Tendenzen auch die der Individualitäten, und ist wahrhaft universal.
Man sehe doch die Bilder der Maler aller Schulen; in ihren individuellsten Schöpfungen, da, wo gleichsam ihr Innerstes nach außen hin getreten ist, und ihre ganze
Seele sich ausgesprochen hat, da ist auch das Heiligtum ihrer Kunst, der Zentral-
punkt ihrer selbstgeschaffenen Welt, und um diesen Punkt ordnen sich alle anderen
Gestalten, die weniger Teil an dem Wesen ihres Schöpfers nehmen, und gleichsam
die äußeren Extremitäten des organischen Kunstkörpers vorstellen, alle aber von
einem und demselben Prinzip beherrscht und gehalten werden. Auch Raphaels
eigenes Bild hat Familienähnlichkeit mit seiner Madonna della sedia[2].
    Und nun endlich *Jean Pauls* Frauen! – Es ist seltsam, daß man für die schönen
Gestalten der Poesie dem subjektiven Urteile eine Allgemeingiltigkeit geben will,
die man für die Schönheit, wenn sie uns in der Wirklichkeit begegnet, sich nicht
beikommen läßt! Man findet ein schönes Weib nimmer darum unliebenswürdig

und mißlungen, weil man sie nicht eben liebt; man erkennt, daß die Schönheit über die Liebe erhaben ist, und über unserem persönlichen Lokalaffekt unabhängig steht, und in der Dichtung soll sie sich unserer persönlichen Anordnung unterordnen? *Jean Pauls* Weiber mögen nicht zu Hausfrauen ihrer Tadler taugen; allein keine hat ja noch um ihre Hand angehalten, und wenn diese Gestalten ins Leben träten, und diese Kunstrichter würden ihnen vorgeführt, manche unter ihnen möchten sich glücklich schätzen, daß der Dichter jene mit zu vieler Weichheit ausgestaltet, als daß sie bittern Tadel über flache Unbedeutendheit oder übergroße Selbstgenügsamkeit laut werden lassen sollten. Diese zutäppischen, linkischen, superklugen, über die Maßen verständigen Mannweiber, die so vielen Rumor in der deutschen Literatur machen[3]; diese Leerheit und Lebensarmut, diese falsche Zartheit, die nichts als Verschliffenheit und Gepräglosigkeit ist; diese steife Grazie, an der man bei jeder Bewegung die Gelenke knarren hört; diese totale Lieblosigkeit, die eine gelehrte, abstrakte, lateinische Liebe affektiert; dieses gänzliche Verstummen der inneren Musik des Gemütes, das dafür mit Ziffern spielt; alle diese Preßhaftigkeiten der aufgedunsenen schlaffen Zeit, die werdet ihr doch nicht als die Attribute des Ideals der Weiblichkeit uns anpreisen wollen? Das Weib, wie es sein soll[4], mag sich mit ihnen schleppen, und es wird, wenn es Todes verfährt, treffliche und instruktive Präparate für die Pathologie der Anmut liefern. Es gibt eine weibliche Energie, und die ist trefflich und lebendig in der Romeiro dargestellt; warum soll der Gegensatz dieser Energie, die reine Rezeptivität außer dem Gebiete der Dichtung liegen, da sie doch den wahren und eigentlichen Charakter der Weiblichkeit ausmacht? In Lianen hat der Dichter diesen Gegensatz uns dargestellt, die Weiblichkeit schwebt in dem zarten Gebilde unmittelbar am Übergange in Asthenie[5], kaum daß sie daher nur so lange im Streite mit der Umgebung sich behauptet, als dem Bildner not tut, ihre Umrisse aufzufassen, und sie welkt schon dahin. In Lianen hat die Poesie eine Gestalt gewonnen, die die Malerei noch nicht aufzuweisen hat, einzig würdig, zu den Füßen der Madonna zu knien, und in den in das Gefühl der Mütterlichkeit versunkenen Augen sich zu spiegeln. Freilich, die, welche Blüten nur um des Obstes willen mögen, die werden auch Lianen für ihre Spaliere unbrauchbar finden; aber ihnen wäre auch anzuraten, die Rosen in ihren Gemüßgärten auszureißen, und Hagebutten an die Stelle hinzupflanzen.

Es ist sonderbar, dem Dichter Resignation auf das Urteil des Haufens anzuraten; was er von dem Haufen denkt, hat er vernehmlich genug durch das Organ des Luftschiffers im »Komischen Anhange« ausgesprochen, aber ein früheres Urteil[6], was so manchen Tadler lenkt, mehr als er sich selber gestehen mag, darauf wäre ihnen wohl eher Resignation anzuraten. Was das zusammengehaltene Genie, das mit Gewalt sich eine Sphäre für seine Wirksamkeit zu schaffen sucht, als Paradoxie hinwirft, um die Opposition aufzureizen; was vielleicht gar der reine Mutwille geboren hat, der gaukelnd dem rohen Haufen nachäfft, wie er mit plumpen Fäusten in die zarten Gestalten des Dichters greift und mit ihnen platte Späße treibt, das wird für baren Ernst genommen, und nach Gebühr bespöttelt, und man sucht es sobald als möglich zu vergessen, aber es hat im Gedächtnisse gewurzelt, und ehe man sichs versieht, kehrt es als Reminiszenz zurück, und wird nun, wie eine

Giftpflanze, die durch die Kultur ihre giftige Eigenschaft verloren hat, gepflegt, und mit aller Achtung aufgenommen.

Warum doch so wenige Stimmen für *Jean Paul* sich erheben, und überhaupt nur ein wüstes Getöne, eine unförmliche Sage von seiner Genialität im Lande umgeht? Man hat ihm den Geschmack rein abgesprochen, und man könnte in der schlichten Gesellschaft den seinigen kompromittieren; außerdem kleidet das Weinerliche die Männlichkeit so schlecht, und der Vorwurf der Empfindsamkeit ist kränkend für den Biedermann. Unter den Frauen ist *Jean Pauls* wahres und eigentliches Publikum, sie sind die Oberrichter in Sachen des Geschmacks, und sie müßten vor allem über ihn gehört werden, ehe die Männer ihre Fäuste auf die Waagschale legen. Aber wie sollten sie sich hineinwagen in dieses wilde Getümmel? Sie würden in dem Strudel untergehen, und die würden sich ein Verdienst daraus machen, die ihnen wieder aus dem Tumulte heraushälfen, und sie höflich nach Hause geleiteten.

Jean Paul ist überhaupt ganz eigentlich der Repräsentant des Modernen. Dieses wilde Durcheinandertreiben von regellosen Kräften; diese seltsamen Kurven, die sein Genius so oft statt jener einfachen Schlangenlinie beschreibt; diese wunderbare Phantasie, in der bald Zaubergestalten aus einer höheren Welt herabgeworfen spielen, und die bald wie eine fata morgana die kleinsten Gegenstände unten auf der Erde reflektiert; dieser dichterische Sinn, der wie ein großer Fluß Weltteile durchströmt, und in seinem Laufe den Himmel und die Sterne, und Alpen, und Triften, und Wälder, und Herden, die am Ufer gehen, und Städte, die an ihm liegen, Erhabenheit und Schönheit, und Häßlichkeit in seinem Spiegel widerstrahlt; dieser Reichtum an Stoff, der wogend übereinander treibt, und den die bildende Kraft kaum zu beschwichtigen vermag; dieser Humor, der bald wie der Blitz die Flammensäule des explodierenden Vulkans umspielt, bald sie in Dampfwolken hüllt, das alles ist das Bild der Zeit, die Heldenzeit der Literatur. Ihr verdammt sie und euch mit, die ihr darin befangen seid, wenn ihr ihn verdammt. Was die Zeit und ihn über sich selbst erhebt, ist die Tendenz nach organischer, lebendiger Universalität, in der das Wort Fleisch wird, und das Fleisch Wort, die in beiden liegt, und dieses Streben soll jeder ehren, und die Größe nur mit großem Maße messen.

26   *Karl Wilhelm Reinhold*

Jean Paul und seine Zeit   1807

Ist je ein Schriftsteller von seinen Zeitgenossen falsch beurteilt, mißverstanden (oder vielmehr gar nicht verstanden) und unwürdig, ich will nicht sagen, unbarmherzig behandelt worden – ward je ein Mann als Mensch und Schriftsteller vielleicht um Jahrhunderte zu früh geboren; so ist es unstreitig *Jean Paul!* – Mit seinem weichen, kindlichen Herzen, mit seiner von Liebe erweiterten Brust, hat er eine Höhe erschwungen, auf die ihm seine engherzige Zeit nicht folgen kann. Kaum vermag die kaltrotblütige Menge ihr Auge zu ihm zu erheben, und wagt sie es ja, den kalten Blick in die Höhe zu schlagen, so sieht sie, durch das strahlende Licht verblendet, alles im Falschen.

Jean Paul ist für kein Jahrhundert geboren, wo die Literatur noch einer Literaturzeitung bedarf! für kein Jahrhundert, wo man die tiefsten Gefühle ohne Barmherzigkeit in vier, fünf, oder sechs taktmäßige Füße einspannen kann, überhaupt für kein Jahrhundert, wo man noch vorsichtig und bedächtlich an dem kindischen Gängelbande der Regel wandeln muß. Die Regel ist für den *Anfang, Vollendung* bedarf ihrer nicht!! und selbst diese Regel gilt nur für das eigentliche *Wissen;* nur das *Wissen* bedarf anfänglich, zur sichern Stütze, einer Regel. Nun aber ließ das strenge Schicksal *Jean Paul* in einem Jahrhunderte geboren werden und eines erleben, wo man mit Ungestüm auch Regeln für das – *Fühlen* verlangt! Eine Theorie des Schönen, eine Ästhetik fordert man ängstlich; was heißt das anders, als *Regeln* für das, was schön ist, Regeln für das Gefühl! Wahrlich, man wird in unserm (übrigens so unregelmäßigen) Zeitalter noch dahin kommen, eine Regel für die Regel der Regel haben zu wollen, und ganze Quartanten pro et contra anzufüllen, über – die Theorie der Regel.*

Ist es nun aber nicht eine wahre Satyre auf den Geschmack, eine *Lehre* für ihn haben zu wollen? Gibt es etwas Abgeschmackteres, als den Wunsch, den guten Geschmack zu erlernen, wie das Latein – zu erlernen, was schön sei? – Aber wie, mein Herr, (höre ich es jetzt von allen Seiten erschallen) hat nicht *Jean Paul* selbst eine Ästhetik geschrieben? – O ja, das hat er, und zwar die einzige, welche mit Recht auf den Namen einer Ästhetik Anspruch machen darf! denn durch sie wird es evident, daß ein *Lehrbuch* der Ästhetik ein non-ens[1] sei, und daß man es eine intellektuelle Blasphemie nennen könnte, den Geschmack und die Schönheit einer Theorie fähig zu halten. Gäbe es eine Geschmackslehre, gäbe es wirklich Regeln für das Schöne, wir regelmäßigen Deutschen hätten sie gewiß zutage befördert; aber dies ist bis jetzt, trotz der gewaltsamsten Anstrengung, mißglückt, und wird seiner Natur nach ewig ein – stultum desiderium[2] bleiben.**

Jean Paul also, um zu meinem Gegenstande zurückzukehren, unwillig über den unästhetischen Gedanken seiner Zeit, den Geschmack in Regeln zerlegen zu wollen, wollte gern seine Mitwelt zur Besinnung bringen und sie das Ungereimte dieses Einfalls fühlen lassen; schlau betitelt er daher seine zu diesem Zweck gesammelten Gedanken: »Vorschule der Aesthetik«. Hätte er anders verfahren und z. B. sein Buch »Widerlegung der allgemeinen Geschmacksverwirrung« genannt, wenige würden sich haben überwinden können, ein so ketzerisches Werk eines so allgemein[4] verketzerten Schriftstellers zur Hand zu nehmen. So aber täuschte der Titel,

---

* Ich weiß es recht gut, daß ich hier in ein Wespennest störe; da ich aber bloß die Sache der indolenten *Drohnen* angreife, so habe ich nichts zu fürchten, da diese bekanntlich stachellos sind.
** Man sehe, um sich von dieser Wahrheit anschaulich zu überzeugen, das Revisionsblatt der Georgia No. 1. und 2.[3], woraus der gelehrte Herr Verfasser der: Grundzüge zu einer Geschichte der Aesthetik (warum nicht lieber: Geschichte der Geistes-Verirrung unserer Zeit?) die bis jetzt fehlgeschlagenen Versuche zu einem Lehrbuch der Ästhetik historisch darstellt.

man glaubte, der Verfasser wäre plötzlich rechtgläubig geworden, griff begierig nach der Bekehrungsgeschichte, und fand sich zwar getäuscht, aber doch nur in der gedachten lächerlichen Erwartung. Wer aber Augen hatte, der konnte sehen, wer Ohren hatte, konnte hören, wenn die letztern anders das gewöhnliche Maß nicht überschritten.

Er war es also, der seinen Zeitgenossen zuerst den richtigen Begriff des Wortes Ästhetik erklärte, und sie mit der *Philosophie* des Geschmacks und des Schönen bekannt machte. Aber noch ein anderes Phänomen stellt sich uns in diesem Antipoden seiner Zeit dar. *Jean Paul* nämlich scheint einen bis jetzt ganz ungewöhnlichen Begriff von *Poetik* zu haben. Ihm scheinen *Poesie* und *Verse* im völligen Widerspruch zu stehen, und dieses Paradoxon hat tiefen Sinn, und hört für mich auf, eins zu sein. Ich habe den Mut, meine Meinung über diesen Punkt ohne alle Rücksicht hier mitzuteilen. –

Poesie ist mir nichts anders als Sprache irgendeiner Begeisterung. Wenn das von einem Gegenstande überfließende Gemüt sich in Worte ergießt, so verscheucht dieser *Andrang* jedes Kleinliche im Ausdruck, verscheucht alle in einer andern Stimmung beengende Rücksichten, oder läßt solche vielmehr gar nicht fühlen. Nur der geliebte Gegenstand erfüllt das Gemüt, wird subjektivisch behandelt, und *groß* ausgesprochen. Verse scheinen mir bloß Regeln oder Anfangsgründe zu sein, um in einer Sprache der Begeisterung jedes Unschickliche zu vermeiden, wer aber dieses nicht auch ohne Regel vermeidet, der ist nicht in wahrer Begeisterung, daher Verse nur für die zwar Berufenen, aber nicht Auserwählten, und sich dennoch Zudrängenden zu sein scheinen, um sie nur vom gänzlichen Abwege zurückzuhalten, und, wenn ich so sagen darf, das völlig Ridiküle zu verhüten. Das wahrhaft poetische Gemüt scheint ihrer aber nicht bloß entbehren zu können, sondern muß sich notwendig unter ihrer Last gedrückt fühlen.

Daß der wahrhaft poetische Sinn eines *Homer* und *Horaz*, eines *Goethe* und *Schiller* und andrer alter und neuer Zeit, uns die Spuren dieses Druckes *beinahe unscheinbar* machen, beweist nichts gegen meine Meinung. Herrlicher noch würden sie glänzen in ihrer völligen Freiheit! Daß aber selbst diese poetischen Gemüter diese Spuren nicht ganz zu *vertilgen* vermochten, wird kein Unbefangener leugnen. Die Verse sind demnach nur Takt, und jeder Takt bindet. Wahre Begeisterung aber spricht sich gern in ungebundenen Phantasieen aus, und führt uns, unbewußt, ein ewig wechselndes Zeitmaß vor, wie es der schnelle, kaum bemerkbare Wechsel der sich verschmelzenden Empfindungen jedes Mal erheischt.

Dieses ist das freie Bekenntnis meiner Ansicht der Poesie, zu welcher ich nicht durch *Jean Paul* verleitet worden bin, obgleich ich durch ihn in dem Glauben an ihrer Richtigkeit bestärkt wurde. *Jean Paul*, der sich beständig in der höchsten Poesie ausspricht, vermeidet fast ängstlich alle eigentliche Verse. Nur dann, wenn im Moment der höchsten Begeisterung ein einziger Gegenstand warm sein Herz ergreift, sucht er, um ihn nicht von kältern Umgebungen verletzt zu sehen, den erhabenen Gedanken zu isolieren, und nennt das – einen Polymeter, oder *Streckvers*.

Aber welch eine Poesie spricht sich in diesen bloß *sogenannten* Versen sowohl als in seiner Prosa aus! Man nenne mir einen Dichter, dem es gelungen, Natur-schönheiten im gebundenen Zeitmaße so poetisch zu schildern, als es *Jean Paul* in seiner Prosa getan hat. An murmelnden Bächen, und plätschernden Quellen, fehlt es freilich überall ebenso wenig, als an des Himmels Purpursaum, und wie diese zum Alltagsverbrauch bestimmten Requisiten alle heißen mögen, welche zwar den Mund voll machen, aber das Herz desto leerer lassen. Man nehme hingegen *Jean Pauls* treffliche Werke, seinen »*Jubelsenior*«, »*Titan*«, oder die »*Flegeljahre*«. Da wechseln Naturszenen mit Naturszenen, und in jeder, in jeder erblicken wir eine neue Schöpfung, bei deren Anblick uns das Herz in traulichem⁵ heimlichen An-klingen erbebt. Selbst dem herben Frost des Nordens weiß er warmes poetisches Leben einzuhauchen, er führt uns hinzu, und läßt, selbst in der erstarrten Natur, uns mit unnennbarem Gefühle ein Höheres, Besseres ahnden.* Wer, wie *Jean Paul*, schildert uns die heiligen Gefühle der Liebe und Freundschaft mit der ergreifenden Wahrheit, die nur die Frucht der höchsten Poesie sein kann! Wer erschüttert, wie er, die innersten Tiefen des Gemütes oft durch ein kleines, in anderer Zusam-mensetzung kaum zu beachtendes Wort, welches aber an der Stelle, die *er* ihm anweist, von unnennbarer Wirkung ist. Und dieses Ergreifen, diese Attraktion des Gemütes, wovon wir die Ursache nicht klar anschauen, sondern nur dunkel ahnden, ist es, worin jene Himmelstochter ächte Poesie sich ausspricht. Was der *prosaischen Poesie* ewig unerreichbar bleibt, das lockt *Jean Paul* in seiner *poetischen Prosa* mit Zaubermacht hervor, das Höchste steht ihm zu Gebot; mit zartem Sinn erfreut er sich der Gabe; kindlich empfängt er, und kindlich gibt er wieder.

Jean Pauls Schriften enthalten die lebendige Antwort auf die inquirierende Frage: »*Was kann denn den Weisern Großes begegnen?*«⁷ die *Schiller* einst in heroischer Begeisterung seinen Zeitgenossen hinwarf. Wenn wir diese Frage etwas genauer analysieren, so soll sie wohl nichts anderes heißen, als: was kann dem Individuum, welches sich bloß im alltäglichen Kreise der Dinge herumdreht, begegnen, das in *irgend*einer Hinsicht, besonders aber in *ästhetischer* und *poetischer*, einer Erwäh-nung verdiente? und auf diese Frage antwortet J. Paul mit großer Bedeutung: – »*das Kleine*«! Denn allerdings liegt dieser Frage die tiefe Wahrheit zum Grunde, daß nichts *kleiner* sei als das alltägliche *Große;* eine Wahrheit, zu welcher sich J. Paul mit Schiller gern bekannte, und nur eine andere, und wie mich dünkt, richtigere Schlußfolge aus ihr zog.

Schiller nämlich setzte: das *Große*, was dem sogenannten Weisern begegnen kann, verdient keiner poetischen noch ästhetischen Erwähnung, und machte den Schluß: Folglich kann kein Individuum des gewöhnlichen Kreises ein Gegenstand moralischer und ästhetischer Behandlung sein, und nur *Heroen*, oder völlige *Ideale* können als Vorwurf dieser Behandlung benutzt werden. J. Paul hingegen läßt den Vordersatz als Grundwahrheit unangefochten, macht aber eine andere Konklusion, und sagt: allerdings ist nichts *kleiner* als das *gewöhnliche Große*, und daher auch

* Man sehe die Lebensweise eines Pfarrers in Schweden, Flegeljahre 1ster Band.⁶

nichts weniger einer ästhetischen und poetischen Behandlung würdig; hingegen ist nichts bedeutungsvoller als das *sogenannte Kleine* im gewöhnlichen Kreise; die zarten Fädchen nämlich, die das kunstvolle Gewebe zusammenhalten, die der gewöhnliche Mensch nicht achtet, und wenn er ihrer gewahr wird, ihr Verhältnis zum großen Ganzen nicht ahndend, sie keines anhaltenden Blickes würdigt. Diese große *Romanze* des Alltäglichen, wenn ich mich so ausdrücken darf, ist der höchste Gegenstand der Sittenlehre sowohl als der Ästhetik, ich will nicht sagen, auch der Poetik, denn *sie selbst ist die höchste Poesie!* Wenn jene *Heroen* und *Ideale* mit ihren Haupt- und Staatsaktionen sich nur zu den Spektakelstücken der Poesie eignen: so greift jene romantische Wirklichkeit – ins Leben ein, und ist das Höchste aller poetischen Wirklichkeit sowohl als aller wirklichen Poesie. In der künstlichen Bearbeitung dieses anscheinenden *Kleinen* aber ist es, wo sich das Genie J. P. in seiner höchsten Größe zeigt, denn nicht allein das Auffassen und Empfinden beurkundet das Genie, sondern das *lebendige Wiedergeben;* die Lösung der schwierigen Aufgabe, das Empfundene, bei gleicher Suszeptibilität[8], versteht sich, im gleichen Grade, mit gleicher Wärme wieder empfinden zu lassen.

Dieses große Ziel muß jedem unerreichbar bleiben, dessen *Verstand* (nicht Vernunft) und *Gemüt* nicht in der schönsten Harmonie schweben. Sinnig muß der *Verstand* reproduzieren, was das *Gemüt* warm auffaßt, und warm muß das *unendliche Gemüt* zu bewahren suchen, was der *endliche Verstand* mit kältendem Hauch verfliegen lassen könnte. Nur durch diese harmonische Verschmelzung des Endlichen und Unendlichen ist die höchstmöglichste Vollkommenheit möglich, und in ihr spricht sich das fruchtbare Genie unsers Autors aus.

Einen abgeschmackteren Vorwurf konnte man wohl J. Paul nicht machen, *als daß es ihm an Geschmack fehle,* und doch ist nichts allgemeiner als eben dieser Vorwurf. Woher nun das? Ich will diese anscheinend schwierige Frage zu beantworten suchen. – J. Paul – ich muß hier meine frühere Bemerkung wiederholen – hat durchaus, im allgemeinen genommen, einen zu unverhältnismäßigen Vorsprung vor seiner Zeit; er ist dem Gesichtspunkt der größeren Menge seiner Zeit zu sehr entrückt, als daß eine *allgemeine* Beurteilung seiner Werke irgendeine Beachtung verdienen könnte. J. Paul steht meiner Meinung nach zu einem *allgemeinen* Urteil seiner Zeitgenossen ohngefähr in demselben Verhältnisse, wie der *Apoll von Belvedere* zu dem Urteile der *Isländer.* Es kann ja wohl einmal die Zeit kommen, wo die Kultur auch den Nordländer für Italiens Kunstwerke empfänglich macht, aber noch ist sie nicht da, und bis dahin ist jenes nordische Urteil im allgemeinen ein – non-ens. So verhält es sich auch *im ganzen,* in Ansehung unsers Autors mit dem Urteil seiner Zeit. Es ist nämlich gar nicht als Urteil anzusehen, weil die notwendigen Bedingungen eines Urteils nicht existieren.

Auch ist der obgedachte Vorwurf nicht als Folge eines *allgemeinen* Urteils (welches noch gar nicht existieren kann) anzusehen, sondern als ein bloßes Schwören in verba magistri[9]. Die Sache verhält sich folgendermaßen. Als J. Paul als Schriftsteller auftrat, fällten *gelehrte* Rezensenten, aus welchen Beweggründen will ich nicht erörtern, das gedachte Verdammungsurteil über ihn; bei der weitern Zirkulation seiner Schriften, wo diese dem größeren Publikum in die Hände gegeben wurden, hatten sie das traurige Schicksal, *im ganzen* nicht begriffen zu werden*, man legte sie unwillig aus den Händen, und um sich ein aufrichtiges, aber etwas drückendes Selbstgeständnis zu ersparen, hielt man sich mit Vergnügen an jenes gelehrte Urteil, und wiederholte ganz mechanisch: *J. Paul hat keinen Geschmack!* Richtiger wäre freilich der Ausdruck: »wir können J. P. Schriften keinen Geschmack abgewinnen«, gewesen; aber denn freilich wäre es noch zweideutig gewesen, wem es eigentlich an Geschmack fehle, dem Autor, oder seinen Lesern. Der erstere Ausspruch hingegen ließ hierüber keinen Zweifel, hatte noch dazu die gelehrte Autorität für sich, und so heißt's denn ein für allemal: J. Paul hat keinen Geschmack!

Die Rezensenten der Schriften unsers Autors berufen sich, um jenes harte Urteil zu begründen, auf die ewigen *Digressionen,* mit welchen J. P. seine Schriften überschwemmt, ohne jedoch zu bedenken, daß eben diese Digressionen das Wesentlichste und Kostbarste jener Werke enthalten. Das eigentlich *Geschichtliche* oder die Fabel ist bei J. Paul das Unbedeutendste, denn sie ist ihm nichts als Skelett oder Gliedermann, dessen er sich bedient, seine kunst- und sinnvollen Drapierungen daran zu zeigen. Der Sommer ist bei ihm nicht des Sommers wegen da, sondern nichts als ein bloßes, oft an für sich mageres, Thema, welches bloß durch die so *verschrieenen Digressionen* Fülle und Leben enthält, indem in ihnen das mehrgedachte *Kleine,* wozu das Thema die ersten rohen Fäden liefert, mit bewunderungswürdigem psychologischen Frohsinn unseren Blicken näher gebracht wird. Und wie groß zeigt er sich nicht in der Vermeidung der hier so gefährlichen Räsonnementsklippen! Seine Digressionen unterscheiden sich hauptsächlich darin von allen andern, daß sie statt allen reflektierenden Räsonnements die reinste Anschauung des innigsten Lebens enthalten. Sie sind der Zauberspiegel, der uns in der Zerteilung des *Realen,* wie durch einen magischen Schleier, das höchste *Ideale* erblicken läßt. – –

Ich komme jetzt zu einem andern Vorwurf, den man unserm Autor mit etwas mehr *anscheinenden* Rechte macht, nämlich zu dem Vorwurf der *Unverständlichkeit.* Diese Beschuldigung ist aber höchst relativ, und macht daher, ehe man über ihre Rechtmäßigkeit entscheiden, will, die Untersuchung notwendig, für welche Klasse von Lesern unser Autor eigentlich geschrieben habe. Diese Frage dürfte indessen nicht schwer zu beantworten sein. Es ist nämlich keinem Zweifel unterworfen, daß die Lektüre der Schriften unsers Autors eine höhere wissenschaftliche Bildung voraussetzt, ohne welche sie schlechterdings nicht verstanden werden kann; aber diese Bildung *allein* reicht noch nicht hin, den tiefen Sinn so mancher vortrefflichen Stellen in den Schriften unsers Autors ganz sich eigen zu machen. Es ist nicht genug, J. P. zu *verstehen,* man muß ihn auch *fühlen,* oder vielmehr *ihm nachfühlen* können. So hörte ich einst in einer zahlreichen Gesellschaft einen bekannten Gelehrten sich über die schwülstige Sprache J. P. (wie er sie nannte) beklagen, und

---

* Man vergesse nicht, daß alles, was ich hier über diesen Punkt niederlege, bloß im *allgemeinen* gilt. Einzelne Individuen, welche in der Zeit leben, können, selbst wenn ihre Anzahl auch nicht unbeträchtlich wäre, nicht in Betrachtung kommen, wenn von ihrer Zeit *überhaupt* die Rede ist.

verschiedene Stellen aus seinen Werken anführen, die ihm ganz unverständlich wären. Jemand aus der Gesellschaft erbot sich, diese Stellen im Zusammenhange zu erklären. Alles war äußerst gespannt, die Bücher, in welchen diese Stellen enthalten waren, wurden aus der Bibliothek herbeigeschafft, man schlug auf, der Ausleger las, erklärte, und die ganze Gesellschaft wurde von der Schönheit dieser Stellen so warm ergriffen, daß mehrere sogleich exzerpiert wurden, und der Gelehrte, ein Mann, dessen Namen man allgemein mit Achtung nennt, begeistert ausrief: Jetzt bin ich mit J. P. versöhnt, und ich hoffe ihn künftig nicht nur verstehen, sondern auch fühlen zu lernen! Und wer war denn der Jemand, der die Schönheiten unsers Autors so lebendig herauszuheben wußte? etwa ein noch größerer Gelehrter? – Sehr um Verzeihung, es war – *eine geistreiche Dame!* Diese wahre Anekdote mag für meine Behauptung sprechen, daß es nicht genug ist, die Schriften unsers Autors dem wörtlichen Zusammenhange nach zu verstehen, sondern daß man auch ein für das hohe Schöne empfängliches Gemüt mit hinzubringen müsse.

Für wissenschaftlich gebildete und *fein organisierte* Menschen überhaupt wären also die Schriften unsers Autors berechnet, und diesen werden sie im ganzen so fühlbar als verständlich sein. Ich sage im ganzen, denn daß einzelne Allusionen, Zitate u. dergl. vielleicht dennoch manchen Lesern, und besonders den Damen, bei denen man doch höchst selten eine *umfassende* wissenschaftliche Bildung voraussetzen darf, für den Augenblick unverständlich bleiben mögen, will ich gern zugeben. Auch ist diese Unverständlichkeit von gar keiner Bedeutung, indem sie höchst selten den Zusammenhang stört, und wenn dieses ja der Fall wäre, man tausend Mittel für eines hat, sich darüber zu belehren. Diejenigen Leser hingegen, die sich gern mit der materiellen Entwickelung eines Romans begnügen, und begnügen *müssen*, da sie zu etwas *Höheren* weder angelernte Vorkenntnisse noch empfänglichen Sinn mit sich führen, haben ihrerseits ganz Recht, wenn sie offenherzig eine Lektüre verwerfen, bei der man sich (nach dem gewöhnlichen Ausdrucke) den Kopf zerbrechen müsse. Für sie, die freilich leider bei weitem die größere Menge ausmachen, ist anderweitig hinlänglich gesorgt; für sie hat unser Autor allerdings nicht geschrieben, und ihrentwegen darf man es keinem Schriftsteller zumuten, das schnelle warme *Gefühl* in der armseligen Wortsprache unbarmherzig auseinander zu zerren, und das, was ihn so *lebendig* anhaucht, in *tötende Umschreibungen* zu zerlegen.

Was endlich den Vorwurf der gelehrten Beurteiler J. Pauls betrifft, daß er überall seine Gelehrsamkeit zur Schau trage, überall seine vielen Kenntnisse an den Mann bringen wolle, und sollte es auch auf Kosten der Deutlichkeit und des Zusammenhanges, ja sogar mit Hintansetzung des ganzen Plans geschehen: so glaube ich nicht zuviel zu sagen, wenn ich ihn durchaus für lieblos erkläre. Denn obgleich es allerdings wahr ist, daß unser Autor überall sein vieles Wissen zur Schau trägt, so muß es doch jedem, der nicht durch gefärbte Gläser sieht, klar sein, daß dieses nicht absichtlich, und um damit zu prunken geschieht. Ängstlich zusammengestoppelte Allusionen und Zitate, nur in der kleinlichen Absicht gesammelt, für den Augenblick damit zu glänzen, tragen gewöhnlich schon in der schülerhaften Zusammenstellung das Gepränge ihrer lächerlichen Tendenz. Jedermann, selbst der

Nichtgelehrte bemerkt diese Tendenz beim ersten Anblick, welche sich ihrer Natur nach gar nicht verbergen kann. Etwas ganz anders hingegen ist es mit jenen wissenschaftlichen Allegationen[10], welche aus Andrang des Ähnlichkeit findenden *Witzes* entstehen; diese gehen aus der Sache selbst hervor, und drängen sich dem Schriftsteller bei allen Gelegenheiten fast unwiderstehlich auf. Sie sind es, welche anstatt zu zerstreuen und wie jenes kleinliche Gepränge, Ekel an der Lektüre zu bewirken, einen angenehmen Reiz über das Ganze verbreiten, und uns das Vergnügen gewähren, welches wir immer bei den scharfsinnigen Aufstellungen entfernter Ähnlichkeiten empfinden. Und eben diese sich aufdringende Ähnlichkeit ist es, aus welcher fast alle wissenschaftliche Anspielungen J. P. entstehen. Übrigens leugne ich nicht, daß man solche bei unserm Autor sehr gehäuft findet, allein dies eben spricht zu seinem Vorteil; denn es ist die sichtbare Folge sowohl eines ungewöhnlichen Scharfsinns, als eines umfassenden Wissens.*

Es ist hier wohl nicht am unrechten Platze, einige Eigenheiten J. P., welche gewöhnlich das Schicksal haben mißverstanden zu werden, etwas näher zu beleuchten.

In mehreren Romanen unsers Verfassers werden wir durch die bedeutungsvolle Anlage der Charaktere mehrerer Nebenpersonen äußerst auf deren Entwicklung gespannt und werden um so unwilliger, wenn wir im Verfolg der Lektüre bemerken, daß er bei jenen bedeutungsvollen Umrissen geblieben ist, und ihre weitere Ausbildung unserer Einbildungskraft überlassen wird. Dies ist, zum Beispiel, in dem neuesten Romane[11] des Verfassers: »*Flegeljahre*«, mit dem Charakter der *Goldine* der Fall. Der Verfasser zeichnet uns in dieser Episode, mit leisen Schattierungen, den weiblich zarten Charakter einer *buckelichten Jüdin*. Die Andeutungen verraten[12] die Hand des Meisters, allein eine Ausführung erwarten wir vergebens. Diese Eigenheit, ich wiederhole es, nimmt bei der ersten flüchtigen Bekanntschaft unseres Autors wider ihn ein – wird aber, wenn es uns gelungen ist, ihm auf seine Höhe nachzustreben, *mit ihm* und *ihm nachzufühlen*, einer seiner besondern Vorzüge, den man um so höher schätzen muß, da es nur durch intellektuelle Anstrengung möglich wird, ihn ganz zu empfinden.

Es gibt nämlich gewisse Charaktere, bei deren Schilderung ein einziger schwacher Zug von der Hand des schöpfenden Meisters uns tiefe Blicke in das Innere ihres Heiligtums eröffnet. Charaktere, deren weitere Ausführung der in den Tiefen der Psychologie eingeweihte Schriftsteller durchaus evitieren[13] muß, wenn er den ersten gemütlichen Eindruck nicht vorsetzlich zerstören, und sein schönes Werk ohne allen Zweck mutwillig zertrümmern will. Ich sage, ohne allen Zweck. Denn dem Eingeweihten, der aus der bedeutenden Anlage schon alles begriff und innig fühlte, muß ein sorgfältigeres Ausmalen unleidliche und alles zerstörende Wiederholung sein; für denjenigen hingegen, der selbst bei näherer *Ansicht* diese Grundlinien nicht versteht, würde auch die *vollendetste* Zeichnung nicht begreiflich sein.

---

* J. Paul hat bekanntlich die Gewohnheit, viele, und zwar in allen Zweigen des Wissens, Exzerpte zu machen, daher man oft das *naive* Urteil hört, J. P. Gelehrsamkeit bestehe in Exzerpten. Als ob menschliches Wissen überhaupt, strenggenommen, in etwas anderem bestünde!

So ist es auch mit dem Charakter der *Goldine.* Hat man anfangs dem Verf. wegen seiner Nichtvollendung gezürnt: so erkennt man bei näherer Ansicht dankbar die Wohltat des sparsamen Meisters.*

Noch muß ich hier im Vorbeigehen einer syntaktischen Eigenheit J. P. erwähnen, die ihm gar sehr übelgenommen wird. Unser Autor nämlich setzt fast immer, wo er das *Substantivum* gar zu bald wiederholen müßte, an dessen Stelle bloß das sich darauf beziehende *Adjektivum,* oder nach Maßgabe des Zusammenhangs ein beziehendes *Pronomen.* Da man nun in diesem Falle, wie im Leben überhaupt, das Nahe gemeiniglich übersieht: so ist man oft genötigt, eine solche Stelle mehrere Male durchzulesen, ehe man den wahren Sinn entziffert; aber dann wird man auch durch die kraftvolle attische[15] Kürze, welche diese Auslassung bewirkt, hinlänglich für die kleine Mühe belohnt.

Ich halte es, ehe ich schließe, notwendig zu bemerken, daß man mich sehr falsch beurteilen würde, wenn man aus dem, was meine innigste Überzeugung mir zum Lobe eines so allgemein verkannten Schriftstellers, auf dessen Namen einst die Nation stolz sein wird, eingab, die Folge ziehen wollte, daß ich diesen Schriftsteller ganz vollendet und durchaus in jeder Hinsicht unverbesserlich finde. Im Gegenteil gestehe ich freimütig, daß ich bei aller Anhänglichkeit an diesen Autor, die er gewiß verdient, dennoch nicht immer von ihm befriedigt wurde. So fand ich z. B. oft, daß ihn seine Digressionen, im allgemeinen die wesentlichste Zierde seiner Werke, oft zu weit von der Bahn ablockten, daß er seiner ungeheuren Phantasie oft allzusehr den Zügel schießen ließ, so daß es nur mit der größten Anstrengung möglich wird, ihm zu folgen. Nicht weniger fand ich oft, sein Kolorit, wenn ich so sagen darf, zu monoton, einzelne Partieen gar zu oft *flachsenfingisiert*[16] u. dgl. m. Aber, ubi plura nitent[17]. – – –

Vollendung ist das Los der Menschheit nicht! Wer aber in irgendeiner Hinsicht dem großen Ziele vor allen seinen Zeitgenossen am nächsten kommt, der verdient wenig[stens] den Kranz des *Vollendeteren!* – J. P. ist als Schriftsteller seiner Zeit mächtig vorausgeeilt und hat daher Anspruch auf unsere höchste Bewunderung. Tiefe Kenntnis des menschlichen Herzens bis in seine verborgensten Falten, kühne, erhabene, noch nie gewagte Ansichten des Universums, reine Humanität, der kindlichste Glaube und die lauterste Moral, ein feines warmes Gefühl für alles Erhabene, Gute und Menschliche atmen alle seine Werke, und mächtig spricht der Gott in seiner Brust sich aus!

---

* Eine nähere Beleuchtung und Auseinandersetzung des meisterhaft idealisierten Charakters der *Goldine* gehört nicht in den Plan dieser Abhandlung, ich werde aber nächstens in diesen Blättern meine Ansicht dieses Ideals niederlegen.[14]

Aus: Briefe an Freunde   1810

Ja, Du Lieber[1], wir scheinen recht bestimmt, unser Höchstes und Bestes durch
Übertreibung wieder zu vernichten, und selbst für das zu büßen, wodurch wir
Wohltäter und Bildner der Welt werden. Luther und die Reformation, welche
Revolution und Wirkung auf ganz Europa! und mußten wir sie nicht dreißig Jahre
lang mit unserm besten Blute bezahlen? Die Ideen und Lichter der letzten dreißig
Jahre, die wir mit dem feurigsten Eifer umgetragen und gepflegt haben, wem
scheinen sie mehr verderblich zu werden, als uns, grade in diesen Tagen, wo wir
dafür alles andere vernachlässigt und die letzten Bande zerbrochen haben, die uns
als Volk noch schwach zusammenhielten. Wir zeigen, wie wir den Bildungssamen
der künftigen Zeit vielleicht am reinsten tragen, auch die Ungestalt und Unmäßig-
keit am klarsten, wodurch die jetzige sich selbst unter unvermeidlichen Ruinen
begräbt, und offenbaren Verstand und Unverstand, Majestät und Ohnmacht in den
allerauffallendsten Kontrasten. Hier will ich Dich nur auf das hinweisen, worauf
wir uns jetzt am meisten einbilden und einbilden können, auf die Emporhebung
der gemein gewordenen Welt aus ihrem Schmutz in den Himmel der Idee, wo sie
neu geschaffen werden und sich dann wieder zu ihrer alten fröhlichen Stelle herab-
senken soll. [...]
Doch rang dieser edle Mensch[2], indem er zeugte und bildete, und suchte die
Wahrheit und Schönheit mit Ernst und Liebe: nie trieb er in Eitelkeit ein unheiliges
Spiel mit dem Heiligen, wie so viele, die nur auf die Zerstörung des Menschlichen
und Tapferen in uns hinarbeiten und alles in die Ungestalt der Weichlichkeit und
Empfindung hinüberspielen. Ja wenn sie noch spielten! nein, sie rasen und wüten,
und zerfleischen und zerreißen den Menschen in seinen heiligsten Teilen so tief,
daß jedes gesunde Herz ein unbezwinglicher Ekel gegen diese Verderber anwandelt. Der erste dieser verbrecherischen Verweichlicher, dieser Nervenausschneider
menschlicher Kraft, dieser Anatomen des innersten Heiligtums des Herzens, dieser
dumpfen Totengräberseelen, ist der berühmte Jean Paul Richter, der das Schönste
durch Unmaß verdirbt und alle Empfindung und Sehnsucht des menschlichen
Gemütes über die Gränze der Mäßigkeit und Ruhe hinauslockt: ein gefährlicher
Mensch durch lebendige Glut und hohe Geistigkeit, und durch viele ächte Götter-
blitze; aber ein verderblicher Verführer und Vergifter, durch welchen alles Gestalt-
volle und Männliche untergehen muß in dem, der sich ihm ergibt. Ich habe oft
Streit über ihn gehabt, denn er hat viele Anhänger. Besonders verteidigte ihn
einmal jemand so, daß er behauptete, ich habe durch meine Weltansicht gar kein
Maß der Würdigung für ihn, weil ich den Gegensatz der neuen Welt zu der alten
nicht scharf genug sehe, welcher sei die Musik gegen die Plastik. Allerdings nicht
unwahr. Aber wenn Jean Paul ein musikalischer Dichter heißt, so ist er doch
immer ein schlechter Musiker; denn Gestaltlosigkeit und Ineinanderrasseln von
disharmonischen Tönen soll keinesweges der Charakter der Musik sein. Ihre Ge-

stalt ist bloß zarter und ätherischer, als die der andern Künste; aber auch sie wird schlecht und gemein, wo sie gestaltlos wird.

28 *Johann Joseph Görres*

Ueber Jean Paul Friedrich Richter's sämmtliche Schriften 1811

Als bildend im Anfang der Demiurg im großen Weltbecher nach alter Sage die Elemente gemischt, da schwebte die *Weisheit*, der Geist des alldurchdringenden schaffenden Lichtes, und die *Dichtung* in ihrer Schöne, die Mutter alles Lebens, über der gärenden Masse. Und was der Bildner kunstreich im Geist erfunden, und in des Herzens Gedanken empfangen, das führten diese werktätig ihm aus, und wie sich die Masse gesondert, und die Heimlichkeiten und die Schätze der Nacht auf den Boden des Wassers gesunken, und der Äther sich freundlich geklärt, und der Himmel in seiner Glorie dastand mit dem Diadem der zwölf Zeichen gekrönt, und auf ätherischer Erde die leuchtenden Geister der Höhe wandelten, da wohnten auch die beiden fortan auf den seligen Inseln in jenen krystallenen Fluten, und säeten die Saat der Ideen in die weiten Sternenfelder des Himmels, die Erde aber sollte sich an dem flimmernden Horte in ihrem Schoße ergötzen. Es traten aber in ihr die Metallkönige, ein riesenhaft, ungebändigt, gewalttätig Geschlecht, zusammen, sie wollten auch teilhaben an jener himmlischen Schöne, und leuchten wie Sterne durch die unterirdischen Klüfte, und sie wurden eins, sich im Edelsten aus ihrer Mitte zu sammeln, und es rundete sich kugelförmig die Erde zum goldenen Spiegel der Welt. Und es blickten die Elemente wie aus hellem Auge aus ihr heraus in den Himmel, und es gefiel den Sternen und himmlischen Genien sich in der klaren Sehe zu spiegeln, und es versanken ihre Blicke in dem dunkeln Abgrunde, und ihre Strahlen herabgezogen, wurden unten von den Elementen gefesselt, und je nach der Natur von jedes Sternes Influenz gingen nun die Pflanzen und Blumen und Tiere, jedes nach seiner eigenen Art und Natur, aus der Tiefe hervor. Es sah aber auch die himmlische Dichtung den leuchtenden Juwel in der Tiefe, wie er aufglänzte in den Strahlen, die er aus dem Himmel gesogen, und blickte auch mit weiblicher Neugier in den zauberhaften Spiegel, und wie sie sich selbst darin mit Lust in einem verkleinerten Abbild gewahrte, da reichte sie den goldnen Apfel auch dem ernsteren Bruder und Gatten, und auch er sah, überredet von der Gefährtin, in die lockende Tiefe. Und es schlugen alle Wellen ihres dunkeln Meeres über den Schauenden zusammen, und alle Elemente sogen dürstend mit gieriger Inbrunst die beiden Bilder ein, und sie legten in irdischen Leibern sich um die himmlischen Gestalten, und es wurde, als ihre Zeit gekommen, die Zwillingsgeburt der *Philosophie* und *Poesie* geboren, dem Vater zugleich nachartend und der Mutter, und von beiden sind alle Geschlechter der *Weisen* und *Dichter* ausgegangen. In Lust und Sünde und im Falle sind sie daher dem Himmlischen nachgeboren, mit Trauer sehen jene Mächte in ihnen ihr reines Licht getrübt; ewig sonnenhell und klar schwebt das Reich des urersten Schönen und Wahren oben in der Höhe, aber wie das reine makellose Blau der Himmelsluft allnächtlich, wenn die Kühle aus der Erde es umfängt, in Tau hinschmilzt und niedertropft, so wird auch in ihnen das ewige Feuer im Mark der Erde eingefangen, und im trüben Dunste festgebunden, und mit jedem neuen Geschlechte nur auf neue Art verfälscht. Was aber so dem Himmel weggestorben, wird freudig der Erde eingeboren ihr zur Erlösung, zum Troste und zur Erquickung, sie öffnet ihr Innerstes dem herabgesunkenen Lichte, und fühlt sich in allen ihren Tiefen mit Leben sanft erwärmt, und mit dem Atem reinerer Lüfte erfrischet und getränkt. Was die Gefallenen noch im Nachklange mit herabgebracht, macht die stumme Körperwelt ertönen, der Nachglanz ihrer Herrlichkeit fließt in vielen frischen frohen Farben von ihnen aus. Geflügelt ist noch ihr Geist, als Himmelsvögel kreisen sie in hohen Lüften, wie der Kondor um den einsamen Berggipfel, und wie der Paradiesvogel die Erde nicht berührend. Sie folgen schwebend dem Strome der Zeiten, und nisten wie die Eisvögel auf seinen Wellen, sooft ruhige Zwischenräume, die Halkyonen-Tage in der Geschichte, seine Stürme beschwichtigt haben. Sie leben in allen Elementen, wie der Vogel Pyraussa[1] fliegen sie fröhlich im flammenden Feuer; wie die Gnomen hält Erde und Felsenstein sie nicht in ihrem Gange auf, weil ihnen die Erde ist wie Luft, und das Feuer wie ein kühl Quellwasser. Die Dichter insbesondere kommen aus ferner andrer Welt gezogen, nur um zu nisten und zu singen; wie bei der persischen Bulbul[2] ist Liebe und Einverständnis zwischen ihnen und der Rose, und wo die Rosenzeit eintritt der Erde, oder eines Volkes, oder auch in jedem besonderen Leben, da sind sie nahe, und ihr Gesang wird willkommen geheißen. Aus ihrem Auge bricht das Feuer, das sie von oben mit herabgenommen, und das die Nacht der Erde um sie her erleuchtet und, wie nach alter Fabel das Auge des Wundervogels, den Keim im Boden und im Ei brütet. Durch diese Quellen gießt sich der Äther ewiger Schönheit, der zwischen den Sternen steht, wie aus Naphthabrunnen über die Erde aus, und gleichwie des Auges Feuer sich in der Träne kühlt, so das Feuer innerer Begeisterung in dem Kunstwerk, das wie die Perle aus der Muschel in bewußtloser Rührung von ihnen ausgeflossen ist; denn, sagt Herakleitos[3], das Feuer stirbt in Luft, die Luft aber in Wasser hin. Wie aus Staub und wenig Feuchte jedes neue Frühlingslicht sich seinen Schleier aus Laub und Blüten webt, so das Licht der reinen makellosen Schönheit aus Nervengeist die irdischen Genien, und diese aus wenig Staub und Feuchte ihre Werke. Denn an irdische Stoffe sind sie angewiesen, ausgedichtet für alle Zeit steht über ihnen das große Epos der Welt, jeder sucht nach eigenem Sinn einen Gesang davon herabzuziehen, und in irdischer Sprache nachzusprechen, und mit irdischem Farbenstaube abzufärben, und alle Zeiten und alle Dichter dichten in demselben schönen und doch eiteln Bestreben an demselben Gedichte fort, und kein Bemühen will gelingen, weil der Schöpfer und sein Werk beide nur zu Planeten verschlackte Sonnen sind. Wohl zündet der Genius eine Fackel in der Nacht, aber es zehrt und lebt die Flamme selbst vom nächtlichen Prinzip, und muß mit ihm versiegen. Alle Fragmente jenes großen Gedichtes, die wir besitzen, sind herabgefallene Meteorsteine, Trümmer einer Leuchtkugel, die einst glühend und flammend durch den Äther zog, aber wie sie sind, werden sie, wie der Stein der Göttermutter von Pessinunt[4], der allgemeinen Verehrung in Tempeln ausgestellt.

Wenn auf irgendeinen Dichter diese Mythe von der Herkunft der Kunst und ihren Schicksalen anwendbar ist, so ist sie's auf den unsrigen. Geht er nicht unter uns mit der Flammenzunge über dem Haupte umher, alle Nerven von einem reinen begeisternden Feuer durchquollen, und jene milde Wärme im Herzen, zu der sich der überirdische Strahl in der Feuchte des Bluts unter dem Zuge der Liebe bricht. Wie die neugierigen Kinder durch das Glas in die dunkle Kammer, blicken wir ihm durchs Auge in die innerste Seele hinein, und wir sehen in seinen Träumen die Himmelsleiter aufgerichtet und die absteigenden Engel, und sagen wie Jakob[5], wahrlich dort ist der Herr. Gleichwie die Pflegemutter des indischen Chrischna's, als sie ihn um kindischen Mutwillen in Verdacht gehabt, dem Knaben den Mund öffnet, und nun staunend in ihm die Erde in aller ihrer Pracht, und den gestirnten Himmel in seiner Herrlichkeit, und den Sümmarü mit den Deveta's und allen Göttern versammelt um Gott und sich neigend vor ihm und anbetend erblickt[6], so öffnet auch uns sich die Ansicht in die höhere Welt, wenn er den Mund öffnet, und durch das Sternengefunkel seiner Worte sehen wir himmlische Geister im Fluge ziehen. Silbern, glänzendweiß und rein wie Schneeflocken drängen sich die Ideen in der Bläue des Himmels, den er uns auftut, und unter diesem Himmel liegt die Erde wie ein beruhigter Meeresspiegel; und er greift hinunter in die klare Welle, und zieht wie Jamblichos[7] den himmlischen Amor in Gestalt eines holden, schönen, überaus lieblichen Knaben aus dem Brunnquell irdischen Stoffs hervor. Aber nicht immer will das launenhafte Element ihm seinen Schatz so leicht gewähren, oft erscheint es getrübt und bis zum Boden aufgerührt, es kommen spielend die Tritonen auf die Oberfläche, die Meerweiber singen im Reigen, gaukelnd tanzen die Delphine, alle Ungeheuer der Tiefe eilen geladen zum Hexentanze, das querköpfige seltsamblickende Fischgeschlecht, tausendarmige Polypen, Meersterne, geringelt Gewürme, und die Muscheltiere in den Porzellantürmen eingesperrt: und wie der Dichter brütend und ziehend über dem Sause schwebt, saugt sich das Meer an seiner Donnerwolke zur Wasserhose an, und es wirbelt das seltsame Volk sich auf und nieder in dem Meteor, das dem Sacke des Apostels[8] gleicht, der mit allem Getier und Geblüme der Welt vom Himmel zur Erde geht, und wohlgefällig schreitet der Schöpfer des Spukes dem Riesen der Apokalypse[9] gleich einher, dessen Füße zwei Säulen sind, das Haupt die Sonne. Während der Humor in solcher Windsbraut sein freudig Spiel betreibt, läßt zugleich doch auch das Irdische oft seine Macht und Schwere den Dichter fühlen; nicht aller Stoff wird in seiner Zyklopenwerkstätte vom gestaltenden Feuer aufgeschmolzen, er besteht selbstsüchtig und strengflüssig auf eigner schon genommener Form, und wird dem Gebilde nur eingefügt. Wie ein Lavaguß wälzt dann der Feuerstrom sich aus dem glühenden Ofen brechend fort, und tönt beim Erkalten nicht mit Glockenklang, und schmeidigt sich nicht trotzend wie Metall in die Schlangenwellenform. Nicht immer gefällt es ihm, die innere Signatur der Dinge, wie die Kunst es will, in äußerer Form, durch sich selbst verständlich herauszubilden, oft schreibt er nur diese Signatur in Keilschrift oder Hieroglyphen an sie hin, und macht eigensinnig das Zeichen wieder zum gelungenen Bild, und hinwiederum das Bild zum Träger des Zeichens, und so gleichen seine Werke stellenweise ägyptischen Tempeln, die Wände redend in gediegnen Worten der alten heiligen Sprache vom Überirdischen; Tiere, Kräuter, Blumen und Kreaturen aller Art jedes in eigner Zunge verkündigend des Himmels Ehre[10], sinnreich immer und vortrefflich, wenn auch nicht im griechischen Sinne schön.

Indem wir soeben griechischer Kunst erwähnten, ist uns die Notwendigkeit nahe getreten, vor aller Beurteilung des Dichters uns über das Verhältnis desselben und überhaupt unsrer Zeit zum Altertume zu verständigen, da grade Mißverständnisse darüber beinahe alles schiefe und ungerechte Urteil über ihn veranlaßt haben, und noch fortdauernd unterhalten. Da indessen hier auf keine Weise der Ort sein kann, diesen vielbesprochenen Gegenstand weitläufig auszuführen, so werden wir den darüber schon ausgemittelten Resultaten nur einiges hinzufügen, das, wie wir glauben, weitern Irrungen über diesen Gegenstand nicht leicht Raum läßt. Wir beginnen sogleich mit dem Satze, daß sich die alte Kunst innerhalb ihres Gebietes genau so verhalte, wie die alte Mathematik von Euklid bis zu den Ptolemäern und darüber hinaus innerhalb des ihrigen. Grade so einfach, so rund und geschlossen wie die Wissenschaft jenes Geometers ist, so ganz klar in einer sinnlichen Anschauung ruhend ist auch die Kunst jener Zeit. Alles liegt in jener Euklidischen Geometrie in ganz endlicher, mit einem Blicke zu übersehenden Nähe vor uns da, alles in rationalen Zahlen ausgesprochen, die Theoreme gleichsam plastische Bilder, alle durch die Verkettung der Demonstration wie in eine historische Gruppe zusammengezogen, die mathematische Anschauung verweilt ganz in ihrer untersten, in der Naturregion; sie ist eine reine konstruierende Betastnis, sie begreift die Lehrsätze, indem sie dieselben umgreift; sie faßt die geometrischen Formen, wie sie in sich selbst da sind, und nicht wie sie dem Auge im endlosen Raume schwebend erscheinen; sie betrachtet endlich die Form nur als die Gränze des Endlichen, unbekümmert darüber, daß sie zugleich auch die Schranke des Unendlichen sein muß. Sie verweilt durchaus im Gebiete des Einfachen und Bestimmten, ihre Konstruktionen sind alle gleichsam von der ersten Formation, großartig, gediegen, von geraden Linien, oder den einfachsten Kurven umschrieben, ihre Quadraturen daher durchhin bestimmt und in einfacher Formel dargestellt, wie die der Parabel von Archimedes und des Mondes zwischen zwei Kreisbogen von Hippokrates[11]. In ganz anderm fortschreitenden Geiste aber hat die Analysis der Neuern sich ausgebildet. Die mathematische Anschauung hat sich vom plastischen Befühlen losgerissen, und ist ein Sehen geworden des Gewimmels vielfach verschlungener Kurven in der Unermeßlichkeit des Raumes in der höhern Geometrie, und ein Horchen auf das harmonische Durcheinanderklingen der Zahlwurzeln in den wundersam verwickelten Formeln der Algebra. Indem man das Prinzip des Unendlichen in die Lehre aufgenommen, hat man dadurch einerseits jene unbegränzte Menge transzendenter krummer Linien und der ihnen entsprechenden Gleichungen aller Grade gewonnen, und andrerseits auf den Grundsatz, das Verhältnis unendlicher im Endlichen verschwindender Größen in endlichen Werten auszudrücken, die ganze Differentialrechnung gegründet. Indem auf diese Weise der menschliche Geist in unbeschränk-

ter Anschauung unbeschränkt gewonnen, hat er allerdings an runder, fester, gediegner Nähe eingebüßt; jene Blitzformeln der Alten, die gleichsam in einem Zuck
und Ruck das Problem auflösen, haben den unendlichen Reihen Platz gemacht, die
in allmähliger Annäherung und steigender Schärfe den Gegenstand aussprechen,
und wenn sie keine Frage ganz lösen, doch auch keine ungelöst liegen lassen
dürfen. So hat die Wissenschaft sich durchhin gesteigert und vergeistigt; sie hat
vom Planetarischen zum Solarischen sich erhoben, und so mußte es ihr dann auch
zuletzt gelingen, den Bau des Himmels ihrem Kalküle zu unterwerfen. Ganz auf
demselben Wege ist die Kunst ihr nachgeschritten. Gleich der alte griechische
Tempelbau mit seinen großen einfachen Verhältnissen, mit den schönen Säulenord-
nungen, die, wie sie in ihrer Einfalt dastehen, als das einzig rechte in einem Schlage
dargestellte, jede, wie das Pythagoreische Theorem von der Hypotenuse[12], für die
Erfindung eine Hekatombe von hundert Ochsen wert, ist es nicht, als hätten die
alten Geometer in ihm ihrer Wissenschaft ein Bild gesetzt, und bricht ihr Geist
nicht aus diesen Werken wie aus schönem Leib und reinem Ebenmaß hervor, daß
der Tempel selbst Gott ist, und auch selbsteignes Haus. In ganz andrer Schönheit
und in anderm Geist aber hat in neuerer Zeit sich der gotische Dom gestaltet, nicht
ein Haus der Götter, sondern Gottes Haus. Mit seinen tausend Säulen und Säulen-
bündeln, mit dem künstlich geknüpften Netze seiner Bögen, mit der kunstreichen
Wabbe seiner Gewölbe und Kapellen und all dem sprossenden Pfeilerwerke und
dem feingeäderten Laube der Verzierungen gleicht die Kirche nicht einer großen,
vielfach aus Wurzeln und Faktoren, Exponenten und Koeffizienten, Produkten
und Quotienten zusammengesetzten Differentialformel, worin etwa das mystische
Problem der drei Kräfte in der christlichen Dreifaltigkeit entwickelt ist, und die zur
Integration anstrebt in den Türmen, die mit Glockenstimmen das gefundene Geheimnis der Christenheit verkündigen? Denn dasselbe Bestreben ist aller neuern
Kunst mit der neuern Mathematik gemein, das Unendliche differenzierend mit
endlichen Größen auszusprechen, während die alte mehr das sinnlich Endliche
gewollt. Darum hat jene von der Plastik mit größerer Liebe sich der Malerei
zugewandt, weil die Farbe als ein Abstraktum des Stoffes sich geschmeidiger der
Form anfügt, und in ihrer unendlichen Abstufung dem Unendlichen mehr Worte
gibt sich auszusprechen, und in eigenem Schimmer im Widerscheine des Idealen
spielt. Darum hat die neuere Musik der ältern den künstlichen Satz und die Harmonie hinzugefügt, und damit die alte Pythagoreische in eine der Gränze nach
völlig schrankenlose Algebra verwandelt, die, wo die Sprache schweigt, für das
Unaussprechliche ihre Formeln hat. Dasselbe ist auch der Charakter der neuern
Poesie seit ihrem Wiederaufleben im Mittelalter gewesen, und von jener Zeit, wo
Dante, wie man spielend sagen könnte, mit seinen beiden Kegeln, dem Himmels-
und Höllenkegel, die Kegelschnitte zuerst in die Poesie eingeführt, hat bis auf den
heutigen Tag dieser eigentümliche Geist in stetigem Fortschreiten begriffen sich
gezeigt.

Kehren wir von diesem Gesichtspunkte aus wieder zum Dichter zurück, dann
müssen wir klar erkennen, wie er ganz in diesem Geiste lebt und webt, und wie er
die fortschreitenden Bestrebungen seiner Zeit in sich als ihrer Mitte sammelt. Seine

Werke gleichen jenem indischen Bilde des Gowinda[13], wo der Gott auf einem Elephanten reitet, der aus vielen ineinander geschlungenen Mädchen zusammengesetzt ist, und die Fächer dieser Bajaderen sind Pfauenspiegel, und ihr Haar geht in schlängelnde Madhavis[14] aus, deren Ranken als bunte Karmosinschlangen den Koloß durchschlingen, und die Augen der Schlangen blühen wieder zu Wasserlilien auf, in deren Kelchen Kolibris sich wiegen, und die Kokila[15] singt, und glänzende Flamingos aus dem Laube schimmern, Mädchen aber, Blumen und Vögel sind ihm wieder aus Schmetterlingsflügeln und Samenstaub, bunten Muscheln, vielfarbigem Edelgestein, elektrischem Feuer und Lichtgefunkel geformt, und alles bindet doch der innen verborgene Magnet der Kunst zu einem lebendigen geschlossenen Ganzen aneinander. Gleichwie jene Zeugungstheorie den Organism aus Monaden und mikroskopischen Schlangenälchen baut, so wird seinem Humor die ganze Welt mit all ihren Formen und Gestalten wieder zu einem Infusorium, und der Bildungstrieb reproduziert daraus eine neue höhere Form, deren Elemente jene sind, wie in den Sternbildern ganze Sonnenwelten als die Stifte der Mosaik auf dem schwarzen Grunde der Unermeßlichkeit des Himmels stehen. Und sind wir nicht selbst mit all unserm Dichten und Trachten nur die treibenden und sprossenden Gipfel am großen versteinerten Baume der Geschichte, der unten die vererzten Wurzeln ins Mineralreich treibt, während oben die ganze Vergangenheit als Dammerde sich um ihn angehäuft, aus der wir uns selbst in den Atomen von Millionen zerstörter Wesen unsern Bestand zusammensuchen? Und ist der Kunst nicht alle Zeit wie Gegenwart, und alle Ferne Nähe; nimmt sie nicht jeden vergangenen Frühling in den neuen, jede abgeblühte Jugend in die Palingenesie ihres ewig unvergänglichen Lebens auf? Denn die Natur, obgleich immer eine andre, ist doch ewig dieselbe, die Kunst aber, obgleich immer dieselbe, ist doch ewig eine andre, wie das Leben, dessen Abglanz sie ist. Nicht die Einfalt im Einfachen, wie das Altertum sie hatte, läßt sich vom neuern Dichter verlangen, aber wohl die Einfalt in der Vielheit, und den reinen Zusammenklang im Gewühl der Töne seiner Dichtung darf man ihm anmuten. Jene kolossalen Grundtypen in der Menschenbrust, die Hauptmetalle, die in ihr erklingen[16], und die Planeten, die in ihr regieren, hat allerdings das Altertum, so wie die neuere Zeit gekannt, aber das vielfach verworrene Spiel der andern Elemente, die kleinern Asteroiden, und die ganze Kometenwelt in ihrer seltsamen ungebundnen Freiheit, alles das ist ihm größtenteils unbekannt geblieben. Eben weil unsre Flora sich die Gewächse aller Himmelsstriche angeeignet hat, darum heftet unsre Poesie ihre Kränze nicht bloß wie die der Alten aus schuppenförmig gelegten Rosenblättern, sondern sie windet kunstreich alle Blumenpracht in ein Strophion[17] zusammen, wie auch der Regenbogen, indem er die Stirne des Sonnengottes kränzt, aus allen Strahlen seines feuchten, schwärmerisch verklärten Augenlichtes geflochten ist, und wohlriechende Salben und den Balsam des Lebens vom Gastmahle auf den Höhen des Olymps zur Erde niederträufelt. Wohl verständigt über diese Bedeutung seiner Zeit, und getrieben von ihrem Geiste hat Jean Paul gedichtet, und viele seiner Zeitgenossen haben in gleichem Sinn gewirkt; es ist töricht, ihn und seinesgleichen, wie viele getan, zu messen mit dem Maß der Alten. Wie in Breughels[18] Paradiese hat er im Garten seiner Kunst alle Tiere des Feldes und die Vögel des Himmels und Bäume und Kraut, von der Zeder bis zum Ysop[19] gesammelt, und er nennt alles mit Namen, und ordnet alles, und legt jedes an seinem Ort zurecht, daß die Insel dem Sonnentische der Makrobier[20] gleicht, der sich allnächtlich von selber deckt, und zu dem die Himmlischen zum Schmauße kommen. In des Malers Hölle läßt er uns dann hinunterblicken, und wir sehen die böse Feindin verschmachtend auf dem höllischen Geklippe im Feuermeer liegen, und ihre Augen als schwarze fressende Sonnen die Glut verzehren, und ihr Gelächter als ein heulender Sturmwind an die Gewölbe schlagen. Dann wieder schließt uns sein Humor etwa die ausgeräumte Offizin des Pharmazeuten auf, in hellen hohen Haufen liegen dort Mörser, Retorten, Gläser, Töpfe, Phiolen, Spatel, Öfen, Kapellen, Trichter, Mönch und Nonne[21], Kolben, Stößer, Kräuter und Pastillen, Schalen, Kannen, Stöpsel durcheinander, ausgestopfte Schlangen, Drachen und Basilisken sterbend darüber ausgestreckt, aus den Haufen hervor Eidechsen mit klugem Auge blickend. Und er schlägt mit dem Stabe auf die Erde, und aus der Wand springt eine Gesellschaft Zigeuner hervor, und die schlagen ihre Zelte mitten in der Zerstörung auf, und braten die Basilisken im aufgefundenen Dachsfett, und kochen Kräutersuppen, und berauschen sich im Spiritus der Präparate, und schlagen im Rausche alles Gerät in Stücke, auch die Flasche mit dem kostbaren Alkahest[22], des Meisters alchymischen Arkanum, und es fließt der Julep[23] umher, und löst die Scherbenberge, Tisch und Stuhl und Zelt samt den Zigeunern und allem auf in eine klare Solution, und in dieser fällt bald ein goldner Schnee zu Boden, und es steigt aus der Golderde glänzend ein Dianenbaum[24] herauf, der, nachdem er alles Aufgelöste weggesogen, durch die Decke wächst, und außen die Universalarznei in vergoldeten Pillen trägt. Dergleichen hat nicht Homer gedichtet, und Odysseus hat es auf seinen Irrfahrten nicht gefunden, aber Odysseus kannte auch nicht das Weltmeer mit allen den Wundern, welche der Sturm um die Sonnenwende wohl aus seinen Tiefen treibt. Ehren wir die Alten, als unsre Ahnen und Stammhalter in der Kunst; aber lassen wir uns durch sie in unsrer Eigentümlichkeit nicht irremachen, nur dadurch können wir so weit wie sie gelangen.

Nachdem wir im Bisherigen mit der charakteristischen Physiognomie der Zeit auch die des Dichters verteidigt haben, können wir zunächst zur nähern Betrachtung seiner Werke übergehen. Hier fällt uns ein Vorteil zu, der uns nicht leicht bei der Beurteilung eines andern zuteil geworden wäre, der nämlich, daß er selbst das Gesetzbuch geschrieben hat, nach dem seine Werke zu richten sind. Es ist begreiflich, daß wir hier die »Vorschule der Aesthetik« im Auge haben, jenes Werk, in dem der Bildner sich in sich selbst über seine Bildungen hinauserhoben, und ihre innersten Nervenwurzeln dargelegt, so daß uns dadurch die Zentralpunkte ihres Wesens von ihm selbst gegeben sind. Es würde nun in gemeiner Vollständigkeit sich schicken, daß wir unsre Kritik mit der Kritik dieses Buchs beginnen, aber wir scheuen uns in den Zirkel einzugehen, in dem wir nach dem Gesetz über das Gesetz urteilen sollten. Wir glauben, daß für jeden eigentümlichen Dichter auch ein solcher eigentümlicher Kodex besteht, der, wenn er ihn nicht selbst gegeben, zu suchen ist, weil er nach eignem, nicht nach fremdem Rechte gerichtet werden will. Grade was negativ im Dichter ist, wird auch in diesem Gesetzbuch sich verraten, aber grade in dieses Negative greift die positive Stärke eines andern ein, und darum ergänzt ein Dichter den andern, und alle bilden erst eine große allgemeine Dichterschule, für die nun auch das allgemeine Recht gilt. Wir wollen uns auch keineswegs zu einer vollständigen Kritik anheischig machen, diese würde wegen der Menge seiner Werke ein Buch erfordern, und doch den Namen nicht verdienen; schon des Raums wegen müssen wir alles Didaktische ausschließen. Endlich glauben wir uns keineswegs zum Richter über ihn, noch weniger über sein Gesetz berufen, wir wollen nur als der *Geschwornen* einer im Ehren-, nicht im peinlichen Halsgerichte, ohne Gefährde und ohne Trug, unsre Meinung sagen, das Urteil gehört den Besten aller Zeiten an. Früher hatten wir uns vorgesetzt, einem aus dem Gefolge des Dichters, und sozusagen, einer seiner Kreaturen die Rezension, etwa dem alten Schoppe, zu übertragen, die Redaktion würde aber wegen zu naher Sippschaft des Rez. mit dem Verf. mit allem Rechte das Werk von der Hand gewiesen haben, und es würde auch allzu weitläuftig und ausschweifend für ein Institut ausgefallen sein, das seine Regeln hat, und sie befolgen muß. Er hat also doch die »Vorschule« vorgezogen, und dadurch den Gewinn erlangt, daß er wenigstens eine Rezension in Paragraphen liefert, da ihm ohnehin wieder andre Rezensenten vorgeworfen, daß er keine Paragraphen in seinen eignen Werken mache. Nur eine Sorge hat ihn schon gleich beim Anfange dieser Arbeit beunruhigt, daß er nämlich voll von seinem Dichter und selbst stark bildernd aus Gewohnheit unbewußt in seinen Bildern nachschimmere, und daß es ihm ergehen möge, wie dem Pfarrer in der Erzählung des Notar Harnisch, der am Altare in die Weise des vorbeiblasenden Postillons wider Willen eingefallen. Um aber auf jeden Fall zu beweisen, daß er, obgleich voll vom süßen Wein des Dichters, doch nicht berauscht sei, noch irrerede, wird er auf der vorgezogenen Kreidenlinie der Rezensenten ohne Wanken gehen, und von Zeit zu Zeit billigem Lobe behutsamen Tadel beimischen.

§. 1. *Genie.* Daß der Genius seinen Heiligenschein um das Haupt dieses Dichters hergeworfen, darf sein Rez. glücklicherweise nicht erst mit Argumenten erweisen, da das Licht grade die Natur hat, sich selber zu bewähren, samt allem andern, was die Nacht verbirgt. Ein langer, gerader, blitzheller Strahl fällt aus der Oberwelt in seine Seele, und wie Sonnenstäubchen weben und schweben die Ideen im hellen Strome, und die Seele ist selbst der Strahl, und die Phantasie in ihr webt den schwimmenden Erdenstaub zu einem Abbild der höhern Sonnenwelt zusammen. Der *»Titan«,* der Gipfel und die Mitte seiner Werke, ist er nicht ganz eigentlich ein schimmerndes Paradies aus Demantwasser und Brillantenfeuer ausgeschaffen, und wie eine Welt im ursprünglichen Schöpfungslichte schwimmend, und auf ihm verklärte Geister des Himmels hernieder zur Erde schiffend? Wenn wir diese Gestalten betrachten, die nicht Gott gemacht, und deren Geister er auch dereinst nicht wiederfodert, wie sie doch so lebendig um uns stehen, ja gleichsam aus der Quelle des Lebens selbst in goldnen Gefäßen herausgeschöpft, und unsterblich, weil die Makel des Irdischen sie nicht befleckt, und der Teufel bei ihrer Geburt nicht die Hand auf sie gelegt, und ihnen den schwarzen Fleck des Todes eingebrannt, wenn wir den Dichter sehen, wie er in heller, stiller, besonnener Klarheit unter diesen Sternscheinen eines geistigen Himmels schwebt, und alles wie mit bloßem Wink des Auges ordnet, und formt, und beschickt zur Rechten und zur Linken und überall, dann wird es uns recht im Innern begreiflich, daß der Glaube, es wohne eine eigentlich schöpferische Kraft im Menschen, keineswegs vermessen sei. Wohl sind die Keime in die Seele des Dichters hineingesäet, und auch die befruchtenden, brütenden, treibenden Kräfte, die Symbole des Ewigen; aber die Handlung ist doch eigentümlich sein und die dadurch erwirkte Form, und er ist in seiner Dichtung Demiurg. Man sage nicht, daß die Schöpfungen der Kunst im bloßen wesenlosen Schein beharren, und sich nicht selbst ergänzen, noch vermehren; man könnte, so leicht wie eingeworfen, auch erwidern, wer weiß, ob nicht die Gestalten, die ein Dichter ganz rund und geschlossen und ohne innern Widerspruch in eigner Eingeburt hervorgebracht, nicht eben damit auch in einer andern Welt in der Wirklichkeit wiedergeboren werden, wie umgekehrt die Strahlen, die von jenem Sterne ausgeflossen, in unserm Auge den vielleicht erloschenen Stern in einem geistigen Bilde wiedergebären. Leicht würde es in einem Programme sich verteidigen lassen, daß unsre Weltgeschichte nur der mittelmäßige Roman eines Dichters etwa auf dem Kometen ist, der die Sündflut hervorgebracht, und am Schlusse des Buchs die Erde in Feuer aufreiben wird; die Dichter aber und die Philosophen und die Trajane[25] in der Geschichte nur eingestreute gute Gedanken und Genieblitze sind. Mit Recht nennt die »Vorschule« das Genie vielkräftig; neun blitzende Götter und eilf Arten Blitze, von allen Planeten herabgeschleudert, nahm das alte *Tuskien* an[26], in *diesem* blitzen alle Sterne des Himmels in allen Farben und Gestalten, kalt und brennend, schmelzend und zerreißend, auf- und niederfahrend, er selbst aber schwebt wie der Donnervogel ungetroffen unter dem Wetterleuchten, weil er das schießende Feuer selbst regiert, und mit starker Kraft zusammenfaßt, und das ist, was die »Vorschule« die schöne heitere Besonnenheit nennt[27]. Was aber die »Vorschule« nicht anführt, und was wir doch an ihm als das Höchste anerkennen, das ist die große wahrhaft göttliche Kunst, mit der er uns in jeder Lebenszeit die Jugend wiedergibt. Wie legt er sich uns nicht liebkosend an die kalte Brust, und verhüllt sie mit dem schneeweißen, weichen, warmen Schwanenflaum, und deckt uns ganz mit den Flügeln seiner Liebe zu, und brütet nun ohne Aufhören in heißer Liebesbrunst, und tränkt uns ganz mit seinem elektrischen Feuer voll und mit der begeistigenden Wärme seiner liebreichen Natur, daß der schlagende Punkt des Gefühls in uns sich in immer stärkerer Pulsierung regt, und die warmen Lebensströme immer dichter aus dem Herzen quellen, und in größern Bogen springen, und wie die Heklaquellen selbst die harte Kieselerde, so alles Erstarrte in uns lösen, bis das heiße Leben alle Feindschaft in uns überwunden, und aller Reif im lauen Atem weggeronnen, und alle welken Blumen der Erinnerung im warmen Herzblut von neuem aufgeblüht, und jeder Puls ein Herz geworden, und alles Schwere in uns in eine schöne Begeisterung aufgegangen, und alle schweigenden Gefühle in ein helles Klingen aufgewacht, und alles wieder neu und grünend und erfrischt vor uns steht, und wir uns freudig überzeugen, daß wir noch nichts vom alten Lebensfeuer eingebüßt. Fliegt der Schwan dann wieder von uns auf, dann tritt die Welt wohl wieder in ihr Recht, und der klare Himmel trübt sich in Schneegestöber, und die vier Elemente setzen je nach ihrer Schwere sich übereinander; aber die Kunst hat uns mit ihrem Zauber doch verjüngt, sie hat uns mit Himmelsäther vollgegossen, und dem Kometen seinen Lichtschweif wiedergegeben in der Sonnennähe, der[27a] sie ihn zugeführt. Und das ists, was wir für das Höchste schätzen, und gern gibt unsre Philosophie dem Bewahrer dieser Quelle ewiger Jugend ihr eines Auge um einen Trunk aus seinem Borne hin; wenn nicht klarer doch milder wird seine Weltanschauung gleich der des Mondes sein. Grade in dieser Zeit, wo der Ring des geistigen Polarzirkels gebrochen scheint, und der alte Winter aus seinen Ufern tritt, und das Treibeis weit hinunter bis an die Wendezirkel der innern Welt sich verirrt, ist seine und jede andre Dichtung in seiner Liebe, eine Gabe des Himmels, ein warmer Sommer, der das Eismeer und seine Gletscher in ihre Schranken treibt. – Wir glauben sattsam dargetan zu haben, daß das Genie der Liebe vor allem in diesem Dichter wohne.

§. 2. *Humor.* Wie alle neue Poesie zum Unendlichen hinangegangen, ist auch der Witz zum Überschwenglichen hinaufgestiegen, und zum Humor geworden. Eben weil das Unendlichgroße aus dem Endlichen sich sublimiert, mußte zugleich auch das Unendlichkleine sich in ihm niederschlagen, und das Endliche selbst wird vor dem Unendlichgroßen zum Differential. Der Blick in die unermeßliche Sternenwelt des Episch-, Lyrisch-, oder Tragischerhabenen vom Endlichen hinaus ist erhebend und erbauend; der von dort in das Endliche hinunter zerstörend und für den Witz darum lächerlich. Wie aus allen Bergen und Versenkungen und Kratern und Felsenriesen im Monde die Einbildungskraft des Volkes nur *ein* Bild zusammensetzt, etwa des Mannes der gesteinigt worden, weil er am Sabbat Holz getragen, oder Isaaks, der den Holzbündel auf den Berg Moria zum Opfer schleppt[28], so sieht der Humor aus seinem siebenten Himmel alle Majestät und Pracht und Herrlichkeit der Erde und ihren Dünkel in einen Harlekin zusammengehen, der auf straffem Seile über dem Abgrund der Ewigkeit tanzt. Hier steht gleich der große humoristische Riese, *Schoppe,* aufgerichtet vor uns da. Aus ihm ist wie aus tiefem Schachte ein gewaltiger Berggeist, das große ewige transzendente Ich, heraufgestiegen, und wie er nun im freien Äther immer wachsend wie jene mythischen Berge, in den Sternenhimmel eingedrungen, so hat er das eigne kleine, endliche sichtbare Ich auf die Schultern hinaufgehoben, und von dort, vom Sirius herab, betrachtet die kleine Gestalt, wie in »*Habermanns* Reisen« in den »*Palingenesien*« der Menschen Tun und Treiben vor dem Sonnenmikroskop, und sieht, wie alles eitel Narrheit ist und Aberwitz, nur die innere Treue und Liebe und Wahrheit im Menschen nicht. Nicht wie im gemeinen Menschenleben, wo alles geronnen und gestanden in begränzter Form, in wenig einförmig wiederkehrenden Bewegungen sich umtreibt, gleicht er vielmehr einer freien schweifenden Feuerflamme, die ihre Nahrung in sich selber trägt, und wie ein Meteor in schöner Willkür auf- und niederschießt. Es ist die aufgeflogene Seele des *Pasquino*[29], bei dem auch der Vliesritter ihn zuerst gefunden, die in dem starken Menschen wohnt mit allem Witz und allen Sarkasmen und aller Erboßung, die er seit Jahrhunderten an jener Stelle eingesogen, wo er wie jene Salzsäule am Pfuhle menschlicher Verkehrtheit steht, und zürnt. Die ersten Akkorde der musikalischen Kaprize, die er durch sein Leben darstellt, sind[29a] im *Doktor Fenk* in den »Mumien« angegeben. *Vults* schöner Kriegs- und Liebestanz durch die »Flegeljahre« lassen dem Jüngling *Schoppe* sich recht gut unterlegen, bis er zuletzt im *»Titan«* kräftig auf seiner Sonnenbahn vom Löwen in die Jungfrau schreitet, und im Skorpion untergeht, weil eben jenes Ich, dem er den Geist, und daher die Unsterblichkeit in seinen Humor hinaufgezogen, im Wahnsinn gegen ihn aufgestanden, und vor seinem Angesichte zu einem andern Riesen angewachsen, der mit dem humoristischen ringt, bis dieser ihn erwürgt. Der Sieger aber schweift als *Graul* im Siegkobel[30] noch eine Weile durch die Lüfte in zornigem Mut, bis der Blitz den kühnen wilden Abenteurer erlegt, und er wie Herkules auf *Oeta*[31] in den Flammen gen Himmel steigt. Füglich ist der Schöpfer dieser edeln Gestalten als der Vater deutschen Humors zu grüßen, da sich vor ihm, außer etwa im ältern Dramatischen, wenig Spuren dieser Metaphysik des Witzes finden. Der Humor Jean Pauls ist echt und rein deutsch, mit dem englischen so nahe verwandt wie die Wurzeln beider Nationen, und ihm so ungleich wie ihre Entwicklung. Auf breiterem Fuße hat der seinige größere Höhe und damit größere Freiheit erlangt. Während Tristram[32] gutmütig schnurrend und summend über die Hügel eines reichen anmutigen Landes streift, geht der Deutsche lieber über hohes Geklippe mit den Gemsen, und sieht gern die Flüsse quellen, sich ausgießen, und durch die Lüfte wiederkehren, alles im Umfassen *eines* Blickes. *Shakespeare* hat freilich mehr als einmal die Schneelinie durchbrochen, und es möchte nicht leicht ein Gipfel sich in der menschlichen Natur erheben, wo er nicht irgendeinmal gewesen, und seinen Namen ins Brockenbuch geschrieben[33]; aber eben darum ist er allen Völkern eigen, die ihn anerkennen, und nur ansässig in Britannien. Keck und kühn und nackt, ein erhabenhoher Säulenschaft, steigt der Deutsche auf; oben wird die Säule dann zum hellen, klaren, lichten Wasserstrahl, dem eine hoch ausschießende Luftsäule schimmernd, wie wenn die Sonne Wasser zieht, sich aufgesetzt, die dann nach oben in einen stehenden Blitz aufzuckt, der die tanzende Kugel des Witzes und der Phantasie im Äther trägt. Selbst in die kalte Höhe aber hat der Dichter seine Milde und seine Liebe mit hinaufgenommen, darum erscheint ihm die Erde, wie sie kleiner wird, auch sternig heller; selbst im Zorne fliegt ein Lächeln auf, das sich nicht halten läßt, und die Sonne, die ihm oben nie untergeht, bestrahlt und verklärt öfters statt der Entrüstung die Wehmut, in die sie aufgegangen. Man könnte von ihm sagen, daß er mehr hinabschwebend und aus der Erinnerung, als ansteigend aus der Anschauung gedichtet, und die Mythe, die er in der Zueignung des »Titans«, und im Traum eines Engels in den »Dornenstücken« ausgeführt, möchte man anwenden auf den Humor und die ganze Phantastik dieses Dichters. Nicht mit dem Mohnkranze gekrönt, wie andre Sterbliche, denen in seinem Dufte die Vergangenheit verschwimmt, ist er auf die Welt herabgekommen; sondern mit einem Gewinde solcher Blumen, die das Nichtvergessen schon durch sich selbst aussprechen. Von der Morgenröte zur Abendröte halten seine Dichtungen die goldne Brücke ausgespannt, und es schreiten die himmlischen Geister aus der großen Vergangenheit in die selige Zukunft über, ohne zu weilen in der Gegenwart, die unten durch die Bogen schäumend rauscht. Aus dem Blute *Quaser* des Allwissers, das die Zwerge *Fialar* und *Galar* im Kessel *Odhrärir* mit Honig mischten, gärte der Met hervor, in dem jeder, der ihn kostet, zum Dichter sich berauscht. *Gunnlöda*, die Hüterin, hat den Dichter drei Züge aus dem Becher, wie einst dem Geliebten *Odin,* erlaubt, und er hat sich seinen weltumgreifenden Humor daraus angetrunken, und zu schönem Wahnsinn sich berauscht[34].

§. 3. *Laune, Ironie.* Laune ist, wie die »Vorschule« recht bemerkt, lyrischer Humor, die Ironie hingegen epischer[35]. Ein leiser Lebensjubel, eine mildgedämpfte Dithyrambe ist die Laune, die, wie wenn sich die schwüle Wolke kühlt, im Wetterleuchten sich entladen wird; ein phantastisch frei bewegliches Wesen ist ihr Körper, ihre Seele ein strahlend und quellend Lebensfeuer, ihre Gestalt ewig wechselnd, wie die der infusorischen Amorphen. Einer Libelle gleich schwebt sie über dem Wasserspiegel, zwischen zwei Himmeln sich wiegend, mit dem dritten in der eigenen Brust. In schöner dichterischer Gärung wird das Blut im Herzen zu begeistigendem Feuerwein, daß die Lohe aufwärts zum Kopfe schlägt, und strahlend ausströmt, wie ein mildes Frühlingswehen, daß die schlafenden Blütenknospen die Augenlider aufschlagen, wähnend, der Frühling habe sie geküßt. Wie Glockenton geht die Dichtung von der Seele aus, und wogt in ungebundenen Schwingen durch die Lüfte, und regt in der Brust den Affekt, wie im fernen Gebürge den Lawinensturz. Die Ironie hingegen steht klar, aber kalt wie eine Nebensonne in ihren Zirkeln und Bögen und zwischen Hagelkörnern da. Ein treues Basrelief von allem, was krumm ist und höckrig im Menschen und im Leben, kehrt sie jedem seinen eigenen Spiegel zu, in dem er sich mit all seinen Gepresten selber malt, den großen Weltspiegel aber richtet immer der Humor, der, wie er dioptrisch[36] in der Laune gleichsam die nackte eigne Psyche im Kristallgefäße schwimmend auf der Lebensnaphtha gezeigt, so hier katoptrisch als Luftbild sie hinauswirft aus dem Krystall, dessen selbstleuchtende Folie die Dichtung ist. Der Weltgeist spielt mit dem Geiste dort, hier aber mit der Welt. Als die dargestellte reine Laune gleitet wie ein heller vielfach gewundner Strom in Blumenfeldern *Viktor* durch den »*Hesperus*«. Ist nicht Hesperus selbst statt des Herzens in der Brust des milden liebevollen Menschen aufgehangen, und durchquillt die ganze Gestalt mit seinem Glanze wie der Stern die Himmelsbläue. Wie schwingt er nicht mit heiterfrohem Sinne den Thyrsus der Liebe in seinem Himmelslaufe; wie geht er nicht wankend in süßer Trunkenheit auf den Pfaden der Geschichte so frei und so gebunden, ohne Ziel, und doch so sicher, wie Blitzfeuer hinlaufend an jedem Metall, das seiner Liebe Nahrung gibt, und auf geradem Wege durchschlagend alles Hassende, was sich widersetzen will. Jede Empfindung wohnt bei ihm, wie im Kelche einer Glockenblume, und wie er, sein Leben dichtend, sich bewegt, läuten alle Glocken im hellen Silberklang, und alle Kelche leeren sich mit Düften, und füllen sich mit Tau; der Tau aber sind die Tränen, deren allzugroßen Reichtum man ihm wohl vorgeworfen. Auch in *Firmian Siebenkäs* schlägt diese Laune die großen bunten Flügel, die ihn über die Mühen des Lebens heben, daß er leicht über alle Dornen und Fußangeln, die sein böses Schicksal ihm in den Weg geworfen, wegkommt, neben denen die ungeflügelte Lenette mit Angst und Sorge sich durchwinden muß. Das kühne, kecke Spiel, das er und *Leibgeber* zuletzt mit dem Tode selbst treiben, macht, ganz im Gegensatze jener alten Totentänze, den Tod statt zum Chorführer zum Tanzenden, und sein Mantel ist das junge frische Leben, und seine Maske die eiserne, hinter der das gerührte Auge sich verbirgt. Eines gleich rein ironischen Charakters, wie jene beiden launigt sind, wüßten wir uns in den vorliegenden Schriften nicht zu besinnen, man müßte denn den *Doktor Katzenberger* mit dem zweischneidig geschliffnen Seziermesser seiner zynischen Rede und mit der Sublimatauflösung[37] seines wissenschaftlichen Witzes, worin er die Menschen als lebendige Präparate setzt, dahin rechnen wollen. Aber viel gute Ironie ist durch alle jene Bücher ausgeteilt in Extrablättern und Anhängen und Diskursen und überall, doch hat uns die im »Hesperus« zu wiederholten Malen, wegen des durchgängig lyrischen Charakters der Dichtung oft gestört, am meisten beim Hören, weniger beim Selbstlesen, wahrscheinlich weil dies geschwinder vonstatten geht. In rein vorherrschend ironischer Stimmung ist die »*Erklärung der Holzschnitte*«[38] geschrieben, und alles wie gewohnt geistreich und witzig ausgeführt, aber, was sie drückt, ist die Armut des untergelegten Textes im Gegensatze des Hogarthischen nie zu erschöpfenden Reichtums bei dem Lichtenbergischen Kommentar[39], eine Leere, die leicht den Witz radikal verdirbt, indem sie ihn als gesucht erscheinen macht. Leichter noch möchte eine Erklärung bloß zufällig hingeworfner Tintenkleckse sich geben lassen, als solcher starr eindeutigen und hartnäckigen Gestalten.

§. 4. *Witz*. Niemand dürfe mit Ehren von sich selbst sagen, er sei witzig, damit beginnt die »Vorschule« das Kapitel[40], sie verbietet aber nicht dem Rez. von seinem Autor zu sagen, er habe reichen Witz, wenn die Gefahr, einen Gemeinplatz auszusprechen, es ihm nicht schon vorher verboten hat. Die »Vorschule« stellt auch die drei Dimensionen des Witzes auf, aber so gern wir einen Tiefsinn als die Durchdringung des Scharfsinnes und des Witzes anerkennen, so möchten wir doch nicht den Scharfsinn als Potenz über den Witz hinaussetzen, vielmehr nebeneinander nach der alten Ordnung, an der mehr ist, als die »Vorschule« zugeben mag; und wir wollten eben wohl auf Schlag und Stoß verfechten, daß der Scharfsinn ist wie Schwertesschärfe, der Witz wie Degenspitze, oder wie Blitzesschneide und St. Elmsfeuer, oder wie die positiven Figuren des Elektrophors zu den negativen, der berühmten Polaritäten gar nicht zu gedenken. Jenen Tiefsinn finden wir nun ganz besonders in den vom Dichter seinen Werken häufig gleichsam als Rezitative eingelegten philosophischen Erörterungen, die gesammelt eine recht stattliche Philosophie geben würden, von welcher wir hier näher reden würden, wenn wir es uns nicht zuvor verboten hätten. Vom Scharfsinn wollen wir, um nicht zu überladen, nur die Note zu »Katzenbergers Badereise« (I. S. 241[41]) anführen. Vom Witze haben wir alle Arten und Unterarten, von denen in der »Aesthetik« gesprochen wird, in reichlicher Menge gefunden, und darunter eine, von der sie schweigt, und die doch zugleich die schwerste und gelungenste von allen ist, die dramatische nämlich oder historische. Wir rechnen dahin Schoppes Fahrt ins Wasser im »Titan«, Zeusels Streit mit seinem Bruder, dem Balgtreter, im »Hesperus«, Katzenbergers Entführung des Doppelhasen und die Abstrafung seines Rezensenten, die Eröffnung des Kabelschen Testamentes, die Treibjagd der Gläubiger gegen den Elsasser in den »Flegeljahren«, die ganze Rasse des närrischen Hasenfußes Schmelzle, des Doktor Hoppedizel Türkenschlacht mit seiner guten Ehehälfte in der »Unsichtbaren Loge« und gar viel anderes. Es hat der Witz dieses Dichters einen scharfen, hellen, immer wachen Blick, unaufhörlich bestäuben sich die Dinge vor seinen Augen untereinander wie die Blumen eines Aurikelbeetes, und seltnere Spielarten und Mißgeburten wie er hat keiner noch herausgebracht. Aus dem Orient und dem Okzident, von den Gegenfüßlern und den Nebenfüßlern, aus allen Wissenschaften und Ständen und Erdwinkeln kommen die Gedankenzüge wie Karawanen zu ihm hergereist, und er treibt seinen Tauschhandel und Verkehr, und läßt den Samojeden vor sich auf dem Kamele fliegend reiten, und den Araber mit Rentieren im Phaeton[41a] durch die Wüste fahren, und fliegende Fische oben im Lindenwipfel singen, daß die Nachtigallen horchen, und Meerkatzen aufmerksam in sentimentalen Romanen blättern. Wie dem Rattenfänger von Hameln folgen dem Pfade dieses Witzes zugleich die Ratzen und die Knaben, aber zugleich auch alles andre, was ihm sonst unterwegs aufstößt, die Tiere des Feldes und die Vögel in den Lüften, selbst das Gestein und die Metalle in der Erde senden ihren Ton herauf, und das Feuer spricht in vielen Zungen. Wie ein Schwaden ist er durch alle unterirdische Schachte durchgezogen, mit den Wolken fährt er über die Höhen hin, unter den Irrlichtern leuchtet er durch die Nächte. Selbst aus dem Staube alter Bibliotheken hat er komischen Goldschlich, wie Kurpfalz aus dem Rheine ausgewaschen, und zu seinen Dukaten mit der Legende: sic fulgent litora Rheni[42], ihn vermünzt; nur wie die Münze zu Mannheim haben wir oft die Magerkeit der gewählten Goldgründe bedauern müssen. Dieselbe Milde, die den Dichter in seinem Ernst begleitet, verläßt ihn dabei auch mitten in seinem Scherze nicht; wie beim indischen Gott der Liebe Camadeva ist die Spitze seines Pfeiles mit Blumen umwunden, und selbst der boshafte Katzenberger, mitten in seiner gerechten Entrüstung über seinen Rezensenten, bestreift nur die Knöchel desselben im Feuer der Aktion zweimal leicht mit der Sch[n]eide dieses Pfeils. Außer häufigen Scharmützeln mit diesem Rezensenten, deren mehrere auf den Fängen jenes Elephanten gespießt erscheinen, der im Eingange der gegenwärtigen Kritik oder Antikritik steht[43], führt er auch viel und öfter Prozeß mit dem deutschen Publikum, das, wie er vorgibt, nicht Spaß versteht. In der Tat kann nicht leicht ein ehrbareres, ehrenfesteres, solideres Volk, als das unsrige, gefunden werden, wie es im ledernen Koller seiner Steifselikeit und Ernsthaftigkeit steckt, und wie die Schildkröte in Jahren nicht auf die Beine kommt, ists einmal auf den Rücken geworfen worden. Es geht kein Spaß an keinem Ende des Reiches aus, ohne daß sofort die sämtliche Reichsspießbürgerschaft betroffen auffährt, und einer den andern verstohlen anschielt, ob es ihm gegolten, und in aller Eile sucht jeder still an sich alle seine Lächerlichkeiten zu überzählen, ob ihm nicht eine entkommen sei, die der verdammte Spaßmacher aufgehoben, und nun öffentlich vorzeige zum Skandal der Welt und zur Beschauung des armen Sünders, worüber sie dann jeder für sich und einer für den andern mit Fug und Recht aufs äußerste sich erbozen. Dieser Nervenschwäche, die allein durch tüchtigen Zorn zu heilen ist, müssen wir für die Zukunft noch vielen Verdruß prophezeien; denn wenn eine freie Literatur auch sinkt, dann überlebt der Witz doch alle andern poetischen Vermögen, und jene Witzscheu ist an sich zu komisch, als daß der Gescheute sich nicht allen Mutwillen gegen sie erlauben sollte. Wie auch das gehetzte Tier sich bäumt, sein Gegner sitzt ihm zwischen den Hörnern fest, und zündet seine Schwärmer ihm vor den Nüstern los. Es steht aber zu hoffen, daß binnen zehn Jahren diese närrische Schreckbarkeit deutscher Nation sich um ein beträchtliches vermindert haben wird, und daß sie einigen soliden Spaß als Zubrot zu ihrem Pumpernickel, den sie ewig käut und wiederkäut, nicht von der Hand weisen wird.

§. 5. *Charaktere.* Wir begegnen dem Dichter im Mittelpunkte seiner Schöpfung, wo er seine Charaktere gestaltet, deren Hervorbringung wir mit der »Vorschule« für das Seltenste und Schwerste in der Dichtkunst halten[44]. Gleichwie aus dem harten Felsen, als ihn der Prophet mit seinem Stab berührt, ein Kamel samt seinem Jungen hervorgesprungen, so drängt sich auf des Künstlers Beschwörung aus dem Nichtsein schnell eine Gestalt heraus, die uns als ihresgleichen grüßt, und der wir, mit Ehrerbietung sogar, den Gruß erwidern müssen. Der Charakter, sagt die »Vorschule«[45] sei bloß die Brechung und Farbe und Strahl des Willens, also ursprünglich siebenfach; die Mohammedaner aber erzählen nach alter Sage, aus sieben Händen voll verschiedenfarbigem Ton sei der Mensch gemacht, und daher rühre die Verschiedenheit der Temperamente und Naturen. Der Dichter mischt den Ton, aber Gott sendet seinen Atem und sein Licht herab, damit die Gestalt Leben und Bewegung gewinnen möge. Jeder Dichter bringt die Embryone seiner Gebilde zusamt der sie belebenden Kraft als eine Naturgabe mit, und wenn die Stunde der Begeisterung nun geschlagen, dann springt jedes, je nach der Ordnung, in der ihm seine Zeit gekommen, in bestimmter Form ins Dasein über, gleich den Urtieren, die in dem Nil sich aufgerichtet, als der erste Donnerschlag sie aus ihrem Schlaf geweckt. Wie aber im Keime die Wurzel ins dunkle Unterreich eindringt, der Stamm aber den Himmel und das Lichtreich sucht, so, behauptet die »Vorschule«, sei auch die Geburt des Dichters zweifach geteilt in ihren äußersten Gegensätzen, und strebe dem Ideal des Lichtes im herrschenden guten Geiste des Werkes und seinem Helden und dem des Bösen in den Höllenmächten zu. Dieser Gegensatz ist in den »Dornenstücken« der zwischen Firmian und dem Venner Rosa, im »Hesperus«, schon erweitert, der zwischen Viktor und Matthieu, am weitesten im »Titan« zwischen Albano und Roquairol nach dem Falle, und außer ihm noch Bouverot, dem Kahlkopfe und andern. Sichtbar ist hier nach der Theorie der »Vorschule« das Gute höher hinaufgetrieben, das Böse aber nicht in gleicher Dunkelheit gehalten, sondern wie auch die physische Nacht von mancherlei umschweifenden Lichtern erhellt, und in seiner Schwärze gemildert. Aber wir sind nicht mit dieser Theorie einverstanden, daß das Böse als solches nicht Gegenstand der Dichtkunst sei, und alle dafür beigebrachten Gründe haben uns nicht überzeugen können. Denn die quantitative Stärke oder Schwäche läßt sich, gegen die Meinung der »Vorschule« (S. 357[47]), mit jedem der beiden qualitativen Gegensätze von Liebe und Haß, Achtung und Verachtung gleich gut verbinden, der rein unvollkommene oder böse Charakter wäre also nicht notwendig feige, schadensüchtige, ehrlose Schwäche, sondern vielmehr heroische starke Verachtung und Haß gegen alle Welt, mit eigner Überschätzung, oder heroischer Hoffart, ein Charakter, wie ihn grade die Engel im Sturze angenommen, und der daher keineswegs außer dem Kreise der Dichtkunst liegt, und den wir ja sogar im Leben ertragen müssen. Der Haß gegen das Schlechte ist in unsrer Brust gleich lebendig, wie die Liebe zu dem Guten, und warum sollte dieser allein und nicht auch jenem Zucht werden und ästhetische Disziplin? Mutlos kann die Schwäche nur vor solchen Bildern werden, der Starke ringt sich kräftiger an ihnen, auf den Gesunden wirken nicht die schlimmsten Aspekte der Gestirne, wer aber den faulen Fleck schon in sich trägt, findet leicht auch die Made, die sich von der Verderbnis nährt. Wir glauben vielmehr, daß von der Erde aus der Weg zum Himmel durch die Hölle führt, und daß dem Dichter, weil er den Flammen die Pforte allzu ängstlich zugeschlagen, grade der höchste und reinste Strahl überirdischer Verklärung, der sich in dem Charakter eines milden, gottbegeisterten, in sich selbst durchleuchteten Sehers verkörpert zeigt, vorbeigegangen, so sehr sonst grade er den Beruf zur Darstellung dieses Bildes gehabt. *Spener*, obgleich an sich vortrefflich, ist doch mit der ganzen herben Spröde des Luthertums und dabei mit einer Art von Groll gezeichnet. Der Katholizismus, der allein so starre Formen sänftigen kann, ist in früherer Zeit dem Dichter fern geblieben, und später hat er wohl, des Mißbrauchs wegen, den man damit getrieben, ihn in die Kreise seiner Eigentümlichkeit nicht aufgenommen, obgleich auf Wina in den »Flegeljahren« ein leises ihr wohltuendes Streiflicht aus ihrer Kirche fällt. Der Indischpythagoreische *Dahore* im »Hesperus« hingegen, obgleich gar mild und liebreich und unschuldig und erhaben in seiner Weltbahn durch den Ideenhimmel, ist uns doch immer mehr wie eine prächtige ideale Feuergarbe, ein Buch voll Sternenschrift vorgekommen, und hat niemals einen festen und umschriebenen plastischen Eindruck in uns zurückgelassen. Oft hat er ein ängstliches Gefühl in uns geweckt, was wir seinem Siechtum und öfterem Bluten, sogar seiner Tränenlosigkeit zugeschrieben, ein Eindruck, der sich durch die gräßlichen Worte des Wahnsinnigen vor seinem Tode noch verstärkt, bei seinem Gegenbilde *Liane* unter ähnlichen Umständen aber keineswegs wiederkehrt. Auch das öftere ängstliche Zurücksehen des Dichters nach seinen Lesern und die Entschuldigung der Schwärmerei des Indiers kann nicht zu seinem Vorteil wirken. Frei und frank muß die große Gestalt in der Dichtung stehen, und zwischen ihr und der Armseligkeit der Welt sei kein andrer Verkehr als ein bessernder.

[...]⁴⁸

§. *6. Fabel.* Jedes wahrhaftige epische Dichterwerk ist einem Flußgebiete zu vergleichen, in der Mitte zieht der große Strom im tiefen Tal dahin, die Fabel, seitwärts begleitet von den großen Bergzügen, den Charakteren; jeder gießt je nach seinem Vermögen den größeren oder kleineren Strom seines Wirkens und Lebens durch Seitentäler der Hauptströmung zu, die für sich besteht, und wieder doch aus allen, wie die große Pulsader, die aus dem Herzen geht: und wie die Berge ziehen, wo Ströme laufen, und Wasser rinnen, wo Berge ziehen, und alle Täler sich gegen das Haupttal öffnen, und dies grade an den Öffnungen der Seitentäler vorüberzieht, daß man nicht weiß, ob die Flüsse mit kluger Wahl ihre Betten sich gesucht oder ob diese Gerinne die Ströme zu sich herabgelockt, so ist es auch bei jenen poetischen Strömungen ungewiß, ob die Charaktere die Fabel sich zugebildet oder diese die Charaktere sich gestaltet, wie auch die Geschichte ihre Menschen macht und zugleich von diesen Menschen gemacht wird. Der gewaltigste unter allen

Strömen, die durch die Werke unsers Dichters gehen, wälzt sich durch den »*Titan*«
hin, ein frisch, stark und lieblich Wasser, dem Rheine zu vergleichen, das wie
dieser herabkommt von hohem Bergeshaupte, über die Matten des jugendlichen
Schweizerlandes hinüberrinnt, und nachdem es den großen Sturz ins Jünglingsalter
gemacht, mit Liane durch helle grüne blumige Ebenen, von fernen kleinen Bergen
besäumt, und durch den Rosengarten von Lilar schreitet, bis ihn die Ungewitter
des Tartarus vom Donnersberge her trüben und aufwühlen und empören, wo er
denn, nachdem der Regenbogen des Friedens wieder an seinem Gewölbe erschienen, mit Linda in das romantische Rheingau mit seinem großen klaren Wasserspiegel, seinen waldigen Inseln, den scharfumrißnen Bergen, und dem Sonnenweine,
der im Mark des Lebens, wie der Raub des Prometheus[49] im Marke der Ferula[50]
brennt, eingetreten, und nachdem er am Fuße der sieben Berge und ihrer alten
Löwenburg vorbeigezogen, sich nach und nach von seinen Freunden im Gebürge
verlassen sieht, die zur Rechten hinziehen, und zur linken Hand, daß er mit Idonie[50a] allein einziehe in ihre Holländerei, in ihr nettes, reines, hellaufgeräumtes,
blinkendes Arkadien, unweit Saubügel, und in viele Arme gespalten, dort im Sande
sich verliert. Das kleinste Wässerchen hingegen von allen, die dieser Flußgott
springen läßt, rinnt aus dem Munde des Schulmeisterlein Wutz, nicht stärker etwa
als jenes, was jener Berauschte an dem Bassin in seinem Irrtum über Nacht von sich
zu geben glaubt[51], aber ein gesund und lieblich, klar und lebendig Quellwasser aus
einer Erdenbrust heraus. Im »*Hesperus*« ist ein gewunden, künstlich Springwerk
angelegt, durch viele Schlangenbeugungen wird das Element getrieben, bis es zuletzt im Schwerpunkt seine Ruhe findet. Sehr verwickelt und etwas unglaublich ist
der Plan in ihm wie im »*Titan*« anfangs angelegt; aber ist man über die Vorfrage
einmal erst hinaus, dann entwickelt sich alles mit großer Wahrheit und Geschick-
lichkeit, jede Handlung aus ihrer Natur, wie jede Pflanze aus ihrem Samen. Mit
großer Einfalt hingegen ist das Haus- und Familienbild in den »*Dornenstücken*«
angelegt, der Streit des Lichtes mit dunkelm Gewölke, die Wirtschaft des Himmels
mit der Erde in böser, kalter, unfreundlicher Zeit, wo der Boden nichts erträgt, und
Hungersnot einbricht und Krieg, und beinahe auch Pestilenz, alles im Kleinen und
ohne Tadel vom Anfang bis zu Ende vorgestellt. Ebenso vortrefflich und mit
wahrhafter Meisterschaft ist auch die ganze Anlage der »*Flegeljahre*« geordnet und
disponiert; eine komische Ader läuft wie eine Arterie wärmend, treibend, anfeu-
ernd, blitzend und hochgerötet durch; und eine andre Liebesader zieht, wie eine
Vene saugend, sammelnd, bindend, ziehend, anreißend der andern entgegen, und
verschlingt sich mit ihr zu einem Lebensbaume, und beide sammeln sich im »Hop-
pelpoppel, oder dem Herzen« an. Der einzige Fehler, den wir an dem Werke
auszusetzen haben, ist, daß es nicht vollendet ist, und wir werden, da das Publikum
mit großer langmütiger Geduld oder Vergeßlichkeit auf die Fortsetzung wartet,
den Verf. nächstens durch den Bürgermeister *Kuhnold* im Reichsanzeiger öffentlich an seine Schuldigkeit erinnern lassen. Unvollendet geblieben ist auch die »*Unsichtbare Loge*«, vielleicht zum Teil aus demselben Grunde wie Schillers »Geisterseher«. Mit gleicher Kraft und Lebendigkeit, aber nicht mit derselben Gewandtheit
wie die späteren Werke geschrieben, hat wahrscheinlich zuerst der undankbare

Kaltsinn, mit dem man das Buch aufgenommen, seine Unterbrechung veranlaßt, und später hat der Verf. den verwickelten Faden lieber fallen lassen, als ihn in ungleicher Arbeit fortgesponnen. Wie ein Kind folgt der Leser dem guten *Fixlein* durch seine sieben Freuden von Schulbank zu Schulbank hin, bis in die Pfarrei von *Hukelum*, und im »*Jubelsenior*« wird er ebenso schnell in den kleinen Kreis hineingezogen, worin sich ein winzig kleiner Teil der Weltgeschichte spielt, ein Akkord der Erdenoper. Auch die Reise, die *Katzenberger* zum Bade seines Rezensenten unternimmt, ist ganz fertig und abgeschlossen wie ein Gewächs, eine große exotische Distel; zwischen den Stacheln, die der Vater nach allen Seiten um sich auswirft, treibt Theoda die zarten bunten Staubfäden heraus, deren Honiggefäße der Poet Niesen[52] wie ein Kolibri umfliegt, bis ihn der Besitzer der Höhlenbären zu verscheuchen weiß. Im »*Kampaner Thal*« zuletzt zieht sich die Rede am Faden der Geschichte in dem schönen Tempe am Ufer des Baches, begleitet vom murrenden Konterbasse des Kantianers, langsam hinauf, bis sie zuletzt mit den beiden Aerostaten[53] zum Himmel steigt.

§. 7. *Poetische Landschaftsmalerei.* Wo nächtlich die Elfen tanzen, zeigen sich der Sage nach am Tage im Rasen die Zauberkreise; der Boden, auf dem eine große poetische Geschichte spielt, muß auf gleiche Weise wie in einem Zauberringe eine ganze blühende äußere Welt umschließen. Man kann sagen, daß in dieser Art von poetischer Physik keiner unsern Dichter übertroffen. Wie jene hesperischen Gemälde in Äthiopien brennen seine Gründe in hellem, lichtem Feuer, aber das Feuer ist nur treibend, nicht verzehrend; die Blumen grünen in ihm fröhlich auf, und die Flamme küßt die Blätter nur, ohne sie zu benagen. Selbst seine Träume sind oft solche leuchtende Landschaften, hängende Gärten, wie jene Wunder der Welt, aber nicht auf Gewölbe von Harz und Backstein, sondern auf die Schwibbogen des Universums selbst gegründet. Ganz sind dabei diese Landschaften, wie es die »*Vorschule*« will, im Tone der spielenden Personen gedichtet, und gleichsam ihre Reflexe in die Natur hinüber. So ist im »*Titan*« Lilar in die gleichen Kontraste von Tartarus und Elysium zerrissen, wie Albanos Liebe zu Roquairol und Liane, und wie diese Liebe höher und kräftiger aufwächst in dem Verhältnis mit Linda, erweitert sich auch die Szene; das schöne Italien nimmt die neue Liebe auf, Rom mit seiner großen Vergangenheit, und Ischia und Neapel mit der schönen Gegenwart und Tivoli das Landhaus des Wassergottes, und Isola Bella der Zitronengarten. Wie diese Liebe zuletzt mit Idonie in schöne Häuslichkeit übergegangen, zieht sie in das stille Dorf nicht mehr mit Blumen, sondern mit schwellenden Fruchtgewinden umkränzt. Die Insel der Vereinigung im »*Hesperus*« mit ihrer magnetischen unsichtbaren Eisenbrücke, mit ihren Eibenbäumen von Rosen umflochten, und Trauerbirken, mit den neunfach verschlungenen schwarzen Flören, Sphinxen, Marmorblöcken, dem weißen Säulentempel, und seinem Grabmal, auf dem das Herz weiß und blutlos ruht, und mit der lallenden Totenzunge des Orgeltremulanten, die durch die öde Stille spricht, alles ist in dem trüben, lebensmüden Geiste des Lords, in dem die Phantasie nur noch in dunkler Glut nachbrennt, geschaffen und erdacht, während der Park von Mägental[54] als Nest gebaut ist für Viktors Liebe, wie Lilienbad für jene von Gustav und Beate. Mit großer üppiger Phantasie und saftiger warmer Farbengebung sind alle diese Bilder angelegt, und es mag sein, daß sie für manches Lesers Geschmack, besonders im »Titan«, zu vielen Raum einnehmen. Die leblose Natur hat indessen ebenso viel Recht auf den Roman, wie die lebendige, und während uns der ganze unendliche Himmel scheinbar leblos umgibt, scheint uns das enge Leben allein auf der kleinen Erde zu weilen, und auch an ihr hängt es nur wie trübe glimmende Punkte an einer weithinziehenden Oberfläche.

§. 8. *Stil.* Hier drängt gleich die alte Klage über schlechten Stil und geschmacklose Behandlung sich zu, und das blutrote Himmelszeichen des herrschenden Ungeschmacks[55], das man im Aufgange gesehen. Es ist etwas sehr Relatives um diese Klage; ein sonst wohlgesinnter Deutsch lesender Franzos, dem wir den »Titan« einmal zum Lesen hingegeben, stieß sich gleich anfangs an den Isisschleier der Natur auf den ersten Blättern so sehr, daß er nicht weiter konnte. Vielen ist es gegangen wie dem armen Harnisch, der an den Artischocken die grünen Blätter tapfer wegverspeiste, und darüber den eßbaren Kern verlor. Jene gelehrte und humoristische Dornenhecke, die der Dichter um seine frühern Werke hergezogen, hat von der jungen Rinde viele Hasen und Kaninchen, jenen seichten, leeren, langweiligen Lesepöbel, abgehalten, und die Wörterbücher, die man später ganz unnötigerweise gemacht, haben den heilsamen Schrecken noch weiter verbreitet. Wir wollen nicht, der eigenen Überzeugung des Dichters zum Trotz, alles besonders in den frühern Werken rechtfertigen, gar zu oft hat er die schönen Linien seiner Bilder mit eingesetzten Edelsteinen guter Gedanken und witziger Einfälle unterbrochen, wie die Bildhauer zur Zeit des sinkenden Geschmacks. Aus Rümpfen und Säulen und Köpfen und Basreliefen hat er wohl einmal Mauern aufgebaut, und hinwiederum wie die Ägyptier aus alten Wandstücken Bilder ausgehauen, und die uralten Hieroglyphen, womit sie beschrieben sind, nicht ausgelöscht, ehe er die seinigen darauf getragen; aber bei allem bleibt diese angeschuldigte Geschmacklosigkeit doch ein elendes Märchen auf Treu und Glauben von einem dem andern nachgeschwatzt. Zuerst kann, was offenbar reine freie Willkür ist und herkommt aus innerm Überfluß und Fülle und gerechtfertigt wird durch Zeit und Dichtungsweise, durchaus nicht als Defekt angegeben werden, allenfalls nur als Mangel an Zucht und Disziplin, der wohl gern an den freien Dichtungsformen der Deutschen und Engländer sich findet, und ihnen nicht übel läßt, wie kräftigen Jünglingen einige Ausschweifung. In so gleichen Fäden wie die Spinne ihre Webe durch ihren Drahtzug treibt, zieht ohnehin kein korrekter Dichter seine Verse aus, und jene Korrektheit wird dem Tiere doch nicht hoch angerechnet, weil es eben nicht anders kann. Jene Feinschmeckerei hat ihren Wert, aber wie die feine Weinzunge sich häufig an Wassertrinkern findet, so ist auch jene meist den nüchternsten Menschen eigen; der Weinstock aber in gutem Boden und in warmer Sonne treibt und kocht den Wein, ob er ihn gleich nie gekostet, und was er getrieben, muß doch zuletzt den Schmeckern recht sein. Was wir unter dem wahren Geschmack verstehen, ist ein weit höheres, als dies ästhetische Warzenspiel, es ist der sichere innere Takt, es ist der zarte berührsame Nervengeist, das sichere unbetrügliche Gefühl des Rechten und Schicklichen und Schönen, kurz das ästhetische Gewissen, das ohne Regel für sich selbst schaffend Gesetze gibt, wie das moralische die Tugend realisiert unmittelbar ohne Kanon, und das philosophische die Wahrheit ohne Logik. Von dieser Seite darf Jean Paul sich mit jedem, auch dem besten, Dichter messen, und keiner übertrifft ihn in jener schönen hohen und genialen Lebensgrazie, in jenem reinen Ebenmaße, in jener Zartheit aller Laute des Gefühls, die wie von Harmonikaglocken aufschweben, und an heller, klarer Resonanz aus der Tiefe der Brust heraus. Wir haben alle Werke aus jenem Gesichtspunkt scharf geprüft, und wir erinnern uns nicht, auf eine einzige Geschmacklosigkeit in diesem Sinne gestoßen zu sein. Eine fertige gewandte Hand spielt die feine Webe des Saitenspiels, und die Tonströme rieseln und rauschen und brausen um uns her, aber immer schreitet eine schöne edle Gestalt, die Ganga[56] mit der Lotusblume, über den Wellen und breitet ihren strahlengewebten Schleier über sie hin und bändigt sie und sänftigt sie, und es ist wie in jenem Traume des Novalis[57], als ob reizende schöne Mädchen in die Ströme zerlassen wären und nun in hüpfenden Wellen freudig uns umspielten, alles Ungetüm und alles Widerwärtige aber hat dies krystallne Meer von sich ausgeworfen und weggetan.

Wir haben, nachdem wir uns über die Werke des Verfassers in der verlangten Kürze ausgesprochen, nur noch einiges über ihn selbst und sein Verhältnis zur Zeit hinzuzufügen. Wir meinen nicht die Spiegelbilder seiner Person, die, benutzend die Maskenfreiheit des Humors, in seltsamen Vermummungen durch seine Werke ziehen, wenn er z.B. als Prinz selbst eintritt in den *»Hesperus«*, wobei wir im oftmaligen Lesen immer angestoßen, sowie an den pathologischen Krücken und den wächsernen Preßhaftigkeiten, die er in der *»Unsichtbaren Loge«* seiner eignen einstolligen[58] Figur aufgeladen, während er anderwärts als Seraphinenritter und als Herr von Esenbeck[59], mit dem nach unrechter Seite deklinierenden Stirnzeichen uns wieder recht wohl gefallen. Wir meinen vielmehr sein eigentümliches besonderes Wesen, wie es in allen seinen Werken durchbricht, gleich dem lautern klaren Element des Wassers, das in vielen Quellen aus der Erde dringt und in allem Pflanzengeäder immer dasselbe, wie von einem verborgenen Herzen getrieben, kreist. Wir dürfen hier nur gleich an die *»Briefe über den künftigen Lebenslauf«* erinnern, es ist hier wie überall eine so milde, sonnenwarme, hellaufleuchtende Geistigkeit, eine stille, ruhige Klarheit mitten in dem Feuerrad der Phantasie und dem weitaussprühenden Witzgefunkel; wie Wohlgerüche in lauen Lüften, so schwimmen seine Worte im warmen Atemzug; schneeweiß ist das Gefieder seiner Seele, aber in allen Farben schillernd und mit leisem lindem Flügelschlage schwimmt sie wie wehend in der Höhe, und unter dem Flügel rauschen nicht Ungewitter, wie bei jenem Sturmvogel der nordischen Mythologie hervor; es quellen vielmehr Ströme sanften Wohllauts, und gießen sich zu der Erde nieder, wie die heilige Ganga von Bramas Haupt. Es ist nicht möglich, diese reine, immer sich gleich bleibende Natur in den Werken zu erkennen, wo sie sich offenbart, ohne sie von ganzem Herzen liebzugewinnen. Mitten in dieser Zeit, wo sie meinen, es sei Torheit, anders als schlecht zu sein, Weisheit aber, immer den andern an Niederträchtigkeit zu überbieten, hat er sich rein erhalten, wie wenige, nie hat er teilgenommen an der Bosheit des schlechten Volks, nie mit Wissen am Guten sich versündigt; auch wo er, gereizt und die Unbilde tief fühlend, leicht das Maß hätte überschreiten können, ist er immer gerecht geblieben. Es fehlt viel, daß seine Zeit, wie er gegen sie, so rein gegen ihn bestanden hätte, kalt ist sie nach ihrer Weise anfangs an ihm vorbeigegangen, wo Anerkennung ihm noch am wohltätigsten gewesen wäre. Wie sie damit ihn nicht erdrücken mochte, da hat sie mit schnödem Angriff sich wider ihn gesetzt, und dann, wie der Geist wie immer über das blöde Tier gesiegt, hat es zahm sich ihm zu Füßen hingelegt, und geht mit ihm verdrossen aber willig durch alle Lüfte. So hat er bewaffnet auf den Sitz sich hingesetzt, der ihm gehört, aber nie Falschheit und Untreue ausgeübt, nie, wie die meisten tun, vergessend seine Jugend andern in gleichem Fall vergolten, was man gegen ihn verbrochen. Mit Recht kann er in seiner Jubelrede uns alle fragen, habt ihr wie ich dem zehnjährigen Schmerz eines verarmten verhüllten Daseins widerstanden, und seid ihr, bekriegt von der Vergessenheit und Hülflosigkeit, so wie ich der Schönheit, die ihr dafür erkanntet, treu geblieben[60]? Wenige möchten vor dem Gericht mit dieser peinlichen Frage bestehen. Uns aber ist diese Reinheit und Unschuld der Gesinnung mitten in Welterfahrung und Dichterkraft vor allem wert. Wir gehen sehr kalt an schönen Werken vorbei, an die gleichwie an Schandsäulen die Erbauer angebunden sind, und es ist uns erquicklich, hier im Hause eines guten Geistes zu sein, dem wir vertrauen können, daß er nicht mit Trug umgeht und mit schönen Empfindungen uns belügt, eine freudige Sicherheit, die uns auch in den Werken eines andern in allem Guten diesem Geiste verwandten werten Freundes[61], immer so wohltuend und tröstlich gewesen ist. Wie in ägyptischen Tempeln, nachdem man durch alle Kolonnaden und Gänge und Hallen durchgeschritten, trifft man zuletzt auf eine Bestie im Heiligtum, bei der man aber nicht wie dort den Trost der symbolischen Deutung hat. Hier aber brennt im Feuertempel die ungetrübte Flamme des Genius, gehütet von reiner, keuscher Kunst, und man fühlt sich im Gotteshaus, und nicht im Palast, den der Teufel dem gebaut, der sich ihm verschrieben. Wir selbst aber, nachdem wir unser unblutiges Opfer vor dem Altare dargebracht, und drei Körner Weihrauch angezündet, scheiden zuletzt ungern aus der erwärmenden Nähe und dem Hause der schönen Bilder, weil man die Pforten schließt, und der Küster uns erinnern möchte, was seines Amtes sei.

29 *Meißner*

Aus: Jean Paul Friedrich Richter 1817

»Unter allen Gästen«, schreibt der tolle Friedrich im »Wilhelm Meister«, »soll ein guter Humor der angenehmste Gast sein«[1], und wenn auch der Humor, der hier gemeint wird, eine andre Spezies ist, so gilt dies doch auch von dem herrlichen Humor unsers Autors. Man hat Humor als die mittelste Drillingsschwester des Komischen und Satirischen bezeichnet. Wir wollen nicht in Abrede sein, daß etwas Wahres darin sei. Allein ganz trifft die Erklärung den Nagel nicht, und wir möchten überhaupt Humor lieber für den rechten Vater der Satire und des Komischen halten und denken, in den beiden letztern kündige sich die Abhängigkeit vom

Objekt, vom Einzelnen zu deutlich an, als daß wir sie zu Gattungsbegriffen erheben könnten, was der Humor gewiß ist. Der Humor – wir wollen hier einmal den Aristoteles[2] nach dem Homer machen, und es ist ja ohnehin schon eingestanden, daß wir unsre Theorie von unserm Autor selbst erst abstrahiert haben – der Humor ist uns eine von den[3] mannichfaltigen Weltansichten, die wir aber sehr gern zum Range jener höchsten und vornehmsten erheben möchten, deren es nach unserm Helden vornähmlich drei gibt. Wir fahren, obiges Bruchstück des Billetts[4] für unsern Zweck kommentierend und anwendend, fort: wenn es eine helle, sonnenreiche Region am Parnaß gibt, in welcher wie auf den Eisgipfeln der höchsten Gletscher um die Zeit des längsten Tags, noch ehe der Schimmer des Abendrots verglommen ist, schon das Morgengold des neuen Tags wieder anfliegt[5], und alles in einem reinen, klaren, ewigen Lichtäther schwimmt, so gibt es eine mittlere Region, wo Lichter und Schatten in geschiedenen Massen einander gegenüberstehn, und sich aneinander nur ein desto grelleres Dasein erschaffen, bis in der untersten Region, in den dumpfigen Tälern, endlich der mühsame Werkeltag mit seinen Schatten selbst in den lichtesten Tag hereinfällt, und die Sonne, wo sie erscheint, fast beständig nur im Aufgehn und Untergehn begriffen ist. Die mittlere Region ist uns der Humor, und wir verstehn, dünkt uns, die Erklärung der »Vorschule der Aesthetik« vom Humor, daß er die Anwendung des Endlichen aufs Unendliche, des Verstandes auf die Idee sei[6], hier am besten. Der Humor schwebt wie ein singender Vogel zwischen Himmel und Erde, und wenn er das eine Auge zum Himmel wendet, so ruht das andre mit Wohlgefallen und nicht ohne Lüsternheit auf der Erde – die Nachtigall unterbricht ihre schmelzendsten Töne, um den Wurm, der unter den gefallenen Blättern rauscht, zu haschen. – Unter seinem Hohlglase wird alles zu solchen beidlebigen Gestalten und der Heitere steigt nach jeder Sprosse, die ihn dem Himmel näher brachte, auf einer andern auch wieder ebenso weit zur Erde herunter. Der Himmel ist der Korrektionswinkel der Erde, aber die Erde streckt auch ihre Arme aus, um den Himmel zu umfassen, und sein Bild in dem Wasser ihrer Tränen feucht und verklärt zurückzuwerfen. Er macht das Größte zum Kleinsten, und erhebt wieder das Kleinste zum Größten und aus diesem scharfen Licht- und Schattengegensatz, der alles durchdringt und erfüllt, erklärt sich Inneres und Äußeres, Form und Inhalt des Humoristischen – seine Schlaglichter und Schlagschatten – all seine Ecken und Spitzen und wunderlichen Kombinationen – unter welchen ja doch die des Himmels und der Erde selbst am Ende die allerwunderlichste ist – die Neigung desselben zum Satirischen wie zum Komischen usw.

Dieser Geist des Humors, unverkennbar ist er der herrschende Planet, unter dessen Einfluß jede Jean-Paulsche literarische Pflanze emporgewachsen ist, und der Form und Inhalt, vom himmelanstrebenden »Titan« bis zum »warmen Lerchennest« des Fixlein oder seines nicht unwürdigen Nachbruders Fibel bestimmt. Unser Autor stellt sich, wie angeführt[7], selbst dem siegenden Diktator an die Seite, der sein Kriegstheater zum Haustheater umzustellen weiß, worauf seine Kinder einige gute Stücke aus dem Kinderfreund aufführen. – Ich wüßte hiernach gar nicht, wie nur die »Hundsposttage« und »Extrablätter« und »Haubenmuster« und

»Appendix« – so manchem Orthodoxen ein großes Ärgernis, mit der ganzen utopischen[8] Geographie von Haarhaar und Flachsenfingen usw. fehlen könnten, und
wie man diese Arabeskenverzierung für etwas anders als für die natürlichste Einfassung des Humoristischen ansehen möchte. – Ebenso ist es nun ganz in der Ordnung, daß der Flug dieses freundlichen Vogels oft aus der höchsten Höhe der
Empfindsamkeit, wo in Ätherduft und Sehnen alles zu verrinnen schien, auf einmal
in die Niedrigkeit des gemein Komischen herabfällt, wie der letzte Sphärenton
einer Lerche auf der schmutzigen Scholle endet, wo sie sich niederläßt. – Die
Anekdotensammlungen kennen wohl kaum eine echt humoristischere als jene von
Thales[9], der, die Augen zu den Sternen gerichtet, immitten in die Grube fällt, die
schon längst seinen Tritten entgegengeklafft hatte. – Wenn unser Autor, eben als er
sein Billett schrieb, an seine Rosen und Holundertrauben denken und – was noch
wichtiger ist – es nicht einmal für sich behalten konnte[10], so ist dies das Eigentümliche aller Jean-Paulschen Schriften, daß sie im höchsten Fluge doch immer die Erde
nicht aus den Augen verlieren, und sich, wie mit vieler Behaglichkeit und Wollust
der freundlichen Gabe der Erde zu freuen, so an ihren Dornen mit nicht weniger
Empfindlichkeit zu stechen wissen. Daher – jenes genaue Detail von allen auch den
geringfügigsten Dingen des gemeinen Lebens – jener berechnende und[11] bis ins
Innerste scheidende Verstand in der Nähe eines oft gar sehr überschwenglichen
Gefühls – jene Schweintreiber im Heidenvorhof der »Vorschule der Aesthetik«[12] –
jene ausgelernte, raffinierte Sinnlichkeit neben der reinsten, kindlichsten Unschuld
und Unbefangenheit, jene vorzügliche Neigung und Fähigkeit, Stilleben und Mi-
niaturbilder zu zeichnen, und mit niederländischer Genauigkeit ins kleinste Detail
auszuspinnen, die offenbar in dem ausgedehnten und höhere Ansprüche machen-
den »Titan«, nicht ohne gestraft zu werden, verletzt wurde. Wer sieht nicht in
allem diesen den rechten Charakter des Humoristischen – das Größte und Kleinste
nebeneinander, das demütige Meisterlein Wutz als Hauswirt und Logenmeister
seines eignen genialen Schöpfers[13] – Himmel und Erde in wunderbarem Wetterleuchten sich berührend – Haß und Liebe, Eros und Eris, woraus die Welt geboren
ist, recht blitzend ihre divergierenden Strahlen gegeneinander schießend und an
ihnen gerade das zu recht schneidenden, eckigen Kontrasten herausgehoben, was
sie trennt.

30   *Gustav Schuster*

Zur Charakteristik J. P. F. Richters (Als Zusatz zu diesem Artikel im Konversations-Lexikon)   1818

[...]
Es scheint mir nicht gut möglich, wie der Verfasser jenes Artikels tut, alle Eigentümlichkeiten Jean Pauls als Ausflüsse des Humors darzustellen, unter welchem
jener die Ansicht des Lebens versteht, vermöge welcher man auf dem Ballon hoher
Ideen dem Widerwärtigen sich enthebt und es verkleinert zu seinen Füßen läßt,

und das Angenehme durch ein inniges Anfassen und Dareintauchen mit allen geöffneten Sinnen einzieht, und während des Genusses ihn durch erhebende Ideen verkleinert und zerstückt. Es ist sichtbar, daß diese Lebensansicht dem »Quintus Fixlein« zum Grunde liegt, und daß es der Zweck desselben ist, sie allgemeiner zu machen: allein dieselbe unter dem Namen Humor als den Quell ansehen, aus welchem alle Jean-Paulschen Dichtungen mit ihren Eigentümlichkeiten entsprungen sind, ist wohl nicht der Sache angemessen. Diese Ansicht ist ja bloß auf das Erdenleben berechnet, und weiter nichts, als ein guter Rat, wie man hier recht zufrieden leben könne; sie geht nicht über das Irdische hinaus, und wie sollte man aus ihr all das Ergreifende und Erschütternde in Jean Paul, was unser innerstes Leben in Anspruch nimmt, herleiten können? Auch meint der Dichter wohl nicht jene Lebensansicht unter Humor, wenn er darunter die Anwendung des Endlichen und des Unendlichen versteht[1]; denn offenbar bleibt dieselbe im Kreise des Endlichen stehen. Jean Paul würde uns gewiß nicht so im Innersten erschüttern, wenn seinen Werken nicht etwas Höheres, als diese Lebensansicht, zum Grunde läge. Dieses ist freilich Humor, aber in dem Begriffe, den Jean Paul ihm selbst gibt, als Anwendung des Endlichen aufs Unendliche. Da alle unsere Angelegenheiten im Unendlichen begründet sind, und also kein Zweck uns eigentlich genügen kann, der nicht in dem Unendlichen, Ewigen seinen Ruhepunkt findet, so wird uns nichts im Innersten ergreifen, was nicht auf das Unendliche, auf das ewig Bestehende, Sittliche hinsieht. Dieses aber ist der Grundcharakter aller Jean-Paulschen Dichtungen, die tiefe Sittlichkeit, die Anknüpfung an das Höhere, die überall aus denselben hervorleuchtet. Das Leben in seinen Dichtungen ist nicht in den irdischen Grenzen abgeschlossen, sondern es geht in das Unendliche hinein; mit dem kleinen Zeiger des irdischen Lebens läuft zugleich ein langer Zeiger in der ewigen sittlichen Welt mit um; die Erde erscheint immer als einer der durch die unbegrenzte Ewigkeit gehenden Sterne; hinter der Zeit, der Larve der Ewigkeit, sieht immer das leuchtende Gesicht derselben hervor. Diese Beziehung auf das Höhere zeigt sich selbst in seinen entarteten Menschen; wenn Roquairol uns seinen unglückseligen Zustand malt, so zeigt er uns nicht sein irdisches Unglück, sondern einen Zustand, dessen Unglück auf dem Mangel der höhern Beziehungen beruht, so daß diese also auch in dem Verkehrten uns vors Auge treten. Wie wir uns in eine behagliche heitere Stimmung versetzt fühlen bei Menschen, denen man anfühlt, daß sie bei ihrer Tätigkeit ewige Zwecke im Auge haben, und wie uns dagegen die Nähe von Menschen trübe macht und beklemmt, bei denen der endliche Zweck ihrer Tätigkeit sich aus den Grenzen des irdischen Lebens nicht verläuft, und deren ganzes Sein also nur bis an den Tod geht, und von diesem in allen seinen Fäden zerschnitten wird, ebenso muß uns eine Dichtung, die das Leben von Menschen der ersten Art schildert, freuen, und nach Verschiedenheit der geschilderten Szenen im Innersten ergreifen, dagegen selbst die lieblichste Dichtung, wenn das Leben, das von ihr gemalt wird, mit allen seinen Zwecken in den engen Grenzen des Irdischen bleibt, uns nie so recht im innersten Dasein erschüttern, und uns vielmehr in erhöhter Stimmung, wo das Hohle und Nichtige des Irdischen uns vor die Augen tritt, die dann nach dem Unvergänglichen sich wenden, leer und kalt läßt. – Nun ist es ferner sehr natürlich, daß in einem Leben, das in solchen Beziehungen steht, das, was in andern minder hohen Beziehungen bald klein, bald groß erscheint, immer bloß eine gleiche Größe, nämlich seinen eigentlichen innern Wert, den es in Beziehung auf das Ewige hat, behält, und daß vor solchem Glanze aller zufällige erborgte Firnis erbleicht. Daher ist das, was bei Jean Paul als ein gewaltiger Sprung aus einer scheinbaren Höhe in die Tiefe erscheint, keiner, sondern bloß Übergang des Geistes, der von dem Mannigfaltigsten angefüllt ist, von einem aufs andere: denn in dem höchsten wie in dem gemeinsten Leben liegen Klänge, die in dem Ewigen in Harmonie zusammentönen, daher man bei unserm Dichter die Szenen aus dem glänzendsten und aus dem dunkelsten Leben mit gleicher Freude lieset. – In dieser immer die höhern, in der Ewigkeit begründeten Zwecke im Auge behaltenden Stimmung ist auch der Keim zu dem treffend Komischen und Satirischen, was durch alle Schriften Jean Pauls in einzelnen Szenen sich hindurchzieht, gelegen. Denn einem solchen Gemüt muß alles, was in dem Unendlichen, zu dem die wahre Natur des Menschen gehört, nicht begründet ist, sogleich mit allen seinen lächerlichen Seiten recht stechend vortreten, und es ihm daher leicht sein, diese Seiten darzustellen, die im Gegensatz mit der das Höhere, ewig Zweckmäßige im Auge behaltenden Stimmung in ihrer Zwecklosigkeit recht nackt und daher äußerst komisch erscheinen. Daher alle jene menschlichen Vorurteile, wenn sie auch ein noch so glänzend Gewand umgehängt haben, auf noch so hohe Stelzen getreten sind, doch vor dem Höchsten in ihrer Erbärmlichkeit und Bodenlosigkeit bei ihm dastehen. – Diese Aneinanderreihung des Irdischen an das Höhere geht auch auf seine Bilder über. Wie das Erdenleben in seinen Schriften in das höhere Leben eingefügt ist, so zieht sich auch eine bindende Kette über alle Himmelskörper, auf welchen das ewige Leben wohnt. Der Mond wird ein entrückter kleinerer Erdenfrühling, die Sonne rückt mit ihrer Glanzwelt der Erde näher, und aus den Sternen leuchten Frühlinge höherer Welten auf unsere hernieder. Nichts bleibt in seinem starren, es von uns trennenden Tode; die Berge lagern sich als Riesen in die Täler, die Täler kriechen mit ihren Schatten um die Berge, alles tritt lebendig dem lebendigen ewigen Menschengeiste näher und daher unter höhere Gesichtspunkte.

Die eigentümliche bilderreiche Sprache ist unserm Dichter natürlich. Er setzt seine Gedanken nicht nur in die Bilder, sondern sie erscheinen ihm zu solchen Bildern, und wollte er anders sprechen, so müßte er seine Gedanken umkleiden und sie würden in entstellter Physiognomie vor uns treten. Oft auch mögen ihm wohl erst Bilder die Gedanken bringen, und dann können die Gedanken sich der Bilder, die sie gebracht, nicht entäußern. – Dies wären, nach meinem Dafürhalten, die Eigentümlichkeiten, die den herrlichen, ich möchte wohl sagen, göttlichen Jean Paul (d.h. bei dem mehr als bei irgendeinem andern das Göttliche, Ewige überall leuchtet) von andern Dichtern derselben Größe, nämlich den ersten, unterscheiden, wobei es sich von selbst versteht, daß ausgebreitete Gelehrsamkeit in beinahe allen Fächern menschlichen Wissens, glühende Phantasie, durchschauende Menschenkenntnis, tiefer Scharfsinn nicht zu den Eigentümlichkeiten, sondern zu den notwendigen Erfordernissen eines solchen Dichters, wie er ist, gehören.

Johann Wolfgang von Goethe

Aus: West-östlicher Divan
Vergleichung   1819

Da wir nun soeben bei dem Urteil über Schriftsteller alle Vergleichung abgelehnt[1],
so möchte man sich wundern, wenn wir unmittelbar darauf von einem Falle sprechen, in welchem wir sie zulässig finden. Wir hoffen jedoch, daß man uns diese
Ausnahme darum erlauben werde, weil der Gedanke nicht uns, vielmehr einem
Dritten angehört.

Ein Mann, der des Orients Breite, Höhen und Tiefen durchdrungen, findet, daß
kein deutscher Schriftsteller sich den östlichen Poeten und sonstigen Verfassern
mehr als *Jean Paul Richter* genähert habe[2]; dieser Ausspruch schien zu bedeutend,
als daß wir ihm nicht gehörige Aufmerksamkeit hätten widmen sollen; auch können wir unsere Bemerkungen darüber um so leichter mitteilen, als wir uns nur auf
das oben weitläufig Durchgeführte beziehen dürfen.

Allerdings zeugen, um von der Persönlichkeit anzufangen, die Werke des genannten Freundes von einem verständigen, umschauenden, einsichtigen, unterrich-
teten, ausgebildeten und dabei wohlwollenden, frommen Sinne. Ein so begabter
Geist blickt, nach eigentlichst orientalischer Weise, munter und kühn in seiner
Welt umher, erschafft die seltsamsten Bezüge, verknüpft das Unverträgliche, jedoch dergestalt, daß ein geheimer ethischer Faden sich mitschlinge, wodurch das
Ganze zu einer gewissen Einheit geleitet wird.

Wenn wir nun vor kurzem die Natur-Elemente, woraus die älteren und vorzüglichsten Dichter des Orients ihre Werke bildeten, angedeutet und bezeichnet[3], so
werden wir uns deutlich erklären, indem wir sagen: daß, wenn jene in einer frischen, einfachen Region gewirkt, dieser Freund hingegen in einer ausgebildeten,
überbildeten, verbildeten, vertrackten Welt leben und wirken und eben daher sich
anschicken muß, die seltsamsten Elemente zu beherrschen. Um nun den Gegensatz zwischen der Umgebung eines Beduinen und unseres Autors mit wenigem
anschaulich zu machen, ziehen wir aus einigen Blättern[4] die bedeutendsten Ausdrücke:

Barrierentraktat, Extrablätter, Kardinäle, Nebenrezeß, Billard, Bierkrüge,
Reichsbänke, Sessionsstühle, Prinzipalkommissarius, Enthusiasmus, Zepter-
Queue, Bruststücke, Eichhornbauer, Agioteur, Schmutzfink, Inkognito, Kollo-
quia, kanonischer Billardsack, Gipsabdruck, Avancement, Hüttenjunge, Naturali-
sationsakte, Pfingstprogramm, maurerisch, Manual-Pantomime, amputiert, Supra-
numerar, Bijouteriebude, Sabbaterweg usf.

Wenn nun diese sämtlichen Ausdrücke einem gebildeten deutschen Leser bekannt sind, oder durch das Konversation-Lexikon bekannt werden können, gerade
wie dem Orientalen die Außenwelt durch Handels- und Wallfahrtskarawanen; so
dürfen wir kühnlich einen ähnlichen Geist für berechtigt halten, dieselbe Verfah-
rungs-Art auf einer völlig verschiedenen Unterlage walten zu lassen.

Gestehen wir also unserm so geschätzten als fruchtbaren Schriftsteller zu, daß er, in späteren Tagen lebend, um in seiner Epoche geistreich zu sein, auf einen durch Kunst, Wissenschaft, Technik, Politik, Kriegs- und Friedensverkehr und Verderb so unendlich verklausulierten, zersplitterten Zustand mannigfaltigst anspielen müsse; so glauben wir ihm die zugesprochene Orientalität genugsam bestätigt zu haben.

Einen Unterschied jedoch, den eines poetischen und prosaischen Verfahrens, heben wir hervor. Dem Poeten, welchem Takt, Parallelstellung, Silbenfall, Reim die größten Hindernisse in den Weg zu legen scheinen, gereicht alles zum entschiedensten Vorteil, wenn er die Rätselknoten glücklich löst, die ihm aufgegeben sind oder die er sich selbst aufgibt; die kühnste Metapher verzeihen wir wegen eines unerwarteten Reims und freuen uns der Besonnenheit des Dichters, die er in einer so notgedrungenen Stellung behauptet.

Der Prosaist hingegen hat die Ellebogen gänzlich frei und ist für jede Verwegenheit verantwortlich, die er sich erlaubt; alles was den Geschmack verletzen könnte, kommt auf seine Rechnung. Da nun aber, wie wir umständlich nachgewiesen, in einer solchen Dicht- und Schreibart das Schickliche vom Unschicklichen abzusondern unmöglich ist; so kommt hier alles auf das Individuum an, das ein solches Wagstück unternimmt. Ist es ein Mann, wie Jean Paul, als Talent von Wert, als Mensch von Würde, so befreundet sich der angezogene Leser sogleich; alles ist erlaubt und willkommen. Man fühlt sich in der Nähe des wohldenkenden Mannes behaglich, sein Gefühl teilt sich uns mit. Unsere Einbildungskraft erregt er, schmeichelt unseren Schwächen und festiget unsere Stärken.

Man übt seinen eigenen Witz, indem man die wunderlich aufgegebenen Rätsel zu lösen sucht, und freut sich in und hinter einer buntverschränkten Welt, wie hinter einer andern Scharade, Unterhaltung, Erregung, Rührung, ja Erbauung zu finden.

Dies ist ungefähr, was wir vorzubringen wußten, um jene Vergleichung zu rechtfertigen; Übereinstimmung und Differenz trachteten wir so kurz als möglich auszudrücken; ein solcher Text könnte zu einer grenzenlosen Auslegung verführen.

32   *[Anonym]*

[Beschreibung des Leichenbegängnisses]   1825

Bayreuth, 18. November. Gestern nach fünf Uhr des Abends wurden die irdischen Überreste unseres verewigten und unvergeßlichen Legationsrates *Jean Paul Friedrich Richter* auf eine dem seltenen Verdienst und großen Ruhme des gefeierten Dichters und Schriftstellers angemessene, feierliche Weise zu ihrer Ruhestätte gebracht. Man hatte diese Zeit gewählt, weil in solchen Abendstunden der Verewigte die großen Entwürfe seiner wundervollen Schöpfungen zu fassen und zu durchdenken gewohnt war, eingedenk, daß zu dieser Zeit am würdigsten sein irdischer Teil der großen Vorbereitung in der zerstörenden und wiederschaffenden Werkstätte der Natur zum künftigen Auferstehungsmorgen übergeben werden würde. –

Weil der Hingeschiedene durch seine zahlreichen Schriften nicht bloß überhaupt auf die deutsche gebildete und Bildung suchende Jugend fördernd und tiefergreifend, von der Bahn des Lasters zurückschreckend und zur Tugend begeisternd eingewirkt, sondern sich noch besondere Verdienste um die *Erziehung* durch seine »*Levana*«, um die *Kunstwissenschaft* und die *Bildung des Kunstgeschmackes* durch seine »*Vorschule der Aesthetik*« erworben hatte, wurde bei seiner Bestattung auch der studierenden Jugend der hiesigen Königl. Studienanstalt sowohl als der Jugend der hiesigen Elementarschulen eine besondere Teilnahme verstattet. Von der großen Anzahl seiner Werke, welche den Vorrang einander streitig machen, wurden eben deshalb nur die *beiden genannten*, und außerdem noch die »*Mumien*«[1] als seine erste bedeutende und Aufsehen erregende Schrift auserwählt, um seiner Leiche voran auf schwarzen Kissen und umflort im Zuge getragen zu werden. Auf dem Sarge selbst war neben den religiösen Symbolen; das von ihm hinterlassene Manuskript eines leider nicht mehr vollendeten Werkes *über die Unsterblichkeit der Seele*[2], in roten Korduan gebunden, in dem längst verdienten Lorbeerkranze befestigt. Sechzig Fackeln, welche von Studierenden des Gymnasiums und des Lyzeums getragen wurden, waren bei dem übrigens auch durch Laternen und Pechpfannen beleuchteten Trauerzuge so verteilt, daß auf beiden Seiten desselben die Hauptwirkung ihres Lichtes auf den Trauerwagen fiel.

Der Trauerzug selbst ging von der Wohnung des Verewigten in der Friedrichsstraße durch die Kanzleistraße über den Markt, an der Hospitalkirche vorbei, die lange Erlanger Straße hinaus zur Gottesackerkirche, unter dem Geläute der Glokken von allen Kirchen, in folgender Ordnung: 1) das Kreuz, 2) der Stadtkantor mit den Alumnen oder Chorschülern, 3) die Trauermusik, 4) ein Elementarschüler mit der »*Levana*«, nebenan 2 Fackelträger, 5) die Elementarschüler mit ihren Lehrern, 6) ein Gymnasialschüler mit der »*Vorschule der Aesthetik*«, nebenan 2 Fackelträger, 7) die Studienvorbereitungsschüler, 8) die (übrigen, nicht Fackel tragenden) Gymnasialschüler nach ihren Klassen aufwärts – sämtliche Schüler paarweise, 9) acht Lyzeisten und Gymnasiasten als Träger, 10) der funktionierende Geistliche, 11) ein Lyzeist mit den »*Mumien*« in einem von 4 Fackelträgern gebildeten Viereck, 12) der Trauerwagen, von vier schwarzbehangenen Pferden gezogen, neben demselben, und die Quasten des Bahrtuches haltend, die zehn Professoren und Studien-Lehrer der Königl. Studienanstalt, auf jeder Seite fünf, und neben diesen auswärts zwölf fackeltragende Studierende, zum Trauerwagen besonders bestimmt, 13) die Leidtragenden, ein Bruder, der älteste Freund (Herr *Otto*[3], als Schriftsteller unter dem Namen *Georgius* bekannt,) und vier Neffen des Verewigten, größtenteils geführt von den Herrn Konsistorialräten und Geistlichen der Stadt, 14) der lange Zug der sämtlichen Leichenbegleitung, bestehend, den Königl. Herrn General-Kreiskommissär und Regierungspräsidenten in ihrer Mitte, aus den ersten und angesehensten Personen vom Königl. Zivil, Militär und Landwehr, von sämtlichen Königl. Stellen und Behörden, dem Stadtmagistrate, Gemeindebevollmächtigten, Bürgern und allen Honoratioren und Gebildeten, welche dem Genius des Verblichenen noch diese letzte Huldigung darbringen wollten. Angelangt in der Gottesackerkirche, wurde der Sarg auf einem Trauergerüste niedergesetzt, auf dessen beiden Seiten eine Anzahl Kerzen auf hohen Kandelabern brannte, und die den Trauerwagen Führenden nebst den Trägern sich wieder aufstellten, vor ihnen gegen den Altar zu die Träger der Werke. Nach einer kurzen Choralmusik, welche den Sarg schon beim Eintritt empfangen hatte, und nach einem einfachen Gesang, einer Motette von Fischer, folgte die Einsegnungs-Rede des Geistlichen, welcher die Woche hatte. Dieser glaubte des Verstorbenen hohe Ansicht vom Christentum, und seine Ehrfurcht gegen den göttlichen Stifter desselben nicht besser, als durch Mitteilung einer erhabenen Stelle aus einem seiner Werke bezeichnen zu können, und ließ daher *Richters* eigenen Worten nur einen kurzen Eingang vorangehen, Gebet und Einsegnung folg[t]en. Diese Stelle, entlehnt aus dem Aufsatze in seinen *»Dämmerungen für Deutschland«: »Über den Gott in der Geschichte und im Leben«,* war folgende:

»Nur *ein* übermächtiger Geist des Herzens schließt sich hier aus und geht, wie das Universum, einsam neben Gott. Denn es trat einmal ein Einzelwesen auf die Erde, das bloß mit *sittlicher* Allmacht fremde Zeiten bezwang und eine eigene Ewigkeit gründete – das, sanftblühend und folgsam wie eine Sonnenblume, brennend und ziehend wie eine Sonne, selber dennoch mit seiner milden Gestalt sich und Völker und Jahrhunderte zugleich nach der All- und Ursonne bewegte und richtete – es ist der stille Geist, den wir Jesus Christus nennen. *War* er, *so* ist eine Vorsehung, oder *er* wäre sie. Nur ruhiges Leben und ruhiges Sterben waren das Tönen, womit dieser höhere Orpheus Mensch-Tiere bändigte, und Felsen zu Städten einstimmte. – Und doch sind uns aus einem so göttlichen Leben, gleichsam aus einem dreißigjährigen Kriege gegen ein dumpfes verzerrtes Volk, nur wenige Wochen bekannt. Welche Handlungen und Worte von ihm mögen vorher untergegangen sein, eh' er nur seinen vier, von Natur ihm so unähnlichen Geschichtschreibern bekannt geworden? Wenn also die Vorsehung einem solchen Sokrates keinen ähnlichen Platon zuschickte, und wenn aus einem solchen göttlichen Lebens-Buch uns nur verstobne Blätter zuflogen – so daß vielleicht größere Taten und Worte desselben vergessen als beschrieben worden –: so murrt und rechtet nicht über den Schiffbruch kleiner Werke und Menschen, sondern erkennt im doch nachher aufblühenden Christentum die Fülle wieder an, womit der Allgeist jährlich mehr Blumen und Kerne untergehen als gedeihen läßt, ohne darum einen künftigen Frühling einzubüßen.«[4]

Wieder ein kurzer Choralgesang in Begleitung der Blasinstrumente machte in der Kirche den Beschluß.

Inzwischen hatten die fackeltragenden Studierenden den Weg vom hintern Ausgang der Kirche zum Grabe besetzt, und um das Grab selbst einen großen Fackelkreis geschlossen.

Einige Verse aus dem Liede: »Auferstehn, ja auferstehn etc.«, von den Alumnen und Studierenden hier in der rührenden, feierlichen Stille gesungen, umtönten als letzter Gesang die auf ihrem Grabe niedergesetzte irdische Hülle des großen, unsterblichen Dichters. Die Gewißheit seiner Unsterblichkeit aussprechend, folgte eine Rede an die studierende Jugend gerichtet von dem Rektor der K. Studienanstalt, Professor Dr. *Gabler,* welche am Ende dieses Artikels beigefügt ist[5].

Nach Beendigung derselben ergriff das Wort ein Neffe des Verewigten, – von ihm selbst zu seiner Unterstützung in den letzten Wochen, obwohl ohne Ahnung der großen Gefahr, in der sein Leben schwebte, aus der Ferne herbeigerufen, welchem *Er* in glücklichen Stunden noch vieles Schätzbare und Wichtige über die Anordnung seiner geistigen Hinterlassenschaft zur künftigen Herausgabe der sämtlichen Werke mitteilte, – Herr *Spazier*[6] aus Dresden, welcher in seinem, aus tiefer Empfindung quellenden, mit hinreißendem Gefühl gesprochenen Nachrufe den Dank der deutschen Jugend dem ihr heiligen Dichter darbrachte, und die hohen, edlen Gestalten seiner Schöpfung, eines Albano, einer Liane, eines Schoppe und anderer noch über seinem Sarge zusammenrufend, den eigenen und der Verwandten Schmerz in dem allgemeinen des Vaterlandes versenkte. –

Allmählich erloschen die Fackeln; keine kehrte brennend zurück. – Gegen halb acht Uhr deckte schon Erde das müde Gebein des Erdenpilgers, der auf ihr groß und herrlich blühend, wie wenige, gewandelt. – Ruhe und Friede des Unsterblichen Asche!

33 *Ludwig Börne*

Denkrede auf Jean Paul   1825

Ein Stern ist untergegangen, und das Auge dieses Jahrhunderts wird sich schließen, bevor er wieder erscheint; denn in weiten Bahnen zieht der leuchtende Genius, und erst späte Enkel heißen freudig willkommen, von dem trauernde Väter einst weinend geschieden. Und eine Krone ist gefallen von dem Haupte eines Königs! Und ein Schwert ist gebrochen in der Hand eines Feldherrn; und ein hoher Priester ist gestorben! Wohl mögen wir den beweinen, der uns Ersatz gewesen und uns nun unersetzlich geworden. Jedem Lande ward für jedes trübe Entbehren irgendeine freundliche Vergütung. Der Norden ohne Herz hat seine eiserne Kraft; der kränkelnde Süden seine goldene Sonne; das finstere Spanien seinen Glauben; die darbenden Franzosen erquickt der spendende Witz, und Englands Nebel verklärt die Freiheit. *Wir* hatten Jean Paul, und wir haben ihn nicht mehr, und in ihm verloren wir, was wir nur in ihm besaßen: Kraft und Milde und Glauben und heitern Scherz und entfesselte Rede. Das ist der Stern, der untergegangen: der himmlische Glaube, der in dem Erloschenen uns geleuchtet. Das ist die Krone, die herabgefallen: die Krone der Liebe, die den beherrschte, der sie getragen, wie alle, die ihm untertan gewesen. Das ist das Schwert, das gebrochen: der Spott in scharfer Hand, vor dem Könige zittern und der blutleere Höflinge erröten macht. Und das ist der hohe Priester, der für uns gebetet im Tempel der Natur – er ist dahingeschieden, und unsere Andacht hat keinen Dolmetscher mehr. Wir wollen trauern um ihn, den wir verloren, und um die andern, die ihn nicht verloren. Nicht allen hat er gelebt! Aber eine Zeit wird kommen, da wird er allen geboren, und alle werden ihn beweinen. Er aber steht geduldig an der Pforte des zwanzigsten Jahrhunderts und wartet lächelnd, bis sein schleichend Volk ihm nachkomme. Dann führt er die Müden und

Hungrigen ein in die Stadt seiner Liebe; er führt sie unter ein wirtliches Dach: die Vornehmen, verzärtelten Geschmacks, in den Palast des hohen Albano; die Unverwöhnten aber in seines Siebenkäs enge Stube, wo die geschäftige Lenette am Herde waltet und der heiße beißende Wirt mit Pfefferkörnern deutsche[1] Schüsseln würzt.

Jahrhunderte ziehen hinab, die Jahreszeiten rollen vorüber, es wechselt die Witterung des Glücks; die Stufen des Alters steigen auf und steigen nieder. Nichts ist dauernd als der Wechsel[2], nichts beständig als der Tod. Jeder Schlag des Herzens schlägt uns eine Wunde, und das Leben wäre ein ewiges Verbluten, wenn nicht die Dichtkunst wäre. Sie gewährt uns, was uns die Natur versagt: eine goldene Zeit, die nicht rostet, einen Frühling, der nicht abblüht, wolkenloses Glück und ewige Jugend. Der Dichter ist der Tröster der Menschheit; er ist es, wenn der Himmel selbst ihn bevollmächtigt, wenn ihm Gott sein Siegel auf die Stirne gedrückt und wenn er nicht um schnöden Botenlohn die himmlische Botschaft bringt. So war Jean Paul. Er sang nicht in den Palästen der Großen, er scherzte nicht mit seiner Leier an den Tischen der Reichen. Er war der Dichter der Niedergebornen, er war der Sänger der Armen, und wo Betrübte weinten, da vernahm man die süßen Töne seiner Harfe. Mögen wir der stolzen Glocke, die an seltenen Festtagen majestätisch schallt, unsere Ehrfurcht zollen – unsere Liebe wird der vertrauten Uhr, die jeden Pulsschlag unsers Herzens begleitet, die jede Viertelstunde unserer Freude nachtönt und alle unsere Schmerzen Minute nach Minute von uns nimmt.

In den Ländern werden nur die Städte gezählt; in den Städten nur die Türme, Tempel und Paläste, in den Häusern ihre Herren; im Volke die Kameradschaften; in diesen ihre Anführer. Vor allen Jahreszeiten wird der Frühling geliebkost; der Wanderer staunt breite Wege und Ströme und Alpen an; und was die Menge bewundert, preisen die gefälligen Dichter. Jean Paul war kein Schmeichler der Menge, kein Diener der Gewohnheit. Durch enge, verwachsene Pfade suchte er das verschmähte Dörfchen auf. Er zählte im Volke die Menschen, in den Städten die Dächer und unter jedem Dache jedes Herz. Alle Jahreszeiten blühten ihm, sie brachten ihm *alle* Früchte. Auch der ärmste Dichter, und schlotterte ihm nur *eine* Saite noch auf seiner kümmerlichen Leier, hat die Feiertage der ersten Liebe besungen. Jean Paul wartet diese heilige Flamme, bis sie mit dem Tode verlischt. Bei jeder goldenen Hochzeit ist er der trauende Priester, der die alten Herzen noch einmal aneinanderlegt und die zitternden Hände zum letzten Male paart, bevor der Tod sie trennt. Durch Nebel und Stürme und über gefrorne Bäche dringt er in das eingeschneite Häuschen eines Dorfschulmeisters, die Christnachtfreuden seiner Kinder zu teilen. Mit vollen Klängen besingt er die königliche Lust auf den Wonneinseln des Lago Maggiore; aber mit leisern und wärmern Tönen das enge Glück eines deutschen Jubelseniors und die Freuden eines schwedischen Pfarrers[3].

Für die Freiheit des Denkens kämpfte Jean Paul mit andern; im Kampfe für die Freiheit des Fühlens steht er allein. Seltsame, wunderliche Menschen, die wir sind! Fast sorglicher noch als unsern Haß suchen wir unsere Liebe zu verbergen, und wir fliehen so ängstlich den Schein der Güte, als wir unter Dieben den Schein des Reichtums meiden. Wie oft geschieht es, daß wir auf dem Markte des täglichen Treibens oder in den Sälen alltäglichen Geschwätzes all den wichtigen, volljährigen

Dingen, die hier getrieben, dort besprochen werden, erlogene Aufmerksamkeit schenken! Wir scheinen gelassen und sind bewegt, scheinen ernst und sind weich, scheinen wach und sind von süßer Lust gewiegt, gehen bedächtigen Schrittes, und unser Herz taumelt von Erinnerung zu Erinnerung, und wir wandeln mit breitem Fuße zwischen den Blumenbeeten unserer Kindheit und erheben uns auf den Flügeln der Phantasie zu den roten Abendwolken unsrer hinabgesunkenen Jugend. Wie ängstlich lauschest du dann umher, ob kein Auge dich ertappt, ob kein Ohr die stillen Seufzer deiner Brust vernommen! Dann tritt Jean Paul nahe an dich heran und sagt dir leise und lächelnd: »Ich kenne dich!« Du verbirgst deine Freuden, weil sie dir zu kindlich scheinen für die Teilnahme der Würdigen; du verheimlichst deine Schmerzen, weil sie dir zu klein dünken für das Mitleid. Jean Paul findet dich auf und deine verstohlene Lust und spricht: »Komm, spiele mit mir!« Er schleicht sich in die Kammer, wo du einsam weinest, wirft sich an dein Herz und sagt: »Ich komme, mit dir zu weinen!« Schlummert und träumt irgendeine kindliche Neigung in deiner Brust, und sie erwacht, steht Jean Paul vor ihrer Wiege, und vielleicht waren es nur seine Lieder, die dein Herz in solchen Schlaf und in solche Träume gelullt. Nicht wie andere es getan, spürt er nach den verborgenen Einöden im menschlichen Herzen, er sucht darin die versteckten Paradiese auf. Er löset die Rinde von der verhärteten Brust und zeigt den weichen Bast darunter; und in der Asche eines ausgebrannten Herzens findet er den letzten, halbtoten Funken und facht ihn zur hellen Liebesflamme an. Darin hat er seinem Volke wohlgetan, darin war er sein Retter! Es gab eine Zeit, wo kein deutscher Jüngling, wenn er liebte, zu sagen wagte: »Ich liebe dich«. Zünftig und bescheiden, wie er war, sagte er: »Wir lieben dich, Mädchen!« Hinangezogen am Spalier der Staatsmauer, hinaufgerankt an der Stange des Herkommens, hatte er verlernt, seinen eignen Wurzeln zu trauen. Jean Paul munterte die blöden Herzen auf; er zuerst wagte das jedem Deutschen so grause Wort *Ich* auszusprechen, und wenn die Freiheit nicht darin besteht, daß man ohne Gesetze lebe, sondern daß jeder sein eigner Gesetzgeber sei, so war es Jean Paul, der für unsere Enkel die Saat der deutschen Freiheit ausgestreut.

Jean Paul war der Dichter der Liebe auf die schönste und erhabenste Weise, wie man dieses Wort nur deuten mag. Einst in seiner Jugend hatte er folgenden Eid geschworen: »Großer Genius der Liebe! ich achte dein heiliges Herz, in welcher toten oder lebenden Sprache, mit welcher Zunge, mit der feurigen Engelszunge oder mit einer schweren, es auch spreche, und will dich nie verkennen, du magst wohnen im engen Alpental oder in der Schottenhütte, mitten im Glanze der Welt; und du magst den Menschen Frühlinge schenken oder hohe Irrtümer oder einen kleinen Wunsch oder ihnen alles, alles nehmen!« Er hat den Eid geschworen, und er hat ihn gehalten bis in den Tod. Doch was ist Liebe ohne Gerechtigkeit? Die Milde des Räubers, der dem einen schenkt, was er dem andern genommen. Jean Paul war auch ein Priester des Rechts. Die Liebe war ihm eine heilige Flamme und das Recht der Altar, auf dem sie brannte, und nur reine Opfer brachte er ihr. Er war ein sittlicher Sänger. Nie schmückte er häßliche Sünde mit den Blumen seiner Worte aus; nie bedeckte er eine unedle Regung mit dem Golde seiner Reden. Er hätte es vermocht, wenn er gewollt; auch er hätte vermocht, mit seinem mächtigen

Zauber dem frommen Tadler ein Lächeln abzuschmeicheln; aber er hat es nicht getan. Er stritt für Wahrheit, für Recht, für Freiheit und Glauben, und nie deckte bei ihm die Flagge eines mächtigen Namens sündlich-heilloses Gut, es den Ungläubigen zuzuführen.

Die Trostbedürftigen zu trösten und als befruchtender Himmel dürstende Seelen zu erquicken – dazu allein ward der Dichter nicht gesendet. Er soll auch der Richter der Menschheit sein und Blitz und Sturm, die eine Erde voll Dunst und Moder reinigen. Jean Paul war ein Donnergott, wenn er zürnte, eine blutige Geißel, wenn er strafte; wenn er verhöhnte, hatte er einen guten Zahn. Wer seinen Spott zu fürchten hatte, mochte ihn fliehen; ihn zu verlachen, wenn er ihm begegnete, war keiner frech genug. Trat der Riese Hochmut ihm noch so keck entgegen, seine Schleuder traf ihn gewiß! Verkroch sich die Schlauheit in ihrer dunkelsten Höhle, er legte Feuer daran, und der betäubte Betrüger mußte sich selbst überliefern. Sein Geschoß war gut, sein Auge besser, seine Hand war sicher. Er übte sie gern, seinen Witz hinter Höfe und hinter Deutschland hetzend. Nicht nach der Beute der Jagd gelüstete ihm, er wollte nur fromm die Felder des Bürgers und des Landmanns Äcker vor Verwüstungen schützen. Von der Feder manches Raubvogels, von dem Geweihe und der Klaue manch erlegten Wildes könnten wir erzählen; doch lassen wir uns zu keinen Jagdgeschichtchen verlocken in dieser sehr guten Hegezeit, wo schon strafbar gefunden und bestraft wird, nur die Büchse von der Wand herabzuholen.

Freiheit und Gleichheit lehrt der Humor und das Christentum – beide vergebens. Auch Jean Paul hätte vergebens gelehrt und gesungen, wäre nicht das Recht ein liebes Bild des toten Besitzes und die Hoffnung eine Schmeichlerin des Mangels. Jean Paul hat gut gemalt, er hat uns zart geschmeichelt. Der Humor ist keine Gabe des Geistes, er ist eine Gabe des Herzens, er ist die Tugend selbst, wie ein reichbegabtes Herz sie lehrend übt, weil es sie nicht übend lehren darf. Der Humorist ist der Hofnarr des Königs der Tiere in einer schlechten Zeit, wo die Wahrheit nicht tönen darf wie eine heilige Glocke, wo man ihr nur ihr Schellengeläute vergibt, weil man es verachtet, weil man es belächelt. Der Humorist löst die Binde von den Füßen des Saturns, setzt dem Sklaven den Hut des Herrn auf und verkündigt das saturnalische Fest, wo der Geist das Herz bedient und das Herz den Geist verspottet. Einst war eine schönere Zeit, wo man den Humor nicht kannte, weil man nicht die Trauer und nicht die Sehnsucht kannte. Das Leben war ein olympisches Spiel, wo jeder durfte seine Kraft und Hurtigkeit erproben. Der Schwäche war nur das Ziel versperrt, nicht der Weg; der Preis verweigert, nicht der Kampf. Jean Paul war der Jeremias[4] seines gefangenen Volkes. Die Klage ist verstummt, das Leid ist geblieben. Denn jene falschen Propheten wollen wir nicht hören, die ihn begleitet und ihm nachgefolgt; und nur aus Liebe zu dem geliebten Toten wollen wir seiner kranken Nachahmer mit mehr nicht als mit wenigen Worten gedenken. Sie dünken sich frei, weil sie mit ihren Ketten rasseln; kühn, weil sie in ihrem Gefängnisse toben, und freimütig, weil sie ihre Kerkermeister schelten. Sie springen vom Kopfe zum Herzen, vom Herzen zum Kopfe – sie sind hier oder dort; aber der Abgrund ist geblieben; sie verstanden keine Brücke über die Trennungen des Lebens zu bauen. Verrenkung ist ihnen Gewandtheit der Glieder, Verzerrung Ausdruck des Gesichts, sie klappern prahlend mit Blechpfennigen, als wenn es Goldstücke wären, und wirft ihnen ja einmal der Schiffbruch des Zufalls irgendein Kleinod zu, wissen sie es nicht schicklich zu gebrauchen, und man sieht sie, gleich jenem Häuptling der Wilden, ein Ludwigskreuz am Ohrläppchen tragen.

Die Bewunderung preist, die Liebe ist stumm. Nicht preisen wollen wir Jean Paul, wir wollen ihn beweinen! Der lüsterne Gast vergißt über das Mahl den Wirt, der herzlose Kunstfreund den Künstler über sein Werk. Zwar wird als Dankbarer gelobt, wer von der genossenen Wohltat erzählt; aber der Dankbarste ist, der die Wohltat vergißt, sich nur des Wohltäters zu erinnern. So wollen wir des seligen Geistes liebend gedenken, nicht der Arbeiten und Werke, womit er unsere Bewunderung verdient. Und wollten wir anders, wir vermöchten es nicht. Man kann Jean Pauls Werke zählen, nicht sie schätzen. Die Schätze, die er hinterlassen, sind nicht alle gemünztes Gold, das man nur einzurollen braucht. Wir finden Barren von Gold und Silber, Kleinodien, nackte Edelsteine, Schaumünzen, die der Gewürz- krämer als Bezahlung abweist; aufgespeicherte, ungemahlne Brotfrucht und Äcker genug, worauf noch die spätesten Enkel ernten werden. Solcher Reichtum hat manches Urteil arm gemacht. Fülle hat man Überladung gescholten, Freigebigkeit als Verschwendung⁵! Weil er so viel Gold besaß als andere Zinn, hat man als Prunksucht getadelt, daß er täglich aus goldenen Gefäßen aß und trank. Hat aber Jean Paul doch hierin gefehlt, wer hat seinen Irrtum verschuldet? Wenn große Reichtümer durch viele Geschlechter einer Familie herab erben, dann führt die Gewohnheit zur Mäßigkeit des Genusses; die Fülle wird geordnet; alles an schick- liche Orte gestellt und um jeden Glanz der Vorhang des Geschmacks gezogen. Der Arme aber, den das Glück überrascht, dem es die nackten Wände zauberschnell mit hohen Pfeilerspiegeln bedeckt, dem der Gott des Weins plötzlich die leeren Fässer füllt – der taumelt von Gemach zu Gemach, der berauscht sich im Becher der Freude, teilt unbesonnen mit vollen Händen aus und blendet, weil er ist geblendet. Ein solcher Emporkömmling war Jean Paul; er hatte von seinem Volke nicht geerbt. Der Himmel schenkte ihm seine Gunst; das Glück stürzte gutgelaunt sein Füllhorn um und überschüttete ihn mit Blumen und Früchten; die Erde gab ihm ihre verborgenen Schätze. Er sah und zeigte sie gerne! Doch was der Neid der Mitlebenden belächelt, darüber lachen froh die Erben. Gold bleibt Gold, auch in der Erzstufe, nur von wenigen erkannt, und die Fassung der Edelsteine erhöht ihren Preis, nicht ihren Wert.

So war Jean Paul! – Fragt ihr: wo er geboren, wo er gelebt, wo seine Asche ruhe? Vom Himmel ist er gekommen, auf der Erde hat er gewohnt, unser Herz ist sein Grab. Wollt ihr hören von den Tagen seiner Kindheit, von den Träumen seiner Jugend, von seinen männlichen Jahren? Fragt den Knaben Gustav; fragt den Jüng- ling Albano und den wackern Schoppe. Sucht ihr seine Hoffnungen? Im »Kampa- ner Tale« findet ihr sie. Kein Held, kein Dichter hat von seinem Leben so treue Kunde aufgezeichnet, als Jean Paul es getan. Der Geist ist entschwunden, das Wort ist geblieben! Er ist zurückgekehrt in seine Heimat; und in welchem Himmel er auch wandere, auf welchem Sterne er auch wohne, er wird in seiner Verklärung seine traute Erde nicht vergessen, nicht seine lieben Menschen, die mit ihm gespielt und geweint und geliebt und geduldet wie er.

34   *Franz Ficker*

[Zensurgutachten über Jean Pauls Werke]   1826

Unterzeichneter erstattet hiemit ehrfurchtsvoll seine von der hohen k. k. Polizei- und Zensur-Hofstelle abgeforderte Beurteilung Jean Pauls und der politischen, sittlichen und religiösen Tendenz seiner Schriften; ferner die Äußerung, ob das von der Witwe Jean Pauls nachgesuchte Privilegium gegen den Nachdruck erteilt werden könne. – Jean Paul Friedrich Richter ist den ersten Schriftstellern, den ersten Dichtern Deutschlands beizuzählen und in seiner Art einzig in der gesamten alten und neuern Literatur; ja er gehört zu den unergründlichen, rätselhaften Genien, die getadelt und bewundert, ja beinahe vergöttert, verstanden und nicht verstanden, vielleicht erst von der Nachwelt ganz erkannt und gewürdigt werden können. Seine zahlreichen Schriften sind teils politischen, teils philosophischen Inhalts und die ersteren gehören fast sämtlich der erzählenden Gattung an. Er gebrauchte nie die Versform, und doch ist er, was Reichtum der Erfindung und Kraft der Darstellung betrifft, Dichter im ächten Sinne des Wortes. Er verbindet mit dem tiefsten Gefühl eine seltne Fülle der Phantasie, einen unerschöpflichen Witz, mit der tiefsten und reichhaltigsten poetischen Philosophie eine außerordentliche Belesenheit und eine ausgebreitete Bekanntschaft in allen Reichen des menschlichen Wissens; die Geisterwelt und die Natur haben gleichsam alle ihre Schätze in ihm niedergelegt; daher auch seine Schriften einem großen Teile des Publikums, besonders Frauenzimmern, selbst gebildeten nicht ganz verständlich sind. Aber was alle seine Schriften, so verschiedenartig auch ihre Form und ihr Inhalt sein mag, vor allen andern Schriftstellern auszeichnet, ist sein unübertrefflicher Humor; Jean Paul ist der größte und originellste aller Humoristen, selbst vielleicht Sterne nicht ausgenommen; Jean Paul hat wahren Sterlingswitz[1]. Von der andern Seite läßt sich aber auch nicht leugnen, daß sein überaus reicher Humor mitunter unangenehm störend auf den Leser wirkt, daß seine allzureiche Bildersprache und seine Überfülle von Gelehrsamkeit, die sogar eine eigne Clavem Jean Paulianam[2] nötig gemacht hat, ihn öfters zu mißfälligen Arabesken veranlaßten, daß seine dissonanzvolle, gemischte, buntscheckige Schreibart, die er mit der größten Willkür und Gesetzlosigkeit handhabt, besonders auf seine Nachahmer nachteilig einwirkte, daß oft durch den falschen Schimmer, durch den Prunk der Rede, durch die gehäuften und nicht selten aus allen, auch den abstrakteren Wissenschaften entlehnten Gleichnisse und Anspielungen jene einfache Gediegenheit, jene ruhige Klarheit und Sicherheit eingebüßt wird, welche ihres Zweckes nicht verfehlen kann, das gesamte Gemüt des Lesers in Anspruch zu nehmen und ebenso kräftig zu erheben, als wohltätig zu beruhigen. Noch könnte man rügen, daß die im Romane erforderliche Einheit der leitenden Idee in den meisten Werken Jean Pauls dem Leser gewöhnlich entgehe, daß dieser den Faden der Erzählung in den labyrinthischen Irrgängen, auf der exzentrischen Bahn des Verfassers leicht verliere. Doch werden wir dagegen durch höhere Ansichten des Lebens, durch die unnachahmliche Wahrheit des Charakteristischen und durch seine einzige Originalität schadlos gehalten; und wenn die Zeichnung seiner Charaktere, jeden einzelnen betrachtet, schon unübertrefflich fest und richtig ist, so übertrifft er sich selbst noch in ihrer Zusammenstellung und gegenseitigen Einwirkung; und sein Talent für komische Charaktere ist ebenso bewunderungswürdig wie das, was er im Pathetischen und Tragischen zeigt, es steht auf der gleichen Höhe, hat gleichen Umfang, gleiche Tiefe wie dieses. – Nach dieser vorausgesandten Charakteristik Jean Pauls als Schriftsteller gehen wir nun leichter auf die Tendenz seiner Schriften über. Was die *sittliche Tendenz* derselben betrifft, so kann Jean Paul nicht genug gepriesen, nicht hoch genug gestellt werden. Er war im eigentlichsten Sinne ein tugendhafter Künstler, der dem Wahren und Schönen, allem Edeln und Großen, mit reinem Gemüte huldigte, der Sittenreinheit und Seelenadel im hellsten Lichte darstellte, der der Auflösung sittlicher Grundsätze rastlos entgegenstrebte, der nie die Sinnlichkeit in reizendem verführerischen Gewande zeigte, der nie ans Gemeine streifte. Jean Pauls Tendenz geht immer auf Ideale, das heißt die letzten von der Vernunft gebotenen und von der Phantasie versinnlichten Zielpunkte aller menschlichen Tätigkeit. Darum führt er seinen Leser so gerne in die große und reiche Natur, und läßt die erhabenen Schauspiele derselben vor seinem Blicke vorübergehn oder befruchtet des Lesers Phantasie mit den Bildern von den Heroen der Menschheit, in welchem Zeitalter, unter welchem Volke, in welchem Gebiete diese auch immer sich unsterbliche Verdienste erwarben. Immer gibt Jean Paul der Phantasie die Richtung aufs Sittliche und nur durch diese Richtung wird das ganze Wesen des Menschen völlig veredelt. – Was die *religiöse Tendenz* seiner Schriften betrifft, so läßt sich wohl in Wahrheit behaupten, daß über den hohen Wert der Religiosität und über die Erregung derselben von keinem andern Schriftsteller der neuern Zeit so treffende, so tiefergreifende Worte ausgesprochen wurden, als vom Verfasser der »Levana«. Und tat er dies vielleicht bloß in diesem Werke über Erziehung? Wem wäre es unbekannt, daß Jean Paul in den neunziger Jahren des vorigen Jahrhunderts sich der seichten Laxität der Gesinnung, und dem frevelhaften Unglauben so mancher seiner schriftstellerischen Zeitgenossen mit edler Kraft widersetzte? Das Heilige ehrte er mit tiefer Ehrfurcht; ihm schwebte es stets klar vor, daß das Heilige als solches nie ein Gegenstand des Komischen werden könne, weil es als solches nicht erscheinen könnte ohne eine vorhergegangene Selbstvernichtung des Dichters und Lesers. Nur wo es verunstaltet worden ist durch Schulbegriffe und durch Volksaberglauben, nur Mißbräuche verschmähte er mitunter nicht, zum Stoffe seiner humoristischen Darstellungen zu machen; aber auch da zerstörte sich sein Komisches nicht etwa selbst wieder durch frivole Einmischung der Sinnlichkeit; auch da richtete Jean Paul, um mich seines eigenen Ausdrucks[3] zu bedienen, die im Hohlspiegel ruhig und lang auseinander gehende Sinnenwelt gegen die Idee auf und hielt sie ihr entgegen. – Was endlich die *politische Tendenz* seiner Schriften betrifft, so kann wohl auch der wärmste Verehrer Jean Pauls nicht leugnen, daß dieser ein freisinniger Mann war; und darum sind die meisten seiner Schriften von der klösterlichen Zensur mit einem »Transeat«, eine mit »Erga schedam« und zwei mit »Damnatur«[4] bezeichnet. Jedoch wagt es Unterzeichneter, zur Steuer der Wahrheit auf einige Punkte aufmerksam zu machen, welche unsern Richter, wenn auch nicht ganz rechtfertigen, doch einigermaßen entschuldigen dürften:

1. Muß das Verhältnis des Schriftstellers zu seinem Zeitalter beachtet werden; er schrieb nämlich seine meisten Schriften im letzten Dezennium des vorigen und im ersten des laufenden Jahrhunderts. Dieses Zeitalter darf man leider! mit Grund das revolutionäre nennen, ein wildgärendes, chaotisches Zeitalter. Auch an Jean Paul ging dieses Zeitalter nicht spurlos vorüber. Aber er hielt die Mitte zwischen den Schriftstellern jener Zeit; er wollte und konnte den Schwächen jenes Zeitalters nicht schmeicheln, wie es viele andere getan; aber ebenso wenig wagte er wie Fichte u. a. das kühne Unternehmen, es nach eigener Willkür neu gestalten, es gleichsam auf den Kopf stellen zu wollen.

2. Eiferte Jean Paul stets gegen alle Revolutionen, gegen alle gewaltsamen Neuerungen; nirgends feindete er das monarchische Prinzip an; immer war er dem selbstsüchtigen, leidenschaftlichen, von kleinlichen Nebenabsichten in Bewegung gesetzten Streben des großen Haufens entgegen. Ungeachtet er alles Große und Gute der Menschheit aus dem Heiligtume der Ideale herleitet, spricht er doch seine Überzeugung deutlich aus, daß in der wirklichen Welt alles Gute und Vortreffliche nur allmählich reift, daß jede zu stark exaltierte Kraft durch ihre Wirkungen sich selbst zerstört; Jean Paul wird daher nie Schwärmer bilden für einen Zustand der Welt, der, wie sie ist, nicht eintreten kann, noch Menschenfeinde, die sich einer wohltätigen Wirksamkeit entziehen.

3. Darf der Humorist nie nach einzelnen Äußerungen, die leicht irrig gedeutet werden können, sondern nach dem Totaleindrucke eines ganzen Werkes beurteilt werden. Der Humor ist ja jene eigentümliche Stimmung des Gemüts, worin dieses, das Leben mit dem Ideale vergleichend und von den Widersprüchen des ersteren bald mehr oder minder tief verwundet, bald zu spöttischer und selbst zu sarkastischer Lache gereizt, seine richtenden Gefühle darüber in einer originellen Mischung des Komischen mit dem Sentimentalen ergießt. Der geniale Humorist geht mit einer höheren (Vernunft-)Ansicht der Dinge an die Betrachtung der Welt und des Lebens; daher spiegeln sich beide im Auge des Humoristen ganz anders als sie dem gewöhnlichen Menschen erscheinen, so daß jener oft mitten in dem Lächerlichen für andere – traurigen Ernst erblickt, in dem Ernste für sie dagegen oft nur Lächerliches und Komisches findet.

4. Sollten sich dessenungeachtet noch einige anstößige Stellen finden, so werden diese unschädlich, weil Jean Pauls Schriften nur den höher Gebildeten ansprechen, dieser aber mit ruhiger Besonnenheit das Gelesene prüft und sichtet.

Was zuletzt die Erteilung des Privilegiums gegen den Nachdruck betrifft, so glaubt Unterzeichneter in aller Bescheidenheit dafür einraten zu dürfen, da von der einen Seite die oberste Staatsverwaltung durch Nichterteilung des Privilegiums wenig gewinnt, indem bisher von den vielen Schriften Jean Pauls nur das »Kampaner Tal« und die »Vorschule zur Ästhetik« im österreichischen Kaiserstaate nachgedruckt wurden, von der andern Seite aber durch Erteilung desselben im In- und Auslande den Ruf der Liberalität gegen ausgezeichnete Geistesprodukte erwirbt.

35 *Karl Rosenkranz*

Aus: Aesthetische und poetische Mittheilungen [Über »Titan«] 1827

Von Jean Pauls »*Titan*« läßt sich in Beziehung auf die ihn begründende Idee im allgemeinen dasselbe behaupten, was von des Cervantes »Don Quixote«, daß das Leben, insofern es ein romantisches, darin vorgestellt werde. Wie aber dies Allgemeine auch dem »Wilhelm Meister« zugrunde lag, jedennoch die Lebenskunst das besondere Element der Dichtung war, so ist näher im »Titan« das, wozu der Held gebildet wird, die *reine Menschheit*. Er assimiliert von allen, mit denen er zusammenlebt, gibt aber dem Einzelnen in seinem harmonischen Geist ein schöneres Dasein. Notwendig ist für Albano, daß er selbst diese Einheit entgegengesetzter Bestimmtheiten werde, insofern er *Fürst* sein soll, zu welchem Ziel er unbewußt gelangt. Der Fürst aber verhält sich zu allen im Staate auf gleiche Weise; er soll nichts Besonderes sein, wie jeder seiner Untertanen, sondern gleichsam ein Prototypmensch, in welchem alle anderen die reine Menschheit anschauen möchten, welche ihnen durch die Einseitigkeit ihres Berufs so leicht getrübt wird.

Das Element des romantischen Schönen (als welches über die schmerzlose Heiterkeit des plastisch Schönen durch die unendliche Freiheit des Subjektes hinaus ist) ist der *Schmerz*, wie derselbe deshalb in Christi Leben erscheint, wo er auf das Tiefste empfunden, aber auch überwunden, wie die Schrift sagt, ertragen wird; denn nicht der Schmerz als solcher ist romantisch, sondern derselbe, insofern das Subjekt dennoch in sich versöhnt bleibt und ihn also durch die Macht seines Gemüts aufhebt. Der Grund dieses Schmerzes ist das christliche Bewußtsein von der Nichtigkeit alles Endlichen, insofern dasselbe sich geltend machen will, gegen das Interesse des Geistes also sich negativ verhält und nicht durch Reflexion in die Idee Unendlichkeit gewinnt. Dies Bewußtsein war der alten Welt fremd und ist erst im Christentum aufgegangen, durch welches die Subjektivität als ein unendlich Berechtigtes anerkannt wurde, so daß die Freiheit des individuellen Lebens das Zeugnis der angeborenen Göttlichkeit ist.

Dieser Schmerz vorzüglich ist im »Titan« unübertroffen dargestellt.

Die Charaktere, selbst die geringeren, sind von der äußersten Entschiedenheit und Kräftigkeit und das Schicksal ein so gewaltiges, daß man in der Tat unter einem Geschlecht titanischer Menschen lebt.

Albano ist das Individuum, welches gebildet wird und muß daher zu seiner Befreiung hin verschiedene Stufen durchgehen. So muß er von der Liebe zu Liane, welche der Erde mit ihrem weichen durch Frömmigkeit starken Gemüt fast schon entfremdet ist, auch mit dem Geiste einer Abgeschiedenen umgeht, in den Gegensatz der Liebe zur glühenden und festen Titanin Linda umschlagen, bis in der konkreten Durchdringung beider Seiten des Gegensatzes in Idonie[1], welche mild und kühn zugleich, seine Seele befriedigt wird.

Das Schicksal der Personen im »Titan« ist ein äußerst romantisches, indem sie das Verkehrte und Böse tun, und hinterher die *Schuld* mit der Gewißheit auf sich nehmen müssen, die Kollision der Umstände nicht haben wissen zu können, so daß das Schicksal ihnen ferner die Notwendigkeit auferlegt, den *eigenen Willen aufzuopfern*, wodurch, wie in den »Wahlverwandtschaften« das Romantische in seiner tiefsten Bedeutung enthüllt wird. So muß Liane ihrem Albano entsagen und darf sich gegen ihn nicht rechtfertigen, will sie nicht die Gottheit durch Verletzung eines Eides beleidigen; so opfert sie der Pietät viel Glück; so kommt Rabette in Liebe zu Roquairol und weiß nicht, daß sie von einem Toten das Leben will. So gibt sich Linda dem in Albano verstellten Roquairol unwissend hin, und muß ihrer Schuld wegen ihr Verhältnis zu dem Geliebten selbst aufheben und also ihr Glück opfern; so will Albano den Grafen Cesara recht herzlich als seinen Vater lieben und kann doch nicht rechten Eingang in ihn finden, weil er sein Vater nicht ist; so wird Schoppe wahnsinnig, weil es für *seine* Liebe zu Romeiro keine Gegenliebe geben *kann*. Sein Wahnsinn hat freilich noch eine andere Quelle, welche geradezu der Humor ist, wie auch bekanntlich der alte Swift ausrief: vive la bagatelle![2] Für den Bibliothekar gibt es nichts Endliches mehr und so hat er sein Selbst erhoben und erweitert, daß er mit allem *spielen darf*. Er weiß und kann alles; er fürchtet nichts und liebt viel und kann dem deutschen Reiche recht gut sein, so lächerlich ihm dasselbe von seiten seiner vornehm tuenden, aufgesteiften Kleinstäderei ist. Eben darum, weil Schoppe nichts *einseitig* betrachten kann, durch welche bequeme Methode eine angenehme Gemächlichkeit erzeugt wird, ist er beständig in der Auflösung von Widersprüchen begriffen, bis er an dem Humor über die Fichtische Philosophie zu Grunde geht, als sein Ich ihm leibhaftig entgegentritt, was dann eben der Humor davon ist.

Durch den ganzen »Titan« hin zieht sich der Gegensatz des Naiven und Sentimentalen. Das Wehrfritzische Haus und das des Ministers parodieren zuerst auf diese Weise: ebenso die freie Natur und die künstliche; Musik (nicht unbedeutend wird der Liane die Harmonika gegeben, gleichsam als Attribut, wie der Vesta das Feuer u.s.f.) symbolisiert mehrfach die Bewegung der Sentimentalität; Allvina[3] und die Ministerin stechen so voneinander ab; Chariton und Dian müssen in Deutschland, wo die Negativität sogar in das Lied hineintritt, die schöne Naivität des Südens darstellen; in Italien wird dieser Gegensatz in der unbefangenen Heiterkeit seiner Bewohner mit den *sinnigen* Fremden ordentlich massenartig. Julienne, das gebildete naive Mädchen, kontrastiert mit Liane, wie Rabette, das naive Mädchen ohne Bildung, deren einfache Gemütlichkeit durch den chamäleontischen Hauptmann *gequält* wird.

Dieser Roquairol ist für die sentimentale Masse der Mittelpunkt des Bösen. (Das Böse wird sonst noch in dem gefühllosen, verständigen und tückischen Bouverot, wie in dem gemeinen, entmenschten Minister von zwei anderen Seiten dargestellt.) Roquairol ist die bis auf ihre Spitze getriebene Sentimentalität, wo sie dann durch sich selbst in der Verzehrung der Wirklichkeit untergehen muß und deshalb für unsere Zeit so bedeutend. Sein gerades Extrem ist freilich die gefühlreiche, doch wortarme Rabette, die er aber für sich einnimmt. Mit viel tieferer Bedeutung steht ihm Schoppe gegenüber, der mit seinem keuschen Geist an sich schon die unmittelbare Polemik des durchweg unzüchtigen und maßlosen Roquairol ist. Roquairol, dieser Unglückliche, hat nichts, als seine Sinnlichkeit und Phantasie. Er will aber alles haben und gibt sich dem erschöpfenden Genuß abstrakter Vorstellungen hin, die er sich erst *machen* muß, deren aber keine in seiner Empfindung rechte Wahrheit hat. Er bedarf daher, weil er nicht den Gegenstand als Selbstzweck, sondern vielmehr die durch ihn in sich erregte Empfindung, also sein Selbst, liebt, einer fortwährenden Erhitzung. Weil er an sich durch das frühe Schwelgen in seinen Gefühlen kalt und stofflos ist, aber sich formell in alle Gemütlagen mit Leichtigkeit *verstellen kann*, so muß ihm die Phantasie durch den Schein aushelfen und der Trunk der Geburthelfer werden. Das Schauderhafte aber, wodurch Roquairols Charakterlosigkeit teuflische Bestimmtheit empfängt, ist dies, daß er *neben* seiner Schauspielerei *ein klares Bewußtsein von seiner Nichtigkeit und Jämmerlichkeit hat.* Indem er aber zu sehr an geistreiche Genüsse verwöhnt ist, seine Leerheit ertragen zu können, und zu schwach, *durch diesen Schmerz hindurch* ein substantielles Dasein zu erringen, sündigt er immerfort durch neues Aufschminken seines noch übrigen Lebens. Da das sittliche Bewußtsein nur dann ein wirkliches, wenn es ein handelndes, so ist die abstrakte Tugendgesinnung des Hauptmanns in Wahrheit ebenso gut bei dem Teufel zu finden. Seine Ironie und seine Laune sind ruchlos und sein Weinen und Klagen und Sehnen hat viel Ähnlichkeit mit dem Glauben und Zittern der Teufel. Daß aber der Hauptmann in der fortgesetzten Vernichtung seines wirklichen Lebens sein eigener Schuldner wird, ist ein tiefer romantischer Zug, weil in der christlichen Welt durch die unendliche Freiheit des Subjektes die allgemeine Sünde, insofern sie das besondere Element eines bestimmten Volkslebens ist (Roquairols Erziehung) als die besondere Sünde der sittlichen Individualität auf dieselbe als zurechnungsfähige Schuld zurückfällt. Seine Heiligung, die er nach dem eitlen Freundschaftsbündnis mit Albano beginnen will, ist eine bloße Koketterie ohne gründlichen Ernst. Das nackte, von aller Eitelkeit (welche den Hauptmann immer bewegt) losgewordene Scheinleben, die reine Lust an der Lüge, stellt der Kahlkopf dar, welcher deshalb auch mit Wachspuppen umherziehn muß. Für Albano konnte Roquairol nur so lange etwas sein, als derselbe getäuscht blieb. Dann mußt' er mit ihm *brechen* und mit seinem Schoppe wieder zusammengehn. – Der Lektor Augusti ist ein reinlicher, wegen seines guten Herzens seltener Hofmann, dessen Bewegung eine nur *vermittelnde* ist. – Die musikalische Religiosität des alten Spener ist, außer für die Begebenheit, für die Vollständigkeit der sentimentalen Masse insbesondere notwendig, weil sein Leben zum Abglanz abstrakter Beschäftigung mit göttlichen Dingen verklärt und ein fast indisches Blumenleben ist. Der Graf Cesara hat seinesgleichen nicht und dünkt uns fast ein Zauberer, der von ferne mit unsichtbaren Händen Wunderdinge wirkt. – Albano verliert nacheinander Roquairol, Liane, Linda, Schoppe, Cesara als Vater, was ebenso viel Momente in der Entwickelung seines geistigen Lebens, und muß von seiner ursprünglichen Heftigkeit zur allmähligen Fassung seiner verschiedenen Zustände kommen. Da er als Fürst das Verständnis und in Idonie die Gewißheit seines Lebens errungen hat, endet der Roman mit Recht. – Seine *Form* zu tadeln, ist ein schiefes Urteil, insofern dieselbe bei Jean Paul keine Manier ist, und durch den erfüllten Inhalt, aus dem sie unmittelbar hervorgeht, sich von selbst rechtfertigt. Weil nicht teilweise, sondern durchaus dieser eigentümliche Periodenbau da ist, und der orientalische Bilderglanz auf gleiche Weise *das Ganze* durchströmt, so ist diese Form auch schlechthin als eine höhere Potenz der Prosa zu begreifen.

36   *Wolfgang Menzel*

Aus: Die deutsche Literatur   1828

Die tragikomische oder eigentliche humoristische Poesie unterscheidet sich von jenen bloß komischen Spöttereien und Satyren durch die Beimischung sentimentaler Wehmut. Hippel verband zuerst Schmerz und Spott, Weinen und Lachen. Der Heros des Humors aber war *Jean Paul*, der ewig einzige und unvergeßliche. Er ist neben Goethe der größte Dichter in der modernen Gattung. Jean Paul und Goethe sind die eigentlichen Dioskuren[1] der modernen Poesie. Beide schildern das Leben, in dem sie selber lebten, das moderne, aber nach zwei verschiednen Anschauungsweisen. Goethe beliebäugelte, billigte, pries dieses Leben und faßte dasselbe in seiner Einheit als ein Ganzes auf; Jean Paul dagegen sah es humoristisch halb mit Wehmut, halb mit Spott an, und faßte es in seiner Zerrissenheit, in dem unendlichen Widerspruch auf, der durch dasselbe hindurchgeht, und der eben unsre Zeit so sehr von dem in sich sichern und befriedigten Mittelalter unterscheidet. Auch darin stimmen beide Dichter überein, daß sie so vielseitig waren und gern ihre Persönlichkeit vorwalten ließen, sich selbst gern zum Gegenstand ihrer Darstellung machten. Goethe war vielseitig, weil es das Talent ist, und stellte sich in seinen Liebhabern und Helden gern selbst dar, weil alle Virtuosen sich gern im Spiegel besehn. Jean Paul war vielseitig, weil die humoristische Weltansicht durch alles hindurchdringt, und er zeichnete gern sich selbst, weil in der Selbsterkenntnis der Schlüssel zu aller Menschenkenntnis liegt, und weil er als echter Humorist die tragikomische Doppelnatur der Außenwelt nur die seines eignen Innern widerspiegeln sah.

Diese Doppelnatur ist das Unterscheidende bei Jean Paul. Ihr erstes Moment ist die Sensibilität, die leidende Empfindung, die wieder doppelt teils zur tragischen Wehmut und erhabenen Klage sich steigert, teils in idyllischer Empfindsamkeit und kindlicher Rührung sich besänftigt. Hierin spricht sich ein echt musikalisches Steigen und Fallen der Empfindung aus. Bald vernehmen wir bei Jean Paul die Klage und den tiefen Schmerz über die Schwäche der menschlichen Natur, über das irdische Elend, über das Laster und die Unnatur, besonders der verderbten gesellingen Verhältnisse, und er schildert jede Art des modernen Jammers und der modernen Verruchtheit mit den lebendigsten und wahrsten Farben und mit der innigsten Empfindung. Bald geht sein heißer Schmerz in sanfte Wehmut über, und er rettet sein beleidigtes Zartgefühl in die Unschuldswelt, welche dicht an der wilden Heerstraße des Lebens noch immer ihre kleinen idyllischen Gärten baut. Er schildert unverdorbene Seelen, Kinder, reine Menschen, das Land- und Stilleben. Doch herrscht auch in diesen Schilderungen immer ein Zug entweder von Wehmut, oder in der andern Richtung, von scherzender Ironie.

Das zweite Moment jener Doppelnatur ist der Spott, der mehr männlicher Natur sich über die Welt und den eignen Schmerz erhebt, und dieselben Mängel und Laster, die dem Dichter so wehmütige Empfindungen aufgedrungen, mit den Waffen des Witzes tätig angreift. Auch in diesem Spott unterscheiden wir eine steigende und fallende Bewegung. Bald versteigt sich der Dichter bis zum bittersten Sarkasmus, bis zu einer auf die Knochen brennenden Satyre, bald spielt er nur mit heiterer Ironie. Jener Sarkasmus ist am häufigsten mit seinem tragischen Schmerz, diese Ironie am häufigsten mit seiner idyllischen Empfindsamkeit gepaart.

Beide Momente durchdringen sich fast in allen Darstellungen Jean Pauls dergestalt, daß er oft auf derselben Seite die rührendsten Schilderungen mit den lächerlichsten wechseln läßt. Man hat ihm dies zum Vorwurf gemacht, ohne zu bedenken, daß gerade hierin die Wahrheit des Humors und seine größte Wirkung besteht. Scheidet man die Doppelnatur des Humors, so hört sein Wesen auf. Im Humor durchdringen sich die beiden Gegensätze so innig, daß die Sprache nicht einmal imstande ist, diese innige Verbindung oder den schnellen Wechsel der Empfindungen treu genug auszudrücken.

Mit größerem Rechte macht man Jean Paul den Vorwurf, seine Darstellung sei da, wo sie doch objektiv sein solle, zu wenig objektiv, namentlich in der Wahrheit und Haltung seiner Charaktere. Es ist nicht zu leugnen, daß mancher seiner Helden und Heldinnen, besonders die ernsthaften und rührenden oder idealisierten, und wieder besonders im »Titan«, zu wenig innre Wahrheit und Natürlichkeit haben, zu auffallend bloß gedichteten, nicht wirklichen Wesen ähnlich sehn; aber auch hier kann man den Dichter entschuldigen. Es lag nicht in seinem Plan und nicht im Wesen seiner Poesie, Einheiten zu geben. Wo sie bei ihm vorkommen, erscheinen sie nur als äußere Rahmen für die Fülle seiner Sentiments und Witze. Diese sind die Hauptsache. Der Humor verfährt überall analytisch, und zersetzt die gegebne Einheit des Lebens wie der Charaktere. Er dringt mit der Empfindung in die tiefsten Falten der feinsten Teile ein. Nur indem Jean Paul die äußere Haltung aufgibt, kann er in ein psychologisches Detail eingehn, und wenn er wirklich seine Charaktere gehörig hätte abrunden und in die Anordnung seiner Romane mehr Symmetrie und Proportion bringen wollen, so würde er von seinem schönsten und reichsten Detail, von seinen Ausschweifungen und Episoden gerade das Beste haben wegschneiden müssen. Überdem herrscht im Humor die subjektive Ansicht durchgängig vor, und es wäre einseitig, zu den Schönheiten, welche sie darbietet, noch andre zu verlangen, welche mit ihr im Widerspruch stehn, und welche wir bei andern Dichtern suchen und finden können. Was man übrigens von der Fehlerhaftigkeit seiner allzu häufigen und gelehrten Metaphern gesagt hat, so kann man dieselbe wohl zugeben, ohne sich allzusehr daran zu stoßen. Wir würden jedem gern seine Manier verzeihen, wenn er nur ein Jean Paul wäre, und ein Fehler des Reichtums ist immer besser, als einer der Armut[2].

Das Rühmlichste, was wir Jean Paul nachsagen müssen und was ihn mit den edelsten Männern der Nation in eine Reihe stellt, ist der Adel seiner Gesinnung, seine reine Tugend, und das Feuer edler Leidenschaft, der ethische Ingrimm gegen das Laster, jene erhabenen Eigenschaften des Charakters, die er vorzüglich mit Schiller geteilt hat. Auch Jean Paul stellt wie Schiller überall die Unschuld dem Laster gegenüber, und das Recht dem Unrecht. Es ist fast kein Gebrechen der Zeit, daß sein Scharfblick nicht entdeckt, vor dem sein liebevoller Sinn nicht freundlich gewarnt, oder das sein geistreicher Spott nicht treffend gegeißelt hätte. Es ist aber auch nichts Unschuldiges und Schönes, und keine Tugend dieser Zeit, die Jean Paul nicht erkannt und in rührenden Bildern zu Mustern aufgestellt hätte. Er fand an allem die lichte und die dunkle Seite heraus, und es gibt wenige Zeitgenossen, die ihre Zeit so fein beobachtet und so richtig gewürdigt haben.

Manche finden diesen liebenswürdigen Dichter zu weich und weiblich, und ärgern sich an seinen zu häufigen Rührungen. Es ist wahr, sein weiches Herz schwärmt zuweilen, und seine Empfindung leidet nicht selten an übertriebner krankhafter Reizbarkeit; doch überläßt er sich dieser süßen Melancholie nur dann, wenn er ungestört für sich empfindet, und sie weicht einer tüchtigen männlichen Erhebung sogleich, wenn ihn eine höhere Idee aufruft, zu belehren oder zu strafen. Von Natur weich geschaffen, wird er doch männlich stark durch jede fromme und sittliche Idee, und dann fehlt ihm nie die Leidenschaft der Tugend, die edle Zornesglut und die rücksichtslose Wahrheitsliebe. Die ihm angeborne Sanftmut aber erzeugt bei ihm eine Toleranz, wie sie in unsrer Zeit sehr selten geworden ist, jene Duldung nämlich, die ohne indifferent zu sein, doch über alle Parteiungen hinwegsieht und das Gute überall anerkennt, wo es auch gefunden werden mag. In dieser Duldung kommt Jean Paul dem großer Herder am meisten gleich. Trotz seines unermeßlich reichen Witzes mißbraucht Jean Paul diese gefährliche Waffe doch niemals, und seine Gewissenhaftigkeit ist desfalls nicht genug zu rühmen. Er ist der friedfertigste, loyalste unter unsern Dichtern, und doch zugleich derjenige, der das unvergleichlich reichste Arsenal von Witz und Dialektik für die Polemik besaß. Von ihm, der alles hatte, um in dieser Zeit der wahre advocatus diaboli[3] zu sein, müssen wir sagen, er war der sanfteste und unschuldigste unter allen unsern Dichtern. Keiner hätte solch ein Teufel sein können, und keiner war so ein frommer kindlicher Engel wie er.

37   *J. von Moerner*

Schiller, Goethe, Shakespeare, Jean Paul.
Aphorismen   1831

[...]

Es gibt eine Klasse von Leuten, welche man Dilettanten in der Literärgeschichte nennen könnte. Ich kann diese Leute wohl leiden, denn sie bilden eine Art von Mittelglied zwischen Wissenschaft und Leben, welche beide sonst nur zu oft weit voneinander abstehen, und sind überdies meist recht gebildete und umgängliche Leute. Sie haben das löbliche Bestreben, jede Art von Verdienst anzuerkennen, und freuen sich, wenn sie für ein neues Genre einen neuen eigentümlichen Vorzug ausfindig machen. Sie lieben daher die Vergleichung über alles. Dabei läßt sich gut mit Sachen und Worten spielen und klingeln und in der Tat fördern sie manchmal etwas ganz Anmutiges zutage. Dies Spiel hat Ähnlichkeit mit jenen bekannten Übungen in der Kunst, eine gewisse Anzahl gegebner Punkte zu einer bestimmten Figur zu verbinden.

Unter diesen Leuten ist nun in der neusten Zeit vorzüglich der Hang verbreitet, Schiller, Goethe und Jean Paul als die drei einander koordinierten Hauptfarben des Prismas des menschlichen Geistes zu parallelisieren. Sie sagen z.B.: »Schiller will gefühlt, Goethe will gemessen, Jean Paul gewürdigt sein.« Oder: »In Schiller verehre ich mehr den Gemütsheros, in Goethe den eigentlichen Dichter, in Jean Paul den philosophischen.« Oder: »Schiller erscheint mir als Repräsentant des Guten, Goethe als der des Schönen, Jean Paul als der des Wahren.« Diese Parteien geben sich alle drei das Ansehen, als schätzten sie die drei genannten Dichter gleich hoch; doch dem ist in Wirklichkeit nicht ganz so. Jede der drei Parteien hegt für einen jener Dichter ein besondere Vorliebe, welche auch in den obigen Gleichnissen sich erkennen läßt. Die erste zieht Schiller, die zweite Goethe, die dritte Jean Paul vor. Andere sagen auch wohl: »Schiller, Goethe, Jean Paul erscheinen in demselben Verhältnisse, wie Vergangenheit, Gegenwart, Zukunft.« – »Fast« sagen sie, denn die Behauptung scheint ihnen selbst etwas gewagt, und doch treffen sie gerade damit recht mitten in das Schwarze hinein; – aber freilich auf einer ganz andern Seite, als nach welcher sie zielten. Die drei genannten Dichter stehen nämlich dem *Bewußtsein unserer Zeit* in der Tat wie Vergangenheit, Gegenwart und Zukunft gegenüber.

Nun klingt zwar: »Schiller, Goethe, Jean Paul« dem kundigen Ohr etwa wie »Gold, Rose, Lilie«. Der erste gehört einem ganz andern Gebiete, einer ganz andern Stufe der Organisation an, als die beiden andern; ich bin aber weit entfernt, jenen Dilettanten dadurch das Feld der Vergleichung irgend zu beengen; vielmehr will ich mir Ansprüche auf ihre Dankbarkeit erwerben, indem ich es erweitere. Es wäre zum Beispiel schon ganz hübsch, wenn ein Dilettant folgenden Präparat in seinem Museum der vergleichenden Anatomie aufwiese: Schiller, Napoleon und Fichte sind der Dachstuhl des Mittelalters. Die Werkmeister, die ihn hoben, sind Rousseau und Katharina II., Voltaire und Joseph II., Robespierre und Kant, Lessing und Herder. Ludwig XIV. und Friedrich II. sind die Unternehmer und beaufsichtigen den Bau aus der Ferne.

Aber das ist noch gar nichts. Mit Goethe und Jean Paul geht das vergleichende Spiel erst recht an. Welcher unsrer Dilettanten käme nicht von selbst auf den Gedanken, daß Goethe eine ganze antike Welt en miniature sei, Jean Paul ein Mittelalter, im Landschaftsspiegel aufgefangen.

Ein andrer sagt: »Goethe zeichnet eigentlich nur Weiber, Jean Paul nur Männer. Selbst die männlichen Figuren verhalten sich bei Goethe immer sehr passiv gegen die Außenwelt, also weiblich. Ihr Ziel ist, sich mit derselben zu arrangieren. Jean

Paul dagegen zeichnet selbst seine weiblichen Wesen stets als Männer, nämlich in offenbarem Kampfe mit der Außenwelt, entweder verblutend unter den Geißelhieben derselben, oder kühn sich über sie erhebend.«

»Charmant! charmant!« sagt ein Dritter, »denn mir ist es immer schon vorgekommen, als schildere Goethe am schönsten die natürlichen Neigungen des menschlichen Geistes, Jean Paul am schönsten den Sieg über dieselben.«

»Goethes und Jean Pauls Helden«, sagt ein Vierter, welcher in seine Urteile gern einen Tadel mischt, »scheinen mir Leuten, die durch einen Wald gehen, ähnlich, von denen die ersten den entgegenstehenden Zweigen ausweichen, die zweiten sie zurückbeugen, und dadurch zwar einen sichrern Gang gewinnen, aber die hinter ihnen Gehenden häufig in das Gesicht schlagen.«

Das, was bisher von Goethes »Wahrheit und Dichtung aus meinem Leben«[1] herausgekommen, ist bei weitem nicht so wichtig für das Verständnis Goethes, als man gewöhnlich angibt. Dagegen hat uns neulich Goethe eine vortreffliche Anleitung, ihn zu studieren, gegeben; indem er seine bekanntlich der Zeit nach sehr auseinander liegenden prosaischen Romane, den »Werther«, die »Wahlverwandtschaften« und »Wilhelm Meister« in einer Lieferung und in der angegebnen Folge zusammenordnete[2]. Das ist der eigentliche Stamm der Entwickelung des Goetheschen Geistes. Alle seine andern Schriften gehen von diesen wie Zweige aus, indem sie einzelne der daselbst entwickelten Weltansichten genauer ausbilden. Die Ansichten, die ihn bei dieser Zusammenordnung geleitet haben, sind ganz dieselben, welche die neuere Philosophie[3] als Gesetze jeder geistigen Entwickelung aufstellt. Es ist schwer zu entscheiden, wer durch diese Übereinstimmung mehr geehrt wird, Goethe oder die neuern Philosophen? »Wilhelm Meister« ist der eigentliche Goethe für die Nachwelt, und eine ausführliche Lebensbeschreibung des Dichters kann zwar dazu dienen, dieses Gemälde mit mehreren Einzelnheiten auszustatten, und auf diese Weise der Einbildungskraft der Nachwelt näher zu rücken, aber nicht, es in seinen Grundzügen zu vervollständigen.

Unter den Werken Jean Pauls sind diejenigen, welche den Stamm der Entwicklung seines Geistes ausmachen, im Äußern weniger von den übrigen unterschieden, da die bei Goethe den genannten Werken eigentümliche Form der erzählenden Prosa fast allen Werken Jean Pauls gemeinschaftlich ist. Nichtsdestoweniger sind jene Stammwerke auch hier sehr leicht am Inhalt zu erkennen. Denn auch Jean Pauls meiste Werke sind Gemälde einseitiger Lebensrichtungen. Allumfassende Lebensgemälde sind nur die »Unsichtbare Loge«, der »Hesperus« und der »Titan«. Unter ihnen ist der »Titan« die Krone, und Albano ist für Jean Paul, was Wilhelm Meister für Goethe, nämlich der durch den Destillierkolben der Kunst von der irdischen, vergänglichen Hülle gesonderte Geist des Dichters; sein Genius, sein Engel.

Beide Bücher, die »Lehrjahre« und der »Titan«, ergänzen sich zu einem Gesetzeskodex der modernen Welt, und es bleibt der Folgezeit überlassen, sie zu würdigen, und die Schätze zu heben, welche sie bieten.

Urtheil eines englischen Kritikers über Jean Paul und
seine Schriften   1832

Es gibt wenig Schriftsteller, bei denen ruhiges Erwägen und sorgsames Mißtrauen
gegen erste Eindrücke mehr not täte als bei *Richter*. Er ist ein Phänomen von seiner
äußersten Oberfläche an; er zeigt sich uns in erklärter und entschiedener Sonderbarkeit: seine Sprache allein ist dem Kritiker ein Stein des Anstoßes; grammati-
schen Kritikern vollends ein unverzeihlicher, unübersteiglicher Felsen des Ärger-
nisses. Nicht als kenne er die Grammatik nicht oder verschmähe die Wissenschaft
des Buchstabierens und Analysierens, aber er übt sie mit einem gewissen freien
Geiste, ist überaus verschwenderisch mit Parenthesen, Gedankenstrichen und an-
gehängten Klauseln; erfindet Hunderte von neuen Wörtern, verändert die alten,
oder zwingt, paart und stoppelt sie durch Bindestriche zu den mißtönendsten
Verbindungen zusammen, kurz, er bauet Perioden auf von der buntscheckigsten,
schwerfälligsten, endlosesten Art. Uns überschüttend mit Bildern ohne Zahl, ist
das Ganze ein Gewebe von Metaphern, Gleichnissen und Anspielungen auf alle
Gebiete der Erde, des Meeres und der Luft, untermischt mit epigrammatischen
Absprüngen, heftigen Ausbrüchen oder sardonischen Wendungen, Ausrufungen,
Stichen, Wortspielen und sogar Flüchen! Einer üppigen indischen Wildnis gleicht
er; einem gränzenlosen Labyrinthe, einzig in seiner Art; ringsum nichts als Finsternis, Mißton und immer ärgere Verwirrung! So gleicht auch der Styl des Ganzen, an
Verworrenheit und Ungebundenheit, dem der einzelnen Teile. Ein jedes seiner
Werke, es sei Dichtung oder ernste Abhandlung, ist verpackt in irgendeine phantastische Hülle, irgendeine bizarre Erzählung, die sich über ihr Erscheinen erklärt,
und dieses mit dem Autor selbst in Verbindung bringt, der gewöhnlich, ehe noch
alles vorüber ist, selbst ein Mitspieler in dem Drama wird. Er hat eine ganze
eingebildete Geographie von Europa in seinen Romanen; Städte wie: Flachsenfingen, Haarhaar, Scheerau und so weiter, mit ihren Fürsten und Geheimen Räten
und Serenissimis, von denen die meisten, ziemlich drollige Subjekte in jeder Art,
Richters vertraute Bekannte sind, von Staatsangelegenheiten (im ächten Tory-Dia-
lekt) mit ihm sprechen und häufig ihn antreiben, mit seinem Schreiben sich zu
fördern. Keine Geschichte schreitet fort ohne die regelwidrigsten Abschweifungen
und ohne einen gewaltigen Schweif von Anhängseln, der sich in Schlangenwindun-
gen nachrollt. Immer und immer taucht irgendein »Extrablatt« auf, mit seinem
satirischen Petitum[1], Programm, oder irgendeiner andern wunderbaren Einschaltung, deren Inhalt kein Sterblicher ahnen kann. Es ist in der Tat ein ungeheurer
Irrgarten, in welchem der Leser ihm oft mit Anstrengung vergebens nachkeucht,
oder, getäuscht und ermattet, unwillig stillesteht, und ihn, vielleicht auf immer,
verläßt.

Alles dieses, wir müssen es zugeben, gilt mit Wahrheit von *Richter;* doch gilt
auch noch weit mehr von ihm. Wir wollen uns nicht nach dem ersten flüchtigen

Blicke von ihm wenden, meinend, seine Sache sei abgetan mit den Worten Rhapsodie und Affektation. Dies sind wohlfeile Worte, es ist wahr, und von allgewaltigem Gewichte; aber darum eben müssen wir zusehen, daß sie nicht unbedacht angewendet werden. Sehr vieles bei *Richter* würde schlecht zu einer solchen Theorie passen. Es brechen Strahlen der eindringendsten Wahrheit, ja, es steigen Säulen eines wissenschaftlichen Lichtes aus diesem Chaos empor. Und ist es denn wirklich ein Chaos, oder sind nicht vielleicht nur unsere Augen von beschränkter Sehkraft, und können nur den Plan nicht überschauen? Wenige Rhapsodisten sind Männer von Wissenschaft, von gründlicher Gelehrsamkeit, von strengem Studium, und von genauen, ausgebreiteten, ja allgemeinen Kenntnissen, wie er. Und was die Affektation betrifft, so ist auch darüber manches zu sagen. Das Wesen derselben ist, daß sie *angenommen* sei: der Charakter wird gleichsam in irgendeine fremde Form gepreßt, in der Hoffnung, dadurch umgemodelt und verschönert zu werden; der Unglückliche überredet sich, daß er nun wirklich ein neues, ungemein bezauberndes Geschöpf sei, und so bewegt er sich mit gefälligem Selbstbewußtsein, obgleich jede seiner Bewegungen nur Verzerrung, nicht Ebenmaß verrät. Dieses heißt affektiert sein, umhergehen mit einem eiteln, äußern Scheine. Die Seltsamkeit allein ist aber kein Beweis von Eitelkeit. Viele, die sich eben fortbewegen in dem althergebrachten Geleise der Gewohnheit, haben auch ihre Affektation; dagegen wird vielleicht hin und wieder irgendein unregelmäßig abweichender Geist derselben mit Unrecht beschuldigt. Der *äußere Schein,* wenngleich gewöhnlicher Art, kann dennoch *eitel* sein, doch wird er es dadurch nicht, daß er ungewöhnlich ist. Ehe wir einen Mann tadeln, daß er scheine, was er nicht ist, sollten wir zuvor wissen, was er wirklich ist. Was *Richter* insbesondere betrifft, so ist es nur billig zu bemerken, daß, seltsam und wild, wie er ist, doch ein gewisses ruhiges Wohlwollen in seinen Schriften herrscht, ein Erbarmen, eine Freudigkeit, eine Ehrfurcht, so harmonisch verbunden, daß dieses, wie wir nicht umhin können zu glauben, nicht eine falsche, sondern eine wahre und ächte Gemütsstimmung, nicht einen kränklichen, fieberhaften, sondern einen gesunden und kräftigen Zustand anzeigt.

Das Geheimnis liegt vielleicht darin, daß *Richter* mehr Studium verlangt, als die meisten Leser geneigt sind, darauf zu wenden; denn sowie wir näher treten, wird manches klarer. In des Mannes eigener Sphäre ist Übereinstimmung; je mehr wir in dieselbe hineintreten, desto mehr sehen wir die Verwirrung sich nach und nach zur Ordnung gestalten, bis zuletzt, angeschaut aus ihrem gehörigen Mittelpunkte, seine intellektuelle Welt, nun nicht mehr eine verzerrte, unzusammenhängende Reihe luftiger Landschaften, zusammentritt in ein innig verbundenes, wohlbegränztes Ganzes; eine weite, herrliche, bunte Szene, voll zwar von wunderbaren, schroffen, unregelmäßigen Gestalten, aber prachtvoll, mannigfaltig und weit, heiter lachend in reichem Grün und Laube und schimmend in der glänzendsten, freundlichsten Sonne.

Richter ist ein geistiger Koloß genannt worden[2], und es ist wahr, auch wir betrachten ihn einigermaßen in diesem Lichte. Seine Kräfte haben alle etwas Riesenhaftes; schwerfällig, ungeschickt in seinen Bewegungen; vielmehr groß und glänzend als harmonisch oder schön; dennoch verbunden in lebendiger Einigung –

und an Kraft und Umfang durchaus ungewöhnlich. Seine Verstandeskräfte sind überwältigend, stürmisch, unwiderstehlich; zertrümmernd die härtesten Probleme; eindringend in die geheimsten Verbindungen der Dinge und das Fernste ergreifend: seine Einbildungskraft: schweifend, düster, glänzend oder schaurig; brütend über den Tiefen des Seins; wandernd durch die Unendlichkeit und vor uns ausrufend in dem Halbdunkel ihres religiösen Schimmers Gestalten von Glanz, Ernst und Schrecken; eine Überfülle der Phantasie durchaus ohne Beispiel; denn sie ergießt ihre Schätze mit einer Verschwendung, die keine Gränzen kennt, hängend, wie die Sonne, Brillanten an jedem Grashalm und übersäend die weite Erde mit Perlen des Orients. Aber tiefer noch, als alles dieses, liegt der Humor, die herrschende Kraft bei *Richter;* gleichsam ein Zentralfeuer, das sein ganzes Wesen durchdringt und belebt. Er ist Humorist aus seiner innersten Seele; er denkt, fühlt, betrachtet, handelt als Humorist: Laune ist das Element, in welchem seine Natur lebt und wirkt. Ein unruhiges Element für eine solche Natur, und wild genug hauset er in ihm. Ein Titan in seiner Lust wie in seinem Ernste, überschreitet er alle Schranken, und schwelgt und schwärmt ohne Maß und Gesetz. Er türmt Pelion auf Ossa³, und schleudert das Universum durcheinander – wie Spielzeug. Der Mond »bombardiert« die Erde, als eine rebellische Satellitin⁴; Mars »predigt« den andern Planeten gar wunderliche Lehre⁵; ja Zeit und Raum selbst spielen tolle Streiche; es ist eine unendliche Maskerade; die ganze Natur geht vermummt einher in den seltsamsten Weisen.

Aber diese Anarchie ist nicht ohne ihren Zweck; jene Larven sind nicht hohle Masken; unter ihnen verbergen sich lebendige Gesichter, und die Mummerei hat ihre Bedeutung. *Richter* ist ein Mann des Scherzes; aber selten oder nie läßt er sich herab zu der Rolle eines Harlekins. Ja, wir möchten behaupten, daß, trotz seiner Regellosigkeit, sein Humor von allen seinen Gaben die gediegendste und ächteste an innerm Gehalte ist. Er hat so zauberhafte Wendungen, es ist darin so etwas Wunderliches, Artig-Drolliges, Herzliches. Aus seiner zyklopischen Werkstatt, seinen rußigen Retorten und seiner gewaltigen, ungeheuren Maschinerie kommt am Ende die kleine, zusammengeschrumpfte, gedrechselte Figur so vollkommen und so lebendig hervor, daß man immer über sie lachen und immer sie lieben muß. Launenhaft, wie er uns scheint, arbeitet er dennoch nicht ohne Vorbedacht; gleich *Rubens,* weiß er durch einen Strich ein lachendes Gesicht in ein trauriges zu verwandeln. Aber in seinem Lächeln selbst liegt oft ein rührender Pathos, ein Mitleid, zu tief für Tränen. Er ist ein Mann von Gefühl, im edelsten Sinne des Wortes; denn er liebt alles, was lebt, mit dem Herzen eines Bruders; seine Seele fliegt in Mitgefühl, voll Freude oder Schmerz, voll Güte oder Erhebung, der ganzen Schöpfung zu. Jedes sanfte und edle Gefühl, jedes Schauern des Erbarmens, jede Glut erhabener Empfindungen weckt den Widerhall in seiner Brust, ja, erregt seinen Geist zur Harmonie; wilde Töne, gleich denen der Äolsharfe, umfließen uns in schwellenden Wogen; dann leise und sanft und rein, die Seele mit sich reißend, wie der Gesang der Engel! Abneigung selbst ist bei ihm nicht Haß: vieles verachtet er; aber er tut es mit Gerechtigkeit, mit Duldung sogar, mit Milde, ja mit einer Art von Liebe. Liebe ist die Atmosphäre, in der er atmet, das Medium, durch das er sieht. Sein ist der

Geist, der Leben und Schönheit mitteilt allem, was er umfaßt. Die unbelebte Schöpfung selbst ist nicht mehr eine tote Masse von Farbe und Wohlgerüchen; sie wird zum geheimnisvollen Leben, mit dem er umgeht durch das Mittel unaussprechlicher Sympathie. Wir möchten ihn nennen, wie er einst *Herdern* nannte: »einen Priester der Natur, einen sanftmütigen Bramin«[6], wandernd in gewürzig duftenden Hainen und unter lauen Himmeln. Die unermeßliche Nacht mit ihren feierlich-ernsten Erscheinungen; der Tag und das liebliche Herannahen des Morgens und des Abends sind voll Bedeutung für ihn. Er liebt die grüne Erde, mit ihren Strömen und Wäldern, ihren blumigen Auen und ewigem Himmelsgewölbe; er liebt sie mit einer Art von Leidenschaft in allem ihrem Wechsel von Licht und Schatten, sein Geist schwelgt in ihrer Erhabenheit, in ihren Reizen, fliegt dahin über Wald und Flur, durch Busch und Tal, raubend und spendend Wohlgeruch.

Man hat sich oft gewundert, daß so Widersprechendes sich zusammen finde – daß ein Mann von Humor oft zugleich auch ein Mann von Gefühl sein könne. Das größere Wunder sollte es uns sein, daß sie getrennt wären; daß wahre geniale Laune wohnen könne in einer Seele, die rauh und unempfindlich ist. Das Wesen des Humors ist Empfindbarkeit, warmes, zärtliches Mitgefühl für alle Formen des Daseins. Ja, wir behaupten, daß das Gefühl, nicht gemäßigt und geläutert durch Humor, leicht ins Wilde ausschweift, in Krankhaftigkeit ausartet, in Falschheit, oder mit einem Worte, in Empfindelei. Dies bezeugen *Rousseau, Zimmermann*[7], und in einigen Punkte[n] auch St. *Pierre*[8]: nichts von lebenden Beispielen zu sagen, oder von den *Kotzebues*[9] und der übrigen bleichen Schar händeringender Trauernder, deren Wehegestöhn, gleich dem Geheule einer irischen Totenwache, von Zeit zu Zeit das Ohr des Publikums erschüttert hat. Die höchste Vollkommenheit unserer Seelenkräfte, sagt Schiller mit weit tieferer Wahrheit, als es scheint, ist, daß ihre Tätigkeit, ohne aufzuhören, sicher und ernst zu sein, *Laune*[10] werde. Wahrer Humor ist Gefühl, im allerrechtgläubigsten und tiefsten Sinne; aber er ist eben jene *Laune* des Gefühls, daher gesund und vollkommen, und gleichsam die tändelnd-neckende Zärtlichkeit einer Mutter zu ihrem Kinde.

Jene Kraft der Ironie, der Karikatur, welche oft unter dem Namen Humor passiert, die aber hauptsächlich nur in einer gewissen oberflächlichen Verzerrung oder Umkehrung der Gegenstände besteht und höchstens mit Lachen endigt, hat nicht die mindeste Ähnlichkeit mit *Richters* Humor. Eine seichte Fähigkeit ist es, wohl mehr eine bloße Gewohnheit, als wirkliche, eigentliche Fähigkeit. Es ist nur eine kleine, dürftige Fraktion des Humors oder vielmehr, es ist der Körper, dem die Seele fehlt, da jedes Leben, das sie hat, falsch, erkünstelt und irrationell ist. Der wahre Humor entspringt nicht minder aus dem Herzen, als aus dem Kopfe, er ist keine Verachtung: sein Wesen ist Liebe; er tritt nicht hervor in Gelächter; sondern in stillem Lächeln, das seinen Grund viel tiefer hat. Er ist eine Art umgekehrter Erhabenheit, gleichsam zu unsrer Liebe erhebend, was unter uns ist, während die Erhabenheit in unsere Liebe herabzieht, was über uns steht. Die erstere ist kaum weniger köstlich oder herzergreifend, als die letztere; vielleicht ist sie noch seltener, und als ein Prüfstein des Genies noch entscheidender. Er ist in der Tat die Blüte und der Duft, der reinste Ausfluß einer tiefen, schönen und liebenden Natur; einer

Natur, in Harmonie mit sich selbst, ausgesöhnt mit der Welt, und ihrer Beschränktheit und ihren Widersprüchen, ja in diesen Widersprüchen selbst findend neue Elemente der Schönheit sowie des Guten. Unter unsern eigenen Schriftstellern muß Shakespeare hierin, wie in jedem andern Gebiete, seine Stelle erhalten. Doch nicht die erste; sein Humor ist innig, üppig, warm, doch selten der zarteste oder subtilste. Swift neigt sich mehr zur bloßen Ironie; doch besaß er auch ächten Humor, und nicht von liebeloser Art, wiewohl gepanzert, wie der des *Ben Jonson*[11], in einer bittern, scharfen Rinde. Nach ihm folgt *Sterne;* unser letztes Beispiel von Humor, und bei allen seinen Fehlern der beste, der feinste, wenn nicht gar der kräftigste unsrer Humoristen; denn *Yorick*, Korporal *Trim* und Onkel *Toby*[12] haben bis jetzt noch keinen Bruder gefunden, als in Don *Quichote*, so hoch dieser auch über ihnen allen steht. *Cervantes* ist in der Tat der reinste aller Humoristen; so sanft und so lebenskräftig – so reich, und doch so ätherisch ist sein Humor, und in solcher Übereinstimmung mit sich selbst und seiner ganzen edlen Natur. Der italienische Geist, sagt man, ist reich an Humor; doch scheinen uns ihre Klassiker kein rechtes Bild davon zu geben; mit Ausnahme etwa des Ariost[13], findet sich in ihrer bekannten Poesie wenig, das die Region die wahren Humors erreicht. In Frankreich scheint er seit den Tagen des Montaigne fast erloschen zu sein – *Voltaire*, soviel er auch das Lächerliche zu seinem Gegenstande macht, erhebt sich doch nie bis zum Humor, und selbst bei *Molière* ist es bei weitem mehr eine Sache des Verstandes als des Charakters.

Daß *Richter* in diesem Punkte alle deutschen Schriftsteller übertrifft, heißt viel gesagt; doch kann es mit Wahrheit gesagt werden. *Lessing* hat Humor – von scharfer, strenger, kernhafter und im ganzen von genialer Art; dennoch ist die herrschende Richtung seines Geistes mehr zur Logik hin. Auch *Wieland* hat Humor, wiewohl sehr verwässert durch die allgemeine Redseligkeit seiner Natur, und noch mehr verkümmert durch den Einfluß eines kalten, magern, französischen Skeptizismus. Unter den *Ramlers*[14], *Gellerts, Hagedorns*[15] aus *Friedrich II.* Zeit, finden wir einen Überfluß, der auch zart genug ist, von jenem leichten Wesen, das die Franzosen Pläsanterie[16] nennen; aber nichts oder wenig von dem, was den Namen Humor verdient. In dem gegenwärtigen Zeitalter indessen haben wir *Goethe,* von einer reichen, ächten Ader, und diese gleichsam zu einer Essenz sublimiert und in eine sanfte Mischung mit seinem ganzen Gemüt verschmolzen. Auch ist *Tieck*, unter seinen vielen schönen Empfänglichkeiten, nicht ohne einen warmen, scharfen Sinn für das Lächerliche und einen Humor, der sich, obgleich nur in kurzen Anfällen, und aus einer weit niedrigeren Sphäre, zum Poetischen erhebt. Von allen diesen Männern aber ist doch keiner, der an Tiefe, an Reichtum und an Gediegenheit des Humors mit *Jean Paul* verglichen werden kann. Er existiert allein in diesem Element; er lebt, bewegt sich, und hat sein Wesen im Humor. Bei ihm ist dieser nicht sowohl mit seinen übrigen Eigenschaften des Verstandes, der Phantasie, Vorstellungskraft und des moralischen Gefühls verbunden, als vielmehr alle diese mit jenem verbunden sind; oder besser, sie verbinden sich mit ihm, gedeihen unter seiner Wärme, wie in ihrer eigensten Temperatur und ihrem Klima. Nicht als wollten wir behaupten, sein Humor sei in allen Fällen vollkommen, natürlich und rein, ja, daß er nicht sogar oft ausschweifend, unwahr und selbst ungereimt wäre: dennoch sind im ganzen Herz und Leben desselben ächt, fein und geistig. Nicht ohne Grund haben seine Lobredner ihn *Jean Paul den Einzigen*[17] genannt; in einem oder dem andern Sinne, es sei als Lob oder Tadel, müssen auch seine Kritiker diese Benennung annehmen; denn sicherlich sehen wir uns vergebens in dem ganzen Kreise der Literatur nach seinesgleichen um. Man vereinige die Scherzlaune des *Rabelais* und die schönste Empfindsamkeit *Sternes* mit dem Ernste, und sogar in kleinen Dosen mit der Erhabenheit, *Miltons*, und lasse dann das musivische[18] Gehirn des alten *Burton*[19], dieses wohlverarbeitete, seltsame Gemisch, durch die Feder des *Jeremy Bentham*[20] ausströmen!

Zu sagen, wie nun *Richter*, mit einem von Natur so eigentümlichen Geiste begabt, seine Seele durch Ausbildung gestaltet hat, ist weit schwieriger, als zu sagen, er habe sie falsch gestaltet. Von aller Affektation wollen wir ihn weder ganz und gar freisprechen noch auch laut ihn derselben zeihen. Daß seine Schreibart sonderbar ist, ja, in der Tat eine wilde, verworrene Arabeske, kann niemand leugnen. Aber die eigentliche Frage ist hier: mit welchem Grade von Wahrheit stellt diese Schreibart seine wirkliche Art zu denken und zu sein dar? Mit welchem Grade von Freiheit gestattet sie dieser besondern Form des Seins sich darzustellen? oder welchen Fesseln und Verkehrtheiten unterwirft sie diese Darstellung? Denn das große Gesetz aller Ausbildung ist: Ein jeder werde alles das, wozu ihn die Natur fähig erschuf; er erreiche, wo möglich, den Umfang seiner vollen Größe, indem er alle Hindernisse überwindet, alles Fremdartige abwirft, vornehmlich alle schädlichen Anhängsel, und zeige sich endlich in seiner eigensten Gestaltung und Bildung, sei diese nun, welche sie wolle. Es gibt keine bestimmte Form für die Vortrefflichkeit, weder in der physischen noch geistigen Natur; alles *Ächte* ist, was es sein sollte. Das Rentier ist gut und schön; der Elefant ist es auch. In der Literatur ist es dasselbe: »Ein jeder«, sagt *Lessing*[21], »hat seinen eigenen Stil, wie seine eigene Nase.« – Freilich gibt es Nasen von wunderbaren Verhältnissen; aber keine Nase hat das Publikum ein Recht zu amputieren, ja, nicht einmal die Nase des *Slawkenbergius** selbst, sobald es nur eine *wirkliche* Nase ist, und nicht eine hölzerne, bloß um des Betruges und äußern Scheines wegen angesetzte.

Um ernsthaft zu sprechen, so ist *Lessings* Meinung, und wir stimmen damit überein, daß der äußere Stil nach den innern Eigenschaften des Geistes, den er darstellen soll, beurteilt werden müsse; daß, unbeschadet der kritischen, wohlverstandenen Schicklichkeit, jener ebenso gut mannigfache Gestalten annehmen dürfe als dieser; kurz, daß der Hauptpunkt für den Schiftsteller nicht der ist, diese oder jene äußerliche Bildung oder Manier zu haben, sondern in jeder Manier nur ächt, kräftig, lebendig zu sein – lebendig mit seinem ganzen Wesen, sich seiner bewußt und zu heilsamen Zwecken.

An diesen Probierstein gehalten, glauben wir, daß *Richters* wilde Manier für weniger unvollkommen geachtet werden wird als so manche sehr zahme. Diesem Manne mag sie nun eben angemessen sein. In dieser wunderlichen Form ist ein

---

* Siehe Tristram Shandy von Sterne[22].

Feuer, ein Glanz, eine milde Kraft, die uns zur Toleranz ja zur Liebe überredet für vieles, das uns sonst anstößig sein würde. Vor allem ist dieser Mann, so groß auch der Zusatz von Unvollkommenheiten in ihm sein mag, in Übereinstimmung und Zusammenhang mit sich selbst: er ist mit sich einig; er kennt seine Zwecke, und verfolgt sie in Aufrichtigkeit des Herzens, freudig und mit ungeteiltem Willen. Eine harmonische Entfaltung des Wesens, der erste und letzte Gegenstand aller wahren Bildung, ist also von ihm erreicht worden, wenn nicht vollständig, wenigstens vollständiger als bei einem unter tausend gewöhnlichen Menschen. Auch müssen wir nicht vergessen, daß bei einer solchen Natur sie nicht leicht zu erreichen war; daß, wo so viel zu entfalten war, manche Unvollkommenheit vergeben werden müsse. Es ist wahr, die einmal gebahnten Wege der Literatur führen am sichersten an das Ziel, und das Talent gefällt uns am meisten, welches damit zufrieden ist, mit neuer Anmut in alten Formen zu glänzen. Auch ist das edelste und eigentümlichste Gemüt nicht zu edel oder zu eigentümlich, um nach vorgeschriebenen Gesetzen zu arbeiten; *Sophokles, Shakespeare, Cervantes*, und, zu *Richters* eigener Zeit, *Goethe*, wie wenig Neuerungen erlaubten sie sich in den gegebenen Formen der Komposition, wie viel aber in dem Geiste, den sie ihnen einhauchten. Alles das ist wahr, und in dem nämlichen Verhältnisse muß *Richter* an unserer Achtung verlieren. Viel indessen bleibt noch übrig; und warum sollten wir das Hohe schelten, weil es nicht das Höchste ist? *Richters* größte Fehler hängen aufs innigste zusammen mit seinen besten Vorzügen, da sie hauptsächlich in Überfülle von Gutem, in unregelmäßiger Verschwendung von Reichtum, und in einem Blenden durch Übermaß von wahrem Lichte bestehen. Dergleichen Dinge sind umso leichter zu verzeihen, da sie nicht so leicht Gefahr laufen, nachgeahmt zu werden.

Überhaupt hat das Genie seine eigenen Privilegien, es wählt sich seine eigene Bahn, und sei diese auch noch so exzentrisch, wenn es nur wirklich eine himmlische Bahn ist, so müssen wir bloße Sterngucker uns endlich denn doch beruhigen, müssen aufhören, daran zu krittlen, und anfangen, sie zu beobachten und ihre Gesetze zu berechnen. Daß *Richter* ein neuer Planet am geistigen Himmel ist, wagen wir nicht zu behaupten; ein atmosphärisches Meteor ist er auch nicht ganz; vielleicht ein Komet, welcher, obgleich mit weiten Abirrungen, und gehüllt in einen nebelhaften Schleier, noch seinen Platz im Empyräum[23] hat.

Von *Richters* einzelnen Werken, von seinen Meinungen, seiner allgemeinen Philosophie des Lebens bleibt uns zu sprechen kein Raum mehr übrig. In betreff seiner Novellen[24] können wir sagen, daß mit Ausnahme einiger wenigen Beispiele, und diese vornehmlich von der kürzeren Klasse, sie nicht dasjenige sind, was wir im strengern Sinne, Einheiten nennen können. Bei vieler callida iunctura[25] der Teile läßt selten irgendeiner derselben uns den Eindruck eines vollkommenen, homogenen, unteilbaren Ganzen zurück. Ein wahres Kunstwerk muß in der Seele seines Schöpfers *in Fluß gebracht*, und gleichsam in einem gleichzeitigen Gusse aus seiner Einbildungskraft, wenn auch nicht aus seiner Feder, ausströmen. *Richters* Werke tragen nicht immer genug das Gepräge eines solchen *Flusses* an sich; doch sind sie auch nicht bloß aneinander *gefügt;* sie sind, um das Mindeste zu sagen: *geschweißt.* Eine ähnliche Bemerkung paßt auf viele seiner Charaktere, und in der Tat mehr oder weniger auf alle mit Ausnahme derer, die ganz humoristisch sind, oder doch einen großen Zusatz von Humor haben. In diesem letztern Gebiete ist er unbestreitbar zu Hause; ein wahrer Poet, ein Schöpfer: sein Siebenkäs, sein Schmelzle, sogar sein Fibel und Fixlein sind lebende Figuren. Aber in heroischen Charakteren erhalten wir von ihm, leidenschaftlich, derb, überwältigend wie er ist, selten ein vollständiges Ideal: die Kunst ist hier nicht bis zum Verbergen ihrer selbst gelangt. Dagegen ist er in seinen Heldinnen glücklicher; es sind oft wahre Heldinnen, obgleich vielleicht mit zu wenig Mannichfaltigkeit der Charaktere; geschäftige, flinke Mütter und Hausfrauen, mit allem Eigensinn, allen Verkehrtheiten und der warmen, großmütigen Hülfsbereitwilligkeit der Frauen; oder weiße, halb engelgleiche Geschöpfe, sanft, stille, vielduldend, hochgesinnt, von den zartesten Gefühlen, und Herzen, zerdrückt und doch ohne Klage. An übernatürlichen Figuren hat er sich nicht versucht, und das mit Recht, denn er kann nicht schreiben ohne Glauben. Dennoch läßt er bisweilen eine Einbildungskraft blicken, von einer Eigenheit, ja überhaupt von einer Wahrheit und Erhabenheit, die sonst ohne Beispiel ist. In seinen *Träumen* ist eine mystische Verworrenheit, eine Düsternheit, und mitten unter den dunkeln, gigantischen, halb geisterhaften Schatten, Strahlen eines zauberhaften Glanzes, die uns fast an die Gesichte des Hesekiel[26] erinnern. Leser, die den »*Traum in der Neujahrsnacht*«[27] studiert haben, werden uns nicht mißverstehen.

Richters Philosophie, ein Gegenstand von nicht gemeinem Interesse, insofern sie sowohl mit der allgemeinen Philosophie Deutschlands übereinstimmt als auch ihr entgegen ist, dürfen wir für jetzt nicht berühren. Nur eine Bemerkung erlauben wir uns: sie ist weder mechanischer noch skeptischer Art; sie kommt weder her aus dem Forum, noch aus dem Laboratorium, sondern aus den Tiefen des menschlichen Geistes, und liefert uns, als ihr schönstes Erzeugnis, ein edles System der Moral und die festesten Überzeugungen der Religion. In diesem letzteren Punkte halten wir ihn vorzüglich des Studiums wert. Einem achtlosen Leser könnte er als einer der ärgsten Ungläubigen erscheinen; denn nichts gleicht der Freiheit, mit welcher er mit den Dogmen der Religion umspringt, ja bisweilen mit den höchsten Gegenständen christlicher Verehrung – Stellen dieser Art werden jedem von *Richters* Lesern aufstoßen, die wir uns aber enthalten anzuführen, um nicht in den Fehler zu fallen, den wir schon an Mad. *de Staël* getadelt haben[28]. Mehr Licht gibt uns die folgende Stelle: »Oder«, so frägt er in seiner gewöhnlichen abgebrochenen Art, in den Noten zu »*Schmelzles* Reise«[29], – »oder sind alle Moscheen, Episkopalkirchen, Pagoden, Filialkirchen, Stiftshütten und Panthea etwas anderes, als der Heidenvorhof zum unsichtbaren Tempel und zu dessen Allerheiligsten?« Dennoch ist *Richter*, unabhängig von allen Dogmen, ja, vielleicht trotz denselben, im höchsten Sinne des Wortes religiös. Eine Verehrung, nicht eine eigennützige Furcht, sondern eine edle Verehrung für den Geist aller Güte, macht die Krone und den Ruhm seiner Bildung aus. Die feurigen Elemente seiner Natur sind durch heilige Einflüsse geläutert und durch ein Grundgefühl von Barmherzigkeit und Demut gezähmt zu Frieden und Wohltun. Ein starker und bleibender Glauben an des Menschen Unsterblichkeit und angeborne Größe begleitet ihn; aus den Wirbeln des Lebens blickt er auf zu einem himmlischen Leitstern; die Auflösung dessen, was sichtbar und vorübergehend ist, findet er in dem, was unsichtbar und ewig ist. Er hat gezweifelt, er leugnet, und dennoch glaubt er. »Wenn in eurer letzten Stunde, bedenkt es, alles im gebrochenen Geiste abblüht und herabstirbt, Dichten, Denken, Streben, Freuen: so grünt endlich nur noch die Nachtblume des Glaubens fort, und stärkt mit Duft im letzten Dunkel.«[30]

Diese scheinbaren Widersprüche zu vereinigen, die Grundlagen, die Art, die Zusammenstimmung von *Richters* Glauben zu erklären, wollen wir hier nicht versuchen. Wir empfehlen ihn dem Studium, der Duldung, und selbst dem Lobe aller derjenigen, die mit dem rechten Geiste erforscht haben diese höchste aller Fragen, geforscht mit der Furchtlosigkeit des Märtyrers, doch auch mit seiner heiligen Verehrung; derjenigen, welche die Wahrheit lieben, und mit keiner Lüge zufrieden sind. Ein freier, furchtloser, ehrlicher und doch wahrhaft geistiger Glaube ist unter allen Dingen das Seltenste in unsrer Zeit.

Von Schriften, welche wir, wiewohl mit manchem Vorbehalt, so sehr gepriesen haben, könnten unsere zweifelnden Leser vielleicht eine Probe verlangen. Ungläubigen haben wir zum Unglück keine von überzeugender Art zu geben. Man fordere nicht von uns, daß wir einen Begriff von den Wäldern der neuen Welt durch ein paar abgepflückte Zweiglein geben, oder von den Wasserfällen des Nil, durch eine Handvoll seines Wassers! Solchen indessen, die ein paar Zweige für nichts anderes, als eben für abgelösete Zweige halten wollen, und eine Handvoll Wasser für nur eben so viel Tropfen, diesen geben wir folgendes: Es ist ein Sonntagsabend im Sommer; *Jean Paul* nimmt Abschied von dem Hukelumer Prediger und seiner Frau; wie er, haben wir über sie gelacht, um sie geweint; wie er, trennen wir uns mit Wehmut von ihnen: »Wir waren alle zu sehr bewegt u. s. w.« man sehe Ende des »Quintus Fixlein«[31].

Dieses, durch ein ungefärbtes Medium betrachtet, aber in dämmernder Ferne, und hingeworfen in eiligen, flüchtigen Umrissen, gibt uns einige Züge von *Jean Paul Fried. Richter* und seinen Werken. Deutschland hat ihn lange geliebt, auch England muß er noch einst bekannt werden; denn ein Mann von dieser Größe gehört nicht einem Volke allein an, er gehört der Welt. Was unsere Landsleute über ihn entscheiden werden, und noch mehr, welches sein Los einst bei der Nachwelt sein wird, versuchen wir nicht, vorherzusagen. Die Zeit hat eine verkürzende Wirkung auf manchen weit ausgedehnten Ruhm: doch möchten wir von *Richter* sagen, daß er viel überleben werde. Es ist in ihm das, was nie stirbt; jene Schönheit und jener Ernst der Seele, jener Geist der Humanität, der Liebe und freundlichen Weisheit, über welche der Wechsel der Mode keine Herrschaft hat. Dieses ist jene Trefflichkeit der innersten Natur, welche Werken der Schriftsteller allein Unsterblichkeit verleiht; jener Zauber, welcher immer noch, trotz allen Entstellungen, uns an die Schriften unserer *Hooker, Taylor* und *Browne*[32] fesselt, wenngleich ihre Art zu denken längst nicht mehr die unsere ist, und wenn die geschätztesten ihrer bloß geistigen Meinungen, dahingeschwunden sind, wie es auch einst die unsrigen müssen, mit allen Umständen und Begebnissen, in welchen sie Gestalt und Ursprung fanden. Männer von der rechten Sinnesart werden noch lange in *Richter* vieles finden, das Anziehungskraft und Wert hat. In der moralischen Wüstenei gemeiner Literatur, mit ihren Sandsteppen und versengten, bittern und nur zu oft giftigen Sträuchern, werden sich die Schriften dieses Mannes erheben in ihrer regellosen Üppigkeit, gleich einer Gruppe von Dattelbäumen mit ihrem Rosenteppich und Wasserbrunnen, den Pilger zu laben in der schwülen Einöde mit Nahrung und Schatten.

39   Christian Hermann Weiße

Rezension über »Wahrheit aus Jean Paul's Leben«. Zweiter Artikel   1834

[...] Von dem besondern Inhalt dieser acht Heftlein einen Auszug zu geben, halten wir teils, da es schon andere vor uns getan haben und fernerhin tun werden, für überflüssig, teils nach dem, was wir soeben über die Beschaffenheit dieses Inhalts sagten, für unzweckmäßig. Wohl aber glauben wir es uns verstattet, von dem jetzt kürzlich erfolgten Abschlusse dieser Mitteilungen Veranlassung zu nehmen zu einem Versuche, auf den Grund derselben und des Übrigen, was aus Jean Pauls Leben uns bekannt geworden, unserseits die vorhin von uns gestellte Frage[1], soviel an uns ist, in aller Kürze zu beantworten. Auf gewisse Weise wird man uns hiebei, von den uns vorliegenden Materialien nötigenfalls auch einen negativen Gebrauch zu machen, und aus dem, was darin vermißt wird, eine positive Folgerung auf den Charakter dessen, den sie betreffen, zu ziehen, die Befugnis nicht versagen. Denn so ungerecht es auch wäre, jenes äußere Mißgeschick, welches das Werk betroffen hat, dem verewigten Dichter in irgendeinem Sinne zurechnen oder einen Vorwurf gegen ihn darauf begründen zu wollen: so läßt sich doch nicht verkennen, daß der Inhalt, auf welchen eine Lebensbeschreibung, auf welchen insonderheit eine aus der Mitteilung von Briefwechseln und andern Aktenstücken ähnlicher Art äußerlich zusammengestellte Lebensbeschreibung vornehmlich ihr Interesse zu begründen hat, sich in Jean Pauls Leben in ungleich geringerem Maße findet als in dem Leben anderer Individuen von gleicher, ja selbst von geringerer Geistestiefe und Ideenfülle. Es beruht nämlich ein solches Interesse, wie uns jeder zugeben wird, der mit Aufmerksamkeit nur etwa das, was von Goethes schriftlichen Werken zunächst als Dokument zu seiner Lebensgeschichte gelten kann (– wir meinen ausdrücklich *nicht* die vier Bände von »Dichtung und Wahrheit«[2], welche noch ein Interesse von anderer Art, nämlich ein unmittelbar poetisches, gewähren), gelesen und studiert hat, wesentlich auf der organischen Einheit des Strebens und des geistigen Schaffens, auf der charaktervollen Gegenwirkung des Geistes gegen die Äußerlichkeit der Lebensbegegnisse und seinem Vermögen, auch in diese Äußerlichkeit Ordnung und organische Gestaltung zu bringen, und insbesondere, was die Briefwechsel betrifft, auf einem im höheren Sinne dieses Wortes *sittlichen* Verhältnisse zwischen den Briefstellern, d.h. einem solchen, welches daraus hervorgeht, daß die Beteiligten, bei inniger Gemeinsamkeit des Denkens und Empfin-

dens, des Wollens und Strebens, zugleich ihre unterschiedene Individualität anerkennen und achten und ihr Verhalten im Umgange darnach, – nicht eben durch
selbstbewußte, reflektierte Berechnung, sondern durch richtigen Takt und Gefühl,
bestimmen oder modifizieren. Worin sonst liegt die Anziehungskraft, die bei seiner
scheinbaren Armut an neuen, eigentümlichen Ideen oder an tieferen Aufschlüssen
über das innere Leben beider Dichter und seiner wirklichen an allem Glänzenden
und Überraschenden, bei seinem häufigen Sichverlieren in gleichgültige Äußerlichkeiten, der Goethe-Schillersche Briefwechsel[3] dennoch von Anfang bis zu Ende
gegen jeden sinnigen Leser ausübt, wenn nicht eben darin, daß das Verhältnis der
beiden Briefsteller zueinander durchaus ein sittlich-organisches ist, daß sie wissen,
was sie gemeinschaftlich und was jeder durch den andern und in dem andern
erreichen will und erreichen kann? Derjenige, dessen Lebensgeschichte unabhängig
von der darauf etwa verwandten Kunst der Darstellung, in der Art und Weise, wie
sie sich selbst in Briefwechseln und andern Aktenstücken darstellt, eine Art von
dramatischem Interesse erwecken soll, muß das Talent besitzen, die Ereignisse des
Lebens und die Verhältnisse zu seiner Umgebung, sei es mit Bewußtsein und
Absicht oder ohne diese, so zu gestalten, daß sie in sein geistiges Streben, Tun und
Schaffen als wesentliches Moment eintreten, und mit demselben ein Ganzes bilden.
Dieses Talent nun entbehrt Jean Paul, und der Mangel desselben, wenn er für das
lebendigere Interesse, welches man unmittelbar an der Anschauung seiner Persönlichkeit und Lebensschicksale nehmen könnte, verhängnisvoll ist, stellt sich von
der andern Seite uns als bedeutsam für das, was wir hier suchen, für die Erklärung
jener von uns oben[4] bemerkten Phänomene in dem schriftstellerischen Charakter
dieses Dichters dar. Im allgemeinen zwar teilt Richter dieses sein Unvermögen, ein
bedeutendes Leben zu führen, oder seine Lebensverhältnisse zu geistig bedeutenden zu gestalten, mit manchen andern bevorzugten Geistern. Es gibt eine eigene
Klasse namentlich von künstlerisch-schöpferischen, genialen Individuen, die, still
für sich hin, wesentlich nur innen im Geiste webend und schaffend, die Welt klar
vor sich ausgebreitet liegen sehen und so sie betrachten und durchschauen, ohne
für ihre Person mit ihr organisch zu verwachsen, oder das, was sie im künstlerischen Bilde zu vollendeter Objektivität herauszustellen wissen, auch im Leben an
sich heranzuziehen oder aus sich als unmittelbare Wirklichkeit des Lebens hervor-
zuentwickeln; während andere alles, was sie darstellen wollen, zuvor erleben müssen. Als ein solches Individuum erscheint uns, – um nur eines der denkwürdigsten,
wenn auch vielleicht noch problematischen, Beispiele anzuführen, – Shakespeare,
dessen Lebensschicksale gewiß nicht bloß die Ungunst der Zeiten uns vorenthalten
hat, so daß diejenigen, die denselben als ohne Zweifel höchst bedeutenden und
inhaltvollen nachforschen oder sie wohl gar aus seinen Werken um jeden Preis zu
erraten sich abmühen, sich in einem argen Irrtume befinden mögen. Aber Geistern
solcher Art unsern Dichter ohne weiteres beizugesellen, tragen wir billig darum
Bedenken, weil in ihm ein Element vorherrschend und gewaltig ist, welches uns
mit jener künstlerischen Unschuld und Kindlichkeit, die der Welt, indem sie sie im
reinen und verklärten Bilde wiederschafft, dennoch fremd und fern bleibt,
schlechthin unverträglich scheint: das Element der Reflexion. Wer so tief, wie Jean

Paul, in das Element der Reflexion eingetaucht ist, in wem so entschieden und ausdrücklich das Bewußtsein seines Ich alle andern Gedanken und Anschauungen, alle theoretische und praktische Tätigkeit in bezug auf den Weltinhalt begleitet: bei dem kann jener Mangel einer organischen Lebensgestaltung, jenes Mißverhältnis zwischen dem innern und dem äußern Leben nicht eine Stärke, sondern nur eine Schwäche sein; bei dem sind wir genötigt, ein positives Hindernis als obwaltend in seinem Charakter anzunehmen, was es nicht zu einer bedeutenderen Entwickelung der Lebensverhältnisse kommen ließ.

Dieses Hindernis nun ist, um es kurz zu sagen, eben jene *Sentimentalität*, von der wir oben[5] zeigten, daß auf sie sich mittelbar oder unmittelbar alle Gebrechen des Jean-Paulschen Dichtercharakters zurückführen lassen. Auch im Leben, in den Verhältnissen der Liebe und Freundschaft, ja in den Verhältnissen des gewöhnlichsten geselligen Umgangs will Richter stets unmittelbar genießen, will sich seiner geistigen Fülle und Trefflichkeit unmittelbar, durch den geistreichen, enthusiastischen Ausdruck der Liebe und Bewunderung für ihn, in dem anderen und umgekehrt der des anderen gleich unmittelbar, durch Erwiderung solcher Gemütlichkeit und geistreicher Aufregung, oder auch wohl durch zuvorkommendes Anstimmen dieses Tones, bewußt und ihrer froh werden. Ja nicht genug, daß er in der Wechselberührung mit einzelnen eine beständig wache Ausdrücklichkeit und Aktualität des Gefühls und der Empfindung gegenseitig füreinander begehrt, die bis zu der Klage über die Unmöglichkeit eines Niederreißens der Schranke, die das Dasein des Körpers zwischen beiden zieht, fortgeht: so fordert er von sich und von den andern, die mit ihm die Wollust dieses Seelentausches teilen wollen, eine gleiche Ausdrücklichkeit des Gefühls für sämtliche Mitmenschen, eine Alliebe, die nicht wie jene, die das Christentum uns gebietet, in der *Gesinnung*, sondern in wirklicher Empfindung, in Gemeinsamkeit der Freude und des Leides mit allen Millionen, besteht[6]. Wenn man solche Empfindsamkeit eine *weichliche* zu schelten gar leicht sich versucht finden kann: so darf man sie doch nicht mit feiger epikureischer Genußsucht und Schmerzensscheu verwechseln.

Wir wollen es Richtern gern glauben, daß seine Liebe, die ihm die Quelle so reicher und überschwänglicher Genüsse ist, weder Schmerzen noch Tod scheut; wir halten ihn, wie er sich in seinen Werken und in seinem Leben zeigt, der gewaltigsten, heroischen Anstrengung ebenso wie der unbedingtesten, rücksichtslosesten Aufopferung fähig. Nur will es uns scheinen, als nehme er durch den überfließenden Gefühlsenthusiasmus, der mit jeder solcher Anstrengung und Aufopferung verbunden ist, fast jedesmal den Lohn für dieselbe vorweg, denjenigen Lohn, der in der Anknüpfung oder der Fortbildung eines sittlich organischen Lebensverhältnisses bestehen würde. Jean Paul ist sich dieser seiner Eigenschaft der Empfindsamkeit sehr wohl bewußt, und vertritt deren Wert und Berechtigung auch ausdrücklich gegen namhafte Gegner derselben. In seiner Polemik gegen die antisentimentalen Tiraden der Schlegelschen Schule[7] können wir selbst nicht umhin, ihm bis zu einem gewissen Grade beizupflichten. Diese Schule hatte ihr Prinzip der Ironie und der phantastischen Kunstvergötterung bis zu einem Punkte hinaufgetrieben, wo es schien, als solle nicht allein die Empfindsamkeit, sondern auch das wahre Gemüt, der Grund und Urquell aller Religion und Sittlichkeit, ihm geopfert werden; und namentlich in bezug auf die Ansicht von der Liebe sehen wir hier Jean Paul in der durchaus edlen Stellung als Verfechter des Prinzips der Sittlichkeit gegen das Prinzip der Phantasie und der phantastischen Sinnlichkeit auftreten. Aber wenn er nicht nur die Anhänger dieses Prinzips (dessen äußerste Konsequenz er mit so bewundernswürdiger Tiefe und hoher Meisterschaft in der Person seines Roquairol geschildert hat), wenn er auch einen Goethe, Schiller, Schelling und diesen ähnliche Männer, trotz seines sonstigen gründlichen und vielseitigen Verständnisses dessen, was sie als Dichter, Philosophen, überhaupt als schöpferische Geister sind, der Kälte zeiht[8] und sich menschlich von ihnen zurückgestoßen fühlt, dagegen ihnen einen Herder und Jacobi als Musterbilder nicht nur des Dichter- und Philosophen-, sondern auch Menschentums entgegenhält: so sieht man, wohin ihn jenes πρῶτον ψεῦδος[9] der Verwechslung dessen, was der Empfindung, mit dem, was der Gesinnung angehört, führen mußte. Nicht eben das persönliche Verhältnis Jean Pauls zu den hier genannten Männern wollen wir als entscheidend für den Inhalt unserer bisher gemachten Bemerkungen in Anschlag bringen, so charakteristisch auch wenigstens der Umstand sein möchte, daß unter allen literarischen Zeitgenossen allein die beiden Letztgenannten es sind, mit denen es, bei der Gleichartigkeit ihrer Gemütsbedürfnisse, unserm Dichter ein enges, warmes und dauerndes Freundschaftsband der Art, wie er es begehrte, zu schließen gelang. Aber die Urteile, die er gelegentlich über jene, und über so manche andere literarisch und geschichtlich bekannte Individualitäten ausspricht, geben einen belehrenden Kommentar zu der Art und Weise, wie wir ihn in andern Lebensverhältnissen zu Personen, die uns nur durch ihn und als zu seinem Umgangskreise gehörige bekannt sind, handeln sehen. Überall suchte Jean Paul unmittelbare, augenblickliche Befriedigung im Umgange, überfließende Gemeinsamkeit der Gefühle und glühenden Enthusiasmus, und ward dadurch in den meisten Fällen verhindert, Beziehungen einzuleiten, die, auf realen und objektiven Interessen beruhend, ein wahrhaft substantielles Band zwischen ihm und andern hätten knüpfen können, ein Band, das, obgleich die subjektive Wärme und Beseligung des Gefühls keineswegs ausschließend, vielmehr allmählig im Verlaufe seiner Befestigung und Dauer mit Notwendigkeit sie herbeiführend, doch sich von dem natürlichen Wechsel und der Zufälligkeit der Gefühle unabhängig erhalten, und durch die geistige Frucht eines gemeinschaftlichen Werks oder einer gegenseitig gesteigerten Bildung sich bewährt hätte. Allerdings war Richters moralischer Sinn wach und stark genug, um auch in solchen Verbindungen, die entweder der einseitige Enthusiasmus des andern Teils für seinen überlegenen Genius oder ein gegenseitiges schwärmerisches Auflodern angeknüpft hatte, durch Anstrengung und Willenskraft festzuhalten, und wohl auch der allmählig verlöschenden Flamme durch sein mächtiges Wort von Zeit zu Zeit ein Wiederaufflackern abzugewinnen. Aber nur in seltenen Fällen vermag er doch hier sich und andern die allmählig sich einfindende Verstimmung zu verbergen, und selbst die moralische Kraft, die er, um dieselbe niederzuhalten, anwendet, so viel Ehre sie ihm und Trost nicht selten dem andern bringt, gibt doch eben durch ihr Dasein in einem Zusammenhange, wo man sie eigentlich nicht benötigt glauben sollte, eine unerfreuliche Empfindung.

Wenn nun schon das Verhältnis Richters zu einzelnen in den meisten Fällen jenes gediegenen Gehaltes entbehrt, der dasselbe zu einem Gegenstand des objektiven Interesses für die allgemeine Betrachtung machen könnte: so ist dies in noch viel auffallenderem Grade der Fall in bezug auf sein Verhältnis zu größeren Kreisen und Gesamtheiten, überhaupt zu dem Publikum seiner Leser. Es gibt Verhältnisse von Schriftstellern zu ihrem Publikum – und diese sind eigentlich die einzigen, die einen wahrhaft substantiellen biographischen Inhalt eines Schriftstellerlebens als solchen geben –, wo Schriftsteller und Publikum sich gegenseitig durcheinander bilden, wo der Beifall der Leser, weit entfernt, nur die Eitelkeit des Schriftstellers zu nähren, ihn über sich selbst hinaushebt und zum Weiterstreben Kraft und Antrieb gibt, wo Mißverständnis, Teilnahmlosigkeit oder Gegnerschaft, die er erfährt, ihn in sich selbst hineinführt zu klarerem Bewußtsein nicht nur über seine Kraft und seinen Beruf, sondern auch über die rechte Art, seine Mittel zu gebrauchen und das Publikum zu sich heraufzuziehen. Ein solches Verhältnis aber – finden wir es auch nur teilweise realisiert in der Laufbahn unsers erst kalt von dem Publikum zurückgestoßenen, dann mit enthusiastischer Schwärmerei gefeierten und nur allzugern diesem Enthusiasmus sich hingebenden Dichters? – Nicht als ob nicht auch in diesen Bezügen Jean Pauls Betragen viele höchst ehrenwerte, einen fest und tief begründeten sittlichen Wert offenbarende Seiten zeigte. Seine Haltung als Jüngling, als er genötigt war, für seine ersten schriftstellerischen Versuche unter Buchhändlern und Literatoren[10] emsig nach einem Gönner umherzusuchen, und die hartnäckige Ungunst der Außenwelt zu ertragen oder von sich abzuwehren, ist eine durchaus würdige, von kleinmütiger Verzagtheit und kriechender Demut ebenso weit wie von trotzigem Dünkel und gehässiger Verbitterung entfernte, eine solche, wie sie nur das gediegene Bewußtsein eines unverlierbaren geistigen Gehaltes einerseits, eine ächt religiöse Ergebung in die Notwendigkeit des Schicksals und in den Willen der Vorsehung anderseits, eingeben konnte. Wir zählen die Dokumente aus jener Zeit, welche diese frühesten Autorverhältnisse Jean Pauls betreffen, zu dem Wertvollsten, was uns in den vorliegenden Heften aufbewahrt worden ist, und empfehlen sie jedem, dem etwa diese Seite von Richters Charakter bisher entgangen sein sollte, zu aufmerksamster Beachtung. Dennoch können wir auch hier die Bemerkung nicht umgehen, daß jenes sein anfängliches Mißgeschick bei Jean Paul die Wirkung zum großen Teil verfehlt hat, die wir in andern mit gleich genialem Vermögen begabten und zu höherer Reinheit der Gestaltung dieses Vermögens durchgedrungenen Geistern ähnlichen Schicksalen und Lebenserfahrungen zuzuschreiben geneigt sind. Wenn unser Dichter sich auf sich selbst zurückgeworfen und in sein inneres Leben eingedrängt fand, so hatte dies für ihn zwar die Folge einer erhöhten Spannkraft seines Talentes, welches später in umso energische und entschiedener ausgesprochenen Eigentümlichkeit hervortrat, aber nicht in gleichem Maße einer Läuterung seines Geschmacks, seiner sittlich-ästhetischen Denk- und Sinnesweise. Er selbst zwar braucht von seinem Siebenkäs das Bild, »daß das Schicksal aus Dürftigkeit, häuslichem Verdruß, Prozessen und Eifersucht eine

Scher- und Sengmaschine gebaut, um wie am feinsten englischen Tuche jede kleine falsche Faser wegzuscheren und wegzusengen«[11], und unzählige andere Stellen seiner Werke lassen keinen Zweifel darüber, wie in ihm das Bewußtsein von der reinigenden und sittlich erhebenden Kraft der Leiden auf eine Weise lebendig war, die nur aus eigener, selbstbewußter Lebenserfahrung stammen kann. Aber schon der Umstand, daß Äußerungen dieses Inhalts in einem Zusammenhange und Charakter, der sie nicht auf vergangene, sondern auf gegenwärtige Zustände zu beziehen nötigt, und in ganz unveränderter Art und Weise und nicht geringerer Anzahl aus der spätesten Zeit seines Lebens wie aus der frühesten aufgezeichnet sind, muß auf die Vermutung bringen, daß jene Lebenserfahrung unsers Dichters vielmehr eine solche war, die sich in ihm unablässig wiederholte, ein nie stillstehendes Pulsieren seiner Natur zwischen den leidenschaftlichen und stoffartigen Elementen, die ihm nie ganz abzuwerfen gelang, und seinem höheren die selbstbewußte sittliche mit der schöpferischen Dichterkraft vereinigenden Genius, dessen[12] einzelne Momente und Übergänge sich an äußere Lebensereignisse knüpfen, und jene Täuschung eines vollendeten Sieges über das niedere Element stets von neuem hervorrufen mochten –, als ein in der Geschichte seines Lebens organisch verlaufender Prozeß geistiger und sittlicher Wiedergeburt. Wäre das letztere gewesen, so würde eben hierin diese Geschichte einen gediegenen und kernhaften Inhalt haben, wie die Geschichte von Goethes Leben eines der reichsten und belehrendsten Beispiele eines in einem Prozesse dieser Art bestehenden Inhalts gibt; und die Anschauung desselben würde sich dann unwillkürlich aus den Aktenstücken dieses Lebens hervordrängen; wenn auch eine solchergestalt vollendete und abgeschlossene, in dem klaren Äther des Selbstbewußtseins zur Ruhe gelangte Lebenserfahrung sich, wie eben Goethe irgendwo zu verstehen gibt[13], weniger ausdrücklich auszusprechen und gleichsam nackt hinzustellen, als vielmehr symbolisch und dichterisch anzudeuten und zu verkleiden liebt. – Indes ist hiebei ein Umstand nicht außer acht zu lassen, dessen Nichtbeachtung eines der tiefsten und eigentümlichsten Interessen, welche das Studium Jean Pauls gewähren kann, vernachlässigen machen würde. Jene Gewohnheit der unablässigen sittlichen Beschäftigung mit sich selbst, wenn sie auch auf einer vielleicht nie ganz überwundenen moralischen Krankhaftigkeit beruhen mag, hat, bei dem hohen Seelenadel von Richters innerstem und eigentlichstem Selbst, in ihm eine solche Fülle und Gediegenheit sittlicher Begriffe und Anschauungen erzeugt, wie sie eben nur bei fortwährendem Kampfe der sittlichen Mächte in einem in diesen Kampf sozusagen hineingebildeten Bewußtsein sich entwickeln kann. Dasjenige Selbst, welches diese Anschauungen und Begriffe faßt und bildet, ist, wie gesagt, das ächte und edle, und indem dieses in ihm so klar und scharf, wie in wenig andern Menschen, von dem leidenschaftlich Getrübten unterschieden ist und über dem, was diesem angehört, frei und erhaben schwebt, ist es erlaubt zu sagen, daß die Eigenschaften dieses letzteren fast nur äußerlich dem ersteren anhängen, und, anders als bei andern, wo sie tiefer in die Individualität hinein verwachsen sind, seinem eigentlichen sittlichen Werte, der trotz ihrer ein hoher und seltener, allen Verständigen die höchste Achtung abgewinnender bleibt, so gut wie keinen Eintrag tun.

Ebenso wenig, wie Jean Paul es verstand, sein früheres durchgängiges Mißgeschick zu einer Wiedergeburt seiner künstlerischen Persönlichkeit zu verwenden, verstand er es auch später, sich in ein Verhältnis solcher Art zum Publikum zu setzen, daß er aus dem bis an das Ende seines Lebens noch immer häufig genug gegen ihn laut werdenden Tadel einen wesentlichen Nutzen für die weitere Durchbildung und Verklärung seines Talents hätte ziehen können. Es mag sein, daß wenig oder keine Stimmen gegen ihn laut wurden, die ihn unmittelbar über das, was er zu tun gehabt, hätten belehren, auf die im einzelnen zu hören man von ihm hätte verlangen können. Aber eben daß solche Stimmen sich so selten erhoben, wird insofern immer ihm selbst beizumessen sein, als seine Eigentümlichkeit gleich von vornherein auf eine Weise sich ausgesprochen hatte, die ihn außer Beziehung mit den philosophischen und künstlerischen Interessen und Tendenzen des Zeitalters setzte, welche den Standpunkt für eine ächt wissenschaftliche, das Ächte von dem Unächten in seiner dichterischen Erscheinung in Wahrheit ausscheidende Kritik unstreitig hätten hergeben müssen. Auch haben wir nicht sowohl einen möglichen, direkt belehrenden oder zurechtweisenden Einfluß der Kritik im Sinne, der wohl bei allen urkräftigen und schöpferischen Geistern nur gering anzuschlagen ist, als vielmehr das dadurch wach zu erhaltende Bewußtsein über die Mangelhaftigkeit oder die positive Fehlerhaftigkeit des annoch Erreichten überhaupt, das Bewußtsein über das Vorhandensein objektiver Forderungen, denen nur durch besonnene Zügelung der subjektiven Anlagen und Neigungen genügt werden kann. Es ist nicht zu hart, wenn behauptet wird, daß dieses Bewußtsein Richtern völlig abging; da sich in allem, was uns von ihm erhalten ist, kaum eine Spur findet von einer Erkenntnis, ja nur von einer Ahnung des Mißverhältnisses, welches zwischen seinen Werken, trotz ihres mächtigen Dichterflugs und ihrer üppig strotzenden Ideenfülle, und dem ächten Begriffe gediegener, klassischer Kunstschönheit noch immer obwaltet. So emsig er sich fortwährend mit allen einigermaßen bedeutenderen Erscheinungen der gleichzeitigen Literatur ebenso wie der vergangenen beschäftigte: so war diese Beschäftigung doch nur sozusagen ein Genießen und Verzehren der geistigen Nahrungsstoffe, ein Schwelgen in den Düften und dem Wohlgeschmacke, den er mit der seltenen Virtuosität eines geistigen Gourmands jenen Speisen abzugewinnen wußte; nie leicht ein Lauschen auf die leiseren Winke und Forderungen des Geistes der Zeit und der Kunst, woraus das ernste Streben, seine eigene Produktivität mit diesem Geiste in immer reineren Einklang zu setzen, hätte hervorgehen können. Seine gelegentlichen Äußerungen und Urteile über gleichzeitige Schriftsteller und andere Persönlichkeiten, so scharfe und feine Blicke sie auch oft enthalten, entbehren daher doch des zusammenhängenderen und motivierteren Interesses, welches nur der durch ursprüngliche Geistesanlage und anhaltende Übung erworbene Takt, alles nach seiner eigentümlichen Beziehung auf eine unsichtbare Einheit im Geiste der Zeit und der Weltgeschichte zu betrachten, gewähren kann.

Das Mißfälligste in Richters schriftstellerischem Leben wird aber allen, die sich durch das wirklich Edle und Große in ihm zu den höchsten und strengsten Forderungen berechtigt glauben, stets die Art und Weise bleiben, wie er dem schwärmerischen Beifall und Enthusiasmus für ihn in seiner unmittelbaren Nähe laut zu werden gestattete, die Äußerungen desselben absichtlich hervorlockte und freundlich hegte und pflegte und in seinen Ausbrüchen trunken schwelgte. Welch ein Kontrast zwischen Goethe dem Jüngling, der sich von jedem, der ihm von Werther zu sprechen anhebt, unwillig abwendet oder ihn barsch zurückstößt, und Jean Paul dem Manne und Greisen, der mit Jünglingen und Frauen bei Wasserfahrten im Mondschein schwärmt und von dem Jubel, mit dem er in Heidelberg und Dresden empfangen und gefeiert wird, an seine Gattin schreibt! Schwerlich wohl möchte es einen andern Schriftsteller geben, in dessen Lebensgeschichte die Huldigungen, die er von gefühlvollen Seelen aller Stände, Lebensalter und Geschlechter empfängt, eine so wichtige Rolle spielen, und bei welchem, auch im reiferen Alter noch, aller und jeder andere persönliche Bezug zur Welt und zum Publikum so gänzlich vermißt wird. Wir wünschen nichts mehr, als daß diejenigen, die Goethen der Eitelkeit bezüchtigen, einen Blick hieher werfen und an dessen Beispiel, den sie ihm als einen sittlich reineren und höheren Menschen entgegenzuhalten belieben, lernen mögen, was Eitelkeit heißt, und wie sie die persönliche Erscheinung eines hochbegabten und bevorzugten Geistes verunzieren kann. Oder meint man, daß es weniger in Goethes Gewalt als in Jean Pauls gestanden habe, sich in ähnlicher Weise huldigen zu lassen, und bei seinen Reisen durch Deutschland und das Ausland (– den Orten, wo er dergleichen am wenigsten hätte vermeiden können, ist Goethe stets sorgfältig ausgewichen), statt das Kunst- und Gewerbsleben, den Boden und seine Erzeugnisse, den Himmel und was unter ihm lebt zu studieren und alles Gute und Nützliche selbsttätig in jedem nur erdenklichen Sinne zu fördern, in den Gelagen jubelnder Verehrer und in den Herzensergüssen schön empfindender Seelen zu schwelgen? Auch bei Jean Paul freilich stellte sich, was zu seiner Ehre nicht zu verschweigen ist, jedesmal bald das Gefühl des Mißbehagens und der Leere ein, sooft er sich solchen Genüssen empfindsamer Eitelkeit überlassen hatte, und trieb ihn in die Einsamkeit und an den Arbeitstisch zurück. Aber öfter in seinem Leben, als man es bei der hohen Achtung, die so viele seiner im edelsten und schönsten Sinne sittlichen Eigenschaften einflößen, wünschen möchte, wiederholen sich die Akte und Szenen dieses eitlen Gepränges und dieser empfindsamen Scheinbefriedigung, wiederholen sich die daraus unvermeidlich hervorgehenden Täuschungen über Personen und Sachen, die einen klaren und sichern, praktischen Blick über Charaktere und Lebensverhältnisse in dem trefflichen Manne nicht aufkommen lassen; – und nie ist es demselben gelungen, seine innere schöpferische Tätigkeit mit seinen äußern Lebensbeziehungen in das rechte Gleichgewicht zu setzen, welches auch die letzteren zu einem wesentlichen organischen Momente jener Tätigkeit gemacht haben würde.

Dies führt uns darauf, schließlich noch ein Wort über unsers Dichters Methode des Arbeitens, des dichterischen Komponierens zu sagen, von der in den vorliegenden Heften mehrere nicht unmerkwürdige Notizen und Dokumente gegeben sind. Zuvörderst müssen wir hiebei, um durchaus gerecht zu bleiben, des rastlosen Fleißes gedenken, mit welchem Jean Paul seinen Produktionen oblag, der nicht bloß ein Werk jener äußern Notwendigkeit war, die der Dichter freiwillig auf sich genommen hatte, sondern weit mehr eine Folge der strengen Gewissenhaftigkeit, des hohen und ernsten Begriffes von Pflicht, den wir in dieser wie in vieler andern Beziehung als das innerste und eigentlichste Prinzip seiner Denk- und Handlungsweise erkennen. Niemals vielleicht hat ein Dichter in solchem Grade das Geschäft des Dichters als eine Arbeit, als ein Tagewerk betrachtet; und keineswegs war diese Arbeit nur auf die größtmögliche Masse des zu Produzierenden gerichtet, sondern ungleich mehr noch auf die Beschaffenheit desselben, da er seine Schriften einer so sorgfältigen Durcharbeitung und Feile unterwarf, daß wir seine gelegentliche aus tüchtigem und keineswegs tadelnswertem Selbstgefühl hervorgegangene Äußerung, daß andere Schriftsteller von dem, was er ausstrich, noch reich werden könnten, für buchstäbliche Wahrheit zu nehmen geneigt sind. Es bildet dieses sein Arbeiten einen merkwürdigen Kontrast zu der ehemals beliebten Meinung, daß dem poetischen Genie sein Werk im Schlafe gegeben wird; und wiefern der Charakter von Jean Pauls Dichtung nach einer gewissen Seite selbst den Stempel einer ungebildeten Naturkraft des Genius zu tragen scheinen kann, so fällt der hier bemerkte sonderbare Umstand unter die Kategorie jener ungeschlichteten Gegensätze, deren Vorhandensein in Jean Pauls Dichtercharakter wir bereits in unserm ersten Artikel bemerklich machten. Es läßt sich nämlich nicht verkennen, daß die Art und Weise von Jean Pauls Arbeitstätigkeit in mehr als einer Hinsicht sich von dem Charakter des eigentlichen Künstlerfleißes entfernt, und ungefähr in demselben Maße zu der Weise des gelehrten und des mechanischen Fleißes sich hinüberneigt, in welchem wir von der andern Seite den freien Erguß seiner Dichtungsader die Grenzen und Gesetze ächt künstlerischer Bildung überschreiten und in phantastische Überschwänglichkeit sich verlaufen sehen. Nicht bloß die schon oft als sonderbar und undichterisch bemerkte Gewohnheit seines Sammlerfleißes zum Behufe seiner Bilder und Gleichnisse meinen wir hiemit, sondern fast noch mehr die an das Peinliche anstreifende Art und Weise des fortwährenden psychologischen Experimentierens an sich und anderen, die Sitte, alle und jede Gedanken und Einfälle, die ihm als Resultat solcher Beobachtungen oder sonst in bezug auf seine Dichtungen im ganzen und im einzelnen, beikamen, sogleich schriftlich aufzuzeichnen und als einen fertigen Stoff, aus dem nachher das Werk auszuarbeiten sei, äußerlich zusammenzustellen, um die hieraus sich ergebende unheimliche Gewohnheit des Redens mit sich selbst über sich selbst zu vermeiden, welches einen weniger starken Geist zuletzt wohl, wie seinen Schoppe, an die Gränzen des Wahnsinns hätte führen können; – wenigstens dürfte die Bemerkung nicht abzuweisen sein, daß die Monologen über den Inhalt der abzufassenden Selbstbiographie, welche in vorliegendem Werke den Inhalt des zweiten Heftleins bilden, dem Leser hin und wieder einen Eindruck geben, der dem Gefühle, mit welchem man die Tagebücher von geistreichen Unglücklichen, die mit Wahnsinn oder Selbstmord endigten, zu lesen pflegt, ziemlich ähnlich wäre, wenn nicht die höhere Kraft und Gediegenheit des Jean-Paulschen Genius stets neu wieder hindurchleuchtete. Alles dies hängt, wie man uns leicht zugeben wird, zuletzt an dem Mangel jener Fähigkeit, welche aller geistigen Bildung die letzte Vollendung gibt, der Fähigkeit, das Gedachte und die Keime geistiger Erfindung die Feuerprobe der Negativität

durchgehen zu lassen, indem man sie, ohne sie sogleich mitzuteilen oder aufzuzeichnen, still im Geiste bewahrt, in die Beschäftigungen, die Anschauungen und
die Tätigkeiten des äußern Lebens mit hinüber nimmt, mit diesen, die ihrerseits
durch diesen Prozeß geistig geläutert und in das Eigentum des Dichters verwandelt
werden, organisch verwachsen läßt, und dann erst sie, durch das Leben selbst
gereift und gezeitigt, in die Form, die nun erst wahrhaft aus ihnen selbst herausge-
schaffen werden kann, hineingießt. Solchergestalt vermag der wahre Dichter oft
Tage, Monate, Jahre lang zu arbeiten, während jedermann ihn müßig oder mit
äußerlichen Lebensinteressen beschäftigt meint; und Dichtungen, auf solche Weise
erzeugt, werden vorzugsweise als durch die natürliche Sonne und die freie Himmelsluft gezeitigte sich ankündigen, während im Studierzimmer erarbeitete immer
einen Beischmack von Ofen- oder Treibhauswärme[14] haben.

40   *Heinrich Laube*

Jean Paul   1834

Der Stil ist mehr als ein bloß Äußerliches, wie die Gesichtszüge, der Gang, die Art
zu reden mehr sind als Zufälligkeiten; er ist die konzentrierte Erscheinung eines
mannigfaltigen Menschen, und namentlich das Dokument, wie weit sich dieser zur
Einheit, zum[1] Befriedetsein herausgebildet hat.
    Das ist vorauszuschicken, wenn etwas scheinbar Einseitiges über Jean Paul ge-
sagt werden soll, über dies mit dem innersten Herzen so rücksichtslos geliebte
Kind unserer Literatur. Noch ist es in Deutschland höchst gefährlich, mit einem
leisen Worte des Tadels an Jean Paul zu treten. Man nimmt sich in acht wie in einer
Familie, welche ein liebenswürdiges Söhnchen besitzt, an dem alle Augen hängen.
Es hat kleine Unarten, aber der Hausfreund wagt den Zorn aller, wenn er sie rügen
will.
    So schön, so nötig die Pietät eines Volks für seine Heroen ist, denn in einer
gewissen Bewunderung liegen tausend Keime zu neuen bewundernswerten Taten,
so vielfach kann doch eine blinde Pietät den Fortschritt aufhalten. Ein Volk, das
keine Heroen zu lieben, zu verherrlichen weiß, gehört in die Barbarei, ein Volk,
daß sie verhätschelt, hemmt seinen Kulturgang.
    Die Klage ist laut, alt und weit verbreitet, daß wir in Deutschland obenein unsre
besten Männer darben ließen, daß wir wie die Kirche uns nur um tote Heilige
kümmerten, aber trotz der neuen, hieraus erwachsenden Bedenklichkeiten soll –
denke ich – nicht geschont werden. Wir rühmen uns täglich, das objektivste, unbe-
fangenste Volk zu sein – nun denn, so ermuntern wir uns auch zu dem Mute, unsre
besten Geister rücksichtslos zu besprechen.
    Es gibt eine Art der Schriftstellerei, die solcher energischen Intention doppelt
gefährlich ist, eine Art Schriftstellerei, welche die Kritik meisthin auf lange Zeit
befängt: das ist die jener Männer, welche ihr Herzblut auf das Papier schrieben und
mit ihren unmittelbarsten und innigsten Gedanken und Empfindungen dem Leser

nahe treten. Gefühl besticht das Gefühl, Blut bewegt das Blut, und was mit uns am verwandtesten ist, was uns am nächsten liegt, trifft uns am ersten. Die Einwirkung der Kunst ist langsamer, wenn auch tiefer, der sanguinische Mensch erobert schneller als der besonnene und geläuterte. Nur allmählich brach sich Goethe Bahn. Aber Schiller ward von seinem Auftritte herein jubelnd empfangen. Selten, unendlich selten sind die Fälle, daß ein begabter Autor beides verbindet, daß er die schnellste, größte Popularität gewinnt und den höchsten Anforderungen der Kunst Genüge leistet, selten sind die welthistorischen Beweger.

Aber dies Voreilige unsrer Sympathien gebiert die größten, wenn auch die schönsten Irrtümer. Mit gewaltigem Widerstreben haben wir es anfänglich hingenommen, daß Schiller ein geringerer Künstler sei als Goethe[2], wir mochten uns nicht trennen von dem Lieblinge unsrer Jugend, der alle die brausenden Wogen unsers frühsten Enthusiasmus erregt, der uns mit seinen schlagenden, schönen Worten bis ins Innerste getroffen hatte. Friedrich Schiller hatte all den schlummernden Gedanken und Affekten der Deutschen Worte geliehen, er war aus der Mitte des deutschen Herzens gewachsen, er war der deutsche Dichter, den unsre Seelen begehrten; wie wir denn immer das für das Beste halten, was unausgesprochen in uns gelegen, was uns bekannt ist. Auch der Geist hat seinen Nepotismus. Wir mochten nicht daran glauben, daß es etwas Höheres geben könne, als diese oder jene einseitige Wahrheit mit siegreichen Worten auszusprechen, weil wir nicht wußten, was uns plötzlicher, heftiger ergreifen könne; wir schalten die Goetheaner kühle, herzlose Personen, weil wir nur Augen für das Einzelne, Hervorragende hatten, nicht aber für das Erschöpfende, was seiner Natur nach weniger blendend auftreten konnte. Es kam noch obenein die Zeit hinzu, wo alle Größen nach ihren patriotischen Äußerungen und Gesinnungen bemessen wurden, wir hielten uns fester und fester an den Freiheitsapostel Marquis Posa und seine Brüder, kurz an die Gesinnung und den Gedanken des Dichters im einzelnen; es kamen die Sammlungen schöner Stellen auf für Stammbücher, die Chrestomathien, und Schiller und Jean Paul gaben die reichste Ausbeute.

Allmählich sind wir stiller und anders geworden, und das Maß der Kunst hat wieder Eingang gewonnen in die Sachen der Kunst, und die Deutschen werden sich mehr und mehr schweigend dem geschichtlichen Urteile fügen, daß Goethe ein größerer Schriftsteller gewesen. Das Schiller-Goethesche Donnerwetter ist vorübergedonnert wie ein tolles Gewitter, fern am Horizonte grollen noch einzelne Schläge, wenn man die Namen ausspricht. Es war viel Unnützes am Streite, aber er war nicht so töricht und unwesentlich, wie man ihn zuweilen darstellt, es war wirklich ein Kampf unserer nationalen Sympathien mit dem weiteren, höheren Wesen der Kunst, die beiden Namen begegneten sich wirklich in leibhafter Person auf dem Felde des Gedichts und Dramas, und der Name Friedrich Schiller wird auch trotz dem immer breiter werdenden Siege des großen Freundes ein deutscher Volksheld bleiben, der Name unseres Jünglingsherzens.

Das sind alte Kampfgedanken, die heute schon wenig auffallen. Aber wenn ich sage, wozu ich Schiller und Goethe hier aufs Tapet gebracht, wenn ich mit dem Worte heraustrete, daß ich als ästhetischer Kritiker an Jean Paul mäkeln und aussetzen will, da springen noch heute die meisten deutschen Leser von ihren Stühlen auf. Die guten Leute! wie kann man sie lieben deshalb für ihre Liebe und Treue! Ihr ganzes Herz hängt noch an der schönen Seele Jean Pauls, unsers bravsten Mannes, er ist ihre innigste Liebe, und wer leidet's denn, wenn dieser nachgesagt wird, sie habe nicht so schön ausgesehen, als unser Herz geglaubt. Das ist ja jenes große Rätsel, daß die meiste Liebe etwas Borniertes und Fanatisches hat; wenn wir's zu lösen wüßten, dann fiele die stete Grenze aller Bildung, und die Welt würde noch einmal so groß.

Und doch muß ich gegen Jean Paul schreiben, und ich lieb ihn so herzlich wie ihr, habe mit ihm geweint, gezürnt, geschwärmt, gerungen. O, man kann Vater und Mutter lieben und ihre Fehler besprechen, tut nicht zu gefährlich mit euren Nerven und glaubt's, und man kann auch mit Tränen in den Augen tadeln.

Es sind hier zum Teil jene ästhetischen Lebenspunkte zu berühren, welche bereits in dem Artikel »Wolfgang Menzel«[3] angedeutet wurden, denn diese Hauptrichtung unsrer heutigen Kritik hob mit Hintansetzung der Form die Gesinnung des Schriftstellers hervor. Schiller, Jean Paul, Tieck sind die Helden Menzels, und bei diesem letzteren waren es zufällige Sympathien, welche ihn zu jenen Männern trefflicher Intentionen stellten. Diese Vorliebe Menzels für Gedanken, Gesinnungen, Material im Gegensatze zur Form hat sich bei einer neuern Revue der Romane, welche er hielt[4], wieder aufs klarste herausgestellt. Er fragt die Verfasser vorwurfsvoll, warum sie nicht hier oder da die Gelegenheit benutzt hätten, über staatliche oder religiöse Verhältnisse zu sprechen, dies oder jenes Unterrichtende anzubringen – der Stoff und das Nützliche ist ihm auch beim Kunstwerke die Hauptsache, aber ob dieses oder jenes historische Ereignis, diese oder jene Abschweifung in Form und Wesenheit des Kunstwerks passe, ob eine künstlerische Form vorhanden sei, das beachtet er nicht.

Und diese Art zu urteilen, ist bei uns national, die Kunst selbst, die Schönheit ist noch immer eine Magd, welche häusliche Geschäfte verstehen muß, und wieviel tiefe Geheimnisse menschlicher Kultur liegen nicht in bloßer Form und Schönheit, in der Kunst. Sie ist eine diamantene Brücke zu Gottes Schoß. »Ob denn Gott was anders will, als daß sich die Tugend in die reine Kunst verwandle, daß man nämlich nach den Gesetzen einer himmlischen Harmonie die Glieder des Geistes mit leichtem Enthusiasmus rege«, und »die Schönheit erkennen in allem Geschaffenen und sich ihrer freuen, das ist Weisheit und fromm«, sagte vor kurzem ein Weib[5] in Goethescher Liebe, und ich glaube, es waren kostbare Worte.

Bei jenen deutschen Zuständen aber, Schriftsteller zu empfangen, wo man nichts anderes als die Ansprüche an einen Freund und braven Menschen mitbrachte, mußte Jean Paul der schrankenlos gelobte Autor werden, welcher er geworden ist.

Es wird mir so schwer, zur eigentlichen Sache zu schreiten, wie man einem geliebten Wesen nur mit Widerstreben hierin oder darin unrecht gibt. Ich liebe Jean Paul wie eine alte Geliebte, ich bin mit seinem »Titan« im himmlischen Liebesweh durch alle Welten geflogen, ich habe mit ihm seine heißesten Tränen geweint, ich könnte mich dem edelsten, liebenswertesten Manne noch heute kindlich in den Schoß werfen wie einem Religionsstifter, an den ich glaubte, wie einem

Halbgotte, an dem ich hinaufsähe. Aber ich möchte, etwa den »Katzenberger« ausgenommen, kein einziges seiner Bücher formerfüllt, schön nennen. Die Form als Ganzes und Großes ist überkünstelt, durch tausend Schnörkel und Nebenbauten überladen, die Form im einzelnen ist ein fortlaufender Schwulst, ein langdarmiger Stil zum Entsetzen. Der zweite Gedanke springt dem ersten auf die Schulter, der dritte dem zweiten, der vierte dem dritten, der fünfte dem vierten, und aus jedem wachsen vier, fünf Nebenarme heraus, und so baut sich nach allen Dimensionen die Mißgestalt. Es ist immer einer schöner als der andere, Jean Paul denkt wie ein Engel, aber er schreibt durchaus nicht wie ein Engel[6], und so gewaltig der Flug seines Herzens ist, so schwunglos sind seine Sätze. Da ist kein Fall, kein Rhythmus, keine gefällige Bewegung, hölzern stellen sich die Satzglieder nebeneinander, kriechen unter sich herum, bleiben ewig am Boden. Die Erscheinung seiner Gedanken ist der bare Gegensatz seiner Gedanken selbst; denn diese gehen auf, gehen nieder und kreisen in allen Sphären. Dieser sein Unstil reicht kaum für seine trockenen, launigen Partien hin, wo sein Humor bürgerlich und bescheiden ist, und darum ist Jean Paul alles eher als ein schriftstellerisches Muster. Schillers Nachahmer wurden eintönig und langweilig, Jean Pauls Nachahmer werden fürchterlich.

Seine Erziehung, all seine kleinen, verwickelt kümmerlichen Verhältnisse mögen viel beigetragen haben zu seiner verwickelten, unschönen Form. Er brachte es erst spät im Leben zu einem freien Wohlsein, das Leben genierte ihn, statt ihn zu heben. Und es geht damit wie mit den geselligen Manieren: ist man ihrer nicht ganz Herr, sind sie einem nicht vollkommen geläufig, dann genieren sie sogar, statt unsern Ausdruck zu unterstützen, wie es im gegenteiligen Falle geschieht, und dann werden sie Manier. In dem stillen Wunsiedel ward er am 21. März geboren mit dem Frühlinge, er wuchs auf in kleinen Verhältnissen und sah wenig Schönheit, er ward eine Lerche, die ohne Regel singt. In Joditz, wo er später wohnte, muß er stumm auf der Ofenbank sitzen, hinaus darf er nicht, um sich auszuschreien, sprechen darf er nicht, denn sie haben bloß die einzige, große Winterstube, und der Vater schreibt Predigten ab, in seinem kleinen regsamen Kopfe häufen sich also von früh auf die Dinge, und wenn sie dann einmal zum Vorschein kommen, so überstürzen sie sich in hastiger, unschöner Eile.

Mit dieser Definition ist es allerdings nicht so dogmatisch gemeint, es ist nur eine halb ernsthafte Andeutung, wie er zu seinem Stile gekommen sein könnte.

[...]

41   *Heinrich Heine*

Aus: Die romantische Schule   1836

Derselbe Grund, den ich oben angedeutet[1], verhindert mich mit gehöriger Würdigung einen Schriftsteller zu besprechen, über welchen Frau von Staël[2] nur flüchtige Andeutungen gegeben und auf welchen seitdem, durch die geistreichen Artikel von

Philareth Chales[3], das französische Publikum noch besonders aufmerksam geworden. Ich rede von Jean Paul Friedrich Richter. Man hat ihn den Einzigen genannt[4]. Ein treffliches Urteil, das ich jetzt erst ganz begreife, nachdem ich vergeblich darüber nachgesonnen, an welcher Stelle man in einer deutschen Literaturgeschichte von ihm reden müßte. Er ist fast gleichzeitig mit der romantischen Schule aufgetreten, ohne im mindesten daran teilzunehmen, und ebenso wenig hegte er später die mindeste Gemeinschaft mit der Goetheschen Kunstschule. Er steht ganz isoliert in seiner Zeit, eben weil er, im Gegensatz zu den beiden Schulen, sich ganz seiner Zeit hingegeben und sein Herz ganz davon erfüllt war. Sein Herz und seine Schriften waren eins und dasselbe. Diese Eigenschaft, diese Ganzheit finden wir auch bei den Schriftstellern des heutigen jungen Deutschlands, die ebenfalls keinen Unterschied machen wollen zwischen Leben und Schreiben, die nimmermehr die Politik trennen von Wissenschaft, Kunst und Religion, und die zu gleicher Zeit Künstler, Tribune und Apostel sind.

Ja, ich wiederhole das Wort Apostel, denn ich weiß kein bezeichnenderes Wort. Ein neuer Glaube beseelt sie mit einer Leidenschaft, von welcher die Schriftsteller der früheren Periode keine Ahnung hatten. Es ist dieses der Glaube an den Fortschritt, ein Glaube, der aus dem Wissen entsprang. Wir haben die Lande gemessen, die Naturkräfte gewogen, die Mittel der Industrie berechnet, und siehe wir haben ausgefunden: daß diese Erde groß genug ist; daß sie jedem hinlänglichen Raum bietet, die Hütte seines Glückes darauf zu bauen; daß diese Erde uns alle anständig ernähren kann, wenn wir alle arbeiten und nicht einer auf Kosten des anderen leben will; und daß wir nicht nötig haben, die größere und ärmere Klasse an den Himmel zu verweisen. – Die Zahl dieser Wissenden und Gläubigen ist freilich noch gering. Aber die Zeit ist gekommen, wo die Völker nicht mehr nach Köpfen gezählt werden, sondern nach Herzen. Und ist das große Herz eines einzigen Heinrich Laube[5] nicht mehr wert, als ein ganzer Tiergarten von Raupachen[6] und Komödianten?

Ich habe den Namen Heinrich Laube genannt; denn, wie könnte ich von dem jungen Deutschland sprechen, ohne des großen flammenden Herzens zu gedenken, das daraus am glänzendsten hervorleuchtet. Heinrich Laube, einer jener Schriftsteller, die seit der Juliusrevolution aufgetreten sind, ist für Deutschland von einer sozialen Bedeutung, deren ganzes Gewicht jetzt noch nicht ermessen werden kann. Er hat alle guten Eigenschaften, die wir bei den Autoren der vergangenen Periode finden, und verbindet damit den apostolischen Eifer des jungen Deutschlands. Dabei ist seine gewaltige Leidenschaft durch hohen Kunstsinn gemildert und verklärt. Er ist begeistert für das Schöne ebenso sehr wie für das Gute; er hat ein feines Ohr und ein scharfes Auge für edle Form; und gemeine Naturen widern ihn an, selbst wenn sie als Kämpen für noble Gesinnung dem Vaterlande nutzen. Dieser Kunstsinn, der ihm angeboren, schützte ihn auch vor der großen Verirrung jenes patriotischen Pöbels, der noch immer nicht aufhört, unseren großen Meister Goethe zu verlästern und zu schmähen.

In dieser Hinsicht verdient auch ein anderer Schriftsteller der jüngsten Zeit, Herr Karl Gutzkow[7], das höchste Lob. Wenn ich diesen erst nach Laube erwähne, so geschieht es keineswegs, weil ich ihm nicht ebenso viel Talent zutraue, noch viel weniger weil ich von seinen Tendenzen minder erbaut wäre; nein, auch Karl Gutzkow muß ich die schönsten Eigenschaften der schaffenden Kraft und des urteilenden Kunstsinnes zuerkennen, und auch seine Schriften erfreuen mich durch die richtige Auffassung unserer Zeit und ihrer Bedürfnisse; aber in allem, was Laube schreibt, herrscht eine weitaustönende Ruhe, eine selbstbewußte Größe, eine stille Sicherheit, die mich persönlich tiefer anspricht, als die pittoreske, farbenschillernde und stechend gewürzte Beweglichkeit des Gutzkowschen Geistes.

Herr Karl Gutzkow, dessen Seele voller Poesie, mußte ebenso wie Laube sich zeitig von jenen Zeloten, die unseren großen Meister schmähen, aufs bestimmteste lossagen. Dasselbe gilt von den Herren L. Wienbarg[8] und Gustav Schlesier[9], zwei höchst ausgezeichneten Schriftstellern der jüngsten Periode, die ich hier, wo vom jungen Deutschland die Rede ist, ebenfalls nicht unerwähnt lassen darf. Sie verdienen, in der Tat, unter dessen Chorführern genannt zu werden, und ihr Name hat guten Klang gewonnen im Lande. Es ist hier nicht der Ort, ihr Können und Wirken ausführlicher zu besprechen. Ich habe mich zu sehr von meinem Thema entfernt; nur noch von Jean Paul will ich mit einigen Worten reden.

Ich habe erwähnt, wie Jean Paul Friedrich Richter in seiner Hauptrichtung dem jungen Deutschland voranging[10]. Dieses letztere jedoch, aufs Praktische angewiesen, hat sich der abstrusen Verworrenheit, der barocken Darstellungsart und des ungenießbaren Styles der Jean-Paulschen Schriften zu enthalten gewußt. Von diesem Style kann sich ein klarer wohlredigierter französischer Kopf nimmermehr einen Begriff machen. Jean Pauls Periodenbau besteht aus lauter kleinen Stübchen, die manchmal so eng sind, daß wenn eine Idee dort mit einer anderen zusammentrifft, sie sich beide die Köpfe zerstoßen; oben an der Decke sind lauter Haken, woran Jean Paul allerlei Gedanken hängt, und an den Wänden sind lauter geheime Schubladen, worin er Gefühle verbirgt. Kein deutscher Schriftsteller ist so reich wie er an Gedanken und Gefühlen, aber er läßt sie nie zur Reife kommen, und mit dem Reichtum seines Geistes und seines Gemütes bereitet er uns mehr Erstaunen als Erquickung. Gedanken und Gefühle, die zu ungeheuren Bäumen auswachsen würden, wenn er sie ordentlich Wurzel fassen und mit allen ihren Zweigen, Blüten und Blättern sich ausbreiten ließe: diese rupft er aus, wenn sie kaum noch kleine Pflänzchen, oft sogar noch bloße Keime sind, und ganze Geisteswälder werden uns solchermaßen, auf einer gewöhnlichen Schüssel, als Gemüse vorgesetzt. Dieses ist nun eine wundersame, ungenießbare Kost; denn nicht jeder Magen kann junge Eichen, Zedern, Palmen und Banianen in solcher Menge vertragen. Jean Paul ist ein großer Dichter und Philosoph, aber man kann nicht unkünstlerischer sein als eben er im Schaffen und Denken. Er hat in seinen Romanen ächtpoetische Gestalten zur Welt gebracht, aber alle diese Geburten schleppen eine närrisch lange Nabelschnur mit sich herum und verwickeln und würgen sich damit. Statt Gedanken gibt er uns eigentlich sein Denken selbst, wir sehen die materielle Tätigkeit seines Gehirns; er gibt uns sozusagen mehr Gehirn als Gedanken. In allen Richtungen hüpfen dabei seine Witze, die Flöhe seines erhitzten Geistes. Er ist der lustigste Schriftsteller und zugleich der sentimentalste. Ja, die Sentimentalität überwindet ihn immer, und sein

Lachen verwandelt sich jählings in Weinen. Er vermummt sich manchmal in einen bettelhaften plumpen Gesellen, aber dann plötzlich, wie die Fürsten inkognito, die wir auf dem Theater sehen, knöpft er den groben Oberrock auf, und wir erblicken alsdann den strahlenden Stern.

Hierin gleicht Jean Paul ganz dem großen Irländer, womit man ihn oft verglichen. Auch der Verfasser des »Tristram Shandy«, wenn er sich in den rohesten Trivialitäten verloren, weiß uns plötzlich, durch erhabene Übergänge, an seine fürstliche Würde, an seine Ebenbürtigkeit mit Shakespeare, zu erinnern. Wie Lorenz Sterne hat auch Jean Paul in seinen Schriften seine Persönlichkeit preisgegeben, er hat sich ebenfalls in menschlichster Blöße gezeigt, aber doch mit einer gewissen unbeholfenen Scheu, besonders in geschlechtlicher Hinsicht. Lorenz Sterne zeigt sich dem Publikum ganz entkleidet, er ist ganz nackt; Jean Paul hingegen hat nur Löcher in der Hose. Mit Unrecht glauben einige Kritiker, Jean Paul habe mehr wahres Gefühl besessen als Sterne, weil dieser, sobald der Gegenstand, den er behandelt, eine tragische Höhe erreicht, plötzlich in den scherzhaftesten, lachendsten Ton überspringt; statt daß Jean Paul, wenn der Spaß nur im mindesten ernsthaft wird, allmählig zu flennen beginnt und ruhig seine Tränendrüsen austräufen läßt. Nein, Sterne fühlte vielleicht noch tiefer als Jean Paul, denn er ist ein größerer Dichter.

42 *Arnold Ruge und Theodor Echtermeyer*

Aus: Der Protestantismus und die Romantik. Zur Verständigung über die Zeit und ihre Gegensätze. Ein Manifest 1839

Ist nun also dies wertvolle Sein der in sich zurückgezogenen schönen Subjektivität Goethes noch nicht die reale und vollendete, nicht die objektive Versöhnung, bei der es der freie Geist nun könnte bewenden lassen: so ist ebenso die Schillersche Freiheit als das noch subjektive Ideal noch nicht zur objektiven Darstellung einer erfüllten Wirklichkeit hindurchgedrungen, und das Höchste wäre nun eine Vereinigung der wahren Momente beider Dichter, so daß in derselben objektiven wahren und wirklichen Weise, in welcher Goethe das vom Subjekt umschlossene Leben, die schöne Individualität, das in der humanen Bildung und ihrem Maße relativ freie Subjekt sich explizieren läßt, die in Schiller noch subjektiv und lyrisch fermentierende Idee der freien Menschheit oder der vollen objektiven Freiheit des Geistes als eine konkrete und in ihrer Realität beruhigte Welt zur Anschauung gebracht würde. Aber diese Erscheinung kann nur eintreten, wenn sich Deutschland zu einer freien Öffentlichkeit seiner Staatsverhältnisse hindurchgearbeitet hat, wenn der reformatorische Prozeß aus der Subjektivität des Gemüts und der Innerlichkeit des in der Theorie noch einseitigen Denkens dahin fortgegangen ist, daß der Geist die im Wissen errungene Freiheit nun auch realisiert in einer objektiven Wirklichkeit anschaut und sich wollend und handelnd mit ihr zusammenschließt.

Aber dazu kann es bei der sichern und gründlichen Vermittlung, welche das deutsche Leben auszeichnet, nicht eher kommen, bevor nicht jener innerliche Prozeß sich in sich vollendet, der subjektive Prozeß des Denkens seine Stadien durchlaufen, das Ich bis zur reinsten Konzentration sich in sich zusammengezogen hat. Und so ist denn das Nächste noch nicht, daß der subjektive Idealismus Schillers und die ideale Subjektivität Goethes in der Objektivität eines realen Idealismus sich zur wahren Mitte verbinden, sondern daß die Seiten beider Dichter, womit jeder auf seine Weise in der Subjektivität stehenbleibt, in einem dritten Dichter sich zusammenfassen, um das Prinzip der Subjektivität zu noch höherer Schärfe und bewußterer[1] Konsequenz, als es vor Schiller und Goethe sich dargestellt hatte, zusammenzufassen. Dieser Dichter ist

2. Jean Paul,

der sich in der Sphäre der Kunst zu jenen großen Meistern verhält, wie in der Philosophie *Fichte* zu *Kant* und *Jacobi*. In Fichte löst das Ich theoretisch sich völlig los von der Objektivität und Realität, welche die Systeme seiner Vorgänger noch in sich gehabt hatten, aber freilich teils unvermittelt, teils roh und empirisch, weshalb es zur Verzehrung dieser Elemente in Fichte kommen mußte, ehe ihre Auferstehung in wahrer geistiger Vermittlung eintreten konnte.

Goethe hat das Objektive formell an dem Maße, an dem Gesetz der Schönheit, das er im tiefsten Innern trug, und welches als künstlerisches Moment so lange in ihm fermentierte, bis er es als allgemeines Prinzip aussprach, daß die Schranke zum Wesen des Geistes gehöre, bis er auch im Leben und in seinem Verhältnis zur Außenwelt alle Überschwenglichkeit negiert, neben dem Genius auch den Terminus aufgestellt hatte (s. Briefe an Lavater[2]). Schiller hat das Objektive an der *allgemeinen Idee* der Freiheit, in welcher die Menschheit ihren Begriff erfülle, und deren Verherrlichung sein Talent gewidmet ist.

Dieses Objektive vertritt nun aber bei Jean Paul das reine Ich, das abstrakte Ideal, das, wie es selbst ohne Inhalt und Form ist, auch weder Inhalt noch Form zu geben vermag, und deshalb das empirische Ich und die endliche Wirklichkeit in demselben Subjekt unvermittelt und undurchdrungen neben sich hat, d.h.: jenes reine Ich, jene abstrakte Idealität, welcher alle Objektivität und Realität als solche das Unwahre, *nichts als Schranke* ist, die es deshalb immer negieren möchte, kommt nicht einmal dazu, das empirische Ich zu verklären, vielmehr muß die Subjektivität, welche keine objektive Allgemeinheit zum Inhalt hat und als Maßstab und Regel anerkennt, um nicht ganz ohne Inhalt zu sein, in das empirische Ich zurücksinken, die maßlose Idealität muß das Innere mit der willkürlichen Welt des endlichen Ich erfüllen. Es ist keine Versöhnung und Durchdringung dieser Seiten, sondern nur ein Neben- und Nacheinander, ein Wechsel möglich; es entsteht ein resultatloser Prozeß, ein endloses Herüber und Hinüber zwischen unvereinbaren Extremen, die nichts Gemeinsames haben als den Boden der Subjektivität; welche einmal sich den abstrakten *Genuß* verschafft, in der Einsamkeit des reinen jenseitigen Ideals, das aber doch *ihr* Produkt ist – die Welt unter sich – selbstgefällig zu schwelgen, bald mitten in der Welt des Endlichen dadurch sich mit diesem versöhnt und an ihm seine Freude hat, daß es sich ganz der Laune des empirischen Ichs überläßt, und gegen die objektiven und allgemeinen Interessen des Lebens sich verbauend, sich das Partikulärste und Zufälligste zum gemütlichen Spielwerk zurechtschnitzt.

Die Sentimentalität, das Unbefriedigtbleiben sowohl in jener als in dieser Methode, sich der Endlichkeit zu entziehen und zum Besitz der Idee zu kommen, ist das Charakteristische dieses Standpunktes, den Jean Paul selbst in seiner Weise folgendermaßen sehr bezeichnend schildert: »Ich konnte nie mehr als drei Wege, glücklicher – *nicht glücklich* – zu werden, auskundschaften. Der erste, der in die Höhe geht, ist: so weit über das Gewölke des Lebens hinauszudringen, daß man die ganze äußere Welt mit ihren Wolfgruben, Beinhäusern und Gewitterableitern von weitem unter seinen Füßen nur wie ein eingeschrumpftes Kindergärtchen liegen sieht. – Der zweite ist: gerade herabzufallen ins Gärtchen und da sich so einheimisch in eine Furche einzunisten, daß, wenn man aus seinem warmen Lerchennest heraussieht, man ebenfalls keine Wolfgruben, Beinhäuser und Stangen, sondern nur Ähren erblickt, deren jede für den Nestvogel ein Baum, und ein Sonnen- und Regenschirm ist. – Der dritte endlich – den ich für den schwersten und klügsten halte, – ist der, *mit den beiden andern zu wechseln*« (Vorrede zu »Quintus Fixlein«[3]).

[...]

Dieser dreiteilige Eudämonismus, der dennoch aus der Einseitigkeit der Subjektivität nicht heraus kann, diese romantische Glückseligkeitstheorie läßt sich, ihre Konfession ergänzend, im Roman selbst (S. 224) noch einmal so vernehmen:

»Kleine Freuden laben wie Hausbrot immer ohne Ekel, große wie Zuckerbrot zeitig mit Ekel. – Man muß dem *bürgerlichen* Leben und seinen Mikrologieen einen künstlichen Geschmack abgewinnen, indem man es liebt, ohne es zu achten, indem man dasselbe, so tief es auch unter dem *menschlichen* stehe, doch als eine andere Verästung des menschlichen so poetisch *genießet*, als man bei dessen Darstellung in Romanen tut. Der erhabenste Mensch liebt und sucht mit dem am tiefsten gestellten Menschen *einerlei* Dinge, nur aus höhern Gründen, nur auf höhern Wegen. Jede Minute, Mensch, sei dir ein volles Leben! – Verachte die Angst und den Wunsch, die Zukunft und die Vergangenheit! – Wenn der *Sekundenweiser* dir kein Wegweiser in ein Eden deiner Seele wird, so wird's der *Monatweiser* noch minder, denn du lebst nicht von Monat zu Monat, sondern von Sekunde zu Sekunde! – *Genieße dein Sein mehr als deine Art zu sein, und der liebste Gegenstand deines Bewußtseins sei dieses Bewußtsein selber!* – Mache deine Gegenwart zu keinem Mittel der Zukunft, denn diese ist ja nichts als eine kommende Gegenwart, und jede verachtete Gegenwart war ja eine begehrte Zukunft! u.s.w. *Verachte das leben, um es zu genießen!* – Besichtige die Nachbarschaft deines Lebens, jedes Stubenbrett, jede Ecke, und quartiere dich, zusammenkriechend, in die letzte und häuslichste Windung deines Schneckenhauses ein. Halte – – die Freude für eine Sekunde, den Schmerz für eine Minute, das Leben für einen Tag und *drei Dinge für alles, Gott, die Schöpfung, die Tugend.*«[4]

Eudämonismus und rein subjektiv haben wir das Prinzip dieser Lebenstheorie genannt – denn worauf beruht sie anders, als auf dem Selbstgenuß des abstrakten Ich, das sein reines Sein, d.h. die inhaltslose Bewegung in sich, dem⁵ *Ort zu sein*, d.h. den konkreten Bedingungen der Existenz gegenüber, als das allein wahre behauptet, dem die Anschauung dieses inhalt- und resultatlosen Prozesses, das Bewußtsein des Bewußtseins, welches nichts als das formelle Setzen des *Selbst* ist, für die liebste Beschäftigung gilt, und das allein in diesen Quietismus (vergl. das pflanzliche Sein Goethes sowie den Quietismus Novalis' und die göttliche Faulheit Friedrich von Schlegels später) des Insichberuhens das *menschliche* Leben setzt, alles Leben aber nach außen, alle Stellung zu andern, den ganzen Inbegriff objektiver Verhältnisse und Pflichten als das *bürgerliche* Leben verachtet, welches nur dadurch erträglich werde, daß man es mikrologisch zerlege, bis man aus den Elementen der zertrümmerten Welt sich bequemes Hausgerät zurechtlegen könne, bis man in dem *gemütlichen Spiel* mit den Niedlichkeiten der endlichen Existenz eine Analogie erhalte für den Selbstgenuß des in der Abstraktion von der Welt sich in sich bewegenden Ichs. So zerschlagen Kinder den Spiegel, um in den Stücken nur sich, aber in vielfältiger Verdoppelung zu schauen und wohlgefällig anzulächeln. Wie es für diesen Standpunkt keinen Raum gibt als das zugespitzte Ich, so hat er nun auch keine Zeit, als das Jetzt, die unmittelbar sinnliche Gegenwart. Der abstrakte Selbstgenuß kann kein anders Jetzt haben, als sich festzuhalten; ein Individuum, das nicht im Ganzen der Menschheit und der Allgemeinheit objektiver Interessen und ihrer Realisierung lebt, hat auch nicht teil an der Vergangenheit und Zukunft der Menschheit, und so auch nicht in sich selbst einen wahrhaften Prozeß, weder außer noch in sich eine Geschichte, sondern sein Leben ist nur eine äußerliche Kontinuität von Augenblicken, die nur mit endlichen Freuden und endlichen Leiden ausgefüllt sind, seine Vergangenheit war wie seine Gegenwart, und wie diese wird auch die Zukunft sein. Selbstgenuß, Genuß des bloß für sich fremden Subjekts und der Moment der Gegenwart fallen immer zusammen. Dies wäre nun ein bloßes Sein, kein Werden, und das wertvolle Sein des schönen Subjekts, bei dem Goethe durch den innerlichen und ästhetischen Prozeß ankam, wird hier ohne weiteres gefordert, die Schillersche Idealwelt, zur abstrakten Innerlichkeit zusammengeschrumpft, wird Selbstzweck und weist nicht mehr auf eine Wahrheit außer sich hin, sondern ignoriert die Welt und das Objektive. Aber haben wir dem Dichter nicht unrecht getan, wenn wir das, was er dem *bürgerlichen* Leben und seiner Nichtigkeit als die Welt des Ideals gegenüberstellt, allein in der theoretischen Selbstbeschauung finden? werden nicht in der Stelle, die wir zu kommentieren gesucht, zuletzt *Gott, die Schöpfung und die Tugend* so genannt, als seien dies die »drei Dinge«, welche als Inbegriff des Höchsten den wahren Gegensatz gegen die Endlichkeit bildeten? Ja, wenn es bloß auf Worte ankäme? Denn nur in Worten besteht, genauer zugesehn, dies Bekenntnis. – Was ist die *Schöpfung*, welche der Menschheit gegenübergehalten wird, anders als die Natur, welche dem Subjekt so freundlich stille hält? was die *Tugend*, welcher der Staat und das bürgerliche Leben das Nichtige ist, anders als der geschilderte Eudämonismus, das gute Gewissen des sich bloß mit sich Vergleichenden, bloß in sich Lebenden? Was ist *Gott*, den man nur in der Natur anschaut und nur in dieser Art des egoistischen guten Gewissens empfindet, während die Menschheit und ihre Geschichte nur eine Offenbarung der Endlichkeit ist, was ist *dieser* Gott anders, als das leere selbstgemachte Ideal, die als absolut gesetzte Herrlichkeit des eigenen Herzens? – was dies alles zusammen anders als mit schönen Namen ausgestattete Momente des theoretischen Selbstgenusses? Eine Genußsucht, die in der geistigen Sphäre dasselbe ist, was in der praktischen der Egoismus. Vergleichen wir nun mit dieser »Weltanschauung« des Dichters, mit dieser allgemeinen Theorie von der Stellung des Subjekts zur Idee, seine Theorie der Kunst, wie sie in der »Vorschule der Aesthetik«, und seine poetische Praxis, wie sie in seinen Dichtungen vorliegt.

Soll man Jean Pauls geistiges Bewußtsein im allgemeinen bezeichnen, so ist sein Standpunkt der mit Jacobischen, Hamannschen, Herderschen Elementen noch elementarisch behaftete Fichtianismus, die weltverachtende Ironie des subjektivsten Idealismus, der jedoch vermöge der Gemütlichkeit des Subjekts seine Konsequenz nicht heraustreibt und die Welt, die er verachtet, dann wieder mit einer solchen Liebe erfaßt, daß das Endlichste der empirischen Wirklichkeit unendlichen Wert erhält, das pathologische Ich, mit seinem Lieben und Hassen, fixiert. So ergibt sich denn auch in der ästhetischen Theorie ein merkwürdiger Widerspruch zwischen dem als weltverachtenden Humor fixierten Prinzip der Kunst und einzelnen Ausführungen und gediegenen Bestimmungen, in welchen das der Fülle des Gemüts und der Wirklichkeit nicht entsagen wollende Ich mit poetischem Instinkt sich wehrt, und diese inhaltsvolle Welt dem romantischen Nihilismus der später ausgebildeten Ironie, ohne in ihr seine Konsequenz zu erkennen, gegenüberhält.

Mit den »poetischen Nihilisten« macht sich Jean Paul gleich im Anfange seiner »Aesthetik« viel zu schaffen. So beginnt der zweite §., der jene Bezeichnung zur Überschrift hat, mit folgender merkwürdigen Betrachtung, die wir, nur etwas zusammengezogen, mit den Worten des Vrf. mitteilen: »*Die gesetzlose Willkür des jetzigen Zeitgeistes*, – der lieber ichsüchtig die Welt und das All verachtet, um sich nur freien *Spiel*raum im Nichts auszuleeren, und welcher den *Verband* seiner Wunden als eine *Fessel* abreißet – *diese Willkür der Ichsucht* muß sich (zuletzt auch) an die harten, scharfen Gebote der Wirklichkeit stoßen, und daher lieber in die Öde der Phantasterei verfliegen, wo sie keine Gesetze zu befolgen findet, als die eignen, engern, kleinern, die des Reim- und Assonanzenbaues. Wo einer Zeit Gott wie die Sonne untergeht, da tritt bald darauf auch die Welt in das Dunkel; der Verächter des All achtet nichts weiter als sich, und fürchtet sich in der Nacht vor nichts weiter als vor seinen Geschöpfen« (I. 32[6]). Und weiterhin heißt es in demselben Paragraph (S. 36): »Bei Individuen, wie bei Völkern, ist Abfärben früher als Abzeichnen, *Bilderschrift* eher als *Buchstabenschrift*. Daher suchen dichtende Jünglinge, diese Nachbarn der Nihilisten, z.B. Novalis oder auch Kunstromanschreiber, sich gern einen Dichter oder Maler, oder andern Künstler zum darzustellenden Zwecke[7] aus, weil sie in dessen weiten, alle Darstellungen umfassenden Künstlerbusen und Künstlerraum alles, *ihr eignes Herz, jede eigne Ansicht und Empfindung* kunstgerecht niederlegen können, sie liefern daher lieber einen Dichter als ein Gedicht. – Kommt nun vollends zur Schwäche der Lage die Schmeichelei des Wahns, und kann der leere Jüngling seine angeborne Lyrik sich selber für eine höhere Romantik ausgeben, so wird er mit Versäumung aller Wirklichkeit – die eingeschränkte in ihm selber ausgenommen – sich immer weicher und dünner ins gesetzlose Wüste verflattern, und wie die Atmosphäre wird er sich gerade in der höchsten Höhe ins kraft- und formlose Leere verlieren.«[8] Wie richtig und wahr ist das alles aufgefaßt, wie treffend ausgesprochen. Und nun vergleiche man damit die Theorie des Humors und staune, wie so ganz sie mit dem Prinzip zusammenfällt, aus welchem der so hart angefochtene Nihilismus konsequent hervorgegangen!

Wir haben die Romantik als den Kreis der *fixen* Ideen bezeichnet[9] und ihr Charakteristisches darin gefunden, daß sie die Momente, deren Totalität die Wahrheit der Idee und das Leben des Geistes konstituieren, sinnlich auseinanderhält und in dieser Getrenntheit fixiert. Das Prinzip der Romantik, haben wir gesagt, besteht darin, daß das Subjekt in dem protestantischen Prozeß des sich *Aneignens*, bloß das *Eigne*, das Ich, welches das Aneignen vollzieht, festhält, also in der Negation gegen das Allgemeine, in dieser leeren Bewegung in sich stehenbleibt. Das Ich, als solches, ist ihm das Positive; im Objektiven die Wahrheit zu erkennen versteht es nicht, und so verschwindet denn das in das Ich hineingezogene Objektive in dem bodenlosen Schacht des Selbst, welches bleibt wie es ist, anstatt, wenn es die *objektive Idee* anerkennte, durch die Aufnahme dieser sich reinigen, verklären und verallgemeinern zu lassen. Das Ich bleibt nichts als das empirische *dieses* und seine Willkür, die leere Negativität.

Halten wir dies an Jean Pauls ästhetische Theorie. Die Wahrheit von dem, was er mit dem Worte *Humor* bezeichnet, ist der Prozeß, durch welchen der Dichter die vorgefundene gegenständliche Welt vergeistigt, ihre Unmittelbarkeit und spröde Positivität, durch welche sie als ein Fremdes und Anderes ihm gegenüberstehn bleibt, verzehrt, um sie in sein Inneres aufzunehmen, hier im Feuer der Begeisterung ihre wahre Substanz von den endlichen Schlacken der irdischen zeitlichen Existenz und Erscheinung zu reinigen und den ewigen Gehalt, die absolute Idee, in dem verklärten Schein der Kunst wieder erstehen zu lassen. – In diesem Akt der Begeisterung, in welchem der Genius vermöge und nach Verhältnis seiner *göttlichen* Begabung und seiner Verwandtschaft mit den himmlischen Mächten, für die objektive Wahrheit, die allgemeine Idee erglüht, in welcher er sich ganz an das Ewige hingibt, und in dem Maße, als der Gott seinen Busen bewegt, den Drang empfindet, die schöne Welt des gotterfüllten Innern nun auch außer sich anzuschauen, und auch anderen[10] zur Anschauung zu bringen, das, womit der Gott ihn begnadigt, zu eigener und der Andern Freude an das Licht zu gebären – in diesem Akte verschwindet, wie die Endlichkeit der von Außen empfangenen Welt, so auch die Endlichkeit und Nichtigkeit des eigenen Ich, die Rohheit, Willkür und Selbstsucht des natürlichen Herzens und des endlichen Verstandes, tritt das Subjekt als solches zurück.

Von diesem Prozeß, dessen geschilderte Totalität selbst nur ein Moment in der Sphäre der Kunst ausmacht, nämlich das Werden des Schönen im Subjekt des Künstlers, wird durch Jean Paul nun wiederum das *eine Moment der Negativität* als das Wesen und der volle Begriff seiner Poesie *fixiert*, indem er dasselbe als die

»weltverachtende Idee« (I. 170¹¹), die »Weltverachtung und den vernichtenden Humor« (S. 175¹²) bezeichnet.

Dieser weltverachtende Humor ist die reine Negation, er nimmt die Gegenständlichkeit bloß in sich auf, um sie zu vernichten. Das Objektive ist ihm als solches das Unwahre, das ganze Tun und Treiben der Menschen nichts als Eitelkeit. Das einzig Positive in dieser Vernichtung der Welt bleibt der *Selbstgenuß*, welcher die *Begeisterung* vertreten muß, denn diese ist nur dann möglich, wenn es sich um die Darstellung einer gotterfüllten und *wahren* Welt handelt. Im Jean-Paulschen Humor dagegen bleibt das Selbst und sein Genuß allein übrig, das Ich, an dessen innerer Welt die objektive Welt zerschellen muß. Diese innere Welt ist aber nichts als das empirische Naturell, der Komplex der angeborenen Neigungen, Antipathieen und Sympathieen, des pathologisch zufälligen Gemüts und dessen ebenso willkürliche Ideal- und Intellektualwelt, die *gemeinte* Wahrheit, »die traumartige Veränderlichkeit des romantischen Mondes« (Vorsch. I. 132¹³) und sein wesenloser Dämmer in schönen Namen und Klängen hohler Abstraktionen, mit denen man meint und empfindet, was man will oder nicht will: Gott, Schöpfung, Tugend u.s.w. Beruht nun im Leben der Übergang aus der einen dieser Welten in die andere ebenso auf der Willkür wie ihr Wesen selbst: so ist auch in der Kunst die Brücke ihrer Verknüpfung die Willkür des Witzes und endliche Kombinationen des reflektierenden, ohne Nowendigkeit der Idee verfahrenden Verstandes. Das künstlerische Subjekt dieses Standpunktes gibt sich nicht an eine Idee hin, deren Dienste und Verherrlichung es in strenger, durch diese selbst gegebener Notwendigkeit nachginge, sondern seine eigene Befriedigung, das Sichselbstempfinden und -genießen im Aufheben der verachteten Welt und der Entfaltung seiner Innerlichkeit ist ihm die Hauptsache. Jean Paul meint zwar eine »objektive Maxime« zu haben an dem Prinzip der Unendlichkeit, aber diese inhaltlose leere Unendlichkeit existiert nur in seinem Kopfe, ist ebenfalls nur ein Subjektives, das selbstgemachte Ideal, in welchem das Subjekt sich *widerstandslos* bewegt, ohne Anstoß und unmittelbar stets bei sich ist, und dieses unmittelbar stets Beisichsein als die Unendlichkeit empfindet – genießt, denn das Objektive, welches es dabei von sich ausschließt, ist ihm ja nicht[s] als die Endlichkeit.

Wir dürfen es uns nicht erlassen, das dem Humor Jean Pauls Nachgesagte mit einigen charakteristischen und bezeichnenden Stellen aus seiner »Vorschule der Aesthetik« zu belegen, wobei sich Gelegenheit bieten wird, noch einige Zwischenbemerkungen zu weiterer Charakterisierung einzuschalten.

Er sagt §. 31, S. 165: »Die romantische Poesie, im Gegensatz der plastischen, hat die Unendlichkeit des Subjekts zum Spielraum, worin die Objekten-Welt wie in einem Mondlichte ihre Grenzen verliert. Der Verstand und die Objektenwelt kennen nur Endlichkeit. Hier finden wir nun den unendlichen Kontrast zwischen den Ideen (der Vernunft) und der ganzen Endlichkeit selber. Wenn man aber eben diese Endlichkeit als *subjektiven* Kontrast jetzt der Idee (Unendlichkeit) als *objektiven*¹⁴ unterschiebt und leiht, ein auf das Unendliche angewandtes Endliche, also bloß Unendlichkeit des Kontrasts gebiert, d.h. eine negative, – so ergibt sich der Humor.«¹⁵

Das wird so viel heißen: der Endlichkeit der Objektenwelt und des Verstandes steht die Unendlichkeit der Idee (der objektiven göttlichen) und der Vernunft (der subjektiven menschlichen Ideen) unvereinbar gegenüber.

Dieser fixe Gegensatz kann nicht real versöhnt, diese Unmittelbarkeit der Kontraste nicht wahrhaft vermittelt werden, und es bleibt kein anderer Ausweg, als ihn *subjektiv zu vernichten*, indem man in humoristischer Stimmung das eine vom andern verzehren läßt, und so tut, als sei dieser Dualismus auch objektiv nicht vorhanden. Aber dieser Kontrast braucht nicht erst im Humor vernichtet zu werden, er ist vielmehr schon an sich nichtig, d. h. beide Gegensätze als fixierte fallen unmittelbar in der Endlichkeit zusammen: die Vernichtung des Unendlichen im Endlichen, und umgekehrt, kann sich daher nicht explizieren, keinen Inhalt, keine Bewegung, keinen Prozeß aus sich entlassen. Die Unendlichkeit, welche die Endlichkeit nicht in sich hat, Gott als der reine Gegensatz der Welt, die Vernunft, welche den Verstand ausschließt, sind nichts als Gedankendinge; eine solche Idee ist eine bloß gemeinte, nur im *Subjekt* vorhandene Existenz, ein hohles Ideal; die Vernunft ohne Verstand ist die Willkür des Gemüts und der Phantasie. Also der Gegensatz selbst ist schon an sich nichtig und kann nicht Inhalt eines Kunstwerks werden. Was vielmehr das Treibende in Jean Pauls humoristischen Dichtungen hergibt, ist dies, daß die Nichtigkeit des theoretisch fixierten Gegensatzes praktisch zum Vorschein kommt und die verachtete Objektenwelt sich trotz aller Anstrengungen des Ideals hervordrängt und breit macht.

In seiner Theorie heißt es ferner §. 32: »Der Humor vernichtet nicht das Einzelne, sondern das Endliche durch den Kontrast mit der Idee. Es gibt für ihn keine einzelne Torheit, keine Toren, *sondern nur Torheit und eine tolle Welt;* er erniedrigt das Große, um ihm das Kleine, und erhöhet das Kleine, um ihm das Große an die Seite zu setzen und so beide zu vernichten, weil vor der Unendlichkeit alles gleich ist und nichts.«[16]

D. h. die abstrakte Idee, »die Unendlichkeit«, ist das allein Wahre, die Welt als solche das Unwahre, die »tolle Welt«, die zu vernichten und zu verachten ist. Die einzelne Narrheit, die in dieser tollen Welt geschieht, der einzelne Tor erscheint darum aber wieder gerechtfertigt, ja der Humor sympathisiert für alle Partikularitäten und Absonderlichkeiten, weil er, sie an andern anschauend – seiner eigenen Herrlichkeit eingedenk wird, am meisten seine eigene abstrakte Subjektivität an ihren Partikularitäten sich zu empfinden gibt (genießt). »Vive la Bagatelle, ruft erhaben der halbwahnsinnige Swift, der zuletzt schlechte Sachen am liebsten las und machte, weil ihm in diesem Hohlspiegel die närrische Endlichkeit als die Feindin der Idee am meisten zerrissen erschien, und er im schlechten Buche, das er las, ja schrieb, dasjenige *genoß, welches er sich dachte*« (S. 167[17]).

Hier haben wir der »närrischen Endlichkeit«, der Feindin der Idee, gegenüber das sich in sich bespiegelnde, in dieser seiner Innerlichkeit sich genießende Subjekt.

[...]

Wir sind bei Betrachtung der Jean-Paulschen Theorie von seiner Polemik gegen den »poetischen Nihilismus« ausgegangen, indem wir andeuteten, wie in dieser Theorie selbst dieser Nihilismus schon implicite enthalten sei, und haben in den mitgeteilten Stellen nachgewiesen, wie auch der Humor Jean Pauls sich zu dem von ihm gerügten Egoismus, im Selbstgenuß der schlechten Objektenwelt gegenüber, bekenne. Jetzt noch eine Stelle, in der sich die Verwandtschaft des Nihilismus mit dem Humor ausspricht, und mehrere der berührten Pointen in Jean Pauls Theorie sich zusammenfassen. Vorsch. I. S. 175:

»Wie die Vernunft den Verstand (z. B. in der Idee einer unendlichen Gottheit), wie ein Gott einen Endlichen, mit Licht betäubt und niederschlägt und gewalttätig versetzt, so tut es der Humor, der ungleich der Persiflage den Verstand verlässet, um vor der Idee fromm niederzufallen. Daher erfreuet sich der Humor oft geradezu an seinen Widersprüchen und an Unmöglichkeiten, z. B. in Tiecks ›Zerbino‹[18], worin die handelnden Personen sich zuletzt nur für geschriebene und für Nonsense halten, und wo sie die Leser auf die Bühne und die Bühne unter den Preßbengel ziehen. *Daher kommt dem Humor die Liebe zum leersten Ausgange.* So spricht z. B. *Sterne* mehrmals lang und erwägend über gewisse Begebenheiten, bis er endlich entscheidet: es sei ohnehin kein Wort davon wahr.«[19]

Jean Paul tut sich immer darauf etwas zugute, daß er während des Produzierens imstande war, daran zu denken, daß, wenn er fertig wäre, die gebackenen Rosen und Holundertrauben auch fertig würden, die man unterdes für ihn in Butter sott[20]. Ein solches Beisichsein im poetischen Schaffen ist aber nicht die Besonnenheit neben der ächten Begeisterung, der ästhetische Trieb, die Sache von der Trübe der subjektiven Erregung befreit darzustellen, sondern das gar nicht in der Sache Sein, der Mangel an wahrer Begeisterung für eine objektive Idee. So fehlt es der Fabel der Jean-Paulschen Romane immer an notwendiger Entwickelung, an einer immanenten Idee, dafür macht der Verstand, die Reflexion, der Witz die gewaltigsten Anstrengungen, durch subjektive Kombinationen das auseinanderfallende Leben zusammenzuhalten und zu irgendeinem Abschluß, der dann freilich kein wahrer ist, zu führen. Die Zettelkasten und die eigene Welt des Dichters sind ihm stets das Gegenwärtigste und Nächste.

Wenn aber Jean Pauls Dichtungen trotz dieser falschen Theorie und der damit zusammenhängenden Mängel ihre Zeit mächtig ergriffen, und für immer ihre Bedeutung behaupten werden: so liegt dies in der nicht gewöhnlichen Gewalt seines Talentes und der natürlichen Liebenswürdigkeit seines Gemüts, in dem Gemüte, welches auf das Kleinste liebevoll eingeht, in dem Talent, welches sein neues Ideal in reichem Farbenglanze strahlend nach außen zu werfen versteht und dagegen seine subjektiven Schrullen und die Partikularitäten des Lebens, an denen es haftet, nur in einer durch Witz und Feinheit zusammengehaltenen symbolischen Welt auszulegen und in den mannigfaltigsten Charakteren zur Darstellung zu bringen weiß.

Jean Paul   1839

> »Ein Stern ist untergegangen, und das Auge dieses Jahrhun-
> derts wird sich schließen, bevor er wieder erscheint; denn in
> weiten Bahnen zieht der leuchtende Genius, und erst späte
> Enkel heißen freudig willkommen, von dem trauernde [Vä-
> ter] einst weinend geschieden. Und eine Krone ist gefallen
> von dem Haupte eines Königs. Und ein Schwert ist gebro-
> chen in der Hand eines Feldherrn; und ein hoher Priester ist
> gestorben!«   *Börne*[1].

Das Amt eines Kritikers fällt mir nie schwerer, als wenn ich auf *Jean Paul* zu reden
komme. Während die Sonne holdes, verjüngendes Feuer durch meine Adern gießt,
soll ich auf ihre Flecken achten? Ich soll auf den Mund eines Menschen sehen, auf
die Sprache seiner Lippen lauschen, wo sein ganzes volles Herz mit liebenswürdi-
ger Offenheit meinem Gefühle sich darlegt? *Jean Paul*, daß ich es nur gestehe,
gehört zu den Männern, in deren idealer Gegenwart mich all mein skeptischer Mut
verläßt. Wo das Gemüt seine Fragen an mich stellt, kann auch nur mein Gemüt die
genügende Antwort geben. –

Jean Paul, der dritte im Bunde unserer literarischen Dreieinigkeit, nämlich der
heilige Geist, dieser Gott des Humors wurde unbegreiflicherweise von seinem
Volke weniger geschätzt und gewürdigt, als so manches mittelmäßige Talent, das
spurlos mit dem Tage vorübergehen wird. – *Laube* hat in seiner eben ausgegebenen
»Geschichte der deutschen Literatur«[2] ein schönes Wort geredet, wenn er sagt: *die
Schöpfung stehe immer über der Bildung.* In derselben Überzeugung habe auch ich
den ewigen Kultus der Vergangenheit gehaßt und mit Vorliebe jeder echten Schöpfung der Gegenwart mich zugewandt; ich war der Meinung, man könnte unsere
marmornen Götter in ihrem Pantheon einmal eine Zeitlang schlafen lassen, um die
volle Teilnahme den lebendigen Dichtern zu schenken. *Jean Paul* hatte ich im
stillen immer ausgenommen; leider durfte ich ihn weder zu den Toten, noch zu den
Lebenden zählen; er ist, wie sein Parentator[3] *Börne* sich ausdrückt, noch lange
nicht allen geboren; mag auch eine Zeit kommen, wo er allen wird geboren werden.
Hunderte von Kommentaren besitzen wir über *Schiller* und *Goethe*, auch nicht
einen nur irgend erträglichen über *Jean Paul*. Soll ihn denn nie jemand außer seiner
Frau *Rollwenzel*[4] verstehen? Will uns niemand in diesen Schacht von Edelsteinen
zünden?

Ein Denkstein für *Sankt Paul*, wie ihn der Lohnbediente im Gasthofe zu Bayreuth nannte[5], ist immer auch ein Denkstein für die Freiheit. Doppelt willkommen
ist mir daher eine Gelegenheit, auch meinesteils ein paar kleine Steine zu seinem
Monumente herbeizutragen; zum Unglücke müssen es Kiesel sein, welche Feuer
geben.

Unsere größten Männer verlieren von ihrem Werte oder machen wenigstens
momentan einen übeln Eindruck, wenn wir sie in der Familie, im Schlafrock und in

den Pantoffeln betrachten. Nicht so *Jean Paul.* Man mag über ihn urteilen, wie man will, der *Mensch* gewinnt bei ihm immer alles wieder, was der Schriftsteller verloren.

Also erschien mir der Dichter des »*Titan*« in dem interessanten Buche: »*Erinnerungen aus meinem Leben in biographischen Denksteinen und andern Mittheilungen. Dritter Band: Jean Paul Friedrich Richter. Herausgegeben von Z. Funck*«. Diese Schrift soll denn auch den erfreulichen Teil der heutigen Kritik bilden.

Durch Polemik getrübt wird der Panegyrikus auf unsern Unsterblichen, da ich in eine entschiedene Opposition zu treten habe gegen einen Artikel der »*Hallischen Jahrbücher*« vom 6. November, der unter der allgemeinen Rubrik »*Der Protestantismus und die Romantik*« auch die poetische Richtung *Jean Pauls* bespricht.

Jean Paul gehört bis jetzt noch mehr der Zukunft, als der Gegenwart des Menschengeschlechtes an; und hier will ihn nun auf einmal ein Schüler *Hegels, ein Apostel des Bestehenden,* in die Vergangenheit zurückdrängen. Ehe ich die würdige, kenntnisvolle Weise näher angebe, in welcher dies geschieht, will ich noch einige notwendige Bemerkungen vorausschicken, mit deren Richtigkeit oder Unrichtigkeit meine ferneren und zum Teil bereits ausgesprochenen Behauptungen stehen oder fallen.

Der Humor, indem er den Maßstab des Unendlichen an das Endliche anlegt, somit die absolute Wahrheit des einzelnen aufhebt, ist *das wesentliche Produkt des Protestantismus.* Der Humor, wie er in *Jean Paul* und den Dichtern seit der Juliusrevolution sich offenbart, wäre vor *Luther* schlechterdings unmöglich gewesen. Alles, was ist, hat vor dem Absoluten, in weiterer Abstufung vor dem Ideal, nur eine endliche Berechtigung. Alles Bestehende ist unwahr; die Wahrheit liegt weit darüber hinaus, in Gott oder im Fortschritt. Dem Humor ist nichts heilig, als das Urbild alles Geschaffenen, man nenne es das Absolute, den Weltgeist, Gott. Zepter wie Bettelstab haben ihre lächerlichen Seiten; Fürst und Proletarier müssen ihre endlichen Schranken durchbrechen, dem Ideale zustreben und sich zu nähern suchen. So, wie sie sind, ist jeder Unterschied zwischen ihnen nur ein äußerlicher, gemachter, der vor dem Absoluten nichts gilt; sie schleppen beide vollauf an der komischen Mitgift des Lebens. Der Humor ist Demokrat; daher denn auch der komische Roman für unsere Zeit von so hoher Bedeutung ist.

Wie kommt es doch nur, daß man *Humor* und *Ironie* immerdar verwechselt, daß man diese zwei so *ausein*ander fallenden Begriffe unaufhörlich wieder *durch*einander wirft! *Tieck* und *Jean Paul* in eine und dieselbe Kategorie! So weit der Himmel über der Erde, so hoch, so unendlich hoch steht auch *Jean Paul* über dem Herrn *Ludwig Tieck!* Der letztere mit seiner Ironie ist der eingefleischte Egoismus, *Jean Paul,* wenn auch nicht der größte *Dichter* aller Völker und Zeiten, wie *Wirth* vor den Assisen in Landau behauptete[6], doch sicherlich das größte *Herz,* das je in deutschen Landen geschlagen. Die Ironie bezieht alles auf das Ich, alles Reale und Objektive erhält erst Geltung, wenn es dem lieben Ich gefällt, ihm eine solche zu erteilen; man mokiert sich über einen Zopf, einen Haarbeutel, man ärgert sich über eine Berliner Teevisite, – damit hat es sein Bewenden; man verschanzt sich gegen die großen Interessen, welche die ganze Menschheit angehen; man zieht sich zurück von der schlechten Wirklichkeit und baut sich eine Welt aus Träumen.

Anders der Humor, anders *Jean Paul,* der Prophet der Liebe.

Der Humor verachtet die Welt nicht, er dringt in dieselbe ein, er schaut sich nach allen Seiten um, rührig und tätig, in Hütten und Palästen, aber sein Maßstab, den er an die Endlichkeit anlegt, ist nicht das Ich, sondern das Göttliche, dessen schönster Tempel Jean Pauls Herz gewesen. Da findet er uns Kindergestalten denn freilich zu kurz und allen Menschenwitz unzureichend dem Ideale gegenüber. Aber er verstößt[7] uns nicht, sondern erbarmt sich unserer, er streift die komische Hülle von unserm Körper ab, damit wir umso kühner und ungehinderter den Aufflug versuchen mögen zum Absoluten.

Alle Vernunft des Menschen suchte *Jean Paul* nicht im Kopfe, sondern im Herzen. Die Welt existiert, ob es mein Ich, der Gedanke, zugeben mag oder nicht, und sie existiert nicht des bloßen Existierens wegen, sondern daß ich sie liebend in meine Arme schließe. Zu lieben und zu verehren muß jedes Wesen, es sei, welches es will, und immerhin das höchste, etwas haben. »Dazu läßt mir aber der Fichtische Leibgeberianismus nichts, nicht einmal den Hund jenes Bettlers oder die Spinne jenes Gefangenen.« (»Clavis Fichtiana«[8])

Und *Jean Paul* sollte mit solcher Denk- und Gefühlsweise nicht der abgesagte Feind der Ironisten, denen die Welt nur vorhanden, wann und solange es ihnen behagt, gewesen sein? Er, der so feurig an die Realität und die Menschen sich anschloß, sollte zu den poetischen Nihilisten gehört haben?

Fichte, mit seinem subjektivsten Idealismus der Ahnherr der Ironie, war selbst sein Leben lang besser als sein System. Er blieb ein braver Mann, weil er aus seinem Idealismus keine Folgerungen zog für seinen Charakter und sein eigenes starres Ich in den »*Reden an die deutsche Nation*«[9] zum eisernen unbezwingbaren Ich seines Volkes erweiterte, für das die Franzosen bald nicht mehr vorhanden waren.

Jean Paul merkte sogleich, wohin der *Fichte*sche Idealismus, der die Welt einsargte, und den Egoismus auf das Piedestal[10] einer Gottheit schraubte, konsequent im Leben durchgebildet, führen würde. Der Glaube an *Christus,* als eingebornen *Sohn* Gottes, schien ihm, wie seinem Freunde *Herder,* nicht gerade unerläßlich, aber einen persönlichen *Gott,* eine persönliche *Unsterblichkeit* verlangte sein Herz. Wir schweigen hierüber und bemerken nur noch, daß es seine eigene Liebe zur Menschheit war, weswegen er eine höchste, umfassende Liebe für dieselbe begehrte. Aber wie im Leben, kannte *Fichte* auch im System die Liebe nicht. Dieser Mangel ist es, der *Jean Paul* jenen verzweifelnden Schluß seines »*Clavis Fichtiana*« diktierte. »Rund um mich eine weite versteinerte Menschheit. – In der finstern unbewohnten Stille glüht keine Liebe, keine Bewunderung, kein Gebet, keine Hoffnung, kein Ziel. – Ich so ganz allein, nirgends ein Pulsschlag, kein Leben. Nichts um mich und ohne mich nichts als nichts. – So komm' ich aus der Ewigkeit, so geh' ich in die Ewigkeit. – – Und wer hört die Klage und kennt mich jetzt? – Ich. – Wer hört sie und wer kennt mich nach der Ewigkeit? – Ich.«[11] – (Man vergleiche hiemit noch im »*Titan*«[12] die »Rede des toten Christus vom Weltgebäude herab, daß kein Gott sei«.)

Die Opposition *Jean Pauls* gegen das *Fichte*sche System ist Tatsache, historisch nachweisbare, unwiderlegliche Tatsache. Trotzdem schreiben die »*Hallischen Jahrbücher*« in Nr. 266: »*Jean Paul* verhält sich in der Sphäre der Kunst zu *Schiller* und *Goethe*, wie in der Philosophie *Fichte* zu *Kant* und *Jacobi*.«[13] Mit andern Worten: *Jean Paul* ist Egoist; es war bei ihm wie bei *Fichte* Zufall, daß sein Ich ein sittlichreines; eine gewisse Gemütlichkeit hat ihn davor geschützt, daß er nicht so schlimm geworden und ausgeartet, wie der Held der romantischen Schule, *Ludwig Tieck*.

Jean Paul, der unsere Fehler immer durch ein Verkleinerungsglas, unsere Tugenden immer durch ein Mikroskop betrachtet, soll ein Egoist gewesen sein? Etwa, weil die Kinder seines Geistes zuviel von seinem eigenen edlen Blute besitzen? Weil alle seine Charaktere mehr Licht- als Schattenseiten haben und auch der schlimmste den Schöpfer nicht verleugnet? Weil er sich selbst und sein Tiefstes überall gab? Wie er denn einmal gesteht: »Ich bete im ›*Titan*‹ das Heiligste an in meiner Brust.«[14] Da muß der liebe Gott ein Fichteaner sein, weil er sich selbst wiedergibt und darstellt in seiner Welt!

Hat der Rezensent in den »*Hallischen Jahrbüchern*« nichts von dem innigen Verhältnis *Jean Pauls zu Jacobi* gewußt? Ach! es wird so viel aus dem Blauen ins Blaue demonstriert; doppelt zu bedauern ist dies, wenn man, obschon in diplomatisch versteckter Weise, solch Verfahren anwendet, um einen Geist wie *Jean Paul*, als einer veralteten Richtung angehörend, in die literarische Rumpelkammer zu werfen.

Wenn nur eine solche Polemik von wirklich produktiven Köpfen ausginge; aber meistens rühren diese vornehmen absprechenden Urteile von Leuten her, die noch keine ihrer weltumfassenden Ideen in einer angemessenen Gestalt *verkörpert* haben. Daß *Schiller* und *Goethe* den *Jean Paul* so verkannt, ist kein Wunder; lagen doch auch die homerischen Götter ewig miteinander im Streit. *Jean Paul* hat seine Fehler; sein Hauptmangel ist aber sein Reichtum[15]. Er war zu fruchtbar und nahm sich daher nie die Zeit, seine Gedanken ruhig, wie die Mutter ihr Kind, auszutragen. Sein Ausdruck ist oft nachlässig, nicht zutreffend, erkünstelt. Davon war er selbst überzeugt, denn er sagt irgendwo: »Wenn ich Briefe schreibe, so kommt mir der Ausdruck und Gedanke zusammen; hingegen bei Büchern habe ich den Gedanken und suche den Körper.«[16] Seine Bilder sind oft unschön – auch dies ist wahr. Bei *Goethe* ließe sich jedes Bild auf der Leinwand darstellen, und der Eindruck auf den Beschauer wäre gewiß rein und erfreulich. Nicht so bei *Jean Paul*. So zutreffend z. B. für den Verstand ein Bild sein kann, so beleidigend kann dasselbe für die Phantasie sein, für die eigentlich auch jedes Bild berechnet werden soll. »Hören Sie! Das Schaf, das meinen Geist einst auf Flaschen zog, bleibt ewig ein Schaf; – wie aber, wenn sich ein Löwe oder Königsvogel fände, das Schaf verspeiste oder in die Lüfte führte, den echten, wahren Eierstock aus meinen Schriften risse, und den geneigten Leser als Bruthenne daraufsetzte? Ich meine doch, er könnte so nach und nach seinen Hof mit meinen Küchlein füllen!«[17] Hier ist Geist, der meinem Verstande wohltut, aber ein Bild, das meinem Auge ungefällig erscheint.

Jeder große Mann hat jedoch das Recht, zu sagen: So bin ich, so nehmt mich hin!

Wir wollen uns auch die Freude an *Jean Paul* nicht durch Splitterrichtereien verkümmern lassen, sondern den Vater von Schoppe und Siebenkäs lieber in dem traulichen Familienkreise uns betrachten, in welchen Herr *Funck* uns einführt.

Etwas hätte Herr *Funck* gar nicht erwähnen sollen, nämlich den Vorwurf, der *Jean Paul* schon öfters gemacht wurde, als hätte er den Wein übermäßig geliebt[18]. *Ich* spreche ihn von ganzem Herzen von dem Vorwurf gemeiner Trunkenheit frei, und mit mir gewiß jeder Redliche; aber einen solchen delikaten Gegenstand nur zu berühren, scheint mir ein Verstoß gegen die Pietät.

Dieser Gott unter den Schriftstellern ist, wie Herr *Funck* ihn uns schildert, ein wahres Kind im Umgange mit Menschen, eine Seele, die ihre Unschuld und Naivetät zeit ihres Lebens keinen Augenblick verloren. Sein idyllischer Sinn, seine fromme Zärtlichkeit – alles erscheint uns im schönsten Lichte; der Panegyrikus beschränkt sich nicht auf allgemeine Phrasen, sondern es werden Tatsachen, Anekdoten, Briefe in Menge mitgeteilt. Auch eine wunderliche noch ungedruckte *»Rede Peter Schoppes auf den höchstseligen Magen eines Reichsfürsten«*[19] wird nachgeliefert, sowie eine tiefsinnige Kritik von *Jean Pauls* sämtlichen Leistungen,[20] auf die der Verstorbene ungemeinen Wert legte, die bei allem Gehalt jedoch zu jeanpaulisierend geschrieben ist. Wie ein Kleid nicht jedermann gleich gut ansteht, also ist es auch mit der Sprache. –

Zwei Punkte sind es vorzüglich, auf die ich für diesmal noch aufmerksam machen möchte. Der erste betrifft das Verhältnis *Jean Pauls* zum Christentum, oder, besser gesagt, zu dessen vorgeblichen Dienern und Vertretern. Es möchte ganz besonders am Platze sein, hierauf hinzuweisen, als in jüngster Zeit abermals ein ehrenwerter Schriftsteller, *Franz Dingelstedt*[21], wahrscheinlich auf eine hauptpastörliche Denunziation hin, wegen sogenannter Profanation des Heiligen zu einer bedeutenden Geldbuße verurteilt wurde.

Das schmerzlichste Jahr für *Jean Paul* war das Jahr 1821, in welchem er seinen einzigen Sohn, Max, der sich dem Pietismus ergeben hatte, verlor. Kurz vor des letztern Tode schrieb der Vater einen Brief an ihn, den ich an alle Welt adressieren möchte: »Mit dem neuen Mönchtum wirst du dir Freuden und Kräfte und Feuer abtöten, und am Ende – nichts werden.« – »Es gibt keine andere Offenbarung, als die noch fortdauernde.« – »In allen Reden Christi ist kein Wort von der Lehre von allen mit Adam zugleich mitgefallenen Seelen oder gar von der Genugtuung. Gott bekehre dich zu dem heitern Christentum eines *Herder, Jacobi, Kant!*«[22] – – –

Jean Paul war nicht nur ein Prophet der Liebe, sondern auch ein Apostel der Freiheit, und diesen Hauptpunkt haben seine meisten Biographen – warum? weiß ich nicht – übergangen. Niemand hat, wie er, die geadelten Kinderpossen des Lebens verachtet – was Wunder, wenn er oft so dunkel schrieb, wie ein Jesaias? Wer durfte hier klar schreiben? Wer darf hier klar schreiben?

Selbst physisch reihte ihn die Gottheit am Ende seines Lebens dem Unsterblichsten der Unsterblichen, dem Homeros, an. Auch ihm wurde das Glück zuteil, hinzugehen, ohne mit leiblichen Augen den Jammer unserer Zustände anzuschauen.

Aus: Geschichte der
poetischen National-Literatur der Deutschen   1842

Bei einem Schriftsteller wie Jean Paul, der nach einer von Lichtenberg treffend
gefundenen Bemerkung alles Interesse von seinen Werken ab auf sich selbst und
seinen Geist lenkt[1], der so ganz mit seiner Person vordrängt und die Teilnahme an
seinen Geschichten und Charakteren *verdrängt*, ist nichts natürlicher, als daß jeder
Beurteiler, wie es in der Tat ist, gleich gegen oder für die Persönlichkeit mehr Partei
nimmt als für oder gegen die Schriften an sich, und daß, wie der Autor pathologisch[2] schreibt, so das Urteil über ihn pathologisch und leidenschaftlich wird. Jean
Paul selbst hat sich über den Mangel kompetenter Kritiker und Beurteiler seiner
Werke oft beschwert, und es ist manchmal, als ob er diesem Mangel selbst habe
abhelfen wollen, indem er bald in scherzhaftem Lobe unter tausend Wendungen
auf seine z.T. vergessenen Opera wieder hinweist, bald seine eignen Fehler auf-
deckt und dann beweist, daß es ihm gelegentlich an richtiger Selbstkritik weniger
fehlt, als an dem faktischen Nachdruck, der eine willenskräftige Einsicht begleitet
haben würde. Jean Paul klagte vielfach, daß er nichts als dezidierte Lober und
Tadler gefunden habe, daß seine kältesten Leser ihn keiner Verbesserung für fähig
gehalten, seine wärmsten keiner für bedürftig. Dies ist so wahr, daß wir unter
seinem Publikum nie andere als solche parteite Leser gewahren: Männer, wie Goethe und Schiller, die er nicht anders als mit einem anfänglichen wunderlichen
Eindruck affizierte, und andere, wie Fr. v. Oertel, dem er ein Apostel schien, der
schon denen gram war, die ihn nur kunstmäßig loben wollten; sentimentale Damen, die die Locken seines Pudels auf der Brust tragen, und dürre Weltmänner,
denen ihre Frauen witzig nachsagten, sie liebten den Dichter so wenig, daß sie nie
eine Zeile von ihm gelesen hätten. Selbst dieser Witz enthält so viel natürliche
Wahrheit! Wer ein gewisses Alter überschritten hat, wer von einer Lektüre seinem
Verstande Rechenschaft geben will, den wird Jean Pauls Schreibart in kürzester
Zeit anwidern, und er wird, ohne weiter gelesen zu haben, sein Urteil bald fixieren
dürfen. Wer in idealen Jugendträumen schwärmt, wen ein gesteigertes Sittlichkeits-
gefühl zu dem Dichter führt, der mit Herder gegen die lizentiösen Poeten eiferte,
»die zerstörten Zerstörer, die die Zahl der Sünder, nicht der Dichter vermehren«[3],
Frauen und Jünglinge, die »am Setzstabe des Zeigefingers« über die dunkeln und
wunderlichen Stellen seiner Schriften wegspringen, die von dem Exemtionsdekret
und der Erlaubnis Gebrauch machen, die ihnen der Autor selbst gab[4], seine Satiren
zu überhüpfen, solche werden sich durch keinen Einwurf ihre Gefühle stören
lassen, und sie zu heilen, ist bei den Lesern das beste Mittel die Reife der Jahre, bei
den Leserinnen, daß man sie ersucht, ihre Lieblingswerke Wort für Wort laut
vorzulesen und möglichst zu erklären. Dies letztere Mittel hätte vielleicht, da wir
doch kein Publikum hatten, das mit einem entschiednen Geschmacke im großen
dem exzentrisch-originalen Autor entgegengetreten wäre, ihn selbst aufmerksam

machen können, wie sehr er das Bessere sah und dem Schlimmern folgte; er konnte selbst das Vorlesen nicht leiden und machte sich schwerlich je deutlich warum nicht; er arbeitete in strenger Einsamkeit vor sich hin, ohne sich im geringsten mitzuteilen. In dem Streit über seine Qualitäten fragt er sich, welcher Meinung ein Autor anhängen solle, und findet, am schicklichsten seiner eignen. Daraus folgte denn zuletzt wohl natürlich, daß die Nation endlich auch ihre Partie ergriff; sie wird ihn nie zu ihren gefeierten Dichtern in *eine* Linie stellen, das werden die Verleger der Werke am besten bezeugen können. Die Tadler werden immer die Überhand behalten, und schon darum, weil die meiste Unparteilichkeit fast notwendig auf ihrer Seite sein muß. Denn der beste Beurteiler von Jean Paul wird der sein, der einmal mit ihm geschwärmt und dann sich gefaßt hat, der die möglichst vielen Saiten, die seine Schriften berühren, in sich anklingen hörte und sich Rechenschaft von seinen guten Eigenschaften geben kann, ohne für seine üblen blind zu bleiben; es ist aber gar kein denkbarer Fall, daß ein Tadler Jean Pauls zu seinem Lobredner werde, sein Lobredner wird im natürlichen Gang der Dinge zuletzt zum Tadler. Eine Mitte zu halten, ist bei einem Schriftsteller, der selbst keine Mitte gehalten hat, fast unmöglich.

Jean Paul war in unendlich kleinen und beschränkten Verhältnissen aufgewachsen. Ohne Schule, ohne Unterricht, ohne Umgang blieb er in seiner Kindheit einer überschwenglichen Phantasie überlassen, die in der idyllischen Leere umher nichts als unbestimmte Sehnsuchten in ihm weckte, die ihn mit Geisterfurcht und andern dunklen Vorstellungen füllte, deren Verarbeitung ihn in stiller Verschlossenheit beschäftigte; die Einsamkeit des Dorfs, »die Teilnahme an jedem, der wie ein Mensch aussieht, brütete eine verdichtete Menschenliebe, die rechte Schlagkraft des Herzens«[5], vielleicht eine zu warme, in dem Knaben aus, und alle diese wenigen und regen Eindrücke wuchsen in seinem beschäftigten Innern zu einem unendlichen Stilleben, wie in Jung-Stilling[6], der in ähnlichen Lagen seine Kindheit verbrachte und die ähnliche Liebe zu dieser ersten Zeit in sich festhielt. Als er mit 12 Jahren nach Schwarzenbach kam, fiel er plötzlich in einen vielartigen Unterricht, wo er fliegende Fortschritte machte; er sprang vom Latein zum Griechischen und Hebräischen und fing gleich als Knabe an, sich weitläufige Notizen zu machen, die Liebhaberei für das Kleinwesen auch der Gelehrsamkeit in sich auszubilden. Die Glut der Empfindungen, die Träume der Phantasie fanden hier neben den Schulpflichten noch Raum genug; er las Romane, und den ältren Robinson[7]; er trug eine stille kindliche Liebe in sich; er ging, sobald er Klavierunterricht empfing, dem Phantasieren, der »Selbstfreilassung«[8] nach; nur was sonst des lernbegierigen Knaben liebste Tätigkeit zu sein pflegt, was ihm einen gesunden Erwerb von Kenntnissen sichert, der ihn von Phantasmen und von den Trockenheiten des meisten Schulunterrichts gleich entfernt hält, Geschichte, Geographie und klassische Literatur blieb Jean Paul nicht allein damals, sondern auch durch sein ganzes Leben hin so gut wie fremd. Als er 1779 Leipzig beziehen sollte[8a], traf ihn plötzliche und völlige Verarmung durch den Tod seines Vaters; dies nötigte ihn, auf Erwerb zu sinnen, und er fiel auf die leidigste Quelle, die Schriftstellerei. Er hörte nun keine Kollegien, las keine Bücher als solche, die ihm für seine Zwecke gleich nützlich waren, er eignete sich nur das Homogene daraus an, er wandte also den ersten innersten Fleiß des Alters, das die Grundlage zur ferneren Bildung legt, nur dazu an, die schon fertige Richtung seines Geistes mit einer Masse gleichartiger Elemente zu verstärken, nicht dem noch lenkbaren Geiste vergleichend und versuchend eine zusagende Richtung zu finden. Bei dieser Tätigkeit gewahren wir zugleich schon in seinem 17–18ten Jahre eine Frühreife, die von einem ungemein energischen innern Jugendleben zeugt, und die es uns erklärt, daß Jean Paul den Geist der Jugend festhielt, den Sinnes- und den Empfindungskreis der Jugend, der den meisten Menschen dunkel verläuft und verlorengeht, mit einer merkwürdigen Klarheit des frühen Bewußtseins auffaßte, und ihn, der seiner Natur nach der Dämmerung angehört, ebenso oft an das helle Licht zog, als er ihn andre Male von diesem natürlichen Dunkel umhüllt läßt. Der Charakter der Juvenilität blieb bei ihm von seiner ersten Fixierung an feststehen und erklärt uns sein Wesen und seine Schriften so, wie Herder in ähnlicher Weise die eigentümliche Entwicklung der Swedenborg und Zinzendorf erklärte[9], und wie wir Lavaters originale Erscheinung erklären können.

Unendliche Male hat Jean Paul seine Aussprüche über den Wert seiner Jugend wiederholt und variiert. Er sah auf nichts Zauberischeres zurück als auf das innere Leben jener Zeit, die äußerlich die gedrückteste war, die leicht ein Jüngling ertragen; er sehnte sich immer nach den bescheidnen Phantasien dieser bedürfnisvollen Zeit zurück, wo das Schicksal mit dem wenigsten, mit einem unbedeutenden Mädchen, mit etwas Musik und Mondschein sein Herz seliger machen konnte, als später mit Millionen[10]. Er wollte aus seinen spätern Jahrzehnten alle Güter, die diesen eigentümlich sind, gern hingeben, aber keines aus dem zweiten; den Himmel, den man ihm dadurch umwölkte, könne ihm niemand wiederbringen. Mit allen Leiden seines spätern Alters vermischte sich ihm seine Jugend; sie benahm ihnen ihr Schmerzhaftes, sagt er, und verwandelte sie in süße Melancholie[11]; die Kindheit mußte ihm mit der Vergangenheit oft Gegenwart und Zukunft ersetzen. Wievielmal blickte er mit schmerzlicher Sehnsucht auf jene lächerliche und reine heilige Zeit zurück, wo er sovielmal »dummer, und glücklicher, und närrischer und tugendhafter, wo er noch nicht aus dem Jugendparadiese herausgejagt war!« Und das schien ihm die Bestimmung des Dichters, oder doch der Charakter des Dichters zu sein, daß er ein ewiger Jüngling bleibe, daß er »das, was andere Menschen nur einmal sind, nämlich verliebt, oder nur nach dem Pontak, nämlich berauscht, den ganzen Tag, das ganze Leben hindurch sei«[12]. So ist denn wohl erklärlich, daß Jean Pauls Werke so viel Reminiszenzen aus seiner eignen Jugendgeschichte enthalten, wie daß seine Jugendgeschichte wieder ganz gleich einem Roman klang. Wie Hippel trug er sein Leben, und vorzugsweise das Leben seiner Jugend in seine Schriften. Er fand, daß alle Autoren ihre Helden nach sich selber gestalteten[13]; ja nicht allein schnitt er seine Geschichten nach seinen eignen Erlebnissen zu, er wollte auch bemerkt haben, daß das Schicksal nach dem Plan seiner Erzählungen seine eigene Geschichte formte[13a]. Er bezeichnete nach der Reihe die Abdrücke der Wirklichkeit in seinen Dichtungen selbst: »was von Fixleins Treibjagd in einer hebräischen Foliobibel nach größeren, kleineren, umgekehrten Buchstaben geschrieben steht, läßt sich wörtlich mit allen Umständen auf sein eignes Leben anwenden«[14]; seinen Haus- und Winkelsinn bildete er im Wutz, Fibel u. a. ab, die mächtigen Flüge seiner in Einsamkeit rege gewordnen Phantasie in dem Helden der »Unsichtbaren Loge«; in den »Flegeljahren« zertrennte er sich in Vult und Walt, und er hatte in den Vorfällen bei seinen Erstlingsdrucken alle die kleinen Torheiten durchgemacht, die er dort in Walten schildert; im »Titan« erschöpfte er die Ideale seines Herzens und schuf das Innerste seiner Seele so darin nach, daß ihn später die Lektüre dieses Werkes zu stark ergriff; die Glut seiner Freundschaftsliebe hauchte er den Viktor und Albano ein; und seine Freunde erschienen idealisiert und gesteigert in der Gruppe seiner Charaktere. Manches Harte in dem Bau seiner Romane, das die Gemüter beleidigte, die er zart gewöhnt hatte, entschuldigte er mit der eckigen Wirklichkeit, die ihn ähnliche Härten erleben ließ, welche im bloßen poetischen Reflex, meinte er, leichter zu ertragen sein müßten. Dies ist derselbe ästhetische Realismus, den wir bei den humoristischen Schriftstellern so häufig finden, und er ist verbunden mit dem allgemeinen Spiritualismus und Idealismus, den Jean Paul wie so viele unter dieser Klasse in das Leben selbst hineintrugen.

Und dies eben, weil er die Welt nur aus dem Gesichte der Jugend ansehen mochte, die alles idealisiert, und die eben darum in der Poesie gern einmal um die Wahrheit das Ideal preisgibt. Wenn man sich von allem, was uns in Jean Pauls Werken mit besonderm Nachdruck behandelt, was uns fremdartig und eigentümlich in seinen Meinungen, was uns als Lieblingsgegenstand seiner Muse erscheint, deutlich Rechenschaft gibt, so sieht man klar, daß es vorzugsweise solche Eigenheiten sind, die der Jugend natürlich, die ihr wichtig sind, und daß sie sich darum so auffällig ausnehmen, weil sie in einem ungeziemenden Alter festgehalten und darum in einer extremen Weise ausgebildet sind, die den nüchternen Kenner der Welt befremdet, der den Enthusiasmus im greisen Kopfe und den Schauder vor der wirklichen Welt in dem gereiften Mann nicht dulden mag. Das Jugendalter hat für den Menschen darum so unsäglichen Reiz, weil es die Zeit idealer Bestimmbarkeit ist, weil es der Unendlichkeit der Hoffnungen und Erwartungen freien Spielraum gibt, die wir auf den werdenden Menschen gründen können. Eben dieselbe Bestimmbarkeit sah Jean Paul in dem ganzen Menschengeschlechte; er gab daher nichts auf das, was der Mensch war, aber alles auf das, was er nach den Möglichkeiten, die ihm sein Inneres erschafft, werden kann und was ein zukünftiges Leben in ihm zu reifen verspricht. Ist man erst auf diese Weise dem äußern Leben entfremdet und auf das innere angewiesen, so wird man sich natürlich nach der Zeit vorzugsweise neigen, in der die Phantasie am lebendigsten spielt, in der das Gebiet der Ideale am weitesten ist. Überall begegnen wir daher in Jean Paul diesen befestigten Gebilden aus der Kindheit, und sein Wesen geht auf in dem Begriffe eines jung gebliebenen Menschen, wenn man die Zufälligkeiten grade *seiner* Jugend dabei in gehörigen Anschlag bringt. Sieht man auf das Moralische, so blickt in ihm überall der Sinn für die Unschuld und Reinheit der ersten Jahre hervor, und das zog jene sittigen Frauen mitten in Weimar, unter dem Kreise unserer gefeierten Dichter, zur Zeit deren schönster Blüte, so nahe zu ihm, daß er neues moralisches Leben und Tugend und Gefühl in die mißbrauchte Dichtkunst zu bringen schien.

Seine Schriften bringen eine Unsumme schöner Grundsätze und Reflexionen, von Handlungen bringen sie wenig, wie sein eignes Leben nicht ein ersprießliches heißen kann. Dies ist nun ganz Jugendart; denn diese Zeit ist zum Sammeln und zum Reflektieren bestimmt, ehe sie in die wirkliche Welt handelnd eingreift, und es steht ihr natürlich an, daß sie in einem Dichter, wie Jean Paul, jene Maximen einer großartigen Tugend aufsucht, und jene Allmacht schöner Empfindungen bewundert, die weit über das gemeine Leben emporheben. Schon frühe begann Jean Paul in seiner Notzeit ein »Andachtsbüchlein« zu führen, in dem er sich moralisch überwachte, und Betrachtungen anstellte, die auf aszetische Schmerzunterdrükkung, auf Gleichgültigkeit gegen Ehre und Ruhm, auf Bezwingung der Leidenschaften, auf jede strenge Forderung der Vernunft ausgehen; er rezipierte seine Tugenden und Laster wie seine Einfälle und Lesefrüchte, er verbollwerkte sich gegen das Böse, und so wuchs in ihm eine »Alliebe, die seines ganzen Lebens und Dichtens Grundcharakter ward«[15], und er schilderte in seinen Werken eine angespannte Tugend, die wohl unterweilen sogar seinen wärmsten Verehrerinnen voll Unnatur und beunruhigender Symptome schien. Wenn er auch im Leben hinter den anfangs gefaßten Grundsätzen zurückblieb, und die blinden Aufopferungen, zu denen er in Jugend und Armut fähig war, nicht mehr zur Pflicht gerechnet haben würde, so sehen wir doch in seinen Schriften überall, wie der Glaube an eine große Menschheit, an einzelne hohe Menschen, wie die gesteigerten Begriffe von Freundschaft, von Liebe, von Tugend in der Weise durchgehen, wie wir sie nur in edlen Jünglingen finden, denen die Welt noch fremd ist. Mit diesen hohen Forderungen tritt nun die Jugend in die wirkliche Welt ein, die den rohen Edelstein zu schleifen bestimmt ist, wenn er ihre ätzende Schärfe aushält. Sie steht immer drohend hinter dem Glücke der Kindheit, sie macht es mit ihren hervorragenden Täuschungen zu einer schmerzlichen Seligkeit. Nichts hat Jean Paul vortrefflicher geschildert als diesen Stoß des Ideals auf die Wirklichkeit; nichts hat er zarter gehalten als die Mischung von Lächerlichem und Rührendem, was diese Situation mit sich bringt; nirgends hätte er leichter wahrhaft klassisch werden können, als hier, und wo er am meisten Maß gehalten hat, in den »Flegeljahren«, ist er von dieser Seite her am genießbarsten geworden. Wir haben die Aufgaben, die er sich von dieser Art stellte und die Eindrücke, die er damit machte, schon früher mit den Materien der Ritterromane verglichen[16], und es ist vortrefflich, daß sich der Held der »Flegeljahre« mit Petrarca vergleicht, und daß Jean Paul die Zeit der ersten Liebe eine solche nennt, wo der Jüngling die alte französische Ritterschaft erneue. Wenn unser humoristischer Dichter auf dem mittlern Standpunkte zwischen Weltverachtung und Liebe, zwischen Humor und Empfindsamkeit hätte stehen bleiben können, auf dem er sich in den »Flegeljahren« noch am ersten hält, so hätte er uns vortreffliche Werke geschaffen; aber so war es ihm nicht gegeben, anders als in Extremen sich zu bewegen. Auch dies ist die Weise der Jugend, daß sie, zum Maßhalten nicht geeignet, nach allen Seiten ausschweift; in ihrer feindlichen Begegnung mit dem wirklichen Leben ist die Erscheinung nur zu gewöhnlich, daß sie sich in Skeptizismus und Misanthropie wirft und eine gewisse falsche Kraft affektiert, oder daß sie umgekehrt die versehrten Ideale in sich verschließt und sich in

Schwäche und Weichheit verliert. Dies nun sind eben die beiden Extreme, in denen uns auch Jean Paul auf Weg und Steg umtreibt. Es ist ihm auf der *einen* Seite die Welt verleidet; er wendet sich mit Geringschätzung von dem Menschen weg; er vernichtet die Außenwelt und verfolgt sie mit seinem Spott; oder er zieht sich auf das Klein- und Stilleben des Menschen, auf seine innere Welt zurück und findet das außen verlorene Glück hier wieder in einer glücklichen Beschränkung und in dem stillen Verkehr mit den Hoffnungen einer besseren Zukunft. Auf jener Seite haben wir seine humoristischen Charaktere, die ihren Weltscherz bis zum Weltekel verbittern; auf dieser haben wir seine selbstgefälligen, sanften Figuren mit Unkenntnis der Welt und mit einer unendlichen Liebe gegen die ganze Menschheit erfüllt; jene dort sinken gelegentlich zum lüderlichen Genie herab, diese Blumenseelen steigern sich zu dem Extreme seiner sogenannten hohen Menschen, die der Welt den Rükken kehren, bei Bewahrung einer reinen Seele, die das Vermögen nutzbar und wirksam auf der Erde zu sein, mit einer höheren Unbeflecktheit des Charakters unvereinbar finden. Auf jener Seite ist Jean Paul skeptisch, satirisch, ein Verfolger der deutschen Kleinmeisterei, ein Realist in der Manier der Darstellung, wie es der Jüngling bei dieser Richtung ist; auf der anderen ist er sentimental, weich, verschwommen, elegisch, ein Spiritualist, wie wir ihn nicht leicht wieder haben. Wenn er auf jener Seite zu weit geht im Häufen des Witzes, in der Spannung der Verstandeskräfte, so hier in der Spannung der Empfindungen, in der Tränenneigung, die ihm selbst wie Sternen eigen war, und auf die er in seinen Lesern gern hinarbeitet. Jener Zug der Jugend arbeitet in allen seinen Schriften mit, gern auf Nachtgedanken zu weilen, sich mit Todes- und Geisterfurcht zu quälen, auf Träume und Orakel zu achten; und was in dieser Zeit die Lieblingsfragen und Bekümmernisse unserer erwachenden Forschbegierde sind, über das Verhältnis von Leben und Tod, von Liebe und Freundschaft, von Gott und Welt, diese durchdringen Jean Pauls Werke überall und füllen sein eignes Interesse aus. Was das Mannesalter fesselt, die praktischen Verhältnisse der Welt, die Zustände der Gesellschaft, daran legt er nur den Maßstab der jugendlichen Empfindung; selbst in seine Spekulationen drängen überall seine Gefühle herein. Wie ferner in der Jugend jenen idealen inneren Beschäftigungen des Geistes und den schwellenden Empfindungen unverdorbener Herzen die trockene Tätigkeit für die Schule als ein Gegengewicht gegenüber liegt, so ist es bei Jean Paul der Fall, daß er uns zu allen seinen wissenschaftlichen Studien mitnimmt, daß er uns neben den gehauchtesten Szenen eines sublimierten Seelenlebens zugleich die nacktesten Disputierübungen abschildert. Die Unersättlichkeit der Lernbegierde, die einer strebenden Jugend eigen ist, ist es auch Jean Paul; und aus dieser Zeit, wo man im Fron der Wochentage arbeitet, blieb ihm, eben wie es nur der Kindheit eigen ist, das ideale Sonntagsheimweh, und diese Sabbatsfreude, die hohe Zeit der Jugend, hat bei ihm in seinen Sabbatskapiteln eine Art poetische Vertretung. Und so ließe sich dieser Erweis des Charakters durchgehender Juvenilität in Jean Pauls Werken und Wesen bis so sehr ins einzelne herab verfolgen, daß man um nicht lächerlich zu werden, des Dichters komische Manier für den Verfolg anwenden müßte, die doch dem Ernst der historischen Darstellung nicht zusagen kann.

[...] Für alle großen Verhältnisse ist Jean Paul blind, und belegt auch seinerseits, daß alle unsere Satire in Deutschland bis jetzt in der Kindheit geblieben ist, daß alle unsere Satiriker jener Gattung angehören, von denen Voltaire sagte, sie schonten die Geier und zerrissen die Tauben. Das hat er seinem Swift nicht abgelernt, der noch lange nicht das Ideal eines Satirikers ist, wie er sich in das äußere und innere Leben seiner Nation eingelebt hat, und nicht durchgefühlt, daß dieser so viel Aufwand des Spottes unmöglich an die Erbärmlichkeiten der deutschen Gesellschaft, an den Ahnenstolz, an die Weiber und Stutzer und Schreiber verschwendet haben würde, was alles nur des tiefsten Mitleids und schweigender Verachtung wert ist. Und wer hätte alle die Bagatellen mit so preziöser Manier besprechen mögen! Der Satiriker sollte der popularste Schreiber sein, und diese gehäuften Kuriositätenspäße, diese »Wildnis von Gedanken«[17], dieser Gleichniswitz, der um allen Preis voll, reich und dunkel sein soll (was in der »*Auswahl aus des Teufels Papieren*« 1789 noch mehr der Fall ist als in den »Grönländischen Prozessen«), mußte natürlich gleich von vorn alle Wirkung abschneiden, um die es doch dem Satiriker notwendig zu tun sein muß. Er entschuldigt die Dunkelheit in den »Papieren« damit, daß ein Strom, der eine Zeitlang unter der Erde ging, wenn er hervorkomme, noch stets derselbe Strom sei; was nützt uns aber das Bächlein, das häufiger unter der Erde geht als darüber, und wenn es hervorquillt, uns kaum einen klaren Trunk bietet? Beide Jugendwerke Jean Pauls sind daher wenig gelesen worden, und die Not zwang ihn, nur um einen Verleger zu finden, zum Romane überzugehen. Und auch mit allen späteren Satiren hat er es nicht einmal so weit bringen können, daß sein Kuhschnappel nur neben Krähwinkel[18] genannt wurde, so wenig als Siebenkäsens leberfarbner Frack den blauen des Werther verdrängen wollte. Die Geringfügigkeit der Dinge verursachte dies ebenso sehr wie die wunderliche Schreibart; und die Enge der Welt- und Menschenkenntnis, der Mangel an Blick in die öffentlichen Verhältnisse lassen diese wie alle unsere Satiren unbedeutend. Im »Siebenkäs« werden die »Papiere« diesem zugeschrieben und Leibgeber lobt sie, als himmlisch und recht gut und vielleicht passabel, sich verwundernd, daß ein Advokat (oder Kandidat) in einem Kleinstädtchen so reine Satiren geschrieben[18a]. *Nur dies* aber erklärt es, daß er sie geschrieben, die weder rein noch himmlisch, ja nicht einmal passabel sind. Wie fiel auch der Jüngling grade auf die Satire? Sie läßt sich vielleicht sofern anlernen, als der Satiriker den materiellen Grund, auf dem er seine Werke aufbauen will, forschend muß kennenlernen; allein dazu gehört Zeit und reifer Verstand, und wenn Jean Paul mit Recht verlangte[19], daß man keinen Roman unter 30 Jahren schreiben solle, so durfte er gewiß viel weniger solche »juvenile Juvenalia«[20] im 19ten schreiben.

Daß diese ganze satirische Schriftstellerei nur wenig Natur war, erwies sich im Fortgang bald. Dieser Hang war ein Erwerb durch Lektüre; hinter dem lustigen Schein, sagte er später selbst, wuchs der Ernst der Empfindung ungestört fort; er erhielt schon in den »Papieren« einigen Raum, und in den ersten Romanen, die Jean Paul nun in die Welt schickte, tritt schon die ganze Weichheit seiner elegischen und idyllischen Natur an den Tag. Seit den »Prozessen«, schrieb er[21], habe er noch neun Jahre in der satirischen Essigfabrik gearbeitet, dann habe er durch das noch etwas honigsaure »Leben des Wutz« den Übergang zur »Unsichtbaren Loge« gemacht; so lange hätte das Herz des Jünglings alles verschlossen sehen müssen, was in ihm selig war und schlug, was wogte, liebte und weinte. Als es sich im 28. Jahre endlich eröffnen durfte, da habe es sich ergossen, wie eine warme überschwellende Woge. Wir bemerken auch hier die Irregularität der Entwicklung, denn jene Allmacht der Gefühle, die in den Pubertätsjahren dem Menschen natürlich ist, ist es nicht mehr im angehenden Mannesalter; sie war zurückgedämmt in unserem Dichter durch die rauhe Hand des Schicksals, und man kann die Macht der Reaktion nicht besser schildern, als es Jean Paul selbst in den eben angeführten Worten getan hat. Dieses dunkle Gefühlswesen hielt ihn durch sein ganzes Leben hindurch unter seiner Herrschaft, und sind wir durch die gesuchten Scherze und Bilder, das Verstandeswerk seiner Schriften, gesättigt, so erwartet uns abwechselnd nach der süßen die bittre Speise (man kann es auch umkehren) der Tränen, nach dem Lichte die Dämmerung, nach dem Schauen das Tönen. Hier ist seine romantische, ganz unplastische Natur in ihrem Wesen. War Goethe vielleicht mehr zum plastischen Künstler geschaffen, so war es Jean Paul seiner ganzen geistigen Erscheinung nach zum Musiker. Wenn ihn eine Empfindung ergriff, daß er sie darstellen wollte, so drängte sie in ihm nicht nach Worten, sondern nach Tönen; alles, sagte er[22], war bei ihm Ton, nicht Anschauung, wenn er stark getrunken hatte; er hörte sich oder das Innere ewig und dachte klar darüber. Es trieb ihn dann seine Empfindungen auf dem Klavier auszusprechen; zur plastischen Kunst hatte er nie ein Verhältnis. Er kannte diesen seinen Gegensatz zu Goethe selbst: diesem, sagte er[23], sei alles bestimmt, ihm aber romantisch zerflossen; er reiste durch Städte ohne etwas darin gesehen zu haben, ihn reizten nur schöne Gegenden, die dem Romantischen zusagten; er sah zwar alle Individualitäten des Lebens, aber er fragte nichts darnach und vergaß sie. Mit diesen Eigenschaften konnte ein musikalisches Talent bestehen, aber kein wahrhaft dichterisches. Und in der Tat, welche andere Eindrücke als musikalische tragen wir in jenen Malereien davon, wo er bald eine Gegend, bald ein Musikstück, bald einen Traum oder eine Vision, bald den dunkeln Gefühlsstand der Seele unter äußeren Eindrücken abschildert? Wenn er jene Regenbogenszenen ausmalt, jene duftigen Abendrotbriefe schreibt, und über die Träume der Engel und Blumen diviniert[24]? Dies sind jene Stellen, die nur ein Dichter schreiben konnte und nur ein Leser bewundern kann, dem das helle Licht des Tages und ein faßlicher Gegenstand der Begeisterung unheimlich ist. Der Strahl des leuchtenderen Phöbus in Italien hätte diesen Dichter nicht wie Goethen auf die Spitze seiner Schöpfungen stellen können, sondern er vergrub sich in die Nacht, sich steigernd, und bedurfte für das Feuerwerk seiner Phantasie, das bloß im Dunkel leuchtete, nur einen kleinen Funken zum Zünden. An einem Rosenblatte ward sie lebendig; der Geruch einer Blume stimmte ihn poetisch, der trauernde Herbst mehr als der Frühling, der Mondschein mehr als die Sonne; dunkle poetische Stellen zogen als Entzückungen in ihn ein, wenn er auch nichts damit anzufangen wußte; eine Stelle aus Shakespeare schuf, wie der arme Yorick in Sterne, ganze Bücher in ihm[25]. Wo sich Jean Paul diesen inneren dunkeln Stimmungen überließ, wie besonders im »Hesperus«, »bei dessen erträglicheren Stellen er in süßer Entzückung fast starb«[26], da ist er für jeden reifen Geschmack und klare Bildung ungenießbar; wo er aber dieser Energie der Gefühle die Klarheit seines Bewußtseins gesellte, nicht um abenteuerliche Allegorien und Visionen zu bilden, sondern um in den dunkeln Minen der jugendlich bewegten Brust nach dem reinen Golde zu graben, da ist er vortrefflich. Er hatte die ganz eigne Gabe, bei den stärksten Gefühlen Klarheit und Besonnenheit zu behaupten; die Tag- und Nachtgleiche, worin er geboren, meinte er[27], sei Bild, wenn nicht Grund seiner geistigen: Phantasie und Reflexion waren in ihm gleich gewogen. Daher konnte er oben[28] sagen, er denke über das innere Tönen in ihm klar; in seinen Träumen war es ihm sogar oft bewußt, *daß* er träume. Hiermit hängt in ihm jene Gabe zusammen, daß er eben jene chaotische Welt des inneren Menschen, in der Zeit, wo Gefühle und Leidenschaften das Bewußtsein am meisten überwältigen, mit dem klarsten ergriff, daß er jene Seelenzustände mit allen Mitteln der musikalischen Sprache oder der Metaphern schildert, die sich im Grunde jeder Bezeichnung in Begriffen widersetzen. Er sieht und fühlt, er ahnt und träumt überall eine Harmonie der inneren Natur mit der äußeren, die wir eben in dem ersten Streit der sinnlichen Gewalten mit den sinnigen am meisten empfinden; er greift in die fernsten Gegenstände der kosmischen Natur, um Bilder für die geheimsten Stimmungen der Seele zu finden, er wollte zur Anschauung bringen, was die wenigsten Menschen selbst in jenen Jahren nur in ähnlicher Energie erfahren, und daher sind so wenige, die ihm da, wo er am feinsten und tiefsten ist, nachempfinden, die sich dabei etwas denken können. Und doch liegt hier fast sein einziger Wert, und ein ganz originaler. Wenn es aller humoristischen und pragmatischen Autoren Eigenheit war, daß sie den Quellen der Empfindungen nachzugehen trachteten, so muß man gestehen, daß keiner wagte, was Jean Paul tat: der sie grade in dem Alter vorzugsweise aufsuchte, wo ihre Herrschaft am mächtigsten und zügellosesten ist, und der in ihrer Erklärung die kleinlichen Herleitungen der Pragmatiker mit genialem Sprung überschritt. Er kannte nicht die Menschen, wie jene, er kannte nicht einmal *den* Menschen, aber den inneren Menschen, wie er in jener rührend komischen Zeit beschaffen ist, wo sich Ideal und Wirklichkeit in ihm streiten, den kannte er, wie ihn vielleicht nie wieder jemand gekannt hat.

45   *Wilhelm Heinrich Riehl*

Jean Paul's literarisches Geschick und das Frankfurter Museum   1846

[...]

Es ist uns Anlaß gegeben, die Erinnerung an unsern größten Humoristen aufs neue lebendiger anzuregen, da vor kurzem sein literarisches Vermächtnis, sein letztes hinterlassenes Werk,* der Öffentlichkeit übergeben worden ist, das der

---

* »Der Papierdrache« (ein von Jean Paul selbst bestimmter Titel) herausg. von Ernst Förster. Frankfurt, Literar. Institut.

überreiche Geist charakteristisch selbst noch mit den rührenden Worten einzuleiten begann: »*Endlich* muß ja mein letztes Werk geschrieben werden!«[1]

Dieses Buch tritt jetzt wie ein Fremdling ein in unsere Mitte, die Sympathieen, welche dem Dichter die Feder führten, sind erloschen, das literarische Vermächtnis Jean Pauls, von dem der herrliche Mensch 1823 wünschte, daß es sein Andenken umso dauernder den Überlebenden einprägen möge, führt uns 1846 nur den Beweis, daß Jean Paul – fast ganz vergessen ist. –

Es liegt ein bitteres, schmachvolles Unrecht in diesem Vergessen, und doch darf es, kann es nicht anders sein: Jean Paul *muß* noch eine Weile vergessen bleiben.

Es gibt Tage des milderwärmenden Sonnenscheins oder der heißen Glut, es gibt auch kalte, frostige Tage in der Weltgeschichte, die Menschheit lebt Jahrzehnte überwallender Schwärmerei, Jahrzehnte der Gefühlsstürme, Jahrzehnte der Besonnenheit, des bitteren Ernstes – blickt unsere Generation auf den historischen Lebenstag zurück, der Jean Paul zu Teile fiel, dann ist es, wie wenn der Mann, dem ernste Pläne, besonnene Taten die Stirn runzeln, auf den goldenen Morgen des Jünglings rückwärts schaut, der sich einspinnt in reizende Phantasieen, in Liebe selig ist und, statt zu handeln, unter Blütenbäumen dichtet. – Wer hat die Poesie *des Herzens*? Die Stirn voll Runzeln hat sie nicht mehr – *wir* haben sie nicht mehr. Jean Paul ist tot, ist recht sehr tot – aber er wird wieder lebendig werden. Doch – wecket ihn zur Stunde noch nicht auf! Es ist schlimm, daß wir wenig Dichterherzen mehr haben, deren Gedicht, wie Jean Pauls ewiger Hymnus, die unendliche Sehnsucht der Liebe, die unendliche Rührung des in Tränen geweiheten Humors ist – sei es auch in ungezähmter Maß- und Formlosigkeit: – aber noch schlimmer stünde es vielleicht, wenn *wir* – alle solche Dichterherzen *wären*. – Ernsthaft, bitter ernsthaft blickt jedes neue Morgenrot uns an: Jean Paul *kann* jetzt nicht der Dichter *der Nation* sein. – Politische, religiöse, soziale, industrielle Fragen durchkreuzen wirr unser Denken und Sinnen, der Drang der energischen Tat hat unsre tiefste Seele gepackt, immer unwiderstehlicher reißt uns die Gegenwart in den wild brausenden Strudel des öffentlichen Lebens – da tauchen die *nur im Gemüt* wenn auch oft grandios tragisch bewegten Gestalten Jean Pauls vor uns auf, deren Königsthron der Großvatersessel, deren Geschichtsbuch die alte Familienbibel, deren Öffentlichkeit der häusliche Herd, deren Politik eine Politik des Herzens, deren selten bestrittene Konfession schwärmerische Liebe, deren soziale Frage die heitere Gesellschaft, deren höchstes industrielles Problem der Ein- und Austausch trauter Rede ist. Wehmütig betrachten wir diese Gestalten, und wenn wir sie lange mit sinnendem Blicke betrachtet haben, dann können sie *unsre Freunde* geworden sein, – *die Ideale* der ganzen Zeit werden sie schwerlich. –

Es gab eine Zeit, da *war* Jean Paul das Ideal des deutschen Volkes. Jean Paul schläft – wecket ihn nicht auf. Die Zeit wird von selber kommen, da er neu erwacht, wiederum ein Ideal der Nation in höherem, geläutertem Sinne. Auf die Vergötterung folgt gewöhnlich das Vergessen und auf das Vergessen erst die allseitig gerechte Würdigung. Uns kann Jean Paul nur ein Freund sein. Börne sagte, seiner gedenkend, die Bewunderung preist, die Liebe ist stumm[2]. So ist das *laute*

Gerede über Jean Paul verstummt, er hat *stille* Leser gefunden, stille Leser sind Leser, die ihn lieben. –

Kein abgeschlossenes Kunstgebilde wollte uns der große Geist in seinem letzten, nachgelassenen Werke vermachen: es ist eigentlich fast nur eine Sammlung von Sentenzen und aphoristischen Reflexionen, aber poesiegetränkt sind diese Aphorismen, gleichsam eine Poesie, mit welcher der Dichter nicht fertig geworden. Das Buch wird darum eher gelesen werden von den Frauen als von den Männern. Die Frauen lieben ja *da* formlose Poesie, wo diese Formlosigkeit aus Überschwänglichkeit des gemütlichen Gehaltes entspringt. So ist Bettina, die große Dichterin, die nie ein Dichtwerk geschrieben, formlos aus Überschwänglichkeit. Jean Paul wußte gar wohl, wie tief das ewig Weibliche ihm eingeboren, und daß er an die Sympathieen der Frauen vor allem zu appellieren habe. So sagt er auch in seinem letzten Werk: »Ich will mehr lernen von den Ansichten des All durch eine geist- und gemütreiche Frau, als durch alle Reden eines eingefleischten Fichteaners oder Hegelianers, sei dieser auch noch so genial und kraftvoll.«[3] Da konnte es denn nicht fehlen, daß jenes literarische Vermächtnis Jean Pauls namentlich tief poetisch wahre Aussprüche enthalten mußte über Liebe und Ehe, Freundschaft, geselliges Wesen. Man braucht nur diesen und jenen Satz herauszuheben, um überzeugt zu werden, wie groß und innig dieser Mann muß geliebt haben. »Wer keine Liebe hat«, sagt er, »dem ist sie nicht zu geben, aber wer sie hatte, dem ist sie nicht zu nehmen.«[4] – Liest man jene Abschnitte, dann sieht man lebensfrisch das Bild des sinnigen deutschen Dichters vor sich auftauchen, der die Frauen und die Blumen vor allem liebte, der für *zarte* Schönheit so unmittelbaren Sinn gehabt, daß er im Frühling und Sommer nicht ausgehen mochte, ohne sich etwas Blühendes ins Knopfloch zu stecken. So hat ihn ja auch Schwanthaler[5] im ehernen Standbilde deutungsvoll dargestellt mit einer Rosenknospe im Knopfloch.

Doch auch von anderen Dingen wollte Jean Paul nach seinem Tode noch mit der Nachwelt reden: so hat er uns denn nicht minder Fragmente hinterlassen über politische, religiöse, soziale Fragen. Freilich, dies kann für uns kaum eine Geltung mehr haben, die wir durch die gewaltigen inneren staatlichen Kämpfe der letzten Jahrzehnte auf einen ganz anderen Höhepunkt der politischen Weltanschauung emporgehoben worden sind. Wer kennt sie jetzt noch, jene weltbürgerliche Politik, jene humanistische Religiosität? Und doch zeigt Jean Paul in diesen letzten religiösen Fragmenten mehr Schärfe und Freiheit des Denkens, als man von ihm, der so gerne in den Himmeln und den Sternen schwärmte, hätte erwarten sollen. Aber immer muß sich auch hier wieder sein Gemüt vordrängen, selbst seine *politischen* Reflexionen sind nicht sowohl *gedacht*, als vielmehr sentenziös epigrammatisch *phantasiert*. Wohin wir eben blicken, stoßen wir auf unverarbeiteten poetischen Stoff; denn Jean Pauls, des armen, nicht selten mit Not und Mangel kämpfenden Jean Pauls größtes Unglück war *das Übermaß seines poetischen Reichtums*, sein größter Fehler *die Verschwendung*[6]. Als der genialste Verschwender hat er sein ganzes Leben lang viele Bände des üppigsten poetischen Stoffes hingeworfen, weggeworfen, und es andern überlassen, denselben auszubeuten und zu formen. Von seinem letzten Werke sagt er in dieser Verschwenderlaune noch, es solle sein eine

Generalsalve seines ganzen Kopfes, ein Allerseelenfest aller Gedanken[7]. Das Büchlein, meint er, wäre leicht ins Maß zu zwängen, in eine Kunstform zu gießen gewesen, »aber er habe das Herz dem Herzen und rein und sogar auf Kosten der Kunst vorhalten wollen.«[8] Das war es denn auch, weshalb ihn Schiller, der *in seiner Einseitigkeit große* Schiller nicht begreifen konnte und sich gleich Goethe, der zwar in seinem Universalismus groß, doch nur das plastisch Gestaltete anerkannte, persönlich abstoßend gegen ihn zeigte und ihn bei seinem Besuche in Weimar *nicht* ehrte, wie der Dichter den Dichter ehren soll.

Noch ist Jean Paul der unerreichte Humorist, obgleich auch unser Humor ein anderer geworden. Zu seiner Zeit trug der Humor die Farbe der *zarten, friedlichen Sentimentalität* – er kämpfte für die Freiheit des Fühlens – vor kaum fünfzehn Jahren die der weltverbitterten, verbissenen: jetzt muß wohl der offene, selbstgewisse, sieggewisse *Zorn* im Humor zum *sarkastischen* Lächeln sich umschmelzen – oder wir haben gar keinen Humor mehr.

Armer, großer, herrlicher Jean Paul! Nach einem Vierteljahrhundert hast du wieder bei uns angeklopft, bist zu uns eingetreten mit deinem Vermächtnis – du hast neue fremde Menschen gefunden. Und doch – wer von uns hat nicht *einmal* wenigstens für Jean Paul geschwärmt, und rechnen wir nach, *wann* wir geglüht für ihn, dann ist es wohl in unsern glücklichsten Tagen gewesen. Die kleine Kritik, die Kritik des Verstandes, *muß* jetzt Jean Paul teilweise verneinen, aber die große Kritik, die Kritik des Herzens, wird ihn *ganz* anerkennen, und die größte Kritik, die Kritik der Weltgeschichte, wird ihn trotz aller seiner Mängel ewig feiern.

Es ist wahr, Jean Paul ist uns fremder geworden, und was vergänglich, was zeitlich an ihm war, hat unsere Zeit längst überwunden, und dennoch aber ist es auch *im Ernste* wahr, was er einst *im Scherze* von sich schrieb: »Meine Verwandten werden fast nichts von mir erben, aber sämtliche kultivierte Völker viel.«[9]

Armer, großer, herrlicher Jean Paul! Als du eben heimgegangen warst, da feierte Börne dich in unserm Museum als das Ideal des deutschen Dichters, als den Poeten, welcher *der Erkorene der Nation* sein sollte – wir – ein kälteres, materielleres, aber auch maßvolleres, aus festerem Tone geformtes Geschlecht – können nicht mehr in dir das Ideal der nationalen Dichtung erblicken, jetzt, da du in deinem Vermächtnis uns so rührend wieder an dich gemahnt – aber ein warmes, lieberfülltes Freundesherz tut uns kalten Menschen not: – großer, herrlicher Jean Paul, du bist wiedergekommen – siehe! jetzt mußt du *unser Freund* sein! »Die Bewunderung preist, die Liebe ist stumm!«[10] Sei uns ein Vorkämpfer für *die Freiheit des Fühlens*, sei es vor allen den deutschen Frauen. Und gewinnst du dir jetzt auch nur einzelne zarte, edle Herzen statt des ganzen Herzens deines deutschen Volkes – warte nur! Es sind ja Wintertage angebrochen in unserer Geschichte. Warte nur! Die Knospen kommen wieder. Die Zeit wird kommen, wo du wieder allen wirst geboren werden, wo alle dich beweinen werden. Indessen stehe getrost und geduldig an der Pforte des 20sten Jahrhunderts, großer Verkannter, Vergessener, und warte bis dein schleichend Volk dir nachkomme![11] –

Aus: Der grüne Heinrich   1854

Ich hatte, nach Büchern herumspürend, in der Leihbibliothek unserer Stadt einen
Roman des Jean Paul in die Hände bekommen. In demselben schien mir plötzlich
alles tröstend und erfüllend entgegenzutreten, was ich bisher gewollt und gesucht
oder unruhig und dunkel empfunden: gefühlerfülltes und scharf beobachtetes
Kleinleben und feine Spiegelung des nächsten Menschentums mit dem weiten
Himmel des geahnten Unendlichen und Ewigen darüber; heitere, mutwillige
Schrankenlosigkeit und Beweglichkeit des Geistes, die sich jeden Augenblick in
tiefes Sinnen und Träumen der Seele verwandelte; lächelndes Vertrautsein mit Not
und Wehmut, daneben das Ergreifen poetischer Seligkeit, welche mit goldener Flut
alle kleine Qual und Grübelei hinwegspülte und mich in glückliche Vergessenheit
tauchen ließ; vor allem aber die Naturschilderung an der Hand der entfesselten
Phantasie, welche berauscht über die blühende Erde schweifte und mit den Sternen
spielte wie ein Kind mit Blumen, je toller, desto besser! Diese Herrlichkeit machte
mich stutzen, dies schien mir das Wahre und Rechte! Und inmitten der Abendröten und Regenbogen, der Lilienwälder und Sternensaaten, der rauschenden und
plätschernden Gewitter, die der aufgehenden Sonne das Kinderantlitz wuschen,
daß es einen Augenblick sich weinend verzog und verdunkelte, um dann umso
reiner und vergnügter zu strahlen, inmitten all des Feuerwerkes der Höhe und
Tiefe, in diesen saumlosen schillernden Weltmantel gehüllt der Unendliche, groß,
aber voll Liebe, heilig, aber ein Gott des Lächelns und des Scherzes, furchtbar von
Gewalt, doch sich schmiegend und bergend in eine Kinderbrust, hervorguckend
aus einem Kindesauge wie das Osterhäschen aus Blumen! Das war ein anderer
Herr und Gönner als der silbenstecherische Patron im Katechismus!

Früher hatte ich dergleichen etwas geträumt, die Ohren hatten mir geläutet, nun
ging mir der Morgen auf in den langen Winternächten, welche hindurch ich an
dreimal zwölf Bände des unsterblichen Propheten las. Und als der Frühling kam
und die Nächte kürzer wurden, las ich von neuem in den köstlichen Morgen hinein
und gewöhnte mir darüber an, lange im Bette zu liegen und am hellen Tage, die
Wange auf dem geliebten Buche, den Schlaf des Gerechten zu schlafen. Dazumal
schloß ich einen neuen Bund mit Gott und seinem Jean Paul, welcher Vaterstelle an
mir vertrat, und mag diesen die wandelbare Welt in ihrer Vergänglichkeit zu dem
alten Eisen werfen, mag ich selbst dereinst noch meinen und glauben, was es immer
sei: ihn werde ich nie verleugnen, solange mein Herz nicht vertrocknet! Denn
dieses ist der Unterschied zwischen ihm und den andern Helden und Königen des
Geistes: bei diesen ist man vornehm zu Gaste und geht umher in reichem Saale,
wohlbewirtet, doch immer als Gast, bei *ihm* aber liegt man an einem Bruderherzen!
Was kümmert uns da der wunderliche Bettlermantel seiner Kunst und Art, der uns
beide so närrisch umhüllt? Er teilt ihn mit uns, noch liebevoller als St. Martin, denn
er gibt uns nicht ein abgeschnittenes Stück, sondern zieht uns unter dem Ganzen an

seine Brust, während jene sich stolz in ihren Purpur hüllen und im innersten Winkel ihres Herzens sprechen: Was willst du von mir?

47 *Rudolph Gottschall*

Aus: Die deutsche Nationalliteratur in der ersten Hälfte des neunzehnten Jahrhunderts 1855

Jean Paul erfaßte das *moderne Leben* nach allen Richtungen hin, aber nie mit der objektiven Hingabe der Darstellung, sondern stets mit einem frei darüber schwebenden Geiste, der seine selbstständige Kraft aus den Tiefen des Gemüts und dem in ihnen stets lebendigen Ideal der *Humanität* zog. Seine Humanität hatte sich zwar an den Theorieen der französischen Freigeister gebildet; seine Begeisterung für Rousseau und Voltaire ist immer zwischen den Zeilen zu lesen, aber er machte weder positive Konstruktionen und Postulate noch frivole Randglossen – die Humanität wurde bei ihm zur *Gesinnung*, und seine Weltverbesserung hatte keinen anderen Mittelpunkt, als das *Herz*. Ihn beseelte eine unbegrenzte Liebe für die Armen, für die Zurückgesetzten; gerade hier, in den kleinsten Zügen, zeigte sich die Größe seiner Humanität. In das beschränkteste Leben versenkte er sich mit unendlichem Gefühle; in dieser Kleinmalerei ist er unübertrefflich. Jean Paul ist unser größter *Idyllendichter*. Wenn Goethe in »Hermann und Dorothea«[1] die Idylle durch eine große weltgeschichtliche Perspektive hob, so hebt sie *Jean Paul* überall durch die reichsten Perspektiven der Empfindung, indem er im kleinsten Tautropfen das Weltbild abspiegelt. Dadurch wird zwar der objektive Charakter »der Idylle« beeinträchtigt, aber die humoristische Idylle erst geschaffen. Damit wird indes nicht behauptet, daß Jean Pauls Idyllen der Schilderung und Darstellung entbehren. Im Gegenteil, sie enthalten einen so glänzenden Reichtum an Zügen, die dem Leben abgelauscht sind, so erschöpfende Detailschilderungen, eine so große Kraft der Darstellung, das Kleinste und Unbedeutendste unter ein geistiges Licht zu rücken, daß wir in der Literatur aller Zeiten vergebens nach einem Nebenbuhler suchen. Das Landpfarrer- und Dorfschullehrer-Leben gibt der Idylle den besten Stoff, da es wenigstens geistig über sie hinausweist. Man hat uns zwar neuerdings Dorfgeschichten aufgedrängt, in denen nur die praktische Tüchtigkeit des Bauernlebens, das Treiben in der Dorfschänke, in den Ställen, auf dem Felde, ohne weiteres als Teniersches[2] Genrebild hingestellt wird. Das ist aber für die Poesie ein sehr dürftiger Inhalt. Schon Voß hat in seiner »Luise«[3] einen Landpfarrer, der wenigstens geistige Bedürfnisse hat, zum Helden der Dichtung gemacht. Vergleicht man indes diese »Luise« mit ihren Schilderungen des Kaffeemahlens, des Schlafrocklebens, für welches das Ankommen einer Zeitung und das Krähen des Hahns ein Ereignis ist, mit Jean Pauls »Schulmeisterlein Wutz«, »Fibels Leben«, mit »Quintus Fixlein«, mit der Landpfarre des Kaplan Eymann im »Hesperus«, so sieht man recht, wie arm die Phantasie des wackern Voß war, wie sie nur aufnahm, was recht breit auf der Oberfläche lag, wie sie nur mit groben, dicken Strichen zeichnete, während *Jean Paul* seiner kleinen Welt einen wahrhaft mikroskopischen Reichtum von geistigen Flügeln und Fühlfäden zu geben wußte. Voß blieb bei der Anschauung stehn, und für diese hat das Kleine nur kleinen Wert. Jean Paul versenkte sich in die Empfindung, die dem Kleinsten unendlichen Wert zu geben vermag. Hierzu kommt, daß das Wesen der Idylle den Eindruck harmonischer Befriedigung, eines beschränkten Glückes hervorbringen soll. Die Anschauung konnte dies nur im *goldenen Zeitalter* finden, das die Geßnerschen gemalten Arkadien nicht zu ersetzen vermochten. Dies goldene Zeitalter besteht aber noch fort in der Empfindung des Glücks, die sich gerade in beschränkten Zuständen unendlich heimisch fühlt und selbst die kleinen Leiden der Existenz in der großen Empfänglichkeit für das Gute und inneren Heiterkeit aufhebt. Jean Pauls Idyllen machen diesen unbeschreiblich beruhigenden Eindruck, üben diesen innern, arkadischen Zauber, atmen den ganzen Reiz geistiger Unschuld und Harmlosigkeit und den sittlichen Adel der Menschenwürde. Man vergleiche diese Idyllen und den Eindruck, den sie machen, mit vielen neueren Dorfgeschichten, in denen rohe Zustände zu rustikalen Verbrechen ausarten und die Pathologie der Gesellschaft sich den brutalsten Stoff aussucht, so wird man den Takt des Genies bewundern, der die Wirkungen der *Schönheit* so rein zu halten vermag, während die Verirrungen der Mode selbst die Arkadien mit Kriminalprozessen vergiften.

Parallel mit dieser echten Liebe zum Proletariat, besonders zum geistigen, mit diesem reinen Kommunismus des Herzens, geht bei *Jean Paul* die scharfe Persiflage der Laster, welche den höheren Ständen eigen sind, die satyrische Spiegelung des Hoflebens und der haute-volée. Hier wird indes die Kleinmalerei seine Schranke; denn alle diese Duodezhöfe liegen in seinem idyllischen Reiche, das durch eine chinesische Mauer von der Weltgeschichte abgesperrt wird. Der Humor, der, wie der Shakespearesche, große Charaktere der Geschichte erfaßt oder weitgreifende nationale Verwickelungen, lag Jean Paul fern. Er schilderte nur das *soziale Leben* der höheren Stände und auch dies ohne die Weltweite der großen Höfe. Irgendeine kleine Residenz mit den umliegenden Dörfern ist die Bühne, auf der die Handlung seiner Romane spielt, mag sie nun *Scheerau* oder *Flachsenfingen* heißen.

Es ist oft und mit Recht behauptet worden, daß das Grundthema der bedeutenderen Werke Jean Pauls der Konflikt zwischen dem Ideal und der Wirklichkeit sei, zwischen dem Ideal jugendlicher Begeisterung und den realen Verhältnissen des praktischen und sozialen Lebens. Das ist in der Tat der Quellpunkt seines Humors. Jene Idealität gab ihm das *Erhabene*, dieser Realismus das *Komische*, und die Gegeneinanderbewegung des Erhabenen und Komischen bildet den Inhalt seiner Werke. Was die Charaktere betrifft, so stellen seine »hohen Menschen« das Erhabene in reiner, ungestörter Weise dar; bei seinen jugendlich-idealistischen Helden geht das Erhabene oft in das Komische über, sowohl objektiv durch die Falleisen der ebenso berechtigten Wirklichkeit, als auch subjektiv dadurch, daß im Kopfe seiner Helden das Komische als die Korrektur des Erhabenen stets neben ihm wohnt. Dann verhelfen seine Humoristen par excellence und eine große Gruppe objektiv-komischer Charaktere dem *Komischen* zu einer selbstständigen Existenz.

Am ungenießbarsten sind seine »hohen Menschen«, diese modernen Eremiten, zu denen wir auch Frauengestalten, wie Klotilde und Liane, rechnen müssen, und die, vom bürgerlichen Standpunkte aus betrachtet, meistens zur Klasse der Hauslehrer und Gesellschaftsdamen gehören. Die Vorliebe Jean Pauls für Pädagogen läßt sich aus den gemütlich-sittlichen Beziehungen erklären, welche Lehrer und Schüler verknüpfen, und auf welche außerdem gleichzeitige pädagogische Reformbestrebungen den größten Nachdruck legten. Emanuel im »Hesperus« ist der Hauptrepräsentant dieser »enthusiastischen Gemüts-Pädagogik«. Die Erhabenheit dieser Gestalten besteht darin, daß alle realen Verwickelungen nicht für sie existieren, daß sie auf der Erde nur mit einem Fuße stehen, daß sie von ihr nichts wollen als Blumen und Töne und in höchster Naturverzückung als kosmische Weltbürger mit den Sternen und dem astronomischen Jenseits sympathisieren. Es ist freilich nur ein Schritt von der vegetierenden Tatlosigkeit eines Emanuel bis zu der in sich versenkten Betrachtung eines Derwisch, der wochenlang den Finger an die Nasenspitze hält, und so hat Jean Paul mit Recht seinen Emanuel zu einem hindostanischen Weltweisen gemacht. Man hat viel über die Bodenlosigkeit dieser Gestalten geklagt; doch zeigt uns das Mittelalter eine durch Jahrhunderte und über alle Länder ausgedehnte Wirklichkeit dieses Einsiedlerwesens – warum wollte man dem Dichter eine moderne Vertiefung desselben verargen? Zwar kann man seine »hohen« Menschen nicht als »große« gelten lassen, denn sie treten nirgends aus ihrer Passivität heraus; sie sind krankhaft; sie bewältigen das Leben nicht durch sittliche Energie, sondern durch verachtende Resignation. Aber für den Standpunkt der Empfindung wohnen sie doch einmal auf den Höhen, auf den Höhen der Naturandacht und der theoretischen Begeisterung für ideale Lebensmächte, und diese phantastische Erhabenheit, die sich außerdem an die Erhabenheit des Raumes im Universum und an die platonische der idealen Urbilder anlehnt, muß man ihnen willig einräumen. Schlimmer sieht es mit den erhabenen Frauengestalten aus; denn ein junges Mädchen hat wenig das Zeug dazu, die Erhabenheit an sich selbst darzustellen. Die überschwängliche Innerlichkeit einer Klotilde und Liane hat daher einen krankhaften Beigeschmack. Diese Frauengestalten haben so wenig Plastisches und Greifbares, daß man ordentlich erschrickt, wenn der Dichter sie mit dem Florhut u. dgl. ausschmückt, weil man sich unter demselben gar keine bestimmte Physiognomie denken kann und diese irdische Berührung mit einer Putz- und Modewarenhandlung den Farbenstaub von den Schwingen der seraphischen Psyche abzustreifen droht. Seine Beaten und Winas haben diese Färbung schon in gedämpfterer Weise; seine Angelas[4] und Lindas unleugbar individuelles Leben und sinnliche Naturwahrheit, während seine Lenetten mit humoristischer Meisterschaft geschilderte Frauenbilder sind.

Seine humoristischen Haupthelden, deren Repräsentant wohl am meisten Viktor im »Hesperus« ist, zeigen nun die Erhabenheit der Empfindung in der Berührung mit feindlichen Lebensverhältnissen. Sie weinen und lachen, sie sind entzückt oder satyrisch angeregt; ihre Empfindung erhebt sich bald über die Welt zur einsamen Erhabenheit der Emanuels und Speners, bald tritt sie ihr mit Spott und scharfem Witz gewaffnet gegenüber. Der Humor, »die lachende Träne im Wappen«, verkörpert sich in ihnen. Die unendliche Tiefe dieser Empfindung erfaßt nun die Menschheit, die Natur, die Liebe, die Freundschaft; die Menschheit in lyrischer Begeisterung und in der liebevollen Hingabe an jede Persönlichkeit, besonders an alle, welche Natur oder Schicksal vom Lebensglück ausgeschlossen hat. Jean Pauls Naturschilderungen, die indes stets aus der Seele seiner Helden herausgeschrieben sind, haben meistens einen dithyrambischen Schwung, orientalische Bilderpracht und Glut; denn trotz einzelner deistischer Anklänge durchdringt sie das pantheistische Gefühl der Einheit des Menschenlebens mit dem Leben des Universums. Die Schilderung des Lago Maggiore im »Titan« ausgenommen, gibt Jean Paul nirgends bestimmte Landschaftsbilder; es kommt ihm nirgends, wie den englischen Romanschriftstellern, darauf an, eine Gegend sauber aufzunehmen, ehe er sich und seine Helden darin anbaut. Die landschaftliche Porzellanmalerei ist ihm fremd. Aber das Kleinleben der Natur, ihr stiller Haushalt, ihre ewigen Schauspiele, ihre Sonnenauf- und -untergänge, die ganze Magie ihrer Beleuchtung, gleichsam die *landschaftliche Stimmung* ist sein unerschöpfliches Thema. Was könnten die Umgegend von Scheerau und Flachsenfingen, von Kuhschnappel und Haslau an und für sich Interessantes bieten? Da sind nichts als Dörfer, Berge, Täler und vor allem die *Parke*, die ein notwendiges Ingredienz der Jean-Paulschen Natur bilden. Alle seine Helden sind unermüdliche Fußgänger, und ihre Fußwanderungen auf dem bekanntesten und kleinsten Terrain, mit den Miniaturzielen der Reise, werden mit einer Ausführlichkeit geschildert, die uns wegen der Dürftigkeit des Stoffes mit Angst erfüllen könnte. Ehe der Dichter sich anschickt, seinen Horion, seinen Siebenkäs oder Walt auf die Wanderschaft zu schicken, nimmt er stets einen Anlauf, als gelte es, höchste Ziele der Poesie zu erreichen. In der Tat gelingt auch Jean Paul das Beseelen der Natur im höchsten Grade; nirgends wird sie zur bloßen Dekoration; sie spricht in die Monologe der Helden mit hinein; sie wird die Trägerin ihrer Empfindungen; sie ist nie ein Segment des Allebens, stets der ganze Kreis. Die vielgetadelte Überschwänglichkeit der Empfindung schlägt hier doch stets ihre Wurzeln in geistiger Tiefe und erweitert sich zu einer Apotheose des Universums, zu einer Theodizee, welche das Endliche und Unendliche vermählt. Der Jean-Paulsche Styl selbst erreicht an diesen Stellen seinen höchsten Aufschwung. Die Kühnheit der Metaphern gibt der Natur eine geistige Bewegung. Es ist in neuester Zeit oft behauptet worden, daß jedes Bild verfehlt sei, welches die Natur durch Hinübernahme des Geistigen erläutere und den Geist zu bildlicher Darstellung der Natur degradiere. Das scheint uns eine einseitige und dürftige Auffassung, welche uns viele und große Schönheiten aller Poesie, von der Bibel bis zu Shakespeare, rauben würde. Denn in die rechte Mitte der Schönheit fällt ebenso die Versinnlichung des Geistigen, wie die Vergeistigung des Sinnlichen. Indem ich die Natur zur Freiheit entzaubere, gebe ich ihr ästhetische Bewegung. Jene Ansicht würde freilich die Manier Jean Pauls als verfehlt bezeichnen müssen und in ihren großen Schönheiten ebenso große Mängel entdecken. Doch die echten Dichter aller Zeiten haben an die Natur geistige Hebel angesetzt, und wenn das klassische Altertum diese Bewegkraft des Gedankens und der Empfindung nicht kannte, so half es sich mit der Vergötterung der Naturerscheinungen, welche in der Tat doch ihre kühnste Vergeistigung ist. Jean Pauls Schilderungen der Natur gehen auf ihren ewigen Kern. Er ist stets im Mittelpunkte, nie in der Peripherie, stets religiös im Schleiermacherschen Sinne, der die Religion als die Art und Weise ansieht[5], wie sich der Einzelne mit dem Universum vermittelt. Jean Pauls Reichtum besteht eben darin, stets neue Radien der Empfindung zu ziehen, wo prosaische Naturen weder einen Kreis noch einen Mittelpunkt sehen.

[...]

So tritt das Gesamtbild Jean Pauls vor uns hin; er ist eine der vielseitigsten, reichsten und bedeutendsten Persönlichkeiten unserer Literatur! Er hatte das Zeug dazu, das Goethe und Schiller fehlte, ein deutscher Shakespeare zu werden, ein Dichter, dem er an Originalität der Weltanschauung, an tiefen Griffen und Blicken in das Leben, an universellem Humor, glühender Phantasie und unbegrenztem Reichtum an Bildern und Witz ebenso verwandt, wie durch die eine große Kluft entfremdet ist, daß er für diesen Reichtum keine volkstümliche und tragende Kunstform und für das große geschichtliche Leben wohl in seiner Begeisterung, doch nicht in seinen Schöpfungen Raum fand. Die enge und pedantische Schule des Lebens und der Bildung, die er durchgemacht, hatte ihn in eine einseitige Richtung geworfen, von der sich bei ihm die *Form* der Darstellung nie erholen konnte. Aber auch so hat das, was er schuf, für unsere Literatur eine weittragende Bedeutung! Er hat alle Kreise des *modernen Lebens,* die innersten Verwickelungen des Geistes und Herzens der Dichtung erobert! Goethe blieb aristokratisch und exklusiv, wo Jean Paul demokratisch wurde. Er ist daher der Vater der *modernen Poesie,* der Vater der subtilsten Tendenzromane, wie der neubackenen Dorfgeschichten. Er wies die Poesie auf das Volksleben zurück, wo sie festen Ankergrund fand. Sein Humor war die bedeutsame Rebellion gegen die strengklassische Form, die stereotyp zu werden drohte in den Händen der Mittelmäßigkeit. Diese Rebellion war in ihren Extravaganzen einseitig; aber indem sie gegenüber der dünnen Golddrahtproduktion der klassischen Nachtreter die Fülle unerschöpfter Geistesschachten wahrte, wies sie die Zukunft auf eine Versöhnung des rechten Inhalts mit der rechten Form hin. Die romantische Schule indessen, welche die Opposition gegen das antike Ideal mit Jean Paul teilte und sich seine barocken Phantasiesprünge und Formlosigkeiten aneignete, geriet auf einen vollkommenen Abweg, den wir später verfolgen werden, indem sie Jean Pauls sittliches Ideal verachtete. Darauf aber beruht die große Bedeutung dieses Dichters, daß er die *Humanität,* den heiligen Gral unserer klassischen Tafelrunde, das Zentrum der Herderschen Wahrheit, der Goetheschen Schönheit, der Schillerschen Freiheit in die unendlichen Tiefen des deutschen Gemütes hineinarbeitete und ihr in den beschränktesten Kreisen des deutschen Volkslebens eine herzerfreuende Wirklichkeit gab.

Jean Paul im Verhältniß
zur gegenwärtigen Romanliteratur   1855

Wir haben vor einigen Wochen den »Wilhelm Meister« vom künstlerischen Standpunkt unsrer Zeit aus betrachtet[1]. Der Vergleich mit Jean Paul ist nicht uninteres-
sant, da trotz des schreienden Widerspruchs seiner Dichtung gegen die Goethesche
in den Lebensanschauungen der beiden Dichter manches gemeinsam ist und gleichmäßig den Resultaten unsrer gegenwärtigen sittlichen Bildung widerspricht. Da
aber Jean Pauls Leben mit seiner Dichtung aufs innigste zusammenhängt, so ist es
nötig, auch auf das erstere einzugehen. Wenn die Resultate unsrer Untersuchung
von der gewöhnlichen Meinung stark abweichen sollten, so möge man erwägen,
daß Jean Paul zu den zahlreichen Dichtern gehört, über die man entweder bloß
nach Hörensagen oder höchstens nach der Erinnerung urteilt, da man ihn gewöhnlich in einer Periode liest, wo bei einem gesunden Gemüt die kritische Neigung sich
noch gar nicht entwickelt hat.

Jean Paul Friedrich Richter wurde 1763 in Wunsiedel geboren. Aber die reizende
Gegend, in der er lebte, blieb ihm verschlossen: der Vater, ein würdiger Dorfpfar-
rer, hielt den Knaben zum fortwährenden Arbeiten an; sieben Stunden des Tages
mußte er auswendig lernen, alles mögliche bunt durcheinander, wie es der damalige
Wissenstrieb mit sich brachte. Die Natur empfing er nicht aus unmittelbarer Anschauung, sondern nur aus der Sehnsucht und aus der Beschreibung, und wer sich
nicht durch den Schimmer der Farben verblenden läßt, wird in seinen späteren
landschaftlichen Schilderungen leicht herauserkennen, daß ihm kein bestimmtes
Bild, sondern nur eine unklare Stimmung vorschwebte. Die Natur hat bei ihm nur
Gefühle, keine Physiognomie.

Nicht ohne Anlage zur Empfindsamkeit und zur Schwärmerei, gehört sein Ju-
gendleben doch ganz der Reflexion an. Dichter des Verstandes, Hippel und Rous-
seau, waren seine künstlerischen Vorbilder; der »Werther« ließ ihn kalt, und die
Satire schien ihm die höchste Gattung der Poesie. Schon im 19. Jahre[2] machte er
Satiren und unternahm es, das Leben zu verspotten, noch ehe er einen Blick ins
Leben getan.

Wer gewohnt ist, in Goethes klassischer, sonnenheller Schreibart sich das Zeitalter abspiegeln zu sehen, wird bei Jean Paul durch die Verwilderung der Form in
Erstaunen gesetzt. Noch immer gibt es gelehrte und ungelehrte Männer, die seinen
Stil bewundern, und der Einfluß desselben macht sich in unsrer schönen Literatur
auf das verhängnisvollste geltend. Jean Paul ist der eigentliche Vater des jungdeutschen Stils. Wie er zu diesem Stil gekommen, das läßt sich im einzelnen genau
verfolgen; wir begnügen uns mit einigen Andeutungen.

Zunächst fehlt ihm die klassische Bildung. Seine umfassende, aber zerstreute
Lektüre hatte ihm eine unglaubliche Menge von Kenntnissen und Gesichtspunkten
zugeführt, aber ohne ihm ein Maß zu geben, diese wüste Masse harmonisch zu

gestalten. – Durch seinen falschen Begriff von Humor ließ er sich verleiten, überall bei Vergleichungen und Effekten stehenzubleiben und niemals einen Gedanken, nie eine Empfindung rein zu Ende zu führen. – Was dem Stil allein Form gibt, der plastische Gesichtssinn, kann sich nur an Anschauungen lebendigen Lebens oder an Meisterwerken der bildenden Kunst entwickeln, aber alle seine Anregungen knüpften sich an gedruckte Worte. Er hatte, nach seinem eignen Geständnis, niemals Sinn für geographische Vorstellungen, nie ein klares Bild von Landkarten und Länderlagen gehabt. Noch in späten Jahren konnte er der Dresdner Galerie kein Verständnis abgewinnen; die Malerei blieb ihm fremd. Die einzige Kunst, die er pflegte, war die Musik, aber auch hier floh er die Schule, den Rhythmus und das Maß, und legte sich aufs Phantasieren. – So war er zu dem äußeren Hilfsmittel genötigt, bei seinen Studien das Gelesene, Gehörte, Erlebte, Gedachte, Erfundene festzuhalten, nebeneinander hinzulegen und aus diesen verschiedenen Bruchstücken dann Neues gewissermaßen wie aus Karten zu mischen. In der Furcht, irgendeinen Gedanken zu verlieren, ließ er den Gedanken in der Seele nicht wachsen und reifen, er war froh, wenn er ihn auf dem Papier hatte, um ihn für den Gebrauch aufzusparen. – Wenn andere Jünglinge ihre Stimmungen in Gedichten niederlegten, stellte er witzige Gleichnisse zusammen. In seinen Exzerpten, die er eifrig registrierte und durchlas, traten die zusammenhanglosesten Bilder und Notizen aus allen Kreisen des Wissens täglich vor seine Seele, und die Verbindung derselben ersetzte ihm die Anregung der Wirklichkeit. Wenn er einen neuen Roman begann, trug er alle Einfälle zu Szenen, zu Charakterzügen usw. in »Studienbücher« ein, und rubrizierte dieselben nach allen erdenkbaren Gesichtspunkten, um durch Aneinanderreihung fertiger Gedanken neue Gedanken zu erzeugen; aus dem Vollen zu schaffen, war ihm bei dieser sporadischen Beobachtung unmöglich[3].

Man hat Goethe häufig getadelt, daß er durch die Beschäftigung mit der Naturwissenschaft und der bildenden Kunst seinen eigentlichen Beruf hintangesetzt, durch die harmonische Ausbildung seines Lebens die harmonische Ausbildung seines Talents beeinträchtigt habe. Wenigstens war er ehrlich in seinem Streben, mit sich selbst fertig zu werden. Jean Paul hat für die innere Bildung seines Geistes und Herzens nichts getan: alles was er trieb, hatte die unmittelbare Bestimmung, als poetisches Material verwertet zu werden. So blieb er nicht bloß in seinem Wissen und seiner Einsicht unfertig, sondern er nahm auch eine unwahre Stellung zum Leben ein. Goethe hat in seinen Dichtungen mühelos die Früchte seines reichen Lebens abgeschüttelt, Jean Paul lebte nur, um zu dichten. In seinen Romanen ist nichts geworden, sondern alles ist gemacht; mit künstlicher Hitze trieb er sich in beliebige Lebensverhältnisse hinein, um sie nachher für den Roman gebrauchen zu können. Der Lauf seines Lebens, von der frühesten Jugend an, ist eine fortgesetzte Wiederholung überspannter und lügenhafter Liebesversuche zum Zweck novellistischer Studien; sein Biograph *Spazier* macht uns darüber erschreckende Mitteilungen[4]. Um Liebesbriefe schreiben zu können, wählte er sich eine beliebige Geliebte, die er dann, wenn die Briefe wirklich geschrieben waren, wegwarf. Er war in beständigem Suchen nach Modellen für die poetisch angeschauten Charaktere, die ihm in allgemeinen Umrissen vorschwebten. Daher die Schnelligkeit, mit der er nach der Bekanntschaft von einer Stunde mit so vielen Personen in das glühendste Liebens- und Freundschaftsverhältnis geriet. Die Glut verlor sich, wenn das Resultat der Bekanntschaft erreicht war und nun ein neues Modell gesucht werden mußte. Doch dauerte der Verkehr fort, und die früheren Modelle hatten einen großen Anteil an der sonderbaren Familienähnlichkeit seiner poetischen Charaktere.

Im Jahr 1781 bezog er die Universität Leipzig. Kurze Zeit darauf verarmte seine Familie, und er lernte die bittere Not kennen. Hier nun tritt die Stimmung hervor, die uns den Krebsschaden der Zeit versinnlicht. Jean Paul war ein guter Mensch und eigentlich unedle Züge würde man in ihm kaum entdecken, aber seine Sittlichkeit wurde durch die Idee untergraben, daß er zu einer großen Laufbahn bestimmt sei und daß der Genius andre Pflichten habe als sonst die Sterblichen. Statt zu studieren, schrieb er satirische Versuche und lebte Romane; er geriet in Schulden, mußte im November 1784 heimlich entweichen, um seinen Gläubigern zu entgehen, und kehrte nach seiner Heimat zurück. »Bewundernswert«, erzählt sein Biograph, »bleibt die Charakterstärke, mit welcher er, umgeben von Armut, umscharrt und umtobt von den übrigen Familienmitgliedern und von dem widrigen Geknarr einer dürftigen Haushaltung, anhörend die täglichen Klagen über den Mangel an jedem geringsten Bedarf, den jeder Augenblick forderte, unerschütterlich seinem Ziele entgegenarbeitete. Es war der Zeitpunkt gekommen, wo ihn seine Bestrebungen nach Erreichung des Ideals, das ihm vor die Seele zu treten anfing, so ganz ausfüllten, daß er wirklich die meiste Zeit nicht im mindesten gestört wurde durch das, was um ihn vorging. Ja, er gewöhnte sich auch in dieser harten Prüfungsschule, sich seine Arbeiten und seine Seelenstimmung ganz von dem Unangenehmen, was in seiner Familie und um ihn her vorging, so getrennt zu halten, daß er dem Ununterrichteten fast hartherzig, teilnahmlos erscheinen mochte.«[5] – Auch in seiner äußeren Erscheinung trug er das Bewußtsein seiner Genialität zur Schau: er skandalisierte seine Umgebungen durch eine abenteuerliche Tracht, um ihnen den Abstand sichtbar zu machen. Er begann seine Rundschreiben an große Männer, um in ihren Kreis aufgenommen zu werden, vorläufig ohne Erfolg. Im Jahre 1787 wurde seine Existenz durch eine Hofmeisterstelle sichergestellt; als diese nach zwei Jahren aufhörte, war er endlich zu der Überzeugung gekommen, daß er, um zu leben, sich in den Formen seinen Mitbürgern nähern müsse. Er warf seine phantastische Tracht von sich und nahm 1790 eine Schullehrerstelle an. Ein wichtiger Schritt, denn er lehrte ihn zum ersten Mal das wirkliche Leben kennen. Was seine spätern Idyllen Vortreffliches enthalten, ist aus dieser eignen Lebenserfahrung geschöpft: die Geschichte des *Schulmeisterleins Wutz*, »*Quintus Fixlein*« (1794), »*Der Jubelsenior*« (1796) und »*Fibel*« (1809)[5a]. Leider hat der Dichter diese kleinen beschränkten Zustände nie mit warmem Gefühl durchlebt, sondern nur mit dem angstvollen Streben, darüber hinaus zu kommen: der Humor, mit dem er sie schildert, hat etwas Unbehagliches. Während die modernen Dorfgeschichten das Stilleben der von der Kultur noch nicht heimgesuchten Kreise mit der Andacht übersättigter Kulturmenschen aufsuchen, sehnt sich Jean Paul, selbst der strebsame Sohn des Volkes, aus dieser Enge heraus, und seine Pietät gegen die Heimat ist reflektiert, es mischt sich etwas von geringschätzigem Mitleid hinein. Sein Respekt vor dem Naturwüchsigen war angekünstelt; er zeigt uns die Naturmenschen nur in ihrer Sonntagsstimmung oder humoristisch verzerrt, nicht in ihrer wirklichen Arbeit; er übertreibt auch die Freude an der Beschränktheit, indem er die ganze Existenz seiner Naturmenschen auf das Alphabet beschränkt, das sie den Kindern beibringen.

Alle diese Versuche betrachtete der Dichter nur als Vorstudien zu einem großen pädagogischen Roman: »*Die unsichtbare Loge*«. Die Tendenz desselben ist, durch Erziehung das hervorzubringen, was der damaligen Generation als das höchste Ziel galt, eine schöne Seele. Der Theaterdirektor Goethe führte seinen Helden der Bildung wegen unter die Schauspieler; der Schulmeister Jean Paul läßt seinen Helden Gustav durch einen edlen und schwärmerischen Pietisten unter der Erde erziehen. Es wird ihm verheißen, daß er einst das Sonnenlicht schauen solle, wenn er sterbe: die Idee des Sterbens ist also die höchste Hoffnung seines Lebens. Ähnlich wie das Individuum, wird auch die Gesellschaft durch einen höhern Willen symbolisch erzogen. Ein geheimer Orden leitet sie in die Pfade, die sie von selbst zu finden zu schwach ist. Jean Paul stand an einem gefährlichen Wendepunkt. Er hatte zum erstenmal alle seine Kräfte aufgeboten, der Erfolg mußte diesmal entscheidend sein; und er war ein glänzender. Er hatte 1792 das Manuskript an *Moritz* geschickt, dieser antwortete begeistert und besorgte ihm einen höchst günstigen Verlag; für den, welcher »Anton Reiser«[6] kennt, wird die Seelenverwandtschaft begreiflich sein.

Jean Paul gab die Vollendung der »Unsichtbaren Loge« auf, und begann einen neuen Roman: »*Hesperus oder die Hundsposttage*« (1792–1794), der seinen Ruhm in Deutschland feststellte. Er verdient ihn vorzugsweise durch die kleinen idyllischen und humoristischen Züge, die in den spätern Werken nicht mehr übertroffen, kaum erreicht werden. In der Tendenz hat der Roman eine unverkennbare Ähnlichkeit mit »Wilhelm Meister«: es ist ein Herausstreben des bildungsbedürftigen Bürgerstandes aus seiner Sphäre, nach dem Hof. Ein magischer Zauber zog den Dichter in den Dunstkreis der kleinen Höfe, so schwül er ihm schon aus der Ferne vorkam und so eifrig er dies Ideal bereits im voraus satirisch behandelte: vor seiner Einbildungskraft schwebten jene träumerischen, ätherischen Blumenseelen, die nicht anders als in einer Einfassung von Sammet und Edelsteinen gedacht werden durften. Viktor, sein Abbild im »Hesperus«, tritt der vornehmen Welt nicht mit der gläubigen Unbefangenheit Wilhelms entgegen: seine Reflexion ist fertig, sein Humor und seine Empfindsamkeit sind gleichmäßig entwickelt. Sonst ist in seinem Verhalten zur vornehmen Welt, ja selbst in seinen Schicksalen die Ähnlichkeit augenscheinlich. Seine weibliche, empfängliche Natur, sein hingebender Bildungstrieb und seine zudringliche Bescheidenheit eignet ihn ebenso wenig zum Gemahl der Gräfin Klotilde, als der verwandte Charakter Wilhelms eine Bürgschaft für die Baronesse Natalie sein kann. Die Verherrlichung des bloßen Bildungstriebes in den praktischen Lebensbeziehungen ist keinem der beiden Dichter gelungen; denn er entwickelt sich nur in dem Verhältnis zu fertigen Männern; diese aber zu schildern, war dem einen Dichter so schwer wie dem andern. Am meisten vergriffen sind die tragischen Charaktere: der Pythagoreer Emanuel, eine ätherische Natur, die nur in verklärten Empfindungen, d. h. in Illusionen lebt und weder Fleisch noch Blut hat, und der edle Menschenfeind und Atheist Lord Horion, mit seiner Sehnsucht nach dem Erhabenen und seiner Verachtung alles Wirklichen, mit seinem hoffnungslosen Tugendstreben, das auf die unzweckmäßige Beschäftigung ausläuft, sieben Bastarde eines liederlichen Fürsten zu edlen Menschen und Regenten zu erziehen, mit seiner Toteninsel und seinem Selbstmord.

Unmittelbar nach Vollendung des »Hesperus« schrieb Jean Paul den »Siebenkäs« (1794–1796)[6a], ein Werk, in welchem er seine eigne Natur am vollständigsten ausgesprochen hat und dem an getreuer Naturbeobachtung vielleicht kein andrer Roman gleich steht. Wir werden durch eine Menge kleiner Züge von blendender Wahrheit überrascht; aber je bestimmter die Umrisse sind, desto greller tritt uns die Unsittlichkeit der Lebensauffassung entgegen. Das Buch ist eins der unsittlichsten, die in Deutschland geschrieben sind, ebenso unsittlich, als G. Sands »Indiana«[7]. Siebenkäs ist ein Genie, das im Bewußtsein seiner Genialität alle Pflichten des wirklichen Lebens über den Haufen wirft. Leichtsinnig vertauscht er seinen Namen mit einem andern und macht dadurch sein Bürgerrecht in der wirklichen Welt zweifelhaft; ebenso leichtsinnig schließt er eine unpassende Ehe; mit frevelhaftem Leichtsinn spielt er mit dem Glück des Wesens, an das ihn nun die Pflicht bindet, bloß um zu zeigen, daß das Genie das Vorrecht habe, den Überlieferungen, Sitten und Gesetzen der Gesellschaft gegenüber den Sonderling zu spielen, und als nun infolge aller dieser Verirrungen ihm die Ehe eine unerträgliche Last geworden ist, wirft er sie ohne Bedenken ab, indem er sich für tot ausgibt und unter einem andern Namen eine andre heiratet, wie er es auch seiner Frau überläßt, eine andre Ehe einzugehen. Dies Verhalten, das im bürgerlichen Leben ins Zuchthaus führt, wird als das wahrhaft geniale, als das dem freien Menschen geziemende dargestellt. Bei dieser exzentrischen Subjektivität des Pflichtbegriffs wird man den Haß Jean Pauls gegen die Kantsche Philosophie begreifen; man wird aber auch einsehen, wie notwendig es war, daß diese Philosophie mit unerbittlicher Strenge einem Zeitalter, das allen innern Halt verloren hatte, den kategorischen Imperativ der Pflicht einschärfte. Der »Siebenkäs« ist ein augenscheinliches Zeugnis für die vollständige Verwahrlosung, zu welcher endlich die Subjektivität der schönen Seelen, der hohen Menschen, der Genies etc., kurz die Losreißung von dem Boden des Gegebenen führen mußte.

Bei diesen Arbeiten hatte Jean Paul stets das Hauptwerk seines Lebens im Auge, den »Titan«, der die höchsten Spitzen des Ideals vergegenwärtigen sollte. Da die Methode seines Schaffens bereits vor dem Beginn desselben fertig war, so ist es hier am Ort, dieselbe näher ins Auge zu fassen.

Man wird zuweilen durch die bunte Mannigfaltigkeit seiner Figuren in Verwirrung gesetzt und glaubt ihm einen gewissen Reichtum zusprechen zu müssen, allein dieser Reichtum ist nur auf der Oberfläche. Zwar sind die Genrebilder, die er zur Staffage benutzt, mit außerordentlicher Virtuosität ausgeführt und verraten ein mikroskopisch geschärftes Auge für die Außenseite des Lebens. In diesen Genrebildern ist aber keine eigentlich psychologische Entwicklung, sie sind ohne innere

Geschichte und bewegen sich lediglich im Gebiet der Erscheinung. Diejenigen Charaktere dagegen, bei denen eine Analyse und Entwicklung stattfindet, sind trotz des umfassenden empirischen Materials, das in sie verwebt ist, nur abgelöste Fragmente aus des Dichters eigner Natur. Wenn in seiner Seele die idealen Typen fertig waren, so suchte er nach Modellen in der Wirklichkeit und häufte massenhafte Beobachtungen zusammen, aber es gelang ihm nur selten, sie zu einer organischen Bildung zu krystallisieren. Nun wird zwar jeder Dichter seine Gestalten durch das innere Medium seines Lebens anschauen, er wird in ihnen nur die Saiten ertönen lassen, die in seinem Innern wiederklingen, es kommt eben darauf an, daß die Harmonie seines Innern reich genug ist. Aber bei Jean Paul war der Umfang des Seelenlebens, so exzentrisch es zuweilen aussah, gering, und daher die Lebensformen, die er zur Gestaltung brachte, dürftig und einförmig.

In Viktor und Siebenkäs hat er die Totalität seiner Natur geschildert, mit all den innern Widersprüchen, deren Auflösung er dem guten Willen des Lesers überließ. Dann veranlaßte ihn das Gefühl dieser Widersprüche, seinen eignen Charakter in seine Grundbestandteile aufzulösen und jedem einzelnen eine gesonderte Gestalt zu geben. Zunächst wurde er zwei äußerste Pole in seiner Natur gewahr, die ätherische, ins Blau hinausstrebende Schwärmerei einer der Welt nicht angehörigen reinen Seele und den Zynismus einer starken Natur, welche die Welt verachtet, weil sie in ihr nichts Ideales, nichts Erhabenes findet und mit ihr ein humoristisches Spiel treibt. Die erste Reihe versinnlichen uns Emanuel, der Pietist und der nachmalige Spener; der Typus der zweiten Reihe ist Schoppe, der humoristische Philosoph, der die Welt für ein Narrenhaus ansieht, weil er keinen Glauben hat, der mit dem Leben spielt, weil er keinen Inhalt darin findet, der die ideale Stimmung seines Gemüts, weil ihr in der Außenwelt nichts entspricht, in schneidende Dissonanz verkehrt und der seinen Namen oder im Grunde seine ganze Persönlichkeit so häufig vertauscht, daß er zuletzt an seiner Identität zweifelt, daß ihm sein Ich gespenstisch gegenübertritt und daß er im Wahnsinn endet. Man hat aus Schoppe eine neue Theorie des Humors hergeleitet, wie aus »Lucinde«[8] eine neue Form der Ironie, aber beides möchte gleichmäßig krankhaft sein. Der echte Humor geht aus einer freudigen Natur hervor, der die Gegenstände in übermütigem Spiel entgegenspringen, während dieser sauersüße Humor, der nie imstande ist, die gegenständliche Welt durch eine poetische Stimmung zu verklären, unsre Seele in die Bande des rohsten Zufalls verstrickt. In den meisten der komischen Figuren Jean Pauls erkennt man bald einen aus dem Abstrakten ins Konkrete, aus dem Grenzenlosen ins Bestimmte übersetzten Schoppe. Sie haben zwar sehr starke moralische Empfindungen, aber der Regulator dieser Empfindungen, das Gewissen, scheint ihnen vollständig verlorengegangen zu sein. Was Schoppe eigentlich ist, enthüllt uns Katzenberger. Der erhabene, die Welt vernichtende Humor des erstern ist nichts, als die Freude an der Mißgeburt und der angeborne Zynismus der Seele, den der zweite mit so großem Behagen entwickelt.

In der Mitte zwischen diesen beiden Extremen steht das gläubige Hinausstreben in die Welt der Ideale: Gustav in der »Unsichtbaren Loge«, Gottwalt, Albano, zuletzt in ironischer Wendung Nikolaus Markgraf[9]. In dieser »blöden Jugendeselei« ist unser Dichter in der Tat zu Hause und er hat von den stillen Träumen eines gläubigen Kindergemüts so schöne, rührende und mannigfaltige Züge dargestellt, daß wir bedauern müssen, sie so häufig durch den Wust des sogenannten Humors erstickt zu sehen. Allein auch bei ihnen zeigt sich ein ungesunder Zug. Wer wollte nicht das Kind und den Jüngling in seiner ersten Blüte und die reiche ideale Welt seines Innern beneiden, wenn auch das spätere Leben unbarmherzig die Illusionen zerstört. Aber Jean Pauls Helden erzeugen sich ihre Ideale auf eine künstliche, unnatürliche Weise. Albano fühlt das ästhetische Bedürfnis, einen Freund und eine Geliebte zu haben, um ihnen seine Gefühle zu schreiben, er fabriziert sich also dieselben. Gottwalt verfährt auf dieselbe Weise. Im gesunden Leben geschieht es anders. Man liebt, weil man einen liebenswerten Gegenstand findet. Die gegenstandslose Liebe und Freundschaft, die beiläufig sehr charakteristisch sich durch den Grafentitel, seidene Kleider und dergleichen bestimmen läßt, ist die Frucht der Romanlektüre und sehr gefährlich für die weitere Lebensentwicklung.

Daß dieses absolute Phantasieleben eine sehr böse Seite habe, davon hatte Jean Paul eine lebhafte Ahnung, und sein Roquairol ist eine glänzende, in allen Punkten treffende Satire gegen das Phantasieleben seiner eigenen Helden. Überhaupt darf man in den Konsequenzen immer nur einen Schritt weiter gehen, um zu entdecken, daß die Gegensätze in seinen Charakteren nicht zu ernst zu nehmen sind. Verbindet man Schoppe und Emanuel, was gar nicht so schwierig ist, da die entgegengesetzten Abstraktionen sich berühren, so erhält man Lord Horion; und nimmt man diesem die Maske ab, so tritt Don Gaspard daraus hervor. Weil sich der Dichter nie damit begnügt, die Gegenstände und Ereignisse ruhig darzustellen, sondern mit ihnen zugleich seine Reflexion gibt, hat fast jeder seiner Charaktere einen Doppelgänger, mit dem er verwechselt wird, der sein Schatten ist, das ironische Zerrbild seines wirklichen Inhalts.

Es kam dazu die grenzenlose Verkümmerung des deutschen Lebens, die wir bei Goethe auf Augenblicke, gefesselt durch den Reiz der schönen individuellen Natur, vergessen, an die wir aber bei Jean Paul fortwährend uns erinnern, weil die Ideale seiner Helden ganz in den Schranken der Empirie befangen sind. So schwärmt Albano für die französische Revolution und ist entschlossen, in den Reihen ihrer Krieger zu fechten, auch gegen sein eignes Vaterland. Diese fixe Idee geht bei ihm so weit, daß er deswegen mit seiner Geliebten bricht. Nun stellt sich heraus, daß er das Höchste ist, was Jean Paul sich vorstellen konnte, ein deutscher Reichsfürst, einer von jenen verlorengegangenen Fürstensöhnen, an deren Aufsuchung und Erziehung seine Intriganten alle ihre besten Kräfte verschwenden, und sofort vergißt er seine Träume von Menschenrecht und Freiheit, heiratet eine Prinzessin und führt auf seinen Gütern eine Musterwirtschaft ein, was er als Graf von Cesara auch hätte tun können. Wie Wieland, schwebte auch Jean Paul als höchste Aufgabe vor, einen edeln Fürsten zu erziehen, wobei er ganz übersah, daß mit einem edeln Fürsten nicht viel gewonnen ist, wenn ihm ein gesunder Staat fehlt, daß ein Graf von Cesara oder ein Lord Horion in der Welt eine viel größere Stellung einnehmen, als ein Duodezfürst von Hohenfließ. Ein wirklicher Großer der Erde, wie er sich seinen Don Gaspard vorstellt, hätte an so armseligen Intrigen seine Zeit nicht verschwendet; er hätte Hohenfließ nicht zum Mittelpunkt seiner Wirksamkeit gemacht.

Und hier kommen wir auf einen zweiten Übelstand. Jean Pauls Erfindungskraft, reich in der Zusammenstellung kleiner Seelenbewegungen, ist doch zu dürftig, um eine wirkliche, in großen Zügen aufgefaßte Geschichte zu entwerfen. Wo er es versucht, aus dem inneren Leben der Charaktere heraus ein Schicksal zu entwik- keln, bleibt er im Fragment stecken; wo er dagegen die Geschichte nach künstleri- schen Bedürfnissen konstruiert, spinnt sie sich zu einem sehr verwickelten Intri- genspiel aus, welches eine ungeheure Maschinerie an nichtige Zwecke verschwen- det und zu dem wahren Inhalt der Menschen kein Verhältnis hat. Als Zeitgenosse der Romantik strebt er nach dem Rätselhaften, Wunderbaren, Unbegreiflichen, aber als geborner Rationalist löst er es wieder ins Natürliche auf. Nichts ist abge- schmackter, als die Maschinerie im »Titan« und »Hesperus«, und hier kann den Dichter nicht einmal die ungesunde Wirklichkeit entschuldigen.

Diese Zwecklosigkeit der Erfindung wird durch die sittliche Tendenz nicht gut- gemacht: sie ist vorhanden, aber sie ist nicht die Seele des Ganzen. Um lebhaft zu empfinden, muß der Dichter einen Anlauf nehmen; um die Eingebungen seiner Willkür gegen jeden Widerspruch sicherzustellen, echauffiert er sich, und so tun es auch seine Helden. Es ist das die Weise der Kinder, aber bei Jean Paul geht das Kindesalter über alle Grenzen des Schicklichen hinaus. Um ein sittliches Problem so gründlich, wie es geschehen muß, zu durchdenken, wenn man überhaupt die Reflexion hineinmischen will, ist der Dichter zu unruhig und zu zerstreut; er erregt weder das Gefühl des natürlichen Lebens, welches stets so handelt, wie es handeln muß, noch eines reifen, durchdachten Prinzips. Seine Maximen sind nicht überzeu- gend für den individuellen Fall und höchst gefährlich in der Anwendung. Wenn er in jenen Jahren eine Apologie der Charlotte Corday schrieb, so wußte später bei der Ermordung Kotzebues de Wette[10] diese Stelle zur Verteidigung Sands auszu- beuten, und ganz mit Recht, denn ein solches Verbrechen der Reflexion ging allerdings aus jener absoluten Subjektivität der sittlichen Empfindung hervor, wel- che eher danach strebte, fein zu empfinden als recht, groß zu denken als wahr, genial zu handeln als pflichtmäßig. Der Kultus des Genius, an den Jean Paul in seinen Romanen so vielen Weihrauch verschwendet hat, war nicht die Religion, die unser Zeitalter erlösen konnte.

49   *Bogumil Goltz*

Jean Paul, die Romantik, die Classicität und
der Geschmack   1860

J. Pauls Gedankenreichtum ist so immense und so dichtgewachsen, daß es bei ihm zu keiner Form kommen konnte, insbesondere zu keiner schönen Figuration. Er ist ganz erfüllt, ganz hinweggenommen von den Tatsachen des Lebens, seine Seele kommt nicht aus dem Zeugen, sein Verstand nicht aus dem Gebären heraus. Milliarden von Eierchen füllen seine Phantasie wie der Fischrogen einen Hausen[1] oder Stör; und was hat der Ärmste noch mit dem Einsalzen seines Laichs zu tun, wenn man erwägt, daß er jedes Körnchen besonders beguckt, bedenkt und ihm eine Leichenrede hält, bevor er es als Kaviar in die Fässer, d.h. in die Bücher tut. Der alte Arndt[2] nennt uns Deutsche im guten und schlimmen Sinn ein kribbelndes, wimmelndes Wurmvolk; und in der Tat, wenn man J. Paul studiert, muß man die Deutschen für eine Ameisennation halten. Unseres Poeten Hirn und Herz ist ein Ameisenberg von Gedanken und Empfindungen, der bis zum Himmel reicht; und nun kriechen ihm die Gedanken zum Herzen, die Empfindungen zum Gehirn, und jede Ameise ist noch dazu mit Flügeln versehen und trägt ein Stückchen Harz und Weihrauch zuhauf. Unser Poet aber präpariert mit diesen Ameisengedanken die kleinsten und die größten Tiere zu säuberlichen Skeletten und bekleidet sie wieder mit einer vorsündflutlichen, Welten gebärenden Traumphantasie, in welcher wir aber gleichwohl noch wirkliche Fleischteilchen, Muskelbewegungen und Nervenreizungen wahrnehmen, welche durch den Kontrast mit den Phantasiestücken einen humoristischen Humor produzieren, den oft nur der Autor versteht. Wie soll nun dieser närrisch-weise Humorist die Umrisse und Gestalten der wirklichen Welt- und Naturgeschichte erfassen? Er hat nicht Luft, nicht Raum und Ruhe vor sich selbst.

Er ist ein Gebirge von lebendigen und toten Gedanken; wer es ersteigen will, kommt in dem »Gekribbel und Gewibbel« nicht vorwärts, es sei denn, daß ihm Flügel zu Hülfe kommen wie dem Autor selbst; aber wenn er diese Flügel schwingt, tragen sie ihn wieder so weit ins Blaue, »daß ihm die Wirklichkeit und Erde zum Kindergärtchen einschrumpft«[3].

So kurios und so erhaben, so labyrinthisch und so prinzipienfest, so minutiös und doch in einem so großartigen Stil und Rhythmus hat noch kein Sterblicher den Idealismus und den Realismus ineinander und durcheinander bewegt und konfiguriert wie J. Paul.

Die Romane dieses seltsamsten und gleichwohl normalsten Deutschen, dieses phantasierenden Denkers und denkenden Enthusiasten sind den Phantasiestücken zu vergleichen, welche Kinder und Jungfern am Neujahrsabend aus Zinn zu gießen pflegen. Diese Gebilde stellen mit Hülfe der Phantasie das Steinreich, das Tier- und Pflanzenreich, selbst Menschen dar, und man kann sich an diesen Labyrinthen spielend zum Propheten erziehn. Unser Dichter nimmt zu der Kurzweil anstatt der Zinnlöffel vererztes Gold, welches er aus den Eingeweiden der Berge aller Länder holt und nicht im Wasser, sondern in seinem Herzblut ablöscht. Solchen Experimenten ist die Werktagskritik mit ihren der Literatur entnommenen Maßstäben, Prinzipien und Weltanschauungen nicht mehr gewachsen. Über einen Jean Paul Friedrich Richter muß ein zweiter Richter richten, denn seine Humore spielen im Himmel und im Mittelpunkt der Erde in demselben Moment. Nichtsdestoweniger sei hier versucht, was im Grunde genommen über alle Experimente hinausgeht; denn Richters Humore und methodische Delirien haben ansteckende Kraft. Unser Wundermann schleppt, zerrt und zitiert die diskrepantesten Dinge, Formen, Sphären, Situationen Stirn an Stirn auf Rendezvous oder Mensur. Er ist seinen Lesern die Wissenschaft und Fertigkeit von lauter zufälligsten, lokalsten und minutiösesten Dingen wie Geschichten am Muten[4]; und dann wieder wächst bei ihm aus Pilzen und Modermysterien, aus einem Ungezieferunwesen im Moose (welches er aus ineinandergeschachtelten Gleichnissen, Reminiszenzen und Witzreden zusammenwuchert) eine Riesenlilie zum Himmel, ein Gedanke, welcher Himmel und Erde umrankt und seine Wurzeln in des Dichters Herzen treibt.

Jean Paul präpariert mit seiner Witzlauge ein Seifenwasser, in welchem er den Leuten die Schmutzflecke aus der Leibwäsche und vom Leibe wäscht; aber dann macht er es wie die Kinder und bläst bunte Seifenblasen in die Luft, in denen sich Himmel und Erde bespiegeln; und endlich macht er wieder den Professor der Naturgeschichte und zeigt uns in einem Wassertropfen eine Welt von durchsichtigen Infusorien, durch welche die große Welt parodiert wird, da es unter jenen kleinsten Geschöpfen auch solche Exemplare gibt, welche aller Mysterien bar und nach dem Prinzip der Öffentlichkeit Herz und Eingeweide nach außen gekehrt tragen.

Eine Weile umtanzen uns diese Richterschen Gedanken, Redefiguren, Zitate und Launen wie ebenso viele Witzteufelchen, Gnomen und Kobolde; und dann wächst einer von ihnen zu einem Riesengenius empor, der mit seinem Haupte über die Wolken hinausreicht und mit Sonne, Mond und Sternen spielt.

Dieser J. Paul bringt unser ästhetisches Gewissen durch seinen nirgend Maß und Ökonomie kennenden Stil, durch seine Superfötationen zur Verzweiflung. Bei diesem modernen Urmenschen geht er wie im Urwalde her; jeder Gedanke klettert auf ganzen Gedankenpyramiden von Voreltern umher; Detailgedanken winden sich mit Detailbildern und Detailempfindungen wie ein Rest von Kleisterälchen und Käsemaden durcheinander, die eines Augenblicks zu Meeraalen und Seeschlangen heranwachsen, um ebenso plötzlich vor unsern Augen als Hydrarchen[5], als Plesiosaurier zu erstarren und zu versteinern. Und dann wieder entzückt dieser Zauberer, dieser Nebelbilder- und Phantasmagorieenpoet unsere Seele, wenn er endlich erschöpft all' diese Witzquälereien und Empfindungsungeheuerlichkeiten, diese ganze Museumswirtschaft von Spirituskuriositäten und anatomischen Präparaten, von Herbarien und Petrefakten verschwinden und ein Idyll erstehen läßt, wo alles klar und bar ist, wo wir den firnen[6] Wein des Lebens und die Elemente des Lebens kosten.

Dieser Autor ist mit *einem* Worte ein konkretester, reellster Extrakt aus dieser sublunaren Welt. Wie in dieser selbst, so sind bei ihm Perlen und Kot, Staub und Äther zusammengeknetet, Weisheit und Narrheit zusammengegattet, Tod und Leben ineinandergeflochten, Idealismus und Realismus, Mechanismus und Organismus, Sympathieen und Antipathieen, Symbolik und Buchstäblichkeit im himmlischen Humor durcheinandergerührt; grüne Saaten wachsen bei ihm auf Moder und Blumen, auf Gräbern und Schutt. Wie in der wirklichen Welt, so hasten in Richters Romanen Maschinen auf eisernen Bahnen durch Urwälder, über Abgründe und Ströme oder durch die Labyrinthe der Zivilisation; oder es fließen Weltströme, deren Quellen unerforscht bleiben, 1000 Meilen weit durch Sandwüsten und Felsen zum Meer, wie der Nil, und befruchten mit dem Schlamm von unbekannten Gegenden das unfruchtbare Land. Man muß Ägypten gesehen haben, dann hat man einen Schlüssel, eine Analogie und ein Gleichnis für Jean Paul. Auch in ihm haben sich, wie in Ägypten und in jedem essentiellen Deutschen, alle Kontraste vermählt, aber auf eine Weise, welche dem Welt- und Sinnenmenschen und dem guten Geschmack als die umgekehrte Welt erscheint. Auch bei J. Paul ist das Leben auf den Tod bezogen, sind die Gräber sorgfältiger wie die Wohnungen ausgebaut, ist unter der Erde mindestens so viel gearbeitet wie über der Erde[7], ist das Ungeheuerliche ein Lieblingsprinzip, ist der Materialismus mit dem Idealismus, die Philisterei mit der Himmelsbürgerschaft, die Tyrannei der Sitte und Tradition mit den Kapricen und Phantastereien, mit dem Naturalismus und der Romantik in die Wette zum Himmel gewachsen, wie wir an den Pyramiden und Königsgräbern ersehn; und ein Nilstrom läuft aus unerforschten Quellen und Himmelsstrichen zwischen Felsen und Wüsten dahin, aber mit gesegneten Fluren an seinen Ufern, so daß sich das Brüllen der Wüstentiere mit den Gesängen der fröhlichen Paradiesbewohner vermischt.

Um über J. Paul anschaulich und gründlich zu berichten, müßte man ein monstroses Buch schreiben, in einem monstros überladenen und überwucherten Gleichnistil, mit einem »Bilderwitzstil«, der nach dem Ausdruck von W. Schlegel[8] »wie Reichstruppen zusammengetrommelt ist«. So viel ist aber gewiß, an J. Paul kann man, gleichwie an G. Hamann, ersehn, daß eine Literaturgeschichte der Deutschen unmöglich ist, weil ein einziger Schriftsteller ein lebenslängliches Studium in Anspruch nimmt.

Hegel spricht naserümpfend von J. Paulschen »Trivialitäten«[9] und hat zur Hälfte recht, wie mit »den Täuschungen eines vergoldeten Alltagslebens«, die er dem Philosophen Jacobi schuld gibt[10]; aber der große Metaphysiker hat nicht begriffen, daß in den Richterschen Trivialitäten die Geschichte des Menschenherzens und die Metaphysik des Alltagslebens enthalten ist, und daß beides nur ein Deutscher zu geben vermag.

J. Paul ist wie ein buckliger Engel, wie ein Seraph mit rotem Haar oder mit Pockengruben im Gesicht; mir zu Gefallen lasset diesen Seraph noch eine gepuderte Perücke und einen »Eiselefrack«[11] ohne Beinkleider und mit einem Feigenblatt anhaben. J. Paul kann, mit Kunstmaßstäben gemessen, zu einem Ungeheuer gemacht werden, aber »sein Herz (sagt, glaub' ich, Carlyle[12]) und sein Blick sind eines Engels!«

Man kann J. Paul zum Vorwurf machen, das Größte und das Kleinste sei von ihm bald gut, bald übel zusammengereimt, der Bruch zwischen Ideal und Wirklichkeit nur mit Humor maskiert, aber keinmal in einer Form versöhnt worden. Er habe immer die Extreme geliebt, demzufolge bald mit Teleskopen die Milchstraße examiniert und dann wieder mit Mikroskopen den »Rädertierchen« das Eingeweide beschaut; Helden- und Märtyrertaten und dann wieder Kinderherzen mit ihrem Spielzeuge auf der Waage des Jüngsten Gerichts gewogen. Er habe selbst erklärt, das Lebensglück bestehe in einem Ätherfluge über allen Schmutz und alles Elend der Wirklichkeit hinweg, oder darin, daß man sich in eine Erdfurche festsiedelt, wie eine Lerche, oder mit beiden Extremen wechselt[13]. Es ist wahr, J. Paul hat selten die gesunde Mitte festgehalten. Bald schwingt er sich über die Sterne hinaus, bringt Weltschöpfung und Weltgericht vor unsere Sinne, improvisiert eine »Rede des toten Christus vom Weltgebäude herab«, träumt einen entsetzlich speziellen Traum von einem Schlachtfelde[14] und drechselt sich dann wieder »Blumen-, Frucht- und Dornenstücke« zum Zeitvertreibe vor; erfindet das in sich »vergnügte Schulmeisterlein Wutz« oder »Katzenbergers Badereise« mit seinen Pfefferkuchen, die der Held den Patienten auf den Magen legt und nach der Kur an Kinder fortschenkt. Der Witz unseres Poeten vergleicht in der »Selina« die Erde mit einem ungeheuern Leichenwagen, der um die Sonne fährt[15], und im »Kampaner Tal«, wo das Thema ebenfalls die Unsterblichkeit ist, wird man von zwei »Sofakissen« zur Verzweiflung gebracht, mit denen der kuriose Witz des Dichters bis zum Aberwitz in Metaphern spielt. Dieses Sündenregister des schlechten Geschmacks läßt sich bei unserem kuriosen Poeten bis zur halben Bogenanzahl seiner gesammelten Werke vermehren; aber der philiströse Realismus abstrahiert aus diesen »Richterschen« Extremen eine gar zu hausbackene Mittelmäßigkeitsphilosophie. Selbst gescheite Leute machen bei Gelegenheit dieser Exzentrizitäten J. Pauls darauf aufmerksam, daß die Natur uns an dem Auge die gesunde Mitte und Lebensharmonie gelehrt. Der Geist des Menschen solle die irdischen Dinge weder zu groß noch zu klein sehn; er dürfe aus seiner Vernunft keine Teleskope und aus seinem Verstande keine Mikroskope schleifen, d.h. also, der Mensch dürfe wohl ein Astronom und ein Anatom, aber er solle in der Philosophie kein Sterngucker, kein Geisterseher und als Poet kein Seelenzergliederer, sondern am liebsten so einer sein, der sich von den natürlichen fünf Sinnen und vom gesunden Menschenverstande die Grenzen und die Weiten für den Geist, für die Phantasie und das Gemüt geben läßt. Eine solche Philosophie ist aber nicht nur Trivialität, sondern Unwahrheit und borniertes Räsonnement. Die lebendige Mitte muß in Extremen ihre Lebenskraft erneuern; eine fix und fertige Idee gibt es für den Dichter nicht, und für ihn liegen die Pole weiter auseinander als für jedermann.

Wir können nicht alle Dichter und Philosophen, aber wir sollen und können Menschen sein, welche das Wirkliche überdenken und überträumen; denn die Bedeutung und Bestimmung des Geistes ist eben dies, daß er übersinnlich denkt, wie des Gewissens, daß es über das Verstandeswissen und die Natur hinausgeht. Wenn uns aber schon die Astronomie und Anatomie zur Lehre vom Größten und Kleinsten anführt, wie soll dann dem Geiste und der Phantasie eine Grenze gesteckt sein; und warum soll der Dichter und Denker das Augenmaß und die praktische Mitte für das absolute Maß und die absolute Wahrheit ansehn?

J. Paul beleidigt unser ästhetisches Bewußtsein nicht nur durch einzelne Geschmacklosigkeiten, sondern auch dadurch, daß er fast nie ein Ganzes zu geben, daß er keine Idee festzuhalten, daß er nicht die Partikularitäten zu beherrschen, zu figurieren und zu färben vermag. Alle poetische Mannigfaltigkeit soll sich als der Reichtum eines und desselben Lebens darstellen, ähnlich wie die bunteste Flora eines Landes den Charakter desselben Himmelstrichs darlegt. Wie sich die nordische Fauna und Flora von der tropischen unterscheidet, so muß auch im Dichtwerk oder im Tonwerk bei aller Mannigfaltigkeit ein Grundton, eine generelle Form und Färbung festgehalten sein.

Miserabel ist eine Idealität ohne Kerngestalten und ebenso trostlos ein Individualisieren, in welchem sich nicht die Kraft der Idee, das Weltgesetz und die Lebensintegrität erkennen läßt.

J. Pauls Romane und Studien symbolisieren die Zerkrümelung, die musivische[16] Geschichte der deutschen Nation. Nicht nur des Mannes Witz, sondern seine Intentionen, Situationen, Charaktere und Motive, seine ganze Kunst, d.h. seine Künste sind aus allen Weltreichen und allen Schriftstellern der Welt zusammengeholt; aber als echt deutsches Universal- und Museumsgenie hat er gleichwohl alle Kontingente mit seiner Persönlichkeit verbunden (wie er sagen würde, mit seiner Nabelschnur verknüpft), mit seinem Genius gestempelt, mit seinem Witz gekittet und jedes musivische Stiftchen mit seinem Herzblut gefärbt; das Ganze hat er zum Sarkophage seines Geistes gemacht.

Ein geschmackvoller Dichter, ein Formenkünstler und Klassiker ist J. Paul freilich nicht und wollte er nicht sein, aber er bleibt nichtsdestoweniger ein höchst merkwürdiger Naturalist und Autodidakt, d.h. ein echt deutscher Poet, der die Kunst auf eigne Faust erfinden will und bei diesem Experiment unleugbar solche Saiten der Seele gespielt, solche Herzenstiefen ergründet und akzentuiert hat wie kein klassischer Poet.

[...]

50   Moriz Rapp

Aus: Schiller, Hebel und Jean Paul
[Über »Siebenkäs«]   1861

Jean Pauls »Siebenkäs« ist sein erster klassischer Roman, er ist eines der bedeutendsten Werke unserer Literatur, er hat aber den einen Fehler, daß er nicht sowohl ein Werk ist, sondern eine Verbindung zweier Werke, die sich zwar aufeinander beziehen, aber in ganz verschiedenem Styl und Kunstverstand geschrieben sind, wovon das erste Werk, die Idylle, das klassisch vollendete, das zweite, die humoristische Schnurre oder Farce, vielleicht genialer gedacht, aber keineswegs in der Ausführung eine klassische Vollendung ansprechen kann, da dem die Gattung selbst widerspricht; sie ist auch an sich und in der Gattung mangelhaft.

Die sogenannte Vorrede zur ersten Auflage kann man als eine selbständige kleine Idylle oder vielmehr satirische Einleitungs-Novelle betrachten, und sie ist sehr zierlich ausgeführt.

Die erste größere Hälfte des Werkes selbst, welches ich die Idylle »Siebenkäs und Lenette« nenne, umfaßt etwa die ersten zehn Kapitel des Romans; sie hat freilich keinen Schluß, was aber dem Begriff der Idylle nicht gerade widerspricht, denn die Idylle kann man als die statarische Poesie definieren, welcher jede Katastrophe widerstrebt und in welcher jedenfalls die Ausführung des Details die Hauptsache ist.

Daß der Dichter das Lokal seines Romans in einen schwäbischen Marktflecken mit dem (wie Siebenkäs) nicht romantischen Namen Kuhschnappel verlegt, wird man als poetische Lizenz betrachten dürfen; es sollte ihm gewissermaßen ein historisches Kostüm verschaffen; allein Schwaben kannte der Dichter nicht und konnte es nicht spezifisch schildern wollen, seine Poesie ist vielmehr die allerspezifischste Poesie seiner einheimischen Franken- oder wenn man will Ostfranken-Natur, und gerade dieser naturwüchsigen Idylle hat er kein reizenderes Opfer dargebracht als eben unsern »Siebenkäs«. Nach dem Schulmeister Wutz und dem Präzeptor Fixlein hätten wir also die dritte Bürgerfigur an dem Armenadvokaten, der nebenher Satiren schreibt, was seine Frau als brotlose Kunst verdrießt, und das[1] eben beweist, daß der satirenschreibende Dichter seine gute, damit nicht einverstandene Mutter in diese Putzmacherin maskierte und idealisierte. Die Exposition wird vortrefflich mit der Hochzeit gemacht, indem ein Hauptcharakter des Werks, der Schulrat Stiefel, die Braut von Augsburg mitbringt, und des Advokaten Hausgenossen sich ungezwungen als Hochzeitgäste präsentieren, worunter sich der Perückenmacher hervortut. Doch ist schon in die Trauungsszene die unheimliche Figur von des Advokaten Doppelgänger oder Geistesbruder Leibgeber aufgenommen, die eigentlich der Idylle widerspricht, aber hier nur vorübergeführt wird, um das zweite Gedicht, die Farce, hinten anzupassen. Es ist darüber kein Zweifel, daß Siebenkäs selbst die eigentlich idyllische Natur unsers Dichters bezeichnen soll, während der kecke Weltläufer Leibgeber seinen untergeordneten Humor repräsentiert und daß sich ihm mit diesem Bestandteil seines Wesens die äußerliche Erscheinung seines verunglückten Freundes Hermann in der Phantasie kombinierte. Darauf wird das Hochzeitsessen idyllisch prächtig beschrieben.

Schon im zweiten Kapitel sieht man, daß der Reichsmarktflecken nur ein Phrase, dagegen die Reichsstadt in ihrer Liliputischen Selbständigkeit das eigentliche Theater unsrer Geschichte ist; es ist eine größere Reichsstadt wie Augsburg oder das dem Dichter am nächsten gelegene Nürnberg geschildert. Der Dichter braucht wieder eine seltsame Sprachform »die Mündel« von einem Mann, was niemand sagt. Die Abstrafung des Heimlichers Blaise durch Leibgeber gehört auch zu der künftigen Schnurre und ist noch nicht recht idyllisch, aber die Einführung dieses Charakters ist dadurch gewonnen.

Nachdem Leibgeber abgereist, sind wir auf dem reinen Boden des Gedichts fest. Wie der Dichter ganz mit dem Helden zusammenfließt, zeigt sich klar, wo er letzterem seine eigenen »Teufelspapiere« zuschreibt. Die treffliche Beschreibung der Michaeli-Kirmeß ist sicher aus der Stadt Hof porträtiert.

Im vierten Kapitel ist eigentlich das häusliche Glück unseres Paares auf seiner Kulmination geschildert, indem man begreift, daß der Tugend einer solchen Frau weder durch den elenden Elegant Rosa noch durch den ehrlichen Schulrat Pelzstiefel irgendeine Gefahr droht. Nur durch die bitterste Armut wird sie ihrem Gatten entfremdet. Diese Höhe des Gedichts wird gefeiert durch den lustigen Brief Leibgebers mit der tollen Traurede Adams an die Eva. Dagegen ist die Fortsetzung der Vorrede seine gewöhnliche Neujahrs-Sentimentalität.

Das fünfte Kapitel ist ein großes Meisterstück darin, daß die Idylle durch eine gleichmäßige Ausweichung nach zwei Seiten, in die Satire und Elegie, so in Bewegung gesetzt wird, daß sie das idyllische Gleichgewicht nicht verliert. Die Satire liegt in der Pedanterie der beiden Eheleute, die beim Mann ins krankhafte streift – die Lichterputzszene ist der Mittelpunkt des Meisterstückes – die Elegie dagegen besteht in der zunehmenden Verarmung des Ehepaares, die sich in der begonnenen Verpfändung des Hausrats ausspricht. Die scheuernde Frau neben dem Autor, der seine »Teufelspapiere« schreibt, ist zugleich das lebendigste Bild nach dem Leben des Dichters mit seiner Mutter.

Im sechsten Kapitel geht die Elegie und die Not etwas über das Maß in die Breite; auch ist es vielleicht ein Fehler, daß in dieser Haushaltung so viel unnütze Möbel zum Vorschein kommen, was für die vorausgesetzte äußerste Armut keinen rechten Sinn hat; man ist daher froh, am Schluß des Kapitels auf einen deus ex machina aus dieser Rubrik[2] zu stoßen. Aber erst das siebente Kapitel zeigt uns die Idylle in ihrer Peripetie und ihrem Culmen[3], da der Held als Schützenkönig alle frühere Not vergißt und selig ist. Im achten Kapitel steigt im Festmahl die Freude auf den höchsten Punkt, leider aber ist eine widrige Fratze, vom Strauß auf dem Grabe, und dieser wieder zwei Ausläufer, der »tote Christus« und »Traum im Traum« angehängt, welche zur leersten Manier des Dichters gerechnet werden müssen. Das letzte Stück ist nach Spazier[4] an die polnische Fürstin Lunowski[4a] gerichtet.

Im zehnten Kapitel schließt sich das Gedicht, soweit es die Idylle verlangt, sogar zu einem ganz befriedigten Schluß und Versöhnung ab.

Ich behaupte also, in diesen zehn Kapiteln hat Jean Paul sein vollendetes Meisterstück einer deutschen Idylle geliefert, einer städtischen und prosaischen Idylle, die nicht nur die abstrakte und pastorale eines Geßners[5], sondern auch die versifizierte dialektische Hebels[6] an Tiefe der Anlage übertrifft, obleich diese beiden Größen sich nicht absolut vergleichen lassen. Handlung und Bewegung ist für die Idylle genug da, und das wenige etwa Ungehörige läßt sich leicht herausdenken. Aber nur bis hieher reicht das idyllische Gedicht, und doch hat es der Dichter fortgesetzt. Die Vortrefflichkeit jener ersten Häfte beruht aber nach meiner Überzeugung auf dem Umstand, daß der Dichter sich das Ideal einer eigenen bürgerlichen Ehe durch dieses Lebensbild herausimaginierte, und zweitens, daß er selbsterlebte Situationen als Modelle benützte. Seine eigene Armut und die lange fruchtlose Bemühung um den Verlag seiner Satiren einerseits, anderseits das Zusammenwohnen mit der häuslichen Mutter im engen Zimmer, deren Geschäft dem seinigen natürlich widersprach, diese Wahrheit hat dem Gedicht den hohen Zauber der Lebendigkeit eingegeben. Daß er sich als Armenadvokaten auftreten läßt, paßt sogar auf die unleugbar radikale und etwas kommunistisch gefärbte Tendenz seiner Posie. Die Kunst des Gedichts beruht eigentlich darin, daß die kleinen Leiden des häuslichen Lebens nach der feinsten Beobachtung aus den sich widerstrebenden Elementen des männlichen und des weiblichen Naturells abgeleitet werden. Man fühlt von Anfang und durch das ganze Gedicht, daß dieser Siebenkäs und diese Lenette vollkommen füreinander geschaffen sind und daß sie das glücklichste Ehepaar zusammen darstellen mußten. Daß dieses Glück gleichwohl gekreuzt wird, liegt nicht in ihrem Charakter, sondern in Äußerlichkeiten. Das eine ist Lenettens Kinderlosigkeit; sie begreift sich, da ihr Charakter von der Mutter abstrahiert war; das zweite ist die zu lange fortgesetzte Geldnot, die freilich auch aus des Dichters Lebenserfahrung genommen ist; aber im Gedicht ist sie nicht hinlänglich motiviert; einmal ist der Prozeß wegen des Namentausches eine Unmöglichkeit, dann begreift man nicht, wie der Advokat für seine Praxis gar nichts verdienen oder erwerben soll und wie er im Buch fast nur von Rezensionen und von seinem Schießglück lebt; auf eine so hohle Existenz hätte sich ja gar keine Heirat gründen lassen.

Während nun aber der Dichter in der zweiten Hälfte seinen Helden in andere Verbindungen bringt und ihn zuletzt mit einer hochgebildeten und vornehmen Dame vermählt, hat er selbst seinen Lebensgang doch nicht so eingeschlagen. Er hat sich mit den adligen Damen nur so lange befaßt, bis der »Titan« geschrieben war; in diese poetische Form goß er seine idealische und pathetische Phantasie zusammen, für das Leben kehrte er aber zur einfachen bürgerlichen Ehe zurück und man muß es aussprechen, Jean Pauls Ehe mit Karoline Mayer war nichts anderes als eine zweite aber verbesserte Auflage der Ehe von Siebenkäs und Lenette; verbessert war, daß diese Lenette gebildeter und mit Kindern gesegnet, und dieser Siebenkäs weder so arm noch so kränklich und auch ein wenig gescheiter war als sein eigenes früheres Produkt. So genoß der Dichter das Lebensglück in der Weise, wie er es jugendlich imaginiert hatte, bis in ein ziemlich vorgerücktes Alter.

Der zweite Teil, »Siebenkäs Tod und Hochzeit«, kommt an plastischer Vollendung dem ersten nicht gleich, ist aber auch damit nicht zu vergleichen, da er eine humoristische Schnurre ist, die nur äußerlich sich an die gegebne Situation der vorigen Idylle anschließt und die kleinen Dissonanzen derselben zu einer Katastrophe benützt und weiterführt. Während der erste Teil in einem utopischen Reichsmarktflecken spielt, werden wir jetzt in ganz realen Lokalitäten Bayreuth, Fantaisie usw. herumgeführt; nur den Namen Vaduz hat der Dichter aus der Fremde herbeigezaubert, denkt sich dabei aber ein einheimisches fränkisches Lokal (nach den »Palingenesien« in der Gegend von Hof).

Um den geistigen Gehalt dieses Stückes aber deutlich zu machen, müssen wir viel weiter ausholen. Es beruht auf dem ursprünglich zur Abstraktion tendierenden deutschen Naturell. Die Dichter unsrer ersten Periode kann man als naive Einseitigkeiten klassifizieren; bei Klopstock nahm alle Poesie die Form des lyrischen Pathos, bei Lessing die des räsonierenden Verstandes, bei Wieland die der phantastischen oder naiven Heiterkeit an. Aber mit dem tiefern Goethe bricht der spezifisch deutsche Gehalt darin an, daß die Poesie sich als ein Gegensatz, als ein innerer Widerspruch ausspricht; zwei Seelen wohnen ach in meiner Brust[7]! Diesen Gegensatz hat er im »Faust« dargestellt; das ideelle Pathos Fausts tritt dem realistischen wilden Humor Mephistos entgegen, und das ganze Gedicht ist nur dieser Gegensatz der Natur des Dichters. Anders war es bei den folgenden Dichtern; bei Schiller haben wir wieder das einseitige Pathos, aber in seiner höchsten Verklärung, bei Hebel die einseitige Naivität in ihrer reinsten, zartesten Lieblichkeit; der alt getrennte Gegensatz bricht wieder hervor mit Jean Paul und vielleicht in grellerer Gestalt als bei Goethe, als die Doppelgänger-Menächmen[8] Siebenkäs und Leibgeber, die als unheimliche Freunde sich lieben und zugleich abstoßen. Nämlich der Goethesche Idealismus sinkt hier zur süßlichen, weichlichen, ja wollüstig weiblichen Sentimentalität herunter, der am Ende die sittliche Kraft abhanden kommt, dagegen der Realismus kleidet sich in die buntscheckige Garderobe des Witzes, und von dieser Seite, im Witz, im Komischen geht Jean Paul weit über Goethe hinaus; es ist sein spezifisches Talent und seine Hauptbedeutung. Aber eben weil die beiden Seiten sich schroffer gegenüberstehen als bei Goethe, ist das Verhältnis der beiden Rollen zueinander ein gespanntes und krankhaftes, wie jener Siebenkäs und Leibgeber es zeigen. Dies spricht sich hauptsächlich darin aus, daß der sentimentale Siebenkäs zu kirchlicher Frömmigkeit neigt, während Leibgeber ein Materialist und sonst nur ein verhärteter Skeptiker ist.

Das elfte Kapitel oder unsre Schnurre fängt sogleich mit dem Scherze an, der Dichter habe im vorigen den Leser nur für Narren gehabt, es sei ihm mit der idyllischen Versöhnung des Liebespaars gar nicht Ernst gewesen; damit ist freilich jeder Gedanke an das erste idyllische Gedicht negiert und abgeschnitten; wir stehen auf dem Gebiet der subjektiven Willkür, die diesem Genre eigen zugehört. Leigebers genialer Brief über den Ruhm stellt uns sogleich auf die eigentliche Höhe des Gedichts; wenn nur der Dichter nicht unmittelbar drauf über die Gattung theoretisieren wollte[9].

Wir müssen nun vor allem ins Auge fassen, daß in diesem Moment unsre Romantiker, voran Friedrich Schlegel, in Jena ihr Wesen trieben; die Diatriben[10] über den Wert und die sittliche Bedeutung der Ehe, wie sie nachher auch Goethe ansteckten, waren an der Tagesordnung; so wurde auch Jean Paul von dieser moralischen Krankheit befallen; seine Phantasie ging mit ihm durch in dem Problem, obgleich er sich bemühte, den Zwiespalt seiner sinnlichen Natur mit seinen sonst so abstrakt festgehaltnen sittlichen Prinzipien in Übereinstimmung zu bringen. Er mußte also mit allem vermeintlichen sittlichen Pathos schließlich auf demselben Ziel ankommen, wohin die sittenlosen Romantiker mit ihren Laxitäten endlich auch praktisch hinaustaumelten. So ist das Werk im eigentlichen Kerne faul und nur die Genialität der Ausführung kann ihm seinen Kunstwert sichern.

Aber die psychologischen Mängel sind leider noch größer. Die äußerlichen Anlässe im Leben des Dichters sind uns gut bekannt, die Gesellschaft der polnischen Fürstin in Bayreuth, der Brief der Frau von Kalb aus Weimar, später die Frau von Berlepsch brachten den Dichter in einen Taumel der Phantasie, der mit dem stillen Leben bei seiner armen Mutter freilich den wildesten Kontrast machen mußte. Daß er aber diesen Gestalten gegenüber doch der bescheidne, kränkliche, dürre Armenadvokat blieb, der nur für eine Lenette zugeschnitten war, das übersah er im Rausch des Phantasierens, und im Übergang vom idyllischen Stilleben des »Siebenkäs« zum phantastischen Pathos des »Titan« mußte notwendig die vorliegende Schnurre hervorgehen.

Als bewegendes Motiv des ganzen »Siebenkäs« ist, wie öfter erwähnt, auch des Dichters persönliche Kränklichkeit hereingezogen, d. h. seine Hypochondrie, welche im »Hesperus« an der Schwindsucht verschieden, lebt in etwas milderer Form an der Erwartung eines kommenden Schlagflusses wieder auf.

Bei dem rührenden Abschied von Lenette ist das Motiv des Spinnrads nicht zu übersehen, das direkt von der Mutter entlehnt ist; er fand, als er von Eger zurück sie gestorben traf, eine Berechnung dessen, was sie sich in den Nächten »ersponnen«[11]. Siebenkäs' Reise nach Bayreuth ist in seiner besten lyrischen Manier geschrieben, wenn nur nicht das Übermaß der Sentimentalität wieder die Sache verdürbe. Nämlich die Unwahrheit ist seine immer kommende Vergötterung der Kindheitsjahre; während er immer klagt, in der Jugend vom Glück zurückgesetzt und nicht gehörig entwickelt worden zu sein, ist diese Vergötterung der Knabenspiele sein ewiges Thema. Aber kein vernünftiger Mann kann sich in den gespannten Knospenzustand der Kindheit zurückwünschen, wie dies Hegel sehr richtig ausgesprochen hat[12], und im Grund ist es auch Jean Paul mit der Sehnsucht gar nicht Ernst, so wenig als Hebel, der zwar in Karlsruhe seine Breisgauerstreiche sich poetisch verklärte, aber sie mit halbem Grauen reproduzierte.

Auch die Geographie dieser Reise ist sehr konfus; Siebenkäs reist aus Schwaben ins fränkische Bayreuth, aber den ganzen ersten Teil haben wir schon fränkische Luft eingeatmet, was also nicht zusammenpaßt. Der Dichter behandelt Schwaben wie eine ferne, ihm unbekannte Landschaft, deren Eigennamen man nicht behalten kann. Die Geographie der Reise wird erst klar, wo er aus Schwaben zwischen Bamberg und Nürnberg durch bei Streitberg seine heimische Provinz betritt und Bayreuth zu wandert. Wie wir hier in der »Sonne« in Nummer 8 auf Leibgeber stoßen, sind wir freilich fest im Realen. Dann werden wir von Fantaisie nach Eremitage hin und her spazieren geführt und Leibgeber wird durch seine tolle Tischrede energisch eingeführt.

Der Witz der Geschichte ist eigentlich der, daß Siebenkäs die Braut des Venners Rosa, der ihm seine Lenette verführen wollte, unversehens als neue Braut davonträgt. Dazu ist sie noch die Nichte des Heimlichers Blaise, der Siebenkäs um seine Erbschaft betrogen. Dieser Gedanke wäre vortrefflich, wenn die neue Heldin nicht eine Amazone und unser Held der bekannte arme dürre kränkliche Armenadvokat wäre.

Nun aber wird mit dem genialen Humor Leibgebers Siebenkäsens Sterbe-Hypochondrie flugs in die Schnurre umgedreht, daß er einen intrigierenden Schein-Tod aufführe, der doch völlig außer seinem Charakter liegt. Diese Intrige wird auf die zweite fundiert, daß Leibgeber die Stelle eines Vaduzer Inspektor an Siebenkäs abtritt, womit dieser eine neue Existenz gründen kann; dies ist natürlich auf die Menächmen-Ähnlichkeit der beiden Geistes-Zwillinge basiert. Von was eigentlich Leibgeber lebt, das wird von diesem Landstreicher nie gemeldet, nur angedeutet, er spiele.

Daß aber diese Natalie, die den elenden Rosa zu heiraten entschlossen ist und eine idealische Figur mit Gewalt vorstellen soll, eine verzeichnete Figur ist, das tritt im Verlauf der Gedichts immer mehr heraus; die Geschichte stockt auf eine höchst drückende Weise; durch seine gewöhnlichen sinnlich ekstatischen Gefühlssteppen geht es bis zu einer Liebeserklärung Nataliens fort, wovon man gar nicht begreift, einmal wie diese Heldin diesen abgeschabten Pedanten lieben, und zweitens wie sie ihm das sagen kann, da sie doch weiß, er ist verheiratet. Dann ist ein Brief des Doktor Viktor hereingeschoben, der höchstens in den »Hesperus«, aber auf keinen Fall in den »Siebenkäs« gehört.

Der letzte und wichtigste Abschnitt dieser Schnurre beginnt mit Siebenkäs' Scheinsterben. Wir haben schon bemerkt, daß dieser Betrug unmöglich aus dem Charakter des früher geschilderten Siebenkäs herausgehen kann, der also hier völlig aufgeopfert ist; der nicht so individualisierte phantastische Charakter Leibgeber tritt also hier in die Handlung und leitet die Maschinerie. Wie die beiden Freunde nachher sich trennen, ist der Jean-Paulsche Freundschafts-Kultus unmäßig ins Absurde getrieben; wo haben denn je so weiche und weinende Männer gelebt? Sein Hermann[13], Otto[14] sind doch schwerlich so süßliche Naturen gewesen. Eher wohl der schwindsüchtige Oerthel[15]. Sodann ist der Betrug, durch den Siebenkäs sich bei dem Grafen ins Amt einschleicht, lustig, aber nicht sittlich gedacht. Dagegen ist der Ausgang mit Lenette und dem Schulrat mit großer Lebenswahrheit erzählt; nur am Schluß, wo die verzeichnete Natalie wieder vortritt und der Roman abschließt, sehen wir wieder, wie ganz schief gedacht eine solche Ehe des Helden mit der adligen Dame ist; der Auftritt auf dem Kirchhof ist lächerlich schwächlich und das Buch schließt mit einem wahrhaft nichtigen impotenten Seufzer.

Aber dieses Werk schließt mächtige Schönheiten in sich. Das deutsche Bürger- und Gelehrtenleben ist nie wahrhafter geschildert worden. Der Scheintod des Helden ist wieder eine Fortsetzung seiner alten Hypochondrie, er parodiert gleichsam den frühern Emanuel, sieht sich am Schlagfluß sterben und begraben und lacht daneben die Lebendigen aus, das ist der Humor seiner Todesfurcht.

Der eigentliche psychologische Mangel des Werks begreift sich nur aus der Biographie des Dichters. Jean Paul war im Trotz des Proletariers herangewachsen und haßte die privilegierte Klasse, aber nicht vom Standpunkt des Idealismus, der überhaupt nicht haßt, sondern vom Standpunkt des gemeinen Radikalismus, des Neides auf die Bessergestellten. Wie seinem Vorbild Jean-Jacques[16] imponierten ihm die gebildeten vornehmen Frauen, und er fühlte, daß es ihm an Welt fehlte. Es war ein großes Glück, daß Jean Paul von jetzt an und seit seiner Weimarer Reise die höhern und gebildeten Stände näher und von Angesicht kennenlernte, er hat sie im »Titan« wie vor ihm niemand gekonterfeit, aber von dem Irrtum, in diesen Regionen sein persönliches Glück zu machen, kam er zu seinem Vorteil bald zurück; er ließ die adligen Damen sitzen und zog sich in eine kleine deutsche Stadt zurück, wozu er zuerst die kleinen thüringischen Residenzen, später aber die fränkische Provinzialhauptstadt seiner Heimat erwählte, und durch diese Wahl und die seiner Frau hat er seine wirkliche Meinung deutlich kund getan. Also das vornehme Element hat den idyllisch angelegten »Siebenkäs« verdorben und hat ihn in zwei Hälften gerissen, in die zierliche klassische Idylle und in die phantastische

Schnurre, die, für die Phantasie ein ergötzliches Spiel, dabei aber keinen rechten sittlichen Boden hat.

Denn das müssen wir schließlich ins Auge fassen, der Unsittlichkeit der Romantiker im Punkt der Ehe, die auch Goethe ergriffen, hat der Dichter hier ein eklatantes Opfer gebracht. Zwar ist die Sache verklausuliert; mit seinem sonst skrupulosen ethischen Prinzip sucht er allerlei Kunstgriffe, um die Sünde zu mildern und zu maskieren; Lenette mußte sterben, ehe das Liebespaar zusammenkommt; aber solche Kunstgriffe sind eben die Laxität der jesuitischen Moral und des ethischen Dichters gänzlich unwürdig. Die Idee ist unerbittlich, es gibt hier keine accommodements[17]; der Dichter hat der Bigamie das Wort gesprochen. Es gehört die ganze Verbissenheit des Radikalismus dazu, wenn man Goethe die »Wahlverwandtschaften« vorwerfen[18], die Unsittlichkeit dieses Buchs aber verschweigen oder gar entschuldigen wollte.

Jean Paul fehlte es wie Jean-Jacques an der tiefen philosophischen Bildung. Hätte er diese gehabt, so hätte ihm die adlige Gesellschaft nicht imponiert. Vornehmheit und Idee sind inkompatible Größen; dem Großen ist der Philosoph ein Schulmeister, ein Pedant, höchstens ein Original, dem Philosophen aber ist der Große, ja der Größte der Erde nur ein Mensch, der von seinen Leidenschaften, seinen äußern Mitteln, seiner Umgebung abhängt; denn Freiheit ist nur bei der Idee, bei der Selbstverleugnung. Vornehm ist nur die Weisheit; Genießen macht gemein, sagt Goethe[19], er meint aber das sinnliche Genießen.

51   [Charles Edouard Duboc]

Jean-Pauls-Feier. Dresden, März   1863

Die hundertjährige Geburtsfeier Jean Pauls hat auch hier den Verfasser der »Levana« wieder im Gedächtnis des lebenden Geschlechts aufgefrischt. Der literarische Dienstagsklub feierte das Andenken des Jubilars durch ein festliches Abendessen unter Hinzuziehung von Gästen beiderlei Geschlechts, wo dann in ernster und heiterer Rede, bald in gebundener, bald in ungebundener Form, die mannigfachen Eigenschaften des liberalsten aller »Hof«-Poeten ihre Würdigung fanden.

Wenige Tage zuvor, am Geburtstagsdatum des Dichters, war eine allgemeinere Feier unter Beihülfe des erwähnten Schriftstellerklubs durch den hiesigen Turnverein veranstaltet worden. Der Festredner, Robert Waldmüller, konnte, bei der bunten Mischung seines Hörerkreises, zum Vorteile der ihm gewordenen Aufgabe von dem Kunstwerte der Jean-Paulschen Schöpfung fast gänzlich absehen, um dafür die sittliche und befreiende Wirkung seiner dichterischen Tätigkeit desto nachdrücklicher zur Anschauung zu bringen.

Es ist nicht das erstemal, daß in der Geschichte des Menschengeistes ein auffallender Rückschritt in der Kunst mit einem entschiedenen Fortschritt im Denken und Bewußtwerden zusammenfällt; ja es läßt sich an sehr vielen Beispielen die Regel nachweisen, daß ein edler Geist, dem die Mängel seines Zeitalters in hohem Grade beigemischt sind, weit rascher auf seine Zeitgenossen einwirkt, als ein von diesen Mängeln frei gebliebener. Das Auge kann nur ein gewisse Helle vertragen. Der Übergang vom Dunkel zum Licht ist durch das Dämmern vermittelt. – Ein solcher Dämmerfalter war der Genius Jean Pauls.

Die ihn und seine Dichtungen verurteilen – und die Kritik der Literarhistoriker hat es ja fast einstimmig getan – gehen sämtlich von einem ästhetischen Kanon aus, der sich unter Umständen nicht zwar als falsch, aber wohl zu gewissen Zeiten als mit Fug und Recht außer Kraft gesetzt erweist. Es lohnte sich der Mühe, einmal von sehr hohem Gesichtspunkte aus die Frage zu untersuchen: wie haben die vollendeten Meister unserer klassischen Periode im Verhältnis zu den Halbmeistern auf ihre Zeitgenossen gewirkt, und wo ständen wir heute in politischer und sittlicher Beziehung, wenn jene minder vollendeten Chorführer nicht zu Worte gekommen wären? Denn nach der Warnung: hütet euch vor der Nachahmung ihrer Fehler! kommt die Waage der Gerechtigkeit an die Reihe und weist den Goldgehalt nach, der doch trotz alledem sich unter dem krausen Wellenschlag am Boden absetzt. Nicht jede Zeit will das Gute in einfacher Schale.

Wir hätten gewünscht, daß der Jubeltag Jean Pauls uns eine derartige Studie von berufener Hand gebracht hätte. So weit sich übersehen läßt, ist nicht einmal ein Versuch in dieser Richtung gemacht worden und man hat sich mit wenigen Ausnahmen teils auf jene Warnung, teils auf eine vorwiegend politische Verherrlichung des Verfassers der »Friedenspredigt« beschränkt. Der erwähnte Vortrag im hiesigen Turnverein deutet den Weg an, den eine derartige Untersuchung einzuschlagen hätte, indem er auf zwei wesentliche Momente in der Tätigkeit Jean Pauls hinweist: seinen liberalen Einfluß auf die gebildeten Mütter Deutschlands während eines halben Jahrhunderts und seine Propaganda für eine bessere und würdigere Stellung der Schulmeister.

Die erstere Tätigkeit ist eine bewußte. Jean Jacques Rousseau war sein Vorkämpfer; die freiere naturgemäßere Entwicklung des Menschengeschlechts, wie Rousseau sie befürwortet, verfocht auch Jean Paul, und es wäre schwer, nur einen einzigen Druckbogen aus seiner Bücherwerkstatt nachzuweisen, dessen Inhalt sich nicht in irgendeine derartige Fortschritts- und Gesittungsformel zusammenfassen ließe. Hier kommt nun schon sein Formmangel als eine unentbehrliche Bedingung seiner raschen Wirksamkeit in Betracht. Wir sagen sein Formmangel, denn obschon Romane dichtend, also die Bedingungen einer bestimmten Kunstgattung anerkennend, war es ihm doch unmöglich, seine Erfindungen bis zu einer Höhe zu steigern, von welcher herab sie selbst, die erfundenen Charaktere, ihren eigenen Willen geltend machen. Keine seiner Gestalten löst sich hinreichend von ihrem Schöpfer ab, um ihm das Wort zu nehmen. Immer bleibt der Draht, der die Puppe gängelt, deutlich sichtbar, und nicht selten greift die Hand des unsichtbaren Maschinisten durch die Soffiten[1], ja das ganze freundliche Gesicht guckt wohl gar mit hinein und statt der verstellten Stimme läßt sich das Wunsiedler Männchen in eigener Redeweise vernehmen. Nun, diese dem Humor zugestandene Form beeinträchtigt ohne alle Frage seine ernsteren Dichtungen nicht selten bis zur Unleidlichkeit, und man braucht kaum mit einem scharfen ästhetischen Instinkt ausgerüstet zu sein, um die Unvereinbarkeit solcher Eigenheiten mit einer reinen Kunstwirkung herauszufühlen. Dennoch war eben nur auf diese Weise eine so unablässig in der *einen* Richtung sich auslebende Tätigkeit möglich. Die Befreiung durch die Macht des Schönen konnte einer beschränkten Kunstbegabung wie derjenigen Jean Pauls nie gelingen. Alle seine Anlagen und Mängel wiesen ihn auf den Weg der *Beredsamkeit* hin, und so paradox es auch klingen mag: den Theologen hatte er wohl schon früh genug abgestreift, aber Prediger ist er dennoch zeit seines Lebens geblieben. Freilich nicht im Sinne der Kanzel; aber auch Abraham a Sta. Clara[2] unterscheidet sich von unsern Pastoren in sehr fühlbarer Weise. Es gibt und gab zu allen Zeiten in jeder Art von geistiger Tätigkeit ähnliches Vikarieren, und wer mit einer starken Subjektivität die Unfähigkeit verbindet, sich eines Objekts bis zur Selbstvergessenheit zu bemächtigen, dessen geistiges Wirken muß, wenn den höheren Wahrheiten zugewendet, in wesentlichen Zügen mit jener andern Wirksamkeit zusammenfallen.

Begabte Prediger, sie mögen nun in Kathedralen ihre Gemeinde versammeln oder durch Laienbreviere und Bücher selbst humoristisch gefärbten Inhalts zu ihren Andächtigen reden, haben aber immer einen großen Kreis, auf den sie wirken. Ohne Zweifel ist ja auch die Predigtform nicht der Gipfel künstlerischer Vollendung; dennoch, weil man den Inhalt liebt, läßt man die Form gelten und findet sich erbaut. Und liebt man denn nur den Inhalt? sind nicht Stimme, Ton und Geberde, ist nicht das Gesicht des Predigers ein Hauptgegenstand jener Zuneigung? würde die Gemeinde zusammenhalten, wenn der Prediger daheim bliebe und seine erbaulichen Ergüsse durch den Mund des Küsters vortragen ließe?

Aber jetzt versuche man die Rückanwendung auf Jean Pauls große gebildete Gemeinde und frage sich, ob seine Fehler – das stete Hineinragen seiner Persönlichkeit in die von ihm verkörperten Ideen – ob diese Kunstverstöße nicht eben dasjenige waren, was seine Gemeinde in so engem Zusammenhange mit ihm hielt. – Es kommt aber noch etwas anderes in Betracht, was Jean Pauls damalige Wirksamkeit erklärt: das allsonntägliche Predigen, möchten wir es nennen, das unablässige Schreiben und Veröffentlichen, und zwar in verdaulichen Portionen. Ein Romanschreiber, dem das Publikum so warm entgegenkommt, wie dem Dichter des »Hesperus«, ein solcher würde, wenn heutzutage mit Jean Pauls Schreibseligkeit ausgerüstet, seine Leser in zehn Jahren mit ebenso viel neunbändigen Werken überschütten. Jean Paul hat in nahezu fünfzig Jahren kaum ein halbes Dutzend Romane verfaßt, und auch diese sind zum Teil Fragmente geblieben. Kein Wunder, daß seine Art und Weise beinahe stärker interessierte, als das, was er brachte. Für den »Titan« heimste er während eines ganzen Jahrzehnts Gedanken, Gleichnisse, Erlebnisse, ja eigene Liebesempfindungen ein, und zehn Jahre lang arbeiteten alle gebildeten Frauen und Jungfrauen solcherart an diesem langhin voraus verkündigten Werke mit. Dazu paßte es denn auch weit eher, als daß es störte, daß ein erster Band oft längst zerlesen war, wenn der folgende sich noch im Tintenfasse des Dichters befand. Man zerbrach sich den Kopf über die unmöglichen Entwirrungen des geschlungenen Knotens, wettete für und wider und ließ sich's – so sehr war man zum Mitarbeiter geworden – zuletzt ohne Murren gefallen, wenn z. B. weder die »Flegeljahre« noch die »Unsichtbare Loge« bis zum wirklichen Abschluß gelangten.

Dazwischen unterhielten Almanach- und Journalartikel den nun einmal durch langjährige Gewöhnung zu einem lieben Bedürfnis gewordenen Zusammenhang. Bald drängt den Dichter ein eben mit Lebhaftigkeit unter andern Tagesfragen auftauchendes Interesse für und wider die Tat der Charlotte Corday, sich in einem Aufsatz zu ihrer Verteidiger aufzuwerfen. Bald schreibt er über das Denkmal Luthers oder rezensiert Fichtes Reden[3]. In seinem »Freiheits-Büchlein«[4] nimmt er dem Volke die Last des Schweigens von der Brust, womit die Weimaraner es zu Boden drückten. Den 18. Oktober[5] feiert er in dem Aufsatze »für deutsche Beobachter der Jünglinge am 18. Oktober«. Die überlebenden Eltern tröstet er im »Traum auf dem Schlachtfelde«[6]. Für die Freiheit der Presse kämpft er mit den neugeschärften und noch durch Eigenes vermehrten Waffen seines großen englischen Vorgängers, und legt in den »Sieben letzten Worten gegen den Nachdruck«[7] die Fundamente zu dem noch heute nicht ausgebauten Begriff vom »geistigen Eigentum«.

Wenn wir denen, welche Jean Paul vergötterten, gerecht werden wollen, müssen wir also diese Seite seiner Tätigkeit und sein Verhältnis zum Publikum, wie hier versucht worden ist, ins Auge fassen. Wir sind heute, wenn wir den »Titan« oder »Hesperus« achselzuckend aus der Hand gelegt haben, sehr leicht geneigt, uns über die naive Kunstbildung einer Zeit erhaben zu glauben, einer uns ziemlich unverständlichen Zeit, wo solche Bücher Glück machen konnten. Aber bei Leuten von strengem Geschmack haben sie auch damals kein sonderliches Glück gemacht. Was ihnen bei den Frauen zustatten kam, ist ganz das Nämliche, was heute noch wie damals Glück macht. Die »Amaranth«[8] ist keineswegs nur wegen ihrer religiösen Schönseligkeit so rasch berühmt geworden; eine gewisse Weichheit, die uns Männer zurückstößt, hat jenes Buch zuerst wie alle ähnlichen dem Geschmack des weiblichen Durchschnittsgemüts empfohlen, bis die Modelust, die[9] Empfänglichkeit für Schwärmerei-Ansteckungsstoff und ähnliche im Wesen des Weibes wurzelnde Bedingungen hinzukamen, um des Buches Heiligsprechung zu vollenden. »Was sich der Wald erzählt«[10] und viele andere ähnliche Zierpflänzchen galten und gelten vielleicht heute noch unzähligen Pensionatsjungfrauen für klassischer als Rückerts »Brahmanenweisheit«[11]. Dennoch wird es uns nicht einfallen dürfen, aus derartigen Beispielen, die sich bis ins Unübersehbare vervielfältigen ließen, einen Schluß auf den wirklichen Geschmack unseres Zeitalters zu ziehen.

Wenn sich aber in den meisten Schöpfungen Jean Pauls ein derartiges Gemisch von Überzartem dem reifern Geschmack als ungenießbar bietet, so warb eben diese schwächere Seite Jean Pauls unablässig ihm neue Anhänger an Jünglingen und vor allem an Jungfrauen, und die einmal so Gewonnenen blieben ihm auch dann noch treu verbündet, wenn ein klareres Verständnis sie nach und nach von jenen Gefühlsträumereien ab- und den Gedankenschätzen zuwandte, die sich zwischen der narkotischen Blumenfülle versteckt gehalten hatten. Geht es uns selbst doch heute noch ähnlich. Sind wir doch meistens Freunde Jean Pauls gewesen, als jene zarten Stimmungen unserem weicher und schwärmerischer gearteten Herzen noch wohltaten, und können wir doch wohl alle ohne große Anstrengung uns des Weges erinnern, auf dem unser Verhältnis zu ihm nach und nach ein anderes geworden ist. Wenn Gervinus daher sagt: aus Bewunderern Jean Pauls pflegen Tadler zu werden, und nicht umgekehrt aus Tadlern Bewunderer Jean Pauls[12], so gibt es gewiß noch einen andern Übergang, der uns weniger in Gefahr bringt, uns durch Selbstüberhebung um die erlaubte Freude an dem reichen Gedankeninhalte Jean Pauls zu bringen. Wir meinen, aus blinden Schwärmern, wie es wohl ein Jüngling oder ein junges Mädchen sein darf, dürfen wir füglich besonnene Freunde Jean Pauls werden.

Auch um uns hiezu behülflich zu sein, hätten wir gewünscht, daß der hundertjährige Geburtstag Jean Pauls irgendwelche praktische Versöhnung zwischen den jetzt bestehenden Extremen zutage gefördert hätte, und zwar etwa seitens der Verlagshandlung durch eine der weitesten Verbreitung fähige Gedankenlese aus den gesamten Werken. Die Nachdrucker haben bei seinen Lebzeiten derartiges, wir wissen es, in Fülle zusammengestoppelt. Er selbst wehrte sich mit dem Knotenstock der gröbsten Bezeichnungen[13] gegen dieses Ausbälgen und Skalpieren seines lebendigen Leibes. Was Wunder! sagt doch der Herausgeber jener unverschämten vielbändigen Chrestomathie, jenes »Geist aus Jean Pauls Werken«, sagt er doch dem Dichter nach: er sei, wie man wisse, im Ganzen ungenießbar, und daher müsse ein anderer ihn erst für das Publikum zurecht machen[14]. Aber was er, in der Vollkraft seiner Tätigkeit, als einen der frechsten Raubanfälle betrachten und als solchen verdammen mußte, das wäre heute ein verdienstliches Werk, und während Jean Paul dem nachwachsenden Geschlecht auch in seinen besten Geisteserzeugnissen, wie es jetzt mit der Kritik über ihn beschaffen ist, allmählich völlig zur Mythe werden muß, ließe sich ihm durch eine solche Gedankenlese ein Monument aufrichten, das, wer weiß, jenes in Hof[15] überleben könnte.

Es bleiben uns noch zwei Worte über jene andere nachweisbare Wirkung Jean Pauls zu sagen, jene vorerwähnte Propaganda für eine bessere und würdigere Stellung der Schulmeister. Seine Romane haben in der Tat wesentlich dazu beigetragen, daß auch in den gebildeten und also den damals einflußreichsten Kreisen die Stellung der Schulmeister ein Gegenstand der Erörterung wurde. Pestalozzi und Basedow[16] stehen ohne Zweifel in einem unmittelbaren Zusammenhang mit den Fragen des Schulwesens; aber bis in die höchsten Kreise die Leiden und Schämigkeiten des Landschulmeisterstandes dringen zu lassen, das vermochte nur ein beliebter Dichter, und das hat Jean Paul getan. Vielleicht ohne Absicht. Die Schilderungen seiner Schulmeister haben nichts von dem deutlich bewußten Ausnützen eines traurigen Themas, wie es die modernen englischen Tendenzromane zur Kunstgattung erheben möchten und wie es selbst zuweilen den Genius von Charles Dickens auf Irrwege führt. Jean Pauls Schulmeister sind närrische Käuze, die sich meistens durch irgendeine Schrulle unserem Lachen empfehlen. Aber ihre Umgebung, die Luft, die sie atmen, die kleinen Freuden, die sie aus dem Abfall des Lebens herauszuklauben wissen, sind so farbenecht, so echt niederländisch nach dem Leben gemalt, daß man eben in diesen Kabinettsstücken (auch noch als »besonnener Freund«) den Dichter selbst lieben muß, und da er selbst die Not der Schulmeisterei an der Quelle und mit eigener hohler Hand schöpfte[17], so überträgt sich die Teilnahme von dem harmlos erzählenden Vertreter dieser Menschenklasse, ohne daß wir uns dessen erwehren können, unmittelbar auf den ganzen Stand.

52   *Karl Christian Planck*

Aus: Jean Paul's Dichtung im Lichte
unserer nationalen Entwicklung.
Ein Stück deutscher Kulturgeschichte
[Über »Flegeljahre«]   1867

Sogleich der Eingang der »Flegeljahre«, das Van der Kabelsche (oder »Fr. Richter«-sche) *Testament*, kündigt in ewig denkwürdiger Weise diese Bestimmung des Helden, sozusagen das Programm des Ganzen an. Der *harmlose idealistische Träumer*, der bis jetzt nur in einer Welt der Dichtung und des Gedankens zu Hause, seiner äußern Lage nach aber ein armer Teufel ist, soll (bedeutungsvoll genug) der *Universalerbe* werden; aber er soll vorher erst durch die *Schule des praktischen Lebens* und seiner bestimmten *reellen* Aufgaben hindurchgehn und hier recht tüchtig umhergeschüttelt werden, soll also erst das ergänzende realistische Bewußtsein sich zueigen machen, ehe er zu jener Bestimmung gelangen kann. Dieses Ziel, das dem Helden gesteckt wird, schließt also einen weit bestimmteren und entschiedeneren Fortschritt in sich, als das Streben Albanos im »Titan«; und wirklich hat auch Jean Paul nirgends den Grundmangel der damaligen deutschen Entwicklung, das unpraktisch Idealistische, das mit all seinem innerlichen Werte doch in der Welt überall zu kurz kommt, so scharf und treffend dargestellt, wie in dem Helden der »Flegeljahre«, in seinem *Walt*. Vor allem eben jene Periode dichterisch idealen und philosophischen, dagegen von den bürgerlichen und nationalen Aufgaben noch so abgekehrten Aufschwunges unserer Nation hat eben in Walt ihr unmittelbares individualisiertes Abbild. Denn ebenso kinderartig harmlos, wie Walt inmitten der auflauernden Nebenerben, erscheint von *unserem* Bewußtsein aus, und mit der Geschichte anderer Nationen verglichen, jene Entwicklungszeit unseres Volkes, und vor allem gerade die reinsten und größten Erzeugnisse derselben. Es ist noch einseitig das rein Menschliche, und ebendamit das noch überwiegend Ideale und Weltbürgerliche, worauf sie hingerichtet ist, während alle die bestimmteren, vor allem rechtlich bürgerlichen und nationalen Aufgaben darin noch verborgen liegen.

Allein je vollständiger Jean Paul diesen Gegensatz zwischen der Sinnesweise seines Helden und andererseits dem *Ziele* aufgefaßt hat, das demselben vorgesteckt ist, desto mehr erscheint die Erreichung desselben in einer unbestimmten und zweifelhaften Ferne, und desto weniger war von Anfang an eine wirkliche Durchführung bis zu diesem Ziele hin zu denken. Statt dessen tritt vielmehr zunächst etwas anderes ein, was von der Eigentümlichkeit des Dichters aus nahe genug lag. Das *verständig realistische* Element nämlich, in welchem der Held seine *Ergänzung* finden soll, hatte ja Jean Paul schon von Anfang auch als ein Element seiner eigenen Dichtung, nämlich in der Form des *satirischen Humors;* und dieser war selbst die notwendige Beigabe (sozusagen der Zwillingsbruder) zu jener einseitig idealen Richtung, indem er nur eben den Kontrast derselben mit der kleinlichen äußeren Wirklichkeit aussprach. Indem nun die ganze Anlage der Dichtung ebendahin geht, daß auch der Held den nüchtern verständigen und praktischen Sinn in sich aufnehmen soll, so war für den Dichter der Gedanke natürlich, daß nun zunächst der *humoristische Zwillingsbruder* den Helden zu *seiner* Sinnesweise *herüberzuziehen,* in solchem Sinne auf ihn einzuwirken sucht. Er, der fortwährend die wirklichen Verhältnisse und ihre unzureichende und kleinliche Erscheinungsseite vor Augen hat, ist darum der *welterfahrene* und *gewandte,* der frühe schon in der Welt umhergereiste *Vult,* gegenüber von dem *kinderartig unerfahrenen* und unpraktischen Walt. Und doch ist er der geistesverwandte Zwillingsbruder, der bei allem Gegensatze sich zu jenem hingezogen fühlt, da ja all jener satirische Humor selbst das ideale Bewußtsein zu seinem inneren Hintergrunde hat, nur durch den Kontrast zu diesem die Dinge im Lichte des satirischen Humors erblickt. Aber freilich läßt er diesen Hintergrund der tieferen idealen Gemütswelt nie für sich hervortreten, er läßt ihn immer nur verhüllt durchschimmern, während er zunächst die niedrige reale Erscheinungsseite hervorkehrt. Und ebendeshalb, weil er diese einseitig realistische Auffassungsweise darstellt, kann und darf jenes Streben, den Bruder zu sich herüberzuziehen, sich nicht verwirklichen. Ja, Vult muß aus ebendiesem Grunde zuletzt noch die Demütigung erleben, daß *er,* der weltgewandtere und äußerlich so überlegene, dem unpraktischen und unbeholfenen Bruder nachstehen muß. Indem er in der Liebe zu Wina, ohne es anfangs selbst zu wissen, Walts Nebenbuhler wird, muß er zuletzt finden, daß dieser eben durch das ernst ideale und gemütvolle Element, das in ihm vertreten ist, ihm den Vorrang abgelaufen hat. Und er selbst trägt teils früher schon, teils durch die Art, wie er zuletzt noch in seines Bruders Maske sich jene Gewißheit verschafft, sogar dazu bei, daß Wina den idealen Eindruck, den sie von Walts Geist und Gemüt erhalten hat, teilweise auch noch auf sein äußeres Wesen überträgt, nämlich Vorzüge Vults seinem Bruder beilegt. Mit all seiner verständigen und weltgewandten Überlegenheit also gewinnt hier Vult für sich selbst schließlich nur die innere Demütigung, während der Bruder mit all der arglosen Unbehilflichkeit, in welcher er daneben steht, doch den Triumph über ihn davonträgt. Umso weniger also kann von einem bleibenden Zusammensein beider die Rede sein; nach kurzem Zusammenwohnen, und nachdem keiner den andern umzubilden vermocht hat, muß der humoristische Bruder wieder seinen Abschied nehmen, und den andern seiner höheren und ernsteren Bestimmung überlassen, soweit er auch von dem Ziele derselben noch entfernt ist.

Dieser Schluß der »Flegeljahre« hat also wesentlich *den* Sinn, daß trotz des nüchtern praktischen und realen Zieles, das dem Helden gesteckt ist, doch der *hohe und große Inhalt seines idealen Jugendstrebens darüber nicht verlorengehen,* sondern nur mit den nüchternen und vollständigen Bedingungen sich einigen soll, durch die er allein seine Wahrheit erhält. Aber ebendeshalb, weil dem Helden diese viel größere und schwerere Bestimmung zugedacht ist, schließt das Ganze bloß mit dieser unbestimmten und inhaltsschweren Aussicht. Der Dichter konnte *den* Helden, welcher in Wahrheit die Bestimmung seiner ganzen Nation versinnbildlicht, noch nicht nach seiner vollständigen Geschichte darstellen, noch ehe die Nation selbst angefangen hatte, in ihre nüchtern praktische Periode überzutreten. Vielmehr wird so jener Abschied Vults, dem Dichter selbst unbewußt, ein unwillkürliches Symbol für die geschichtliche Bedeutung seiner eigenen Dichtung. So wie Vult in seinem Humor das Leben bei aller Weltgewandtheit doch selbst nur spielend nimmt, und der leichtfüßige Flötenspieler ist, welcher den Bruder seiner ernsteren und tieferen Bestimmung überlassen muß, so gehört ja auch Jean Pauls ganze Dichtung mit ihrem Humor nur einem Durchgangspunkt im Leben des deutschen Geistes an, der verschwindet, sobald derselbe in Wissenschaft und Leben zu seinen nüchterneren und praktischeren Aufgaben überzugehn beginnt. Und so werden Vults verhallende Flötentöne, unter denen er vom Bruder Abschied nimmt, zu einem Sinnbild des Abschieds, den auch der deutsche Geist von der spielenden und träumenden Jünglingzeit der Dichtung und Philosophie nehmen mußte, um überzugehen zum nüchternen und herben Ernste der Wirklichkeit.

Es fällt uns nicht ein, mit dem allem irgend sagen zu wollen, daß der Dichter selbst eine derartige symbolische Absicht gehabt habe. Er schildert in seinem Walt zunächst diese Seite seines eigenen Wesens, und ebenso in Vult die humoristische. Allein wie er *sachlich* in dem allem ein Typus des damaligen deutschen Geistes war, und seines Zusammenhanges mit dem innersten Wesen und Leben desselben sich bewußt war, so mußte eben damit seine Dichtung *sachlich* ein solches Symbol werden. Und zwar sehen wir eben hiemit erst, warum die »Flegeljahre« Jean Pauls *reifstes* und bezeichnendstes Werk sind, weil er sich nämlich hier erst seines eigenen Wesens und *Mangels*, und zugleich damit des inneren Grundmangels der damaligen deutschen Entwicklung, *vollkommen bewußt* zeigt, und in dichterisch überlegener Weise *über* demselben steht. Wie ganz anders verhält sich hierin der »Hesperus«, und selbst noch der »Titan«! Dort fällt der Dichter mit seinem Viktor im wesentlichen noch ganz zusammen, und auch in seinem Albano will er ja noch ein kräftiges Jünglingsideal darstellen, ohne der Schwäche sich bewußt zu sein, welche dem Hohen und Großen, das er darstellen will, in Wahrheit noch anhaftet. In den »Flegeljahren« dagegen ist nicht nur, wie wir sahen, das praktische Ziel selbst, um das es sich schließlich handelt, viel schärfer und vollständiger aufgefaßt als im »Titan«, sondern auch der *Humor* des Dichters erhebt sich ebendamit hier erst *zu seiner vollen Höhe*, indem selbst an dem wahrhaft Edlen und Idealen, was der Held hat, doch *die* Schwäche hervorgekehrt wird, in welcher wirklich der Grundmangel des damaligen deutschen Lebens bestand, das kinderartig Unpraktische und Idealistische. Man wende hiegegen nicht ein, daß Walt gar nicht zu einer so kräftigen und hoch idealen Gestalt bestimmt sei, wie Albano. Gerade das, *daß* der Dichter jetzt darauf verzichtete, einen derartigen Helden noch ferner darstellen zu wollen, und daß er vielmehr im richtigen Bewußtsein jener Schwäche, welche ihm selbst, wie seiner ganzen Zeit anhaftete, auch seinen Helden trotz aller ernsten Teilnahme mit *Humor* behandelt und auf das hinweist, was ihm noch fehlt, dies ist der große Fortschritt der »Flegeljahre«. Freilich fallen nun diese ebendamit wieder mehr in das Idyllische herunter, und der »Titan« hat dagegen das hohe und großartige Streben voraus, weswegen ihn Jean Paul selbst immer als sein Hauptwerk betrachtet hat. Allein er ist doch gerade *wegen* dieses idealen Strebens noch nicht dasjenige, in welchem das reifste Bewußtsein vorhanden ist; sondern obgleich er mit den »Flegeljahren« schon das gemeinsam hat, daß er auf die praktische Versöhnung mit dem realen Dasein hinweist, so hat er dieses Ziel doch noch nicht in solcher realistischen Klarheit und Vollständigkeit ausgesprochen, wie die »Flegeljahre«.

[...]

Die »Flegeljahre« sind also in ähnlicher Weise ein allgemein typisches und prophetisches Werk, wie dies von dem Wilhelm Meister in den »Lehr-« und »Wanderjahren«, oder im höchsten Sinne von dem Goetheschen »Faust« gilt. Auch ist das Ziel der Entwicklung in diesen so verschiedenen Werken der Hauptsache nach dasselbe. Denn Wilhelm Meister verfolgt zuerst nur das *ideale* Ziel harmonisch persönlicher Ausbildung, und langt dann in den »Wanderjahren« erst bei dem realen Ziele praktisch bürgerlicher und berufsmäßiger Wirksamkeit an. Und ebenso schreitet Faust von seinem anfänglichen noch unreif idealen Streben nach voller Natur und Menschlichkeit schließlich zu den bestimmten Aufgaben großartig bürgerlicher und politischer Tätigkeit fort. Was die »Flegeljahre« von diesen Dichtungen unterscheidet, und worin sie ihnen nachstehen, was sie aber auch andererseits voraushaben, das erhellt, soweit es überhaupt hieher gehört, aus dem Früheren von selbst.

Jene Goetheschen Dichtungen bewegen sich von Anfang ganz in dem Entwicklungsstreben zur wahrhaften Natur und zur vollen rein menschlichen Ausbildung hin; sie stellen nur Stufen dieser Entwicklung selbst dar. Die »Flegeljahre« dagegen, wie im weiteren Sinne die Darstellungsweise Jean Pauls überhaupt, lassen vor allem die unpraktische und idealistische *Schwäche* hervortreten, welche jenem Entwicklungsstreben der damaligen Zeit gegenüber von den wirklichen Zuständen anhaftete. Sie enthalten also darüber allerdings ein weit schärferes Bewußtsein, als wir es in der sonstigen Dichtung jener Zeit finden; allein sie lassen dafür andererseits das wahre und *positive Ziel* jenes idealen Strebens durchaus nicht in solcher Weise hervortreten, wie es bei Goethe und Schiller geschieht, und stehen ebendarum auch an rein dichterischem Werte hinter jenen Goetheschen Schöpfungen zurück. Wie Jean Paul selbst in seiner früheren Periode gerade durch die Entzweiung mit den äußeren und bürgerlichen Zuständen, durch die realistische Hervorkehrung ihrer Schwäche, in eine desto einseitigere ideale Gefühlswelt hineingetrieben wird und einem formlos verschwimmenden Jenseits zustrebt, so tritt auch noch in den »Flegeljahren« einseitig das jünglingsartig Unreife und Schwärmende jener Zeit hervor, nicht aber das wahre und innerste Ziel dieses Strebens, wie es in Goethes und Schillers Schöpfungen sich seinen Ausdruck gab, und welches seiner letzten Konsequenz nach nichts anderes als die vollständige Umbildung der bürgerlichen und nationalen Zustände selbst, ihre Durchdringung mit jenem Geiste menschlich schöner wahrhafter Natur (nach allen ihren mannigfachen Seiten) in sich schloß, – ein Ziel, dessen Inhalt selbst unsere Gegenwart sich noch bei weitem nicht vollständig klar gemacht hat. Diese Seite der damaligen Zeit also, daß ihr ideales Streben *doch selbst* (wenn auch nur erst in poetisch vorausgreifender Weise) die *vollen gegenwärtigen* und *realen* Aufgaben des Menschen zum Ziele hatte, lernen wir bei Jean Paul überhaupt, und so auch in seinen »Flegeljahren«, bei weitem nicht so kennen. Die Goethesche und Schillersche Weltanschauung hat ebendarin ihre große und ewige Wahrheit, daß sie bei aller Idealität doch ihrem konsequenten Ziele nach zugleich eine *wahrhaft realistische,* ein Hinstreben nach den wahrhaft gegenwärtigen und natürlichen Aufgaben des Menschen ist. Jean Paul dagegen kehrt vielmehr das idealistisch Unreife im Streben jener Zeit, das einseitige Leben in einer Welt des Gedankens, des Gefühls und der Phantasie hervor und stellt dem andererseits die scharfe nüchterne Wirklichkeit und die Heranbildung für diese entgegen. So ist er also, wie wir es von Anfang bezeichnet haben, auch in seinen »Flegeljahren«, *nur* die *negative Ergänzung* zu dem, was positiv Goethe und Schiller vertreten. Er fühlte schärfer als sie, was auch ihnen und der ganzen Zeit noch fehlte; aber er fühlte es nur darum, weil er andererseits ihr eigenes positives Ziel nicht wahrhaft zu fassen vermochte, sondern das, was sie als volle *Einheit* erstrebten, nämlich das menschlich Ideale zusammen mit kräftiger Realität der äußeren bürgerlichen Zustände, für *ihn* mehr in einen Gegensatz von Seiten, einer überwiegend innerlichen und religiösen, und wiederum einer realistisch bürgerlichen, auseinanderging. Wenn übrigens Goethes »Wanderjahre«, sowie der zweite Teil des »Faust«, eine weit entwickeltere Hinweisung auf die sozialen und politischen Aufgaben unserer Zeit enthalten, so ist natürlich nicht zu vergessen, daß sie auch schon einer späteren Zeit angehören. Für *jene* Zeit, in welcher die »Flegeljahre« erschienen, nämlich schon in den ersten Jahren dieses Jahrhunderts, enthielten sie das klarste und reifste Bewußtsein des Grundmangels unserer damaligen Entwicklung, wenn auch dieses Bewußtsein nicht direkt auf die allgemein geschichtlichen Aufgaben der Zeit sich bezieht.

53 *Friedrich Theodor Vischer*

Jean Paul's Dichtung   1868

Jean Paul's Dichtung im Lichte unserer nationalen Entwicklung. Ein Stück deutscher Kulturgeschichte von *K. Chr. Planck.* Berlin, G. Reimer, 1867, 8°. 25 Ngr.[1]

Unsere neuere Literaturgeschichte hat eine sehr empfindliche Lücke: es fehlt uns noch eine unparteiische, gründliche Analyse Jean Pauls. Formlos durch und durch, ein »Tragelaph«[2] neben den geraden Gestalten unserer Klassiker, ist er doch viel zu bedeutend, um eine tief eingehende Zergliederung nicht zu verdienen, nicht verlangen zu dürfen. Er erwartet sie, weil sie die Wissenschaft, die Kritik, die Psychologie, die Ästhetik um wichtige Erkenntnisse bereichern wird; er erwartet sie, weil das öffentliche Urteil, das zwischen blinder Überschätzung und blinder Verwerfung, Verurteilung ohne Verhör und Prozeß dunkel hin- und herschwankt, endlich zurechtgestellt werden, weil ihm endlich ein Licht aufgesteckt werden soll, um aus dieser in Extremen schwankenden Ahnung eines Mittelwesens zwischen Größe und Kleinlichkeit, zwischen Kraft und Krankheit ins Klare zu gelangen. Jean Paul ist wohl eine pathologische Erscheinung, aber die Sektion wird wahrlich nicht bloß der pathologischen Anatomie des Geistes ein interessantes Material zuführen, sie wird auf große Organe stoßen, nicht nur auf ein ursprünglich schön gebautes, aber freilich krankhaft erweitertes Herz, auch auf ein ungewöhnlich mächtiges, wiewohl bizarr verschlungenes Gehirn und auf ein Nervengeflecht von der äußersten Feinheit und feurigsten Schwingung. Jean Paul ist ein Kauz, ein Narr und doch ein Fürst an Geistesmacht, unendlich reich an Kräften. Er kann und will ihre Fülle nicht beherrschen und ordnen, aber sie ist vermöglich genug, um manchem Schlukker, der mit einem »Pah« glaubt über ihn weggehen zu dürfen, ein ansehnliches Kapital testieren zu können.

Jean Paul hat Ansätze zur Größe; er ist nicht bloß sentimental, um von der Sentimentalität zum Humor umzuspringen, er ist auch im ernsten Gebiet feurig, saftig, es fehlt ihm nicht die volle Sinnlichkeit, ohne die man kein Künstler und Dichter ist; nur leider glaubt er da, wo er dies Feuer in blassen Mondschein verdünnt, die Manneskraft des Nervs in grabessehnsüchtige Tränen, die brennende Farbe in blasses Lila verschwemmt, im Elemente seiner wahrren Größe zu sein. Jean Paul ist aber eine historisch merkwürdige, integrierend in den Gang unserer Literatur sich einfügende Gestalt gerade dadurch namentlich, daß die Sentimentalität in ihm ihren Gipfel erstieg. Eine Stimmung, die von so großer Macht war in England, Frankreich, Deutschland, die uns so lang beherrschte, verdient an sich schon eine eigene Untersuchung. Was ist ihr Wesen? Wie und warum entstand sie, verbreitete sie sich? Das sind Fragen, die eben nicht leicht, die der Antwort auf Grund einläßlicher Prüfung gar wohl wert und die doch bis heute nur erst ganz dürftig beantwortet sind. Aber noch merkwürdiger ist der seltene und seltsame Mensch dadurch, daß diese weltflüchtige Stimmung in ihm mit so lebhaftem und energischem Purzelbaum wie doch gewiß in keinem seiner englischen Geistesverwandten und Muster in den Humor umschlug. Es ist freilich kein Umsprung, worin sie verschwunden, es ist nicht Heilung; der Springer fängt, kaum auf den Füßen, gleich wieder an, mit nassen und verzückten Augen nach Mond und Sternen und Milchstraße zu blicken, und hebt die Arme wie Flügel, um in die fernen Höhen zu schweben; doch nur um dann mit neuem Sprung die Sohlen derb auf die grobe Erde zu stoßen. Das Spiel beginnt immer von neuem; es ist kein Aufheben des einen Extrems im andern, es ist ein unaufhörlich neues Nebeneinander. Nun aber, wenn und solange er mit festem Fuß auf dem Boden steht, welche Schärfe des Blicks in die Wirklichkeit, welches Falkenauge, welche schneidende Sachlichkeit! Und welcher Reichtum an Witz, an Gleichnis, an Phantasie, an Ironie, an Humor! Doch gewiß ungleich voller als bei den englischen Humoristen sprudelt in Garben von Strahlen der gedrängt aufschießende Quell! Freilich ohne Haushalt, freilich überfruchtet und doch auch gesucht, gemacht; aber wir reden von der Gabe an sich, und niemand kann ihre Fülle bezweifeln. Und etwas wollen wir nur sogleich hinzusetzen: das Element ist reiner als im englischen Humor. Das Lüsterne in Sterne, von Smollet nicht zu reden, die Neigung zur feinen, nicht einmal immer feinen Zote ist gerade im Humor ein störendes Element. Der Humor darf und soll keck, zynisch sein, aber eben weil er es soll und darf, so ist er, wenn echt, darin ganz unschuldig; er spielt nicht mäckernd an, er setzt unsere Begriffe von Scham und Sitte nicht als gültig voraus, um sie pikant und aufreizend zu lüften und zu lockern. Wieland hat einen ähnlichen Umsprung gemacht wie Jean Paul, aber er hat dies unreine Element aufgenommen und er ist schon darum, auch abgesehen von der mindern komischen Begabung, kein eigentlicher Humorist.

Interessant aber und von historischer Bedeutung ist an dem wunderlichen Heiligen selbst seine Formlosigkeit. Sie ist belehrende Erscheinung einer alten deutschen Unart. Der Eigensinn gegen die Disziplin, die Eitelkeit interessanter sein zu wollen durch Unordnung, durch Grillen, wilde Ranken, Schnörkel, Stöße, Stiche, Sprünge als durch Ordnung, Vernunft und Ebenmaß, die Verpuffung des Geistes in Irrwischen und romantischen Lichtern: das sitzt tief in unserm Wesen; die ältesten germanischen Zeichner sind Virtuosen in traumhaften Arabesken, lange ehe sie eine Gestalt richtig zu umschreiben vermögen; ein Fischart steckt in uns allen, und wer war wohl je ein begabter Deutscher und jung, der nicht den Kitzel gefühlt hätte, lieber eine »Affentheuerlich naupengeheuerliche Geschichtklitterung«[3] zu schreiben als eine Geschichte? Der schnurrige Mainzer und Jean Paul: ja wohl, die werden sich lustig begrüßt haben im Elysium! Auch in unsern großen Malern des 16. Jahrhunderts war der Zug zum Phantastischen stark genug, um dem geraden Schritte zur Schönheit ein Bein zu stellen; auch zwischen Albrecht Dürer und Jean Paul besteht mehr als Vetterschaft. Im Grunde handelt es sich bei diesem Hang zur Formlosigkeit, der so tief in uns sitzt, einfach um eine Verwechselung, eine Übertragung des Inhalts auf die Form: statt Närrisches zu beschreiben, lieben wir närrisch zu schreiben, statt den Rausch darzustellen, rauschig darzustellen, statt Krummes und Hartes zu zeichnen, krumm und hart zu zeichnen. Spezielleres Interesse aber hat die Formlosigkeit Jean Pauls dadurch, daß sie auf die verwandte Willkür unserer romantischen Schule überleitet. Freilich in aller Unschuld. Das beständige Ausgehen vom Ich und Zurückgehen auf das Ich, die Durchbrechung jedes Zusammenhangs mit dem Vordrängen der eigenen Person und Reflexion ist bei diesem sonderbaren Schwärmer noch nicht das blasierte Spiel, noch nicht die berüchtigte Ironie der Schlegel, Tieck und Genossen; er glaubt sich vorschieben zu dürfen, weil er's ehrlich meint; er ist gut, er ist ein Kind; er ist im Grunde Rationalist; wenig Dogma und redliche Moral sind die Hebel seiner Entzückungen; er spielt nicht Komödie mit Mystizismus. Aber ein unartiges Kind ist er doch mit seinen Koboldsprüngen, und er hat es zu verantworten, daß wir von ihm den Unfug der Willkür datieren.

Das Unglück ist nun, daß man die Geduld nicht mehr hat, die wunderlichen Erzeugnisse des Querkopfs zu lesen, während er doch der rechten Kritik auf Grund vollständiger Lektüre so sehr bedürfte. Für uns Leute der Klarheit fordernden Zeit ist ja diese Lektüre ein wahrer »Kelch«. Die Form sollte dem lautern Wasser gleichen, durch das man einfach die Gewächse, Felsen, Perlen auf dem

Grunde sieht; hier müssen wir das Wasser immer erst seihen. Kleider sind Kleider: hier haben wir in jedem Momente die liebe Not, Knöpfe und Schleifen zu öffnen, zu lösen, als ob der Mensch um des Kleides willen da wäre. Und man will doch nicht mit Siebenkäs sagen: »Ich habe keine Zeit, das Buch zu rezensieren, geschweige denn, zu lesen.«[4] Schreiber dieses wollte sich einmal an die Arbeit machen, den Mann genau zu studieren, um über ihn zu schreiben, also zuerst, nachdem er wohl manches gelesen, sollte alles oder doch das meiste, und gründlich gelesen werden. Allein damals kam er eben von Italien und Griechenland[5], von der Welt der reinen Formen; es war nicht möglich, nicht zum Aushalten, nach mehrern Anläufen flog das Buch an die Wand. Die Literaturgeschichte von Gervinus[6] erschien; was sie über Jean Paul sagt, trägt wohl den Charakter des körnigen Urteils, der Sättigung dieses Urteils aus reichem Material wie das ganze gediegene Werk; es wird auch der springende Punkt im Grund ausgesprochen, z.B. mit den Worten: Kontrast der Idee mit dem Leben, Stoß des Ideals auf die Wirklichkeit, stetige Bewegung in Extremen, namentlich durch das schlagende Bild: »Mit Kothurn und Sokkus je an einem Fuße wandeln ist ein hinkender Gang«; der sentimentalen Seite von Jean Pauls Welt hat Gervinus zuerst die rechten Namen gegeben, indem er ihren Charakter als juvenil bezeichnet, festgerannt in der Stimmung des achtzehnjährigen Jünglings; allein er benutzt den gefundenen Faden nicht zum Leiter durch das Labyrinth, ja er sagt im Widerspruch mit seinem eigenen Fund, ein springender Punkt sei in dem vielseitigen Charakter nicht zu finden, der Versuch mißlinge, in die heterogenen Teile den bindenden elektrischen Funken hineinzuschlagen. Es scheint doch, man reiche ohne die eigentliche Philosophie hier nicht aus; es wird schon dieses Schlüssels bedürfen, um des Mannes Wesen wirklich aus der stets erneuten, in stets neuen Wendungen wiederkehrenden Kontraststellung zweier Welten, in die er sich die eine zerrissen hat, in logischer Ableitung zu erklären und Einheit in das verworrene Bild zu tragen. Man muß unter anderm den Fichteschen Idealismus sich etwa genauer angesehen haben, um das Phänomen Jean Paul im Zusammenhang zu verstehen. Der Wahnsinn Schoppes z.B., eine der tiefsinnigsten Erdichtungen unsers Humoristen, ist ohne diesen Schlüssel dem Verständnis ganz versperrt, und man sieht aus den paar Worten, die Gervinus über diese Figur und das Verrücktwerden durch Brüten über das Ich sagt[8], daß sie dem strengen Historiker nur wildfremd vorkommt. Er kann im Geistesleben und den Werken Jean Pauls auch keinen Fortschritt, keine Entwickelung entdecken; das haben ihm viele nachgesprochen; es fragt sich aber, was sich ergeben wird, wenn man die Fäden, die freilich tiefer und dunkler verschlungen sind als bei andern Geistern, mit dem richtigen Instrument auseinanderzieht. Keine unserer Schriften über neuere deutsche Literatur ist wirklich in diese Lücke getreten. Jean Pauls Biograph Spazier[9] hatte kommentiert, nicht analysiert. Julian Schmidt setzt den Mann mit der Essigsäure an, worein er alles taucht, und sagt von den gemütvollsten Partien, von einem »Wutz« und »Fixlein«, es fehle der Färbung »etwas Liebe«[10]. Gottschall[11] nimmt sich mit Wärme des Vielgetadelten und Halbvergessenen an, sagt im einzelnen Treffliches, namentlich über Charaktere, Komposition, Motivierung, Stil; aber das hohe Lob der Einführung ist mit dem Tadel, der ihm unparteiisch nachfolgt, nicht in innern Zusammenhang gebracht, die großen Prädikate und die scharfen Rügen fallen auseinander, es fehlt das Band, der leitende Begriff, den wir bei Planck finden werden; er streift in manchen Andeutungen an dessen Gedanken. So erkennt er namentlich, daß Jean Paul moderner ist, das Leben schärfer anfaßt als Goethe und Schiller; er bemerkt[12], nur zu viel einräumend, daß die Klassizität der Form vorerst durchbrochen werden mußte, wenn dieser Schritt geschehen sollte; denn damit ist das Jean-Paulsche Maß an Formlosigkeit nicht gerechtfertigt.

[...]

Planck ist mit der Ausrüstung der Philosophie an sein Werk gegangen; er besitzt also den Hebel, den wir verlangten, wenn es gelingen solle, den Stein vom Geheimnis Jean Pauls zu wälzen; er durchschaut das Wesen des geistigen Prozesses, um den es sich handelt, im Mittelpunkt, aber er bezahlt seinen Vorteil teuer. Mit eiserner Abstraktion, mit unerbittlicher Einseitigkeit verengt er von vornherein den leitenden Begriff durch eine Auffassung, die eine Entdeckung zu nennen, die aber zu begrenzt ist, um alles zu erklären, alles unter ihr zu befassen. Man ermüdet über der Härte der durchgehenden logischen Tautologie, und doch ist eine gewisse Kraft, eine substantielle Gediegenheit, eine gewisse klassische Wucht in diesem unentwegten Schauen auf den einen Punkt; man möchte dem gestrengen Manne der Begriffseinheit gram werden, und man fühlt doch weit zuviel Respekt vor ihm, um ernstlich zu grollen. Planck hatte das Phänomen des pathologischen sentimentalen Humors zu erklären, das teilweise seinen Grund in der Zeit, in den damaligen öffentlichen Zuständen hat. Er erklärt es ganz und allein aus diesen. Der Kontrast der hohen und idealen Welt, die der deutsche Geist damals aufbaute, gegen alles kleinlich Dumpfe und Verkümmerte der äußern bürgerlichen und nationalen Verhältnisse: dies ist nach ihm der innerste Kern und Ursprung der Jean-Paulschen Dichtung und Anschauungsweise. Jean Paul sieht dieses Elend schärfer und wahrer als andere, namentlich als die Heroen unserer Dichtung, Goethe und Schiller, die ganz in der Idealwelt lebten und sich in ihr ein Bild der harmonischen, naturvollen Menschheit schufen; aber er bleibt im Bewußtsein des Kontrastes gefangen, er kann ihn nie vergessen, er entnimmt aus ihm den ganzen Inhalt seiner Dichtung, ohne ihn jemals in wahre und ganze Versöhnung aufzulösen; denn nirgends erhebt er sich zum Bild eines Handelns, wodurch das Ideal in die politische und bürgerliche Welt praktisch hineingearbeitet würde. Er blickt auf diese klägliche Wirklichkeit herab, den Trümmerhaufen unmächtiger Duodezstaaten, die Dumpfheit, Enge und Unfreiheit einer verkommenen kleinbürgerlichen Existenz, mißt sie am Ideal und vernichtet sie komisch mit der ganzen beißenden Schärfe des satirischen Humors, oder er flieht hinweg in ein verschwimmendes Jenseits und schwärmt wie ein erfahrungsloser Jüngling in Träumen der unendlichen Sehnsucht, und jeder von beiden Wegen führt durch tiefen, grenzenlosen Schmerz. Dort unerbittlicher einseitiger Realist, hier sentimentaler einseitiger Idealist, kennt er nirgends die Mitte, wo der Geist und das Leben einander die Hände reichen.

Der weltflüchtige Idealismus und der weltdurchbeizende Humor sind also nur die zwei Seiten eines Kontrastes, beide schärfen sich aneinander; es sind zwei Negationen, die in steter Unruhe einander setzen und aufheben; »Frau Mutter, leih' mir d' Scher«: dieses herüber- und hinüberschickende Kinderspiel wird hier unablässig aufgeführt. Jean Paul kennt allerdings auch eine Versöhnung: er steigt herab von seiner Höhe in das kleine Lerchennest, die Hütte, wo gute, beschränkte, kindliche Menschen hausen, mit Blutwenigem beglückt; die beißende Satire wird zum liebevollen Humor, der den heitern Kontrast innerer Seligkeit, mit dem unendlich Kleinen, was ihr genügt, sich Königen gleich zu träumen, mit mikroskopischem Auge und mit dem Lächeln des innigsten Gemüts auffindet und anschaut. Das Schulmeisterlein Wutz, Quintus Fixlein und andere Gestalten und Schilderungen sind die Geschöpfe dieser schönsten und reinsten unter Jean Pauls Stimmungen. Es ist dies der zweite unter den drei Wegen zum Glücke, die Jean Paul in der bekannten Stelle der Vorrede zum »Quintus Fixlein«[13] aufzählt; der erste ist der des weltverachtenden Idealismus, der nicht den freien Humor, nur die Satire begründet; als dritter wird genannt: mit den beiden andern wechseln, und gerade hier verrät Jean Paul die große Lücke seiner Weltanschauung. Man erwartet nun, Jean Paul werde als dritten aufführen: Entfaltung, Ausdehnung des eng begrenzten Humors der gemütlichen Idylle auf das Ganze des Lebens, Nestmachen auch im Großen, daß es uns wohl werde in der weiten Welt trotz ihren Mängeln. Planck sagt[14], daß dritte wäre: mit festem Schritte und weit um sich schauenden Blicke über die Erde hingehen und in kräftig zugreifendem Handeln sie zu einer würdigen Wohnstätte machen; er verlangt also hier den Übergang zum ernsten Ideal des mit dem Realismus versöhnten Idealismus. Auch gut; im Grunde ist es gleich, ob man sich eine ernste oder komische Form der Poesie als das richtige Dritte denkt, das kommt auf den Unterschied der Art, des Talents und seiner Grundstimmung hinaus; auch der Humor hat ja seine Basis im Ernste, und es ließen sich kräftig handelnde Menschen darstellen, die recht in dieser Welt zu Hause sind und doch mild über ihre Widersprüche lächeln. Genug, Jean Paul bekennt in der Theorie, wie er in der Praxis zeigt, daß ihm die rechte, die wirklich rechte Mitte fehlt. Gewiß ist er dadurch ein Bild und Typus seiner Nation, wie sie war, als sie zwischen der idealen Höhe, der weltbürgerlichen Weite ihres Geistes, ihrer innern Bildung und der Kläglichkeit ihrer äußern Zustände im tiefen Widerspruche lag, noch ohne Streben und ohne Aussicht, sich davon zu befreien; und gewiß zeigt diese Schrift mit feinem Blick auf die Stellen, wo Jean Paul zu einer Erkenntnis seiner Blöße gelangt und sie selber komisch negiert und vernichtet, als auf vorbildliche Fingerzeige für die Zukunft und die Ziele unserer Nation hin: der Deutsche war damals der gute, liebenswürdige, träumerische, schlechthin unpraktische Gottwalt, und wie der Dichter den gefühlseligen Burschen lächelnd auf seinen dunkeln Wegen begleitet, ohne selbst ein Ende des Wegs zu finden, so blieb der Nation in ihrem jünglinghaften Zustand nichts übrig als die Ironie über seine halberkannte Unreife.

Dennoch ist dieser Begriff offenbar zu eng, um das Ganze der Erscheinung Jean Pauls daraus zu erklären; zwiespältige Geister wird es immer geben, auch bei befriedigten Nationen, in wohlbestellten öffentlichen Zuständen; der Humor neigt immer und überall zu ruhelosem Neuerzeugen von Kontrasten, zu ewigem Herüber- und Hinüberschicken; die Welt, die Gesellschaft, der Staat bietet dem krankhaft genialen Geiste jederzeit Stoff genug, um grimmig zu lachen, schmerzlich zu weinen, und nur selten gemütlich zu lächeln; der Humor neigt ebenso überhaupt zur Formlosigkeit, wie aus Jean Pauls nächstem Vorbild, aus Sterne, zu ersehen ist; einsiedlerische Bildung könnte heute noch, und wäre Deutschland ganz geeinigt, im Fichtelgebirge, den Alpen oder im Schwarzwald oder auf märkischen Sandflächen in dieselbe grillenhafte Subjektivität sich verrennen. Es liegt in der Natur des Humors, daß er vom eigenen Ich ausgeht, die Widersprüche sich zum Bewußtsein bringt, womit die eigene Persönlichkeit behaftet ist, dann auf die Welt hinausblickt und in ihr das auseinandergelegte Bild des selbsterlebten Konflikts erkennt und anschaut: der Widerspruch im Ich und der Welt Widerspruch sind einer und derselbe. Dies verführt nur allzu leicht zur falschen Einmischung des Ich in die Kunstform. Auch so könnte und sollte der Humor dennoch zur Versöhnung des Ich mit sich und der Welt fortschreiten und immer noch Humor bleiben. Er soll objektiv werden; der Humorist soll frei den Narren zeichnen, der er selber gewesen. Jean Paul schreitet im ganzen und großen nicht zu dieser Freiheit fort; sein Humor bleibt, wie wir öfters genannt, pathologisch; nur in der Idylle kennt er Versöhnung und Objektivität, und ein stärkerer Anlauf gelangt, wie wir sehen werden, nicht zum Ziele. Einen Teil der Schuld dieser innern Verrennung tragen gewiß die öffentlichen Zustände Deutschlands zu Jean Pauls Zeit, aber gewiß nicht die ganze. Planck hätte allgemein vom Wesen des Humors ausgehen und dabei namentlich die Natur der Sentimentalität als des einen Pols von Jean Pauls Humor untersuchen, dann hätte er zeigen sollen, wie leicht er im Subjektiven, im endlosen Herüber und Hinüber der Kontraste stecken bleibt, und hierauf erst, wieviel leichter das geschehen konnte in der Enge, Dumpfheit und Kläglichkeit der damaligen politischen und sozialen Verhältnisse. Die Abstraktion, womit er stets nur auf den einen Punkt schlägt, führt auch zu gewaltsamen symbolischen Deutungen. Es ist wohl richtig, aber doch auch gefährlich, verführerisch, wenn man von der Bedeutung, die ein Dichter mit Bewußtsein in seine Erfindungen legt, die sachliche unterscheidet, die sie, ihm unbewußt, für uns haben, und es will uns doch gesucht vorkommen, wenn es z. B. über die »Flegeljahre« heißt: »Im ganzen betrachtet ist also das van der Kabelsche Testament und die Bestimmung, welche dem Helden vorgezeichnet ist, sachlich nichts anderes als ein humoristisches Sinnbild der Bestimmung der deutschen Nation.«[15] Selbst die Unform Jean Pauls, die Überwürzung, Versalzung, Abirrung und Ausweichung, Zersplitterung soll nicht etwa angenommene Manier, sondern direkt aus dem innern Grundmangel in der ganzen Denk- und Anschauungsweise zu erklären sein. Gewiß hängen beide zusammen, aber gewiß nicht unmittelbar. Jean Pauls Manier besteht ja gar nicht bloß in Umschlägen von einem Extrem ins andere; die Polyhistorie des Witzes kann man wohl, wie Planck tut[16], aus einem Bedürfnis erklären, dem Engen und Kleinen ein universalistisches Gegengewicht zu geben, aber schließlich liegt eben eine Unart und falsche Gewöhnung vor, die rein ästhetisch für sich zu betrachten ist und mit dem innersten Widerspruch nur überhaupt das Prädikat des Disharmonischen teilt.

[...]

Aus: Geschichte der deutschen Literatur
im achtzehnten Jahrhundert   1870

Es war ein Wort tiefster Selbsterkenntnis, als Jean Paul am 16. Januar 1807 an
Knebel schrieb: »Die zwei Brennpunkte meiner närrischen Ellipse, Hesperus-Rüh-
rung und Schoppens-Wildheit, sind meine ewig ziehenden Punkte; und nur gequält
geh ich zwischen beiden, entweder bloß erzählend oder bloß philosophierend,
erkältet auf und ab«[1].

Doch ein Heim muß der Mensch haben.

Weil Jean Paul, um in der Sprache Schillers zu sprechen, seinen inneren Streit
nicht in der geistreichen Harmonie einer völlig durchgeführten Bildung endigen
konnte, so war es ihm Bedürfnis, mit innigster Hingebung in naive Zustände und
Stimmungen zurückzugreifen, in welchen der Streit noch gar nicht erwacht ist.
Oder, um in der Sprache Jean Pauls selbst zu sprechen, weil Jean Paul nicht die
reine Höhe des idealischen Glücks gewinnen konnte, war es ihm Bedürfnis, zuweilen seinen Standpunkt zu wechseln und, wenn auch nicht wie Rousseau in die
Urwälder, doch mit sentimentalischer Rührung in die stille Beschränktheit bürgerlich häuslichen Glücks einzubeugen.

Hier liegt der Ursprung seiner Idyllen, die reinste und herzgewinnendste Seite
Jean Pauls.

Sagt, warum alle die trüben und bangen Zweifel, die das müßig grüblerische
Bildungsleben in uns geworfen hat? Ist nicht die unendliche quellende wehende
Welt, in welcher sich Kraft an Kraft und Blüte an Blüte reiht, um uns, über uns,
unter uns? O Jugend, o erste Liebe! O Frühling und Morgenrot und Sternennacht
und Freudentränen! »Wie herrlich ist's, daß man ist«. »Eine atmende Brust, in der
nichts als das Paradies, eine Predigt und ein Abendgebet, wahrlich! damit will ich
einen Gott zufriedenstellen, der den Himmel verlassen hat, um einen neuen hier
unter uns zu finden!«[2]

Jean Paul, in seliger Kindheit im Lehrer- und Pfarrerleben vogtländischer Dörfer
und Landstädte aufgewachsen, wurzelte mit seinen heiligsten Empfindungen in
diesen Erinnerungen stillbeschaulicher Genügsamkeit, welche auch aus Armut und
Elend Freude und Glück zu ziehen weiß, und in kindlicher Zufriedenheit an die
Möglichkeit, daß es anders sein könne, gar nicht zu denken wagt. Jean Paul wurde
der Genremaler des deutschen Kleinlebens. Er, der Goethe und Schiller, nachdem
sie sich so ausschließlich der Nachahmung der Antike zugewendet hatten, als
»griechenzende Formschneider«[3] verspottete, wurde durch diese ureigen volks-
tümlichen Gemälde in der Tat eine sehr wirksame Ergänzung Goethes und Schillers. Besonders auf Grund dieser Idyllen ist es geschehen, daß man Jean Paul lange
Zeit, freilich etwas überschwenglich, den deutschesten deutschen Dichter genannt
hat.

Zuerst wagte sich dies gemütvoll idyllische Wesen nur ganz verschämt und schüchtern hervor. Unter diesen ersten kleineren Idyllen ist die hervorragendste: »Leben des vergnügten Schulmeisterlein Maria Wutz in Auenthal« (1790)[3a].

Sie ist geschrieben für alle, die eine atmende Brust haben für die einzigen feuerbeständigen Freuden des Lebens, für die häuslichen[4]. Ach, er war so arm, der kindlich gute, stille, bescheidene Schulmeister; aber er verstand von Grund aus die schwere und doch für gute Herzen so leichte Kunst, stets fröhlich zu sein. Er war ein rechter Flügelmann der Freudenhandgriffe, jeden Tag und jede Stunde auszukernen[5]. Weil er ein Bücherfreund war und doch sich die Bücher nicht kaufen konnte, schrieb er sich die Bücher, deren Titel ihm im Meßkatalog am besten gefielen, seelenvergnügt selbst; und sein Sohn klagte oft, daß in manchen Jahren sein Vater vor literarischer Geburtsarbeit kaum niesen konnte. Den ganzen Tag freute er sich auf oder über etwas. »Vor dem Aufstehn«, sagt er, »freu ich mich auf das Frühstück, den ganzen Vormittag aufs Mittagessen, zur Vesperzeit aufs Vesperbrot und abends aufs Nachtbrot, und so hat der Alumnus Wutz sich stets auf etwas zu spitzen.« Trank er tief, so sagt er: »Das hat meinem Wutz geschmeckt«, und strich sich den Magen; nieste er, so sagte er: »Helf dir Gott, Wutz!« Im fieberfrostigen Novemberwetter letzte er sich auf der Gasse mit der Vormalung des warmen Ofens und mit der närrischen Freude, daß er eine Hand um die andere unter seinem Mantel stecken hatte; war der Tag gar zu toll und windig, so war das Meisterlein so pfiffig, daß es sich um das Wetter nicht schor. Abends, dachte er, lieg ich auf alle Fälle, sie mögen mich den ganzen Tag hetzen und zwicken wie sie wollen, unter meiner warmen Zudeck und drücke die Nase ruhig ans Kopfkissen, acht Stunden lang. Und kroch er endlich in der letzten Stunde eines solchen Leidentages unter sein Oberbett, so schüttelte er sich darin, krempte sich mit den Knieen zusammen und sagte zu sich: »Siehst du, Wutz, es ist doch vorbei!«[6] Und nun gar erst die erste Liebe, die Hochzeit, der glückliche Ehestand! Zuletzt werden wir an des guten Alten Sterbebett geführt; er verscheidet in seinem Gott vergnügt, sanft und selig. »Wohl dir, lieber Wutz«, schließt der Dichter, »daß ich, wenn ich nach Auenthal gehe und dein verrasetes Grab aufsuche, ich sagen kann: als er noch das Leben hatte, genoß ers fröhlicher als wir alle«[7].

Tiefer und ausgeführter, aber von gleicher Stimmung, ist das »Leben des Quintus Fixlein« (1795).

Der Held ist ein armer Kandidat, der zuerst in einer Stadtschule Quintus, dann Konrektor ist, zuletzt Pfarrer in seiner Vaterstadt wird, sich verliebt und verlobt und verheiratet, nach einem Jahr taufen läßt und mit seiner Geliebten ein glückseliges Leben führt bis an sein Ende. Aber über der Schilderung dieser schlichten und engen Begebenheiten liegt so viel zarter lyrischer Hauch, ein so herzliches und gemütsreines Auskosten aller kleinen Freuden, und zugleich so viel komische Schalkheit, daß dieses herrliche Idyllion unbedingt die herrlichste Dichtung Jean Pauls ist. Wie wundervoll ist sogleich der erste Eingang, das ungeduldig geschäftige Wesen der alten Mutter, die den Besuch ihres Sohnes erwartet, wie wundervoll das Werden und Wachsen der Liebe zwischen Fixlein und seiner künftigen Braut Thienette! Wie wundervoll ist die kindliche Eitelkeit des Quintus, als er seine Ernennung zum Konrektor erhält! »Er wußte kaum, was er von seinem gestrigen närrischen Aufblähen über seine Quintur nur denken sollte; die Quintusstelle, sagt' er zu sich, kommt gegen ein Konrektorat in gar keine Betrachtung; mich wundert's, wie ich gestern stolzieren konnte vor meiner Veränderung, heute hätte ich doch eher Fug dazu!«[8] Und das Gestehen der Liebe, die Verlobung, die Hochzeit, das Erwarten des ersten Kindes, der Tauftag! Alles ist Leben und Glut und Licht.

Und noch eine ganze Reihe ähnlicher köstlicher kleiner Genrebilder. Wie anmutend ist vor allem auch (1797) »Der Jubelsenior«. Es ist die Schilderung eines treuen Seelenhirten, der den hohen Ehrentag seines fünfzigjährigen Amts- und Ehejubiläums mit einer frommen Jubelpredigt vor seiner Gemeinde feiert! Das fünfzigjährige Paar wird vom Sohn aufs neue eingesegnet!

Eine ganz eigentümliche Stellung nimmt eine andere Idylle ein, die in ihrem letzten Teil in den Ton des Romans übergeht. Sie führt den Titel: »Blumen-, Frucht- und Dornenstücke, oder Ehestand, Tod und Hochzeit des Armenadvokaten F. R. Siebenkäs« (1795).

Die gemütstiefe, aber beschränkte Haushälternatur Lenettens, der Ärger des Armenadvokat Siebenkäs über die dadurch veranlaßten Störungen in seinen dichterischen Arbeiten, die innere Seelenheiterkeit, mit welcher er seine Armut erträgt, der Jubel über einen kleinen Gewinn bei dem Vogelschießen, der ihm eine Zeitlang über die drückendsten Verlegenheiten hinüberhilft, sind mit einer Meisterschaft der Seelenmalerei und mit einer Tiefe des ächtesten Humors geschildert, die es sehr begreiflich macht, daß grade dieser Roman sich von Anbeginn viele Freunde erwarb. Aber ein tief krankhafter Zug liegt in ihm. So sehr ist auch Jean Paul vom Teufel falscher Genialitätssucht besessen, daß er es nur als durchaus gerechtfertigte Selbsterhaltung betrachtet, wenn sein Held vermittelst des elenden Possenspiels eines Scheintodes und eines Scheinbegräbnisses, das sein Freund Leibgeber veranstaltet, sich von seiner guten treuen Lenette frei macht, um, befreit von ihr, ein neues erhöhtes Dasein zu beginnen. Lenette, die sich mit einem ihr gleichgestimmten alten Hausfreund verheiratet, wird schuldlos und wider ihr Wissen in das Verbrechen der Doppelehe gestürzt. Glücklicherweise stirbt sie. Siebenkäs aber kommt über ihren Tod mit leichter Rührung hinüber. Das ist eine Trübung des sittlichen Bewußtseins, die der schlimmsten Leichtfertigkeit der Sturm- und Drangperiode und der Romantiker in nichts nachsteht!

Siebenkäs ist ein verräterisch treues Spiegelbild der zwiespältigen Natur Jean Pauls selbst; von entzückender Feinfühligkeit für die Posie des scheinbar Alltäglichen, krankhaft und verzerrt durch phantastische Schrullen.

Aber was man auch gegen Jean Paul auf dem Herzen hat, wer kann angesichts dieser bedeutenden Gedanken- und Empfindungswelt in Abrede stellen, daß Jean Paul ein würdiger Sohn seiner großen Zeit ist und daß er tief und redlich teilgenommen hat an ihren tiefen Bildungskämpfen?

Und doch ist Jean Paul, einst der angebetete Liebling aller Kreise, jetzt fast völlig vergessen!

Man liest ihn nicht mehr; man verurteilt und bespöttelt ihn nur, blind, ohne Verhör.

Freilich ist es erfreulich, daß unsere Zeit der schwächlichen Schönseligkeit, die in Jean Paul so üppig wuchert, endlich entwachsen ist. Aber gerecht ist es trotzalledem nicht, der einseitigen Überschätzung eine ebenso einseitige Unterschätzung entgegenzustellen.

Zu einem richtigen Urteil über Jean Paul gelangt man nur, wenn man nicht, wie es meist geschieht, die Romane Jean Pauls und seine idyllischen Genrebilder unterschiedslos zusammenwirft. Es ist nicht bloß ein Unterschied der Ziele und Stimmungen, es ist auch ein Unterschied des dichterischen Wertes. Man kann sich von den Romanen abgestoßen fühlen, und sich doch an den Idyllen herzlich erquicken.

Von den Romanen Jean Pauls gilt es allerdings, daß wir uns jetzt nicht ohne inneres Widerstreben in sie hineinleben können. Es ist eine höchst seltsame psychologische oder, besser gesagt, pathologische Erscheinung, daß Jean Paul, weil er niemals über das jugendliche Schmerzgefühl des klaffenden Widerspruchs zwischen sentimentaler Verzückung und den gegenwirkenden Brandungen und Erdstößen des Lebens[9] hinübergekommen ist, in allen Dichtungen, die diesen Widerspruch zur Darstellung bringen, sich durchaus, wie man treffend gesagt hat[10], in alle Art und Unart eines achtzehnjährigen Jünglings festgerannt hat, in seine jugendliche Begeisterung und in seine jugendliche Unreife.

Die ständig wiederkehrende Hauptgestalt aller seiner Romane ist ein Charaktertypus, der ihm ureigen angehört. Es ist der deutsche Jüngling mit seiner still warmen, sehnsüchtig träumerischen Schwärmerei für alle höchsten Menschheitsideale, mit dem süß schmerzlichen Erbeben erster Liebe und Freundschaft, mit der rührenden holden Tölpelei, die vor lauter Fülle und Tiefe der überwallenden Innerlichkeit gar nicht aus sich herauszugehen vermag und bis zur Lächerlichkeit blöde und ungeschickt ist. Aber nicht nur, daß Jean Paul nicht selten schon diesen entzückenden Charaktertypus selbst, mehr als die ihm eingeborene Posie erfordert und verträgt, mit allerlei schönseligem Aufputz behängt und verzerrt; dieser Charaktertypus ist in der Tat das einzige, was er innerhalb des hohen Stils dichterisch zu schaffen vermag. Was außerhalb dieses Typus steht, versagt ihm. Es ist völlig richtig, wenn man von Einförmigkeit seiner Phantasie gesprochen hat[11]. Schon die Mädchengestalten Jean Pauls, insoweit sie nicht dem leidenden und gedrückten Teil der Menschheit entnommen sind, sind nichts als unmögliche Mondscheingebilde, glänzende Lilien aus der zweiten Welt, die sich selber ein Zeichen sind, daß sie bald in diese fliehen. Wie also gar die Charaktere, die aus dieser lyrischen Musik des Herzens heraustreten! Die kalten Verstandesmenschen, die harten Väter, die boshaften Minister und Höflinge, die sich diesen träumerischen Jünglingen und Lilienjungfrauen entgegenstellen, sind entweder schablonenhafte Karikaturen oder nur unbeholfene Umrisse, schattenhaft verschwimmend; selbst Gestalten wie Roquairol und Leibgeber-Schoppe, in denen ein fester Griff in das Leben gewagt wird, bleiben nur ein tiefes künstlerisches Wollen ohne plastisch lebenskräftige Durchführung. Die unmittelbare Folge solcher Armut der Charaktergestaltung ist Armut und Zusammenhanglosigkeit der Handlung. Nie hat Jean Paul eine spannende, dramatisch bewegte Handlung zu erfinden vermocht; immer nur ein loses Nacheinander möglicher und unmöglicher Begebenheiten, das sich den Forderungen strenger Motivierung und fester einheitlicher Komposition zu entziehen sucht, indem sich das vordrängende Ich des Dichters für den Berichterstatter einer nur sprunghaft und stückweise überlieferten biographischen Erzählung ausgibt. Daher wie bei allen Künstlern, die es am Wesentlichsten der Kunst fehlen lassen, viel überwuchernde Ornamentation, die sich in Jean Paul bis zur unerträglichsten Geschmacklosigkeit steigert; ermüdende Breite, viel abgeschmackt gelehrttuerischer Zitatenkram, viel verschrobene und gekünstelte Witzelei, viel eitles Schaugepränge mit überallher zusammengetrommelten Bildern und Gleichnissen[12], viel Jagen nach Barockem und Wunderhaftem, viel geflissentliches Hinarbeiten auf Erweichung der Tränendrüsen. Jean Pauls Romane sind zopfig und maniert. So sehr es bei all dem Herrlichen, das sie enthalten, zu beklagen ist, sie sind unrettbar veraltet.

Es ist nicht zu sagen, wie verderblich Jean Paul durch diese Auflösung aller Kunstform gewirkt hat. Noch in Heine und in den Schriftstellern des jungen Deutschlands finden wir diesen üblen Einfluß.

Ganz anders die Idyllen. Auch sie sind vorwaltend lyrisch. Nicht Darstellung von Zuständen oder Handlungen, nicht greifbarer drastischer Situationenwitz, wie es Sache des ächten künstlerischen Humors ist; nur Darstellung von Stimmungen, die durch die stille Zwiesprache ihrer inneren Idealität mit der harten Außenwelt Lächeln und Rührung erregen. Aber Gehalt und Gestalt decken sich. Liebe gute Menschen, die in aller Enge und Trübsal voll innerer Seligkeit sind. Nur sehr selten vereinzelte Züge falschen Empfindelns und Witzelns.

Ein Idyllion wie »Quintus Fixlein« ist ein Juwel nicht bloß unserer, sondern aller Literatur.

Lassen wir nicht Jean Paul, den unvergleichlichen humoristischen Genremaler, entgelten, was Jean Paul, der manierierte Historienmaler, gesündigt hat.

55 _Theodor Fontane_

[Über »Dr. Katzenbergers Badereise«] 1872

Katzenberger, eine Mischung von Zyniker und Isegrimm, gescheit, grob, humoristisch, geizig und nur splendid beim Ankauf von Mißgeburten, ist medizinischer, anatomischer Professor an einer kleinen Universität. Seine Tochter Theoda ist eine Idealfigur, aber nicht übertrieben: das »deutsche Mädchen« comme-il-faut. Sie machen eine Badereise nach Maulbronn. Reisebegleiter ist der Dichter Theudobach v. Nieß, der unter dem Namen Theudobach schreibt. Er hat sich in das Haus Katzenbergers als richtiger Herr v. Nieß eingeführt, der mit dem Dichter Theudobach (der er selber ist) innig befreundet sei. Nun wird die Reise beschrieben, die Vorgänge im Wagen, die Nachtquartiere, die Eroberung des achtfüßigen Hasen in der Apotheke einer kleinen Stadt etc. Endlich Ankunft in Maulbronn, wo Katzenberger seinen anonymen Rezensenten, den Brunnenarzt Strykius, durchprügeln will. Theudobach v. Nieß hält inzwischen eine Vorlesung, und zwar rezitiert er die Werke seines ›Freundes‹ Theudobach. Während der Vorlesung taucht ein _wirkli-_

cher, richtiger Herr v. Theudobach auf, der preußischer Ingenieurhauptmann ist. Natürlich eine Art Halbgott in Blau und Rot. Ein Gezischel geht: »*dies* ist der Dichter Theudobach.« Alle Weiber sind sofort davon überzeugt, denn er ist schön, besonders Theoda. Es entwickelt sich eine unliebsame Szene zwischen dem falschen und dem richtigen v. Theudobach, von denen der eine ein wirklicher Theudobach, aber kein Dichter, der andere ein Dichter, aber kein richtiger Theudobach ist. Nur sein *Vor*name und sein *Dichter*name waren Theudobach. Theoda hat bei dieser Gelegenheit ihr Herz entdeckt, das natürlich mehr für den Hauptmann als für den Dichter schlägt. Schließlich, mit Hilfe einer erleuchteten Höhle, in der auch (Gott weiß wie) Theodas Mutter begraben liegt, werden Theoda und der Hauptmann ein Paar. Der Dichter wird in der zweiten Hälfte der Erzählung nicht mehr gesehen, was auch recht gut ist. Katzenberger prügelt den Brunnenarzt durch; zuletzt endigt alles gut: Katzenberger hat seine Rache, einen achtfüßigen Hasen, eine sechsfingrige Hand und einen reichen Schwiegersohn, Theoda hat ihren Hauptmann. So fällt der Vorhang.

Im ganzen ist der Aufbau, bei aller Einfachheit der Hergänge, doch sehr geschickt gemacht und nicht ohne Spannung und Interesse. Man muß nur keine gebratenen Kinder verlangen. Auch sind die Charaktere lebensvoll gezeichnet: der Fürst, Katzenberger, Theoda, der echte und der unechte Theudobach, Strykius, die Freundin Bona und ihr Gatte Mehlhorn, die Apothekergruppe etc. Man kann von Übertreibungen sprechen, [aber] es gibt solche Menschen, und zwar nicht vereinzelt, sondern in erheblicher Zahl. Katzenberger ist eine meisterhafte Figur, allerdings *zu* lebenswahr, so daß darüber die Schönheit verlorengeht. Lange Abhandlungen bei Tisch, Qualster[1] und Urin kommen zwar vor und sind für solche Käuze charakteristisch, gehören aber nicht in die Kunst. Es verletzt mich nicht, ich empfind' es nur störend als eine künstlerische Verirrung. Antiquiert ist es durchaus nicht. Ein guter Durchschnittsleser kann es aber doch nicht mehr lesen; es ist nur noch für *literarische* Leute von *reiferen* Jahren genießbar. Diese finden auf jeder Seite ein Goldkorn, das ganze moderne Novellen aufwiegt, und vergessen darüber den umgebenden Häcksel, der wirklich nur Pferdefutter ist. Sieben Achtel ist Quatsch, das achte Achtel aber hält nicht nur schadlos, sondern gibt noch einen erheblichen Überschuß. Sahara, aber welche Oasen drin!

Charlotte Corday ... Dieser Aufsatz enthält auch sehr gutes Material über den Mainzer Adam Lux ...

Der ganze Aufsatz »*Die Kunst einzuschlafen*« ist gut und enthält viel Witziges und Humoristisches ...

Wagen-Sieste[2] gut. Theodas ersten Tages Buch[3] gut. Mißgeburten-Adel[4] sehr gut ... Hasenkrieg[5] vieles sehr gut ...

Aus: Der Wanderer und sein Schatten 1880

Jean Paul. – Jean Paul wußte sehr viel, aber hatte keine Wissenschaft, verstand sich auf allerlei Kunstgriffe in den Künsten, aber hatte keine Kunst, fand beinahe nichts ungenießbar, aber hatte keinen Geschmack, besaß Gefühl und Ernst, goß aber, wenn er davon zu kosten gab, eine widerliche Tränenbrühe darüber, ja er hatte Witz, – aber leider für seinen Heißhunger danach viel zu wenig: weshalb er den Leser gerade durch seine Witzlosigkeit zur Verzweiflung treibt. Im ganzen war er das bunte starkriechende Unkraut, welches über Nacht auf den zarten Fruchtfeldern Schillers und Goethes aufschoß; er war ein bequemer guter Mensch, und doch ein Verhängnis, – ein Verhängnis im Schlafrock.

Durch ihn ist Carlyle[1] zugrunde gerichtet und zum schlechtesten Schriftsteller Englands geworden: und durch Carlyle wieder hat sich Emerson[2], der *reichste* Amerikaner, zu jener geschmacklosen Verschwendung verführen lassen, welche Gedanken und Bilder händevoll zum Fenster hinauswirft.

57 *Paul Nerrlich*

Aus: Jean Paul. Sein Leben und seine Werke 1889

Hegel hat in seiner »Logik« den Widerspruch als die Wurzel aller Bewegung und Lebendigkeit erklärt[1]: Jean Paul ist der fleischgewordene Widerspruch. Mehr als irgendein zweiter und selbst mehr als Hamann[2] vereinigt der Dichter des »Titan« Elemente in sich, welche scheinbar einander ausschließen: als Janus steht er am Wendepunkt zweier Zeiten und blickt mit dem einen Gesicht zurück in die Vergangenheit, während sich vor dem andern Gefilde ausbreiten, auf die bis dahin noch keines Menschen Auge geschaut hatte. Zu den in ihm vereinigten Widersprüchen gehört zunächst sein Verhältnis zu *Fichte*. Einerseits preist auch er, grade wie Jacobi, den Verfasser der »Wissenschaftslehre« als redlichen und scharfen Schatzgräber der Wahrheit; überall redet er nur mit Hochschätzung von dem Philosophen, sie disputieren in Berlin freundschaftlich miteinander, und Fichte besucht später den Dichter in Bayreuth[3]. Doch nicht bloß dies. Jean Paul ist Fichte gradezu geistesverwandt; auch ihm ist das Bewußtsein von der Unendlichkeit des Ich, dem Gottsein des Menschen, aufgegangen, und dieses Bewußtsein beherrscht ihn so intensiv und ausschließlich, daß er sogar über Goethe hinausgeht, auf seinen Nachfolger *Heine* vorbereitet und Charaktere schafft, welche noch weit mehr als Goethes Helden für Typen des modernen Geistes gelten können.

Andererseits aber bekämpft auch Jean Paul wiederum, grade wie Jacobi, den Philosophen mit aller Energie: er schreibt seine »Clavis«[4] und meint in Übereinstimmung mit Jacobi, Fichte sei allerdings der Messias der Transzendentalphilosophie, eben diese aber sei Unsinn, Wahnsinn, und tauge nichts für uns. Die letzte Quelle dieser Opposition glauben wir in dem, was Jean Paul selbst den Schlüssel seines Herzens genannt hat, in seiner Phantasie und deren ausschließlicher Herrschaft erblicken zu dürfen. Auch für Fichte war ja die Phantasie als eigentliche Quelle der Kategorien das schöpferische Grundprinzip des gesamten geistigen Lebens, und Vischer hat sie für das spezifische Organ des Schönen erklärt[5]; wie himmelweit aber die Phantasie, an welche wir bei Jean Paul zu denken haben, von dieser wie jener verschieden ist, erhellt am klarsten aus den Worten Jean Pauls: »Keine Gegenwart kann so viele Realterritionen und Ruprechte und Wauwaus gegen mich zusammenbringen als mein fataler frère terrible, die Phantasie.«[6] In Jean Paul lebt das Ich mit einer Stärke, wie nur noch in Fichte, aber nicht das reine, sondern das empirische, nicht das objektiv urteilende, sondern das nur empfindende, nur fühlende, rein subjektive, die Imagination, dasjenige, welches ihn hindert, der Außenwelt gegenüber die rechte Position zu finden. Hiermit aber glauben wir die so überaus komplizierte Erscheinung Jean Pauls nach allen Seiten hin erklären und die in ihm vereinigten Widersprüche begreiflich machen zu können. *Gervinus* meint, der Versuch in die ungleichartigen Teile den bindenden elektrischen Funken zu schlagen, zu dem vielseitigen Charakter den springenden Punkt zu finden, sei in den meisten Fällen mißglückt[7]; sein eigenes Mißglücken jedoch ist lediglich daraus abzuleiten, daß ihm das Verständnis unserer klassischen Philosophen abging, und daß er den von Jean Paul selbst dargereichten Schlüssel entweder übersehen oder verschmäht hat.

Dieser Schlüssel aber öffnet uns zunächst das Verständnis für die eine Seite seines Wesens, für das, was sterblich an ihm ist, für sein Zurückbleiben im Christentum. Von den Pfaffen freilich will auch er nichts wissen, ebenso wenig wie Jacobi, und er glaubt weder an eine Offenbarung, noch an Wunder, noch an die Gottessohnschaft und übernatürliche Geburt, noch endlich an die Auferstehung und Himmelfahrt Jesu. Dagegen ist, wie für Jacobi, so auch für Jean Paul der Glaube an Gott das A und das O, auf welches er, wenigstens in denjenigen Romanen, die unter den Zeitgenossen das meiste Aufsehen erregt haben, immer wieder zurückkommt; hierzu aber gesellt sich zweitens bei Jean Paul noch der mit gleicher, wenn nicht stärkerer Energie in ihm lebende Glaube an die Unsterblichkeit. Mit dem echten, klassischen Christentum, dem der Bibel und der Kirchenväter, hat freilich dieser Glaube, unseres Dichters an Gott und Unsterblichkeit wenig mehr gemeinsam als den Namen; er ist, wie bereits angedeutet, nichts als die Kehrseite seiner Verwandtschaft mit Fichte und die Folge seiner Phantasie. In wem das Ich mit so gewaltiger und so eigenartiger, lediglich auf der Phantasie beruhender Energie lebt, in dem erwacht nur zu leicht der Wunsch, daß dieses Ich auch nach dem Tode noch fortlebt, und daß auch dem Weltall ein einziges, von ihm scharf geschiedenes Ich, ein persönlicher Gott gegenübersteht. Wen die Phantasie beherrscht, dem wird keine Wirklichkeit genügen: wie also unsere wahre Heimat das Jenseits ist, so wird uns die Erde als Jammertal erscheinen, dem zu entfliehen unser höchster Wunsch sein muß. So wird Jean Paul zum Dichter der Transzendenz und zum Sänger des Grabes, der Tränen, der Trauer, des Schmerzes. Die Erde ist ihm nur die dunkle

Kammer einer schöneren Welt[8], nur Zimmerplatz, nicht Baustelle; fester und länger als Goethe ist Jean Paul von den Banden der Sentimentalität umstrickt geblieben, und sein erster Roman ist nicht sowohl dem »Werther« als dem »Siegwart«[9] verwandt. Unmittelbar im Zusammenhange mit dieser Transzendenz steht Jean Pauls Spiritualismus: Nur die unsinnliche Liebe ist für ihn die wahre; er erklärt, daß man nie etwas Anderes oder Höheres oder Schöneres lieben könne als die Seele und daß, wenn nicht der erste Kuß, so doch gewiß der zweite die Liebe endigt; unsere Biographie wird aber schließlich zeigen, wie selbst dieser Spiritualismus sofort wieder in sein Gegenteil, freilich nur sein scheinbares, umschlägt und wie Jean Paul in Theorie wie in Praxis zum Don Juan wird, welcher unstät von der einen Geliebten zur anderen hinüberflattert, ja sogar – er nennt dies seine Simultanliebe[9a] – für mehrere gleichzeitig erglüht. Wen aber die Phantasie beherrscht, wem keine Wirklichkeit genügt, der wird zweitens nicht nur aus der Gegenwart hinaus in die Zukunft, ins Jenseits, sondern auch in die Vergangenheit, in die Kindheit, zur Jugendzeit flüchten. Während daher Goethes Helden bei all ihren Schwächen doch von vornherein männlicher, titanischer erscheinen, weiß Jean Paul nur äußerst selten, wie im »Katzenberger«, reifere Männer zu schildern; nicht mit Unrecht hat dahr *Gervinus*[10], dessen Darstellung freilich schon durch *Planck*[11] modifiziert worden ist, von einem hartnäckigen Beharren in der Sphäre des Jugendlebens, von der Juvenilität in Jean Pauls Werken und Wesen gesprochen.

[...]

Doch Jean Paul ist, sagten wir, ein Janus; er ist als Vorgänger eines Börne und Heine nicht nur für die Zeitgenossen, sondern auch für die Nachwelt bahnbrechend geworden, ja seine Fehler sind schließlich vielfach nur die notwendige Kehrseite seiner Vorzüge. *Vischers* Metaphysik des Schönen gipfelt nicht im Tragischen, sondern im Komischen, und dieses wieder im Humor. Der Geist der Komik, sagt Vischer, ist ganz Geist der Immanenz; das Komische ist schlechtweg pantheistisch[12]. Es ist diejenige unter den Grundformen des Schönen, in welcher am sichtbarsten der Akzent nicht auf dem Faktischen liegt, sondern auf dem Bewußtsein, seinen Widersprüchen, ihrer Auflösung; es ist der Akt der reinen Freiheit des Selbstbewußtseins, das den Widerspruch, womit alles Erhabene behaftet ist, sich in unendlichem Spiel erzeugt und auflöst. Vom Mittelpunkt der Subjektivität aus ergreift und verkehrt es jede Art des Erhabenen; die Komödie steht insofern über der Tragödie, als sie freiere, in Gemütsgleichheit über dem Gegenstande sich erhaltende Subjektivität fordert und das Erhabene, das den Inhalt der Tragödie bildet, als das eine ihrer Momente mit umfaßt. Erst im Humor jedoch entsteht die wahre Einheit des komischen Subjekts und Objekts, erst hier ist die Objekt und Subjekt trennende Reflexion aufgehoben. Die Reflexion, schließt Vischer[13], wendet sich jetzt auf das Ganze, das vorliegt, und hat dies vor sich, daß das eigene Subjekt, in die allgemeine Unreinheit und ihr Schicksal verwickelt, eben durch seinen unendlichen Schmerz unendlich darüber steht, gerade durch den Selbstverlust zu sich zurückkehrt, und daß ebenso im ganzen Umfange der Geschichte durch den Reiz und Schmerz des Widerspruchs ihr großer Zweck sich herausarbeitet. Aus diesen Vischerschen Sätzen folgt zunächst mit Notwendigkeit, daß erst in dem Zeitalter eines Fichte der Grund zur wahren Komik und zum wahren Humor gelegt werden konnte, und daß *Shakespeare* und *Aristophanes* fast allgemein, inkonsequenterweise selbst von Vischer, überschätzt werden; es folgt aber auch, daß sogar *Goethe* und *Schiller*, welche, anstatt Lessing zu folgen, sich vorwiegend auf die Tragödie beschränkt haben, nicht den Gipfel aller Poesie bilden können. Es darf nun natürlich niemand einfallen, diesen Gipfel lediglich deswegen in Jean Paul zu erblicken, weil er ein Humorist ist. Schon vorher wurde bemerkt, daß der Dichter des »Hesperus« und des »Titan« im Vergleich zu den Dichtern der »Räuber« und des »Faust« der Befangene ist, daß ihm das Drama, dieser Gipfel aller Kunst, vollständig unerreichbar geblieben, und daß selbst seine Romane einerseits ihrer mangelhaften Form wegen keine vollendeten Kunstwerke sind, andererseits, was den Inhalt betrifft, zumeist in der Sphäre der Juvenilität beharren und auch nicht die Geschichte zum Schauplatz erwählen. Und doch wird Jean Paul ewig der Ruhm bleiben, daß er uns nicht bloß den Weg zur höchsten Höhe gezeigt hat, sondern mit staunenerregender Genialität diesen Weg in eigener Person betreten und wenn auch nicht komische und humoristische Kunstwerke, so doch komische und humoristische Charaktere erschaffen hat, dergleichen sich keine Nation rühmen kann. Während Goethe und Schiller, so zeigt Vischer[14], als Vertreter des klassischen Ideals jene Generalität des Pathos besaßen, welche das Individuelle nicht in seinem vollen Umfange aufnimmt und nicht tief in die spezielleren Züge der Existenz hineingreift, verfolgt der moderne Stil Jean Pauls eine buntere Welt in die tieferen Brüche des Bewußtseins und der Erscheinung, in die härteren Bedingungen des Daseins und die schärfste Eigenheit der Individualität. In alle Falten und Winkel der Welt, selbst in die häßlichen, schießt er Strahlen von einer Schärfe, vor welcher der klassische Stil zurückscheut; er spezialisiert, detailliert, und sein Blick ist ein mikroskopischer. So zeigt sich der Humorist einerseits für den Druck des unendlich Kleinen im höchsten Grade empfindlich und jeder Anstoß wird ihm zu einem unendlichen Schmerzgefühl; der Humor setzt das tiefste Unglück des Bewußtseins voraus, seine Komik ist die Frucht eines selbsterlebten Kampfes, eines im Kampfe und in Schmerzen geborenen Selbstbewußtseins. Damit zahlt Jean Paul nicht bloß der Sentimentalität seiner Zeit seinen Tribut, sondern wird auch zum Vorläufer von *Heine*. Wie bei diesem, so wird auch bei Jean Paul dieser Schmerz zum Weltschmerz; ebenso wenig aber als Heine versinkt Jean Paul in dumpfe, tatenlose Resignation, sondern erglüht ebenso in Begeisterung für das ihn beseelende Ideal wie in Haß wider die abgelebten und verrotteten Vorurteile. Heine wie Jean Paul schwingen daher mit wuchtiger Hand die Geißel der Polemik und schmettern ihre Gegner reihenweis zu Boden; Jean Pauls Polemik findet nur in *Lessing* ihren Vorgänger, seine Satire nur in *Erasmus*[15] oder *Swift*. Andererseits aber erkennt der Humorist auch wiederum das unendlich Kleine als berechtigt und unendlich wertvoll; wir haben daher in Jean Paul ebenso einen unserer größten Genremaler und Idyllendichter zu verehren, wie er, im Gegensatze zu dem aristokratischen Goethe und Schiller, der demokratische Dichter, welcher auch den Niedrigen und Armen und Verachteten das Evangelium gepredigt hat, zu nennen ist. Doch auch noch in anderen Beziehungen erweisen sich seine Mängel als Kehrseiten seiner Vorzüge. Reife Männer zwar hat er nicht darzustellen gewußt, dafür aber hat er die Poesie der Kindheit und des Jünglingsalters mit einer Tiefe und Wahrheit geschildert, wie kein zweiter neben ihm. Die Naturforschung zwar war ihm fremd, dafür aber hat er Hymnen zum Preise der Natur gedichtet, welchen nur die gebundene Form fehlt, um ihn den ersten unserer Lyriker beizugesellen. Die Liebe des Mannes zum Weibe zwar hat Jean Paul ihre Geheimnisse nicht entschleiert, dafür aber die des Jünglings zum Jünglinge, so daß wir in ihm den klassischen Dichter der Freundschaft zu erblicken haben. Formvollendete Schönheit fehlt allerdings seinen Werken, dafür aber rauscht seine Sprache nicht selten in süßem, bestrickendem Wohllaute dahin, und was für Goethe die bildende Kunst, ist für ihn die Musik gewesen. Jean Paul war sodann ein sprachgewaltiges und sprachbildendes Genie wie kein zweiter seit Luther; ein Blick nicht sowohl in seine Schriften als in *Grimms* Wörterbuch zeigt, wie wir gerade in ihm den Nationalschriftsteller und den Krösus der Idiotismen zu verehren haben, den *Herder* verlangt und prophezeit[16]. Er ist endlich aber auch, wie bereits bemerkt, der Klassiker der Metaphern und des Witzes gewesen, und es ist eine eigentümliche Wendung des Schicksals, daß der Dichter des Spiritualismus und der Transzendenz seinem Witze die gesamte Natur dienstbar gemacht hat und hinsichtlich der Sinnlichkeit und Anschaulichkeit seines Stils nur noch in Lessing seinesgleichen findet; auch in dieser Beziehung also erscheint er ebenso als Ergänzung zu Goethe und Schiller, wie als Vorläufer von Heine, Strauß[17] und Feuerbach.

58   *Stefan George*

Lobrede auf Jean Paul   1896

Von einem dichter will ich euch reden einem der größten und am meisten vergessenen und aus seinem reichen vor hundert jahren ersonnenen lebenswerk einige seiten lösen von überraschender neuheit unveränderlicher pracht und auffallender verwandtschaft mit euch von heute, damit ihr wieder den reinen quell der heimat schätzen lernet und euch nicht zu sehr verlieret in euren mennig-roten wiesen euren fosfornen gesichtern und euren lila-träumen.

Wenn es seiner hohen zeitgenossen befriedigung war empfundene und geschaute wirklichkeiten deutlich wiederzugeben so war es sein heiliges streben den zauber der träume und gesichte zu verbildlichen. wenn andere mit der worte klarheit und richtigkeit siegten so hat Er mit der worte verschwindend zarten abschattungen gewirkt, über ihren geheimnisvollen unsichtbar rauschenden und anziehenden unterstrom aufschlüsse gegeben und zuerst – ein vater der ganzen heutigen eindruckskunst – die rede mit unerwarteten glänzen und lichtern belebt mit heimlichen tönen mit versteckten pulsschlägen seufzern und verwunderungen.

Ich war an die fünfte säule auf den obersten stufen eines griechischen tempels gelehnt, dessen weißen fußboden die gipfel taumelnder pappeln umzingelten – und die gipfel von eichen und kastanien liefen nur wie fruchthecken und geländerbäume wallend um den hohen tempel und reichten dem menschen darin nur bis ans herz.[1]

O wenn ein erdenmensch in einem traum durch das elysium gegangen, wenn große unbekannte blumen über ihm zusammenschlagen, wenn ein seliger ihm eine von diesen blumen gereicht hätte mit den worten: »Diese erinnere dich, wenn du erwachst, dass du nicht geträumt« wie würde er schmachten nach dem elysischen lande so oft er die blume ansähe![2]

Da sanken vor uns lichte schneeperlen wie funken nieder, wir blickten auf und drei goldgrüne paradiesvögel wiegten sich oben und zogen unaufhörlich einen kleinen kreis hinter einander her und die fallenden perlen waren aus ihren augen oder ihre augen selber.[3]

Da begann die lallende zunge aus orgeltremulanten durch die öde stille den seufzer des menschen anzureden und der wankende ton wand sich zu tief in sein weiches herz.[4]

Er sah nie einen so reinen schnee des augapfels um die blaue himmelsöffnung die weit in die schöne seele ging, und wenn sie das auge in den garten niederschlug stand das große verhüllende augenlid mit seinen zitternden wimpern ebenso schön darüber wie eine lilie über einer quelle.[5]

Er weinte nicht, aber konnte doch nicht mehr sprechen, ihre zwei herzen ruhten verknüpft in einander und die nacht umhüllte schweigend ihre stumme liebe und ihre großen gedanken.[6]

Wenn oft ein undurchdringliches gestrüpp uns den weg durch den anmutigen duftenden garten mühsam macht: wenn ganze seiten von wunderlichen zusammenstellungen und maßlosen abschweifungen uns erschrecken so sollen wir uns zurückrufen dass der dichter zur zeit des zopfstiles gelebt hat den Er allein im weltschrifttum vertritt, zur zeit in der man die edlen formen mit lächerlichen anhängen häßlichen schnörkeln und überflüssigen zierraten versah und wenn mitten im trauten gespräch der liebenden ihr des schlummernden vaters rohes gelalle hören[7] und mitten in einem erhabenen sternen-chore bis auf die minute erfahren müsset wann der mond aufgeht[8]: so ist dies ein jäher rückruf, der peinliche unvermeidliche schlag den der dichter sich und euch wieder giebt so wie ihn seine hehre seele in all den kleinen städten an all den kleinen höfen vom niederen leben empfing.

Doch um wie viel öfter bleiben wir erstaunt und beschämt stehen vor einem so zarten empfinden einer so frauenhaften aufmerksamkeit einem solchen reichtum der gefühle, besonders da wo es ihm gelingt – entgegen dem beispiel der gleichaltrigen – herzlich und zugleich fein zu sein: traulich aber nicht derb, weich aber nicht verschwommen.

Wie hat er noch den wald gesehen das kindliche thal und die einfachen blumen! wie hat er noch der vögel sange lauschen können, mit welcher kühnheit und mit welch frommem schauer ist er durch die unermeßlichkeiten, durch räume voll sonnen monden und erden geschwebt! wie hat er noch den mai genossen von seinem ersten kühlen windrauschen an bis zur himmlischen trunkenheit und verzückten auflösung im warmen blüten-meere!

Und sind sie nicht alle etwas von unserem fleische, seine wesen in denen wir nur

die kämpfenden und sich versöhnenden teile der eignen seele sehen, die ohne große
thäter zu sein unendlich sinnen und unendlich leiden, die zwischen dem flöten-
spiele zarter jünglinge und dem rosigen welken zarter mädchen hin und herziehen
vom stillen Lilar zum lauschigen Blumenbühl.

– Sei aber nicht gesagt dass es in seinen werken an heftig ergreifenden auftritten
fehle! wie Linda's verderben, Emmanuel's entschlummern, Vult's abschied von
Walt und der größten und rührendsten einer: Albano's wahn genesung und reise
mit einem beinahe heldengedichtlichen abschluss.

Wenn Du höchster Goethe mit Deiner marmornen hand und Deinem sicheren
schritt unsrer sprache die edelste bauart hinterlassen hast so hat Jean Paul der
suchende der sehnende ihr gewiss die glühendsten farben gegeben und die tiefsten
klänge.

59   *Karl Hertling*

Ein Antipode des Zeitgeschmacks   1906

Man hat sich nachgerade daran gewöhnt, das Urbild des tragischen Dichterschick-
sals in dem Typus des erst nach seinem Tode Anerkannten zu erblicken. Indes
sollte man nicht vergessen, daß es noch eine andere Art von Dichtertragik gibt
(freilich dem Geschichtsbetrachter erst, nicht dem Poeten bemerkbar): die des
Unsterblichkeit träumenden Lieblings seiner Zeit, der nach seinem Tode in völlige
Vergessenheit gerät. Bei dem klassischen Repräsentanten dieses Schicksals wirkt
der Kontrast zwischen Einst und Jetzt so ergreifend geradezu, daß es wohl lohnt,
einmal den Gründen des Phänomens nachzugehen; zumal es sich nicht um einen
Modeschriftsteller handelt, einen Speichellecker des Zeitgeschmacks (dessen Los
leicht erklärlich wäre), sondern um den Mann, den einst Börne pries als leuchtenden Genius und Hohenpriester, den ein Heinrich Heine den Apostel der Menschheit nannte[1].

Schiller freilich schreibt am 28. Juni 1796 an Goethe über *Jean Pauls* »Hesperus«[1a]: er sei ihm fremd erschienen »wie einer, der vom Monde gefallen ist«; aber
vielleicht wird uns gerade diese Äußerung einen Fingerzeig zur Lösung des Problems bieten.

In den Literaturgeschichten »für höhere Lehranstalten« findet man Jean Paul
vielfach als gemütshypertrophischen Schwärmer geschildert. Kein Wunder. Den
herrschenden Klassen von heute, bei denen die heiligsten Gefühle von der Lauge
des Mammonismus angefressen erscheinen – wo soll ihnen das Verständnis herkommen für den unglaublichen Gefühlsreichtum des Bayreuther Anachoreten! Es
ist eine fremde Welt, in die der Poet uns führt, eine Welt mit Menschen von feinster
Empfindung, auf deren Seelensaiten der leiseste Windhauch die schönsten Akkorde
erzeugt.

Wenn der Held der »Flegeljahre« einem Bettler seinen Stab abkauft, um ihn ohne
Beschämung beschenken zu können[2], wenn er sich Skrupel macht über die An-

nahme einer Erbschaft, weil er sie anderen dadurch entzieht, so ist dies das Gebaren eines Menschen, der ›nicht in die Welt paßt‹. Aber an der *Welt*, nicht am *Menschen* bleibt der Makel hängen: daß ein Mensch von einigem Gefühlsreichtum in ihr zugrunde gehen muß (falls er nicht ›weltkluge‹ Führer findet), mit anderen Worten: *daß die bestehende Weltordnung demoralisiert* – diese Erkenntnis muß Jean Paul seinen Lesern bringen.

Daraus folgt ohne weiteres eine zweite Hauptlehre: das verdorbene Individuum braucht nicht von Natur und von Grund aus schlecht zu sein; »schwarze Charaktere und Augen erscheinen, näher in letztere gefasset, nur braun«[3]. Nur keine *moralische Entrüstung über die einzelnen*, die wohl oder übel der ›Welt‹ sich anpassen mußten und dem oberflächlichen Betrachter für hassens- und verachtenswert gelten! Es ist ein Genuß, im Gegensatz zu der Empörung, mit der Jean Paul die *Gesellschaftsordnung* seiner Zeit betrachtet, die lächelnde, verstehend-verzeihende Menschenliebe zu beobachten, die er ihren üblen Produkten entgegenbringt. Eben dieser all seine Werke durchwehende Geist der Menschenliebe ist es, der ihn zum Universalhumoristen macht, zum Humoristen im höchsten Sinn!

Vorbedingung zu Jean-Paulschem Humor ist ein unbedingter Glaube an das Gute nicht nur in der Menschheit, sondern auch im Individuum. In dieser Beziehung besitzt der Dichter einen überraschenden Spürsinn; noch am schlechtesten Charakterzug entdeckt er ein Atom von Güte. Nur einen gibt's, gegen den er erbarmungslos wettert: das ist der treibende Geist der bürgerlichen Gesellschaft – der kalte, schamlose, womöglich philosophisch begründete *Egoismus*. »Die Leidenschaften sind doch wenigstens kecke, großmütige, obwohl zerreißende Löwen; der Egoismus aber ist eine stille, sich einbeißende, fortsaugende Wanze. – Der Mensch hat zwei Herzkammern, in der einen sein Ich; in der andern das fremde, die er aber lieber leer stehen lasse, als falsch besetze. Der Egoist hat, wie Würmer und Insekten, nur eine.«[4]

Und doch ist Jean Paul – *Individualist*, wie wir gleich sehen werden; ist das nicht ein schreiender Widerspruch? – – –

Man stößt heute vielfach auf eine fälschliche Auffassung des Individualismus, als wäre er nichts als der ideologische Ausdruck bürgerlicher Ausbeutungsgelüste; das verrät Mangel an Dialektik. Der Individualismus hat, wie alles heute, seine zwei Seiten: er bedeutet nicht bloß das Recht des Kapitalisten, ›Herr im eigenen Hause‹ zu sein – er kündet sehr viel öfter noch das Verlangen des Proletariers, mehr zu sein als Maschine, Zahl, ›Hand‹, Teilwerkzeug eines Werkzeuges; darauf beruht es auch, wenn Ellen Key in ihren »Essays«[5] mit vollem Recht die so paradox klingende Behauptung aufstellt, der Individualismus komme zum vollen Ausleben erst – im Sozialismus. Und in diesem Sinne ist auch Jean Paul Individualist.

»Der Sänger der Armen, der Niedriggeborenen«, wie Börne ihn nennt[6], entdeckt er überall Charaktere und ungefaßte Edelsteine: im Stübchen des vergnügten Schulmeisterleins Maria Wutz, in der zweigeteilten Behausung des »Juristen« Harnisch, im »möblierten Zimmer« des jungen Notars; aber auch in den Prunksälen des Grafen Zablocki findet er – in Wina – die gefesselte und eingeengte »schöne

Seele«[7]. Und jede unausgelebte Individualität dient ihm zu immer neuer Anklage der Verhältnisse.

Ja, sein Individualismus geht so weit, daß *er selber* es nicht zwei Seiten lang aushält, nach dem Ideal der Klassiker ›objektiv‹ zu schreiben. Immer wieder drängt das lächelnde (mitunter auch weinende) Gesicht des Poeten sich zwischen seinen Werken hervor. Bald spottet er über sein eigenes Opus; bald will er dem Leser die Hand drücken; denn wieder will er ihn foppen und in toller Laune Verstecken mit ihm spielen. Seine vielen Extrablätter, eingeschobenen Briefe usw., über die man so oft verständnislos sich lustig gemacht, bedeuten nichts als das Streben des Dichters, seiner Persönlichkeit die Zügel schießen zu lassen und der des Lesers so nahe wie möglich zu treten – ein tiefer Wesenszug seiner Psyche. – –

Wir haben gesehen, wie Jean Paul sich zur *Menschheit* und zum *Individuum* stellt, wie in beiden Richtungen seine freiheitsdurstigen Gedanken weit hinausfliegen über die Grenzen der bürgerlichen Gesellschaft. Es bleibt uns noch übrig, seine Stellung zur *Natur* mit einigen Worten zu kennzeichnen.

Seit durch den stets gesteigerten Gegensatz zwischen Stadt und Land die Entfremdung des Menschen von der Natur mit jedem Jahrzehnt in geometrischer Reihe gewachsen ist, hat es nicht an großen Geistern gefehlt, die ihrem Sehnen nach Wiedervereinigung mit der Natur Ausdruck gaben. So tat es Rousseau auf politischem, Beethoven auf musikalischem Gebiet; auf dem der Poesie niemand ergreifender und brünstiger als Jean Paul. Man denke nur an seine prächtigen Idyllen und Landschaftsgemälde, vor allem die Schilderung des Lago Maggiore im »Titan«[8]; oder an den entzückenden, naiv-pantheistischen Zug in den »Flegeljahren«, wie der fußreisende Walt die steckengebliebenen Korkhölzer mitleidig weiterstößt, damit sie hinter ihren schwimmenden Gefährten nicht zurückbleiben[9]. Solche ›sentimentalen‹ Betrachtungen können nur mit dem Herzblut eines Mannes geschrieben sein, der die Natur verehrt aus tiefster Seele, doch selten die geliebte voll genießen kann; der zukunftsfroh den Augenblick erlechzt, wo Mensch und Natur von neuem sich vermählen. ...

So tritt Jean Paul überall als Schöpfer ungeahnter Gefühlswerte auf, als Künder weltenferner Zukunftsideen. Wie muß solchem Manne zumute gewesen sein in der so nüchternen, gefühlsarmen Gegenwart, deren Charakteristikum schon damals die von Sombart[10] konstatierte »Rechenhaftigkeit« bildete! Er war zu positiv, zu schöpferisch angelegt, um nach Literatenart in negativer Kritik sich zu erschöpfen; aber wo er einmal kritisiert – da wächst kein Gras mehr. Gibt es wohl eine beißendere Satire auf den Adel als die Charakteristik des Grafen Klothar und des Generals Zablocki in den »Flegeljahren« oder Vults Rede an seinen Zwillingsfreund Walt im gleichen Werk: »... den Adelstand verknüpft die Gleichheit der Vorrechte durch ganz Europa. Er besteht aus einer schönen Familie von Familien; wie Juden, Katholiken, Freimaurer und Professionisten halten sie zusammen. ... Wir bürgerlichen Spitzbuben hingegen wollen einander nie kennen. ... Darum fährt der Adel in ein Fahrzeug mit Segeln eingeschifft, der Bürger in eines mit Rudern. Jener ersteigt die höchsten Posten, so wie das Faultier nur die Gipfel sucht. ... Doch der Adel erkennt auch selber seine Kostbarkeit und unsere Notwendigkeit gern an; denn er schenkt selber deswegen – wie etwa die Holländer einen Teil Gewürz verbrennen oder die Engländer nur siebenjährig ihre Wasserbleigruben auftun, damit der Preis nicht falle – in seiner Jugend der Welt fast nur Bürgerliche, und sparsam erst später in der Ehe eines und das andere Edelkind, er macht lieber zehn Arbeiter als eine Arbeit, weil er den Staat liebt und sich.«[11]

Welch prächtige Ausfälle gegen die Geldaristokratie enthält (ebenfalls in den »Flegeljahren«) die Schilderung des Neupeterschen Geburtstages! Ich erinnere nur an die famos bezeichnende Antwort des weinlustigen Geldmenschen auf die Frage, welche seiner Töchter er am meisten liebe: »Wer mir lieber, Herr? Die Blonde oder Braune? Auf jeden Fall die Blonde, sag' ich; denn sie kostet vierteljährlich der Kasse 12 Groschen weniger. Für 3 Tlr. 12 Gr. gutes Geld verkauft der Mundkoch Goullon in Weimar seine Flasche roten Schminkessig notabene für Blonde; für Braune hingegen jede um netto 4 Tlr.; hat sie vollends schwarzes Haar, so muß ich gar die Flasche zu 4 Tlr. 12 Gr. verschreiben!«[12]

Nach dem Vorausgegangenen verstehen wir leicht, weshalb ›man‹ heute dem Bayreuther Polyhistor so wenig Geschmack abzugewinnen vermag. Es bleiben uns nur noch zwei Fragen zu beantworten: Wie kommt es, daß gerade Jean Paul, der Vergangenheit und Gegenwart gleich abhold, uns so gewaltige Zukunftsperspektiven gezeichnet hat? Und wie kommt es, daß er zu seiner Zeit, der er doch auch nicht gerade Komplimente machte, soviel Bewunderung und Anerkennung fand?

Nun, die erste Frage ist leicht zu beantworten, wenn man an des Dichters obskure Herkunft denkt und sein jahrzehntelanges, verzweifeltes Ringen um die Existenz. Zur zweiten Frage aber ist zu sagen: unserem hastenden nervösen Zeitalter, das fast keine Interessen mehr kennt als die des Erwerbs, und Unterhaltungslektüre kaum noch zwischen zwei Stationen der Vorortbahn genießt, fehlt jene ruhige Beschaulichkeit der Stimmung, die Jean Pauls Wesen ausmacht, und die nicht mehr verstanden noch wiederempfunden werden kann. Jean Paul war der letzte einer Zeit, die wenigstens für eine Schicht der Bevölkerung, für das wohlhabende Kleinstadtbürgertum, eine Idylle war. Im Getümmel der Großstadt ging er verloren.

Und so fehlt's denn an Publikum für Jean Paul. Aber nicht mehr lange. Wenn das Proletariat erst die Geistesnahrung, nach der es mehr noch fast als nach körperlicher lechzt, sich verschaffen kann, und nicht nur der ökonomischen, sondern auch der geistigen Menschheitsentwickelung Früchte zu genießen imstande ist, dann findet Jean Paul sein würdigstes Publikum, dann kommt der Sänger der Niedriggeborenen zu seinem Rechte, und Börnes Prophetenworte gehen in Erfüllung: »Nicht allen hat er gelebt! Aber eine Zeit wird kommen, da wird er allen geboren, und alle werden ihn beweinen. Er aber steht geduldig an der Pforte des zwanzigsten Jahrhunderts und wartet lächelnd, bis sein schleichend Volk ihm nachkomme. ...«[13]

Aus: Studien zur Geschichte des deutschen Geistes
Jean Paul   1906

[...]

II. Seelische Struktur

Durch die Familie Jean Pauls geht musikalische Begabung. Der Großvater hatte als
Lehrer auch musikalische Aufgaben. In dem Vater war das musikalische Talent
überwiegend: er war ein beliebter Kirchenkomponist: er hat mitgewirkt in der
Kapelle des Fürsten Thurn und Taxis. Jean Paul selbst übte die Musik. Seine
Schriften sprechen seine Liebe zur Musik an unzähligen Stellen aus. Er ist der
musikalische Dichter dieses Zeitalters.

1.

Ich entwickele die Züge dieses Musikalischen in seiner Form. Ich gehe von einem
Beispiel aus. Der Schauplatz einiger Szenen im »Titan« ist die Isola bella auf dem
Lago Maggiore. Die ruhigen, edelgeformten Linien der Berge, die klare Gliederung
des Landes bilden den unterscheidenden Charakter dieses Sees im Unterschied von
den andren Alpenseen. Luft, Wasser, Vegetation wirken damit zusammen. Jean
Paul hat niemals diese Gegenden gesehen, so wenig als Schiller die Schauplätze des
»Tell« am Vierwaldstädtersee. Welch ein Unterschied aber! Schiller baut seine
Handlung auf die bestimmteste Vorstellung der Lage aller einzelnen Orte auf, die
Szenerie Jean Pauls ist ohne jede gegliederte Sichtbarkeit, die Handlung mit ihr
nicht verbunden. Nur das Zusammenzittern und -klingen der Gefühle, welche die
Fülle der Natur in diesen Gegenden, der Zauber des Lichtes, die südliche Vegeta-
tion hervorbringen, wird ausgedrückt. Er versetzt uns ganz in die Stimmung,
welche die Gegenwart dieser Landschaft in uns erweckt, ohne daß von der Gliederung des Bodens oder der maßvollen Formenbestimmtheit dieser Vegetation eine
Anschauung in uns entsteht. Allgemeiner ausgedrückt: dieser musikalische Stil will
nirgend zuerst und vornehmlich die Gegenstände sehen lassen, sondern er malt das
Gefühl, das sie hervorrufen. Die Subjektivität dessen, der sie nachlebt und von
ihnen ergriffen wird, wird dargestellt, und so verschwimmen die klaren Linien der
Gegenstände selbst. Anrede an seine Helden, Ausrufungen, Fragen bilden die zit-
ternde Bewegung der Seele ab, welche große Charaktere, rührende Schicksale hervorrufen. Musikalisch ist auch die beständige Anwendung harmonischen Zusam-
menklingens der Eindrücke des Gesichtes, des Gehörs, der Erinnerung, das Verschwimmen und Verwehen der Bestimmtheit in dem so entstehenden Gesamtein-
druck. Ja, man kann sagen, daß er seine Romane komponiert wie der Musiker eine
Sinfonie: so wechseln darin Adagio, Scherzo, nämlich geradezu zu einem solchen

musikalischen Eindruck zusammengesetzte Szenen. Kein anderer deutscher Dichter neben ihm oder vor ihm in der neueren Zeit hat sich einer solchen musikalischen Form der Komposition bedient. Und von ihm haben die Romantiker hierin gelernt.

2.

Gegen diese Mittel seiner poetischen Form tritt die Macht des Verstandes ganz zurück. Und auch das ist in der Struktur dieses Geistes gegründet. Verstand, der nach kausalen Beziehungen begreift und erklärt, rationaler Wille, der klare Zwecke im System der Mittel dem Kausalzusammenhang einordnet, sonach verstandesmäßige Energie, die das Leben formt und den Charakter fest gestaltet, diese Kräfte, durch welche Goethe das Dämonische in sich bezwang und Schiller sein Leben regelte, treten in dem Leben dieses genialen Phantasiemenschen gänzlich zurück. Alles Denken in ihm ist beherrscht von der schrankenlosen Tätigkeit der Vergleichung. In diesem Kopf ist unendlich viel einzelnes aufgespeichert, grenzenlose Möglichkeiten, alles mit allem zu vergleichen. Dahinter liegt das metaphysische Bewußtsein von der Verwandtschaft aller Dinge miteinander. Aus der Vergleichung des Abgelegensten miteinander entspringen seine Phantasiespiele, sein Witz, das Groteske seiner Darstellung. Schon in Leipzig bemerkt er in seinen Studienbüchern: »Eine tiefere Einsicht in die Natur wird uns wahrnehmen lassen, daß um alles und durch alles in der Welt ein geheimes Band sich schlingt, und daß die Ähnlichkeiten, die der Witz an den Dingen bezeichnet, vor scharfen Augen bestehen und sich als Gleichheiten darstellen«[1]. Dann wieder steigert er das Gefühlsmäßige in den gegenständlichen Eindrücken durch die Vergleichung. Und er geht hier bis zur äußersten Geschmacklosigkeit, indem er den Eindruck der Natur zu steigern sucht durch die Vergleichung mit Produkten der Kunst. Hierin liegt ein Zug von Rokokokunst, der auch in seiner Neigung zum Grotesken sich äußert. Wie denn auch in seinen Naturszenerien die Eremitage von Bayreuth nicht selten ein Vorbild ist.

In seinem Stübchen neben dem surrenden Spinnrad der Mutter die lustigen und rührenden Bilder von seiner immer lebendigen Phantasie sich vorgaukeln zu lassen, durch Tränen lächelnd, kaum imstande mit der Feder den Eingebungen dieser Einbildungskraft zu folgen, – er hat viele Jahre lang sich nichts anderes gewünscht als dies. Diesem Drang, zu sammeln, zu imaginieren, zu schreiben, hat er alle seine Lebensverhältnisse dienstbar gemacht. Nie war ausschließlicher einem Menschen die schriftstellerische Tätigkeit schlechthiniger Zweck seiner Existenz. Seine ersten Werke entstehen in Not ärgsten Grades, aber keine Rechnung auf schriftstellerischen Erfolg führt ihm dabei die Feder. Mit rührender Unbehilflichkeit sucht er dann für die Manuskripte ein kleines Honorar. Sein Leben so einzurichten, daß auch nur eine freiere Bewegung in der Welt ihm daraus entstünde, daran denkt er während dieser ganzen Zeit nicht. Die Freunde, die kleinen Liebeständeleien, die heiteren Wanderungen über Berg und Tal, die dieses Schriftstellerdasein erheitern, genügen seinem bescheidenen Sinn. Er sucht nicht die Gunst der Großen, sondern behandelt sie hart in seiner satirischen Laune. In seinem Leben herrscht die Unordnung, die sein träumerisches Phantasiedasein hervorbringt, mitten in der pedantisch abgezirkelten Moralität seines Daseins. Diese innere Abneigung gegen jedes bürgerliche Verhältnis und die in ihm gegebenen Zweckzusammenhänge geht so weit bei dem Dichter, daß er findet: »ein Mensch von Talenten und ein Bürger von Talenten hassen einander gegenseitig«[2]. Und dem Helden des »Hesperus« schreibt er zu, daß er es lächerlich findet, auf der Erde ernsthaft zu sein[3].

Sein Lernen ist von Anfang an von derselben Art. Neben Gymnasium und Universität geht immer sein autodidaktisches Treiben einher. Er durchdringt nicht irgendeinen Kreis von Gegenständen in ruhiger, genauer, regelmäßiger Arbeit und gewinnt eine Erkenntnis dieses Kreises für sich oder die Welt; ihm genügt, aus diesem Kreise Merkwürdigkeiten, Vergleichungen, Kuriositäten, geniale Einfälle in seine Sammelbücher zu bringen. So gewinnt sein Leben weder Gestalt, noch entstehen aus seinen Studien feste Einsichten in den Zusammenhang der ihn umgebenden Wirklichkeit. Und doch ist sein Genie so allseitig und mächtig, daß er auch aus diesen Raubzügen die genialsten Blicke mitbringt. Wo sein Denken sich einbohrt, zeigt er einen Scharfsinn, der dem Schillers durchaus nicht nachsteht.

Auch hierin ist etwas, das divinatorisch über seine Zeit hinausweist: Er ist der erste unserer Schriftsteller, der vollkommen im Literatenberuf aufgeht. Er ergreift ihn als Student, und außer kurzen Hofmeisterzeiten war jeder Tag seines Lebens diesem Beruf gewidmet. Er schreibt immer und überall – Notizen, Exzerpte, Zusammenhänge. Jeden in ihm auftretenden Gedanken hält er fest, um ihn nicht zu verlieren, und er freut sich an dem bunten Reichtum dieses geistigen Schatzes. Wenn er Liebesverhältnisse pflegt, so ist immer in ihm etwas, das zuschaut, um sie in seinen Romanen unterzubringen. Seine Freundschaften nutzt er für seine Schriftstellerei. Er liest nicht, um sich zur Reife zu bringen oder Gegenständliches zur Erkenntnis zu erheben: er hat keine Zeit zu so langwierigem Tun: immer begleitet ihn der Gedanke an schriftstellerische Verwendung. Welch ein Gegensatz zu Schiller, der in der Mitte seiner Laufbahn, auch von der Not des Lebens bedrängt, Jahre dem Zwecke opferte, sich reif zu machen, um dann das Höchste ihm Erreichbare zu leisten, ohne je dabei durch den Gedanken an schriftstellerische Brauchbarkeit gestört zu werden! Blickt man von hier auf die beiden Häupter unserer Dichtung zurück, so versteht man noch besser den Sinn des mächtigen Willens in ihnen, der durch persönliche Reife zu schriftstellerischer Vollendung ringt.

So entsteht der vitiöse Zirkel in seinem Leben. Schreiben ist ihm wie Atmen: freudige Lebensbetätigung. Aber nur, weil er sich im Schreiben gehen läßt. Es ist die Äußerungsweise dieser so seltsam und phantasiemäßig wirkenden seelischen Struktur, in welcher allein sie freie Bahn vor sich hat. So saugt der Schriftsteller den Menschen auf. Das Leben gewinnt keine Form. Es fehlt der rationale Wille, der dem Charakter Einheit, Bestimmtheit, Kraft zu herrschen verschaffte. Ein solcher Wille würde den Lebenszustand aufheben, in welchem allein er sich produktiv und glücklich fühlt. Und wie er ihm fehlt, vermag er auch seinen Werken feste und reife Formen nicht mitzuteilen. »Wenn ich«, gesteht er, »meinem Geist und Körper eine

Ruhe von drei Tagen geben will, so drängt am zweiten eine unbezwingliche Brut-
hitze mich wieder über mein Nest voll Eier oder Kreide. Der arme Paul wird es so
forttreiben, bis die gequälte fieberhafte Brust von der letzten Erdscholle gekühlt
ist.«[4]

Eine solche beständige Tätigkeit der Phantasie forderte Reizmittel. Er hat selber
gestanden, solche benutzt zu haben. Und es wäre sonderbar gewesen, wenn man
die Anwendung dieser Reizmittel nicht an einer Überhitzung seiner schaffenden
Phantasie gespürt hätte. Auch mußte eine Tätigkeit solcher Art den Dichter früh
erschöpfen. Er war 42 Jahre alt, als er die »Flegeljahre« abbrach, und von da ab ist
deutlich der Niedergang seines Schaffens zu bemerken. Welch ein Gegensatz auch
hier gegen Goethe, der in langen Pausen seine Phantasie ruhen ließ.

Ein solcher Schriftsteller konnte keine Entwicklung haben.

[...]

61   *Hugo von Hofmannsthal*

Blick auf Jean Paul. 1763–1913   1913

Geht der Blick hundertfünfzig Jahre nach rückwärts, so trifft er den Lebensanfang
dieses Dichters, der einst den Deutschen so teuer war, geht er um ein Jahrhundert
zurück, seine volle Gewalt und überschwengliche Berühmtheit, ein halbes Jahrhundert, seine Geringschätzung und drohende Vergessenheit. Aber auch heute lebt
sein Werk noch fort, wenn es auch nur ein dämmerndes Halbdasein ist. Ein wesen-
haftes, geistiges Leben, in der Sprache ausgeprägt, ist niemals völlig abgetan, und
wie eben in der Überlieferung eines großen Volkes alles da ist, »Stärke und Schwäche, Keime, Knospen, Trümmer und Verfallenes neben- und durcheinander«[1], so
sind auch diese Werke da, und wenn der Blick auf sie fällt, scheinen sie widerzu-
blicken und den Betrachtenden zu binden mit der Zauberkraft, die von jedem
Leben ausgeht und ihm verliehen wurde zum Ersatz dafür, daß es ein Einmaliges,
Nichtwiederkommendes ist.

Wer sich aber einlassen will mit diesen seltsamen Lebensgängen und barocken
Zusammenfügungen, die zu durchlaufen unseren Großeltern so leicht und süß
schien, dem widersteht das Ganze, und ihn verwirrt auch das Einzelne. Die Zusam-
menfügung ist lose, die Handlung zugleich dürftig und sonderbar, die Gestaltung
schwach. In einem war dieser Dichter, den die Mitwelt den Einzigen nannte[2], den
ein Herder über Goethe stellte, groß; herrlich nennt ihn der strenge Grillparzer in
diesem einen: im Abspiegeln innerer Zustände[3]. Uns aber ist zuerst auch in diesem
einen das Überschwengliche befremdlich, bis das Seelenhafte und trotz allem
Wahre uns überwältigt. Vielleicht ist uns dieser Überschwang darum so fremd,
weil wir heute in einem anderen Überschwang, diesem entgegengesetzt, befangen
sind. Das in Freude und Wehmut ausschweifende Ich ist selten unter uns, desto
häufiger ein dumpfes, beschwertes, ängstlich-selbstsüchtiges Wesen. Das Aufge-
schlossene, die grenzenlos gesellige zarte Gesinnung ist uns verloren, statt dessen

sind wir in die Materie zu viel und zu wenig eingedrungen, das allseitig Bedingte zieht uns in einen trostlosen Wirbel – das doch im geheimen auch allseitig frei ist, erkennten wir es nur so tief –, wir sind wahrhaftig jene »Anachoreten in der Wüste des Verstandes, auf denen schwer das Geheimnis der Mechanik liegt«[4]. Solchen Wechsel schaffen die Umstände der Zeit, die für das Ganze das sind, was für den Einzelnen die leibliche Verfassung. Die geistigen Ab- und Ausschweifungen wechseln von Geschlecht zu Geschlecht, aber auch ihr Rückstand und Bodensatz, das Gewöhnliche und Alberne, das, worin die Naivität und Beschränktheit einer Zeit liegt, wechselt bis zur Unbegreiflichkeit; darum gibt es kein Fern und Nah bei der Betrachtung der Vergangenheit, alles ist schwankend und unmeßbar, das Geistige in dem Individuum von 1830 uns ganz nahe, das Fratzenhafte der Epoche uns ganz fern; daß auch unsere eigene Zeit den Nachlebenden ein solches Gesicht zeigen wird, müssen wir einsehen, ohne es begreifen zu können.

Jean Paul teilte seine Gemälde in die *italienischen* und die *niederländischen*[5]; eine dritte Weise, die *deutsche*, stellte er dazwischen, worin er beide zu verbinden suchte. In seiner italienischen Manier sind die großen Romane abgefaßt, in denen es um hohe Gegenstände und die großen Verknüpfungen des Lebens geht und die das Entzücken seiner Mitlebenden bildeten; in der niederländischen und deutschen die kleinen Gemälde der wehmütig-vergnügten Anmut und des dürftigen, eingeschränkten Lebens, worin auch für unseren Sinn neben dem Barocken das Zarte, Tiefsinnige und Unerwartete fast nicht zu erschöpfen ist. Den großen Romanen aber, »Titan«, »Hesperus«, deren Namen selbst die Geringschätzung der Jahrzehnte nicht völlig haben klanglos machen können, waren mehr oder minder lose jene unvergleichlichen Stücke eingefügt, die wahrhaftige Gedichte sind und die in einer Blütenlese zusammenzustellen immer wieder von solchen versucht werden wird, deren Sinn dem Schönen in der Dichtkunst aufgeschlossen ist. Denn wessen Geist das Schöne überhaupt erfaßt, der kann auch nicht an irgendeiner Art des Schönen stumpf vorübergehen. Diese Gedichte, ohne Silbenmaß, aber von der zartesten Einheit des Aufschwunges und Klanges, sind die Selbstgespräche und Briefe der Figuren, ihre Ergießungen gegen die Einsamkeit oder gegen ein verstehendes Herz, ihre Träume, ihre letzten Gespräche und Abschiede, ihre Todes- und Seligkeitsgedanken; oder es sind Landschaften, Sonnenuntergänge, Mondnächte, aber Landschaften und Mondnächte der Seele mehr als der Welt. Die deutsche Dichtung hat nichts hervorgebracht, das der Musik so verwandt wäre, nichts so Wehendes, Ahnungsvolles, Unendliches.

Bald ist es ein tönendes Anschwellen der Seele in einem erhabenen Traumgesicht, bald die Mittagswehmut oder die Beklommenheit der Dämmerung; es ist ein Zittern, ein Auseinanderfließen in träumende Ruhe, oder die Unendlichkeit einer letzten Begegnung, eines letzten Augenblicks, die Ahnung des Einganges der Welt und die vorausgeahnte Seligkeit des Vergehens.

In diesen Gesichten und Ergießungen ist die *Ferne* bezwungen, der Abgrund des Gemüts, den von allen Künsten nur die tönende ausmißt; in den niederländisch-deutschen Gemälden aber oder den Idyllen, wie man sie wohl nennen muß, ist es das *Nahe,* das mit einer unbegreiflichen Kraft seelenhaft aufgelöst und vergöttlicht ist. Auch diese kleinen Dichtungen, der »Siebenkäs«, der »Quintus Fixlein«, der »Jubelsenior« und vor allem das »Leben des vergnügten Schulmeisterlein Maria Wutz in Auenthal«, sind fürs erste nicht leicht zu lesen. Hier gleichfalls ist in einer barocken Weise alles zusammengefügt und durcheinander hingebaut, alles ist Anspielung und Gleichnis, neuerfundene Wörter und absonderliche Kunstwörter, zusammengetragen aus der Sternkunde und Anatomie, der Gartenkunst oder dem Staatsrecht wie der Kochkunst; aber zwischen dem allen dringt etwas hervor, das wahre Poesie ist, vielleicht noch seltener und kostbarer als jene Ahnungen und Träume. Nach einer erhabenen Ferne strebt in Träumen und halben Träumen etwa auch ein zerrissenes und zweideutiges Gemüt, aber um das völlig Nahe in seiner Göttlichkeit zu erkennen, dazu bedarf es eines vor Ehrfurcht zitternden und zugleich gefaßten Herzens, denn eben weil es das Nahe und überall dicht an uns Herangedrängte ist, so überwächst sichs schnell mit der Dunkelheit des Lebens, geht wieder hin, wie nie geboren. So ist es mit dem Unsagbaren zwischen Eltern und Kindern, zwischen Mann und Frau, auch zwischen Freunden und miteinander Lebenden. Hier bedürfte es einer beharrenden Spannung des Herzens, der aber der Mensch ebenso wenig fähig ist wie eines beständigen Gebetes. Nur in Aufschwüngen vermag er sich zu einem grenzenlos innigen Anschauen zu erheben, wo dann Groß und Klein, Vergänglich und Beständig als leere Worte dahinterbleiben. Die Jean-Paulschen höchsten Momente sind dieser Art. Sie heften sich immer an das Kleine und Alltägliche; es ist in diesen idyllischen Erzählungen von nichts die Rede als von dem Gewöhnlichen der Leiblichkeit und der niedrigen Regungen des Geistigen, die fast wieder ins Leibliche fallen, den kleinen Eitelkeiten, Ängstigungen und Befriedigungen des Alltags. Der Leser hört viel von dem Zubehör der Kleidung, Bettzeug, Küchengerät und anderen Dürftigkeiten, womit vierundzwanzig Stunden des Alltags und der Raum zwischen Stubenwand und Fensterscheiben ausgefüllt sind. Aber dem Blick des Gemüts, der zart und gespannt genug ist, auf stummen Nichtigkeiten und Wehmut und Zärtlichkeit zu verweilen, steht ein redender Himmel offen, wenn bloß nur in einem alten Gesicht das Kindergesicht sich aufschlägt, worin das Unsagbarste uns auf die Seele fällt und Leben und Tod ineinandergehen. Diese beharrliche liebende Betrachtungkraft – von wie vielen vergeblich nachgeahmt, nicht nur dem zarten Stifter, sondern auch dem strengen Hebbel, dem witzigen Heine – trägt den Segen in sich, daß vor ihr wie das Häßliche so auch der Schmerz sich auflöst, ja die Nichtigkeit des Daseins selber sich vernichtigt: so wirkt sie, woran aller Schwung und Tiefsinn des angespannten Denkens scheitert: die kleine Wirklichkeit unseres Lebens liegt in diesen Dichtungen tröstlich da und umfriedigt.

Diese Bücher und die in ihnen webende Gesinnung mögen halb vergessen sein und allmählich noch mehr in Vergessenheit geraten, wie leicht möglich ist, es ist gleichwohl in ihnen etwas vom tiefsten deutschen dichterischen Wesen wirkend, das immer wieder nach oben kommen wird: *das Nahe so fern zu machen und das Ferne so nah, daß unser Herz sie beide fassen könne.*

Jean Paul der Flieger. Zu seinem hundertfünfzigsten Geburtstag (21. März 1913)   1913

Jean Pauls Entzückungen kamen aus der Musik, in der er alle Geheimnisse und unendlichen Möglichkeiten der menschlichen Seele erlebte; in ihren Wonnen schuf er seine vielen Träume und Visionen einer Zukunft, wo das Leben ein Menschenjubel ist und die Chöre der neunten Symphonie das heilige Tagewerk der Frei-Verbundenen umjauchzen. Mit seiner kindlich reinen Phantasie glaubte der Dichter, daß dieser selige Äon mit der Erfindung der Flugkunst anheben werde. Für uns, über deren Köpfe die Zeppeline und Aeroplane dahinsausen, ist es rührend, wie spät sich Jean Paul das Fliegen der Menschen dachte, wie er es in eine Zeit verlegte, wo der Ballast unseres Erdballs, das Laster, schon ausgeworfen und versenkt ist, wo die Menschen nur noch im Äther der Liebe und Weisheit atmen und man in den Märchenbüchern von uns heutigen einander hinschlachtenden Menschen wohl wie von Lindwürmern und Drachen oder wahrscheinlicher wie von einem häßlichen Volke der Pygmäen erzählen wird. Liest man Jean Pauls Flugpoesien, vor allem den Matrosenalmanach Giannozzos, so wundert man sich freilich eher, daß von Jean Pauls kühnen Träumen bis zu unsern Triumphen über das Element der Luft doch noch hundert Jahre vergehen mußten; denn in so reichem Maße dichterisch antizipiert wird ein Erlebnis in der Regel nur kurz vor seinem Durchbruch in die Wirklichkeit.

Von allen modernen Dichtern, die den Flug besangen, hat noch keiner den Schwung und die sinnliche Anschauungskraft Jean Pauls erreicht, keiner, auch Nietzsche mit seinen herrlichen Paradoxen nicht ausgenommen, wie er die neue Sittlichkeit, Lebensbejahung und Universalpoesie der fliegenden Menschen verkündet. Jean Pauls so ganz modernes Individualisieren tritt am besten ins Auge, wenn man die schönen Worte Fausts auf seinem Osterspaziergang: »O daß kein Flügel mich vom Boden hebt …«[1] mit folgender denselben Gedanken ausdrückender Stelle aus dem »Titan« vergleicht: »Ach welche Wonne, so sich aufzureißen von dem zurückziehenden Erdenfußblock und sich frei und getragen in den weiten Äther zu werfen – und so, im kühlen durchwehenden Luftbade auf- und niederplätschernd, mitten am Tage in die dämmernde Wolke zu fliegen und ungesehen neben der Lerche, die unter ihr schmettert, zu schweben – oder dem Adler nachzurauschen und im Fliegen Städte nur wie figurierte Stufensammlungen und lange Ströme nur wie graue, zwischen ein paar Länder gezogene schlaffe Seile und Wiesen und Hügel nur in kleine Farbenkörner und gefärbte Schatten eingekrochen zu sehen – und endlich auf eine Turmspitze herabzufallen und sich der brennenden Abendsonne gegenüberzustellen und dann aufzufliegen, wenn sie versunken ist, und noch einmal zu ihrem in der Gruft der Nacht hell und offen fortblickenden Auge niederzuschauen und endlich, wenn sich der Erdball darüberwirft, trunken in den Waldbrand aller roten Wolken hineinzuflattern …«[2]

Durch die Kinematographen und die immer schnelleren Bewegungsmöglichkeiten, vor allem durch ein vom theologischen, philosophischen und moralischen Dogmatismus befreites schnelleres Denken ist uns die Zeit, d.h. die Bewegung immer mehr die Form geworden, unter der wir das Leben erfassen und genießen. Jean Paul ist von unsern großen Dichtern der bewegungsreichste; durch seine Hymnen auf »die göttliche Überfülle und Vermischung der Welt«, durch seine dionysische Lust an dem »Bunterlei« jedes Augenblicks ist er uns heute so überaus lebendig. Als ein Beispiel, mit welcher Ergriffenheit der Dichter die Erscheinungen durcheinander fluten sah, möge eine Stelle aus Giannozzos Tagebuch dienen. »Viertehalbtausend Fuß tief rannte die weite Erde unter mir dahin ... Auf der Fläche, die auf allen Seiten ins Unendliche hinausfloß, spielten alle verschiedenen Theater des Lebens mit aufgezogenen Vorhängen zugleich – einer wird hier unter mir Landes verwiesen – drüben desertiert einer und Glocken läuten herauf zum fürstlichen Empfang desselben – hier in den brennend-farbigen Wiesen wird gemäht – dort werden die Feuerspritzen probiert – englische Reiter ziehen mit goldenen Fahnen und Schabracken aus – Gräber in neun Dorfschaften werden gehauen – Weiber knien am Wege vor Kapellen – ein Wagen mit Weimarschen Komödianten kommt – viele Kammerwagen von Bräuten mit besoffenen Brautführern – Paradeplätze mit Parolen und Musiken – hinter dem Gebüsche ersäuft sich einer in einem tiefen Perlenbach – ein Schieferdecker besteigt den Stadtturm und ein sentimentalischer Pfarrsohn guckt aus dem Schalloch und beide können (das kann ich viertehalbtausend Fuß hoch observieren, weil die dünne Luft alles näher heranhebt) sich nicht genug über das 100 Fuß tiefe Volk unter sich verwundern und erheben – einer auf Knieen und hinter der Binde muß drei Kugeln seiner dreifarbigen Kokarde wegen in den Pelz auffangen – ein für die Kirmes angeputztes Dorf samt vielen nötigen Verkäufern und Käufern dazu – katholische Wallfahrten von schlechtem Gesang begleitet – ein lachender trabender Wahnsinniger muß eingefangen werden – fünf Mädchen ringen entsetzlich die Hände, ich weiß nicht warum – über hundert Windmühlen heben im Sturm die Arme auf – die blühende Erde glänzt, die Sonne brennt aus den Strömen zurück, die muntern Schmetterlinge unten sind nicht zu sehen und die hohen Lerchen nur dünn zu hören, oder ich täusche mich sehr – das Leben hier schweigt und ist groß und droht fast – Gott weiß, welcher gewaltige böse oder gute Geist hier in dieser stillen Höhe dem Treiben grimmig-grinsend oder weinend-lächelnd zusieht und die Tatzen ausstreckt oder die Arme, und ich frage eben nichts nach ihm ...«³

Interessant ist es, wie sich für Giannozzo schon die Dinge »so wild und eng durcheinanderwerfen«⁴. Befinden sich bei irgendeinem Dichter Ansätze zu der jüngsten Bewegung, dem Futurismus, so bei Jean Paul. Ich denke hier vor allem auch an die Landschaften seiner Träume, in denen fortwährend alles seinen Platz ändert und vertauscht.

Nicht genug ist es vom künstlerischen Standpunkt aus zu beklagen, daß Jean Paul seinen ersten genialen Plan, nach dem der wilde Humorist Schoppe im »Titan« sich an entscheidenden Stellen der Handlung immer in einem Ballon über all das Treiben des deutschen Kleinstadtlebens und der Misere seiner Höfe erheben sollte, nicht zur Ausführung brachte. Freilich wäre dann im komischen Anhang zum »Titan« nicht »des Luftschiffers Giannozzo Seebuch« entstanden, das Wildeste und Genialste, was Jean Paul überhaupt schuf, ein Werk, in dem wir die Allübersicht Shakespeares wie den Freiheitsgeist der Alten in gleichem Maße bewundern müssen. Von allen Werken unserer Literatur ist nur Herders Reisejournal[5] in einem ähnlichen Tempo und Gedankensturm geschrieben. Wie springen uns die Reifen von Brust und Geist, wenn wir mit Giannozzo »über eine Religion und Landschaft und Reichsstadt nach der andern«[6], über »d- und theistische Gesinnungen« und über »all die statistischen kleinstädtischen Achtzehnjahrhunderter«[7] hinwegsausen! Wie jauchzen wir vor Übermut, wenn er über der Festung Blasenstein die Marseillaise hinunterbläst und dadurch die ganze Festung in Harnisch bringt! »Nur in der Luft 3000 Fuß hoch sind noch Minuten von einem guten Tage zu haben!«[8] »Und wie man oben in der stillen heiligen Region nichts merkt, was drunten auf den Ameisen-Kongressen der Menschen quäkt und schwillt!«[9] Wer könnte je Giannozzos letzte Fahrt bei Blitz und Donner über die Alpen und den Rheinfall vergessen und wie schließlich den Verwegenen der Wetterstrahl höhnisch in die Tiefe schleudert! »Sein rechter Arm und sein Mund waren weggerissen, seine langhängenden Augenbrauen auf den hohen Augenknochen kahl weggebrannt und sein Gesicht sehr zornig verzogen, alles andere aber unversehrt.«[10] Des kühnen Chavez[11] Sturz fand so schon hundert Jahre vor seinem Vorfall seine geniale dichterische Darstellung.

Wie unendlich milde und sehnsuchterregend ist's dagegen, wenn Gione im »Kampaner Tal«, erschüttert durch die tiefsinnigen Gespräche über die Unsterblichkeit, das Begehren hat, in der Montgolfiere sich den Sternen zu nähern. »Sie ging einsam wie eine Himmlische empor unter die Sterne – die Nacht und die Höhe warfen ein Gewölke über die aufziehende Gestalt – ein oberes Wehen wiegte diese blühende Aurora und deckte mit der schwankenden Göttin ein Sternbild ums andere zu – Plötzlich trat ihr fernes erhöhtes Angesicht in einen hellen überirdischen Glanz hinein; es stand leuchtend wie das eines Engels, im Nachtblau gegen die Sterne erhoben! Der Mond hinter der Erde, der seine Strahlen früher hinauf an die Sterne als herunter auf die Erdenblumen warf, hatte sie so himmlisch verklärt …«[12] Der Dichter, der im Roman selbst als handelnde Person auftritt, kann bei diesem Anblick seine Sehnsucht nicht länger meistern, und er steigt mit der zarten Nadine in einer zweiten Kugel in die beglänzte Nacht empor. »Die schwere Erde sank wie eine Vergangenheit zurück – Flügel, wie der Mensch in glücklichen Träumen bewegt, wiegten uns aufwärts – die erhabene Leere und Stille der Meere ruhte vor uns bis an die Sterne hin – wie wir stiegen, verlängerten sich die schwarzen Waldungen zu Gewitterwolken und die beschneiten beglänzten Gebirge zu lichten Schneewolken – die auftreibende Kugel flog mit uns vor die stummen Blitze des Mondes, der wie ein Elysium unten im Himmel stand, und in der blauen Einöde wurden wir von einem gaukelnden Sturme gleichsam in die nähere schimmernde Welt des Mondes geblendet gewiegt … und dann ward es dem leichtern Herzen, das hoch über dem schweren Dunstkreis schlug, als flatter' es im Äther und sei aus der Erde gezogen, ohne die Hülle zurückzuwerfen.«[13]

In gleichem Maße Meister des Komischen wie des Tragischen, hat der Humorist Jean Paul in einem Aufsatz »Über die erfundene Flugkunst von Jacob Degen in Wien«[14] eine unendliche Fülle von lächerlichen und witzigen Situationen ersonnen, die sich mit der Etablierung des Luftreiches ergeben könnten. Er schrieb diesen Aufsatz, um, wie er selbst sagt, von der Entdeckung wie vom Spargel die ersten und besten Spitzen allen spätern Autoren wegzugenießen. So erzählt er, was uns heute freilich schon gar nicht mehr komisch anmutet, von den staatlichen Gesetzkommissionen, die die Flugordnungen aufsetzen, Luftaufseher, Lufträte und Luftschreiber verpflichten. Ferner von den Eilfliegern und den Flugpostämtern, von den Flugtanzstunden der höheren Töchter, von einem fliegenden Bal paré mit Lichtern und die Musici hinterdreingeschwungen, von fliegenden Kolporteuren und Sortimentbuchhändlern und ihren Flugschriften. Er sieht voraus, wie dann nachts jeder Flugbürger eine Laterne tragen muß und am Tage eine besondere Luftuniform, damit die Luftpolizeibedienten, die auf Türmen mit Ferngläsern auf den Lufthimmel invigilieren, ihn nicht als verdächtiges Vagabundengesindel und -gevögel ohne weiteres herunterschießen. Für höchst wahrscheinlich hält es der Dichter überhaupt, daß jedem das Fliegen und Erheben untersagt bleibt, der nicht von Adel oder sonst von einer gewissen Standeserhöhung ist. Die unteren Stände, meint er, müssen unten bleiben, der Erdboden ist der goldene Boden ihres Handwerks, und wozu Flügel einem Pöbel, der so gut zu Fuße ist gegen den Adel in Kutschen und Sänften? Höchst spaßhaft werden die Brücken dann durch Flügel ersetzt, die man gegen Brückenzoll Fußgängern vorstreckt aus den sogenannten Schwingenhäuschen am Ufer; wollte aber ein unredlicher Fußgänger mit dem Leihflügel entwischen, so beruhigt uns der Dichter, daß ihm nach der Regel der bewaffnete Brückeninspektor gelassen nachfeuern werde. Selbstverständlich vergißt Jean Paul auch nicht, wie die Dichter, ungleich dem Riesen Antaios, der erst auf der Erde die Kräfte wiederbekam, hoch im Äther die ihrigen zurückgewinnen und mit dem Leibe steigen werden, um mit dem Geiste zu schweben usw.

Für den Moralphilosophen Jean Paul ist es an anderer Stelle ein besonders anregender Gedanke, »wie die Luftschiffe und Flugmaschinen – wenn sie vollendet in Gang kommen – sich anfangs über alle bisherigen Gesetze erheben werden«[15].

Hat Jean Paul auch nicht unsere Zeppeline und Aeroplane erlebt, so ist er doch geflogen wie vor ihm nur die wenigsten Sterblichen mit den Flügeln der Liebe und einer wahrhaft kosmischen Phantasie. Körperlich pflegte er fast allnächtlich im Traume zu fliegen, aber recht anders als der brave Fettbürger, der sich durch Fliegen vergnügt seine Haus- oder Kellertreppe erspart. »Wahrhaft selig, leiblich und geistig gehoben, flog ich einige Male steilrecht in den tiefblauen Sternhimmel empor und sang das Weltgebäude unter dem Steigen an.«[16] Ein ander Mal erzählt er von dem ganz neuen Genusse, wie er sich von einem Leuchtturm ins Meer gestürzt hatte und mit den unendlichen umspielenden Wellen verschmolzen wogte[17].

Wenn wir in Johannisthal, in St. Cyre[18] oder wo auch immer zukunfttrunken unsern Brüdern nachschauen, wie sie im Reich der Lüfte Könige sind, so dürfen wir wohl mit Jean Paul jauchzen: »Von der Stadt Gottes ist wie von Pompeji erst eine Gasse aufgedeckt!«[19] Nur müssen wir dabei auch des Dichters Mahnung beherzigen, den Umkreis des Auges nicht mit dem des Herzens zu vermengen und die äußere Erhebung mit der inneren. Nicht durch Automobile und Aeroplane, sondern allein durch die Magie eines von Tugend und Liebe genährten Geistes sind Raum und Zeit zu überwinden. Eine furchtbare Idee ist es, daß Schulze und Meier eines Tages mit all ihrem alten Philisterium im Luftomnibus sitzen könnten, stolz, wie wir's doch zuletzt »so herrlich weit gebracht«. Die ewige Unzufriedenheit in der menschlichen Brust – Mörikes »Wimmewimir« – war Jean Paul die heiligste Bürgschaft unserer höheren Bestimmung. Daß die Erfüllung all unserer kühnsten Träume doch nicht unser Tiefstes auszudrücken oder gar zu erschöpfen vermöchte, war eine der ersten Gewißheiten seiner Lebensreligion. »Wenn hienieden das Dichten Leben würde und jeder Traum ein Tag, so würde das unsere Wünsche nur erhöhen, nicht erfüllen, die höhere Wirklichkeit würde nur eine höhere Dichtkunst gebären und höhere Erinnerungen und Hoffnungen – in Arkadien würden wir nach Utopien schmachten, und auf jeder Sonne würden wir einen tiefen Sternenhimmel sich entfernen sehen, und wir würden seufzen wie hier!«[20]

63   *Johannes Alt*

Aus: Jean Paul   1925

Nicht minder als Siegfried oder Faust sind Parzival und Simplicius freie und hohe Symbole des Deutschen. Wer nicht erfaßt hat, was auch diese beiden Gestalten über alles literarisch Willkürliche und Problematische hinaushebt, was ihnen den Atem volldurchbluteter Wirklichkeit und mythischen Gehaltes gibt, wird auch Jean Pauls Reich nicht sehen. *Parzival* und *Simplicius* bestimmen die Linie in unserer Geistesgeschichte, auf der wir Jean Paul zu suchen haben. In ihnen gestalteten sich gleiche Grundmächte (bei aller Verschiedenheit der Bedingnisse) auf drei verschiedenen Zeitstufen, doch immer gebunden durch die langdauernde Gegenwart eines Volkes, an dessen Himmel sie als wesentliche Zeichen über ein halbes Jahrtausend unverändert stehen. In Parzival und Simplicius wie in den Helden Jean Pauls ruht die gleiche fraglose Tapferkeit, die gleiche einfältig reine Frömmigkeit und überströmende hilfsbereite Liebe, aber auch die gleiche weltfremde und heldenhafte Einsamkeit. Das Gute leuchtet in ihnen wie unberührter Waldglanz, wie der Traum unendlichen Alleinseins. Ob die sorglich liebevolle Mutter wie Herzeloide heilige Jugend umhegt, ob die Hirtenstille des Spessarts das Maß edlen Wesens ungebrochen wahrt oder der »Genius« (wie in der »Unsichtbaren Loge« Jean Pauls) in unterirdischer Höhle den Knaben mit schützender Begeisterung umstrahlt, die echte Erziehung voraussetzt: immer wächst tumber Tor aus mutvoll heiterem Einssein mit der Umwelt, mit freier Natur und menschlicher Einfalt, in sicherem Glauben an das Gute, das ihm das eigene reine und erfüllte Dasein in allem anderen, in sprossendem Walde, unschuldigem Tiere und gütigem Menschen ahnen läßt. So umschlossen gewährt ihm die jugendliche Einsamkeit freilich seligere Harmonie, als sie das Leben, sobald der Bannkreis des Knabenalters überschritten ist, gewähren kann. Darum ist der einfältige Wandel der Parzival und Simplicii während ihrer ersten Lebenszeit, der ihnen für immer den seltenen Hauch schöner Jugend verleiht, gleichzeitig ihr Verhängnis, das sie zu Schweifenden und Fremdlingen im weiteren Erdkreise macht und ewig die Sehnsucht nach dem verlorenen Paradiese in ihnen brennen läßt, wie auch bei Wolfram, Grimmelshausen und Jean Paul dies Schicksal sich derart in der Form spiegelt, daß das freudig schöne Bild des tumben Toren erst aus chaotischer Wortfülle und stofflichem Überreichtum aufsteigt.

Doch welchen Sinn kann das Wort »Bild« in Beziehung auf eine Dichtung haben, die mehr durch den Glanz ihrer Erscheinung als durch ihre Form in uns dringt, durch einen Glanz, der oft über Gewöhnlichem und Kleinem, ja Kleinlichem schwebt? Kann überhaupt von etwas Formhaftem geredet werden, wo selbst das Ganze der Dichtung durch andringende Rohstoffmassen zersprengt wird und sogar der Held des Werkes häufig genug in einem Geröll von Begebenheiten und Wörtern sich verliert? Wurde nicht deswegen Wolfram, der doch seinem Epos die strenge Form des ritterlichen Vierzeilers gab, von Gottfried von Straßburg[1] angegriffen, und erging es Grimmelshausen nicht ebenso, dessen »Simplicius« – so erdennah und leibhaft ganz er ist – sich schließlich doch in vages Traumland verliert? Und ist nicht auch Jean Pauls Werk mit seinem scheinbaren einzigen Bestreben: Gestalt in Klang, Körper in Seele, leibhaftes Dasein in unendliche Schwingung aufzulösen, und mit seiner Überfülle für viele verwirrend, und traf nicht wegen des Mangels an Ebenmaß seinen Schöpfer auch der Spott der beiden klassisch Klaren seiner Epoche? Mit dem Xenion:

Hieltest du deinen Reichtum nur halb so zu Rate, wie jener
Seine Armut, du wärst unsrer Bewunderung wert[2]

tadelten sie (mit Beziehung auf Manso) das künstlerische Unmaß seiner Dichtung, das jedoch weniger eine Schwäche eigentlich dichterischer Gestaltungskraft (deren Größe sich bei Wolfram und Grimmelshausen ebenso wie bei Jean Paul an Sprachschöpfungen obersten Ranges erweist), als die Not seines Daseins überhaupt ist. Es ist nichts anderes als die sprachliche Erscheinung jener torenhaften Unweisheit, die die Narrenzeit der Parzival und Simplicii bedingt; und wie diese Gestalten ihren wunderbarsten Glanz durch die Vereinigung von torenhafter Einfalt und heldenhafter Größe erhalten, so gehört auch, was Gottfried an Wolfram, Goethe und Schiller an Jean Paul tadelten, zu deren notwendigen Erscheinung.

In harmonischer Wirklichkeit wäre der tumbe Tor heldischer Führer, milder Helfer, Freudespender aus der Fülle seines Lebens. Doch wie er eingefügt ist in eine unbekannte Welt voll reizender und unglaublicher Abenteuer, voll unfaßbarer Verdrehungen seiner natürlichen Wertgesichte, muß er – so sicher er in seinem Innern und so hellsehend er in gemäßer Welt wäre – allem Draußen gegenüber blind erscheinen und als Narr durchs Land ziehen, bis er, soweit es ihm überhaupt möglich ist, aus Erfahrung sich wahren lernt und weise wird. Es steht heute kaum jemand zu, darüber zu urteilen, ob diese torenhafte Unweisheit Folge eines Mangels seines deutschen Wesens ist, oder die Erscheinung ganzen Menschentums in besonderer, unharmonischer Welt; kündet doch selbst Hölderlin:

Die Blindesten aber
Sind Göttersöhne. Denn es kennet der Mensch
Sein Haus, und dem Tier ward, wo
Es bauen solle, doch jenen ist
Der Fehl, daß sie nicht wissen wohin
In die unerfahrne Seele gegeben.[3]

Wie es sei: Meister wie Wolfram und Grimmelshausen und Jean Paul lehren uns
(wenn wir es nicht selbst aus Blut und Seele wüßten), daß wir diese tumben Toren
lieben und daß sie Träger höchster Aufgabe sind, wenn auch nur in einer Welt
möglich, die noch keine klare und erfüllte Gesamtform fand, die noch voll von
dunklen Trieben und Kräften und deshalb reich an Gegensätzen und Kämpfen ist,
an Wirrnissen und Abirrungen vom Notwendigen, an Versinken im Gehässigen
und Kleinlichen, an Auflösung in Eigenbrödelei: ihr aber ist er der Bewahrer
ursprünglich schönen und erfüllten Lebens.

[. . .]

Der Humor leuchtet am hellsten, wo er unmittelbar aus der schönen Einfalt des
Helden bricht, und dieser steigt immer wieder jung und rein aus dem Glitzern und
Blitzen des Humors auf. Wenn der Staub langer Fahrt seinen freien Blick zu
verdunkeln droht, taucht er in frohem Lachen unter wie in klarem Quellbach, und
mit blankem Leib wächst er wieder hervor, glänzend im Scheine einer freudigen
Helle, und durch solchen Zauber kann er als Schweifender (in dieser Hinsicht der
Bruder Fausts) dem ständigen Andrang des Gemeinen und Niedrigen entgehen,
obwohl er mitten unter ihm seinen Weg sucht. Nur der Humor hebt für Augenblicke sein Bild so frei empor, daß er voll vom Glanze ewiger Jugend erscheint und
er sich bloß noch durch das Irren und Suchen von dem im Raume sicher stehenden
griechischen und den ganz in erfüllter Atmosphäre waltenden Shakespeareschen
Gestalten unterscheidet; denn trotz aller Erfülltheit in sich zieht der tumbe Tor
durch fremde Lande. Überall spürt er seine Urverwandtschaft, doch wo er hart
zugreift, muß er unbekannte Oberfläche spüren. Da er jedoch zu heldenhaft taten-
froh ist, um in Allauflösung Erfüllung oder Erlösung zu finden, aber auch zu
eigentümlich in sein Geschick gebunden, um das Gegebene selbstverständlich von
eigener Macht aus zu durchwirken, bleibt ihm in Enttäuschung und Not unerschütterlich nur der Glaube: daß hinter und in allem Wirrwarr doch sein Reich sei,
andern verhüllt, ihm immer wieder sichtbar; andern sein Tun deshalb lächerlich,
ihm einfach klares Gesetz. So stellt es Wolfram in den unwissend sicheren Fahrten
Parzivals dar, so lebt es, wenn auch kaum mehr aussprechbar, in Simplicius, und so
durchschwingt es jede Gebärde Jean Pauls, obwohl nur noch das unfaßbar Unendliche und keine Atmosphäre von leibhafter Fabel oder bejahter Erdenwirklichkeit
der hohen Sehnsucht antwortet.

Auch bei Jean Paul lebt also selbst in äußerster chaotischer Verlorenheit der
Drang zum welthaften Menschen, nie findet er in der Überfülle eines gewaltigen,
aber verworrenen und von unfaßbaren Melodien durchklungenen Stoffmeeres ein
ganzes Genügen. Er will nicht nur das Reinste fühlen, es nur ahnen in Stimmung
und Traum: ihn treibt es zu vollem Dasein. Man wird dies vielleicht für Parzival

und Simplicius, doch nicht für Jean Paul zugeben. Dennoch wird dieser Versuch einer Darstellung von Jean Pauls Wesen und Werk zeigen, daß sein Weg nie der Auflösung, sondern immer einer Welt zuging, in der sein Leben formhaft erfüllt würde, wenn auch diese Erfüllung der Erde und irdischem Menschentum ferner und ferner würde. Oft schmolz er schon Gestaltetes in den großen Rhythmen seiner Seele wieder ein, aber nicht um im Chaotischen zu spielen und wollüstig zu treiben, so sehr ihn die Unweisheit des tumben Toren auch nach dieser Seite hin in Irre und Versuchung führte, sondern um neue Welt nach seinem unerschütterlichen Gesetze aufzubauen. Wenn auch von dieser Welt meist nur der Klang, der Glanz und die ahnende Seligkeit erschien, mehr himmlischer Duft und Äther als Erde und Luft, in der der leibhafte Mensch atmen kann, so ist doch die Richtung, in der sich sein Gestalten bewegte, festgelegt: Wir verstehen sein Werk nur richtig, wenn wir es als Zusammenströmen von unendlich reinen, ursprünglichen Empfindungen, Klängen und Mächten ansehen, die aus einem kaum durchdringbaren Urwald brechen, aus einer Wildnis, in der Jean Paul versunkene Quellen neu anschlug, die nun zusammendringen und an ihren Ufern eine junge Landschaft erstehen lassen, das *Reich des tumben Toren*, in dem ganz keusche, unverbrauchte und junge Mächte walten, unverbraucht, weil es die ewigen eines Volkes sind.

64   *Hans Franck*

Jean Paul. Zur hundertjährigen Wiederkehr seines
Todestages am 14. November 1925   1925

Wenn je ein literarisches Jubiläum keine Zahlenangelegenheit war, sondern Ausdruck der gegenwärtigen geistig-seelischen Situation, eines unbestreitbaren bedeutsamen Urteilswandels, dann ist es der hundertjährige Todestag Jean Pauls. Der von seiner Zeit – zur Hauptsache aus Mißverständnis – überschwenglich Geehrte, abgöttisch Geliebte, dann Bekämpfte und Verachtete, schließlich Verketzerte, Belächelte und Vergessene hat während der letzten Jahre eine Auferstehung gefeiert. Er wird nicht nur erst jetzt in seiner ganzen, umfassenden, programmatischen Bedeutung erkannt, sondern er wird wieder gelesen, wird wieder geliebt. Es ist eingetreten, was Börne in seiner unsterblichen Gedenkrede vorausgesagt hat: »Ein Stern ist untergegangen, und das Auge des Jahrhunderts wird sich schließen, bevor er wieder erscheint, denn in weiten Bahnen zieht der leuchtende Genius ... Er aber steht geduldig an der Pforte des zwanzigsten Jahrhunderts und wartet lächelnd, bis sein schleichend Volk ihm nachkomme.«[1] Diese Situation ist seit Jahr und Tag da; der 14. November wird offenbaren, in wie umfänglichem, in wie bedeutendem Maße sie bereits eingetreten ist, und wird weiteren Kreisen die Augen öffnen, damit endlich einer der größten deutschen Schöpfer für das Bewußtsein des deutschen Volkes geboren werde.
Der Wandel des ästhetischen Urteils, die Vertiefung des literarischen Empfindens ist eine Folge der unverkennbaren Wesenswandlungen und vertieften seeli-

schen Erkenntnisse, welche die grauenhaften Jahre des Krieges uns Deutschen gebracht haben. Endlich ist vielen offenbar geworden, was lange nur wenige, vergeblich Warnende sahen: Wir waren einem Wirklichkeit-Wahnsinn, einem Dinge-Begehren, einem Welt-Gewinnen verfallen, bei dem unser Inneres ständig mehr verarmte, bei dem wir Schaden litten an unserer Seele. Das Beste des deutschen Seins ging auf Kosten äußeren Umsichgreifens leer aus. Wir trachteten einer Lebensform nach, die für andere Völker der deckende Ausdruck ihrer Natur sein mag. Aber nicht für uns. Das deutsche Wesen ist seit Urbeginn dualistisch gerichtet gewesen, weil ihm das Verlangen nach dem Grenzenlosen, nach dem Umfassen des Ganzen zutiefst eingeboren. Deutsch war es immer, sich nicht an einem Teil – am Sein oder am Schein, am Diesseitigen oder am Jenseitigen, am Wirklichen oder am Unwirklichen – genügen zu lassen, sondern der Totalität, der Ganzheit nachzutrachten. Und sei es auch auf Kosten der schönen, der äußeren Form, der vorläufigen Harmonie, des beruhigten Glückes, ja selbst der Existenz. Vor dem Sehnen nach der Unendlichkeit, vor dem Trachten nach dem Beiderseitigen war den von äußerem Glanz berauschten Deutschen um die Wende des Jahrhunderts viel verlorengegangen. Und nur, weil sie wider sich selber standen, wider das Beste ihres inneren Wesens, haben äußere Feinde sie zu überwinden vermocht. Mit dem Zusammenbruch wurde unser Volk dann auf sich selber zurückgeworfen, wurde es gezwungen, wie die Väter, von innen her sich und die Welt zu überwinden. Damit aber mußte jener Dichter mehr und mehr in das Bewußtsein Deutschlands zurückgelangen, der wie kein zweiter danach getrachtet hat, die Totalität, die Unbegrenztheit des deutschen Seins zu gestalten: Jean Paul. Denn es war geradezu die eigentliche Mission dieses aus den unbewußten Tiefen unseres Volkstums Aufgestiegenen im Gegensatz zu den der Latinität und der Gräkomanie verfallenen Klassikern, nicht eine Seite des Deutschtums, sondern seine Ganzheit zu bemeistern, darzustellen durch einen Doppelstil, der im höheren Sinne doch eine Einheit ist, und so beizutragen zu der Verwirklichung des deutschen, des wahrhaft, also umfassend deutschen Wesens.

In ihrer Jugend hatten auch Goethe und Schiller dem gleichen Ziele nachgetrachtet. Waren sie unbegrenzt deutsche, waren sie gotische Menschen gewesen. Dann aber trat der für unsere Kunst und unsere Kultur unheilvolle Bruch ihrer Entwicklung ein. Sie ergaben sich der Nacheiferung, der Nachahmung griechisch-lateinischer Form, wurden überdeutsch. Wurden in gewissem Sinne undeutsch. Denn die Griechen waren ja nicht, wie Jean Paul wieder und wieder mit Recht betont hat, Nachahmer der Griechen, noch gar Nachahmer ihrer Nachahmer, der Lateiner, die man in Deutschland vielfach für griechisch nahm. Sondern sie schufen aus den Bedingungen ihrer Seele heraus. Sie wurden bestimmt durch ihren Himmel und durch ihre Erde. Sie gaben in der Kunst den Ausdruck ihres einmaligen, nie wiederkehrenden Volkstums. So daß es also, tiefer gesehen, griechischer für unsere Dichtkunst in den Jahren ihrer höchsten Höhe gewesen wäre, so deutsch wie möglich zu sein, unsere Erde, unseren Himmel, unsern Mythos und unsere Wirklichkeit zu gestalten, als der Verpflanzung, der Aufpfropfung fremdvölkischer Form in deutschen Kunstboden, auf deutsche Kunstgewächse nachzutrachten.

Statt dessen übersteigerte die leidenschaftliche Sehnsucht unserer Klassiker nach Beherrschung des auseinanderstrebenden deutschen Wesens, nach Klärung des Turbulenten, nach Organisierung des Chaotischen ihre Formliebe zu verhängnisvoller Gräkomanie. Vor ihren Werken konnte es eine Zeitlang so scheinen, als müsse eine deutsche Dichtung ohne Verwurzelung im deutschen Boden unser höchstes Ideal sein. Goethe war aus einem leidenschaftlichen Verkünder gotischer Besessenheit zu einem übernationalen, zu einem europäischen Menschen aufgestiegen. Er hatte – ganz dem Dienst der Menschheit ergeben – aufgehört, an der Verwirklichung des deutschen Menschen durch sein Werk zu arbeiten. Schiller setzte, erdabgewandt, unser wirkliches Leben unserm geistigen Leben gegenüber wie die Prosa der Poesie. Er schied unerbittlich scharf zwischen der realen Welt des täglichen Erdendaseins und der irrealen Welt der unalltäglichen Kunst. Durch die Berührung mit der eigenen Wirklichkeit und der eigenen Mythologie konnte seiner Meinung nach der deutsche dichterische Geist nur gefährdet, mußte er vergröbert, mußte er beschmutzt werden.

Durch diese Einstellung des Künstlertums unserer Klassiker wurde selbstverständlich auch das Menschentum des deutschen Dichters für lange entscheidend bestimmt. Damals ist an die Stelle des namenlosen, dienenden, im Ganzen aufgehenden gotischen Künstlers der moderne, individualistische, sich abgrenzende, werkbesessene Künstler getreten, dem die Leistung höher steht als die Einordnung ins Allgemeine. Der die abgelöste Schöpfung will, nicht die immanente Entfaltung. Der die Grenze betont, erweitert, statt sie zu vermindern, wegzuschaffen. Dem die Erhaltung im Dienste des Werkes über dem Vergehen für die Allgemeinheit, über dem Aufgehen in die Allgemeinheit steht. Es ist bekannt, welche Härten, welche Abstoßungen, welche Versündigungen der eine Goethe nicht nur wesensfremden Künstlern, sondern auch bittenden, ihn bedrängenden Menschen gegenüber auf sich genommen hat. In konsequenter Verfolgung ergab sich daraus eine Übermenschgebärde, eine Selbstvergottung um eines Werkes willen, das sein Formgefühl der bildenden Kunst immer mehr angleicht, das sich dem architektonischen Prinzip völlig unterordnet. So daß sich in erschütternder Parallelität auch hier Abgrenzung, Abstoßung, Vergewaltigung von Leben um statuarischer, um menschwidriger, olympischer Ruhe willen ergibt.

Zu alledem steht Jean Paul durch sein ungebrochen deutsches Wesen und im Verlauf der Entwicklung auch mehr und mehr durch sein künstlerisches Bekenntnis und sein bewußtes Tun in unmittelbarem, in direktestem Gegensatz. Jean Paul ist als Dichter geradezu die Antithese zu der These der Klassik. Und zwar die einzig belangvolle, die einzig gleichwertige. Denn die Mehrzahl der Romantiker kam zwar zur Negation und [in] vorwärtsweisender Erkenntnis ein Stück weiter. Wirklich durch schöpferische Leistungen über Goethe hinausgekommen – wie das schon Karl Philipp Moritz[2] vor einem seiner Erstlinge jubelnd ausrief –, ein künstlerischer Kosmos neben ihm, ist nur der eine unerschöpfliche, unübersehbare Jean Paul.

In diesem wiedergeborenen großen Dichter ist von Anbeginn bis zu seinem letzten Tag das Verlangen übermächtig geblieben: der deutschen Sehnsucht nach allumfassender, nach eigentümlicher, nach urtümlicher Form mit seinen Werken gerecht zu werden. Nicht höchste Steigerung irgendwelcher Begabung, irgendwelcher Fähigkeiten, sondern höchstes Menschentum ist sein oberstes Gesetz. Daraus ergibt sich ihm das Formhafte jeweils von selber. Keinerlei Stilvorstellungen beeinflußten, begrenzten sein Werk.

Will man die Kunst Jean Pauls aus einer anderen ableiten, so kann man es nur aus jener, die das Deutscheste vom Deutschen ist, durch welche – als seine höchste und umfassendste Emanation – das Deutschtum die Welt überwunden hat: aus der Musik, und zwar aus jener deutschen Musik, die nicht »gefrorene Architektur«[3], sondern unendliches Melos geblieben ist. Wahrlich, Ströme unermeßlicher, unbegrenzter Melodien durchwogen das wortgewordene Werk Jean Pauls. Er überflutet mit seinem nach Ausdruck, nach Bild und Gestalt drängenden Gefühl das All und die Erde.

Ja, auch die Erde! Er war darin so ganz ein Sohn unseres Volkes geblieben, daß ihm die griechische Dichtung, zum wenigsten in ihrer lateinisch-deutschen Verflüchtigung, ein Verzicht auf die Materie, auf den schwärmerisch geliebten Planeten unseres Daseins, auf das leidenschaftlich umworbene eigene Volkstum sein mußte. Seine Liebe zur Wirklichkeit, zum Menschentum, zu der unscheinbaren, zufälligen Inkarnation des Menschenwesens geht so weit, daß ihm – nach einem Wort Schlegels[4] – kleinstädtisch gleich gottesstädtisch ist. So muß ihm Goethes Harmonie als einseitig, als nur ästhetisch fundiert wider die innerste Natur sein. Sie ist für ihn eine »Einkräftigkeit«[5], die immerfort zu Sünden am tausendfältig Erscheinung werdenden Menschentum gezwungen ist. Er aber will eine umfassende »Allkräftigkeit«. Als Künstler und als Mensch.

Denn selbstverständlich prägt sich diese künstlerische Einstellung auch im Menschentum aus. Jean Paul will sich nicht um seines Werkes willen bewahren. Er hat sich Jahre hindurch geradezu zerteilt, vergeudet, verschwendet. Ist ein »Advokat der Armen«[6] gewesen. Hat als Seelenbeichtiger Hunderten von wirklichen und eingebildeten Leidenden geholfen. Durch Handauflegen, durch Hingabe, durch endlose Gespräche und durch einen gigantischen Briefwechsel, der sein Künstlertum für Jahre fast aufzehrte. Hat durch Kampfschriften in das politische Getriebe eingegriffen. Er, der es als seine Lebensaufgabe bezeichnet hat: zu verwünschen und zu vermeiden die kleinste Immoralität, da jede von ihnen in fremden Wunden endige[7], hat durch ein ständig von Auflösung und Ausnützung bedrohtes Dasein ernst gemacht mit einem Leben, das restlose Hingabe, immerwährender Dienst war, das sich nicht sorgte um Erhaltung des Körpers, das nicht bangte um Bezwingung des Werkes, das allen aufsteigenden Kräften gläubig freien Lauf ließ.

So ist in der Tat Jean Paul, als Künstler und Mensch, der Gegenpol zu unsern Klassikern, insonderheit zu Goethe. Während er als Mensch immer mehr versteinte, immer einsamer, immer olympischer, immer übermenschlicher, immer unmenschlicher wurde; während seine Gestalten immer mehr zu Repräsentanten einer Weltanschauung wurden auf Kosten besonderen, greifbaren, individuellen Lebens, ging Jean Paul durch unablässige Hingabe nach und nach wieder in den Urgrund ein, der ihn hervorbrachte, löste er sich schließlich geradezu im Volkhaften wieder auf, und seine Gestalten legen den umgekehrten Weg zurück wie die Goethes: Sie werden immer individueller, immer besonderer, immer schrulliger, immer einmaliger, so daß man sie vielfach nicht mehr als repräsentativ fürs Allgemeine, sondern nur noch als Ausgeburten der Willkür nehmen kann.

Denn wir dürfen keineswegs in den Fehler verfallen, den Walther Harich in seiner neuen, ausgezeichneten Jean-Paul-Biographie[8] (Verlag H. Haessel, Leipzig) begeht, der ich für diesen Aufsatz manche Anregung verdanke: die gegenteilige Notwendigkeit herabzusetzen, die Werke unserer Klassiker zu unterwerten und ihr Menschentum zu verdächtigen. So gewiß es ist, daß Jean Paul (in ähnlicher Weise wie Hölderlin über Schiller) mit seiner inneren Einstellung und seinem Schaffen vielfach über Goethe hinausgekommen ist, so nachdrücklich betont werden muß, daß Goethe (wie Schiller) in weit höherem Maße ein Abschluß, eine Vollendung langer, zurückliegender Entwicklung ist, als man auch heute noch vielfach zugestehen möchte, also nicht in gleichem Maße vorausweisen kann, wie seine Nachfolger und Antipoden, so gewiß ist, daß wir auch bei Jean Paul eine menschlich begrenzte, eine unvollkommene Leistung vor uns haben. Auch bei ihm stoßen wir immer wieder auf die für uns alle gegebene Antinomie des deutschen Wesens: dem Schweifen und der Festigung, dem Himmlischen und dem Erdhaften, der Idee und ihrer Versinnlichung sich mit gleicher Kraft hinzugeben und um den Ausgleich dieser Gegenstände unablässig zu ringen, obwohl er uns nur in der Idee, nicht im gelebten Sein möglich ist.

Aber gerade durch diese sich ständig steigernde Sehnsucht nach dem Unmöglichen, durch das Abweisen jeder Grenzung, durch das bewußt Widerspruchsvolle, durch das Verzichten auf Harmonie, auf durchsichtige Form um der Weite willen steht Jean Paul dem deutschen Volkstum näher als die Klassiker. Ist er ein deutscherer Dichter als Goethe und Schiller (Die Gewordenen! nicht die Werdenden, die im Sturm und Drang ihrer Jugendjahre dem gotischen Geiste mit ganzer, mit gigantischer Kraft dienten). Er ist nicht nur den großen Schweifenden beizugesellen, die das Ideengebäude des neuen, noch immer nicht verwirklichten Deutschtums errichteten: den Hamann, Herder und Jacobi: sondern er gehört als überragender Gestalter auch zu den im besonderen Sinne deutschen Schöpfern: zu den Klopstock, Kleist, Büchner, E. T. A. Hoffmann und Hölderlin (dessen Griechentum erhöhtes, nicht wie bei den Klassikern abreagiertes Deutschtum ist). Urdeutsch in seinem Wesen, kennt Jean Paul für sein Empfinden keine Grenzen. Unbesorgt um Werk und Person gibt er sich schrankenlos hin. Er ist so hemmungslos in seinem Gefühl, ist so völlig deutsch, daß man an ihm und seinem Werk nicht nur unsere Tugenden, sondern auch unsere Schwächen fast vollzählig ablesen kann. Die notwendige Entfesselung der Form geht schon bei ihm so weit, daß bereits die Formlosigkeit wieder eintritt. Und wenn auch die Grenze, wie wir heute wissen – nicht mehr befangen in romanischen Formvorstellungen, tiefer nun endlich unserer selbst bewußt geworden als Väter und Vorväter – wenn auch die Grenze für das Schöne, das Untadelige, das Wesensgemäße, das Notwendige weiter hinausgerückt werden muß, viel weiter, als man es bis auf den heutigen Tag wahrhaben will, so dürfen wir uns der Begrenzung, den Fehlern Jean Pauls doch nicht verschließen. Er ist als Künstler und als Mensch vielfach gefährdet, vielfach schwach gewesen. Hat – aus anderer Einstellung heraus – im Leben und im Schaffen wie Goethe hundertfältig gefehlt. Sein innerstes Bestreben allerdings, der Weg, den er im großen gegangen ist, die Grundmanifestation seines Wesens ist so bedeutsam und richtig, so vorbildlich und notwendig, daß wir uns sein Eigentliches gerade heute gar nicht intensiv genug vergegenwärtigen können. Jean Paul – heißt es in dieser Hinsicht an einer Stelle der bedeutsamen Biographie Walther Harichs – Jean Paul »empfand sich selbst als ewige Einheit, als unvergleichliche Monade, von der das Erdenleben nichts fortnehmen und zu der es nichts hinzutun kann. Es war gleichgültig, was er schrieb und wieviel er schrieb. Er und die Welt waren ewig, und kein Sonnenstäubchen ging verloren, war hinzuzugewinnen. Alle Keime enthielten schon Blüte und Frucht. Es war die Befreiung vom Werkwahnsinn der Zeit, der damals die größten Geister selbst erfaßte. Er wollte nichts werden und schaffen, nur sein und ewig sein, und in sich hineinströmen lassen und wieder hinausströmen nach kosmischem Gesetz. Und gerade dadurch wurde seine Welt so weit und so reich.«[9]

Hier liegt unser zukünftiges Ziel, das ist die deutsche Verwirklichung: umfassendes Sein, Auslieferung an die Kräfte des Makrokosmos und des Mikrokosmos in gleichem Maße, Streben nach dem Ausgleich der ewigen Dualität durch unbegrenzte, gläubige Erlebniswilligkeit. Denn Rettung, Befreiung, Erstarkung bringt nicht der Widerstand irgendwelcher Form. Unser Schicksal, unser Menschsein erfüllen und überwinden wir nur in den – von Jean Paul unablässig vorgelebten – Schauern todwilliger, todseliger, lebenwirkender, letzter Hingabe.

65   *Werner Deubel*

Jean Paul. Eine Studie über das Wesentliche seines Werkes   1925

»Soll es ein *Ewiges* sein, was schöpferischen Werken den auszeichnenden Wert verleiht, und müßten wir demnach dergleichen Werke umso höher einschätzen, je reiner und dichter das ›Ewige‹ darin angetroffen würde, so wären es nicht die geschichtlichen Erzählungen, Novellen, Romane, sondern seine Gedichte, durch die Conrad Ferdinand Meyer den Unvergänglichsten angehört. Nicht, daß nicht auch jene von der leuchtenden Essenz enthielten ...; aber sie enthalten sie verdünnter ... *Was* sie sei, läßt sich durch bloße Abgrenzung ebenso wenig anschaulich machen wie Röte und Süßigkeit. Wem die Empfangsorgane dafür in der Seele verschrumpften, dem sagen die bedeutendsten Sätze darüber nicht mehr als dem Blindgeborenen die glühende Schilderung eines Sonnenunterganges. Nur wer imstande ist, sich davon ergreifen und durchdringen zu lassen, mag sich hernach auch des Widerfahrenen erinnern und es zu deuten versuchen ... Das Ewige können wir durch Mitteilung nicht heraufbeschwören, und wäre es noch so nah ...«

Mit diesen Sätzen, die sich in einem Aufsatz von Ludwig Klages über C. F.

Meyer finden (Bücherwurm 11. Jahrgang, Heft 1[1]), und ihrer nachfolgenden Ausführung und Anwendung wird zum ersten Male in der uns bekannten Literaturbetrachtung die Frage nach dem metaphysischen Ewigkeitsgehalt eines Kunstwerks ins Zentrum einer lebenswissenschaftlichen Untersuchung gestellt. Was sonstige Literaturgeschichte heute, die immer noch nach Kategorien des Ästhetischen, bestenfalls nach Gestalts-, Stil- und Geistesproblemen fahndet, an lebendiger Essenz eines dichterischen Werkes berührte, das ergab sich stets gleichsam nur beiher, mehr dank einer weiblichen Feinfühligkeit als einer bewußten Methode und war daher nie vor Entgleisungen und »subjektiven« Auffassungen sicher.

Wenden wir uns nun mit der Frage nach seinem Ewigkeitsgehalt an Jean Paul, dessen ungeheurer Schatten in diesen Tagen aus einem hundertjährigen Grabe heraufsteigt, so klärt sich alsbald die verwirrende Gestaltenfülle seines Werkes und schichtet sich gleichsam einem Mittelpunkte zu. Wir erkennen mit einem Schlage, wie falsch es ist, wenn der sonst verdienstvolle jüngste Biograph des großen Dichters, Walther Harich[2], zwar das Satirische und Idyllische an die Peripherie verweist, im Mittelpunkt der Erscheinung aber nur den Autor von Erziehungsromanen erblickt, den politischen Armeleutedichter, den die drei Bildungsschichten des Rationalismus, der Klassik und Romantik durchstoßenden Verwirklicher deutschen Wesens, der – an Umfang ihn noch übertreffend – als Gegenstück allein den Griechen Goethe verträgt. So falsch oder so richtig dies teilweise sein mag, – es ist das Ergebnis einer geistesgeschichtlichen Betrachtung, die dank ihrer Feinfühligkeit zwar die Mittelpunkts-Zonen gelegentlich streift oder gar durchquert, nie aber erkennt, daß sie hier am Herzen, im Quellgebiet des ganzen Werkes angelangt ist.

Dabei sollte man meinen, die erste große Wende am Ausgang des vierten Lebenjahrsiebents (!) in Jean Pauls schriftstellerischer Bahn sei von solcher Sinnfälligkeit, daß man die Lösung des Rätsels mit Händen greift. Man vergleiche Abschnitte aus den »Grönländischen Prozessen«, aus der »Kreuzer-Komödie« mit der »Rede des toten Christus«, mit den »Sieben Worten«[3], und man wird fühlen, wie hier in die witzgeschliffene Welt nüchterner Helle das *Element* flutender Töne und farbiger Dämmerungen hineinbricht, die Bewußtheit des Autors mit so fremder Gewalt überströmend, daß er alle Beklemmungen der Ichauslöschung, aber auch den Glücksüberschwang geistentbundenen Seelenflugs erlebt und nach dem Aufwachen als echter Ekstatiker vom kosmischen Grauen vor der tagverhafteten Vereinzelung gepackt wird. Wen aber beim Nacherleben von Jean Pauls Werk diese wesentlichen Partien nicht bis zum trunkenen Jauchzen überwältigten, den sollten doch die Äußerungen aufmerksam gemacht haben, in denen er von »Seelenwollust« und den »Schwelgereien des Herzens« spricht. »Ich werde selten eine Stunde haben, wo mein Herz so hoch schlug, wo mir fast alle Sinnen so vergingen, wie in der Geburtsstunde jener Sieben Worte.«[4]

»Noch trägst die auf deinen Blumen, alte gute Erde, deine Menschenkinder an die Sonne, wie die Mutter den Säugling ans Licht – noch bist du ganz von deinen Kindern umschlungen, behangen, bedeckt, und indes Geflügel auf deinen Schultern flattert, Tiermassen um deine Füße schreiten, geflügelte Goldpunkte um deine Locken schweifen, führst du das aufgerichtete hohe Menschengeschlecht an deiner

Hand durch den Himmel, zeigest uns allen deine Morgenröten, deine Blumen und das ganze lichtervolle Haus des unendlichen Vaters.«[5] – Man werfe von solchem tönenden Ätherflug den Blick rückwärts auf die Begeisterung eines Klopstock, und man wird fühlen, daß dieser der deutschen Sprache die Zunge löste, Jean Paul aber sie fliegen lehrte, und daß in ihm zuerst jener kosmisch-unirdische Klang Ereignis wurde, der später ein ganzes Geschlecht von Romantikern begnadete. Ähnlichem Sternenschwung der Seele wird man nur noch im »Hyperion«[6] wieder begegnen. Das letzte Element aber, das beider Sprache wie auf atmenden Wegen trägt, ist Musik.

Wir tun noch einen letzten Schritt dem Weltgeheimnis zu. Conrad Ferdinand Meyers »Chor der Toten«[7] spricht es in erhabener Beschwörung aus, daß alle Gegenwart Leben nur trägt, sofern sie Erneuerung und geheimnisvolle Wiederkehr *vergangenen* Lebens sei (darum unser Leben umso mehr zum seelenlosen Maschinen-Dasein verblaßt, je mehr die Menschheit Heil und Fortschritt in der Zukunft erwartet, als welche nur im Hirn des Menschen, nicht aber im Leben existiert). Wen aber beim dumpfen Dröhnen jener Verse eine jähe Ahnung packt vom echten Lebensgeheimnis, den verweisen wir an den wissendsten Führer in die Seelenunterwelt der Vorzeit, an Ludwig Klages und sein von verschollenen Schätzen überreiches Werk »Vom kosmogonischen Eros«[8]. Fragen wir uns, was es denn gewesen sei, was nach jahrzehnte-, ja jahrhundertelanger Verödung mit jäher Plötzlichkeit jene Epoche echten Dichtertums heraufführte, aus dem sich die einen nur durch entschlossenen Sprung aufs Festland bewußter Klassizität retten konnten, das sich aber in der Romantik von Jean Paul bis Eichendorff so beispiellos vieltönig auslebte – so müssen wir sagen, es sei ein Anfluten vorzeitlicher Wogen aus dem Meere der Vergangenheit gewesen und daher rühre der rückgewandte Blick der Romantiker. Das ist der Schlüssel zu den rätselhaften Sätzen, die wir bei dem ersten vom Wogendrang Erfaßten, bei Jean Paul, finden: »Albano versank in Sinnen – der Herbstwind der Vergangenheit ging über die Stoppeln – auf dieser heiligen Höhe sah er die Sternbilder, Roms grüne Berge, die schimmernde Stadt ... und auf den zwölf Hügeln wohnten, wie auf Gräbern, die alten, hohen Geister und sahen streng in die Zeit, als wären sie noch ihre Könige und Richter.«[9] »Bloß die Vergangenheit glänzt nach, wie die Schiffe zuweilen auf dem Meere hinter sich eine leuchtende Straße ziehen.«[10] – »Die großen Wetterwolken der heroischen Vergangenheit hingen sich an seine Seele wie an ein Gebirge und gingen daran mit stillem Blitzen und Tropfen nieder.«[11]

Wem aber, der noch *Ohren hat für Lebendigstes*, könnte verborgen bleiben, daß uns in Jean Paul dieselbe *übermenschlich-kosmische Macht* entgegentritt, die wir in mythenbildender Vorzeit verschollen glaubten! »Der Schwan des Himmels, der Mond, wogte fern im hohen Äther, die Riesenschlange der Erde, das Meer, schlief fest in ihrem von Pol zu Pol reichenden Bette.«[12] – »Der Mantel der Nacht wurde dünner und kühler.«[13] – »Der Morgenwind warf die Sonne leuchtend durchs dunkle Gezweig empor.«[14] – »Endlich gingen seine müden Sinnen näher fortgezogen und auseinanderfallend dem Magnetberg des Schlummers zu.«[15] – »Hoch in der Äthernacht streckte sich ein finsteres Gewitter, wie ein langer Drache, von verschlungenen Sternenbildern aufgeschwollen aus.«[16] – »Die Alpen standen wie verbrüderte Riesen der Vorwelt … und hielten hoch der Sonne die glänzenden Schilde der Eisberge entgegen.«[17] – »Die schwere Milchstraße bog sich wie eine Wünschelrute hernieder zu seinem goldenen Glück.«[18] – »Aber die zwölfte Stunde vertrieb das Gewitter, und die glänzende Sonne lachte freundlich die erschrockene Erde an, der noch die hellen Tränen in allen ihren Blumenaugen zitterten.«[19]

Lesen wir nun bei jenem oben erwähnten jüngsten Biographen des Dichters, Jean Paul »löst die Landschaft in kosmische Gewalten auf« oder »er hat die Erde mit kosmischem Allgefühl überströmt«[20], so erblicken wir in solchen Sätzen nicht nur eine sprachliche Ungeschicklichkeit, sondern vielmehr jenes fundamentale Mißverstehen echten Dichtertums, das die Ursache und Schuld daran trägt, daß man heute Versemacher, fabulierende Sozialethiker, Schriftsteller, Stelzengänger und Krampfhysteriker wahllos mit – Dichtern verwechselt. Denn in diesen Harichs geistert der lebenfälschende Wahngedanke, als sei das Überwältigtwerden des echten Dichters von der Wirklichkeit des Lebens und den strömenden Bildern der Welt eine subjektive Auflösung der Gegenstands-Realität, mithin ein willkürliches, also sinnloses Gaukelspiel, das der Dichter wie ein tändelnder Narr mit der Welt der Dinge treibe.

Aber nicht umsonst taucht aus dem Grabe einer nach dem andern und zuletzt der zeitlich erste jener heiligen Bruderschaft der Romantik empor. An wen, wenn nicht an ihnen, mag die verdorrte Menschheit und ihre Wissenschaft sich zum hohen Bilde *echten* Dichtertums zurücktasten, das ihr jahrzehntelang entfremdet war, und das ihr – ergreift sie nicht diese Gelegenheit – *völlig* zu entschwinden droht.

66   *Karl Wolfskehl*

Dämon und Philister (Jean Paul Friedrich Richter)   1927

Hat man es begriffen, warum Jean Paul trotz allem abseits steht, ein Einzelfall bleibt? Trotzdem er sich ganz gab, reicher und verschwenderischer war als irgendein Schreibender, trotzdem er ein Menschenalter lang in alle Seelen eindrang, trotzdem seit Herder, Jean Pauls »deutschem Plato«, immer wieder der Versuch gemacht wurde, ihn in die Mitte zu rücken? Man versteht, belächelt, bezürnt vielleicht die Haltung der Weimarer Gewaltigen ihm gegenüber, man sieht, warum das junge Jena vor 1800 nichts mit ihm anzufangen wußte, aber zu wem hätte, meint man rückschauend, die dichterische und geistige Jugend seiner Jahrhundertwende in ihrem gierigen Lebensdrang sich eifriger wenden sollen? Es geschah nicht, und obwohl ihn jedermann las und unendlich viel von ihm zu lesen war*, obwohl es

---

* Die umfassendste Jean-Paul-Auswahl hat der Propyläen-Verlag in fünf Bänden herausgebracht. Dr. Eduard Berend, Deutschlands bester Jean-Paul-Kenner, hat sie zusammengestellt.[2]

Jean-Paul-Andenken, -Reliquien, -Anekdoten in erstickender Fülle gab: wo blieb hinter diesen Oberflächen seine wirkliche Wirkung, wenn wir nämlich Wirkung als Eingreifen, Umformen, als gestaltendes, schichtendes Geschehen fassen, im europäisch menschlichen Sinn, im griechischen Sinn. Und Jean Paul, der in Spiel, Kaprice, Laune und Schwung nie eine einzige unlebendige Zeile niedergeschrieben hat, der in jedem Augenblick zu Feder und Papier greifen konnte, der seine Zeit ausgenützt hat, und nicht nur der Breite nach, daß jeder Vergleich, jeder Maßstab zerbricht, dieses flimmernde, glitzernde, feurige Urgebilde ist nicht Welt geworden, hat nicht Welt geschaffen, nicht einmal aus sich.

Seine erst posthum erscheinende Autobiographie nannte er »Wahrheit aus Jean Pauls Leben« – in offenbarer Wendung gegen »Dichtung und Wahrheit«. So faßte es Goethe selbst und brach darüber noch als Achtzigjähriger (30. März 1831) gegen Eckermann los: »Als ob die Wahrheit aus dem Leben eines solchen Mannes etwas anderes sein könnte, als daß der Autor ein Philister gewesen!«

Das ist kein zufälliges Grollen. Auch an diesem Punkte, gerade wie bei seinem »Mißverstehen« Kleists, weist Goethes abgrenzender Hochmut, sein Achselzucken und sein Hindeuten auf das, was ist, in das Geheimnis selbst. Denn was ist ein Philister im Sinne Goethes? Gewiß nicht einer, der sich abgefunden hat, einbezogen hat, im Gegebenen sich sicher weiß, mit den Trefflichsten zusammenwirkt, gewiß keiner, der ein unromantisches Hausvaterdasein nach Satzung und Regel sich baut und erhält. Denn alles dies kann, zumal in Zeiten noch währender Ordnung, voll lebendigen Lebens sein, ein Stück »Natur«. Gerade das Gegenteil ist der Philister. Es ist der Mensch, der von sich selber abgerückt ist, der, sich zu erhalten, aus der vielstimmigen Einheit seines Wesens, aus dem Zusammenklingen von Wesen und Leben ein Entweder – Oder macht, sich selber nicht traut, mit Prinzipien, Moralen und Genüßchen sich umstellt und beruhigt hat. Ist nun ein solcher Kleinstädter des Geistes ein Jean Paul, die reichste, vielfältigste, glühendste, indische Wunderwelt einer fessellosen Seele, dann spüren wir erschreckt und bedrängt die unheilvolle Sternenstunde *der* Welt, in die er noch gebannt war. Über die hinaus alles in ihm wies, bis er sich auch dieses verbot, bis er selber abbrach, abschied. In den »Flegeljahren«. Sie sind die letzte Traumgestaltung seiner Jugend, das heißt seines Lebens, sie sind gedämpfter und, möchte man sagen, klassischer als die voraufgegangenen Dichtungen, er selber, der sorgsam Komponierende, Abmessende und Rundende nahm sie als Fragment, mochte sie später nicht recht leiden. Wagte sich nicht mehr an sie heran, indes er sein »Hauptwerk«, den »Titan«, mit immer steigender Bewunderung betrachtete, seinen »Hesperus« mit wacher und liebender Sorgfalt immer wieder durchging und bedachte. Für uns aber sind die »Flegeljahre«, als Ganzes gefaßt, nicht nur Jean Pauls vollendetste Dichtung (darum und nur darum auch heute noch seine »leserlichste«), sie sind auch sein eigener Mythus, wo sie »aufhören«, endet er als Dämon.

Gottwalt Harnisch, das waltende und duldende Mittellicht der »Flegeljahre«, Held und Heros zugleich, ist die letzte, schon abgeblaßte, schon in entgötterter Welt erfröstelnde Verwirklichung germanischer Götterschau. Stellt man ihn neben die großen Jünglingsfiguren unserer Dichtung, die zu sich wie zum Leben finden, neben Parzival und Simplizissimus, neben strebendes Bemühen, Ringen und Erringen oder neben die »Goldenen« Märchen-Jungen, die alles können, alles bezwingen, denen das Reich zufällt wie von selber, so nimmt man ihn, Gottwalt Harnisch, bereits als seine eigene Hypostase. Diese alle haben Züge von ihm, sind seine Gefährten, Knappen und Folger, sie sind nur, weil es ihn gibt, ihn, dessen Bestimmung, dessen Gesetz es ist, Leben und Helle dieser Erde zu sein, *indem er sich – nicht erfüllt.* Neben Balder, den Gott, und Siegfried, den Held, tritt ein letzter Bruder, Walt, der Dichter. Sein Glück und sein Geschick das ihre, sein Wesen ihrer Art. Fast unheimlich eng ist seine Verwandtschaft mit dem Gott, sie geht bis in die äußeren Formen seines Fatums, seine begleitenden Momente, seine Symbole, seinen Abschluß. Ja, wir vermögen aus dem Mythus Walts den des Gottes zu deuten, tiefer zu begreifen. Wie Balder mit Höder[3], so ist Walt mit Vult, seinem dunklen Zwillingsbruder, verbunden – auch er in geheimnisvoller Klangbeziehung der beiden Namen, und durch den Bruder wird auch er entselbstet. Wenn sich Vult von ihm wendet und in den verschwebenden Klängen seiner Flöte auch des Bruders Jugend mit sich nimmt, so geschieht ein Mord wie bei Balder, und wir dürfen einen Schritt weiter gehen und Höders Speer und Vults Flöte noch näher, noch eroshafter zusammenrücken. Und so verstehen wir Höders Brudermord fast erst durch die Tat Vults. Beides ein dioskurisches Geschehen und ein Liebesmord. Und mit beinahe erschreckender Gleichförmigkeit leiten Walts und Balders Träume das Ereignis ein und über die Schwelle, sind bereits das Ende. Denn auch Walt, eins mit seiner Jugend, ist zu Ende, und hier, ein einziges Mal, war der Dämon Jean Paul gewaltiger als der Philister, ja, als der schaffende und abwägende große Künstler Jean Paul, und der Mythus, vollendet, ist als Roman, als Weltabbild ein Bruchstück, torsisch, halbbezwungen, eine Verlegenheit für Philister, dabei so restlos ganz, so »unverhauen« wie etwa ein felsig gebliebenes Steinwerk Michelangelos oder so fertig wie eine »Untermalung« des Lionardo. An diesem Mythus der »Flegeljahre« wird Jean Pauls Verhältnis zu sich selber völlig klar. Er selber wollte nicht aufhören. Schon einmal, in früher Zeit[4], hatte er sterben sollen, hatte sich selber in einem ungeheuren Wahrgesicht auf dem Totenbett erblickt, war fast abgerufen. Damals hatte ihn ein echter Philisterzufall aufgehalten auf dem Weg: seine Zimmertür ging auf, und die entsetzte Hausfrau zog an der Strippe der »Wirklichkeit«[5]. Was sich aber damit begeben hat? Ob der Dämon in ihm frei werden wollte, zu sich selber kommen in anderer, gemäßerer Form, oder ob erst damals die geheimnisvollen Strahlen in sein aufs tiefste aufgewühltes Wesen fielen? Soviel ist sicher: mit dieser Vision, ihm selber erschien sie das wichtigste Außenerlebnis seines ganzen Daseins, und mit ihrem skurrilen Abbruch erkennen wir Umfang und Art dieses Schicksals. Er war gewissermaßen bei sich selber festgehalten, mußte ausharren und meinte, er täte es gern. Begreiflich genug, denn die Geisthülle dieser Seele, das Haus des Dämons, besaß alle Schätze dieser Welt. Und vor allem besaß Jean Paul als Geist, als Ich, alle Organe, das Spiel dieser Welt zu fassen, zu spiegeln. Er, ein unersättlicher Einsauger, ein Speicherer von allem, was ihm zukam, er, den alles »interessierte«, dem alles vollwichtig war und der doch nie bedrängt wurde vom Übermaß, dessen Wissen geordnet, dessen Hand ruhig blieb, er war über all das hinaus noch das feinste aller Instrumente zum Auffangen des Lebens. Seine Empfänglichkeit kannte keine Grenzen, er nahm alles wahr, mit allen Sinnen, verstand und spürte den Sinn jeder Bewegung, jeder Gestautheit, wurde von allem erregt und alles wurde ihm zum Einfall, erlöste sich also in ihm und schuf damit ihm selber den Abstand, daß er nicht ersticke. Hier liegt der Quellpunkt seines »Humors«, Selbstschutz vor der Welt, innerhalb des wunderbar verlockenden Herandrängens aller Dinge. Und hier, an dieser Stelle fröstelte den Dämon in ihm. Hier litt er wie ein Gefangener. Denn es geht nicht an bei Jean Paul, diesem Allreihigen, Allseitigen von Graden oder Seiten seines Wesens zu reden, Spaltungen anzunehmen, zu sichten und zu schichten. Und dennoch gibt es in seinem Werk über alle Farben und Gestaltungen hinaus zuweilen jenes unmittelbare Da-Sein, jene Einheit von Raum und Bewegung, darin das Nur-Göttliche erscheint. Es sind jene Stellen, gar nicht zu viele, über all seine Romandichtungen bis zu den »Flegeljahren« verstreut, in denen Traum, Natur, Menschenwesen nackt stehen, ganz und gar Sprache geworden sind. Nicht »schöne« Stellen oder gefühlvolle, sondern völlig magische Verwirklichungen, für die der Dichter beinahe nicht einmal mehr Durchgangspunkt ist, die von sich selber zu bestehen scheinen, eigenen Zwanges und nur von jenem leisen Hauche getrübt, den sie wie ein Gewand um sich schlagen, weil sie nun einmal herausgetreten sind in diese ärmere, dichtere, undeutlichere Welt und weil diese Welt nur zu ertragen vermag, was nicht ganz Gottes ist. Unter dieser hauchhaften Verschleierung aber lebt die Wirklichkeit der Gotteswelt als ewige Bildgeburt, als ewige Zeugung, ewiger Untergang. Hier heißt es sich fast abwenden, um nicht verbrannt zu werden.

Und hier wandte er, noch mitten auf dem Wege, sich selber ab. Vult löst sich von Walt. Das göttliche Licht erlischt, jäh, so jäh, wie es sich entzündet hat. Auch äußerlich fiel sein dichterisches Schaffen nicht mehr ins Weite. Das Behagen kam, er war seßhaft geworden in jedem Sinn, die Welt ward klein, übersichtlich, beschaubar, ließ sich regeln, beurteilen, einrenken. Die Zeit der betrachtenden Werke kam: das große Erziehungsbuch, die Ästhetik, die Zeit der unendlich vielen Abhandlungen, des ins einzelne gehenden Wirkens. Die Zeit des Hausstands, des Biers und Billards und gelegentlicher Erfrischungs- und Triumphfahrten ins Reich, wo sich manchmal, ganz selten, das alte Licht nochmals entzündete. Es gibt einen späten Brief von ihm, aus Dresden, in dem die Wirklichkeit, das Strömen der Menge über die Elbbrücke, wie in den Zeiten des »Titan« mit den Augen der Götter geschaut, mit den Lippen des Sehers beschworen und verkündet wird[6]. Aber wie schnell verschloß er sich immer wieder: nun gab es für ihn unbetretbare Bezirke. Und wenn er noch einmal versuchte, dichterisch sie zu bewältigen, ward der »Hesperus« das glühende und linde Gestirn zum »Kometen«, der endeverkündend an seinem leer gewordenen Abendhimmel steht. Dies sein letztes Buch, der nach Jahrzehnten wieder aufgenommene Versuch, einen umfangreichen Vorwurf zu meistern, die Geschichte eines verrückten Kleinbürgers, der ausfährt, sich sein Fürstentum zu suchen, es ist fast die thematische Umkehr seiner dämonerfüllten Bücher. Das innere Königtum, die gotthafte Sicherheit seiner Helden und Jünglinge, ist hier zu einem Schlingern, einem Tasten, einem Sichbeweisenmüssen geworden. Die Umstände greifen von außen nach innen oder werden mit den Mitteln des Wahnes gedämmt und zurückgehalten, kein Lächeln vergoldet sie mehr, fast mit Schadenfreude werden sie aufgezeigt, sie sind und bleiben die unheimlichen Mächte des Lebens, und wer sie nicht erkennt oder sie überwinden will, ist aufs höchste selber ein Zufall, ein Irrestern, der durch sie hindurchfährt.

67   *Wolf Zucker*

Aus: Der barocke Konflikt Jean Pauls   1927

Das letzte Ziel des Romantischen ist immer ein ethisches, – gleichgültig, welchen Inhalt die Ethik haben möge. Daß das Ziel wirklich erreicht werden soll, ist zwar weder des Barocks noch der Romantik Absicht. Das Barock aber kennt das Ziel aber auch nicht einmal als ein ewig Ersehntes; seine Freude ist allein die Bezwingung des Weges. Der Romantik aber ist der Weg, das heißt diese irdische Wirklichkeit nur erträglich mit der ewigen Sehnsucht. Romantik führt daher zum Irrealismus; neuplatonistischer Tradition gemäß wird nur das von der Wirklichkeit anerkannt, was Idee, Repräsentierung des Absoluten ist. Wenn aber Hegel schließlich überhaupt kein Ding mehr in der Welt kennt, das nicht repräsentierende Form der absoluten Idee wäre –, so zeigt sich hier wieder, wie sehr in Hegel die Romantik schon überwunden ist. Das Barock aber bejaht die Wirklichkeit unbedenklich, es bejaht sie desto mehr, je handgreiflicher sie wirklich ist. Barock bejaht die Natur und die starken Triebe, und auch Gott, an dessen allumfassendem Wesen dies alles teilhat*. Romantik aber geht den umgekehrten Weg: Sie liebt zunächst nur Gott und die Unendlichkeit, und darum auch die Natur, die von ihm spricht und sein Symbol ist**. Das Barock bejaht aus seiner Wirklichkeitsliebe die Naturwissenschaften und die Mechanik. Mit Vorliebe wird das mechanische Gleichnis auch für psychische, ja sogar metaphysische Dinge gebraucht. Ist nicht die Metaphysik der Monade solch geniale erweiterte Differentialfunktionentheorie? Romantik aber haßt die Naturwissenschaft und vor allem die Mechanik, die für sie tot ist. Warum? Weil ihr die Natur nur so weit richtig erscheint, als sie Gott, und das ist: Unendlichkeit, ist. Gott ist nicht in Gesetzen zu fassen; der Kosmos soll chaotisch aufgelöst werden. Barock aber will auch im Chaos noch den geheimen Kosmos entdecken, will die phänomenal einheitliche Natur in funktionale Beziehungen auflösen.

Wem steht Jean Paul nach alledem wohl näher, der Romantik oder dem Barock? Bei keinem andern ist die Kunstform, das Ich des Erzählers in die Erzählung hineinzuarbeiten, so zur dauernden Übung, ja gradezu zu Zwang und Manier geworden wie bei Jean Paul. Nicht nur, daß er Rahmenerzählungen schafft, – mit skurriler Gewissenhaftigkeit wird vor jedem neuen Kapitel ausführlich berichtet, wie der Erzähler zu all den Hundsposttagen, Zettelkästen, Briefen, Jobelperioden,

---

* Spinoza, Malebranche.[1]
** Die Jakob Böhme-Schwärmerei der Romantik.

Haubenmusterkapiteln und Dornen- oder Fruchtstücken kommt. Und mehr noch: Kein Gleichnis, von denen Jean Pauls Prosa über und über voll ist, das auch nur entfernt an wissenschaftlich-sachliche Dinge grenzt, darf vorübergehen, ohne daß nicht Jean Paul den Beleg in genauer Paginierung lieferte, oder ohne daß nicht der Dichter gar die absolut poetisch gemeinte Metapher ins Wissenschaftliche umdeutete und – zerstörte! »Wenn er über das Irdische in den Himmel gehoben – komme auf einmal ein Spaß.«[2] Die Einheit des Erzählungsablaufs ist vollständig zerstört; dauernd drängen sich zwei Sphären durcheinander: die Fabel muß ja weiterschreiten – sehr zu Jean Pauls Kummer! –, aber mindestens ebenso wichtig wie die Fabel sind die tausend Anmerkungen, Reflexionen, Sonderhandlungen, Fruchtstücke, Jus de Tablette[3] – des Erzählers. Dadurch wird die Lektüre Jean Pauls zu einer – wie Friedrich Theodor Vischer sagt – »Pferdearbeit«[4]. Aber nur für einen Leser, der bewußt oder unbewußt die klassische Kunst für das notwendige Regulativ jedes Stils vor Augen hat. Den Romantikern war die »Ungezügeltheit« dieser Sprache schon ganz recht, – aber sie hätten sich gewünscht, daß nicht kühle Wissenschaftlichkeit, nicht Exzerpte aus allen möglichen Folianten die Einheit so zerbrochen hätten, sondern Überschwang der Phantasie den Stil orientalisch bunt gemacht hätte und so eine Einheit auf höherer Stufe erreicht hätte. Aber Überschwang der Phantasie ist es nicht. Daran lag Jean Paul, der ja schon hundert Unterbrechungen durch entfernteste Gleichnisse vorbereitete und im Kopf hatte, bevor er noch an die Fabel einer zukünftigen Erzählung dachte, der ein ganzes Buch aus Vorreden hätte aufbauen können, ohne Erzählungen, zu denen diese Vorreden hätten Vorreden sein können, daran lag Jean Paul wenig. Aber was wollte Jean Paul? Denn Jean Paul wollte ganz bewußt etwas mit diesem Stil, den er manchmal gradezu forcierte. Es ist nicht so, daß er sich willenlos von den Seltsamkeiten, von den Beziehungsmöglichkeiten der Sprache treiben ließ*. In seiner Sprache ist nichts von traumhaftem Nachfühlen, von romantischem Impressionismus. Ganz kühl und bewußt, schreibt er in ein Studienheft zu den »Flegeljahren«**: »Es müssen mehr Haupthandlungen zugleich sein – eine wird zu ausgedehnt, keine Mannigfaltigkeit.« Alles ist Rezept bei ihm***, soweit man hier noch das Wort Rezept gebrauchen darf. Jean Paul spielt tatsächlich mit der Sprache, aber dieses Spiel ist nicht schrankenlos und also romantisch. All die vielen, vielen Digressionen sind nicht verflatternde Blitze eines halt- und substanzlosen Romantikers, dessen Schaffen ein genießerisches Spiel ist, sondern das Überschäumen eines von Substanz und Fülle berstenden Charakters, der sich all diese Arabesken gern gestatten darf, weil seine innere Gesetzlichkeit ihn doch zwingt, gesetzlich, bei der Sache zu bleiben. »Zurück zur Sache, wollte ich jetzt sagen, und sah unbeschreiblich vergnügt, daß ich gar nicht von meiner Sache abkommen kann, ich mag mich verbreiten worüber ich will.«**** Diese ernsteste Sachlichkeit und Beherrschtheit rechtfertigt alle Digressionen, alle Extrablättchen und Verschränkungen, und es verrät

---

* vgl. Strich a. a. O. p. 134.[5]
** Freye a. a. O. p. 24.[6]
*** Berend, Ästh. p. 80[7], Freye a. a. O. p. 199 usw.
**** Jubelsenior, Appendix des Appendix.[8]

nur völliges Mißverstehen Jean Pauls, wenn seine Interpreten empfehlen, alle Digressionen zu überschlagen; sie wagen das zu empfehlen bei einem Dichter, dem jeder kleinste Brief, jedes geschriebene Wort, jeder Küchenzettel noch wichtig war, weil sich aus all diesen Zettelchen zusammen erst das wahre Bild einer Charaktertotalität ergäbe.

Jedoch haben die Digressionen, Einschachtelungen und wissenschaftlichen Randbemerkungen noch eine besondere Rechtfertigung durch ihre Aufgabe in der Gesamtkomposition der Romane. Denn sie haben eine solche Aufgabe! Zunächst einmal schaffen sie eine erwünschte Buntheit und Lebendigkeit gegenüber der profanen Welt. Aber die Buntheit Jean Pauls ist eine andere als die der Romantik. Wenn bei Jean Paul die verschiedensten Farben leuchtend nebeneinanderstehen* und den Leser zwingen, alle schroffen und erstaunlichen Übergänge mitzumachen, so sind die Farben des romantischen Erzählers vielmehr Mitteltöne, die zusammen einen angenehmsten Wohlklang ergeben, die den Leser weich einhüllen und von dieser Wirklichkeit entrücken.** Jean Paul aber will gar nicht einhüllen, will nicht einlullen oder berauschen; der Leser soll arbeiten, soll all diese Sprünge mitmachen, soll eventuell sogar zum Konversationslexikon greifen müssen***. Jean Paul will das Gemüt des Lesers in dynamische Spannung versetzen, der ästhetische Genuß soll darin bestehen, dem Kräftespiel zwischen den einzelnen Sphären zuzuschauen. Die Erzählung hat immer viele Ebenen, die miteinander in Verbindung stehen. Immer wieder läßt einen die Innigkeit, die Dichte, der Schwung der eigentlichen Erzählung die andern Ebenen, die Ebene der wissenschaftlichen Reflexionen und vor allem die Ebene des forschenden Chronisten, der Rechenschaft ablegen will über all seine Quellen, vergessen. Aber keine Ebene darf vergessen werden, »wenn er über das Irdische in den Himmel gehoben, kommt auf einmal wieder – ein – Spaß.« Nein, ein »Spaß« braucht es gar nicht zu sein. Aber eine Einschränkung der Geltung jener Ebene. Der mächtige Lebensstrom ist nicht einheitlich, er wird zerteilt und aufgelöst in widerstreitende Prinzipien, die als dauernd zusammen aufgefaßt werden wollen. Görres hat Jean Paul mit dem Höllen-Breughel verglichen[10], wohl dabei dessen kribbelnde Mannigfaltigkeit und Fülle im Auge habend. Aber der Vergleich ist zu erweitern: Wie bei Breughel ist bei Jean Paul dieses Zusammen von vielen Ebenen vorhanden; dieses, daß sich immer plötzlich irgendwo eine Wand öffnet und den Blick auf eine neue Ebene mit einer neuen Szene freigibt. Und in der ganzen Komposition ist keine Ebene, keine Sphäre unentbehrlich. Einmal heißt es in den »Flegeljahren«****: »Beide (die beiden Brüder, die eben zusammen reflektiert haben) mengten sich wieder in die Gegenwart ein.« Aber die Gegenwart ist durchaus keine bevorzugte Sphäre verglichen mit der zeitlosen Reflexion. »Viktor hatte drei Seelen: eine humoristische, eine empfind-

---

* Jean Paul hat eine innige Vorliebe für die Farbadjektiva, vgl. Freye a.a.O. p. 281.
** Die Farben der romantischen Malerei sind allerdings bei den großen Vertretern in Frankreich: Géricault[9], Delacroix durchaus nicht Mitteltöne. Hier überwiegt das romantische genießerische Auskosten der Farbenpracht.
*** Berend, Ästh. p. 86.
**** Kap. 14.[11]

same und eine philosophische; wer ihm davon eine wegnähme, könnte ihm die restierenden auch gar ausziehen.«* Eine Ebene relativiert immer die andere, aber gleichzeitig läßt sie auch immer die Kraft und Intensität der andern um so wirkungsvoller hervortreten. Das ist nicht zufälliges Ergebnis unsrer sonderbaren, beziehungsreichen Sprache, sondern durchgängiges philosophisches und ästhetisches Prinzip bei Jean Paul. »Übrigens bleibt es Gesetz, da jede Kraft heilig ist, keine an sich zu schwächen, sondern nur ihr gegenüber die andre zu erwecken, durch welche sie sich harmonisch dem Ganzen zufügt.«** Dieser Satz erinnert uns stark an Humboldts Definition des Menschenzwecks***. Auch hier das Streben nach klassischer Harmonie. Aber ist der gemeinte Gedanke wirklich klassisch? Ein sehr wesentlicher Unterschied besteht. Humboldt und die klassische Ethik nehmen alle Möglichkeiten menschlichen Seins hin, sie fühlen ihre Aufgabe darin, alle Triebe und Anlagen so zu entwickeln, daß sie sich zu einem harmonischen Ganzen vereinigen. Anders aber Jean Paul: er spricht nicht von den Anlagen und Möglichkeiten, die er vorfindet, sondern er will, damit die Harmonie zustandekommt, sogar neue Möglichkeiten erwecken. Jeder Trieb verlangt nach Erweckung seines polaren Gegensatzes, nichts ist ein Pol für sich. Die Harmonie ist bei ihm keine summative Gegebenheit, sondern ein dynamisches Potential und Differential. Dieser Unterschied ist wahrhaft entscheidend. –

Und noch von einer anderen Seite her stoßen wir bei Jean Paul auf die barocke Dynamik als Endabsicht. Von Sterne kennt Jean Paul das Hereinarbeiten von wissenschaftlichen Einzeldaten in die laufende Erzählung****. Aber das ist keine zufällige Aneignung; auch hier liegt verborgen das Prinzip vor, Ebenen gegeneinander auszuspielen. Der poetische Schwung wird jeden Augenblick durch die wissenschaftliche Nüchternheit in Frage gestellt; aber umgekehrt auch die Nüchternheit durch den Schwung. Man weiß ja oft nicht recht, wem gilt eigentlich die leise Ironie, die in jeder dieser wissenschaftlichen Fußnoten steckt, – der Poesie oder der Wissenschaft? Aber grade diese Ungewißheit will Jean Paul. Es ist nicht das romantische Zweifellicht, die Aufgelöstheit, die hier erstrebt wird, – der Romantik wäre nur diese Umnebelung des Lesers als Endabsicht wichtig. Jean Paul aber will dem Leser jede Unvoreingenommenheit für diese oder jene Ebene nehmen, damit er um so genußreicher dem Spiel der Ebenen miteinander zuschauen kann. Die Romantik nimmt immer Partei. Der wissenschaftlich-nüchterne Geist wird nur zitiert, um gründlich verspottet zu werden. Anselmus[16] gerät grade dadurch, daß er der Phantasie untreu wird und sich der häßlichen Vernunft verbindet, in große Gefahr. Noch in Bonaventuras[17] Selbstgesprächen lebt diese Verachtung der Wissenschaft und ihrer Jünger. Jean Paul aber liebt auch die Wissenschaftlichkeit und vor allem auch die wissenschaftliche Methode. Nicht nur das Ergebnis der Wissenschaft, für das sich ja auch Schelling und die Heidelberger begeistern können. Nein, er häuft Exzerpt auf Exzerpt, verweist mit minutiöser Genauigkeit von einem

* Hesperus (Hempel) p. 103.[12]
** Levana § 29.[13]
*** der Staat, Kap. II.[14]
**** Czerny, Sterne, Hippel und Jean Paul p. 54[15]

Studienbuch auf das andere. Nichts liegt ihm ferner, als die Wissenschaft zu verachten. Und so kann er sich auch mit unbefangener Freude an dem Spiel der Kräfte zwischen Verstand und Phantasie freuen und kann den Leser auffordern, diese Freude nachzuerleben. Denn auch die ganze Poesie ist für ihn eine zweite Welt der hiesigen*.

Das dynamische Moment wird verstärkt durch die betonte Sukzessivität in der Aufrollung der Fabel. Der Erzähler hat am Anfang nicht etwa die ganze Quelle seiner Erzählung fertig vor sich: Stück für Stück muß der Erzähler sich erst die Erzählung erobern, sei es, daß er sie als die Fetzen des Papiers, als Kehricht, als Fensterverklebung findet, sei es, daß ihm die Hundspost erst nach und nach alle Briefe bringt, sei es schließlich, daß der Chronist den Helden bei seinen Irrfahrten und Abenteuern begleiten muß[19]. Und die Schilderung der Eroberung der Erzählung nimmt manchmal fast so viel Raum ein wie die Erzählung selbst. Aber die Fabel ist ja auch gar nicht wichtig, für Jean Paul nicht wichtig. Immer wieder wird bemerkt, wie mangelhaft, wie gesucht die Fabel bei Jean Paul ist**. Aber Jean Paul selber empfindet das gar nicht als Mangel. Ihm ist die Phantasie ja neben dem freien Spiel der poetischen Kräfte ganz gleichgültig; sogar als lästig kann er sie empfinden. Er beklagt sich Otto gegenüber über den äußeren Zwang, die Erzählung zu geben***. Womit er den Leser locken will, ist ja gar nicht die »Geschichte«, sondern ... sondern eben jenes Kräftespiel zwischen den vielen, vielen möglichen Ebenen, zu dem die Fabel den Anlaß gibt. Und wenn die Möglichkeiten einer Fabel zu diesem Spiel erschöpft sind, so wird sie abgebrochen, und wieder bleibt ein Roman unvollendet. Gervinus hat vollständig richtig erkannt, – wenn er Jean Pauls Art auch verwirft, – daß dessen Romane ebenso wie die Sternes notwendigerweise immer Fragmente bleiben müssen, da beide Dichter im 50. Band dasselbe sagen würden wie im vierten oder siebenten[22]. Ein Fortschreiten der Handlung gibt es nicht, womit aber nicht gesagt ist, daß Jean Pauls Romane wie die der Romantik sich in eine gegenständliche Stimmung auflösen. Nur wird die Handlung vollständig entsubstantialisiert. So wie in der Mathematik des Barock die einzelne geometrische Kurve ihren substantiellen Sinn verliert und sich rein verwandelt in eine Funktion, eine Gruppe konstanter Beziehungen, so verwandelt sich der gegenständliche Roman bei Jean Paul in einen reinen Beziehungsroman. Nicht mehr die Dinge sind wichtig, sondern ihre Beziehungsmöglichkeiten. Daher rangieren vor dem Dichter auch alle Dinge gleich. Das kleinste Ding ist so wichtig, wie das größte, nicht etwa, weil Jean Paul ihm, klassischen Vorbildern gleich, immer den größten Sinn als Gleichnis geben konnte, sondern weil in der nun einmal vom Dichter so konzipierten Welt alle Dinge miteinander in alle Beziehungen treten können; es kommt ja lediglich darauf an, die Struktur dieser Beziehungsmechanik nachzuempfinden und zu gestalten. Dichtkunst ist für Jean Paul eine Art Physik. Im Kosmos wie in der ästhetischen Schöpfung gibt es keine Endabsichten, sondern

---

* Vorschule § 1.[18]
** Müller, J. P. Studien 122 ff.[20]
*** an Otto 11. III. 92.[21]

eben Physik*. Arbeit des Dichters ist es, die einzelnen Gesetze der »Physik« sichtbar zu machen. Eine romantische Willkür des Schaffenden gibt es nicht. Alles ist Herausarbeitung des Funktionellen. –

68a   *Max Kommerell*

Gespräch Albanos mit Wilhelm Meister   1928

Wilhelm:
Woher kommst du, junger Mann?
Albano:
Du irrst. Ich bin ein Jüngling.
Wilhelm:
So hör ich denn sogleich den gewohnten Ausdruck mit der gewohnten Irrung. Mein Gruß der dich befremdete war ein Zeichen der Achtung. Du Werdender gibst Hoffnung einst zu *sein:* der Wirkende der Mann. Ihr aber seid stolz auf eure Unfertigkeit. Ihr nennt Jugend das Recht sich zu betäuben gegen Ratschlag und Beispiel. Jünglinge seid ihr: das heißt ihr beginnt von vorn wo der einzige Weg schon gebahnt ist.. Jünglinge seid ihr: das heißt ihr flieht das Gesetz.. Jünglinge nennt ihr euch und bleibt ewig Kinder.
Albano:
Nicht darum nannt' ich mich Jüngling, sondern weil ich das Gemeine mir ferne weiß, Großes groß empfinde, Großes leben will.
Wilhelm:
Noch keiner lebte mehr als er *war.* Du weißt nicht dein Bestes: du bist ein Lernender.
Albano:
Wo der Ton deiner Stimme schilt, regt dein Wort mein höchstes Gefühl. Wohl lerne ich und lerne indem ich liebe.
Wilhelm:
Nie merkt ihr wie ihr zum Lächeln reizt in euren Ergießungen. Liebe lernt nur das Gleiche, nie das Andere. Weh dem dessen Lehrer nicht erst sein Gegner ist! Dank dir Jarno, der mich von verträumtem Lungern bei gutartigen Affen wegschalt zu Ernst und Streben. Dank dir edler Lothario, den ich zurechtzuweisen dachte und der mir Umnebeltem die Arten und Ränge der Menschen wies und die Kunst sie zu lenken! Ihr wart bös und tatet weh, bis ich reif wurde in euch den Wohltäter zu fassen. Dank dir großes allmischendes Leben, das mich entselbstete auf daß ich ein Selbst gewänne. *Dein* Lernen aber gemahnt mich, wie ich als Kind von meinen Puppen lernte, deren Glieder ich mit meinen Fingern bewegte und die ich *meine* junge Weisheit reden ließ! .. Durch welchen der Ehrfurchtsgrade gingst du, deren dreifache Schule zum Menschen macht und zu Gott und Welt in gemessenes Verhältnis setzt? Sprich nicht von *dir*, nenne mir deinen Lehrer!

* Berend, Ästh. p. 172.

Albano:
Geliebter Dian, der mich in den Zauber eines jonischen Tempels und in die große Seele des Sophokles einweihte und südliche Schimmer durch meine Jugend goß.. schmerzhaft geliebter Gaspard, der mir zeigte was nicht mein ist: den unerbittlichen Gang der Tat und die diamantne Schärfe des Geistes, die noch das Härteste schneidet und schnitzt – gib mir deine Klarheit zu meiner Glut und ich bin mächtiger als du!

Wilhelm:
Sinnreiches Kind! Nichts ist dir so fern daß du es nicht zum Spiegel machtest. Zerschlag das Glas, Gekerkerter im Ich! Eine Hetäre wär euch besser als ein Heiland. Seht Welt und Geschick! Du bist krank.. Rom sei den Arzt.

Albano:
Rom du tote Heldenstatt! Wie trauert' ich auf deinen Trümmern zornvoll über die gesunkene Zeit! Wie brünstig verschwor ich mich mit dem korsischen Fechterknaben.. wie harrte ich des erlösenden Donners der Schlacht! Was soll ich die Trauer jener Tage wiederholen – trage ich doch seither mein Rom in mir und in meinem deutschen Traum.

Wilhelm:
Du *warst* in Rom? Nun weiß ich: du bist unheilbar. All dein Rom ist als hättest du's in Blumenbühl erdacht! Du aber wähnest dich noch gerühmt, wenn ich dir vorwerfe: du kamst von Rom als der du auszogst – deutscher Jüngling!

Albano:
Ja.. denn nur in solchem wird der Römertraum Wahrheit! Wohl spielte mein Blumenbühl mit seinen verheißenden Morgenröten herein ins säulen- und schemenprangende Rom. Aber Neues nahm ich von dort. Erschüttert vom Geistertritt der Legionen und vom trotzigen Plane der Cäsaren schwang meine Seele in großen Akkorden. Anders küßte mich dort mein Dian. Glaubst du daß der Scipionen einer dir folgen würde in deine Hof- und Gartenbälle, und ist dies dein Rom: der Taglauf zwischen leichtsinnigen Zitherschlägerinnen und dem dürren Mißmut der Geschäfte?

Wilhelm:
Staat ist auch in der engsten Ordnung. Anmut und Ebenmaß findet der heile Blick in jedem Lebensring und selbst an der Buhlerin wenn sie schön ist was sie ist. Als du das widrige Märchen fandest, daß die durchs Sprachgitter des Fleisches gesonderten Seelen sich Zeichen machen, fand ich wieder die Würde des Leibs.. sie rettet' ich, und in ihr so viel als die mir zugemessene Erde trägt.

Albano:
Doch nichts was mich lockt – o zeig mir, wohin rettetest du den großen Menschen?

Wilhelm:
Mann bin ich seit ich das Mögliche weiß. Von kleinen Dingen umgeben fand ich die Vollkommenheit der kleinen Dinge. Dein großer Mensch ist Gespinst und Lüge, denn er ist nicht im Ring der Zeit.

Albano:
Was ich sann und plante: große Tat und großes Sein, war *einmal* wirklich im Bund.

Entriß mir auch *den* Freund ein frevles Spiel und *den* ein zerstörender Wahn: die Glut die uns einte, nähre ich ewig, und sie schlägt auf zur Flamme wenn die Zeit erwacht.

Wilhelm:
Kein Traum wird wahrer, weil man ihn zu zweien träumt.

Albano:
Wie kannst *du* wahr sein mit deinem Wissen? Du legtest die Probe ab, der Schüler ward Meister. Du sprichst: folgt mir, und weißt daß du zu einem kleinen Geschlechte sprichst – du zeigst auf ein Ziel und weißt daß deine Zeit ein Ende ist – alle lauschen dir und du verschweigst dein Bestes – war je ein Führer so ohne Glauben und ohne Liebe!

Wilhelm:
Liebe – was macht ihr aus *dem* Wort! Euer Lieben: ein weiches Jasagen zu euern Lastern! Ihr liebt: ihr doppelt euer Ich.

Albano:
So wirst du nie mehr als zurechtweisen. Der scheltende Lehrer wahrt vor Irre, der liebende Lehrer zieht zu sich.

Wilhelm:
Euch zu mir zu ziehen – ich bin nicht jung genug zu diesem Wahn. Euch vor Irre zu wahren – ich dächte, dies wär auf eine Weile genug.

Albano:
Der Lieblose ist auch nicht höchster Wisser. Du siehst dein Land mit bösem Blick. In meinem Heimathügel hört' ich Zwerge raunen als Kind, sah in aufgesperrten Höhlen verwunschene Kleinodaugen funkeln. Nach verheerendem Geisterbrausen durch die Lüfte stand erfrischt in der Frühe der gerüttelte Apfelzweig mit fetten Blüten.. und wie brütete in der Mittagsstille rundum Unerschöpflichkeit! Nie erfuhrst du, stolzer Städter: noch im Wahn deines Volkes welche Fülle!

Wilhelm:
Du rühmst dich von der Erde zu stammen.. hör denn meine Abkunft. Von früh auf sah ich das Gewimmel der Altstadt und vor mir wurde ihr Leben der Vorzeit wacht – verböte mirs nicht die Scheu, ich wiese dir noch den Brunnen, wo Margret und Liese beim plätschernden Strahl sich besprechen.. ich zog noch die verrufenen Bahnen durch Felsmeer und Nebel zum Hexenberg und weiß, doch verschweige euch zum Heil die Lösung der Rätsel an denen ihr noch lange ratet. Vergeßt woher ihr kommt – nur Wirre ist es und Wust! Ähnelt euch dem fernsten Bild! Und wenn ihr vor den Augen der Steinbilder im Süden bestehen mögt, dann sprecht zu eurem Volk zu eurem Land: wie bist du schön!

Albano:
Du suchtest die Helle nur als Fernwanderer, so umgab dich die Heimat nur als Bann und Düster. Ich aber fand in ihr die Widerscheine der kühnsten und der zartesten Regung, und auf ihren Gesichtern den Segen den kein Fremdtum verleiht. Ihr reichstes Lied lebt auf meinem Mund, wohin ich trete, zuckt in mir das Lichtverlangen des unterirdischen Golds und ich schreite in eine große Morgenröte.

Wilhelm:
Wer diesem Volke spricht: sei wie du bist! ist Verführer. Zukunftfroher, du lenkst nur zurück in uralten Fluch, Zungenreicher, du schmückst mit lockenden Tönen den Verfall.

Albano:
Wie kann Verfall sein wo solche Fülle gnadet! Karg scheint vor ihr die Anmut deiner Sitte und dein berühmtes Fernwunder! Plötzlich erschreckt mich deine Tracht. Dein Haar ist in Band geschlungen, deine Brust von Krause und Franse umhüllt.

Wilhelm:
Auch ihr werdet euch sorgfältiger kleiden wenn ihr erst merkt wieviel ihr zu verhüllen habt.

Albano:
Du höhnst damit ich dich nicht errate. Mich durchschneidet dein Wort das du so fest zu sprechen scheinst und in dem ein kaum verwundenes Weh noch zittert. Wie zwängen dich die Hüllen die du so edel trägst, wie preßt die Zierde der Zeit dein innerstes Herz! Nie wirfst du sie ab, stehst nie bar und betend als schöner Ursohn vor Himmel und Meer. Nie tritt die Geliebte vor dich als Gestalt und Herzschlag der Erde.. nie macht dir der Freund die Heimatflur zum Göttereiland, daß du nach Sternen wie nach Blüten greifst. Nie kennst du den Rausch, nach langer Wahl sich ganz zu schenken.

Wilhelm:
Ich kannte ihn, doch mich schaudert, wenn Leeres zu Leerem fließen will. Besitzt euch eh ihr euch verschenkt! Klärt euch eh ihr euch berauscht, werdet Mensch, eh ihr euch vergöttert. – Du bist edel.. warum verleugnest du das Gesetz jeden Adels: in den gewiesenen Grenzen zu bleiben?

Albano:
Adel den *ich* kenne ist grenzenlos.. ist unzähmbare Glut, ist freiestes Opfer, ist Liebe und Tat nur nach höchstem Traum. Adel den ich suche ist das Ungebrochene das Unbedingte. Du sagst, daß ich edel sei.. ich weiß es nicht. Eines weiß ich: von eurem Patrizier zum Hofmann, zum Minister ja zum Fürsten selbst ist minder weit als von jeder dieser Stufen zu dem was ich bin und die mir gleichen werden.

Wilhelm:
Ich ging an meine Grenzmark nicht um dich zu hören sondern um dich zu retten. Wo ich nicht Helfer bin, ist mir verbotene Nähe. Nie kreuze sich mehr unser Weg.. alles was ich niederringe, was die Brüder wirrt und blendet, ersteht in dir verführend neu. Ich heiße dich Feind: meide mich wie ich dich meide.

Albano:
Deinen Fluch erwidre ich mit Segen und nehme Freundesabschied. Ich hege in meinem Reich Provinzen wo deine Hand unwissend gewaltet hat und wo dein Geist aus strengen Bauten und rauschendem Geblätter weht. *Dein* Reich aber hat nirgend Teil an meinem und deine ergiebigsten Zonen bringen nichts hervor wie mein tropisches Blütendickicht, meine schwül atmenden Zitronenwälder und die süßesten: meine vollen Dolden der Heimat.

68b   *Max Kommerell*

Aus: Jean Paul
Humoristisches Ichgefühl   1933

Vielleicht findet man in alten Geschichten auch einmal die Spur eines weisen Mannes, der immerfort gelacht hat, so wie in manchem Drama die Spur eines Spaßmachers, der heimlich weise war. Wenigstens hat uns die Legende einen lachenden Philosophen erhalten: Demokrit[1], der nach allem gewiß ein starker Frager war.. Lachen und Fragen mag da früh einen vielleicht mephistophelischen Bund geschlossen haben. Das Ja-lachen Nietzsches: die Rosenkranzkrone des Lachens, und das »goldene Lachen« Georges[2], das mit dem »goldnen Licht« der nordischen Seele ferngeblieben sei, kommt aus starken leidensfähigen Geistern, die sich irdische Vollendung abgefordert haben. Wie wurde zuerst gelacht? Die Tiere lachen nicht, aber die Götter lachen, wenn ein hinkender Hephäst ihr Weinschenk ist.. und vielleicht gab es riesig-gelassene Zeiten, wo breitbrüstige Helden lachten nach ihrem Sieg, oder im vollen Augenblick der Liebe, ohne daß ihr Lachen den Klang geborstnen Erzes gab. In unser Lachen aber ist das Mitgefühl von solchen gekommen, die sich selbst irgendwo mit dem Belachten gleich wissen, die sich nicht mehr durch ihr Lachen wie durch einen scharfen Lichtrand in vollkommener Linie gegen den Raum abzeichnen. Auch das zerrissene Lachen des Selbst- und Weltverächters ist nicht so tödlich grausam wie das Lachen des Vollkommenen.

Einmal fiel das Lachen, das ein sehr anderes Ding ist als das Lächeln, dem Schmerz anheim, und wurde, von bedenklichem Ernstblick und einer fast schwermütigen Posse der Mienen begleitet, die Gebärde leidenschaftlichen Mißbehagens, und zugleich der gewaltsame Versuch es zu enden.. da lachte ein Mensch über sich. Und da er über sich lachte, lachte er über den Menschen. Und lachte stärker: denn er, der lachte über Menschen, war ja der Mensch. Was aber lachte denn? Ein Es über ein Ich, ein Unbändiger über einen Gebundenen – und lachte immer schriller, weil der Klang auch das Echo war, und weil er ureinsam war im harten Geräusch des Lachens, er mit sich, und fragte, was ist dies: »Ich«?

Daß dies Lachen eine Gebärde ist, in der ein Mensch ein Leben lang gegen das Weltall verharren kann, verharren muß, weil er in sie hineingestoßen ist – das hat Jean Paul gewußt, das hat er geschildert, weil er es erlebt hat.

Solches Lachen ist der geistige Grundton mehrerer breitangelegter Werke geworden.. außerdem hat Jean Paul, wie es seine Art war, zu einem Weltgedanken ein Lebensgefühl, und zu diesem einen mit ihm beladenen Menschen zu erfinden, nicht umgekehrt, eine Reihe von Lachenden dieses Lachens erschaffen, mit soviel Vertiefung, Genauigkeit und beinah Andacht, daß wir den Menschenformer wie den Seelenforscher zu bewundern haben.. endlich hat er sich selbst in einem betrachtenden Werk zum Humor als dem romantischen Weltverhältnis überhaupt bekannt. So ist also dies Lachen keine Koloratur leichtfertiger Oberstimmen, sondern erschüttert den Boden seiner Seele als ein schauerlich ungewisser Grundbaßtriller.

Auf welche Art die Seele im Leib haftet, ist Jean Pauls Schicksal. Christliches, Deutsches und Bürgerliches haben sich mit philosophischem Tiefsinn zu ausgesuchten Martern dieses merkwürdigen Menschen zusammengetan, und seinem innern Dasein im selben Maß die Form des Zwiespalts gegeben, als seine erträumten Selbstbefreiungen jene ausländischen, von allem Erdgeruch reinen Düfte nötig haben. Es gibt einen Begriff des Leibes, der, keineswegs heidnisch, in den christlichen Künsten zu der zartesten Gebärdensprache geführt hat: der Begriff vom Leib als einer Botschaft der Seele. Diesem Begriff ist der Leib wohl ein Zweites, Dienendes, aber heilig, wie ein Gefäß von Heiligem heilig ist, und jeder Leib ein wenig Leib des Herrn. Aber es gibt einen andern furchtbareren: dem die leibliche Form eines Menschen ein Spott auf seine innere Gestalt ist. Damit wird die Gebärdensprache trügerisch, ja herabsetzend, und der Gang eines solchen Menschen durch die Welt wäre der genötigte Sklavengang eines gewalttätig Entstellten, wenn er nicht die Freiheit haben würde, dies zu wissen, das Mißverhältnis des Körpers zum Verkörperten hinwegzulachen und so die Freiheit seines unbedingten Seins gegen die aufgewachsene Maske wiederherzustellen.

Niemals kommt der Freiheit dieser Humoristen die Gewissensstille, in der ihnen eine ganz leise Stimme sagt, daß irgendein Zug in ihrer Seele sei, vielleicht ein ihnen unbekannter und versteckter, den der geschmähte Umriß ihres Leibes nur nachfahre – noch ängstet sie je die Möglichkeit, in einem vergessenen Dasein die eigene Seele durch Tun und Lassen zu dieser Gestalt verurteilt zu haben. Nein, die Natur ist ihnen eine furchtbare launische Zerrbildnerin der Geister, und dazu eine Hexe, die jeden Geist zwingt, in seinem Leib zu wohnen. Und den eigenen Leib betrachtend, erschrecken sie vor dem schauerlich engen Kettenschluß, vor diesem unenträtselbaren und unentrinnbaren Ineinander des ewig Ungleichen. Jean Paul weiß auch das andere: das großgemute Rollen des Blutes durch fürstliche Adern, den heidnischen Jubel einer Seele über die Schauspiele der Erde und die christliche Innigkeit von Dulderinnen und Lichtbringerinnen, die im Küssen eine Reliquie zu berühren scheinen. Aber nie hat er das Gesicht dieser mit dem Lachen der andern verzerrt. Emanuel ist so humorlos wie Liane, und von Albano heißt es: »zu einer komischen (Charaktermaske) war seine Gestalt und fast seine Gesinnung zu groß«[3].

Der Anfang allen Humors in Jean Paul ist also das Lachen des unbedingten Ich über seine bedingte Gestalt, so daß der humoristisch beschaffene Mensch sein erstes komisches Gedicht mit den Bewegungen des eigenen Leibes aufführt. Jeder humoristische Moment, kann man sagen, durchschneidet einen der Fäden, mit denen ein Ich im Leibe hängt, und die Kraft aller humoristischen Momente zusammengenommen bedeutet als Wollen etwa dasselbe, was der Tod als Leiden. Und erst der Tod kann die Lösung bringen für das Rätsel eines anderen, feineren Gegensatzes, als es der Gegensatz von Leib und Seele ist. Was ist denn der Lachende und worüber lacht er? Etwa nur über die nachlässig mitgespielte Bedientenkomödie des Leibes? Oder lacht er über das Ich? Ich kann nicht über das Ich lachen – folglich lacht Es über Ich? Wäre also Ich weder das Freie, noch das Unfreie? Sondern zwischen frei und unfrei, eine Art zu sein, die dem Freien, dem Es, vom Gesetz der Erde mit dem Körper zugleich verhängt wurde? Ist denn dies Es auch Person? Oder nur Teil, Teil im Ganzen? Freilich, es ist zu begreifen, daß jenes so rätselhaft eingekörperte Geistige ein wenig von der Form des Leibes annimmt, so wie auf einem Arm, der lange auf einem Gitter gelegen, sich die Form des Gitters abzeichnet. Muß doch die Seele mit jeder Empfindung des Leibs leiden und Lust haben, mit ihm müde werden, hungern und vielleicht gar träumen? Haben wir uns vielleicht bloß durch diese lange Wohngemeinschaft (wir können's uns schon nicht mehr anders denken) daran gewöhnt, ein Ich zu sein, so wie wir, schon als Kinder in ein fremdes Land verpflanzt, in der fremden Sprache »unsre« Sprache zu sprechen glauben? Also trennt sich auch das geistige Wesen, trennt sich in ein Ich und Es, und das Freiwerden, das sich frei-Gewöhnen des Lachenden, wird ein doppelt fragwürdiges Wohin? Ich lache: ich lache mich nicht mehr bloß vom Leib hinweg, sondern es lacht »mich« etwa von mir weg? Ein unbedingt Handelndes, Forderndes, Setzendes, eine geistige Kraft ist es, die eigentlich so seltsam lacht, und wenn der Lachende in sein Gelächter hinunterhorcht, bis dahin, wo es aushallt wie ein ganz leiser Schrei, da ist er plötzlich – die Seele erfährt es, aber der Bau unsrer Sprache weiß es nicht nachzubilden – in sich selbst allein mit einem Es, vor dem sich das Ich verflüchtigt, obwohl es im Leibe dauert.. fühlt er sich als geistiges Ich aufgehoben, zufließend .. die innerste Gewißheit des Daseins reißt, und es tritt ein, was bei Menschen Wahnsinn heißt, wofür die Geister aber vielleicht einen tröstlicheren Namen haben.

Wir rühren an ein Daseinsgeheimnis Jean Pauls. Am wenigsten von unsern Dichtern ist er mit seinem wirklichen Leben und seiner körperlichen Erscheinung gleichzusetzen.. weder als Gestalt, noch als Schicksal ist er faßbar. Wenn Humor eine Art Selbsterlösung des Häßlichen ist, so war Jean Paul darum noch kein Häßlicher.. aber seine Körperlichkeit drückte ihn nicht ganz aus, drückte ihn herab, und seine Helden- und Seraphseelen gingen in der linkischen Gestalt seiner Jugend und der aufgeschwemmten seiner Alterung einher. Er haftete unselig im Körperlichen, und demgemäß in Umständen und Welt.. und wenn uns dieser Widerspruch nicht so ungeheuer dünkt, um den schneidenden Mißton seiner Erdgefühle zu erklären, so kennen wir eben nicht die Riesigkeit der Lichtbogen und Tonwunder, mit denen dieser Geist mystisch in sich selber spielte. Er war in entsetzlicher Weise bei sich selbst nicht zu Hause: darum ist der Ich-Schauer sein angeborenes Weltgefühl, das er seinen erdichteten Helden einpflanzt, wie Träume an den Schauern des Erlebten weiterweben. »Über diese Punkte kann ich selber nie ohne ein gewisses Beben reden«, sagt er im »Hesperus«[4], und da dieser Gedanke sein Gedanke der Mitte ist, darf seine Verlautbarung auf verschiedenen Stufen nicht überhört werden.

»Ich weiß bloß noch, daß ich das Blut mit einigem Schauder um meinen Arm sich krümmen sah.. und daß ich dachte: das ist das Menschenblut, das uns heilig ist, welches das Kartenhaus und das Sparrwerk unsers Ichs auskittet und in welchem die unsichtbaren Räder unsers Lebens und unserer Triebe gehen.« (»Unsichtbare Loge« 34. Sektor[5])

»Ich redete das Ich an, das ich noch war: ›Was bist du? Was sitzt hier und erinnert sich und hat Qual? – Du, ich, etwas – wo ist denn das hin, das gefärbte Gewölk, das seit dreißig Jahren an diesem Ich vorüberzog und das ich Kindheit, Jugend, Leben hieß?‹ – Mein Ich zog durch diesen bemalten Nebel hindurch – ich konnt’ ihn aber nicht erfassen – weit von mir schien er etwas Festes, an mir versickernde Dufttropfen oder sogenannte Augenblicke – Leben heißet also von einem Augenblick (diesem Dunstkügelchen der Zeit) in den andern tropfen ...« (ebenda[6])

[...][7]

»Zwei Ich sind einander wie auf Inseln entrückt, und versperrt im Knochengitter und hinter dem Haut-Vorhang. Bloße Bewegung zeigt mir nur Leben, nicht dessen Inneres. Selber das beseelte Auge spricht oft aus einer bloßen Raphaels-Madonna, die keinen Geist behauset, und das Wachsfigurenkabinett ist hohl und das Affen-Ich taubstumm!« (»Levana« § 118[8])

Wachsfiguren sind als Gleichnis oder als Sache im Umkreis dieses Gedankens nicht selten. Jean Paul hat so manchen Hausrat aus der Trödelbude des Zeitalters mitgeschleppt, weil er ihm als Mechanik des Grausens unersetzlich war. Die Wachsfigur ist als täuschende Nachbildung der Person voll von den Rätseln und Schrecken der Leibwerdung, und gerade weil sie reiner Gegenstand ist, Maschine des Ich ohne Ichgefühl, kann sie die sinnverwirrende Fremdheit des Leibes darstellen – des Leibes, zu dem die Seele spricht: was geht mich dieses Ding an? Umgekehrt spricht Jean Paul, um die Fremdheit dieses schauerlich Eigenen von sich wegzustellen, vom Leib als einer Fleischstatue. Im Spiegelbild wird von Schoppe das Ichgespenst gefürchtet, Bilder, durch ein Glas verändert, verjüngt, alt gemacht, spielen mit dem Mysterium Individuationis und deren Verwandlungstaten in einem Lebenslauf, und das Wachsfigurenkabinett des spanischen Oheims wird für Schoppe das Irrenhaus, das ihn einlädt und aufnimmt: als die vervielfachte Anschauung des unerträglichsten Begriffes.

Da darf noch einmal an die mit so feierlichen Worten eingeleitete früheste Selbstbegegnung in »Wahrheit aus meinem Leben« erinnert werden, wo das ganze philosophische Abenteuer des Ich-Schrecks der Ahnung nach schon vom Kind bestanden wird. »An einem Vormittag stand ich als ein sehr junges Kind unter der Haustüre und sah links nach der Holzlege, als auf einmal das innere Gesicht, ich bin ein Ich, wie ein Blitzstrahl vom Himmel vor mich fuhr.«[9] Es werde, meint der Verfasser mit Recht angesichts dieser frühen Berufung, in der künftigen Kulturgeschichte des Helden zweifelhaft werden, ob er nicht vielleicht mehr der Philosophie als der Dichtkunst zugeboren war. Und er erzählt, daß zwei Worte seiner Kindheit Zauberworte gewesen: Weltweisheit, Morgenland[10].

Wie entschieden, wie früh enthüllt sich die gesteigerte Geistigkeit des Jean-Paulischen Wesens! An jenem von Geist zu Leib gesponnenen Faden des Ich hängt ein ganzes luftfeines Gewebe von Urgedanken, die in Strahlen die einzelnen Kreise der Werke verknüpfen. Das Geistige des Kindes gab dem Geisterhaften offenen Einlaß: auch davon berichtet die Kindheitsgeschichte. Indem der etwas düstere, doch weiche Vater die Geisterfurcht des Kindes nicht bannte sondern durch Erzählungen nährte, litt es jeden Abend zwei Stunden bis zum Schlafengehen des Vaters hilflos unter seinen Gespenstern. Der Vater selbst schien wohl mit Gestalt und eigentümlichem Ernst in das Geisterreich zu ragen, und wer weiß ob nicht an der Insel der Vereinigung mit ihrem düstern Hüter im »Hesperus« unzählige schauernde Kindergedanken zu bauen anfingen! Niemals hat Jean Paul wie manche Romantiker, den Rest von Aberglauben im Leser aufrufend, seinen Erzählungen wahrhaft magische Vorgänge oder wahrhafte Geistererscheinungen eingewoben, sondern in einer Art von Redlichkeit des Denkers sie immer in eine Machenschaft aufgelöst. Aber wenn er dies zu müssen glaubte, warum räumte er dann dem Übernatürlichen zuerst die ganzen Nachtgänge seiner Erzählungen ein, um es nachher in der Vorstellung zu tilgen? Er anerkennt – dies scheidet ihn vom magischen Idealismus des Novalis und von dem wahrhaft magischen Erleben E.T.A. Hoffmanns – die Unfreiheit der geistigen Wirksale im Erdgeschehen, und will seinen Erzählungen nicht den Ernst der Erde entziehen, indem er außerhalb der in die Körperwelt gebahnten Wege den Geist erscheinend und machtübend einbrechen läßt. Das erste Wunder, daß ein menschlicher Wille einen menschlichen Arm bewegt, deutet Jean Paul in seiner ganzen Weite, erfindet jedoch kein weiteres hinzu. Umso tiefer ist er in das Geisterreich eingeweiht, das in seiner königlichen Selbstbestimmung uns so dicht wie die Lufthülle umlagert, und nur von unsrem Menschenatem in Tödliches und Belebendes geschieden wird – der Traum ist ihm der magische Mantel, der Tod der Fährmann dorthin, der Geisterglaube aber eine in den Menschen seit grauen Zeiten redende Bürgschaft. So erbildet er sich die Aufgabe, das Erlebnis dieses Reiches in seinem Leser immer neu zu erregen durch den ältesten Schauer im Menschen, ohne daß die Gesetze der Natur gebrochen würden. Der Schein des Wunderbaren: aus dem Meer tauchende Frauenbilder, weissagende Stimmen, himmelfahrende Mönche, erscheinende Tote, wird aufgelöst, der Wink des Vorgangs aber bleibt und mit ihm das innere Frösteln als die Botschaft der Wesen über uns, und der in uns, die wir fast ebenso wenig kennen. So hext Jean Paul: er macht, daß zuletzt alles Geistige geisterhaft wird.

Auf die Urbilder im menschlichen Geist blickend, nicht auf die Riesenschatten, die sie im Glauben der Völker werfen, tut er das Umgekehrte wie Shakespeare. Dieser mutet (aus welcher Erfahrung wissen wir nicht) den Zuschauern die unbezweifelte Erscheinung von Hamlets Vater zu, aber mit Worten, die noch heute den Weg wissen zu der Erschütterlichkeit des aufgeklärtesten Zeitkindes. Durch solche Worte wird das Geisterhafte geistig. Aber beide Dichter können ihre Schreckgesichte nur formen, weil die aus der Welt vertriebenen Geister in unsern Gemütern schlafen und sich, auf ein treffendes Wort, zu jeder Zeit in uns aufrichten.

Ein solches Geisterreich, dem auch der Stumpfe anzugehören sich abertausend Stunden seines Lebens nicht sträuben kann, ja gar in ihm mithandeln muß, ist der Traum. Wo ist eine Dichtung, in der so viel geträumt würde? Jean Pauls Romane gleichen den alten Tempeln oder Traumhöhlen, in die man zu heiligem eingebungsvollem Schlafen trat.. er hat eine eigene Form der Sprache, ein wahres Panis Angelorum[11], erfunden für die Mitteilung solcher Träume, welche von Naturträumen und künstlerischen Erfindungen gleichweit abstehend, die einem Sinn aller Sinne zuteil gewordenen Erregungen durch Sprache fortpflanzen.. er hat seine Geschichten als Nachbilder und Verknüpfungen geträumter Urbegebenheit ausgesonnen und ausgesponnen.. ja, er ist in der Beobachtung des Traumlebens für die Seelenkunde ein Wegbahner geworden. Wie sollte er anders, dem der Traum von jeher das Ich in seiner Großmacht wiederherstellte, und dem er zwischen Einschlafen und Erwachen ein Urbild des zwischen Geburt und Tod aufgehangenen Lebens schien?

Liebe und Augenblick der Liebe empfangen ihr Bittersüßes vom selben Schicksal des Ich. In der Liebe hebt die Seele den Finger und legt ihn prüfend an eine menschliche Brust.. sie ist ein fragendes Tasten der Wesen nach einander, und die Umarmungen der Liebenden sind sonderbar voll Wahrheit und Irrtums. Ein Hellsehen wird in der Liebe geübt, ein Erraten des Zeichens, das schwer lesbar, das »Körper« genannt, die Seele umstrickt... der Blick gilt fast mehr als der Kuß – denn die Seele läßt sich ja von keinem Mund küssen, bloß das Auge kann die Seele küssen. »Die zwei entkörperten Seelen schaueten groß in einander hinein« sagt die »Unsichtbare Loge«[12]. Die Liebe verhält sich zum Tod wie die Möglichkeit des Hinüberfließens zum wirklichen Hinüberfließen. Wenn aber zwei Seelen in sich überfließen, fließen sie Gott in die Hand.. denn Gott ist der Inbegriff alles Du, das Ur-Du, das einzige das vor dem gefürchteten in Ewigkeit einsamen Ur-Ich des Humoristen beschützt. Gott ist strömende Kraft, die vergegenwärtigt, die dargestellt ist, sobald Lebendes aneinander teil hat, und miteinander verschmilzt.. er ist nicht ich-schaffend, er ist du-schaffend, und ist in den Liebenden der Beruf zur Vereinigung, so wie der Leib die Unbehülflichkeit dazu. Weil wir Leib sind, kann sich die Liebe auf Erden nie erfüllen – Gustav beklagt dies mit einem für seine Jahre zu besonnenen Ausdruck: »Die Freundschaft und die Liebe gehen mit verschlossenen Lippen über diese Kugel, und der innere Mensch hat keine Zunge.«[13]

In Traumdichtungen hat Jean Paul an das Schicksal des Ich nach dem Tode gerührt, denn der Gedanke stockt vor dem Widerspruch, daß in jeder Liebe ein Ich und ein Du zusammenrinnen wollen, daß aber ein vollkommenes Zusammenrinnen beider die Liebe aufheben würde, kann also, was die Seele dichtet, nicht einmal denken. Jene Dichtungen scheinen anzudeuten, daß das Ich nach dem Tode währt, aber mit grenzenloser Möglichkeit des Hinüberfließens, so wie die Welle wandert indem sie an ihrem Ort bleibt. Emanuels Traum, »daß alle Seelen Eine Wonne vernichte«[14], und Walts Traum von der bösen Feindin[15] spielen vielsinnig mit Gleichnissen dieses Undenkbaren. Und ähnlich fließt die Gesamtheit der Liebenden in Gott hinüber und wieder in sich zurück. Sonst wäre ja Gott einsam.

Wenn so alles Leben nach der Ewigkeit als der großen Siegelbrecherin hindrängt, möchte es scheinen, als wäre der Augenblick seiner Würde beraubt. Und doch bestehen Jean Pauls Romane in tieferem Verstand als andere aus Augenblicken, da Augenblicke als die sich Glanz und Abglanz zuwerfenden Gipfel, als Erkennungen und Weihen und zauberhafte Bestrahlungen des Lebens die dichterischen Zwecke sind, auf welche Erzählungen von langer Strecke zulaufen.. zumal in den Liebes-augenblicken, worunter auch die der Freundschaft zu rechnen sind, fällt das Le-ben aus dem Sprechton in den Sington. Beinah ein Eigenwesen mit hohem Auftrag von Gott ist der Augenblick.. als ein Drittes, von ihnen Unabhängiges senkt er sich gnädig auf die Wesen herab. »Da kam der überirdische durch tausend Himmel auf die Erde fallende Augenblick hier unten an«[16].. so beginnt es in der »Unsicht-baren Loge«, und wächst an zu den tiefernsten beinah drohenden Ausdrücken, die in »Titan« und »Flegeljahren« eine Begegnung, eine Wahl, ein Angehören für immer, ein Erraten des Ranges bezeichnen. »Titan«: »Sein Herz war ein beschrie-benes Asbestblatt ins Feuer geworfen, brennend, nicht verbrennend, das ganze vorige Leben losch weg, das Blatt glänzte feurig und rein für Lindas Hand.«[17] »Flegeljahre«: »Als Walt die Jungfrau erblickte, sagte die Gewalt über der Erde: sie sei seine erste und seine letzte Liebe, leid' er wie er will.«[18] Von solchen Augenblik-ken, in denen der Zauber des Leibes durch einen höheren Zauber gebrochen ist und Geist den Geist erblickt, kann die Liebe nur *sinken* – Anfänge der Liebe sind sie alle, und ahnen ihre Fortsetzung auf Sternen. Wenn also der Dämon der Liebe die Dichter als seine Getreuen auf *die* Probe stellen würde, ob sie ihn und wie sie ihn, nicht mit Wunsch und Gedanken, sondern auf die allein gültige Weise des irdischen Augenblicks erfuhren: neben Goethe, dessen Dichtung einen neben den andern setzt, rund, golden, gediegen-ruhend und ohne kleingläubiges Trachten über sich hinaus, bestünde Jean Paul mit den Augenblicken *seiner* Dichtung, denen es eigen ist, daß an den ungelenken Gebärden des irdischen Menschen plötzlich die Ge-bärde von seligen Geistern sichtbar wird.

Musik und Humor gehören für Jean Paul so innig zusammen wie zu Vult Vults Flöte gehört. Die Töne sind ja die reine Ursprache, die in allem andern menschli-chen Ausdruck wie in weit abgearteten Dialekten kaum mehr zu erkennen, uns aber durch ein Wunder gerettet ist, und in unsre Seele tropfend Erinnerung und Vorahnung aufblühen läßt, in der Zeit, und über alle irdischen Gezeiten hinaus. Die Umschreibungen der Tonkunst, die sich in allen Romanen Jean Pauls finden, kommen aus einer Tiefe, wo hören, sehen und verstehen zusammenrinnt zum Namenlosen der Erschütterung, und lassen erraten, daß für diesen unumschränk-ten Sprachmeister die Sprache ein Zweites, die Töne ein Erstes waren. Alle Töne kommen aus der Flöte des Todes, und wollen dem Menschen das Auge schließen, den Tag dunkel machen: wenn wir die Sprache der gebundenen Seele müde sind und ein ewiges Vermissen an unsrem Leben zu saugen anfängt, reden sie die Sprache der freien Seele, und lösen als Wohlklang den Mißklang des Lachens auf. Im Humor rüttelt der Geist zornig an den Gitterstäben, in der Musik zerbricht er die Wirklichkeit des Leibseins und genießt traumwandlerisch, solang die Töne dauern, sein großes Glück. Freilich bricht wie in den Traum, auch in die Musik ein Wissen um die Haft, und, sofern in beiden die Seele zu fliegen glaubt, der Schmerz des eitlen Fliegenwollens, der Vergeblichkeit der Taten, der Unerfüllbarkeit der Liebe. So redet die Musik tröstlich mit der müden Erde, und Jean Paul, ihr großer Dolmetsch, deutet sie als Fremdling und als Kind der Erde.

Die Urgedanken Jean Pauls: Liebe, Traum, Tod, Musik, wie er sie denkt, sind

Speichen und stecken in der Nabe des ich-bedingten Geistes, des leib-bedingten Ichs, und die Drehung dieser Nabe um einen Punkt, der wohl in der Nabe, aber nicht die Nabe ist, sondern wie jeder Punkt, nur als Begriff besteht, heißt Humor.

Es muß nun eingestanden werden, daß der Lachende im Kreis dieser Bedingungen ernster erscheint als der Ernste. Jean Paul selbst ist nicht der erhabene Emanuel, der nicht lachen kann .. er »muß« lachen wie das Volk sich ausdrückt – aber warum? Es liegt im Lachen doch wohl das Geständnis, Mensch zu *sein*, nicht bloß eine aufgedrungene menschliche Rolle mit Würde durchzuspielen. Mit dem Begriff im Geist zu wohnen und doch als Empfindender behaglich und mißbehaglich in tausend Nervenfäden gefangen zu haften, Ich zu sagen und dabei die Haut, die über dies Ich gezogen ist, zugeben zu müssen: dieser sinnreiche Widersinn macht lachen. Der Lachende ist vom Schicksalsernst der Verkörperung erschüttert, die den Gast-Gefühlen des seraphischen Fremdlings eine kleine Angelegenheit wurde.

Schoppe lehrt, was ein Denkerlebnis ist. Es ging beinah unsrem Bewußtsein verloren, daß ein Denker, den ein neuer Gedanke heimsucht, noch anderes tun kann als ihn seinen Zeitgenossen mitteilen – daß er etwa sein Aussehen veränderte, Hab und Gut weggäbe, Weib und Kind verließe, in die Wüste ginge, in Wahnsinn fiele oder Gift nähme. Unser Begriff des Denkers ist verarmt um die Vorstellung, daß sein Weltgedanke mit der ganzen Gewalt äußeren oder inneren Schicksals, so stark wie Tod oder wie Liebe, umwälzend in sein Leben greift. Und sonderbar: ein Humorist spricht hier die Sprache eines letzten philosophischen Ernstes, der erst mit Nietzsche dem deutschen Denker zurückkommt.

Fein und scharf ist die Grenze gezogen gegen den handelnden Weltmenschen, auch den von einer Idee gespannten. Jedes Lachen ist ein Willensverzicht, dessen Wiederholung den Handelnden entkräftigen würde, nur den Betrachtenden immer freier macht. Der Lachende erkennt den Bruch zwischen Idee und Welt an, dem Handelnden ist die Welt der Stoff seines Zwecks, er formt und formt um, ebenso wie der Held, der Herrscher, aber auch der Philosoph und Dichter, sofern beide Führer sind. Jean Paul ist, als Humorist, kein Führer. Freilich erfährt jeder Handelnde den Augenblick, wo die Materie härter wird als der sich in sie grabende Wille: das böse Knirschen solchen Willens auf solchem Stoff, ehe er absetzt, ist dann in den Glossen und Weltbemerkungen eines Napoleon, Friedrich oder anderer noch hörbar und unterscheidet den Ingrimm ihrer Sachlichkeit aufs deutlichste von der duldsameren der Betrachter. Diese böse Durchsichtigkeit, Härte und Glätte hat Jean Paul den Aussprüchen des Lords und Gaspards zu geben gewußt: sie grenzen an Spott, an Verachtung, nie an Humor, weil sie Sprache des Willens bleiben, und zwar eines zurückgestoßenen.

Unerlaubt wäre es nach alledem, als die beiden Gesprächspartner des Humors das Ich des Humoristen und die Welt außer ihm aufzufassen .. vielmehr ist das, was an ihm selbst den bittern Geschmack der Welt hat, mit dieser verwandten Wesens, so daß es in ihm die Welt vertritt, und er bleibt, was er auch zu treffen scheint: Könige, Priester, Frauen, Volk oder Tier, immer ein sich selber geißelnder Eremit. Jean Paul ist zuerst in unsrer Sprache der Erfinder der großen Schweigsamkeit, wo die Gedanken so beengend laut reden und man zugleich allein und allzuwenig allein ist: allein mit bösem unverscheuchbarem Besuch. Sich selbst erleben: es ist, als ob dies mit Schoppe erfunden wäre, und zwar als ein Ding mit hartem Klang. Des Humoristen Weltabstand ist zuerst ein Abstand von sich.. wäre dem anders, so bliebe ihm die mimische Anempfindung und Nachahmung, die in die Weltfiguren wie in Puppen hineinfahrenden gelenkigen Hände, kurz das ganze Welt und Ich auswechselnde Spiel des Humors, der im Ich den ganzen Markt des Daseins, im Dasein die Schattenspiele des launenhaften Ich erkennt, versagt, und er könnte bloß alles an seiner innern Reinheit messen und – verachten.

69   *[Walter Benjamin]*

Der eingetunkte Zauberstab   1934

[...] was sagt denn Kommerell, wenn er das Biedermeier mit einem warmen und mit einem kalten Worte einen »Stil« nennt[1]? Nichts Entschiedenes und nichts Entscheidendes. Er steht hier an der Grenze des Bereichs, das der heroischen Geschichtsbetrachtung faßlich ist. Der Zeitgeist, den Jean Paul wie keiner sonst beim Namen rief, muß hier als Lückenbüßer sein Dasein fristen. Kommerell läßt ihn nicht zu Worte kommen. Er scheut, ihn zu vernehmen, und er hat recht. Was dieser Zeitgeist anzusagen hat, ist der Zusammenbruch der Forderung, die die Klassik an das deutsche Bürgertum gestellt hat. Diese Forderung hieß: Versöhnung mit dem Feudalismus durch ästhetische Erziehung und im Kult des schönen Scheins. Daß nicht der Trotz des Bürgertums, vielmehr der Anspruch der Reaktion es war, an welchem die klassischen Forderungen zunichte wurden, tut zu dieser Sache nichts. Das klassische Gesetz der Menschenbildung hat Goethe Mignon ins Lied gelegt: »So laßt mich scheinen, bis ich werde.« Der Lebenslauf des Apothekers Henoch Marggraf, der letzte, den Jean Paul geschildert hat, ein undurchdringliches Gewerbe aus Betrug und Wahn, das er um sich und andere spinnt, erscheint als böses Zerrbild jenes Beschwörungsverses. Und nicht umsonst ist es ein Fürstenthron, welchen der Apotheker sich vorgaukelt und den anderen. Die Goetheschen Schutzgöttinnen des Scheins – Ottilie, Mignon, Helena – sind versunken, und eine ganz andere Scheinwelt ist es, in der das Bürgertum des Biedermeier unter Jean Pauls Protektorat sich einrichtet. Als Protektor hat es ihn in der Tat empfunden, und sein Erfolg, dem bei Kommerell keine Deutung zuteil wird, hat hier seinen Grund. Freilich ist es dem Verfasser gelungen, dieser Scheinwelt des Biedermeier von einer Seite sich zu nähern. Daß alles Geistige hier ins Geisterhafte überzugehen trachtet, Spiegel- und Wachsfigur, nicht nur in den Ritter- und Räuberbüchern, sondern auch bei Jean Paul zu Gerätschaften des Verhängnisses werden, spricht er aus. Diese Zersetzungserscheinungen, die dem Aufschwung des spekulativen Idealismus der oberen in den niederen Ständen entsprechen, hat er im Werk Jean Pauls auf das geistvollste nachgewiesen. Aber die Tagseite des Scheins, die innigst zu dieser seiner Nachtseite gehört, der schöne Schein, der im Biedermeier nicht mehr, wie in der Klassik, sich selbst genug tut, sondern als Gegenstück zum Blendwerk dies zerstreut, der Schein des Zaubermärchens berührt ihn kaum. Vielleicht weil dieser tröstliche aus Schichten kam, an welche die heroische Geschichtsbetrachtung ungern sich verliert. Es sind die volkstümlicher Überlieferung.

Die Kunst des Biedermeier ist von solchen Überlieferungen durchdrungen, und Jean Pauls Zettelkasten war deren Archiv.

Kommerell hat die offenkundige Verwandtschaft dieses gewiß barocken Dichters mit der Barockzeit der deutschen Dichtung keiner Ausdeutung gewürdigt. Und doch ist hier ein Tatbestand gegeben, an welchem weder die Betrachtung seines Werks noch seiner Zeit vorübergehen kann. Das Biedermeier sah die Auferstehung der blutigen oder geisterhaften Vorgänge der barocken Bühne im Schicksalsdrama. Es sah die Nachblüte der die Dinge verwandelnden, dem eigenen Wesen zu sinnbildlichem Gebrauch sie entfremdenden Allegorie im Zauber- und Feenmärchen. Es hörte die opernhafte Sprache der Barockpoeten in einer Art Spieldosen-Lyrik nachklingen. Das alles vereinigt sich in Jean Paul. »Ein Nachzügler über Jahrhunderte weg«[2] – so folgt nicht nur der Apotheker Marggraf dem Don Quichote, sondern Jean Paul dem Genius der deutschen Barockdichtung. Nur daß, wie im Märchen von »Schwan kleb an«, eine unabsehbare Kette von kleinen Leuten und vor allem Dingen Kleinbürgerinnen Deutschlands sich an ihn gehängt hat. Ins Blumige, Anspruchslose und Gefällige haben sich die Motive des Barock, die einst in der gelehrten Dichtung prunkten, umgebildet. Das hindert nicht, daß sie der Zeit als Erbe, als Überlieferung zugefallen sind. Keiner hat üppiger mit ihr geschaltet als Jean Paul. Dies breite souveräne Schaffen macht den Blick in seinen Fundus unerläßlich.

Nicht die Gestalt, der Wandel ist's, dessen Geschöpfe unerschöpflich sich der Dichtung aus diesem Fundus zur Verfügung stellen. Sein Wesen ist das der Phantasie, die die Gestalt der Umgestaltung zuführt. Dies nicht ohne sie dabei zu entstalten. Entstaltendes Geschehen ist der Stoff Jean-Paulscher Dichtung. Es ist die Stelle, an der sie mit der Traumwelt sich berührt. So viel die Ahnung von diesem wolkigen Kern vermitteln kann, so viel – nicht mehr – enthüllt sich dem Verfasser. Er streift die Sache und spricht von »zarten, buntgefärbten Grenzen«[3], welche die Wirklichkeit des Dichters hat. Er sagt sie, wenn auch nur im Bilde, aus: »Die kleinste seiner Dichtungen ist erschaffen, sobald eine Farbe des Gefühls das Gewebe eines Vergleiches tränkt.«[4] Und in der Tat: die Phantasieanschauung – der Gegensatz aller gestaltenden Einbildung – ist in der Welt der Farbe zu Hause. Aller Form nämlich, allem Umriß, den der Mensch wahrnimmt, entspricht er selbst mit dem Vermögen, ihn hervorzubringen. Der Körper im Tanz, die Hand in ihren Gesten bildet ihn nach und eignet ihn sich an. Dies Vermögen aber hat an der Farbe seine Grenze; der Menschenkörper kann die Farbe nicht erzeugen. Er entspricht ihr nicht schöpferisch, sondern empfangend: im farbig schimmernden Auge. Reine Farbe ist das Medium der Phantasie, nicht der strenge Kanon des gestaltenden Künstlers. Ihre Wolkenheimat, in der Formen sich weniger gestalten als entstalten, ist das Reich des Wandels. »Wo ist denn das hin«, sagt Jean Paul, »das gefärbte Gewölk, das seit dreißig Jahren an diesem Ich vorüberzog und das ich Kindheit, Jugend, Leben hieß?«[5] Was aber auf der einen Seite Spiel scheint, neigt sich auf der anderen zum Heiligen. Die Kunst, die unterm Walten reiner Phantasie sich der

Gestalt entfremdet, nimmt damit vielleicht nur Bilder des tausendjährigen Reichs vorweg. Kommerell irrt sich nicht, wenn er erklärt: »Im Ganzen genommen sind Jean Pauls Urteile chiliastisch, weshalb Herder es liebte, seine Namen Johannes und Richter sinnbildlich zu nehmen.«[6] Und, unverwischbar in der Prägung, bezeichnet der Verfasser zuletzt als das Verhältnis Jean Pauls zu Goethe dies: »Wo bleibt Jean Paul? Er behielt anders Recht – nicht wie ein Führer, sondern wie ein weises Kind oder eine heilige alte Frau.«[7]

Jean Paul war ein Geschöpf, welches »mit Staat, Sitte, Beruf, Weib und Geschäft bloß in der Form der Niederlage bekannt werden konnte«[8]. Dafür ist ihm »der eingetunkte Zauberstab« zuteil geworden, der »die Form an der materiellen Welt mit einem Schlage«[9] ändert. Der Zauberstab, von dem die Rede ist, ist der der Phantasie; die Feuchte, die ihn benetzt, die des Humors, den man aus unergründlicher Quelle sprudelnd sich denken mag. Zu Füßen eines biedermeierlich geblümten Felsens springt sie auf. Gelehnt an eine himmelblaue Göttin lagert dort der Dichter mit den melodischen Händen. Was ihm die Muse eingibt, zeichnet ein Flügelkind neben ihm auf. Verstreut umher liegen Harfe und Laute. Zwerge im Schoß des Berges blasen und geigen. Am Himmel aber geht die Sonne unter. So hat Lyser[10] einmal die Landschaft gemalt, in deren buntem Feuer die Gestalten Jean Pauls wandeln und sich verwandeln. Bei Kommerell zeichnet das Dichterhaupt nackt von dem grauen Hintergrund der Ewigkeit sich ab.

70 *Anton Zeheter*

Jean Paul und die Nöte unserer Wirklichkeit.
Ein Wort an alle, die es angeht   1935

> »Wir sind keine Bürokraten, keine Buchstabenmen-
> schen! Mitten im sonnigen Durcheinander des Lebens
> stehen wir, und der frische Wind der neuen Zeit weht
> durch unsere Räume.«
>
> *Gorch Fock.*[1]

Jede Revolution ist eine Umwertung der Werte. Auch der kulturellen. Vergessene und unbeachtete Größen der Vergangenheit steigen auf aus dem Dunkel und Sterne, die bisher in hellem Lichte strahlten, erlöschen.

Und jeder wahre Umbruch verlangt Rechenschaft von der Vergangenheit, insonderheit von denen, die bisher als geistige Führer, als Sinnbild und Schöpfer der Volkheit galten. Wir stellen die Frage an sie: Seid ihr verbunden mit unserer Gegenwart? Waret ihr vielleich eine große Täuschung oder bleibt ihr Künder und Mitschöpfer unseres Schicksals? Wächst das Neue aus dem Keime eurer Welt? Seid ihr frischer Urquell oder schales Altwasser? Seid ihr Verführer zu falschen Göttern oder Führer zu unseren ewigen Zielen?

Das ist die Frage, die auch wir stellen an den, dem *wir* im besonderen nahe stehen, an Jean Paul: Sprichst du noch zu uns? Oder nicht mehr? Oder sprichst du nunmehr vernehmlicher als vordem?

Wie *wir* diese Frage beantworten, darüber besteht kein Zweifel.

Und doch! Ist Jean Paul unter denjenigen, die heute vor allem oder überhaupt die Aufmerksamkeit des Volkes, des »Laienpublikums« auf sich lenken? Erinnern wir uns einmal der Namen, die seit Beginn der nationalsozialistischen Revolution besonders genannt werden in Zeitungen, Laienzeitschriften und Kampfschriften, in Veröffentlichungen also, die nicht der Gelehrsamkeit, sondern dem Leben dienen: Auf einige Namen stoßen wir immer wieder: auf Magister Eckehart[2], Fichte, Paul de Lagarde[3], Chamberlain[4], Richard Wagner und Nietzsche, selbstverständlich auch auf Goethe und Schiller. »Sogar« Romantiker wie Schelling und Novalis treffen wir. Besonders viel gilt heute Hölderlin.

[...]

Von Jean Paul aber hört man gar nichts. Er erweckt weder Interesse oder gar Liebe noch Haß oder Zorn. Er reizt nicht, er erregt überhaupt nichts. Er zählt nicht.

Auch die Jugend, d.h. die Jugend unseres Führers (eine andere gibt es nicht!) geht an ihm vorbei. Sie hat ihre eigene Welt, in die Jean Paul kaum zu passen scheint. Damit hätte also Jean Paul nicht nur die Gegenwart, sondern auch die Zukunft verloren. Er wäre sinnlos geworden.

Das stimmt aber nicht, trotz allem Anschein. Im Gegenteil: Jean Paul *hat* eine Bedeutung für die Gegenwart und Zukunft unseres Volkes. Wir bedürfen seiner gerade heute; denn auch *er* gibt Antwort auf Fragen, die uns heute bewegen. Viele seiner großen Gedanken sind heute wirksam und lebendig geworden. Manche der Nöte *unseres* Lebens hat er mit erstaunlichem Seherblick schon vorausgesehen, mancher Sehnsucht, die uns heute bewußt oder unbewußt treibt, hat er vor hundert Jahren Form und Gestalt gegeben. Vor manchem hat er damals schon gewarnt, was wir heute zurückblickend als Ursache unseres Zusammenbruchs erkennen. Ohne Zweifel: Jean Paul *ist* Seher und Künder und Wegbereiter eines unvergänglichen Deutschtums. Nur erkannt ist er noch nicht.

Es ist daher unsere erste Pflicht, endlich einmal in diesen Blättern Jean Paul von *unserer Gegenwart* aus zu sehen, den *gegenwärtigen* Jean Paul aufzuzeigen, *den* Jean Paul, der auf *unsere* Fragen Antwort gibt. Das ist unsere Aufgabe und von ihr zu sprechen fühle ich mich gerade deshalb verpflichtet, weil – das muß einmal gesagt werden – nicht wenige Aufsätze die klare Erkenntnis dieser Aufgabe vermissen lassen.

[...]

Gegenwärtig ist der Dichter nur, wenn er uns notwendig ist. Notwendig aber für uns, für das Volk kann er nur dann sein, wenn er aus unserer gemeinsamen Not und Notwendigkeit gestaltet.

Und das wäre (wäre!) unsere vordringlichste Aufgabe aufzuzeigen, ob und wie Jean Paul aus *unserer* Not heraus mit *Notwendigkeit* denkt und dichtet.

Gibt er auf *unsere* Not Antwort, dann ist er *uns* notwendig; dann lebt er in uns; dann spüren wir den Pulsschlag unseres Lebens in ihm; dann dringt er ins Blut.

Bleibt Jean Paul aber auf die Lebensfragen, die *uns* in der Seele brennen, stumm, dann ist er uns auch nicht notwendig. Dann ist er Unterhaltung, »Luxus«, um in der Sprache Wagners zu reden[5]. Und das heißt: Es besteht kein Bedürfnis nach ihm. Wir können uns zu ihm verhalten, wenn Laune und Geschmack wollen. Ein Müssen kommt nicht in Frage. Denn wir haben keinen Hunger.

Darauf aber kommt es an. Wie Raabe sagt: »Ich habe mir in meinem schlechten Verstand immer gedacht, daß aus der Welt nicht viel werden würde, wenn es nicht den Hunger darin gäbe. Aber das muß nicht bloß der Hunger sein, der nach Essen und Trinken und einem guten Leben verlangt, nein, ein ganz ander Ding.«[6]

Das ist dasselbe »Ding«, das Richard Wagner als »Not« bezeichnet[7]. Nur, wo Hunger und Not, da ist wirkliches Leben, wirkliche Kunst und wirkliche Religion. Not lehrt beten, sagt das Sprichwort.

Nur, wo Not und Hunger dem Dichter die Feder führen, da ist wahre Größe. Denn, wie Nietzsche sagt: »Wenn je ein Deutscher etwas Großes tat, so geschah es in der Not, im Zustande der Tapferkeit.«[8] Und nur, wo unsere Not und des Dichters Not in eins verschmelzen, »da gibt es einen guten Klang«. Da ist Leben.

Wo das aber nicht der Fall ist, da hat alles Schreiben über den Dichter, alles Popularisieren keinen Sinn. Der Dichter ist tot und bleibt tot. Ein Bemühen, ihm Leben einzuhauchen, ist nutzlos.

Der Dichter ist dann im besten Fall interessant. »Notwendig« und »interessant« aber sind Gegensätze. Notwendig ist die Nahrung, und eben deshalb nicht interessant. Notwendig ist heute Eckehart, und daher nicht mehr interessant. Mendels Vererbungsgesetze waren seinerzeit interessant, heute sind sie notwendig. Wer sein Vaterland interessant findet, gibt zu, daß er außerhalb steht. Und wer den Dichter interessant findet oder »interessante« Artigkeiten über ihn schreibt, sagt damit: Er geht mich und euch nichts an. Wer aber so schreibt, ist ein Neutraler, ein homo literatus.

Aber Jean Paul ist nicht interessant. Er ist notwendig! Wer das nicht glaubt, möge es aus folgenden Sätzen ersehen:

Aus den »Politischen Fastenpredigten«: »Ich hatte das Glück, unglücklich zu sein, darf zuweilen ein Volk so gut sagen als ein Mensch. Verunreinigte Völker gleichen Strömen, welche ihren Schlamm nur fallen lassen, wenn sie sich zwischen aufhaltenden eckigen Ufern durchkrümmen.«[9]

Rezension zu Fouqués »Der Held des Nordens«: »Die alten Götter und Helden (Jean Paul meint die germanischen) müssen herauf und uns Urenkel scharf anschauen, damit wir bewegt werden, und unser Dichter führe Helden nach Helden vor uns!«[10]

Rezension zu Fouqués »Eginhard und Emma«: »Es ist seltsam und schön, daß gerade zwei Ausländer, ein de la Motte Fouqué und ein Villers, dem Neudeutschen den Altdeutschen vorstellen. Es wäre nur zu wünschen, daß noch entferntere Ausländer, Briten, Türken, Araber, Amerikaner hinter uns her recht viel suchten und uns selber rekommandierten, so würden wir mehr aus uns machen als bisher, nämlich viel, nicht bloß Büchermacher, sondern ein Volk.«[11]

Und zur Glaubensfrage ein Satz aus dem »Freiheits-Büchlein«: »Daher kann der

Schwur auf symbolische Bücher, wenn er nicht einen sinn- und ehrlosen Gehorsam oder ein Versprechen eines künftigen, also ewigen Glaubens, d.h. einer jetzigen Unfehlbarkeit ansinnt, nichts in sich schließen und bedeuten, als statt jenes Meineids gegen sich selber das höhere Versprechen, den Unterricht des Volks an dessen lebendigen Glauben zu knüpfen, nicht aber umgekehrt diesen Glauben, der den ganzen heiligen Lebenskern und den Schatz aller Zukunft und Hoffnung in der dürftigen, von enger Gegenwart erzogenen Seele in sich schließt, durch ein flaches Nein wie ein Herz aus der Brust zu ziehen und nun die ausgeleerte Brusthöhle ohne Schwerpunkt auf dem Weltmeer alles Meinens treiben und schwimmen zu lassen. Gibt es etwas Grausameres als die Kandidatensitte, dem Volke den Glaubensboden zu verschieben oder zu versenken in ein kühles Wortmeer einer herabgetropften aufgefangenen Systemwolke und nun auf das bodenlose Wasser doch Samenkörner auszustreuen?«[12]

Und schließlich noch aus »Selina«: »Die albernen Kabbalisten z.B. – die als Juden in allem Großen kleinlich sind –.«[13]

Nun, ist das alles interessant oder notwendig? Ist hier nicht geradezu programmatisch angedeutet, daß Jean Paul auf *unsere* Nöte Antwort gibt, also notwendig ist wie nur einer unserer Großen?

Freilich, um diesen notwendigen Jean Paul aufzeigen zu können, muß man selbst mitten in den Nöten der Gemeinsamkeit stehen. Erst wenn wir die Not unserer Gegenwart als unsere eigene Not spüren, erst dann fühlen wir, ob und wie der Dichter die gleiche Not leidet.

Wenn wir aber die »schöpferische« Not innerlich miterleben, die heute, gerade jetzt unseren nationalsozialistischen Staat aufbaut, so muß doch selbstverständlich sein, daß auch Aufsätze und Abhandlungen über Jean Paul nach dem neuen Lebensgefühl des Nationalsozialismus ausgerichtet sind.

Aber wo bleiben denn die Abhandlungen, die heute *notwendig* sind?* Wo bleiben sie? Dagegen liest man mitunter Aufsätze, die die Meinung hervorrufen könnten, es handle sich um irgendeinen Dichter der Tschin-Dynastie.

Wo bleibt die Frage: »Jean Paul und die Juden«[16]? Jean Pauls »Freundschaft« (?) mit Osmund[17] müßte dazu herausfordern.

Wo bleibt die zentrale Frage: »Jean Pauls dynamische Weltanschauung«[18]?

Oder: »Jean Paul als Gegner einer atomistischen, mechanistischen Weltanschauung«?

Oder: »Jean Pauls Rasse« (nach Günther »Rasse und Stil«[19] ist Jean Paul nordisch-ostisch. Nachzuweisen!).

---

* Sollte nicht uns Mitarbeitern unser 1. Vorsitzender Oberstudiendirektor *Dr. Caselmann*[14], der jeden seiner Aufsätze in den Jean-Paul-Blättern und in Zeitungen nach unserer Notwendigkeit, das heißt, nach dem Nationalsozialismus ausrichtet, Führer und Vorbild sein (Siehe Jean-Paul-Blätter 1934, Heft 1[15]!) ?! – Es wäre auch nötig, mehr, als das bisher geschehen ist, in Zeitungen, namentlich in großen, z.B. im »Völk. Beob.«, aber auch in Zeitschriften (NS.-Monatsheften) Aufsätze über Jean Paul unterzubringen, natürlich *nur* notwendige! Hier käme es besonders darauf an, Jean Paul möglichst selbst reden zu lassen.

Oder: »Jean Paul und der Rassegedanke«?

Dann: »Jean Paul gegen seelische Fremdherrschaft«?

Ferner: »Die Bedeutung des Gefühls bei Jean Paul«? Dazu erinnere ich an einen Gedanken Dr. A. Baeumlers[20], den er Juli 1935 auf einer Schultagung der deutschen Erziehungsakademie geäußert hat. Er sagt hier, die nationalsozialistische Kultur sei eine Kultur des Gefühls, »wobei dieser Begriff nicht mißverstanden werden darf«. Sie wird eine emotionale (dynamische!) Erziehung bringen, während früher der Verstand im Mittelpunkt der Bildung stand.*

Ein anderes Thema wäre: »Die germanische Idee der Polarität bei Jean Paul«.

Warum behandelt niemand das heute sehr notwendige Thema: »Jean Paul und Fichtes Ich-Philosophie«?**

Das größte Thema aber wäre: »Jean Pauls Religion«!!***

Es ist endlich an der Zeit, diejenigen Fragen zu erörtern, die durch den Nationalsozialismus notwendig geworden sind, statt in schalem Akademismus zu plätschern. Denn Akademismus ist Gesinnungslosigkeit. »Rein«-sachlich ist nichts anderes als scheinsachlich. Neutrales Skribententum aber muß gerade hier zur Folge haben, daß eine Scheidewand entsteht zwischen Dichter und Volk. Denn Jean Paul ist noch nicht »eingeführt« wie Goethe und Schiller. Das Volk hat sogar Mißtrauen gegen ihn. Man kann daher eher von Goethes als von Jean Pauls Schlafrock[24] reden. Denn Goethe schadet das nicht. Jean Paul aber ungeheuer, weil er kaum gekannt, weil er »unpopulär« ist.

Darum ist gerade hier jede neutrale Literatur Gift. Umgekehrt aber ist es Pflicht,

---

* Ich darf erwähnen, daß ich in dem Aufsatz »Der Einfluß Jean Pauls auf Robert Schumann« in den Jean-Paul-Blättern 1933[21] auf diese Bedeutung des Gefühls hingewiesen habe.

** Das betrifft das ganz traurige Kapitel »Jean Paul und die Philosophie«. Traurig deshalb, weil hier manchmal manches zu lesen ist, was an Unzulänglichkeit und Zwergenhaftigkeit nicht zu überbieten ist. Auch das muß einmal hier im Dienste der Sache mit Deutlichkeit gesagt werden. Es ist empörend, was als »Philosophie« vorausgesetzt wird. Ich war bis jetzt der Ansicht, Philosophieren und Moralisieren sei nicht dasselbe, Philosophie nicht dasselbe wie Erbauungspoesie für Jungfrauenvereine. Auch war ich der Meinung, man müsse, bevor man »die Philosophie« schreibt, von ihr einiges verstehen.

*** Weitere Themen, die an Gewicht zwar nicht die genannten erreichen, immerhin aber sehr aufschlußreich sein könnten, wären diese: J. Herm. Ahlwardt schreibt in »Mehr Licht« (Verlag K. Rohm, Lorch, Württbg.), in der Berliner Königl. Bibliothek sei oder sei gewesen ein Büchlein »Briefe von Heinrich Voß an Jean Paul«. (H. Voß ist der Sohn des Dichters der »Luise«.) Hier seien »hochgefährliche Angaben« über Schillers *wahren* Tod, nämlich seine Ermordung (?) durch die Freimaurer. Diese Ausgabe aber sei beseitigt worden. Wer kann hier Aufschluß geben[22]? – 2. Paul de Lagarde äußert in seiner Schrift »Über einige Berliner Theologen und was von ihnen zu lernen ist«, der König Friedrich Wilhelm III. habe geplant, für den Gottesdienst der Protestanten eine Agende verfassen zu lassen. Und nun schreibt Paul de Lagarde in einer Anmerkung: »Ich erinnere mich, gehört zu haben, daß mit der Abfassung einer solchen vom Könige ursprünglich Jean Paul betraut gewesen ist. Die Tatsache wäre so charakteristisch, daß es lohnen würde, ihr näher zu treten. Ich glaube nicht, daß mein Gedächtnis mich täuscht, und mein Gewährsmann (der weiblichen Geschlechts war und Jean Paul sehr nahe gestanden hat) ließ an Zuverlässigkeit nichts zu wünschen.«[23]

immer wieder die Notwendigkeit Jean Pauls zu betonen. Immer wieder und nichts anderes! Zünden kann nur, was notwendig ist.

[...]

71 *Benno von Wiese*

Jean Paul als Dichter des deutschen Volkstums 1935

Wenn ich zu Ihnen heute, bei einer festlichen und würdigen Gelegenheit[1], über Jean Paul als Dichter des deutschen Volkstums reden darf, so ist damit Weg und Ziel dieser Rede durch das Gemeinsame bezeichnet, das wir zu finden glauben, wenn wir von einem Dichter und seinem Volk sprechen. Wir Deutschen haben uns zwar daran gewöhnt, unsere Dichter als einsame Einzelerscheinungen, als Genies, Narren, Käuze, Eigenbrödler und verrückte Poeten zu sehen, die ihre beste Kraft und ihre schönste Seelenfülle außerhalb des deutschen Lebens, ja im tragischen Widerstand zu ihrer Nation, unsichtbar oder ohnmächtig verströmten. Wir neigen dazu, dem dichterischen Genius eine Anwärterstelle im Himmel des Paradieses zu geben, aber ihm das Erdenbürgerrecht in unserem Volkstum höchstens in einer Dachkammer zuzubilligen. Unsere Geschichte ist reich an Beispielen der sogenannten unverstandenen oder gescheiterten Genies, die im Trunk oder im Wahnsinn endigten und auch, wo sie ein glücklicheres Los mit dem Leben versöhnte, stehen sie oftmals »draußen«, seltsam fremd und unwirklich, miteinander schwer vergleichbar, jeder ein Sonderfall der Menschheit und dennoch in solcher Ausgefallenheit und solchem »Für-sich-Sein« gerade die Eigenarten und Unarten der deutschen Seele verwirklichend. Auch Jean Paul ist wieder ein solcher Sonderfall, eine Einzelausgabe des dichtenden deutschen Geistes, die sich nicht verallgemeinern läßt, eine Seele, die oftmals ganz mit sich und dem All allein war, ein Humorist, der seine Späße zuweilen nur für sich selber zu machen schien. Welches Volk hätte so viele geborene Individualisten und Einzelgänger unter seinen Dichtern wie das deutsche? Vergleichen wir einen Corneille, einen Racine, einen Molière, einen Diderot, einen Victor Hugo, einen Balzac mit Schiller, Goethe, Novalis, Hölderlin, Jean Paul, Kleist, Hebbel, so scheinen jene, bei aller Verschiedenheit des Wesens und des Dichtens, eine einheitliche nationalfranzösische Färbung zu tragen, auf einen gemeinsamen, oft in repräsentativer gesellschaftlicher oder staatlicher Form faßbaren Mittelpunkt bezogen zu sein, während unsere deutschen Dichter stets von neuem aufbrechen, in viel gefährlicherem Maße sich selbst überlassen sind, nicht so sehr geformte Bildung und überlieferte Dauer besitzen, aber vielleicht mehr an geheimnisvoller Schwungkraft und ursprünglichem Einsatz. Aber wenn auch das Gemeinsame von Dichter und Volk bei uns weniger sichtbar, weniger repräsentativ, weniger in überlieferten Maßstäben der Bildung und Wertung greifbar ist, so gibt es doch auch eine deutsche Einheit von Dichtung und Volkstum.*

---

* Vgl. hierfür meine Schrift Dichtung und Volkstum, Frankfurt a. M. 1933, Vittorio Klostermann.

Alle wesentliche deutsche Dichtung bleibt Dichtung unseres Volkstums, auch und gerade dort, wo das deutsche Original seine ausgefallensten und eigensten Wege zu gehen scheint. Jedoch darf man diese Gemeinsamkeit von Dichter und Volk nicht in falschen, bloß äußerlichen Gemeinsamkeiten sehen, die die echte, ursprüngliche, unsichtbare und ewige Gemeinsamkeit nur verdecken und verschütten. Der Dichter redet dem Volk nicht nach dem Munde, wenn er auch mit ihm den mütterlichen Lebensgrund der Sprache teilt. Sogenannte Volkstümlichkeit, Popularität, ist noch keineswegs die Gewähr für echte, volkstumsgebundene, deutsche Dichtung. Nicht in den beliebtesten, sondern in den tiefsinnigsten Schöpfungen unserer größten Geister ist das deutsche Volkstum dichterische Sprache geworden. Im Dichter wird zum anschaulichen Symbol, was im Volke selbst oft nur unbewußt und unausgesprochen lebendig ist. Darüber hinaus sind oft die großen deutschen Dichter die Deuter und Erzieher des Volkstums gewesen, die ihm das eigentliche Bild seines Selbst entgegenhielten und in Zeiten des Verfalls zu Anklägern und Richtern wurden, die mit harten und unbarmherzigen Worten das Volk an seine verlorene Würde und an seine ewige Aufgabe erinnerten. Die Einsamkeiten der deutschen Dichter – man denke an Hölderlin, an Hebbel und an Nietzsche – entspringen erst aus ihrer Volksverbundenheit, aus der gemeinsamen, unsichtbaren Einheit von Dichter und Volk, und gerade die ungehörten, einsamen Worte nehmen ihre Kraft aus der Liebe zu der deutschen Schicksalsgemeinschaft, die auch dann noch angeredet werden muß, wenn sie sich dem Dichter entzieht. Es gelang uns bisher weniger als anderen großen Nationen, diese unsichtbare Einheit von Dichter und Volkstum in sichtbaren gesellschaftlichen und staatlichen Formen zum Ausdruck zu bringen. Gerade dieser Mangel an politischer Verwirklichung enthielt die Gefahr, daß unsere Dichter nur noch Individualisten waren und unser Volk seine Dichter nicht mehr vernahm, weil es an den anschaulichen und sichtbaren Zeichen fehlte, in denen diese Einheit für jeden greifbar wurde.

Aber auch ohne diese sichtbaren Zeichen bleibt das Gemeinsame von Dichtung und Volk bestehen, und wir wollen es heute an einem deutschen Dichter zeigen, den wir eben noch als einen abseitigen Sonderfall und als eine individualistische Einzelausgabe der deutschen Seele bezeichnet haben. Nicht daß Jean Paul von seinen Zeitgenossen überschwenglich gelobt und seelenvoll gelesen wurde, macht ihn zu einem Dichter des deutschen Volkstums, sondern solche »Popularität«, der ein ebenso gründliches Vergessen und Beiseiteschieben folgte, ließe sich eher aus der Zeitgebundenheit Jean Pauls, aus den empfindsamen, romantischen und biedermeierlichen Elementen in seiner Dichtung herleiten, die ihn zum Liebling eines maßlos fühlenden und formlos in die Weite strebenden Jahrhunderts machten, nicht aber zum Zeitgenossen aller deutschen Zeiten und zum Dichter eines ewigen deutschen Volkstums. Ebenso wenig genügt es, Jean Pauls Volkstumsgebundenheit lediglich aus seinen dichterischen Stoffen herzuleiten, die tief hinab in die einfachen Kreise des Volkes reichen und keineswegs dort aufhören, wo geringe soziale Stellung, Armut und Not beginnen. Wenn wir Jean Paul einen Dichter des deutschen Volkstums nennen, so muß seine Dichtung über zeitgebundene Popularität und über volksnahe Stofflichkeit hinaus ewige Züge der deutschen Seele tragen, die noch in der eigenwilligen, skurrilen Laune, in der Seltsamkeit der Sprache, in der Unruhe der Phantasie, seine Dichtung prägen und durchdringen und ihr in aller scheinbaren Stillosigkeit einen endgültigen, über Jahrhunderte gültigen Stil verleihen. Denn Stil ist nicht nur, wie ihn das klassische Weimar sah, reine Form und Idealität, gebändigte Seelenbewegung, sondern Stil ist die Einheit in allen Lebensäußerungen, die formende Energie, die die barocke und ungeordnete Fülle Jean-Paulscher Dichtung zum Ausdruck der deutschen Seele macht. Wenn wir diesen so Jean-Paulschen und zugleich so deutschen Stil in seiner Wurzel ergreifen wollen, so genügt es nicht, hier das Romantische gegen das Klassische, das Musikalische gegen das Plastische, das Formlose gegen die Form, den Traum gegen die Wirklichkeit auszuspielen und Jean Paul, den Dichter einer Geisterwelt, der griechisch-deutschen Idealität Schillers und Goethes entgegenzusetzen. Wir müssen darüber hinaus fragen, welche deutschen Kräfte in Jean Paul wirksam waren, die an dem Bildungs- und Humanitätsgedanken Weimars kein Genüge finden konnten, sondern gegen die Kunstgesetze der klassischen Elite ein form- und gestaltloses, eigenwilliges und ursprüngliches Leben der Seele aufriefen, dem es nicht um die vollendete Kunst, sondern um den erlebten Seelengehalt ging.

In dreierlei Hinsicht wollen wir diesen Stil Jean-Paulscher Dichtung, diese Einheit in der Fülle seiner Lebensäußerungen, zu schildern suchen: Jean Pauls Dichtung als deutsche *Bekenntnisdichtung*, Jean Pauls Dichtung als deutsche *Idylle* und Jean Pauls Dichtung als *humoristische Totalität*. Denn Bekenntnis, Idyllik und Humor sind die miteinander verflochtenen Elemente der Jean-Paulschen Dichtung, die diese über die romantische Fernstensehnsucht, die empfindsame Seelenschwelgerei und das biedermeierliche Ausweichen vor der Tragik erheben zur Seelenbeschwörung und Seelendeutung, die aus unserer gemeinsamen deutschen Erinnerung nicht fortzudeuten ist.

Alle große deutsche Dichtung ist nicht so sehr *Erkenntnis* wie *Bekenntnis*. Vom Hildebrandslied bis zu den furchtbaren und fanatisch wahrhaftigen Konfessionen Kleists und Hebbels ist es ein Grundzug unserer Dichtung, das Leben nicht nur zu schildern, zu spiegeln oder zu reflektieren, sondern es in Bekenntnis zu verwandeln. Entgegen jener romanischen Suche nach der Wirklichkeit* und jenem romanischen Bedürfnis zur Analyse, das Illusionen enthüllt oder vermeidet, ist die deutsche Dichtung eine Suche nach dem letzten Wahrheitsgehalt, der letzten Substanz, die nur im erlebten Bekenntnis erfahren wird. Wenn der romanische Geist die Welt erkennen will, sie einer letzten Kritik und Kontrolle der Vernunft unterwirft und ihren Zusammenhang im ordnenden Bewußtsein zusammenfaßt, so sucht der deutsche sein Wesen in dieser Welt zu bekennen, seine eigene Seelenentscheidung auch noch gegen die generalisierende Vernunft durchzufechten und den Ordnungen des Denkens die Unbedingtheit der eigenen Freiheit gegenüberzustellen. Dieser nordische Zug unseres Dichtens ist Verwandlung des Seins in ein Sol-

---

* Die Bemerkungen über die romanische Literatur sind durch den fesselnden Aufsatz von H. Friedrich, Die Suche nach der Wirklichkeit als Thema der französischen Literatur, Neue Jahrbücher für Wissenschaft und Jugendausbildung, 1935, Heft 3, angeregt worden.

len, des Erkennens in ein Bekennen, des Darstellens in ein Wollen, der Weltfülle in Seelenerschütterung. Dichtungen sind sittliche Abrechnungen des Ichs mit der Welt, Gerichtstage des Ichs über sich selbst, Versuche, einen ewigen Standort im Wechsel des Geschehens zu gewinnen, der in unbedingter Verantwortung gelebt wird. Nur von dieser sittlichen, bekenntnismäßigen Auffassung der Dichtung aus ist die enge Nähe der deutschen Dichtung zum tragischen Welterlebnis zu verstehen, die vom Nibelungenlied über das ritterliche Epos bis zu Goethes »Faust« und der Schillerschen, Kleistschen und Hebbelschen Tragödie reicht. Bekenntnisdichtung erlebt die Welt als Aufgabe, als Widerstand, der sich an der Seele bricht, als Gegeneinander des unvermeidlichen Weltverhängnisses und der verwandelnden, freien, im Bekenntnis auf sich selbst gestellten Seele. Bekenntnisdichtung ist niemals bloß naturalistisch. Sie will die Welt nicht kopieren, »nachahmen«, sondern erfährt die Verwandlung der Welt in Erlebnis. Ihr Ausgangspunkt liegt im Ich, nicht in der Welt. Nur sofern die Welt durch das Ich hindurchgeht, vom Ich genossen, erlitten oder überwunden wird, kann sie bekannt werden. Das Ich bekennt am Stoffe der Welt, was es an sich selbst ist und was seine letzte, auch durch die Welt niemals zu zerstörende Substanz ausmacht.

Auch Jean Pauls Dichtung ist durchaus Bekenntnis. Wenn Jean Paul die Freiheit des Gefühls aufruft, das sich erschaudernd und einsam der wilden Riesenmühle des Weltalls gegenübersieht und in solcher Begegnung die innere Nacht der Seele entdeckt, für die das Körperall nur Ausdruck für ein Geisterreich ist und jede Begebenheit eine Weissagung und eine Geistererscheinung bedeutet[2], so ist dies, bei aller Verwandtschaft zu dem romantischen Hymnendichter Novalis, kein bloßes Überschwellen des Herzens, sondern auch hier wiederum die im Bekenntnis erlebte Welt, die Verwandlung der Welt in einen unerbittlichen inneren Zustand, von dem alles Äußere nur Gleichnis ist. Wie jede echte Bekenntnisdichtung im Ich ihre unzerstörbare Wurzel findet, so ist auch die Jean-Paulsche nicht Abhängigkeit des Ichs von der Welt, sondern das Erwachen der Welt im Ich. Nicht der Weltlauf und der Zusammenhang der äußeren Dinge, sondern das Ich ist ein Urerlebnis Jean Pauls.* [...]

Aber scheint nicht dieser unbedingten und sich selbst treuen Freiheit des bekennenden Herzens ein anderer Grundzug der Jean-Paulschen Dichtung zu widersprechen, den wir im Gegensatz zur bekennenden als idyllische Dichtung bezeichnen wollen? Ist nicht das Idyll der Verzicht auf Freiheit zugunsten des »Vollglücks in der Beschränkung«[4]? Setzt die Idylle nicht die Abkehr von dem hohen Menschen und dem unbedingten Allerlebnis voraus und das Sicheinleben in ein warmes, häuslich bürgerliches Nest? Ist idyllische Lebensstimmung nicht stets ein Verzicht auf Verwandlung der Welt durch Bekenntnis und Einwilligung in eine bedingte, kleine und eingeschränkte Wirklichkeit? Und ist nicht der Weg der deutschen Idylle von Haller[5] über Hippel bis zu Jean Paul und Mörike ein gemütvolles, behagliches, bürgerliches Zwischenspiel, das zu einer Gestaltung der Welt durch die Idee und zu einer Verdichtung der Kunst in allgemeinen und gültigen Formen

---

* Vgl. für die Analyse des Icherlebnisses auch M. Kommerell, Jean Paul, 1933[3].

unfähig blieb? Dennoch hat sich gerade in diesem Weg Jean Pauls zur Idylle* eine Seite des deutschen Wesens verwirklicht, nach der man in den Kunsttempeln Goethes und Schillers vergeblich suchen würde. Jean Pauls Weg zur Idylle ist der Weg zum Volk und zur Erde. Jean Paul entdeckt die Bedürftigen und die Vergessenen, das eingeschneite Häuschen des Dorfschulmeisters, die Ferienzeit eines versorgten Schulmanns, den blauen Montag eines Handwerkers, die Taufe eines ersten Kindes. Jean Pauls Idylle wendet sich dem Kleinen und Kleinsten zu. In dieser Liebe zum Winkel, wo sich die liebende und idealische Seelenflamme erst eigentlich entzündet, in diesem Entdecken verborgener und heimlicher Schönheit, in dieser eingeborenen Anteilnahme an Land und Leuten, an Kindern und Kreaturen (zu Jean Paul gehören sein Weib und seine Kinder und seine ganze Menagerie vom Pudel bis zu den Wetterspinnen, Laubfröschen und Kanarienvögeln, die er im Zimmer frei umherfliegen läßt), da zeigt sich Jean Paul als der rührende, »tumbe« Deutsche, der auch noch in den hohen Augenblicken, in der Flut der Kräfte, wo sich sein ganzes Leben in einer Glücksminute zusammendrängt, gerade den kleinsten, bescheidensten und unscheinbarsten Teil seines Volkes in diesen Verklärungszustand mit hineinhebt. So wird die Enge und Gebundenheit einer landschaftlichen, kleinstaatlichen und kleinbürgerlichen Herkunft mit der unendlichen Freiheit des Gemütes ergriffen, das auch für die abseitsstehenden Käuze, die Dorfschullehrer, Predigtamtskandidaten, die Staatshausknechte, Kornschreiber und Kanzelisten, für alle, »die im Fischkasten des Staates stille stehn und nicht schwimmen können«[7], einen Weg glücklich zu werden, eine Himmelfahrt findet und ihnen allen in der Begrenztheit des Idylls aus dem gemeinsamen Volkstum heraus eine höhere Idealität verleiht. In dieser dem Biedermeier verwandten Andacht zu den leisen und unscheinbaren Dingen, im Sammeln und Hegen der vom Volke getragenen stillen Werte erwächst dem Herzen ein Glück, das die echte deutsche Möglichkeit zur Idylle enthält. Idylle ist hier nicht spießbürgerliche Absonderung vom großen öffentlichen Leben, sondern die Freiheit des Gemütes auch noch im beschränktesten und eingeengtesten Kreis. [...]

Nur scheinbar also sind es zwei verschiedene Wege, die der Bekenntnisdichter und der Idylliker gehen. In Wahrheit kommen sie beide in Jean Pauls Welthumor zusammen, der die Spanne vom unendlich Größten, der Himmelfahrt, bis zum unendlich Kleinsten, dem Idyll, nur als zwei Pole des einen gemeinsamen Weltgefühles ergreift. Auch das Idyll ist wie der seraphische Traum Verwandlung der Welt durch die Freiheit des idealisierenden Humoristen. Aber im Gegensatz zur empfindsamen und zur romantischen Idylle ist diese Verwandlung der Welt nicht die Flucht in eine unbestimmte Idealität oder in einen utopischen Traum, sondern Verwandlung durch Hineinleben in das Wirkliche und Wirklichste, Verwandlung durch Individualisierung, Verwandlung durch die Liebe zum Kleinsten. Der liebenden Haltung des Welthumoristen sind das Größte und das Kleinste nur be-

---

* Vgl. hierfür O. Mann, Jean Paul und die deutsche bürgerliche Idylle, Dichtung und Volkstum, 1935, 2. und 3. Heft; ferner auch W. Dilthey, Jean Paul, in Von deutscher Dichtung und Musik, Leipzig 1933, Teubner, S. 428–463[6].

dingte Werte, die erst durch die sich in ihnen bekennende und darstellende Seele, durch das parodierende, kommentierende und sich offenbarende Ich ihren unbedingten, jenseits von groß und klein stehenden Wert erhalten. Die Endlichkeit des Idylls verschwindet in der humoristischen Totalität. In dem humoristischen Kontrast zwischen dem Bürger und dem Ehemann und der bis an das Jenseitige grenzenden Tiefe der Ich- und Allgewißheit entfaltet sich die humoristische Freiheit, die im Bayerland und im Himmel beheimatet ist[8]. Alles Endliche noch mehr zu individualisieren und zugleich in der Liebe zum Unendlichen seiner gewiß zu werden, das gibt dem Jean-Paulschen Humor jene Totalität, die vom bizarrsten, kauzigsten Einfall bis zu Gefühl und Anschauung des Universums und zu den erschütternden Seelenbewegungen seiner Menschen reicht. Niemals wird dieses humoristische Lebensgefühl zum nur geistreichen Spiel des Witzes, zur beziehungsreichen sich selbst überlassenen Arabeske, zur freischwebenden, losgelösten »romantischen Ironie«, sondern Humor ist Spiegelung des Kleinsten im Größten, des Größten im Kleinsten, beides aber noch einmal gespiegelt im eigentlichen Unendlichen, in der unmittelbar in allen diesen Spiegelungen gespiegelten, liebenden Gottheit. So gibt der Welthumor der Idylle eine metaphysische Bedeutung. Dieses Hineinheben der Idylle in das Metaphysische unterscheidet Jean Paul von einem vorzeitigen beschränkten Verzicht zugunsten einer nur bürgerlichen, behaglichen Welt. In der liebenden Hingabe an eine beschränkte Welt wird das Kleine und Begrenzte zum unendlich Bedeutsamen. Durchaus zutreffend ist es, wenn Otto Mann über Jean Paul anmerkt: »Das Subjektive wird für ihn zu dem erlösenden Licht, wodurch in der endlichen Welt, ohne ihre Aufhebung, das Unendliche erscheint. Durch sie macht er in der Idylle das Kleine zum Zeichen einer unendlichen Bedeutung«[9]. Damit aber wird der Widerstreit von Bekenntnis und Idylle in der Subjektivität des Humoristen aufgehoben, der sich des Großen und Kleinen nur als Zeichen bedient, um mit ihm zu spielen und in solchem Spiel das letzte, höchste Bedeutsame, die unendliche Idee des Lebens selber, auszusprechen, mit der sich nicht mehr spielen läßt. Jean Paul hat diese letzte und höchste Aufgabe des poetischen Humoristen in seiner herrlichen Kantatevorlesung »über die poetische Poesie« in der »Vorschule der Ästhetik« tiefsinnig gedeutet. Das letzte Spiel des spielenden und spiegelnden Humoristen ist ein ewiger Ernst, »der Genuß einer unbegreiflichen Vereinigung mit einer unbekannten Realität«. Die Spiele der Poesie sind ihm nur Werkzeug, niemals Endzweck. »Jedes Spiel ist eine Nachahmung des Ernstes, jedes Träumen setzt nicht nur ein vergangenes Wachen, auch ein künftiges voraus. Der Grund wie der Zweck eines Spieles ist keines, um Ernst, nicht um Spiel wird gespielt. Jedes Spiel ist bloß die sanfte Dämmerung, die von einem überwundenen Ernst zu seinem höheren führt.«[10] Der Wechsel von Spiel und Ernst, bis der höchste, der ewige Ernst erscheint, über den man sich nicht mehr erheben kann, das ist die Wurzel des Jean-Paulschen Humors, der die ganze Endlichkeit belachen kann, aber nicht das unendliche, im Bekenntnis ergriffene Leben selber, weil dieses allein der ewige Maßstab ist, von dem aus der Humorist alles Endliche klein findet. So sucht die bekennend-pathetische wie die idyllisch-humoristische Dichtung Jean Pauls in ihren vielen Spiegelungen, Erhebungen und Aufhebungen bis zu einem

Ur-Letzten, Ur-Ersten vorzudringen, das nicht mehr der menschliche Geist willkürlich setzt und erschafft, sondern das dem Menschen als das letzte, unbedingte, außerhalb seiner selbst liegende Ziel seines Bekennens und Existierens gegeben ist und mit dem er sich nur in liebender Hingabe vereinigen kann. [...]

Alle große deutsche Dichtung ist, so sahen wir, Bekenntnisdichtung. Erst durch diesen sittlichen Bekenntnischarakter erreicht sie eine letzte metaphysische Tiefe, die sie zum Symbol unseres deutschen Volkstums macht. Wir haben an Jean Paul das innige Zusammengehören von Bekenntnis, Idyllik und Humor zu zeigen versucht. Wir wollen schließen mit einer letzten Gegenüberstellung der tragischen und der humoristischen Bekenntnisdichtung, die zwei verschiedene Seiten unseres deutschen Wesens zum Ausdruck bringen. Bekenntnisdichtung als tragische Dichtung sucht im Wechsel der Zeit und in der Bedrohung durch das Schicksal eine letzte unzerstörbare Gewißheit in der menschlichen Seele, die auch dann noch dauert, wenn der Mensch als individuelles Wesen zerstört wird. Bekenntnis heißt hier, in aller Bedingtheit des Lebens das letzte Unbedingte zu finden, das sich weder erklären, noch beweisen, noch ableiten läßt, sondern das nur ist und existiert, sofern der Mensch ist und existiert, der es ausspricht, bekennt und lebt. Dies ist die heroische Gestalt der deutschen Dichtung, die sich immer wieder von neuem um eine letzte endgültige Wahrheit bemüht hat, die nicht gedacht, sondern nur gelebt wird. Auch der große deutsche Humorist weiß wie der große deutsche Tragiker um einen letzten Ernst in allem Leben, aber er ergreift ihn nicht direkt, sondern durch die Stufen und Spiegelungen des Humors hindurch. Er stellt sich nicht dem Verhängnis entschlossen gegenüber, sondern er spielt mit den Verhängnissen, indem er sie durch den Humor relativiert und zur Endlichkeit des Menschenloses den humoristischen Kontrast der unendlichen Idee gewinnt. Auch ihm geht es wie dem Tragiker um das Letzte, Entschiedene, Endgültige, und auch er weiß keinen anderen Weg zu diesem Letzten und Entschiedenen als den Weg des sich bekennenden Ich. Aber wenn der Tragiker am Widerstand Gewißheit gewinnt, so löst der Humorist den Widerstand in Lächeln auf. Wenn das tragische Bewußtsein im unergründlichen Leben den ewigen Widerspieler der bedrohten menschlichen Freiheit sieht, so wendet sich das humoristische Bewußtsein dieser Unergründlichkeit liebend zu, indem es das Leben aus seiner Beschränkung erlöst in das freie Lachen des göttlichen Humors. Bei beiden aber wächst aus Widerstand und Spiel der letzte Ernst, über den sich niemand erheben kann, weder durch Tat, noch durch Lachen, sondern der in Tat und Lachen vom Dichter nur durch sein eigenes, persönlichstes Bekenntnis ergriffen werden kann. Das aber ist ein ewiger Zug unseres deutschen Volkstums, daß gerade dort, wo unsere Dichter ihr Eigenstes und Persönlichstes bekannten, sie das Schicksal des Ganzen, das Schicksal aller Deutschen im Wort gewordenen Symbol gestalten und künden. Daß Jean Paul zu den wenigen gehört, die im Persönlichsten das Deutscheste dichteten, macht ihn zu einem uns allen gehörigen großen Dichter unserer Nation, den wir lieben und ehren.

Aus: Experimentum suae medietatis.
Eine Studie zur dichterischen Gestaltung des Unglaubens
bei Jean Paul und Dostojewski   1940

Der geistes- und seelengeschichtliche Vorgang der Lockerung des Glaubens selbst,
sinnbildlich gefaßt im unheimlichen Anwachsen eben des Abgrundgefühls und
»gegründet« in dem von Augustin und Pascal[1] gleichermaßen benannten »experimentum suae medietatis«[2], zieht seine tiefen verwundenden Furchen auch ins dichterische Reich und spiegelt sich wider im dichterischen Wort. Es gibt Knoten-
punkte, Denkmäler, die deutlich den Weg weisen, der aus diesem »experimentum«
an den Abgrund heranführt. Sie lassen dann das luciferische oder prometheische
Gefühl der großen Anti-Heiligen und Weltmagier verstehen, die zu spät erkennen,
daß sie hätten Magie von ihrem Pfad fern halten sollen[3]. »Lucifer, Fürst der Finsternis, Regierer der tiefen Traurigkeit, Kaiser des höllischen Spuks, Herzog des
Schwefelwassers, König des Abgrunds, Verwalter des höllischen Feuers«[*], wird ihr
Herrscher, und er belädt seine Vasallen mit all der Trauer, die dem abgefallenen
Engel eignet.

Am Ende des 18. Jahrhunderts, in dem trotz oder auch gerade wegen des rationalistischen Optimismus die Skepsis sich verstärkt und der Glaube bei stets an-
wachsender Glaubenssehnsucht an bindender Gewalt verliert, steht ein solches
Dokument. Es weist hin auf die tiefen Schatten, in die die Zeit und mit ihr der
atheistische Mensch rückt. Jean Paul ist der Dichter dieses Dokuments: es ist seine
Traumdichtung, die »Rede des toten Christus vom Weltgebäude herab, daß kein
Gott sei.« Zeit seines Lebens hat Jean Paul die Möglichkeit des entgöttlichten und
damit verfinsterten Weltbilds oder Welt-Unbilds in sich getragen, und wenn er sich
schon nicht im Wirklichen an dieses Bild verloren hat, dann eben doch im Traum.
Der ließ ihn die äußerste, gefährlichste Möglichkeit mit einer metaphysisch-dichte-
rischen Neugier erproben, die positive und die negative Transzendenz oder Vernichtung ahnen, weit hinaus noch über Pascal oder Dante. Fast scheint es ein
dämonisch-eschatologischer Zwang gewesen zu sein, der ihm immer wieder den
Blick vom sicheren Grund fort in das Abenteuer des Abgrunds lockt und lenkt, der
ihn dazu treibt, sich das Unvorstellbare vorzustellen, das Unausdenkbare auszu-
denken und das Letzte zu schauen: wie der Kosmos der Zerschmetterung entge-
genstürzt und die Gottes-Welt in der Vernichtung untergeht. »Der Tod schien mir
meine Uhr zu stellen, ich hörte ihn den Menschen und seine Freuden käuen, und
die Welt und die Zeit schien in einem Strom von Moder sich in den Abgrund
hinabzubröckeln!«[**]

---

[*] P. Lehmann, Die Parodie im Mittelalter, München 1922, S. 97, aus einem Luciferbrief
von 1410, verdeutscht 1550.
[**] S. W. (Sämtliche Werke, ed. Berend) I, 2, 445[4].

Die gewaltig gelockerte, unendliche und nie sich bestimmende Phantasie Jean Pauls ist an sich bereits gewohnt, kosmisch zu fühlen und zu sehen; sie läßt nicht nur die Welt und die Sonne, sondern – mit der Mehrzahl – auch Welten und Sonnen in ihrem dichterischen Spiel-Raum, d. h. in dem »Gauklerreich des Traums« sich bewegen und kreisen. Solche Phantasie erblickt die Welt dann als sausende Kugel im unermeßlichen Weltall und richtet ihre ungezügelte Gewalt, aus der wünschenden und verwandelnden Kraft des Traums, darauf, sich die verfremdende Auflösung und Ver-Nichtsung der göttlichen Welt vorzustellen, denn das Nichts droht dieser Welt seit Beginn. Jean Paul empfindet das mit gleicher Stärke wie den Tod und seine lähmende Schattengewalt. »Nimm Gott aus dem All: so ist alles vernichtet, jede höhere geistige Freude, jede Liebe, und nur der Wunsch eines geistigen Selbstmords bliebe übrig, und nur der Teufel und das Tier könnten noch zu existieren verlangen«*. Jean Pauls Phantasie, in ihren Wünschen durch den Traum entfesselt, rückt sich die neue Gottlosigkeit des Weltalls vor, sie setzt die metaphysische Trauer und Einsamkeit des Ungläubigen im Weltall gegen die metaphysische Freude des Gläubigen und den Ab-Grund gegen den Grund. Es kann dies nicht wundernehmen, wenn man weiß, wie sehr sich gerade bei diesem Dichter alles Gründende und Feste in ein Gleitendes, Schwebendes, Auffliegendes verwandelt – die Belege für diesen Sachverhalt sind nicht zu zählen und fast auf jeder Seite dieses transzendierenden Werkes zu finden.

Solcher Zug deutet tief in das Innere der Seele Jean Pauls, die die Welt übersehnt. Kein Zufall: Jean Paul ergreift stürmisch, wie kaum einer vor ihm, das »Bild« des Abgrunds, des Grundlos-Unfesten, er läßt es in all seinen Bedeutungsmöglichkeiten schillern, wendet es an als Gleichnis des Schöpferisch-Trächtigen, Gebärerischen, aber auch des Trostlos-Leeren, Veröderten und Auszehrenden. Und ebenso wenig ist es ein Zufall, wenn dieses dem »Abgrund-Schauder«** verhaftete Bild des Abgrunds sich besonders stark in die Träume und Traumdichtungen Jean Pauls verwebt. Vor allem sie wünschen und wagen, wie im Fieber, den metaphysischen Flug ins All oder ins Nichts, in den verschlingenden Abgrund und kehren doch immer wieder, immer noch zurück in den sicheren Raum Gottes: als ob den »geborenen Voluptuoso«, nach dem Wort des Novalis[7], den Luftschiffer, den Weltumsegler der Lüfte, eine Montgolfière – von ihm geliebtes, immer wieder gesuchtes Bild, ihm nie gestillter »Traumwunsch der Phantasie«*** – gleich einer ziehenden Wolke trunken und selig in das Weltmeer des Äthers hinaus und mit gleitenden Tönen über die Welt hinweg trüge ins unermeßliche Weltall, näher an die Welten, Sonnen, Himmel, Gestirne, Sphären und Meere und ihre erhabene, numinose Stille und Leere, aber auch in unvorstellbare Abgründe, in denen seit Ewigkeit ein Erdbeben ein kleines geborstenes Glöckchen läutet, und in dunkle

---

* S. W. II, 4, 485[5].
** S. W. II, 2, 189[6].
*** »Die Gewißheit, zu träumen, erweis' ich mir sogleich, wenn ich zu fliegen versuche und vermag ... Wahrhaft selig, leiblich und geistig erhoben, flog ich einige Male steilrecht in den tiefblauen Sternenhimmel empor und sang das Weltgebäude unter dem Steigen an«. Blicke in die Traumwelt, § 5[8].

chaotische Finsternisse. Und beides, das Positive und das Negative, braucht der Weltumsegler zu seiner zaubermäßigen dichterischen »voyage pittoresque« in der »Wolkenwelt des Traums«. All das wird Ausdruck eines brennenden Durstes, der an das »experimentum suae medietatis« gemahnt. Denn Jean Paul weiß aus dem erregenden und fieberhaften Gefühl eigner Neigung um die Verlockungen dieser gefährlichen, aussaugenden, beinahe schon »künstlichen« Paradiese[9] der Phantasie. Wie Schiller spricht er von den Entwurzelten, den innerlich bodenlosen Phantasten – Roquairol gilt ihm als solcher, als der »willkürliche Mensch« mit »aufgeschwollenem Ich«* – und all denen, die durch die Phantasie sich selbst zersetzen und ihren Glauben aushöhlen. Er nennt die, die an den Leiden der Imagination kranken, »poetische Nihilisten«. Gleich zu Beginn seiner »Vorschule der Ästhetik« verurteilt Jean Paul sie heftig und sich selbst verletzend. Ihren, den merkwürdigen »Bekennern der Vernichtung«, wird das All und die Welt (und im Traum dem Verurteilenden selbst) zum »Spiel-Raum«. In ihm spielt die gelockerte Phantasie bis zur fiebrigen Erschöpfung und Auszehrung, sie spielt sich selbst aus in der gesetzlosen, weil entgöttlichten Willkür des Zeitgeistes, »der lieber ichsüchtig (experimentum!) die Welt und das All vernichtet, um sich nur freien *Spiel*-Raum im Nichts auszuleeren«[12]. Es ist Freiheit, gewiß, aber negative, zerstörende Freiheit, die das Nichts zum Ziel hat, den »freien *Spiel*-Raum im Nichts«. Darin verbirgt sich nicht nur ein Pascal würdiger Gedanke, sondern auch ein eigentümliches Bild, das allein möglich wird aus dem bohrenden Erlebnis einer weit fortgeschrittenen Entsicherung des Glaubens. Bei Jean Paul ist sie vorhanden in der dauernden Möglichkeit des Versuchens und Erprobens, nur mit dem »grund-legenden« Unterschied, daß ihn die wünschende, schweifende Phantasie in der »Wolkenwelt des Traums« zwar bis an das Eschaton[13], an den Rand des Abgrunds heranträgt oder quälend heranspielt, daß sie ihn aber dann im letzten Augenblick noch zurückreißt. Tatsächlich kann diese Phantasie, wenn sie die Foltern des Traums erlitten, die eigene Zerstörung erlebt, das Weltall selbst schauerlich vernichtet hat und sich im gaukelnden Spiel-Raum des Nichts ausgeleert zu haben scheint, solche Vernichtung aus der magischen Kraft eines tiefen, tragenden Glaubens in Fülle zurückverwandeln, das Gott-Lose ins Gott-Volle zurückführen. Selten oder nie versinkt diesem Dichter das »Paradies der Phantasie« in die »Hölle der Phantasie«, einer Phantasie, die, nach dem Wort Brentanos, den Dichter selbst wieder aufrißt und zerstört (»Wir haben nichts genährt als die Phantasie, und diese hat uns wieder aufgefressen«[14]).

Gleichwohl: so weit ein lebender Mensch derartiges überhaupt erproben kann, hat Jean Paul gerade in seinen Träumen seinen eignen Tod, die langsame Zerstö-

---

* S. W. I, 8. 321[10]. 9, 137[11]: Selbst-Zersetzung durch Phantasie. Vgl. Schiller, Säkularausgabe XII, 263: »Der Phantast verläßt die Natur aus bloßer Willkür, um dem Eigensinne der Begierden und den Launen der Einbildungskraft desto ungebundener nachgeben zu können ... Weil die Phantasterei keine Ausschweifung der Natur, sondern der Freiheit ist, also aus einer an sich achtungswürdigen Anlage entspringt, die ins Unendliche perfektibel ist, so führt sie auch zu einem unendlichen Fall in eine bodenlose Tiefe und kann nur in einer völligen Zerstörung sich endigen.«

rung seines Ichs und die »höllischen Zonen« erprobt. Der Traum der Hölle, den er zu Beginn der neunziger Jahre geträumt hat, reißt alle nur möglichen Angst- und Qualvorstellungen grausam-großartig und wahrhaft erschreckend im Bild zusammen, und seine Phantasie bevölkert diese Zonen mit Mißgestalten und mit Erscheinungen, wie man sie nur noch in den unmittelbaren Gegenstücken zu Jean Pauls Traumdichtungen findet, in den malerischen Traumphantasien und Traumdämonien eines Bosch[15] oder Brueghel[16] aus dem Ende des Mittelalters. »Rote Herzen zucken eingefroren in Eismeeren – hinter allen Welten geht ein Ton fort: Wehe – eine Sonne um die andere tropfte in das Pechmeer und zerrann im kochenden Ozean ... Hände ohne Körper griffen, Köpfe ohne alles grinzten, neben jedem Ohr redete fort eine unsichtbare marternde Zunge – ein Uhr ohne Weiser und Glocke – alle Morgen ging eine verfinsterte Sonne auf ...« Oder aus der Vision: »Vernichtung«: »– und unten aus dem tiefsten Innersten krochen kleine scharfe Gespenster, die ihn schon in dem Fieber der Kinderjahre verfolgt hatten, mit klebrigen, kalten Krötenfüßen an der warmen Seele herauf und sagten: wir quälen dich allemal!«*

An der oben angeführten Stelle aus der »Vorschule der Ästhetik« enthüllt Jean Paul ein kosmisch geweitetes Bild und verdeutlicht mit ihm die Gefahren und die Laster jener Phantasten, die, anders als er, den Grund unter den Füßen verloren haben und darum den Leiden der Imagination zu erliegen drohen. »Wo einer Zeit Gott, wie die Sonne, untergeht: da tritt bald darauf auch die Welt in das Dunkel; der Verächter des Alls achtet nichts weiter als sich und fürchtet sich in der Macht vor nichts weiter als vor seinen Geschöpfen.«[18] Jean Paul selbst hat die Sonne und in ihr Gott immer wieder mit der verwandelnden Kraft des Glaubens aus dem verschlingenden Abgrund emporgezwungen und die Furcht vor seinen eigenen Visionen bestanden: all die versucherischen Bilder und Geschöpfe des Unglaubens, die sich seinem zeitweis »verfinsterten Herzen« aus dem geheimnisvollen Reich des Traums und der Traumdichtung entbinden, die ganze abenteuerlich wandernde, sich ausräumende und wieder sich füllende, abgründende und sich gründende Bildwelt einer ungeheuer bewegten, quellenden oft fiebrig gebärenden Phantasie, die das All selbst im Spiel vernichtet und dann wieder neu erschafft.

Jean Pauls Traumphantasie aber erscheint darum so gefährlich, weil sie mit der Erbschaft der neuen Zeit belastet ist und weil sie, im »Gauklerreich des Traums«, zu vorübergehendem gespenstischen Dasein und zur Freiheit verhilft, was zuvor nur in gebundener, empörerischer Wunschkraft unheimlich und verschlossen lauert. So entbindet sie kaum glaubhafte Möglichkeiten in einer abenteuerlich sich wagenden, visionären Vorwegnahme der künftigen Entfaltung der Menschheit ins Luciferische, der endzeitlichen Katastrophen und Vernichtungen. Manche der Traumphantasien geben, aus einer gleichsam metaphysischen Neugier heraus, das Transzendieren ins Positive der Erlösung, andere aber wieder erscheinen wie ein wahnsinniges Transzendieren ins Negative, ins Nichts. Und man zittert: einmal

* Traum von der Hölle (1793): H. Bach, J. Pauls Hesperus, Berlin 1929, S. 66f. – Vernichtung: Reclam Nr. 1840, S. 79[17].

könne vielleicht doch die Kraft des Zurückrufens und -wünschens versagen und der furchtbare Traum zerstörend ins wirkliche Leben aufsteigen, einmal könne der Dichter selbst, wider Willen, wirklich poetischer Nihilist werden und sich im Nichts ausleeren. Daß es dann doch nie geschieht, hängt wohl auch mit der Überzeugung und der Behauptung des Dichters zusammen, daß die Traumqualen uns weniger erschüttern, weil sie flüchtige Blitze aus blauem Himmel seien. »Gespenstererscheinungen, Todesverurteilungen, neue gräßliche Tiere und vorspringende Gorgonenhäupter des Traumes werden nicht ohne geistige Erstarrung und ohne Nachwehen des Körpers erlebt und ertragen; noch niemand ist vor Schrecken im Traum gestorben.« Er ist durchdrungen von der lösenden Kraft: »Und wie die Qual des Fiebers den höllischen und der Sieg der Natur den himmlischen Traum geboren; und wie wieder der folternde Traum den Scheidepunkt, und der labende die Genesung beschleunigt hatte; so werden auch unsere geistigen Träume unsere Seelenfieber nicht bloß entzünden, sondern auch kühlen und heilen, und die Gespenster unseres Herzens werden verschwinden, wenn wir von seinen Gebrechen genesen«*.

73 *Emil Staiger*

Aus: Jean Paul: »Titan«. Vorstudien zu einer Auslegung 1943

Betrachten wir die Sprache Jean Pauls im Ganzen, so sehen wir, daß sie sich selbst als Sprache aufzuheben versucht. Wir sehen auch, daß dies so sein muß, weil sich die Einbildungskraft dieses Dichters dem Wesen der Sprache an sich widersetzt. Denn in der Sprache befestigt sich die Welt, die unser Sein ausmacht.

»Und was in schwankender Erscheinung schwebt,
 Befestiget mit dauernden Gedanken.«[1]

Gedanken aber sind wirklich im Wort. Jean Paul findet gerade an dieser Leistung der Sprache keinen Gefallen. Er möchte das Dauernde lösen in schwankende Erscheinung, das Feste verwandeln in Flüssiges. So muß er mit den Mitteln der Sprache dem Sinn der Sprache zuwiderhandeln. Man möchte drum sagen, er habe ein falsches Medium seines Werks gewählt; das richtige wäre die Musik, die Kunst der reinen Phantasie. Von allen poetischen Gattungen steht die Lyrik der Musik am nächsten. Aber auch Lyriker ist er nicht. Der Vers bleibt ihm versagt. Er schreibt nur »Polymeter« »Streckverse«, Verse, die keine Verse sind. Und so überall! Er schreibt Romane, die keine Romane sind, und schildert, was niemand sehen kann. Aber auch Musiker kann er nicht sein. Er bleibt mit seiner Phantasie, die durchaus die eines Musikers ist, dem menschlichen Leben, dem Lauf der Welt, den Dingen, den Landschaften zugewandt. Schillers Bemerkung über Jean Paul trifft also den Nagel auf den Kopf:

* Blicke in die Traumwelt: § 5. Reclam a. a. O. S. 87[19]. Dazu auch S. W. II, 2, 211 (über die mögliche Fürchterlichkeit der Träume), 186, 212, 215[20].

»Ich habe ihn ziemlich gefunden, wie ich ihn erwartete; fremd wie einer, der aus dem Monde gefallen ist, voll guten Willens und herzlich geneigt, die Dinge außer sich zu sehen, nur nicht mit dem Organ, womit man sieht«*.

Wohin wir uns auch wenden, wir finden immer wieder, daß Jean Paul sich weigert, ins Endliche einzugehen. Diese mit ganz erstaunlicher Konsequenz gewahrte Haltung begründet Größe und Fragwürdigkeit seines Werks. Sie sichert ihm zunächst die Freiheit, deren er sich mit Recht gerühmt. Freiheit ist die Botschaft des Heils, die er seinen Lesern noch heute verkündet. So ärmlich auch ein Leben sein mag, jeder Mensch ist Kind gewesen, hat Sonne, Wolken und Bäume gesehen. Das genügt, um den Durst eines Lebens zu stillen. Die Phantasie erinnert sich und malt sich die seligen Fernen aus. So ahnt der Mensch das Unendliche und gewinnt das Höchste, was ihm bestimmt ist. Der aber hat sich verirrt, der meint, es komme auf »Wirklichkeit« an. Die Wirklichkeit kann nur ernüchtern; denn sie schränkt das Unendliche ein.

Mit dieser Botschaft ist Jean Paul der Heiland derer geworden, die im Leben zu kurz gekommen, aber mit reicher Phantasie begabt sind, gescheiterter Künstler, enttäuschter Frauen, verwegener Vagabunden des Geistes, Liebling der Musiker auch, die die Welt in ähnlicher Weise erfassen wie er.

Wir glauben nun aber auch zu verstehen, warum Jean Paul trotz seinem gewaltigen Einfluß nichts begründet hat, warum er nicht wie andere, wie minder begabte Dichter sogar, an der Gestaltung des Lebens, des Staates und der Gesellschaft beteiligt war. Der Mann, der uns das Leben entfremdet, kann uns im Leben nicht geleiten. Zwar, alle Künstler schaffen Fernen und reißen uns aus der Wirklichkeit. Gerade darin bewährt sich ja die monumentalische Macht der Kunst. Doch in den Fernen, die sich vor uns bei Goethe oder bei Hölderlin öffnen, Fernen zu unsrer Gegenwart, die ein hochherziger Wille verwirft, gewinnen wir eine Freiheit anderer Art, als die Jean Paul uns schenkt, Freiheit nämlich, uns erneut dem Dasein zuzuwenden und mitzuschaffen an seiner Erneuerung. Jean Paul erlaubt diese Wendung nicht. Denn nicht diese oder jene Wirklichkeit behagt ihm nicht, sondern das Wirkliche überhaupt. Im »Titan« zwar lesen wir den Preis der römischen Antike. Allein, es ist auch hier nur wieder der Zauber des Vergangenen, was ihn zu den alten Epochen zieht. Er hätte ein gegenwärtiges Rom wohl ebenso unerträglich gefunden wie alles, was ihn in Deutschland umgab.

Es ist darum nichts mit den Versuchen, Jean Paul als neuen noch unverbrauchten Führer der Jugend zu empfehlen. Er kann die Herzen der Jugend öffnen, die Seele lösen in Musik und alles Erstarrte schmelzen in der Glut der magischen Phantasie. Das haben Keller und Stifter erfahren. Als Männer aber haben sich diese Dichter abgewandt von Jean Paul. Was seines Geistes ist, erhält sich gleichsam nur als feuchte Spur, als leise Erinnerung an die Nacht, die schöne Träume schenkte und die Mühe des Tages vergessen ließ.

* An Goethe 28. Juni 1796.

Aus: Die Erzählweise Jean Pauls 1961

Jean Pauls Ästhetik weist an vielen Stellen auf die künftige Entwicklung, ja auf die moderne Situation der Kunst voraus. Die Frage nach dem Verhältnis von Sache und Zeichen berührt ein Grundproblem der künstlerischen Sprache. Blickt man in den Bereich der Malerei hinüber, so läßt sich sagen, daß bis zu Picasso Jean Pauls Grundsatz gilt, daß jedes Zeichen auch eine Sache ist. Aber da die Sachen in der modernen Welt ihre Symbolfähigkeit immer mehr eingebüßt haben, müssen sie im Bilde immer stärker deformiert werden, damit ihr Zeichen-Charakter ihnen noch abgewonnen oder abgezwungen werden kann. So erscheint der Schritt zur »gegenstandslosen« Malerei, den Kandinsky[1] in großem Stil vollzieht, als folgerichtig. Hier ist die Verbindung von Sache und Zeichen gelöst, ein absolutes Zeichen gesetzt, das nicht auch zugleich eine Sache ist, sondern als pures Zeichen zum Gegenstand des Bildes wird. Die Dichtkunst kann, wie es scheint, diesen Schritt nicht vollziehen; sie kann nur bis zur Verfremdung des Gegenstandes vordringen. Aber auch für sie ist, schon bei Jean Paul, der Zeichencharakter nicht mehr unmittelbar in der Sache selbst gegeben und gesichert. Jean Paul hat bereits zu genau erfahren, daß die Einzeldinge in der Lebenswelt der Wirklichkeit nur noch Mittel oder Hindernisse, Ziele oder Widerstände bei der Jagd nach den Zwecken sind. Schiller hat die Zeit um 1800 als Zeit der Unfreiheit gekennzeichnet. »Die Kultur, weit entfernt, uns in Freiheit zu setzen, entwickelt mit jeder Kraft, die sie in uns ausbildet, nur ein neues Bedürfnis; die Bande des Physischen schnüren sich immer beängstigender zu ...«[2] So heißt es in den »Briefen über die ästhetische Erziehung des Menschen«, die 1795, ein Jahr vor dem »Siebenkäs«, erschienen. »Der *Nutzen* ist das große Idol der Zeit, dem alle Kräfte fronen und alle Talente huldigen sollen.« In der entgötterten Welt, die Jean Pauls Angstvision in der »Rede des toten Christus« hervortreibt – sie war in der Erstfassung des Romans »Siebenkäs« der Erzählung vorangestellt – in dieser Welt haben die Einzeldinge ihre natürliche, »klassische« Symbolkraft verloren. Erst der Witz, also das Ingenium, das geistreiche Spiel – diesen alten Sinn hat das Wort Witz noch bei Jean Paul –, erst die einfallsreiche Kombination, Vertauschung, Verwandlung, die ungewöhnliche, überraschende Verbindung der Dinge kraft neuentdeckter verborgener Ähnlichkeiten befreit sie von der »schweren Materie«, in der sie als wirkliche Dinge gefangen sind, »zersetzt« ihre zweckhafte Sachlichkeit, die ihre Realität allein bestimmt, und verwandelt sie in Zeichen, die auf eine überwirkliche Welt verweisen, auf das unbekannte »fremde Meer«[3], das die Insel dieser Erde umgibt.

Die Kombination des Disparaten, die Vereinigung des Heterogenen wird zum produktiven Mittel. Jean Pauls Verfahren erhält später seinen zugespitzten theoretischen Ausdruck in dem bekannten Satz Lautréamonts, der »die zufällige Begegnung eines Regenschirms und einer Nähmaschine auf einem Operationstisch« schön nennt[4]. Die scheinbar willkürlich kombinierten disparaten Gegenstände sind mit Bedacht gewählt, um ein prägnantes Beispiel absurder Struktur zu geben. Es sind nicht zufällig alles Apparaturen der Zivilisation, reine Zweck-Konstruktionen, die in dieser »zufälligen Begegnung« ihrem Zweck entfremdet und am sinnlosen Ort ihrer Begegnung funktionslos werden. Der Verlust ihrer Zweckbestimmung macht in diesen Gegenständen ihre ästhetische Qualität frei. Darum nennt Lautréamont diese Kombination »schön«. In der herkömmlichen Ästhetik wird das Schöne als »zweckfrei« bestimmt. In der Umkehrung dieses Grundsatzes gilt nun das Zweckfreie schon als schön. Dahinter steht eine provokatorische Intention. Die Befreiung vom Gebrauchswert, durch die absurde Kombination bewirkt, macht in der modernen Kunst solche bloßen Gebrauchsdinge gleichsam zu »Gegenständen an sich«, gibt ihnen etwas von der Würde natürlicher Gegenstände. Im Akt der Befreiung aus der Gefangenschaft in der bloßen Zweckwelt, deren großes Idol der Nutzen ist, werden diese Dinge zu Zeichen, verweisen auf die wesenlose Zweckwelt wie auf das eigentliche, vom Nutzen freie Sein.

Im sprachlichen Kunstwerk ist solche »Begegnung« des Disparaten durch Vergleich und Metapher möglich. Allerdings ist im Erzählstil Jean Pauls diese Begegnung noch nicht ganz »zufällig«, sondern sie wird vermittelt durch eine wenn auch entfernte, gesuchte, oft geringfügige Ähnlichkeit der heterogenen Gegenstände in ihrer Gestalt oder Funktion. Aber in vielen Fällen ist es nicht allein oder vornehmlich die ingeniöse Entdeckung dieser versteckten Ähnlichkeiten, die die künstlerische Wirkung solcher Metaphern ausmacht, sondern gleichzeitig die Kombination des Disparaten selbst, die durch solche Vergleichsmomente ermöglicht wird. Die Zusammenstellung als solche spricht ihre geheimnisvolle, gleichwohl dechiffrierbare Sprache.

Im dritten Abschnitt des Anfangskapitels vom »Siebenkäs«[5] berichtet der Erzähler von Siebenkäsens »Verachtung gegen das Geld«. Das Wort Geld, das schlicht und eindeutig eine geläufige Realität bezeichnet, wird zum Stichwort für das Auftreten einer Reihe von Metaphern. »Dieses metallne Räderwerk des menschlichen Getriebes«, so heißt es zunächst. Die »Vergleichswurzel«, wie Jean Paul sagt, ist nicht eine optische Ähnlichkeit, sondern – abgesehen von der Stoffqualität des Metallenen – eine verwandte Funktion und Wirkungsweise. Eine zweite Metapher sproßt, wie so oft, aus der ersten: »dieses Zifferblattrad an unserm Werte«. Hier wird eine andere, fragwürdige Eigenschaft des Geldes durch die Metapher akzentuiert, seine Geltung als Wertmaßstab. »Zifferblattrad« gehört der gleichen Sphäre an wie »Räderwerk«, denn man denkt bei diesem Wort im 18. Jahrhundert vornehmlich an ein Uhrwerk. Dennoch sind diese Gegenstände dadurch, daß sie als Vergleichsglieder dienen, ihrem wirklichen Zweckzusammenhang entrissen, sind entsachlicht. Wie sehr, das wird daran deutlich, daß hier das Räderwerk zugleich auch ein Zifferblatt sein kann, was in der Realität nicht möglich ist. Aber der Satz geht weiter, er steuert auf einen neuen Vergleich zu: »indes doch vernünftige Menschen, z. B. die Kaufleute, einen Mann ebenso hoch schätzen, der es einnimmt, als den, der es wegschenkt«. Auch dieses Verhalten der vernünftigen Kaufleute wird mit einem sehr entlegenen, überraschend herangeholten Vergleich illuminiert, dem Vergleich mit dem Elektrisierten, der den gleichen Funkenkranz um den Kopf bekommt, wenn der Strom in ihn hineinfließt oder wenn er aus ihm wegfließt. Der Funken-kranz wird jedoch nicht so genannt, sondern in einer neuen, diesmal auf optischer Ähnlichkeit beruhenden Metapher verhüllt und als »Heiligenschein« angespro-chen. So wird auch der Vorgang des Elektrisierens verfremdet und durch einen sehr heterogenen Gegenstand entsachlicht. Im Wortlaut heißt die Stelle: »wie ein Elek-trisierter den leuchtenden Heiligenschein um den Kopf bekömmt, der Äther mag in ihn ein- oder aus ihm ausströmen«.

Man muß die Dinge, die hier metaphorisch zur Begegnung gebracht sind, als Bild nebeneinandergestellt denken: Geld, Räderwerk, Zifferblattrad, elektrisierter Körper, Heiligenschein. Sie bilden ein absurdes, inkohärentes Ensemble disparater Gegenstände, die durch die Kombination gegenseitig ihren Sachwert, ihre Ge-brauchsfunktion oder dingliche Bedeutung aufheben, aus ihrem Realzusammen-hang herausgerissen sind.

Ähnliche kombinatorische Strukturen ergeben sich bei der schon interpretierten Speisenbeschreibung[6]. Krebsschwanzsuppe, die Gewohnheit der Biber, Robespier-res Restpartei im Convent werden kombiniert; oder: Hase, syllogistische Figur, Fakultät. Es sind wiederum Reihungen ganz heterogener Tatbestände. In ihnen erweist sich die phantasiereiche Freiheit des geistigen Ich, das die Dinge nicht in ihrer gegebenen Wirklichkeit, ihrer starren und eingesargten, einmaligen und verfe-stigten Form hinnimmt, sondern sie verwandelt; das sie auch nicht in der gegebe-nen, gewohnten Ordnung beläßt, sondern sie auf ganz andere Weise zusammen-ordnet. Der Scharfsinn beim Finden von Ähnlichkeiten ermöglicht diese neue Anordnung, die einerseits einen sinnreichen Zusammenhang herstellt, andererseits aber auch das Absurde, das Chaotische der Welt spiegelt, die »Irrenanstalt der Erde«, die bei Leibgeber wie bei Siebenkäs eine »Lachlust« erregt[7].

Grundlegend bleibt die Verflüssigung[8] der – nach Jean Pauls Anschauung – in ihrer wirklichen Existenz erstarrten, beengten, verarmten Dinge. Von Hippels ähnlichem Verfahren, das Jean Paul bewunderte, sagt er: »Den Weg des Ge-schmacks aber auf diesem flüssigen Boden, ja auf diesen Wellen immer zu treffen, ist für den Autor fast zu schwierig.«[9] Die Forderungen des Geschmacks, die zwar »ein von den Alten Gebildeter« erhebt, sind für Jean Paul sekundär. Er verweist auf Pindar, der »als ein Vor-Hippel ebenso eine Reihe allgemeiner Sätze ohne alle Niet-Worte zu *einer* Vergleichung zusammenschmelzte und dadurch seinen Her-ausgebern sich wenig verständigte«. Daß man »auf flüssigem Boden, ja auf Wellen« sich bewegt, darauf kommt es an.

Ein Höhepunkt dieses Verwandlungsstiles findet sich im 7. Kapitel des »Sieben-käs«, bei der Schilderung des Vogelschießens, Es wird erzählt, wie es Siebenkäs gelingt, das vergoldete Zepter des hölzernen Adlers, der als Ziel dient, herunterzu-schießen. Er kehrt triumphierend mit dieser Trophäe und einigen anderen heim, findet aber bei Lenette nicht genug Anerkennung. Dieser einfache Vorgang wird, auf zwei Seiten erzählt[10], von vielen Nebenmotiven umrankt und von einer Se-quenz wechselnder Namen für das Zepter begleitet. Es wird durch die Namen immer neuer, form- oder funktionsverwandter Gegenstände bezeichnet. Zwölfmal wechselt die Benennung, und im folgenden 8. Kap. steht noch eine nachträgliche

Variation, die dreizehnte. Zunächst sieht Siebenkäs das noch intakte Zepter des Adlers begehrlich an und möchte es als »Bajonett« an sein Gewehr »anschienen«. Im nächsten Satz heißt das Zepter »goldener Eichenzweig«, »vergoldete Harpune« und schließlich »Aalstachel«, weil es, vom Schuß getroffen, so plötzlich herniederfährt wie das (allerdings dreizackige) Instrument, mit dem man Aale auf dem Grunde des Flusses aufspießt. »Vogelgliedmaß« und »Regierungsinsignie« sind weitere, ironisch umschreibende Benennungen. »Holzast« heißt das Zepter, als es Siebenkäs in der Hand hält und betrachtet, und er selber nennt es »Froschschnepper« (eine kleine Armbrust, mit der man Frösche schießt), dann »Honigvisierer«, »närrisches Gewehr«, »Stück von einem Schäferstabe« – und zuletzt, als Lenette bei seinem Schützenruhm so gleichgültig bleibt, »Zornrute«. Im 8. Kapitel heißt das Zepter, im Nachklang dieser langen Sequenz, »Staaten-Perpendikel«[11]. Übrigens wiederholt sich das Spiel, doch kürzer und eintöniger, als Siebenkäs den Reichsapfel herunterschießt. Er heißt nacheinander »verbotener Apfel«, »Stettiner«, »Fangball«, »Reichskugel«, »Weltapfel«, »Vexier-Erdkugel«[12]. In der Zepter-Sequenz sind die wechselnden Benennungen nicht, wie es scheinen könnte, willkürlich ausgestreut, sondern auf subtile Weise durch die jeweilige Situation bestimmt. Wenn das Zepter als verlockendes, ruhmverheißendes Ziel noch am Adler sitzt, heißt es »goldener Eichenzweig«. Wenn es Siebenkäs dann in der Hand hält und in ernüchternder Nahsicht betrachtet, heißt es »kleiner Holzast«. Wenn es von einem Schusse berührt wird und zittert, wird es »vergoldete Harpune« genannt, wenn es getroffen herunterschießt, »Aalstachel«. Bei Siebenkäsens satirischer Betrachtung wird es zum »Schäferstab«, mit dem die Schäfer grausam tierquälerisch verfahren, und es wird zur »Zornrute«, wenn Siebenkäs damit gereizt auf den Tisch schlägt. Gleichzeitig aber bildet die dichte Folge der Assoziationen eine Reihe, die als solche zur Wirkung kommt und beim Leser eine neugierige Spannung auf die nächste Variante erzeugt. Sie gesellt sich gleichberechtigt zu der Spannung auf den Fortgang der Geschichte. Die Folge der Zepter-Metaphern ist in die Erzählung eingehängt wie eine bunte Girlande, in der sich am dünnen Faden oft vager Ähnlichkeiten die heterogensten Dinge aufreihen: Gewehr und Honigvisierer, Eichenzweig und Perpendikel. Die Begegnung des nicht Zusammengehörigen, die gleichsam klirrende, disharmonische Kombination des Disparaten ist auch hier beabsichtigt und zeichenhaft. Jean Pauls Metaphorik will nicht eine unsichtbare Einheit der Welt aufdecken, eine verborgene Harmonie zwischen den scheinbar getrennten Phänomenen zum Klingen bringen, sondern im Gegenteil den Ton der Disharmonie erzeugen, festhalten und unaufgelöst lassen. Denn für ihn ist die Wirklichkeit in sich selbst nicht harmonisch. Erst in einer Überwirklichkeit, die allein die Phantasie vorwegnehmend sichten kann, löst die irdische Disharmonie sich auf: im »Grenzenlosen«, im »fremden Meer«, das die Erde umgibt, in Gott. Die Harmonie bleibt der Wunsch des Menschen, sein Traum, sein Verlangen. »Denn der Mensch hat so wenig, daß er nur froh ist, wenn er stark begehren kann, und daß er die Stärke seiner Wünsche zu ihren Befriedigungen rechnet.«[13] Der Einschlag des Disharmonischen im Gewebe der Jean-Paulschen Romane ist unentbehrlich, weil es nicht nur einen eigentümlichen Reiz und Ausdruckswert, sondern seinen besonderen Zeichenwert hat. Die ungehemmt spielende Kombination der Dinge erweist die Freiheit des geistigen Ich, das sich nicht an die Gegenstände verliert. Auch die Auflösung der festen Relation zwischen Wort und Sache, die zwölfmalige Vertauschung des Namens für das gleiche Ding bezeugt diese Freiheit. Die chaotische Zusammenstellung des Disparaten symbolisiert den wahren Weltzustand und fordert damit die erlösende Harmonie einer Überwelt. Die traumhafte Angstvision der Gottlosigkeit[14], die ursprünglich die Introduktion zum »Siebenkäs« bildete, zeigt grell und abschreckend, daß die Welt ohne Gott eine chaotische Wüste ist, die Natur ein »unermeßlicher Leichnam«, der Mensch verwaist, die Welt widerspruchsvoll und in sich uneins, nichts anderes als »die große, halb im Sande liegende ägyptische Sphinx aus Stein«. Der tote Christus selbst sagt, daß Gott nicht sei und nennt die Erdbewohner, die es noch nicht wissen, »überglücklich«, weil sie jene Disharmonie ertragen können, die allein und unausgleichbar übrig bleibt, wenn es Gott nicht gibt. »Die Kirche schwankte auf und nieder von zwei unaufhörlichen Mißtönen, die in ihr miteinander kämpften und vergeblich zu einem Wohllaut zusammenfließen wollten.« Christus in seiner Verzweiflung über das gottlose, nur sich selbst wiederkäuende Chaos der Ewigkeit ruft dieser Welt zu: »Schreiet fort, Mißtöne, zerschreiet die Schatten; denn Er ist nicht!«

75 *Robert Minder*

Die Verlassenheit eines Genius
Jean Paul, geboren am 21. März 1763   1963

Jean Paul steht seit langem nur als fernes Wetterleuchten am Rande des deutschen Bewußtseins. Leicht hat er es dem Leser nie gemacht. Lianen, mannshohe Schlingpflanzen, tropische Wucherung – es verschlägt den Atem. Feinhörigere lassen sich hinreißen auf die wildverwachsenen Pfade. Mit einem Schlag eine andere Landschaft. Erstarrt, versteinert. Der Dichter der strömenden Fülle ist auch ein grandioser Gestalter des Grauens der Vernichtung. Gethsemane als Folie all seiner Werke, Golgatha hinter Blumenbühl. Dazwischen aber immer wieder öde Strecken von Schottergeröll, der Fuß strauchelt, der Autor selber scheint zu taumeln und zu schwanken, versteift sich mit gußeiserner Pedanterie auf den Sand- und Dornenweg der herbeigeschleppten Exzerpte, Kommentare zu Kommentaren, Metaphernkolonien, die unlösbare Kreuzworträtsel auslaichen – bis der Bann plötzlich gebrochen ist und die Kantilene wieder frei dahinströmt: »Die Alpen standen wie verbrüderte Riesen der Vorwelt fern in der Vergangenheit und hielten hoch der Sonne die glänzenden Schilde der Eisberge entgegen ...«[1]
Die moderne Strukturanalyse – von Kommerell[2] bis Höllerer[3] und Rasch[4] – hat viel verschüttete Zugänge zur musikalischen Prosa dieses genialen Improvisators auf dem Klavier freilegen können. Und mit Recht verweist der urbanste Kenner des 18. Jahrhunderts, Richard Benz, darauf, daß das Publikum der »Zauberflöte« und der neuen großen Tongemälde von Mozart, Haydn, Beethoven auch die hingeris-

sene Leserschaft der Romane von Jean Paul gewesen ist[5]. Seine raffinierte Technik der Zeitverschiebung und ihrer Verfremdungseffekte führt andererseits weit über Sternes »Tristram Shandy« und Diderots »Neveu de Rameau«[6] hinaus, nimmt die vertrackten Gedankenspiele eines Jean Giraudoux, eines Thomas Mann ebenso gut voraus wie die brutwarme Schichtengliederung der großen Romane von Proust und Faulkner.

Kommt dennoch der Augenblick – und er kommt unfehlbar –, wo Jean Pauls Manierismus, der offenkundig pathologische Zwangscharakter gewisser Stileigenheiten auch den Gutwilligsten abschreckt, so halte er sich ans Geheimrezept aller Literaturwissenschaft (wie sonst denn fräße sich unsereiner je durch den Bücherhirsebrei hindurch?) – das Darüberhinweglesenkönnen, nobler gesagt: die Geschwindigkeitsregelung. So rasch als möglich den Teufelskreis der wildgewordenen Lesefrüchte hinter sich bringen, bis der Satellit die Bahn gefunden hat und Luft von anderen Planeten weht. Dann aber ganz langsam diese hohe Prosa durchbuchstabieren, auskosten, einschlürfen – eine ähnlich substanzspeichernde und zugleich phantasiedurchquollene gibt es in dieser Form sonst nicht. Herder und Hegel, E. T. A. Hoffmann, Börne und Heine, Hebbel, Keller und noch der junge Stifter wußten es, Schumann und Brahms nicht zu vergessen.

Die Klassiker hielten Distanz. Goethe schwankte zwischen Bewunderung und Unmut über »das leise Klirren der Kette«[7], die Jean Paul nie los werde. Schärfer noch verwarf Schiller den »chinesischen Wust«. Die Gesetzestafeln der neuen formstrengen Klassik wurden Jean Paul entgegengehalten, als er 1796 in Weimar eintraf. Nach einer unglaublich harten, verdüsterten Jugend im Fichtelgebirge, wo Fuchs und Hase sich Gutenacht sagen und wo heute der Osten vom Westen sich scheidet, hatte der Dreißigjährige den Durchbruch zur Dichtung und den Weg zum Publikum gefunden – ein Liebling der Frauen, heiß umworben von Charlotte von Kalb, die einst Schiller gesellschaftsfähig gemacht und Hölderlin in ihr Haus genommen hatte und die nun wiederum die eiserne Stunde erleben mußte, wo auch Jean Paul von ihr schied.

»Alliebe« war eine Lebensnotwendigkeit für diesen ewig schwärmenden Platoniker wie für seine Helden, von einem femininen Fluidum ist sein ganzes Werk durchtränkt, vom mütterlichen Magma getragen. So tief aber war die narzißtische Verstrickung (»geistiges Selberstillen« nennt es Jean Paul[7a] – ein Wink für Freudianer), daß er, der aus der Ferne anbetete, die Nähe floh, statt der »hohen Seelen« eine schlichte, kindergebärende Ehefrau nahm, sich mit ihr für die letzten zwanzig Jahre bis zum Tod 1825 ins weltverlorene Bayreuth zurückzog und dabei abgesondert von der Familie sein ureigenstes Privatwinkelnest in einem Gasthaus vor den Toren der Stadt, der Rollwenzelei, aufbaute. Dort hat der allmählich vom Bier aufgeschwemmte Mann mit dem immer noch unvergeßlich strahlenden Auge unter der Obhut einer mütterlich derben Wirtin Tag um Tag geträumt, getrunken, geschrieben – ein Kind und Kauz[8], Bindfadensammler, Mückenseiher, Schachtelfanatiker – und zwischendurch ein Riese, der aufsteht, Tisch umwirft, Welt entlarvt, Abgrund ausmißt, felsig, furchtlos, durchdringend auf den Kern der Dinge – bis die Schnörkel wieder aufranken, Zitate ins Kraut schießen, und die Kette leise klirrt.

Sein »Titan«, 1803: genialste Abrechnung mit der antikisierenden Klassik Goethes und Schillers so gut wie mit dem romantischen Ichprinzip der Schlegel und Fichtes. Darüber hinaus: Abrechnung mit sich selbst und dem Künstler schlechthin, dem Schauspieler des eigenen Lebens und Vampir fremder Seelen, dämonisch in seiner auswuchernden Innerlichkeit. Wäre dieser tiefe deutsche Roman nicht auch einer der allerunbekanntesten, so hätte seine thematische und formale Parallele zum »Doktor Faustus« von Anfang an überraschen müssen. Inwieweit Thomas Mann sich der Beziehung bewußt gewesen ist, sei dahingestellt. Hat doch selbst Alfred Döblin, der mit seinen Sprüngen, Rissen und der visionären Sprachgewalt Jean Paul ungleich viel wesensnäher steht, den deutschen Ahnherrn erst mit 77 Jahren in Paris entdeckt. Noch in seine Freiburger Klinik mußte ich ihm Jean-Paul-Bände und Hefte der Bayreuther Jean-Paul-Gesellschaft nachsenden – so stark war die Faszination, so tief auch der Jammer über die Verlassenheit eines solchen Genius.

Nicht einmal andeutungsweise kann hier von seinen großen Romanen die Rede sein: »Die unsichtbare Loge«, »Hesperus«, »Titan«, »Die Flegeljahre«, »Armenadvokat Siebenkäs« und der von Flaubertscher Desillusion erfüllte, unvollendete »Komet«. Nicht von seinen philosophischen, religiösen, politisch-sozialen Schriften oder gar von der »Vorschule der Ästhetik«, einer gedankendurchblitzten, traumträchtigen, ungenutzten Honigwabe, und der Erziehungslehre »Levana«, wo die Goldkörner haufenweise zutage liegen. Nicht von seinen Satiren: »Rektor Fälbel«, »Feldprediger Schmelzle«, »Doktor Katzenberger« – und kaum von seinen Idyllen, von denen »Schulmeisterlein Wutz«, 1790[8a], die berühmteste und »Das Leben Fibels«, 1812, die tiefsinnigste ist.

Was Jean Pauls »Idyllen« weit über das Winkelglück Spitzwegs und Ludwig Richters[9] hinaushebt, ihnen die tiefen Schatten von Rembrandts Radierungen verleiht, in den Flötenton Geßners[10] die Donner Klopstocks rollen läßt, ist die Todesprobe, die alle Helden Jean Pauls – Kinder sogar, kaum der Schulbank entronnen – bestehen müssen. »Wie war Dein Leben und Sterben so sanft und meerstille, du vergnügtes Schulmeisterlein Wutz!«[11] Souverän nimmt schon der erste Satz den Tod in die Idylle mit hinein, und »meerstille« weitet genial mit sanftem Leuchten die krause Krümelwelt ins Ozeanische. Das Universum, wie Wutz es sich aus Traum und Buch lustvoll selbstherrlich aufgebaut hat, entpuppt sich zuletzt als beklemmend unwirkliches Vexierspiel. So hat in der Erzählung Kafkas[12] ein Tier sein raffiniert ausgeklügeltes Versteck im Innern der Erde angelegt – und plötzlich klopft es an der Wand: der Feind sitzt dahinter, mitten im Bau. Mit Kinderkalender und pietätvoll bewahrtem Spielzeug tritt der Schulmeister gefaßt die pharaonische Todesfahrt an. »Der gelbe Vollmond hing tief und groß im Süden«[13].

Im »Leben Fibels« rauscht noch einmal der Wald Dürers und Faustens, wächst in parzivalischer Unschuld der Sohn eines verstorbenen Vogelstellers bei der Mutter auf, in seiner Welteinsamkeit ganz der Magie des Wortes verfallen und zuletzt durch das Wort berühmt als Verfasser einer Musterfibel, mit der er sich völlig identifiziert, Fibel heißt, Fibel wird – bis der uralte Mann alles von sich abtut, träumend dem Tod entgegenschweigt: Thematik von Hofmannsthals »Lord

Chandos«[14], dabei innig-stark über Abgründe hinmusiziert wie Bachsche Kantaten.

Das Werkchen ist 1862 französisch erschienen[15] – im selben Jahr wie die »Vorschule der Ästhetik«[16] und zu eben der Zeit, wo Mallarmé das sanfte Martyrium des Gymnasiallehrerberufs auf sich nahm und den Abstieg in die Klüfte des lyrischen Urwortes begann. Ein einziges Buch[17] brachte auch ihm die bedingungslose Bewunderung von Verehrern, scharte eine Akademie um den Meister, rief Kommentatoren auf den Plan, hymnische und hämische – den Stein der Weisen hat er doch nicht gefunden, und auch er endet, wie Fibel und wie Jean Paul selber, im Zwielicht einer schmerzlichen Gelassenheit – der Würfel rollt, doch keiner weiß, wie wird er fallen. Im »Fibel« ist freilich alles rustikaler und einfältiger dargestellt – die unverkennbare, so stark ans Herz greifende Jean-Paulsche Mischung, erhaben und tief in der kümmerlichen Enge.

Am unmittelbarsten erschließt sich das Wesen des Dichters im Fragment der »Kindheitsgeschichte« – fünfzig Seiten, Auszüge davon sollten in jedem Lesebuch stehen und stehen in keinem. Welch überquellende Fülle auch hier in der Dürftigkeit, welche Schlagkraft des liebenden Herzens, das noch aus dem Dumpfen das Lichte heraussaugt: »Seligkeit des Miteinanderhausens und Ineinanderwohnens«. »Seligkeit des Zusammenbuchstabierens in der Schwüle der vollen Schulstube«, wo man durch Zapfen in der Wand ab und zu »in den offenen Mund die herrlichsten Erfrischungen von Luft aus dem Froste draußen einnehmen durfte«[18]. Das Kosmische im Häuslichen – ein Archetyp deutscher Literatur, Sternelüftschwall in Mörikes Stube. Bei Jean Paul tritt etwas anderes dazu: die massive Breite des sozialen Hintergrundes, der Raubvogelzugriff im Erfassen des Realen. Jean Paul als ätzender Satiriker, als Schüler Swifts und Blutsbruder Rousseaus, Naturenthusiast wie dieser und zugleich Rebell gegen die Knechtung des Menschen, flammender Ankläger der deutschen Misere seiner Zeit, Bedrückung und Dünkel oben, Elend und Servilität unten: das hat Stefan George bewußt übergangen, als er aus dem Werk nur die Träume herauslöste[19] und die leicht erotisierten Jünglingsgestalten. Georges eigener Imperialismus – herrisch formulierter Abglanz einer aggressionsgeladenen Ära – hat wenig genug zu tun mit dem Humanitätsdenken Jean Pauls, das in der großen europäischen Tradition des 18. Jahrhunderts wurzelt, Aufklärung mit Enthusiasmus verbindet, die Menschenrechte heilig hält, Mitleid als höchste Tugend achtet.

Die Milch der dunklen Frühe ist Jean Pauls früheste Erinnerung, »aus meinem zwölf-, höchstens vierzehnmonatlichen Alter«: »Ein armer Schüler, der mich sehr liebgehabt und auf den Armen getragen«, gab sie ihm in einer großen schwarzen Stube der Alumnen[20]. Als »Labetrunk für Bedürftige« hat der Dichter sein eigenes Werk verstanden. Seine »Neujahrsnacht eines Unglücklichen«[21] steht im Weltrepertorium der großen moralischen Geschichten neben Dickens und Tolstoi und ist noch bis tief ins 19. Jahrhundert von französischen Jugendzeitschriften abgedruckt worden. Albert Schweitzer brachte sie nach 1919 für seine deutschen Freunde im »Elsässischen Kirchenboten«[22] – zusammen mit Gefängnisbriefen Rosa Luxemburgs. Jean Paul hätte es nicht mißbilligt. Überall bei ihm neben der Hingabe die

Bedrohung, der Sturz in die Tiefe, der entsetzte Blick auf eine Welt von Larven, Heuchlern, Menschenschindern. Und aus nächster Nähe miterlebt, der Prozeß der Erstarrung, Versteinerung des geliebten Vaters.

Armut, Einsamkeit, übergroßer Amtseifer verbunden mit starrem Obrigkeitsglauben hatten den musikbegeisterten Menschenfreund zum Gespenst seiner selbst gemacht, zum harten »Gesetzesprediger«. Hebbels »Meister Anton« in einer Hungerpfarre des Fichtelgebirges, »die Borsten von innen nach außen gekehrt«[23]. Aus Standeshochmut wird der Knabe den geliebten Bauernmitschülern entrissen und der barbarischen Pädagogik des Vaters unterworfen. Hier sind die Ketten des Gefangenen geschmiedet worden: das aufgezwungene Auswendiglernen ganzer Enzyklopädien, ein Exzerpieren ohne Ende, tote Scholastik, die dennoch den ganz auf sich zurückverwiesenen Knaben faszinierte – und fürs Leben verstrickte. Zur Heilung der Gespensterfurcht war der unbewußte Sadismus des Erziehers auf ein anderes Mittel verfallen: den wehrlos Sensiblen nachts allein in die Kirche zu jagen, wenn eine Leiche dort aufgebahrt lag. Aus solchen Erlebnissen sind die Hieronymus-Bosch-Gestalten[24] hervorgegangen, die immer wieder in Jean Pauls Werk um die Ecke lauern, unter den Steinen hervorkriechen. Eine beklemmende Lemurenwelt: sie hat primär nichts zu tun mit einem Glaubensverlust oder gar der vielberufenen »religiösen Substanzentleerung des Abendlandes«. Sie wurzelt ganz unmittelbar in der Neurose des Vaters und diese wiederum in der sozialen Knechtung und seelischen Auslöschung durch den erstarrten Feudalstaat. Von der baren nackten Existenz, nicht vom Existentiellen her müssen diese Grundlagen zunächst erhellt werden.

Die Last der Familie fiel auf den Sechzehnjährigen, als der Vater plötzlich gestorben war und eine längst verhärmte Witwe mit sieben Kindern im Elend zurückließ. Ein jüngerer Bruder ging ins Wasser, zwei nahe Freunde[25] des Dichters (Bettelstudenten wie er in Leipzig) starben an Auszehrung, Jean Paul selber kam dem Wahnsinn nahe. Wenn er dennoch durchgehalten hat, so muß eine ganz besondere Widerstandskraft in ihm gewesen sein, das Bewußtsein der Berufung, das ihn schon ganz früh durchzuckt hatte: »An einem Vormittag stand ich als ein sehr junges Kind unter der Haustür und sah links nach der Holzlege, als auf einmal das innere Gesicht, ich bin ein Ich, wie ein Blitzstrahl vom Himmel vor mich fuhr, und seither leuchtend stehen blieb: da hatte mein Ich zum ersten Male sich selber gesehen und auf ewig«[26]. Eine ähnliche Erleuchtung in der schwersten Lebenskrise, November 1790: »Wichtigster Abend meines Lebens«[27] – absolute Todesnähe und Überwindung des Todes »durch stärkere Liebe zu den nichtigen Menschen, die alle dem Grabe zuwanken«.

Die pietistisch-religiöse Färbung der beiden Erlebnisse ist unverkennbar, und doch stellt Jean Paul sich bewußt außerhalb der kirchlichen und sektiererischen Bindungen. Er hat Teil an dem ungeheuren Schub, der sich in der zweiten Hälfte des 18. Jahrhunderts in Deutschland vollzieht: Triumph der Humanität und Toleranz, Wiedereinsetzung der Vernunft und der Schönheit in ihre Rechte nach jahrhundertelanger Bevormundung durch die Theologie. Geist des »Heiligenstädter Testaments«[28] und damit auch Geist Rousseaus, der aus dem tumben Wunsiedler

Johann Paul Friedrich Richter den zur Welt erwachten Jean Paul gemacht hatte. Wie bei Herder aber, seinem engsten Vertrauten in Weimar, bleibt die religiöse Grundstimmung bei Jean Paul lebendiger, drangvoll erregter als bei Goethe, Schiller, Beethoven. Der freudig begrüßte Ausbruch der Französischen Revolution und die politisch-ideologischen Machtkämpfe, die sich aus ihr entwickelten, haben die dialektische Spannung im Dichter oft bis ins Unerträgliche vorgetrieben. Walther Rehm[29] hat aufzeigen können, welch zunehmende Radikalisierung eine seiner berühmtesten Visionen angesichts der Fehlschläge der Revolution zwischen 1789 und 1796 erfahren hat: die »Rede des toten Christus vom Weltgebäude herunter, daß kein Gott sei«.

Die Faszination, die der grandiose Text in der Übersetzung der Madame de Staël[30] auf die französischen Dichter von Nerval, Vigny, Musset[31] bis Balzac, Baudelaire, Renan[32] ausgeübt hat, beruht eben auf dieser Verbindung: vehement tiefe, nihilistische Erfahrung vom »toten Gott« (Büchner, Heine, Nietzsche, Dostojewski vorweggenommen) und wiedererstandener Glaube an die Macht der Liebe als göttlichem Allprinzip, wie Rousseau es im »Vicaire savoyard«[33] verkündet und Victor Hugo bis an die Schwelle unseres Jahrhunderts im selben Sinne weiter getragen hat. Nicht umsonst sind Nietzsches[34] Urteile über Hugo wie über Jean Paul vernichtend böswillig.

Das Gefühl der Aushöhlung, des Abgestorbenseins, das Jean Paul im Alter immer stärker in die Novemberschauer der Jugend zurückversetzte, hat nicht nur metaphysische Gründe, sondern auch ganz weltlich reale. Die Gemeinschaft, von der der Jünger Rousseaus, der Verfasser der »Friedenspredigt« und der »Dämmerungen für Deutschland« geträumt hatte, war nach den Freiheitskriegen ferner denn je gerückt. Die Dichter verkamen in ihrer Einsamkeit; Eremiten überall; die Wirklichkeit sprachlos und kalt. So ist schon »Rektor Fälbel« nicht nur die Karikatur des »Aufklärers«, dem der Verstand das Herz eingetrocknet hat: er ist auch der Typ des Untertans, wie ihn Wedekind und Heinrich Mann später dargestellt haben, kriecherisch und brutal. Die Stelle, wo er vor seinen Schülern salbadernd die Natur preist und ungerührt der Erschießung eines Unschuldigen beiwohnt[35], nimmt Entwicklungen voraus, die einmal massivste Wirklichkeit werden sollten. Auch Doktor Katzenberger ist mehr als der grotesk fanatische Raritätensammler: in ihm steckt schon der Typ des Mediziners, der zynisch-jovial Experimente mit Menschenmaterial anstellt. Jean Pauls Gestalten nur geistesgeschichtlich sehen, heißt ihnen die Klauen und das Grauen der Wirklichkeit rauben. Die rüde Wirklichkeit läßt sich nicht wegmystifizieren bei diesem scharfen Gegner Fichtes, Schellings, Baaders[36] und frühesten Bewunderer des jungen Schopenhauer[37]. Auch sein »Titan« ist weitgehend politischer Roman mit unheimlichen Schlaglichtern auf eine marionettenhaft groteske oder kriminell korrupte Hofgesellschaft, wie später bei E. T. A. Hoffmann. Die englischen und französischen Vorbilder des deutschen Dichters haben es freilich leichter gehabt und hart ansetzen können, wo Jean Paul immer wieder überdeckt, überspielt. Der Hypertrophie des Innenlebens hat er selbst nur sehr bedingt entgegengewirkt. Hier war und blieb aber auch eine der Wurzeln seiner Kraft.

Nicht viele werden durch das Zerklüftete, Verzwickte und Verklemmte, durch Ruinen und über Gerümpel in die Geheimkammern des gewaltigen Werkes vordringen. Und doch sind hier volle Truhen, ungehobene Schätze barrenweise. Aus Kellergewölben steigen ein paar der zynisch-kühnsten Figuren der deutschen Literatur, Schoppe und Leibgeber auf, und zugleich beugen sich über die Verfolgten und Bedrückten Lichtgestalten, wie William Blake[38] sie nicht faszinierender geformt hat. Abrupt grimmiger Humor leuchtet das Elend an. Er löst sich im Rezitativ eines mit Menschenliebe vollgesogenen Herzens, dessen Sprachkraft durch die Jahrhunderte wirkt: »Und ich ging ohne Ziel durch die Wälder, durch Täler und über Bäche und durch schlafende Dörfer, um die Nacht zu genießen wie einen Tag. Ich ging und sah, gleich dem Magneten immer auf die Mitternachtgegend hin, um das Herz an der nachglimmenden Abendröte zu stärken, dieser heraufreichenden Aurora eines Morgens unter meinen Füßen.«[39]

76   Vincenzo Maria Villa

Wiederbegegnung mit einem Modernen.
Jean Paul zum 200. Geburtstag   1963

Die unbequemste, aber die einträglichste Art, heute Jean Paul zu lesen, ist vielleicht ihn à la Rabelais zu lesen, oder für einen Italiener dieser Zeit à la Carlo Emilio Gadda[1] zu nehmen.

Übrigens schon im Jahre 1796 nannte ihn Frau von Kalb in einem Brief »unseren Rabelais«[2] und schlug damit den zukünftigen Kritikern einen Hinweis vor, der nicht aufgenommen worden ist; es wäre freilich nicht schwer gewesen, im Stil Jean Pauls den »pasticheur«[3] zu erkennen, aber die zu leichte Identifizierung barocker Vorbilder hat wahrscheinlich die Forschung abgeleitet; und doch war das Verbindungsglied offensichtlich Fischart.

Die Linie Rabelais – Fischart – Jean Paul ist also nur ein Hinweis geblieben! Und doch erscheint sie uns heute deutlicher als die Linie Hermes – Hippel – Jean Paul, von der mancher Literaturhistoriker gesprochen hat[4]; das hängt vielleicht davon ab, daß die meisten Literaturhistoriker zu oft an gewissen abstrakten Kategorien festhalten, oder mehr auf den Gedankeninhalt als auf die Sprache blicken. Sogar ein feiner Kopf wie Hermann Hesse[5] gibt uns den Eindruck, Jean Paul aus Liebe zu Raabe gelesen zu haben. Die poetische Welt Jean Pauls im Rahmen einer Satire (oder einer Elegie) des Mittelstandes zu sehen bedeutet schließlich, die Möglichkeiten seiner Sprache zu sehr einzuschränken.

Von seinem Gedankeninhalt und von seinem Humor hat man viel geschrieben; sehr wichtig wäre jetzt zu untersuchen, wie sein Humor sich eine ganze neue Sprache erzeugt hat, und zwar durch ein unerhörtes Spiel der Phantasie, welches die aufklärerischen »trouvailles«[6] verschärft, und durch die ungeheure Belesenheit, jene »livresque«[7] Gewohnheit, dicke Hefte in Quartformat mit Zitaten und verwendbarem Material zu füllen, was uns nicht lediglich als pedantische Laune und als überflüssiger Ballast erscheint, wie es im boshaften Urteil von Mme. de Staël[8] erschien, die ihn sicher durch die Brille von A. W. Schlegel gelesen hatte. Und doch war gerade Mme. de Staël sehr nahe an Jean Pauls Eigentliches getreten, indem sie einen der tiefsten Aspekte seines künstlerischen Temperaments verstanden hatte: »*L'esprit de J. P. rassemble souvent à celui de Montaigne*«[9]; aber vielleicht waren die *Essais*[10] schon lange nicht mehr »livre de chevet«[11] für die unerschrockene Propagandistin des romantischen Wortes.

Jene gewisse Irritation, die die Lektüre von Jean Paul in vielen Lesern von heute hervorruft, geht doch immer auf jene Unduldsamkeit zurück, die die Romantiker (außer Tieck) für ihn hatten und die, in anderem Sinne, auch Goethe gehabt hatte, der Jean Paul »Alpdruck der Zeit«[12] genannt hatte; und wer versucht, die Gründe dieser Irritation auf die Sprache zurückzuführen, ist auch nicht auf einer anderen Stufe als jener, der ihm die Begrenztheit einer gewissen idyllisch zurechtgestellten Welt vorwirft, oder der, der die verwickelte Konstruktion seiner größeren Romane nicht leiden kann.

Eigentlich fehlt jede Möglichkeit einer kontinuierlichen Lektüre von Jean Paul: wer ihn in dieser Absicht liest, würde eben in der dauernden Abschweifung lediglich Gründe zur Ungeduld finden. Das Gewebe der Erzählung ist ein Vorwand, dem der Autor relativen Glauben schenkt, so daß er sogar gezwungen ist, ihn ab und zu mit Nähten zu verfolgen, bei denen man den Faden sieht. Es gibt keine Transskription von Tatsachen und Ereignissen: vor dem Realismus war immer die Beobachtung von Tatsachen der Antrieb zu Transfigurationen gewesen, nicht besonders wegen natürlicher Unfähigkeit, die Geschichte zu treffen, sondern wegen der Unmöglichkeit, die sprachlichen Äquivalente aufzufinden. Der Stoff weigert sich, auf eine Fläche reduziert zu werden: er muß auf mehreren Ebenen spielen; es ist eine mehrdimensionale Prosa, mit mehreren Tastaturen und Pedalen. Eine peremptorische und aggressive Poetik also, dem Anschein nach dem Menschen sehr fern; und doch werden wir kaum eine Seite finden, die nicht vom Menschen angetrieben ist. Den Schlüssel zu dieser Poetik liefern uns nicht so sehr die Romane als vielmehr Jean Pauls Beziehungen zu Herder, seine Polemik gegen Fichte und seine ästhetische Propädeutik. So nimmt die Tatsache immer wieder Wunder, daß die »Vorschule der Ästhetik« schon vom Jahre 1804 ist, daß sie sich in der Mitte seiner literarischen Tätigkeit befindet und nicht am Ende.

Die Treue Jean Pauls zu den Eigenheiten des Anfangs hat nichts mit einer Machtlosigkeit zu tun, aus einer Manier, sei sie auch glücklich gefunden, herauszukommen. Und wenn das Inhaltsverzeichnis der »*Grönländischen Prozesse*« (1783) mehr als viele Kritik den Leser orientieren kann (wie schon gesagt wurde[13]), überzeugt uns ein Blick auf das Inhaltsverzeichnis vom »*Leben des Quintus Fixlein*« mit all seinen Prämissen und Interpolationen und Anhängen (unter denen wir eine der köstlichsten Erzählungen, »*Des Rektors Fälbel und seiner Primaner Reise nach [dem] Fichtelberg*«, finden) von der Unmöglichkeit, eine Entwicklung der artistischen Persönlichkeit von Jean Paul zu umreißen.

Eine Geschichte der Kunst dieses Autors ist undurchführbar: jede Entwicklung ist unwirklich; den jugendlichen Idyllen (beispielgebend: »*Das Leben des vergnüg-*

ten Schulmeisterleins Maria Wutz«, mit 27 Jahren geschrieben) kann man die Gestalt des Attila Schmelzle, mit 44 Jahren geschaffen, entgegenstellen; oder der Unzufriedenheit von Siebenkäs, der vom Jahre 1795 ist, die philisterhafte Genugtuung von Dr. Katzenberger, der vom Jahre 1808 ist; aber dieselbe Art, die Seite aufzubauen, die wir in den ersten Werken finden, findet sich auch in den letzten. Mit derselben Wahrscheinlichkeit könnten wir Gegenthesen behaupten: daß etwa die idyllische Haltung genauso falsch ist wie jene moralistische der prickelnden Seiten mit dem Titel »*Das heimliche Klaglied der jetzigen Männer*«[14].

Die Formeln, in die wir einige der Aspekte seiner Werke schließen können, vermögen uns nicht eine Erklärung zu allem zu geben. Könnte nicht jene Zersetzung der Wirklichkeit, in die seine Kritik mündet, eine eigenartige Kunstform sein? Welches ästhetische Vorurteil hindert uns, die Deformation als Stil zu erkennen? Und auch wenn er wahr wäre, daß seine Gestalten keine Menschen sind, sondern nur ausgestopfte Puppen[15] (wie würden wir aber die ganz menschliche Geschichte der Entfremdung von *Lenette* und *Siebenkäs* verstehen?), wer glaubt heute noch, daß ein Stilleben weniger als ein Porträt sein muß? Eine Idylle weniger als ein Roman?

Das Bewußtsein seines Witzes ist von ihm selbst dokumentiert und in jeder Seite erkennbar, nicht nur durch die Absonderlichkeiten der Vorworte, der Zitate, der Anmerkungen, sondern hauptsächlich durch eine äußerst gespannte Sprache, hinter der wir eine scharfe und bissige Intelligenz fühlen. Und er war sich auch der Unechtheit einiger Stellen bewußt, in denen er der süßlichen Empfindsamkeit seines Frauenpublikums schmeichelt; er spielt damit, nagt und beißt daran, ohne daß er die Dichtungsgattung verspotten will, sondern indem er sie als Vehikel seines Witzes benutzt.

Zitate, Moralismus, Humor; in anderen Worten: »Zersplitterung« der Erzählung. In unserer Zeit wäre er ein Essayist gewesen. Die deutsche Literatur, eigentlich ziemlich arm an Kunstprosa, gibt uns mit Jean Paul das vornehmste Muster einer solchen Verbindung.

77   *Helmut Richter*

Idylle, Humor und tiefere Bedeutung.
Zum 200. Geburtstag des deutschen Dichters Jean Paul   1963

Heute hat Jean Paul (eigentlich: Johann Paul Friedrich Richter), eine der umstrittensten Gestalten der deutschen Literatur, seinen 200. Geburtstag. Wie seine Wirkung auf die Zeitgenossen, so war sein Nachruhm bis auf den heutigen Tag: von den einen überschwenglich gefeiert, von vielen anderen kopfschüttelnd beiseitegelegt, blieb sein Werk der Masse des literarischen Publikums fast völlig unbekannt. Jean Pauls eigentümlicher Humor, die seltsame Mischung von grotesken und sentimentalen Zügen, das Verworrene in der Handlungsführung seiner zahlreichen Romane – all dies schreckte die meisten Leser ab und stürzte auch Literaturwissenschaft und Kritik in ein Dilemma, das bis heute noch nicht durch eine überzeugende Einordnung des Dichters in seine geschichtliche und kulturelle Umwelt, die Zeit zwischen Aufklärung und Romantik, überwunden wurde. Und so wird wohl auch sein 200. Geburtstag als der eines »Partialtalents«, wie Friedrich Hebbel vor 100 Jahren schrieb[1], ohne eine große nationale Ehrung vorübergehen; von den einen als Tag der Würdigung und des Dankes festlich begangen, von anderen einfach vergessen.

Unabhängig von Hingabe und Kritik ist wohl keine Vorstellung so eng mit dem Namen Jean Paul verbunden wie die von seinem Schulmeisterlein Wutz und den vielen anderen bürgerlichen und kleinbürgerlichen Intellektuellen, deren Kampf gegen die Armut und Enge ihrer Verhältnisse, ja deren Versuch, sich das Leben durch phantastisch-schrullige Lebenshilfen zur Idylle umzugestalten, ein Zentralthema des Dichters war. Oft verkennt man Jean Paul, wenn man in Erzählungen wie »Das Leben des vergnügten Schulmeisterlein Maria Wutz in Auenthal«, im »Leben des Quintus Fixlein« oder im »Leben Fibels« nur humorvolle Kleinmalerei sieht, Abbildung komischer Käuze. Schlimmer noch ist es, spricht man von Spießertum, Versöhnung mit der deutschen Misere[2] oder von der Unfähigkeit des Dichters, die Schranken einer kleinbürgerlichen Weltanschauung zu überwinden.

Liest man oberflächlich, wie sein Wutz sich über die Sorgen seines Alltags hinweghilft, so scheinen diese Vorwürfe zunächst nicht unberechtigt zu sein. »›Vor dem Aufstehen‹, sagt er, ›freu’ ich mich auf das Frühstück, den ganzen Vormittag aufs Mittagessen, zur Vesperzeit aufs Vesperbrot und abends aufs Nachtbrot – und so hat der Alumnus Wutz sich stets auf etwas zu spitzen.‹«[3] Oder so: »Abends, dachte er, lieg ich auf alle Fälle, sie mögen mich den ganzen Tag zwicken und hetzen wie sie wollen, unter meiner warmen Zudecke und drücke die Nase ruhig ins Kopfkissen, acht Stunden lang. Und kroch er endlich in der letzten Stunde eines solchen Leidenstages unter sein Oberbett, so schüttelte er sich darin, krempte sich mit den Knien bis an den Nabel zusammen und sagte zu sich: ›Siehst du, Wutz, es ist doch vorbei!‹«[4] –

Man wird Jean Paul in diesen Werken nur gerecht, wenn man ihn bei all dieser scheinbar spielerischen Leichtigkeit ernst nimmt: sowohl in einem Wort wie »Leidenstag« wie in dem Humor, der kein Spiel und keine Flucht, sondern schwer erkämpfte und doch immer neu bedrohte Lebensnotwendigkeit ist. Und bitter ernst muß man auch nehmen, was über die Freudenanlässe des Wutz gesagt wird, denn sehr oft war für diese umhergetriebenen Armenschüler und mittellosen Studenten, die wie Jean Paul und viele andere begabte Menschen kleinbürgerlicher Herkunft auf Freitische angewiesen waren, eine gesicherte Mahlzeit ein kleiner, aber wichtiger Schritt auf dem Wege zu neuem Wissen, das half, sich aus dem Dunkel einer niederdrückenden Armut zu erheben.

Zeitgenössische Quellen bestätigen tausendfach den Heroismus, der in jener Zeit nötig war, Lehrer zu werden und es auch wirklich zu sein. Die heute fast unvorstellbaren Schulverhältnisse brachten es mit sich, daß kaum einer aus wohlhabenderer Familie die Fron dieses Berufes auf sich nahm. Die Lehrer rekrutierten sich aus dem Kleinbürgertum, aus dem Handwerk und der Bauernschaft, also aus Verhältnissen, in denen die Eltern kaum Geld für Schule und Universität aufbringen konnten. Höchstleistungen in allen Fächern waren die Voraussetzungen, die Aufmerksamkeit der Lehrer und damit die Aussicht auf Schulgeldfreiheit zu erringen. Nebenarbeit als Tagelöhner oder Schreiber mußte das Geld für den Lebensunterhalt bringen, das nie ausreichte und durch oft erniedrigende Bittgänge bei reichen Gönnern ergänzt werden mußte. Nicht selten belastete zusätzlich die Verantwortung für arbeitsunfähige Eltern und Geschwister. Auch nach dem Ende der Ausbildung blieb das Leben schwer genug. Bis zum Ende des 18. Jahrhunderts wurde in der Heimat Jean Pauls der Volksschulunterricht in den Wohnungen der Lehrer erteilt, da es keine Schulgebäude gab; von seinem kärglichen Gehalt hatte der Schulmeister Bänke, Tafeln und andere Lehrmittel selbst zu beschaffen und instand zu halten. Ferien gab es so gut wie nicht, ebenso kaum freie Zeit, da die Lehrer bei der geringen Bezahlung gezwungen waren, nach dem eigentlichen Unterricht noch Privatstunden für Kinder wohlhabender Familien zu geben. –

Aller Bewunderung wert ist es, was Lehrer in allen Teilen unseres Landes unter solchen Umständen geleistet haben, wie sie trotz Armut und Enge alles an sich brachten und weitergaben, was in Europa an bahnbrechenden neuen Gedanken entstand, wenn sie es auch natürlich oft nicht vollständig bewältigen konnten und notgedrungen in ihre beschränkte Welt projizierten. Lebendigstes Zeugnis dieses Strebens nach Überwindung der Fesseln von Armut und Unwissenheit, zugleich Zeugnis von den Wurzeln der humoristischen Subjektivität des Dichters Jean Paul ist die Art, wie sein Schulmeisterlein Wutz sich eine große Bibliothek eigenhändig schrieb, indem er nach den Buchtiteln der Messekataloge die entsprechenden Werke selbst verfaßte, denn zum Kauf der ersehnten Bücher hatte er natürlich kein Geld. »Sein Schreibzeug war seine Taschendruckerei: jedes neue Meßprodukt, dessen Titel das Meisterlein ansichtig wurde, war nun so gut als geschrieben oder gekauft; denn es setzte sich sogleich hin und machte das Produkt und schenkt' es seiner ansehnlichen Büchersammlung, die, wie die heidnischen, aus lauter Handschriften bestand.«[5] –

Dies muß man sich ins Gedächtnis rufen, wenn man Jean Pauls Helden mit Sorgen kämpfen und sich an Freuden erlaben sieht, die uns heute kleinlich erscheinen mögen. Sie sind die Voraussetzung für eine Pflichterfüllung, der es zu danken ist, daß die große deutsche Literatur und Kunst wenigstens in gewissem Maße in ihr Volk zurückfinden und neue Kräfte wecken konnte. Es bedeutet nicht, wie schon so oft geschehen, Jean Paul gegen die Weimarer Klassik auszuspielen, wenn man feststellt, daß er Wirklichkeitsbereiche gestaltet, die Goethe und Schiller niemals als die Gestaltung würdig empfanden, ohne die sie aber nicht denkbar sind. Deshalb geht es aber auch nicht an, jene Werke Jean Pauls als spießbürgerliche Idyllen oder miserable Kompromisse gleichsam nur zu dulden. Sie zeigen eine Welt, in der Arbeit, Freundschaft, Liebe und Humor nur möglich waren, wenn man das Vertrauen in einen menschlichen und geschichtlichen Sinn des Ausharrens und der Pflichterfüllung niemals verlor. Es ist im Grunde das gleiche, in den Niederungen aber viel schwerere Vertrauen, das die Gipfelleistungen der deutschen Literatur prägt. Dieser Haltung gebührt unsere Achtung und Verehrung; sie sollte uns auch zu der Geduld verpflichten, die Jean Pauls Werk in so reichem Maße zugleich fordert und belohnt.

78   *Walther Killy*

Es gibt keinen rosa Jean Paul.
Einspruch gegen ideologischen Mißbrauch   1963

Die Ideologie sieht sich genötigt, das Große auf ihr eigenes, beschränktes Maß zu reduzieren. Gegenüber der Wahrheit der Erscheinung verhält sie sich häretisch: Sie borgt ihr Teile ab und gibt vor, das Ganze zu zeigen, das sie als Ganzes nicht brauchen kann.

»Das Maß ist der Mensch und nicht die Ideologie« – so war in der *Zeit* vom 22. März 1963 ein Aufsatz über Tibor Déry überschrieben. »Das Maß ist die Ideologie, nicht die geschichtliche Erscheinung« – so hätte man den Artikel überschreiben sollen, den Hans Mayer in derselben Ausgabe Jean Paul und seinem Nachruhm gewidmet hat[1].

Nichts in diesem Artikel stimmt, das Bild des Dichters so wenig wie die Geschichte seiner Wirkungen, und es gibt wohl keinen abwegigeren Gedanken als den, diesen Titanen unter den deutschen Erzählern zum politischen Protestierer zu stempeln.

Seine Poesie ist keine »Dichtung der vergeblichen Sehnsucht nach anderen Zuständen«[2]. Sie gehört zum Höchsten, was poetische Einbildungskraft in deutscher Sprache hervorgebracht hat. Als Poesie ist sie nahezu absolut, nur noch mit einem unsichtbaren Faden an die wirkliche Welt geheftet. *Musik der Musik*, um eine Wendung des Dichters zu gebrauchen[3]. Nichts ist ihm gleichgültiger als die Wirklichkeit (auch wenn er sich im Tage engagierte), mit nichts erreicht man ihn weniger als mit den Begriffen der »Gesellschaftsgeschichte«.

Es bleibt deshalb unerfindlich, auf welche Weise die Jahre 1848, 1871 und 1914 die »Grundphänomene« einer Dichtkunst hätten »lösen« sollen[4], welche sich selbst mit folgenden Worten zu verstehen suchte: *Es ist, als wenn der Mensch, von neuen Bergen aus Wolken umschlossen, ohne Himmel und ohne Erde, bloß im Meer des Schnees treibend – so ganz allein – kein Sington und keine Farbe – ich wollte etwas sagen; nämlich der Mensch muß aus Mangel äußerer Schöpfung zu innerer greifen.*[5]

Nichts Verdrießlicheres könnte dem Dichter geschehen, als daß man die unerhörten Farben und Töne solcher inneren Schöpfung in Gleichsetzungen für die Plattheit täglicher Verhältnisse umdeutet. Im Werke Jean Pauls geht es um anderes. Könnte man es auf Begriffe bringen, so bedürfte es dieses Werkes nicht, das mit wenig Handlung und verhältnismäßig wenigen Gestalten immer wieder neue Figuren für die Einsamkeit des Menschen ersinnt, der in der Welt der Morgenröten und Nachtigallenlieder nur noch flüchtigen, keinen wirklichen Halt mehr findet. *Von neuen Bergen aus Wolken umschlossen, ohne Himmel und ohne Erde . . .*

Die Albano und Schoppe, Walt und Vult, Siebenkäs und Leibgeber haben ganz

andere Spannungen auszutragen als »das Spannungsverhältnis zwischen Humanitätsideal und realer Misere«[6]. In ihnen werden die beunruhigendsten Fragen des
Menschen dunkel begreiflich, freilich nicht in der Sprache weltanschaulicher Dia-
lekte, sondern in der tieferen, Abgründe eröffnenden und zudeckenden der Poesie.
Es sind Fragen jenseits aller Geschichte, in einem Spiegel als in einem dunklen
Wort. *Da sah Leibgeber zufällig in den Spiegel: »Fast sollt ich mich doppelt sehen,
wenn nicht dreifach«, sagt er; »einer von mir muß gestorben sein, der drinnen oder
der draußen. Wer ist hier in der Stube denn eigentlich gestorben und erscheint
nachher dem andern? Oder erscheinen wir bloß uns selber? ...«*[7]

Von solchen Gegenständen spricht Jean Paul. Nicht von denen, die Hans Mayer
ihm unterschiebt, auf eine Weise, die nähere Betrachtung verdient, weil sie das
ideologische Verfahren überaus deutlich macht.

Er zitiert (sein einziges Jean-Paul-Zitat) einen berühmten Paragraphen aus der
theoretischen Selbstinterpretation des Dichters, der »Vorschule der Ästhetik«, in
welchem Richter die humoristische Vernichtung des Endlichen *durch den Kontrast
mit der Idee* beschreibt[8].

Und dann kommt der Trick, der den Text des Dichters den Forderungen der
Ideologie anpaßt. »Die Idee ... weist hinüber zur französischen Aufklärung und zu
Rousseau«, so behauptet Mayer[9], und das ist einfach nicht wahr. Der voraufge-
hende Paragraph macht vollkommen deutlich, daß mit der *Idee* das *Unendliche*
gemeint ist, der Widerpart jeder geschichtlich-endlichen Realität. Durch nichts
wird jene kecke Identifikation belegt, durch nichts ist also die nächste Manipulation mit dem begründet, was eben noch Idee hieß, nämlich »der Verrat an dieser
Idee in Frankreich wie in Deutschland, die deutschen Zustände ...«; folgt doch bei
Jean Paul aus dem Kontrast zwischen Idee und Endlichem in kühnem Gedanken-
gang die Möglichkeit, das Unendliche poetisch zu vernichten, um eine neue dichterische, negative Unendlichkeit hervorgehen zu lassen. Das ist Jean Pauls schließlich
unausdenkbare Bestimmung des Humors. Sie ist von pseudo-marxistischen Tink-
turen genauso unberührt wie von der bürgerlichen Verniedlichung, die in dem
Autor allein den skurrilen Vater des Schulmeisterlein Wutz und des Dr. Katzenberger sieht.

Mayer macht sich dies bürgerliche Mißverständnis ausdrücklich zu eigen, indem
er denen zustimmt, welche Jean Paul als kauzig und schrullig empfinden, als empfindsam und überladen.

Gewiß ist das Mißverständnis alt; ebenso gewiß hat es mit dem Sinken von
Richters Ruhm zu tun. Aber die Ursachen, welche dieses Sinken ermöglichten,
liegen wahrhaftig nicht in Verrat, Kleinstädterei und »deutscher Misere« (die in
Ost und West noch groß genug ist) begründet. Sie hängen mit dem überaus sporadischen und mangelhaften Verhältnis der Deutschen zur Literatur überhaupt zusammen, das Hugo von Hofmannsthal und – man muß es ihm lassen – George
ausdrücklich gerügt haben.

Nur für einen kurzen geschichtlichen Augenblick hat man in Deutschland gewußt, daß Poesie mehr sei als auf farbige Flaschen gezogene Weltanschauung, mehr
als Anlaß zu unbestimmten Empfindungen.

Um 1800 war dem Gebildeten deutlich, daß sie ihre eigene, notwendige, niemals ideologische Sprache spricht, welche viel Bemühung und Einübung erfordert. Dies Bewußtsein hat Jean Pauls Ruhm ermöglicht, indem es schwand, ging er dahin (und mit ihm der Ruhm so verschiedener Dichter wie etwa Wieland, Herder und Arnim). Niemand nahm mehr wahr, wie genau die überreiche Bilderwelt der Richterschen Romane ineinandergefügt ist, wie sehr die Träume der Lebensprosa entsprachen, wie in der immer erneuten Stilfigur einer Bewegung zwischen Nähe und Ferne das Selbstgefühl des heimatlosen Menschen sich zu finden versuchte. Es waren *Brotverwandlungen des Geistes*[10]. Aber die satten Deutschen wollten dies geistige Brot nicht mehr.

Von all dem, und von Jean Paul als Dichter, ist bei Mayer nicht die Rede, weil seine Ideologie das Ästhetische als eigentümlichen Wert nicht kennt, wie sie den im Anfang zitierten Dichtungsbegriff nicht anerkennen darf. Sie sucht die Dichtung in die knirschende Kette von Ursache und Wirkung zu fesseln, welche das Lehrgebäude zusammenhält. *Je niedriger der Boden und die Menschen eines Kunstwerks und je näher der Prose* (von den Interpreten spricht Jean Paul nicht), *desto mehr stehen sie unter dem Satz des Grundes. Glänzt aber die Dichtung von Gipfeln herab, stehen die Helden derselben wie Berge in großem Licht und haben Glieder und Kräfte des Himmels; um desto weniger gehen sie an der schweren Kette der Ursächlichkeit ... Für das luftige ätherische Geisterreich der Poesie ist der Prozeßgang der Reichsgerichte der Wirklichkeit viel zu langsam.*[11]

Es ist nur folgerecht, daß Mayer in seiner Skizze der Wirkungen (und Nichtwirkungen) Jean Pauls diejenigen Zeugen nicht berücksichtigt, welche die dämonische Tiefe dieses Werkes oder die Fülle der Kunstabsichten und Kunstverwirklichungen zu zeigen versuchen.

Kein Wort von *Walther Rehms*[12] Bemühung um die religiöse Unruhe, die in den gewaltigen Visionen der Romane unausweichlich sich ausdrückt.

Keine Erwähnung von *Kommerell*[13], der unter den neueren Deutern der Poesie vielleicht am meisten vom Poetischen verstanden hat. Aus seinem nicht leicht lesbaren, jugendlich-genialen Jean-Paul-Buch seien Sätze zitiert, welche ein gerechteres Andenken an einen der größten Dichter ermöglichen. In ihnen ist vom Menschen die Rede, nicht von einer zum Schlagwort entwürdigten Humanität: »Die Klassik legte einen zu schmalen Ring um die Kräfte. Jean Paul ist wie Beethoven Zeuge, wie die riesigen vor Schmerz knirschend auseinanderfuhren. Der Meister des ›Titan‹ hat den Mut zum Unmaß, erlaubt der Einsamkeit der philosophischen Vernunft, dem Weltverlachen, der Lüge der Person mit sich, der Selbstanbetung der Leidenschaft, dem bengalischen Licht der Phantasie, dem Griff des Geistes nach den Geistern, der Selbstherrlichkeit des Handelnden eine drohende, dem Blitz benachbarte Höhe. Dann hat er wieder alles zusammengedacht. Und nur darum, weil nichts allein und alles zusammen war, blieb das Ganze heil und hielt Maß: ein schöner Riese. Während er so die Krankheitsgeschichte des neueren Menschen schrieb, wurde sie ihm unter dem Schreiben auch zur Gesundheitsgeschichte. Denn als er sich besann, worauf die Erscheinungen wiesen, war es nicht der schöne, war es der zusammenfassende Mensch.«[14]

Goethe hat ein Programm, Jean Paul eine Existenz
(Über »Wilhelm Meister« und »Hesperus«)   1974

[...] Jean Paul kommt so weit, eine seiner Figuren sagen zu lassen: »Dann spei' ich
aufs Ganze, wenn ich das Opfer bin, und verachte mich, wenn ich das Ganze
bin.«*

Das ist fortgeschritten. Zu weit fortgeschritten. Jean Paul kann sich nicht halten.
Er kann sich nicht hier behaupten, in dieser Welt. Andauernd reißt es ihn hin und
her zwischen Mikrowelt und Kosmos oder einfach in seine »2. Welt in der hiesigen«[1]: in die Poesie. Der Freund des Hesperushelden, der vermeintliche Kaplans-
sohn Flamin denkt sich eine Rede aus, die direkt aus dem Paris der ersten neunziger
Jahre oder aus Büchners Schriften zu stammen scheint (»Ihr arbeitet wohl, aber ihr
habt nichts, ihr seid nichts, ihr werdet nichts – hingegen der faulendzende tote
Kammerherr da neben mir ...«**); aber um diese Rede öffentlich halten zu können, müßte er jemanden umbringen, dann auf dem öffentlichen Richtplatz, kurz
vor der eigenen Hinrichtung, könnte er »die Flammen unter das Volk werfen, die
den Thron einäschern sollen«; deshalb beschließt er, einen Mord, den ein anderer
begangen hat, auf sich zu nehmen. Das sind arg weite Umwege. Der Kleinbürger
sieht einfach keine Stelle in dieser Welt, die ihm den Eintritt in die wirkliche
Geschichte erlaubte. Sein Programm ist noch nicht abrufbar. Goethes Turmgesell-
schaft, als adelige Investitionsgesellschaft in Rußland und Amerika, wird das
19. Jahrhundert beherrschen. Wie auch immer sich von heute aus gesehen Goethes
Meister-Programm ausnimmt, es war das Programm der Stunde, denn das deutsche
Bürgertum war schon im Besitz der Produktionsmittel. Die reale Macht, die tech-
nologische und die ökonomische, besaß es schon. Nur die Würde fehlte noch. Der
Überbau. Den holten sich Goethe und sein Wilhelm ungeduldig beim Adel. Eigentlich ein unwichtiges Buch, dieser »Wilhelm Meister«? Wenn der Überbau
unwichtig ist! Er ist es nicht. Er ist die Stelle über den Köpfen, die vorher von der
Religion besorgt worden war.

Nachdem Wilhelm seinem Freund und Schwager Werner aufgetan hat, daß er
eine »unwiderstehliche Neigung« habe »gerade zu jener harmonischen Ausbildung«, die ihm per Geburt versagt sei, fährt er fort: »Ich habe, seit ich dich
verlassen, durch Leibesübung viel gewonnen; ich habe viel von meiner gewöhnlichen Verlegenheit abgelegt und stelle mich so ziemlich dar. Ebenso habe ich meine
Sprache und Stimme ausgebildet, und ich darf ohne Eitelkeit sagen, daß ich in
Gesellschaften nicht mißfalle. Nun leugne ich dir nicht, daß mein Trieb täglich
unüberwindlicher wird, eine öffentliche Person zu sein« (vom Adeligen wird eine
Seite davor gesagt: »Er ist eine öffentliche Person«), »und in einem weiteren Kreise

---

* Hesperus [in: Hanser Bd. 1], S. 1018.
** Ibid., S. 1166.

zu gefallen und zu wirken. Dazu kommt meine Neigung zur Dichtkunst und zu allem, was mit ihr in Verbindung steht, und das Bedürfnis, meinen Geist und Geschmack auszubilden, damit ich nach und nach auch bei dem Genuß, den ich nicht entbehren kann, nur das Gute wirklich für gut und das Schöne für schön halte. Du siehst wohl, daß das alles für mich nur auf dem Theater zu finden ist ... Auf den Brettern erscheint der gebildete Mensch so gut persönlich in seinem Glanz, als in den oberen Klassen. ...«*

Und – als hätten sie absichtlich gegeneinander geschrieben – die Position Jean Paul-Viktor Sebastians: »In der Tat gab ihm das Leben in der großen Welt zwar geistige und körperliche Gewandtheit und Freiheit, wenigstens größere; aber eine gewisse äußere Würde, die er an seinem Vater, am Minister ... wahrnahm, konnt er niemals recht oder lange nachmachen; er war zufrieden, daß er eine höhere in seinem Innern hatte, und fand es fast lächerlich, auf der Erde ernsthaft zu sein, und zu gering, stolz auszusehen. Vielleicht konnten sich eben darum Viktor und Schleunes nicht leiden; ein Mensch von Talenten und ein Bürger von Talenten hassen einander gegenseitig.«**

Das ist die Kleinbürgertendenz. Der Weg nach innen. Die Herabwürdigung der Erscheinung zugunsten der Seele. Aus der Not wird eine große, phantastische, hinreißende, unendliche und vollkommen ohnmächtige Tugend. Während die Bürgersöhne Werner und Wilhelm in Ruhe den wirklichen Globus und die darauf entstandenen Verhältnisse betrachten und genau die Bereiche bezeichnen, wo der Bürger real ansetzen muß; der eine in der Produktion und Verteilung von Gütern, der andere in der Produktion von Schönheit und Sinn. Und falls das noch nicht genug Würde und nicht das richtige Selbstgefühl liefere, so bemühe man sich ums Adelsdiplom. (Heute entspricht dem etwas der Dr. h. c.) Eine Wallfahrt nach dem Adelsdiplom hat Novalis den Roman Goethes genannt[3]. Er war mehr. Er war die das bürgerliche Selbstbewußtsein weihende Programmschrift. Erstens wurde hier von höchster klassischer Stelle verfügt, daß der Bürger seine Arbeit nie zum Selbstzweck werden lassen dürfe (das abschreckende Bild des »arbeitsamen Hypochondristen«[4] Werner), er müsse vielmehr Arbeit zum Vehikel der Selbstverwirklichung machen, also immer an den kulturellen Mehrwert denken; den könne er im Adelsdiplom realisieren; dazu tauge er schließlich, wenn er seine angebornen Fähigkeiten nur recht ausbilde. Das war die Übersetzung der wirklichen Machtverhältnisse in Romanverhältnisse. Und es war eine sorgfältige, ganz und gar auf das Momentane spekulierende Übersetzung. Zukunft nur als Entwicklung eines besseren Rituals für die eigene Klasse. Also ungeheuer kleinmütig. Unheimlich beschränkt auf eine Minorität. Und hat doch über 100 Jahre lang seinen Dienst genau getan. Genau so lang, wie die Machtverhältnisse in dem damals abgeschätzten Bereich blieben: so lange, als es gelang, als Menschen nur die gelten zu lassen, die Bürger oder Adelige waren. Eine besinnungslose Literaturwissenschaft hat diesem Buch, das schön ist, wenn man nicht bedenkt, wie viele Menschen es ausschließt, in sektenhaftem Kult

* Wilhelm Meister, S. 313 f.[2]
** Hesperus [in: Hanser Bd. 1], S. 906.

eine lächerlich überzeitliche Position gebastelt. Ganz nach den Anweisungen aus dem klassischen »Saal der Vergangenheit«, in dem die Zeit als schönste Leiche für immer festgehalten werden soll. Weil man schon alles in der Hand hat. Weil man schon herrscht. So soll es bleiben.

Der Kleinbürger also flüchtet, um seine Menschenwürde zu retten, nach innen. Da ist er selber Herr, hofft er. Da folgt ihm die Bürger-Adelsherrschaft nicht nach. Da drin ist er dann so frei wie die Maus im Loch, vor dem die Katze sitzt. Er verachtet das Draußen und schreibt Satiren gegen die Katze.

Jean Paul schreibt in seinem »Hesperus« an den, der ihm das Material zum Roman liefert, daß er den Schreib-Auftrag annehme; und in diesem mit »Jean Paul« unterzeichneten Brief steht noch: »Ich finde die beste Welt bloß im Mikrokosmos ansässig, und mein Arkadien langt nicht über die vier Gehirnkammern hinaus; ... die Gegenwart ist für nichts als den Magen des Menschen gemacht; die Vergangenheit besteht aus der Geschichte, die wieder eine zusammengeschobene, von Ermordeten bewohnte Gegenwart ... ist. – Es bleibt also dem Menschen, der in sich glücklicher als außer sich sein will, nichts übrig als die Zukunft oder Phantasie, d. h. der Roman.«*

Das heißt, es gibt Einsichten, die, so richtig sie sind, zu der Zeit, die sie hervorbrachte, noch für nichts anderes brauchbar sind als zum inneren Training. Zum Training der inneren Selbstbehauptung, da die äußere noch nicht möglich ist. Eine richtige Krüppel-Kondition. Und das ist für Autor und Leser *eine* Lage. Sie sind angewiesen auf Zukunft. Und es sieht aus, als könne der Kleinbürger nichts anderes tun als seinen inneren Reichtum vorzutragen; die Verwirklichung kommt nicht vor. Nach außen bleibt er hoffnungslos und satirisch: »Die Großen verwechseln oft die Wirkung ihrer Zimmer und Geräte mit ihrer eignen – wenn sie der Gelehrte auf einem Rain, in einem Walde, an einem Krautfelde überfallen könnte: er wüßte sich zu benehmen.«**

Genauso ist es. So realistisch, so materialistisch durchschaut Jean Paul das Herrschaftsverhältnis. Aber die Wirklichkeit macht seinen Konjunktiv nicht rückgängig, sie läßt tägliche Herrschaft in Residenz, Kanzlei und Büro stattfinden und nicht am Krautfeld, im Walde, auf einem Rain.

Die beiden Bücher sind gegeneinander gerichtet, ohne daß die Autoren das wissen mußten. Sie sind so sehr gegeneinander gerichtet, wie es die Namen der Helden ausdrücken: Wilhelm Meister: der martialisch-feudale Klang mit der unanfechtbaren technokratischen Kompetenz des Bürgers zusammengebläht zu einer »Formel, die Vortreffliches bezeichnete«, wie es Thomas Mann mehr als 100 Jahre danach in herbemühtem Goethedeutsch für seinen Tonio Kröger direkt aufsagt[5]. Und Viktor Sebastian: der Sieger *und* Superdulder, ein Name uneins in sich; so sehr Wilhelm zu Meister, so wenig paßt Viktor zu Sebastian.

In seiner »Vorschule der Ästhetik« hat Jean Paul sein Verfahren, das nicht das objektivierende ironische war, sondern das andauernd humoristische, das sich

* Ibid., S. 509.
** Ibid., S. 729.

daran entzündet, daß nichts zu etwas paßt, so charakterisiert: »Ich zerteile mein Ich in einen endlichen und unendlichen Faktor und lasse aus jenem diesen kommen. Daher spielt bei jedem Humoristen das Ich die 1. Rolle; wo er kann, zieht er sogar seine persönlichen Verhältnisse auf sein komisches Theater, wiewohl nur, um sie poetisch zu vernichten.«* Oder: »Der Humor ist, wie die Alten den Diogenes nannten, ein rasender Sokrates.«**

Die ersten Autoren, die diese Selbstaufhebungsorgien des Kleinbürgers aus dem Satirischen befreiten und ihnen auch in der Literatur das Recht verschafften, das ihnen die bürgerlich beherrschte Wirklichkeit in Kontor und Schulstube und Schlafzimmer nur zu gerne gestattete, waren Robert Walser und, nach ihm, Franz Kafka; diesen Aufhebungsorgien ein Recht in der Literatur zu verschaffen hieß, sie nicht mehr direkt zu kritisieren, sondern die Unterworfenheit des Kleinbürgers als etwas Objektives erscheinen zu lassen: als Weltordnung oder Menschenlos ... Dadurch werden dann nicht mehr die »persönlichen Verhältnisse« vernichtet, sondern die gesellschaftlichen. Und aus Büchern der Satire werden Bücher der Ironie.

80   *Rudolf Augstein*

Die hochgeborene Revolution
Jean Paul und die deutsch-deutschen Sozialisten   1974

Als ich mir auf der Suche nach einem Rezensenten für Wolfgang Harichs Buch »Jean Pauls Revolutionsdichtung«*** den siebten Korb geholt hatte – der eine kannte Jean Paul zu gut, der andere zu wenig, der eine kannte Wolfgang Harich zu wenig, der andere zu gut – und als auch der Jean-Paul-Kenner Martin Walser nicht zusagen mochte, kam ich zu dem Schluß, es andersherum anzufangen.

Martin Walser, ein linker Sozialist in der Bundesrepublik, welchen Bezug stellt denn er zu Jean Paul her? Walser will an Hand der Figur Jean Pauls zeigen, »daß sozusagen menschenmögliches Dasein für einen Kleinbürger unter bürgerlicher Herrschaft nicht möglich war«[1], nicht möglich ist, bis zum heutigen Tage nicht****.

Walser denkt, er sei solch ein Kleinbürger. Daß er als solcher ein menschenmögliches Dasein weder in Kuba noch in China führen könnte, sondern dann schon lieber in den USA, macht sein Tun so ausweglos. Wie in einem Spiegel-Labyrinth sieht und trifft er, unbeschadet der Zeit und der Geographie, immer nur den Kleinbürger Martin Walser. So sieht er auch in Jean Paul »dieses unstabile, immer umkippende Ich«[2], das Ich, wie Jean Paul sagt, als »Schaumglobus«[3].

Man muß das wohl eine ungemein aktuelle, unter die Haut gehende Art nennen,

---

* Vorschule der Ästhetik [in: Hanser Bd. 5], S. 132.
** Ibid., S. 139.
*** Wolfgang Harich: »Jean Pauls Revolutionsdichtung«. Rowohlt Taschenbuch Verlag, Reinbek; 632 Seiten; 15 Mark.
**** Martin Walser: »Goethe hat ein Programm, Jean Paul eine Existenz«, Beitrag zum Rowohlt-»Literaturmagazin 2«; 288 Seiten; 12 Mark.

sich dem politischen Schriftsteller Jean Paul zuzuwenden. Aber, wie Harich zeigt, geht das auch andersherum, altbacken und altmodisch, mit einer systematisch genähten und gezwirnten Literaturtheorie, Unterabteilung einer, der marxistischen Weltanschauung, innerhalb welcher sie sich ganz ungebührlich kuckuckhaft breitmacht.

Walser fragt, was geht Jean Paul mich an; sehr viel, meint er und stößt nicht zufällig auf folgenden Satz einer Jean-Paul-Figur: »Dann spei' ich aufs Ganze, wenn ich das Opfer bin, und verachte mich, wenn ich das Ganze bin.«[4] Der Kleinbürger, damals wie heute, sieht keine Stelle in dieser Welt, die ihm den Eintritt in die wirkliche Geschichte erlaubte; und wenn er Romanschreiber ist, so hat er hier sein lebenslanges Thema.

Ganz anders Harich, der gelernte Philosoph, der marxistische Philologe. Bei ihm herrscht Ordnung, der marxistische Literaturglobus ist nicht schaumig, sondern heil. Was »der Marxismus« hinsichtlich der Beurteilung eines Klassikers noch erlaubt und was nicht, wird kategorisch festgestellt. Jeder bekommt seinen Platz zugewiesen, nicht jeder den Platz, an dem er vom Vulgär-Marxisten, oder von einem Subjektiv-Marxisten wie Walser, vermutet wird. Da vollbringen dann Goethe und Schiller »eine emanzipatorische Leistung von weltgeschichtlicher Tragweite«[5] (woher nur diese maßlose Hochschätzung des Überbaus bei so buntscheckig verschiedenen Sozialisten wie Harich und Walser?).

Goethe, laut Harich, ist größer als Schiller und Jean Paul. Aber Goethe hat schon sein Piedestal. Jean Paul hingegen war nicht nur »der bedeutendste Erzähler der Goethezeit«[6], nicht nur der »größte Humorist deutscher Sprache«[7]. Nein, Harich hat es auf den »Revolutionsdichter« Jean Paul abgesehen. Er will zur »unter Sozialisten längst fälligen Jean-Paul-Renaissance« beitragen, will »der Arbeiterbewegung endlich den Zugang zu einer der belangvollsten Erscheinungen ihres revolutionär-demokratischen Literaturerbes« erschließen[8].

Ob das gelingen kann, ob der Versuch sich lohnt? Er lohnt sich, was uns literarische Luxusgeschöpfe angeht, uns Überbau-Idioten, die sich überhaupt noch für Vergangenes, für Geschichte vor wie nach Marx, für Literatur unter nichtmarxistischen wie marxistischen Vorzeichen interessieren. Gelingen bei aller Bewunderung für Harichs Systematik und phantasievolle Verknüpfungskunst, kann er nicht.

Ich liebe diese Bücher, die man gegen den Strich lesen muß; wo man soviel begreift und inne wird, obwohl oder gerade weil man der regierenden Partei (die im Besitz allen Wissens und aller Macht ist) auf jeder Seite aus Lust und Überzeugung opponiert. Harich argumentiert mit der Fairneß eines Rhetors aus der Schule des Aristoteles; er stellt alles (fast alles) Geschütz, mit dem man seine Bastion erledigen kann, eigenhändig bereit, verschwenderisch, nahezu protzend und aufgeprotzt.

Unter »Revolutionsdichtung« faßt er drei Romanwerke Jean Pauls zusammen, die zwischen 1790 und 1803, also zwischen dem 28. und dem 40. Lebensjahr des Dichters erarbeitet worden sind und die rein äußerlich, von ihrem Handlungsablauf her, die Überwindung der deutschen Misere zum Gegenstand haben: das 1793 erschienene Fragment »Die unsichtbare Loge«, den »Hesperus« (1795), der Jean Pauls Armut beendet und seinen Ruhm begründet hat, sowie den »Titan« (1800 bis

1803), laut Harich der größte Roman deutscher Sprache, ja, die »größte Prosadichtung der Epoche«[9].

Hier soll nicht bestritten werden, daß Jean Paul *der* Emanzipationsdichter der Frauen ist – er schreibt etwa von deren »zerfegten, zerkochten, zerwaschenen Leben«[10] – und ebenso wenig, daß die Knechtung der Bauern in ihm ihren treffendsten und ätzendsten Satiriker gefunden hat. Den »jungen, aber fetten Domherrn von Meiler« etwa stellt er im »Titan« als einen vor, »der, um seinen innern Menschen mit einem dicken, warmen Äußeren zu bekleiden und auszuschlagen, jährlich nicht mehr Bauern abzurinden braucht, als der Russe Lindenstämme für seine Bastschuhe abschindet, nämlich 150«[11].

Jean Paul als erster bedichtet nicht nur die Erde, sondern sogar die Sonne als verlorenes Äthertröpfchen im All. Er hat erkannt, daß zum Wohlergehen Europas Schwarze nötig seien[12]; hat eine seiner satirischen Figuren sagen lassen, es sei ein Mißbrauch der Häuser, daß sie bewohnt würden[13].

Nein, keinesfalls sollen hier die Qualitäten des Autors von »Siebenkäs« und »Quintus Fixlein«, vom vergnügten »Schulmeisterlein Wutz« und der »Flegeljahre« bestritten werden, auch nicht seine sozialkritisch-realistischen. Einen herrlicheren Phantasten haben die Deutschen nicht zu bieten. Zur Harich-Debatte steht aber ausschließlich, ob er ihnen »eine revolutionäre Perspektive zu zeigen« versucht hat[14] und ob ihm das gelungen ist.

Fragt sich nun, was eine revolutionäre Perspektive ist. In der »Unsichtbaren Loge«, zu Ostern 1793 erschienen, findet sich ein Hinweis. Gustav, der Held, der den Menschen nützen will, bringt in einem Brief an seinen Hofmeister, den Ich-Erzähler Jean Paul, die Erwägung vor, am »Sessiontisch« den Staat verbessern zu helfen. Jean Paul, der Dichter, setzt eine Fußnote dagegen, und die lautet: »Ich kann nichts dafür, daß mein Held so dumm ist und zu nützen hofft. Ich bin's nicht, sondern ich zeige unten, daß das Medizinieren eines kakochymischen Staatskörpers (z. B. bessere Polizei-, Schul- und andere Anstalten, einzelne Dekrete etc.) dem Arzneieinnehmen des Nervenschwächlings gleiche, der gegen die Symptome und nicht gegen die Krankheitsmaterie arbeitet und der sein Übel bald wegschwitzen, bald wegbrechen oder weglaxieren oder wegbaden will.«[15]

Ostern 1793 war etwa der Zeitpunkt, da die Girondisten in Paris untergingen und die von Jean Paul stürmisch begrüßte große Revolution umkippte. Den Terror des Jahres 1793 hat er »verständnislos« (Harich[16]) verurteilt. Die »Loge« enthält viel Verschwörergetue, hat aber keinen Schluß, so daß man aufs Raten angewiesen bleibt. Offenkundig dient sie als Vorübung.

So müßte denn der »Hesperus« (= Abendstern), noch nahe genug an der gescheiterten Revolution und doch auch schon weit genug von ihr entfernt, die revolutionäre Perspektive auffalten? Wie ich mich überzeugt habe, war er das Lieblingsbuch der Königin Luise von Preußen. Sollte sie die revolutionäre Losung überlesen haben?

Das muß nicht sein, ja, das kann nicht sein. Der »Hesperus«, wie später der »Titan«, hat nämlich schon auf Reform von oben umgeschaltet, auf Reform von ganz oben sogar. Es bleibt Harichs Geheimnis, welche revolutionäre Perspektive die Deutschen dem Dichterspruch entnehmen sollten, daß nur Fürstensprößlinge in der Lage seien, mit der deutschen Feudal-Misere Schluß zu machen.

»Hohe Menschen«, lupenreine Genien, müßten das Regiment der deutschen Duodez-Staaten übernehmen. Aber wie das, da doch Jean Paul schon 1793 erkannt hatte, daß die Fürsten die ihrem Stande eigentümliche Unverschämtheit besäßen, »Ungerechtigkeiten zu gleicher Zeit zu begehen und – einzusehen«; nur das Schütteln bringe sie von ihren Throngipfeln herab, schreibt er in einem Privatbrief wenige Wochen nach der Enthauptung Ludwigs XVI[17].

Jean Pauls Lösung des Problems könnte man genial nennen. Es genügte ja, die hochgeborenen Fürstensöhne (an revolutionäre Töchter dachte auch dieser Seelenverwandte der Frauen nicht) rigoros von dem Pesthauch der Höfe fernzuhalten: sei es, daß die fürstlichen Eltern den Sproß als Sohn eines Grafen aufwachsen lassen (»Titan«), weil sie einen Mordanschlag seitens einer erbberechtigten Nebenlinie befürchten; sei es, daß ein zeugungsfreudiger Fürst (im »Hesperus« Fürst Januar von Flachsenfingen) in England und Frankreich fünf illegitime Söhne in die Welt setzt, die zur rechten Zeit im Fürstentum auftauchen und von ihrem Vater, der sich heftig nach ihnen gesehnt hat, die Regierungsgeschäfte übernehmen. Einer der fünf ist wieder Jean Paul, er wird später Flachsenfingens Außenminister.

Ich habe redlich versucht, das ganze holdselige und hanebüchene Gebräu Jean-Paulscher Todesverliebtheit, Schauerkolportage, Ideengespräche, Kindesvertauschungen für den Gebrauch dieser Besprechung einzudampfen – ganz vergeblich. Nur so viel möchte ich begreiflich machen: Die Fabel für sich selbst besagt bei Jean Paul kaum etwas. Sie hebt sich im »Hesperus« Seite für Seite selbst auf und macht sich im »Titan« konsequent, per Deus ex machina, zunichte.

Wenn die »Revolutionäre« im »Hesperus« den einzigen Pulverturm des Fürstentums in die Luft fliegen lassen, liest sich das wie ein Studentenulk. Fürst Januar drückt die verloren geglaubten Bastarde nur desto inniger an seine Brust.

Aufrührerische Gedanken werden freimütig ventiliert, aber jedes jakobinische Wort findet sein englisch-reformerisches Gegenargument. Soll man wirklich das größte physische Übel der kleinsten moralischen Ungerechtigkeit vorziehen? Brechen wilde Eingriffe ins Räderwerk der Zeit nicht allzuoft zu viele Zähne ab?[18] Die aus Paris importierte Aufruhrrede (»Gehören die Paläste euch, oder die Hundshütten?«[19]) wird einstudiert, findet aber nicht statt.

Es ist wahr, an der ganzen Adelssippschaft der deutschen Höfe läßt Jean Paul im »Hesperus« kaum ein gutes Haar; im »Titan«, der ein »reiner Adelsroman« (Harich[20]) ohne jede bürgerliche Folie ist, wird das ungleich schwieriger. Nur, warum sollten die Edelinge sich getroffen fühlen? Wie die Spießer im Parkett der »Dreigroschenoper« genossen sie den Witz des Autors. Derselbe Jüngling, der soeben noch die fürchterlichsten Invektiven probt (»Blutigel, Wölfe, Schlangen, Lämmergeier«[21]), wird ja übermorgen entzaubert dastehen: als regierender Prinz an des väterlichen Lämmergeiers Seite. Wie sollte der Adel oder sonstwer den »Hesperus«, dies Märchen voller Tränenseligkeit und Todessehnsucht, ernst nehmen? Die Adelsgesellschaft war längst zu permissiv geworden, als daß skurrile Satire sie noch hätte verunsichern können.

Zwar, Jean Paul war es ernst mit der Besserung des Menschengeschlechts, und ebenso mit der Besserung der deutschen Misere. Nur kam es der irrenden Seele Jean Paul mehr darauf an, den Seelen seiner Figuren wechselnde Lichter aufzustecken, als die Welt umzukrempeln. Liebesschmerz und Todeserleben, und nicht die Empörung über erlebtes Unrecht, befreien seine Jünglingshelden zu sozialer Verantwortung. Mit sich selbst beschäftigen sie sich kapitellang, mit der politischen Tat nur nebenher.

Harich hat, wie er fast trotzig bekennt, »auf Sprachanalysen resolut verzichtet«[22]; hat nicht einbezogen, was Jean Paul einmal den »Gegenfrost der Sprache«[23] nennt. Der Erfolg des »Hesperus« war aber der eines schrulligen, tiefsinnigen Humoristen. Gegen das Buch die Polizei mobil zu machen, hätte jeden, der das versucht hätte, »mit dem Stigma kompletter Lächerlichkeit« (Harich[24]) ausgeschildert. Kontakt mit dem Elend findet im »Hesperus« nur »gelegentlich«, »episodenhaft«[25] statt. Das Leben der Fronbauern, anders als das des Schulmeisters Wutz, hat Jean Paul zu Harichs Leidwesen nicht beschrieben: er kannte das Dorf und die Armut, aber kannte er die Fronbauern?

Aus dem »Titan« gar sind Armut und Elend verbannt. Wieso kann Harich ihn trotzdem als »Revolutionsdichtung« vorstellen? Nun, der Held Albano, nicht wissend, daß er der Erbprinz ist (einer übrigens nicht von schlechten Eltern), faßt 1792 den Entschluß, im »unheiligen Krieg gegen die gallische Freiheit«[26] an deren Seite zu treten (1792, nicht später, da wären die Jakobiner schon am Metzeln). Warum will er in den Krieg? Die steinernen Zeugen der Antike in Italien haben ihn hoch erhoben; auch suchte er »Trost im Kriege gegen den Frieden des Grabes und der Wüste, der mein Leben stillmacht«[27] (der Relativsatz fehlt bei Harich[28]).

Kein schlechtes Motiv für einen heroischen Roman, sollte man meinen. Aber diesem Helden schlägt die Stunde nicht in diesem Weltbürgerkrieg*. Ihm blüht ein anderes Geschick. Er war sich, so sein Dichter, »höherer Zwecke und Kräfte bewußt, als alle harten Seelen ihm streitig machen wollten; aus dem hellen, freien Ätherkreise des ewigen Guten ließ er sich nicht herabziehen in die schmutzige Landenge des gemeinen Seins. Ein höheres Reich, als was ein metallener Szepter regiert, eines, das der Mensch erst erschafft, um es zu beherrschen, tat sich ihm auf (weil er Fürst wird – R. A.). Im kleinen und in jedem Ländchen war etwas Großes, nicht die Volksmenge, sondern das Volksglück«[30].

Albano ist als ein »in allem gutes, idealisches Genie« (Jean Paul[31]) konzipiert, aber, wie sogar Harich fürchtet[32], als ein »bloß in den Kommentaren seines Autors deklariertes Genie«. Der Roman erschien zehn Jahre zu spät. 1803 gab es ja schon einen wirklichen Heros, den Vollstrecker der bürgerlichen Revolution, der mit der deutschen Misere auf seine Weise Schluß machte.

Jean Paul widmete das Buch »den vier schönen und edeln Schwestern auf dem Thron«[33], nämlich der Herzogin Charlotte von Hildburghausen, der Prinzessin Friederike zu Solms, später Königin von Hannover, der Fürstin Therese von Thurn

---

* Harich sieht hier schon eine »poetische Antizipation des Typs, der später in Preußen Scharnhorst oder Gneisenau heißen wird«[29] – wohl etwas viel Pflege des Ahnenerbes.

und Taxis, und, last not least, der Königin Luise von Preußen. Sie hat es sich, so Harich[34], »nicht nehmen« lassen, mit ihrem Lieblingsdichter in Potsdam zu speisen. Warum sollte er, wie er meinte, »Springstäbe und Steigeisen des Fortkommens«[35] mutwillig wegwerfen? (Pension freilich bekam er nicht in Berlin und auch nicht in Hildburghausen, wo er Legationsrat wurde, sondern in Mainz vom Fürstprimas des Rheinbunds, Dalberg[36]; nichts gegen Pensionen, nichts gegen den Rheinbund, nichts gegen Dalberg).

Dank Harich entdecken wir Jean Paul neu, einen Dichter, von dem wir trotz Fürstinnen-Koketterie für gegeben halten dürfen, daß kaum ein Deutscher außer Hegel das Scheitern der Französischen Revolution schwerer verwunden hat als gerade er. Aber wir erleben auch einen, dem es, nehmen wir an, er hätte es gewollt, gewiß nicht gelingen würde, »Revolutionsdichtung« hinzuschleudern.

Wie konnte Harich, der akribische Literaturabklopfer, sich versteigen wie Kaiser Maximilian in der Martinswand? Er weiß ja, die politische Lösung, die Jean Paul seinen Zeitgenossen anbietet, ist »im Prinzip illusorisch, weil es das nicht gibt, daß eine Herrenkaste aus freien Stücken auf ihre Vorrechte verzichtet«[37]. Die Königin Luise hat gut verzichten, auf Kosten ihrer Kaste nämlich. Das, wie Harich sagt, »irgend erreichbare Maximum an reformerischer Initiative«[38] wollte nicht nur Jean Paul, das will Helmut Schmidt auch.

1804, exakt, schrieb Jean Paul in einem Brief: »Goethe war weitsichtiger als die ganze Welt, da er schon den Anfang der Revolution so verachtete wie wir das Ende.«[39] So wundert es einen nicht, daß Marx und Engels den Jean Paul einen »literarischen Apotheker«[40] hießen, darin Hegel[41] folgend, der die Gepflogenheit des Dichters verspottete, zur Veranschaulichung eines Sachverhalts Gleichnisse aus den entferntesten Lebensbereichen zusammenzutragen und sie so zu vermengen, wie das die Apotheker mit den Ingredienzen ihrer Medikamente tun.

Lukács, der unter Marxisten anerkannteste Literaturkritiker, konnte den ganzen Jean Paul nur als »kleinbürgerlich« empfinden[42]. Daß Jean Paul nirgends so zu Hause war »wie in der winkeligen, kümmerlichen Welt seiner Glückspilze«, gibt Lukács-Schüler Harich zu[43]. Aber was ist das, »kleinbürgerlich«? Kleinbürger waren, laut Harich[44], auch die Bürger Schiller, Rousseau, Robespierre, Kant; sollen wir also Jean Paul als den Typus des »revolutionären Kleinbürgers« begreifen, wie charakterisieren wir Georg Lukács?

Damit bin ich wieder bei dem Kleinbürger Walser. Ihm, und nicht Harich, verdanke ich ein Zitat aus dem »Hesperus«, das ich sonst womöglich übersehen hätte. Der Ich-Erzähler Jean Paul bekommt da in einem Kürbis, den ein Spitz ihm zuträgt wie ein Bernhardiner sein Fäßchen (weshalb das Buch, statt in Kapitel, in »Hundsposttage« eingeteilt ist), das Material für seinen Roman, und er schreibt dem unbekannten Absender zurück, per Kürbis-Hundspost, daß er den Auftrag annimmt, aber: »Ich finde die beste Welt bloß im Mikrokosmos ansässig, und mein Arkadien langt nicht über die vier Gehirnkammern hinaus; die Gegenwart ist für nichts als den Magen des Menschen gemacht; die Vergangenheit besteht aus der Geschichte, die wieder eine zusammengeschobene, von Ermordeten bewohnte Gegenwart (ist) ... Es bleibt also dem Menschen, der in sich glücklicher als außer sich sein will, nichts übrig als die Zukunft oder Phantasie, d.h. der Roman.«[45]

Walser meint dazu: »Der Kleinbürger also flüchtet, um seine Menschenwürde zu retten, nach innen. Da ist er selber Herr, hofft er ... Da drin ist er dann so frei wie die Maus im Loch, vor dem die Katze sitzt. Er verachtet das Draußen und schreibt Satiren gegen die Katze.«[46]

Ist es Zufall, daß ein DDR-Autor »klassisch« über das Kleinbürgertum urteilt, statisch mit Goethe, dynamisch mit Marx, und ein Autor der Bundesrepublik subjektivistisch? Woher nimmt Wolfgang Harich seine Sicherheit, daß Jean Paul heute (à la Kästners »Wenn unser Herr Jesus noch unter uns weilte«[47]) die Sache der Arbeiterbewegung im Sinne der Regierung der DDR vertreten würde? Fragen darf man. Harich wird nirgends penetrant. Die »erste deutsche demokratische Republik«, die des Jahres 1793 in Mainz, schreibt er klein.

Den ganzen Reichtum Jean Pauls läßt Harichs Buch ahnen, den Reichtum Harichscher Gedanken- und Ideengeschichte diese Besprechung nicht. Ob Harich ein Buch für Kleinbürger geschrieben hat, das weiß ich nicht. Aber es scheint, er hat ein Buch für Leute geschrieben, die es laut Klappentext seines westdeutschen Rowohlt-Verlegers und auch wohl nach seiner eigenen Überzeugung nicht mehr oder doch immer weniger geben sollte: für Bildungsbürger.

81   *Friedrich Sengle*

Wie revolutionär war Jean Paul?
Zu Wolfgang Harichs soeben erschienenem Buch über
den Dichter der Romantik   1974

Angesichts einer akademischen Jugend, die zu einem beträchtlichen Teil die Verbindung mit unserer nationalen Vergangenheit verloren hat, neigt man dazu, jeden Autor zu begrüßen, der kenntnisreich und beredt für unser dichterisches Erbe eintritt. Wolfgang Harich betont bescheiden, daß er sich auf *die* Romane, die – nicht zufällig – nach der Französischen Revolution entstanden sind, konzentrieren will: »Die unsichtbare Loge«, »Hesperus«, »Titan«. Dieses Roman-Trio meint der Titel »Revolutionsdichtung«[1]. Wie er aber auf die Satiren zurückgreift und sie im ganzen Buch als Interpretationshilfe verwendet, so greift er auch sonst nach allen Seiten aus. Wir erhalten sehr genaue Einblicke in das armselige, »plebejische« Leben des jungen Jean Paul und seiner Familie. Die Freunde werden vorgestellt, besonders der antiaristokratische Christian Otto[2], der nach Harich mit anderen Freunden der Heimat dem Dichter die Kraft gab, auch als Verfasser des »Hesperus«, das heißt als ein von den »genialen Weibern« zahlreicher Höfe umschwärmter, von Baronen und Fürsten geachteter Erfolgsautor, der Sache der bürgerlichen Revolution treu zu bleiben.

Wenig erfahren wir freilich von der ökonomischen Basis dieser Charakterstärke, nämlich von den Honoraren, die den vergötterten Romanautor von den Höfen unabhängig machten und ihm erlaubten, sich, im Unterschied zu Goethe, mit dem bloßen Titel eines Legationsrats zu begnügen. Da der literarhistorische Unterschied zwischen klassizistischen Versdichtern und Prosaschriftstellern dem kenntnisreichen Verfasser wohlbekannt ist, wüßten wir auch gern den wirtschaftsgeschichtlichen Unterschied, nämlich wieviel ein vielgelesener Romanautor um 1800 verdiente; aber in solchen Fragen läge für den begeisterten Anwalt des großen Jean Paul wahrscheinlich schon eine gewisse Profanierung. Über der Beschäftigung mit einem Dichter, der von hochstrebenden, ja geradezu idealen Romanhelden wie Gustav, Viktor und Albano erzählt, ist dem Verfasser auch die Biographie Jean Pauls ein wenig heroisch geraten. Der charakterstarke Bürger soll sich von dem anpassungswilligen und im »Wilhelm Meister« die Anpassung lehrenden Geheimrat Goethe scharf abheben.

In den ersten Kapiteln hat man denn auch die Befürchtung, Harich könnte, wie Börne in seiner berühmten Gedenkrede für Jean Paul, den republikanischen Erzähler, den enthusiastischen Anwalt der Armen gegen den kalten, berechnenden Höfling Goethe ausspielen und so den bürgerlichen Klassenkampf unsinnigerweise noch im 20. Jahrhundert fortsetzen, wie dies leider da und dort geschieht. Vor dieser Fehlhaltung ist er durch gewisse Autoritäten[3], die wir beiseite lassen, aber auch schon durch seine ausgreifende Methode geschützt. Er hat den Ehrgeiz, Jean Paul im Kreise der großen philosophischen und dichterischen Genies um 1800 vorzustellen und seine geschichtlichen Ort in ihrer Mitte durch zahlreiche kurze Vergleiche exakt zu bestimmen. Dazu gehört die Errichtung einer grandiosen literarischen Porträtgalerie mit Wieland, Schiller, Goethe, Voss, Hölderlin, Forster, Herder, F. H. Jacobi, Kant, Fichte usw. Die Spezialisten werden an diesem, großzügigen Verfahren – es gleicht dem Friedrich Gundolfs[4] – manches auszusetzen finden. So erinnert mich zum Beispiel das Beiwort »schlüpfrig«, mit dem Wieland wiederholt bedacht wird[5], an meinen Deutschlehrer vor 50 Jahren. Harich scheint nicht zu wissen, daß Wieland, obwohl 30 Jahre älter, in mancher Hinsicht aufgeklärter war als sein eigener Held.

Trotz solcher Fehlurteile im einzelnen imponiert Harichs Panorama der Goethe-Zeit, von dem Jean Pauls Riesengestalt abgehoben wird. Jean Paul, der sicher nicht der vollkommenste, aber vielleicht der rezeptivste und produktivste, der reichste Dichter der Nation gewesen ist, kann ohne ein wissenschaftliches und schriftstellerisches Wagnis dieser Größenordnung nicht befriedigend vergegenwärtigt werden. Auch hindert den Verfasser seine Antipathie gegen Wieland und Goethe nicht, den »Titan« sorgfältig mit der »Geschichte Agathons« zu vergleichen, Wielands bahnbrechende Leistung bei der Politisierung des Fieldingschen Romantyps anzuerkennen[6] und herauszufinden, daß der musterhafte Albano, der Mann, der bereit ist, am französischen Revolutionskrieg aktiv teilzunehmen, und der, unerwartet zum Fürsten avanciert, sich anschickt, die Duodez-Misere in seinem Ländchen zu liquidieren, daß eben dieser ungemein tugendhafte Bürgerfürst in punkto Erotik wahrscheinlich doch etwas von Wilhelm Meister gelernt hat und dadurch lebendiger als der »Hesperus«-Held Viktor geraten ist. Zur Revolution gehört bekanntlich auch die erotische Emanzipation, obwohl in dieser Hinsicht – es ist ein rechtes Kreuz für

Klassenideologen – Goethe[7] und die gesamte Hofkultur, nicht etwa so keusche Männer wie Jean Paul und Robespierre die Pionierarbeit geleistet haben[8].

Und wie steht es nun mit den niedrig gestellten Idyllenhelden Jean Pauls, mit dem Schulmeisterlein Wutz, mit Quintus Fixlein, mit dem armen Fibel? Was tun sie für die Revolution? Diese Antihelden haben ja für viele das Bild von Jean Paul geprägt, sie haben, zusammen mit »Siebenkäs« und den »Flegeljahren«, die drei heroischen Romane, für die Harich eintritt, beim großen Publikum verdrängt, an sie denkt Lukács, wenn er, zu Harichs Leidwesen, von Jean Pauls »Versöhnung mit der elenden deutschen Wirklichkeit« spricht. Harich weiß, daß es sich bei diesen idyllischen Erzählungen um eine bedeutende Gattungsschöpfung handelt, welche das idyllische Epos an Modernität übertrifft und daher im 19. Jahrhundert noch viel stärker weiterwirkte. Doch als Anwalt des revolutionären Jean Paul hilft er sich einfach damit, daß er aus den Idyllenhelden »negative Figuren«, nämlich »infantile Narren«, »krankhafte Fälle«[9] macht. Er stilisiert die Idyllen diplomatisch zu Satiren um, und hier steht er, wenn ich richtig sehe, im Gefolge von literarischen Revoluzzern unserer Bundesrepublik.

Sein schlechtes Gewissen verrät sich, wenn er »den zumindest objektiv (!) revolutionären Gehalt der Idylle«[10] gegen etwaige Zweifel geltend macht. Er weiß also, daß er hier die subjektive Ansicht des Dichters nicht wiedergibt, daß er nicht interpretiert. Lukács hat schon recht: »Kleinbürgerliche Versöhnung mit der elenden deutschen Wirklichkeit.«[11] Christliche Versöhnung wäre noch treffender; denn Jean Paul wollte mit seinen »infantilen Narren« an das Bibelwort »Wenn ihr nicht werdet wie die Kinder …«[12] erinnern.

Ich will mit diesem Hinweis auf eine schlecht geratene Partie des großen Gemäldes nicht sagen, daß Harich unrecht hat, wenn er die bürgerliche »Revolutionsdichtung« und die soziale Haltung Jean Pauls akzentuiert, wenn er zum neuen Studium der drei heroischen Romane auffordert. Es sollte nur deutlich werden, daß seine Voraussetzungen dem Verständnis und damit auch der legitimen Renaissance Jean Pauls Grenzen setzen. Die eifrigsten Leser des Buches werden unsere akademischen Rebellen sein. Ich begrüße es trotzdem in der Hoffnung, daß es junge Leute, die sonst nur »Schulungsmaterial« studieren, auf den Dichter selbst aufmerksam macht. Wenn sie Jean Paul lesen, sorgfältig lesen – es ist nicht so einfach für eine um beinahe 200 Jahre jüngere Generation –, werden sie selber bemerken, daß er kein Revolutionär im strengen Sinne war und kein Realist, sondern eben der Poet Jean Paul, den es nur einmal gibt.

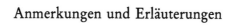

Anmerkungen und Erläuterungen

1   *[Anonym] · Rezension über »Grönländische Prozesse«*

ED Allgemeines Verzeichnis neuer Bücher mit kurzen Anmerkungen Bd. 8, Nr. 6.
Leipzig 1784, S. 463 f.
Zur Aufnahme der »Grönländischen Prozesse« durch die literarische Kritik vgl. im
übrigen: Reinhard Wittmann, Zwei bisher unbekannte Rezensionen von Jean Pauls
Erstlingswerk. In: JbJPG 5 (1970), S. 139–150.

2   *[Adolph Freiherr von Knigge] · Rezension über »Die unsichtbare Loge«*

ED Neue allgemeine deutsche Bibliothek 11 (1794), S. 316–318 (gez. Pk [Antiqua]).
Adolph Freiherr von Knigge (1752–1796), aufklärerischer Schriftsteller und engagier-
ter Befürworter der Französischen Revolution, sprichwörtlich durch sein Buch
»Über den Umgang mit Menschen« (Bd. 1.2. Hannover 1788). Knigges Beiträge für
Nicolais Neue allgemeine deutsche Bibliothek waren mit Eg [Fraktur] oder Pk [Anti-
qua] gezeichnet (vgl. Gustav Parthey, Die Mitarbeiter an Friedrich Nicolai's Allgemeiner Deutscher Bibliothek nach ihren Namen und Zeichen. Ein Beitrag zur deutschen Literaturgeschichte. Berlin 1842, S. 14f.). Zum Wandel der Einschätzung Jean
Pauls durch die Neue allgemeine deutsche Bibliothek von der kritischen Anerkennung der ersten Jahre zur wütenden Polemik ab 1800 siehe die Einleitung zur vorliegenden Dokumentation. Knigges ähnlich gerichtete und auf die frühere Besprechung
zurückverweisende Rezension des »Hesperus« (ebenda 21 [1796], S. 192 f., gez. Eg)
wird Jean Paul »gerechter und unnützer« nennen, »als ich dachte« (HKA Abt. III,
Bd. 2, S. 320).

3   *[Friedrich Jacobs] · Rezension über »Hesperus«*

E Allgemeine Literatur-Zeitung 26. 11. 1795, Nr. 317.
D JbJPG 1 (1966), S. 150–154.
Christian Friedrich Wilhelm Jacobs (1764–1847), Philologe und Erzähler in Gotha,
Rezensent Jean Pauls in der Allgemeinen Literatur-Zeitung bis zur Zeit der persönli-
chen Bekanntschaft (1799). Jean Pauls Briefwechsel bezeugt das außerordentliche
Interesse, mit der er die Rezension des »Hesperus« in der Allgemeinen Literatur-
Zeitung erwartet und gelesen hat (HKA Abt. III, Bd. 2, Nr. 197. 200. 218). Noch
Ende 1799 nimmt er Jacobs' Rezensionen als einzige von dem komischen Eindruck
aus, den alle Rezensionen über ihn selbst auf ihn machten (ebenda Bd. 3, S. 269).
»Mein Herz und Kopf zählen ihn [Jacobs] zu den kritischen Titulados oder judic. ad
quos nicht a quibus«, schreibt er am 10. 10. 1797 an Friedrich Schlichtegroll, freilich
mit dem Zusatz: »Er hat meine kritischen Blätterskelette unter dem zu fetten Laub-
werk übersehen« (ebenda Bd. 2, S. 379). Johann Friedrich Abegg, der das heute verlorene Original des Briefs gelesen hat, hält in seinem Tagebuch fest: »Da Prof. Jacobs
sein Rezensent in der Allg. L. Ztg. ist und dort bedauert, daß J. P. nicht mit derjenigen Klarheit sich ausdrücke, als wie er es zur größern Wirksamkeit desselben wünschen möchte, so erwähnt J. P. dieser Rüge seines Stils und gibt deutlich zu verstehen,
daß er ihm nicht beistimme und meine, er schreibe *deutlich*« (ebenda S. 529). Freilich
tritt dieser Kritikpunkt Jacobs' in der späteren Besprechung des »Siebenkäs« und der
»Biographischen Belustigungen« (Allgemeine Literatur-Zeitung 17. 11. 1796, Nr. 361,
Sp. 425–429) deutlicher hervor, die Bedeutung seiner »Hesperus«-Rezension liegt
gerade in der Auffassung der Werkeinheit aus dem Geist der Empfindsamkeit.

1 Kegelförmig.
2 Johann Friedrich Unger (1753–1804), Buchdrucker und Verleger, Schöpfer der sog.
Unger-Fraktur, die das gotische Schriftbild der Optik der Antiqua annäherte.

3 Hellster Stern der Sphäre.
4 Noch bei Hebbel heißt es: »Über Jean Paul ins klare kommen, heißt über den Nebel ins klare kommen. Man sieht entweder nichts *vorm* Nebel oder nichts *vom* Nebel« (Friedrich Hebbel, Tagebücher. Hg. von Hermann Krumm und Karl Quenzel, Teil I. Leipzig [1927], S. 41 [4. 6. 1836]).
5 Ereignisse aus dem 1., 17., 26. und 27. Hundsposttag.
6 Claude Lorrain, eigtl. Claude Gelée (1600–1682), frz. Maler, bekannt für seine idealisierende Landschaftsdarstellung.
7 Erzählerisch.

4   *[Anonym] · Rezension über »Leben des Quintus Fixlein«*

ED Würzburger gelehrte Anzeigen 1. 6. 1796, Nr. 22, S. 450.
Die negativste unter den fünf Rezensionen des »Quintus Fixlein«; zugrunde liegt ihr ein rationalistischer Literaturbegriff reinsten Wassers. S. auch T 5.

1 Hanser Bd. 4, S. 83 (2. Zettelkasten).
2 Johann Jakob von Moser (1701–1785), Staatsrechtler und Patriot. Jean Paul bezieht sich auf Mosers »Leben von ihm selbst beschrieben« (Offenbach 1768), § 68.
3 »Mußteil für Mädchen« überschreibt Jean Paul die ersten beiden Erzählungen des »Quintus Fixlein« mit einem Begriff der älteren Jurisprudenz, der die Hälfte der bei Erbteilung vorgefundenen Speisevorräte bezeichnet, die der Witwe des Erblassers zufällt.

5   *[Anonym] · Einige Gedanken über Jean Paul bei Gelegenheit der Recension der Jean Paulischen Schrift*

ED Würzburger wöchentliche Anzeigen von gelehrten und andern gemeinnützigen Gegenständen 29. 5. 1797, Nr. 66, Sp. 506–508 (gez. J. H. W-ch).
Replik eines unbekannten Verfassers auf die »Fixlein«-Rezension der Würzburger Anzeigen (T 4), in ihrer Verbindung exponierter Momente der Genie-Ästhetik mit der Bevorzugung Wielandscher Sanftheit typisches Zeugnis des historischen Umbruchs.

1 T 4.
2 Moses Mendelssohn (1729–1786), Philosoph und Ästhetiker. Vgl. seinen 1789 erstmals veröffentlichten Brief an Lessing vom Mai 1763: »Anfangs machte mich das Buch ungemein verdrießlich [...] Des Pfarrers Reitpferd erregte zuerst meine Neugierde. Endlich folgte Vetter Tobias, Korporal Trim und Doktor Slop; die vortreffliche Predigt über das Gewissen. Da bat ich um Verzeihung« (Lessings sämtliche Schriften. Hg. von Karl Lachmann. Bd. 19. 3. Aufl. Leipzig 1904, S. 179).
3 Yorick, Landpfarrer im »Tristram Shandy« (1759–1767), Erzähler der »Sentimental Journey« (1768), hier wie oft als Synonym für den Autor Laurence Sterne.
4 Humoristischer Roman von Theodor Gottlieb von Hippel (1741–1796), erschienen in 4 Bänden Berlin 1778–1781 (die Aufzeichnungen Minchens, der früh sterbenden ersten Liebe des Helden, am Schluß des 2. Teils als Beilage A).
5 Vgl. Reinhold in T 26: »und mächtig spricht der Gott in seiner Brust sich aus« (vorliegende Dokumentation S. 70).
6 »Agathodämon. Aus einer alten Handschrift«, um das Leben des Neupythagoreers Apollonius von Tyana kreisender Roman von Christoph Martin Wieland. Der Buchausgabe (Leipzig 1799) gingen Teilabdrucke im »Attischen Museum« 1796 und 1797 voran.

6 *[Anonym] · Rezension über »Siebenkäs« und »Biographische Belustigungen«*

ED Oberdeutsche allgemeine Litteraturzeitung 18. 1. 1797, Nr. 8, Sp. 117–121 (gez. ooo).

Abgesehen von der Verspätung, mit der sie sich seiner annimmt, erweist sich die »Oberdeutsche Allgemeine« als eines der Jean-Paul-freundlichsten Presseorgane des 18. Jahrhunderts: vgl. Otto Lenz, Jean Paul Friedrich Richter und die zeitgenössische Kritik. Phil. Diss. Gießen 1916, S. 12. Zur Bedeutung und Fortwirkung des hier aufgestellten Begriffs »Geistes-Konzert« siehe die Einleitung zur vorliegenden Dokumentation mit Anm. 5.

1 Meine Schuld, ich habe Schuld (lat.).
2 Sc. Ware.
3 S. o. Anm. 7 zu T 3.
4 S. o. Anm. 3 zu T 5.
5 Wie der Mond unter kleineren Lichtern (Horaz, Carmina I 12, 47 f.).
6 ED: weniger.
7 ED: den.
8 T 3.
9 Sinngemäß, wenn auch nicht in diesem Bild: Pope, An Essay on Criticism 297–300.
10 Bildung (lat.).
11 Mit Anmerkungen getreu nach Minellius: lat. Titelvermerk in Klassikerausgaben des 18. Jahrhunderts, die den Kommentarteil aus Schulausgaben des niederländ. Philologen Jan Min-Elli (1625–1683) übernehmen (ED: Minelii).
12 Die sklavische Herde der Nachahmer (nach Horaz, Epist. I 19, 19).

7 *[Anonym] · Rüge eines Schriftsteller-Frevels*

ED Kaiserlich privilegirter Reichs-Anzeiger 25. 8. 1797, Nr. 196, Sp. 2101–2104 (gez. -a-b).

Jean Paul kommentiert die Rüge gelassen in einem Billett an Otto vom 31. 8. 1797: »Apropos! Im Reichsanzeiger hat man meinen armen Siebenkäs wegen Defraudation der Witwenkasse belangt« (HKA Abt. III, Bd. 2, S. 367).

1 Anhänger des Eudämonismus.
2 Hanser Bd. 2, S. 410.
3 Hanser Bd. 2, S. 497.
4 Hanser Bd. 2, S. 383 f.
5 Hanser Bd. 2, S. 1161.
6 Mixturen oder gemischte Stimmen heißen im Orgelbau die Register, bei denen ein Tastendruck zugleich mehrere Obertöne auslöst.
7 Reichs-Anzeiger.

8 *Maria Mnioch · Aus: Gedanken über mancherlei Lektüre*

E Johann Jacob Mnioch, Worte der Lehre, des Trostes und der Freude. Görlitz 1798 (Sämmtliche auserlesene Schriften Bd. 1).
D M[aria] Mnioch, Zerstreute Blätter. Gesammelt und hg. von Joh[ann] Jac[ob] Mnioch. Görlitz 1800, S. 147–151.
Maria Mnioch, geb. Schmidt (1777–1797), seit ihrem 17. Lebensjahr verheiratet mit dem Schriftsteller Johann Jacob Mnioch in Warschau. Erst dessen posthume Edition macht die »Proben von der stillen Geistestätigkeit einer guten Frau« der Öffentlichkeit bekannt (unterstützt durch Herders ausführliche Anzeige in: Erfurter gelehrte

Nachrichten 1798, Nr. 48). Unter ihren »Gedanken über mancherlei Lektüre« beziehen sich Nr. 6–9 auf Jean Paul, die hier abgedruckten Nr. 7–9 stellen das früheste Zeugnis der wirkungsgeschichtlich außerordentlich folgenreichen Polarität Jean Paul-Goethe dar (s. Einleitung zur vorliegenden Dokumentation). Der Herausgeber begleitet sie mit folgender Anmerkung: »In den letzten drei Stücken (7, 8 und 9) über Jean P. und G. sind ein paar Sätze aus der Feder des Herausgebers. Nur einzelne und abgebrochene Gedanken, mit Bleifeder hingeschrieben, fand er auf einem vergessenen Blättchen vor. Indes weiß er mit Bestimmtheit, daß die wenigen Zwischensätze und ergänzenden Ausdrücke, die er hinzufügte, ganz der Meinung entsprechen, welche die Verfasserin in mündlichen Unterhaltungen gegen ihn selbst mehrmals geäußert hat. – Übrigens sind diese Bemerkungen *nicht nach der kurz vorhergegangenen Lesung* dieser Schriftsteller, sondern nach einem *Gespräch* über ihren Charakter niedergeschrieben.« »Schwerlich wäre sie von selbst auf eine so sonderbare Zusammenstellung verfallen«, setzt J. J. Mnioch im Nachwort hinzu, sichtlich um Distanzierung von der (seinerzeit noch) kühnen Antithese bemüht: »Es ist kein anmaßliches *Abwägen* beider Genies (die meines Erachtens inkommensurabel sind und von denen jedes eine andre Gewichtart verlangt), sondern die bemerkten Unterschiede sind als *solche,* ganz ohne parteinehmende Schätzung angegeben. Diese Angabe ist nun zwar weder vollständig noch scheint sie mir in einzelnen Zügen richtig, indes hielt ich sie besonders in Hinsicht auf Jean Paul *merkwürdig* genug, sie dem Druck nicht zu entziehen« (S. 256–258). – Es scheint kein Zufall, daß Maria Mnioch – im Gegensatz zu ihrer sonstigen Lektüre – Jean Paul »lieber für sich allein lesen mochte« (ebenda): »*Jean Paul* [...] drückt mich beinahe ganz nieder. Er ist Schwermut und Lustigkeit, dicht *in-* und *neben*einander, und oft kommt mir die letzte als Verzweiflung vor« (S. 240).

1 Neben Urwald, Garten, Feuerwerk behauptet sich der Baum als traditionsmächtiges Leitmotiv der Jean-Paul-Rezeption. Adam Oehlenschläger imaginiert Jean Paul als »Wunderbaum«, der Äpfel, Birnen und Kirschen zugleich trägt und somit für jeden Geschmack etwas bietet (Morgenblatt 20. 8. 1808, Nr. 200, S. 797). Noch 1913 heißt es bei Eduard Berend: »Tiefer als die Schöpfungen der Romantiker senkt der Wunderbaum Jean-Paulscher Poesie seine Wurzeln in deutsche Erde, breit und fest erhebt sich sein Stamm vom Boden der Wirklichkeit ins luftige Reich der Phantasie, und so weit und vielverzweigt breitet er seine Krone aus, daß die an Stand, Charakter, Geistesrichtung verschiedenartigsten Menschen in seinem Schatten Platz finden« (Münchener Neueste Nachrichten 21. 3. 1913, Nr. 146). »Wurzelnd im reinen Reich der Erde, weit ausbreitend das prangende Geäst seines eigenen Lebens«, steht Jean Paul für Rudolf Bach da: »in dem Wipfel Wolken und Sterne« (Der Kreis 4, 8 [1927], S. 402). Komplexität und Pluralität Jean Pauls brechen freilich öfters die Vorstellung des einzigartigen Baumes zugunsten der des Gartens auf: so schon bei Mnioch und ebenso in Eduard Oettingers »Die Aloe der deutschen Literatur«, einer Parabel, in der die Anwendung der Pflanzenmetapher auf Jean Paul wohl die exotischsten Blüten treibt: »So wuchs denn diese Aloe in dem Blütenhaine der Poesie, von dem Frühregen des Talentes aufgefrischt, üppig schön heran. Bald entfaltete sie ihre grünen Fächer und allmählig wurden diese zur Villa des guten Geschmacks. Auf dem Segeltuch des immergrünen Blättermastes weilten tausend und tausend Kolibris der Poesie, die mit den Irisflügeln der Phantasie den Ambraduft zarter Ideen rings umher verbreiteten. Bald weckten die Sonnenstrahlen die in ihr wohnenden Genius die Blütenaugen des markigen Stammes, die Zephyre des Beifalls umsäuselten sie und ihrem Sterne entquollen nun Goldperlen des Humors. So stand sie lange Jahre in dem Saharaboden der Literatur, schöpfte aus sich selbst Nahrung und Leben, öffnete ihre Kelche den Feuerstrahlen der Wahrheit, nahm an Kraft und Schönheit zu und breitete ihre Blätterarme allmählig weiter aus, so daß sie einem Garten glich [...]« (Berliner Schnellpost für Literatur, Theater und Geselligkeit 9. 4. 1829, Nr. 42, S. 167).

9   *[Johann Caspar Friedrich Manso] · Rezension über »Siebenkäs« und »Quintus Fixlein«*

ED Neue allgemeine deutsche Bibliothek 35 (1798), S. 219–231 (gez. Eg [Fraktur]; abgedruckt S. 220–222. 226. 230 f.).
Nicht – wie Berend (HKA Abt. III, Bd. 3, S. 402) annimmt – Knigge (verst. 1796!), sondern – wie sich aus Partheys Register (s. o. Einleitung zu T 2) zweifelsfrei ergibt – der Breslauer Gymnasialdirektor, Philologe, Kritiker und Übersetzer Johann Caspar Friedrich Manso (1760–1826) ist Verfasser der (außerdem noch »Biographische Belustigungen«, »Geschichte meiner Vorrede«, »Jubelsenior« und »Kampaner Tal« behandelnden) Sammelrezension, deren florilegische Lesehaltung und Orientierung am Geschmacksbegriff sie ebenso als Produkt einer rationalistischen Poetik ausweist wie die Betonung des empfindsamen Anteils sie in außerordentliche Nähe zur Jean-Paul-Rezeption des Manso-»Lobredners« (»Xenien«) Jacobs rückt. »In der allg. d. Bibliothek steht ein 9 Seiten langes Urtel [!] über mich, sanft und lobend und doch dumm« (Jean Paul an Otto 21. 2. 1798).

1 David Hume (1711–1776), engl. Philosoph u. Historiker. Vgl. den Schluß seiner »History of England. From the Invasion of Julius Caesar to the Revolution in 1688« (1754–1763; in der dt. Ausgabe Basel 1789 Bd. 12, S. 221 f.).
2 Kant, Kritik der Urteilskraft § 50.
3 Schriftlich erhobener Einspruch.
4 Vgl. Anm. 3 zu T 4.
5 Fleischbrühwürfel. Jean Pauls Bezeichnung der letzten Schriftengruppe in »Quintus Fixlein«.
6 Hanser Bd. 4, S. 62.

10 *Johann Friedrich Schütze · Jean Paul Friedrich Richter*

E Deutsches Magazin. Hg. von C.U.D. von Eggers, Bd. 15. Hamburg Februar 1798, S. 97–119.
D JbJPG 2 (1967), S. 155–167 (abgedruckt: S. 155–163. 167).
Johann Friedrich Schütze (1758–1810), Schriftsteller in Hamburg. Der Aufsatz ist der erste umfangreichere Versuch einer Charakteristik Jean Pauls; in der ihm eingegliederten (hier nicht abgedruckten) Bibliographie werden erstmals die unter dem Namen »Hasus« erschienenen Beiträge zu Archenholz' »Literatur und Völkerkunde« Jean Paul zugewiesen. Schützes Jean-Paul-Begeisterung ist wohl z.T. vermittelt durch seinen Bruder Christian Heinrich (1760–1820), Pfarrer in Barkau/Holstein, der seinerzeit in Leipzig zusammen mit Jean Paul studiert hat und an diese Bekanntschaft in Briefen vom 15. 10. 1797 und 18. 9. 1798 anknüpft. Jean Paul grüßt letzteren am Schluß der »Teufels-Papiere« (Hanser Abt. II, Bd. 2, S. 467) und in deren späterer Neufassung, den »Palingenesien« (Bd. 4, S. 730), hier – in unzweideutigem Bezug auf den vorliegenden Aufsatz – auch den »wohlwollenden Bruder«.

1 Dieselbe Einleitung gebraucht Schütze schon in seiner anonymen Rezension von Kants »Metaphysischen Anfangsgründen der Rechtslehre« (1797) in: Oberdeutsche allgemeine Litteraturzeitung 2. u. 5. 6. 1797, Nr. 66/67, Sp. 1041–1067.
2 Licht der Welt (lat.).
3 Vgl. T 6 (vorliegende Dokumentation S. 11).
4 Stark übertrieben.
5 S. u. Anm. 18.
6 HA Bd. 1, S. 210 mit Bezug auf Johann Caspar Friedrich Manso (s. o. zu T 9).
7 Im hier nicht abgedruckten bibliographischen Teil des Aufsatzes erwähnt Schütze ein

(heute verschollenes) Exzerptenheft aus Jean Pauls Leipziger Zeit, das über den Bruder Christian Heinrich in seinen Besitz gelangt ist.

8 Heinrich Pfenninger (1749–1821), schweiz. Maler und Kupferstecher, hatte Jean Paul im März 1797 gezeichnet; vgl. Berend/Krogoll Nr. 2464.

9 Vgl. die Vorreden zum »Siebenkäs« und zur »Zweiten Auflage des Quintus Fixlein«.

10 Unter dem Pseudonym Jäger.

11 Neuer Teutscher Merkur November 1795, Nr. 11, S. 302, Anm. – Schützes »Hamburgische Theater-Geschichte« erschien im Selbstverlag Hamburg 1794. Karl August Böttiger (1760–1835), Altphilologe und Archäologe, Mitherausgeber des »Merkur«, als »Magister ubique« (Schiller) vielleicht identisch mit dem obenerwähnten »Korrespondenten«.

12 Wo mehr Licht als Schatten ist usw. – bleiben dennoch sehr viele Wünsche offen! Der erste Teil ist Zitat aus Horaz, De arte poetica 351, wo die Fortsetzung freilich anders lautet: »will ich nicht tadeln einige kleinere Mängel«.

13 Von Jean Paul selbst gebrauchte Gattungsbezeichnung für seine Erzählungen.

14 Vgl. T 6 (vorliegende Dokumentation S. 11).

15 D: einer.

16 D: erhaltend.

17 D: Lesen.

18 »Dies neue merkwürdige Produkt seiner moralischen Phantasieschöpfungen« (Neuer Teutscher Merkur Mai 1797, Nr. 5, S. 88). Nach der öffentlichen Ankündigung des Verlegers Hennings ein Urteil Wielands, nach Jean Pauls Information stammte die Ankündigung von dem oben (s. Anm. 11) erwähnten Böttiger: vgl. HKA Abt. III, Bd. 3, S. 103 u. 425.

19 Nicht ermittelt.

20 Homer schlief, d.h. der Dichter irrte sich (nach Horaz, De arte poetica 359).

21 Fehlt (lat.).

22 Folgt Bibliographie (s. Einleitung zum Text).

23 Die Benennung erfolgt nach der hervorstechenden Eigenschaft (lat.).

11   *Georg Christoph Lichtenberg · [Jean Paul]*

ED Vermischte Schriften. Hg. von Ludwig Christian Lichtenberg u. Friedrich Kries, Bd. 2. Göttingen 1801, S. 308–310.

Lichtenbergs (1742–1799) Beschäftigung mit Jean Paul fällt vor allem auf den Sommer und Herbst 1798. Das ergibt sich aus dem im Text zitierten Zeitschriftenveröffentlichungen ebenso wie aus seinem Brief an Johann Friedrich Benzenberg vom Juli 1798, einem der bemerkenswertesten Zeugnisse der Wirkungsgeschichte Jean Pauls: »Ein Schriftsteller wie Jean Paul ist mir noch nicht vorgekommen, unter allem was ich seit jeher gelesen habe. Eine solche Verbindung von Witz, Phantasie und Empfindung möchte auch wohl ungefähr das in der Schriftsteller-Welt sein, was die große Konjunktion dort oben am Planeten-Himmel ist. Einen allmächtigern Gleichnis-Schöpfer kenne ich gar nicht. Es ist, als wenn in seinem Kopf sich jeder Gegenstand in dem Reiche der Natur- oder der Körper-Welt sogleich mit der schönsten Seele aus dem Reich der Sitten, der Philosophie oder der Gnade vermählte und nun mit ihr in Liebe verbunden wieder hervorträte. Haben Sie wohl die Stelle in dem ›Kampaner Thal‹ gelesen, wo Gione in einem Luftball aufsteigt? [Absatz] Ich kann mich nicht erinnern, daß seit langer Zeit irgend nur ein Bild einen so hinreißenden Eindruck auf mich gemacht hat. Ich muß gestehen, ich legte das Buch weg, um ihn recht lange zu behalten, denn ich fürchtete, er möchte vielleicht in der nächsten Periode durch einen vielleicht bloß witzigen Einfall gestört werden. [Absatz] Dieses ist, wo ich nicht sehr irre, der einzige Fehler dieses wunderbaren Schriftstellers; er weiß seinen Reichtum nicht immer mit Geschmack anzuwenden. Ein Bild jagt das andere und eine Blüte erstickt die andere. Deswegen kann ich, die Wahrheit zu gestehen, nicht viel *auf einmal* in ihm lesen« (Lichtenberg, Schriften und Briefe. Hg. von Wolfgang Promies, Bd. 4: Briefe. München 1967, S. 988). – Eine Reaktion Jean Pauls, der vor allem in jungen Jahren stark von Lichtenberg beeinflußt war (vgl. u. a. Hanser Bd. 1, S. 16), auf dessen posthum veröffentlichtes Urteil ist nicht bekannt (Jean Paul hatte den Nachlaß-Band offenbar 1801 von Böttiger entliehen: vgl. HKA Abt. III, Bd. 4, S. 106).

1 Vgl. T 9.

2 In einer anonymen Besprechung des »Quintus Fixlein« vom 15. 9. 1798.

3 Richtig: seiner Empfindung.

4 Richtig: seine Personen.

5 Handstreich (frz.).

12 *[Friedrich Bouterwek] · Rezension über »Das Kampaner Thal«*

ED Göttingische Anzeigen von gelehrten Sachen 13. 8. 1798, Nr. 129, S. 1285 f.
Friedrich Bouterwek (1766–1828), Schriftsteller, Ästhetiker und Philosoph, seit 1796 Professor in Göttingen. Kantianer, später Opponent des Idealismus; Hauptwerke: »Ästhetik« (Bd. 1. 2. 1806) und »Geschichte der Poesie und Beredsamkeit seit dem Ende des 13. Jahrhunderts« (Bd. 1–12. 1801–1819). Bouterwek, der schon im Roman »Gustav und seine Brüder« (1796) eine einschlägige Anspielung lanciert, äußert im Gespräch (wie Friedrich von Oertel 1797 berichtet: HKA Abt. III, Bd. 2, S. 509) und in Beiträgen zu den Göttingischen gelehrten Anzeigen (vgl. seine Rezensionen des »Titan« 20. 12. 1800, Nr. 202, S. 1016 und der »Levana« 27. 12. 1806, Nr. 207, S. 2057–2068) heftige Kritik an der ›verwilderten‹ Form Jean Pauls. Nach der persönlichen Bekanntschaft von 1802, die Jean Paul in seiner Hochschätzung des Autors Bouterwek bestärkt (vgl. Hanser Bd. 3, S. 1052; Bd. 5, S. 14), zeichnet sich eine Annäherung ab: die in der Gesamttendenz außerordentlich positive Besprechung der »Vorschule« in der Leipziger Literaturzeitung (1. 5. 1805, Nr. 57, Sp. 897–909) wird in der 2. Aufl. ausdrücklich berücksichtigt; der Literarhistoriker würdigt Jean Paul im Sommersemester 1822 ex cathedra als »Humoristen, wie es noch keinen gegeben hat« (Geschichte der deutschen schönen Literatur. Vorlesungsnachschrift im Besitz des Herausgebers, S. 132).

1 Cicero hier als maßgeblicher Vertreter der attizistischen Rhetorik.

2 Anspielung auf die erst mit August Boeckhs Edition von 1811 gelöste Schwierigkeit, ein adäquates metrisches Schema für Pindars Oden zu rekonstruieren. Das Bestehen dieser Problematik war eine wesentliche Voraussetzung für die Rezeption Pindars als des Begründers einer frei-rhythmischen Lyrik durch Klopstock und die Generation des Sturm und Drang.

3 Buntes Durcheinander, eigtl. was gefällt (lat.).

4 Könntest du das harte Geschick durchbrechen! – du wirst Marcellus sein. Bei Vergil (Äneis VI 882 f.) Äußerung des mythischen Stammvaters der Römer über den möglichen Nachfolger des Augustus, den begabten, aber zu frühem Tod bestimmten Marcus Claudius Marcellus (42–23 v. Chr.).

13 *Friedrich Schlegel · Aus: Fragmente*

ED Athenaeum. Eine Zeitschrift von August Wilhelm Schlegel und Friedrich Schlegel, Ersten Bandes Zweytes Stück. Berlin 1798, S. 33 f. 131–133.
Friedrich Schlegels (1772–1829) »unvergleichliche kurze Charakteristik, wo er [sc. Jean Paul] im scharfen Tadel mit tiefer Einsicht würdig gelobt ist« (Ludwig Tieck), eröffnet eine neue Phase der kritischen Auseinandersetzung mit Jean Paul. Ihre Aufwertung des Humors bei gleichzeitiger Beanstandung von Sentimentalität und Formlosigkeit wird zur Generallinie der frühromantischen Jean-Paul-Rezeption (siehe die Einleitung zur vorliegenden Dokumentation). Schlegel wandte sich im Herbst 1797

auf Tiecks Veranlassung Jean Paul zu; zum möglichen Anteil Karoline Schlegels und zu den Gerüchten um eine Umarbeitung des im Juli 1798 veröffentlichten (hier als zweiter Text abgedruckten) Fragments 421 nach ihrer Begegnung mit Jean Paul im Mai 1798 vgl. Eduard Berend, Jean Pauls Ästhetik. Berlin 1909 = Forschungen zur neueren Literaturgeschichte 35, S. 21 f. Hatte Schlegel Jean Paul »bis zur Ironie« loben wollen (Briefe an seinen Bruder August Wilhelm. Hg. von O. F. Walzel. Berlin 1890, S. 360), so ist diese Absicht Jean Paul und seinen Freunden entgangen. »Das Humoristische achtet er bloß an mir und heißet mich einen großen Dichter; aber wegen alles übrigen billt er mich an« (Jean Paul an Otto 15. 8. 1798). Jean Paul antwortet dem »ästhetischen Kopfabschneider« prompt mit »einigen Fingerspitzen voll Fliegen- und Wanzentod« (an Gleim 8. 8. 1798), die jedoch – sichtbares Zeichen der beherrschenden Stellung, die die Brüder Schlegel im Literaturbetrieb eingenommen hatten – erst im Komischen Anhang zum »Titan« in überarbeiteter Form erscheinen konnten (Hanser Bd. 3, S. 1030, Anm. 1). In der ursprünglichen Fassung der Note hatte Jean Paul – scheinbar seine Kunstfigur Fraischdörfer (»Geschichte meiner Vorrede«) als Verfasser voraussetzend – den »unmoralischen, lieblosen, oft frechen Ton« des Schreibers gerügt, »der vor uns aphoristische zerbrochene Gesetztafeln der Kritik ausschüttet und dessen barbarischer, blumig-metaphysischer Stil durch seine intolerante Bartholomäusnacht der Begriffe den größten Abstich gegen die leichte Klarheit der Griechen macht, die besagte Gebrüder so studieren und goutieren« (aus dem Nachlaß veröffentlicht durch Berend in Euphorion 20 [1913], S. 83–86). Auf Schlegels – frühere – Gräkomanie zielen auch die Repliken von Oertels (T 14) und Görres' (T 25) sowie Paul Aemil Thieriots Ausfall auf den »ärgerlichen Zyniker«, der noch die Griechen in üblen Verruf bringen werde (Allgemeiner Literarischer Anzeiger 24. 9. 1798, Nr. 151, gez. T).

1 Zusammen-Philosophie und Zusammen-Dichtung: zentrale Begriffe im Gemeinschaftsdenken der Frühromantik.
2 D. i. Ludwig Tieck, dessen Roman »Peter Leberecht. Eine Geschichte ohne Abentheuerlichkeiten« 1795/1796 erschien und der seine »Volksmährchen« 1797 unter dem Pseudonym Peter Leberecht herausgab. Vgl. August Wilhelm Schlegels ausführliche Besprechung der »Volksmährchen« in Athenäum I, 1 (1798).
3 Im 4. Kapitel des »Siebenkäs« (Hanser Bd. 2, S. 119 ff.).
4 Die drei Engländer im »Hesperus« entpuppen sich am Schluß als verschollene Söhne des Fürsten.
5 Der vertriebene polnische Adlige Du Portail spielt als Intrigant, seine Tochter Sophie als Braut des Helden eine zentrale Rolle in Jean-Baptiste Louvet de Couvrays (1760–1797) »Les amours du chevalier de Faublas« (1787–1790).
6 Zur Aufwertung des Begriffs in Schlegels späterer Beurteilung Jean Pauls vgl. T 16 und die Einleitung zur vorliegenden Dokumentation.

14 *Friedrich von Oertel · Ueber Jean Paul Richter. Herrn Friedrich Schlegel gewidmet*

ED Neuer teutscher Merkur Oktober 1798, S. 174–178.
Friedrich Benedikt von Oertel (1767–1807), Schriftsteller bei Leipzig, Freund Jean Pauls. Seine Replik auf Schlegels Athenäumsfragment (T 13) löste redaktionelle Kontroversen aus: »Oertel hat unter seinem Namen etwas gegen Schlegel in den Merkur für mich eingesandt, das der alles duldende Böttiger (der Unter-Redakteur des Merkurs) nicht recht haben wollte, das er aber auf Wielands Befehl einrücken muß, dem es sehr gefiel und der mirs vorlas« (Jean Paul an Otto 2. 9. 1798). Vgl. Wieland an Böttiger am 1. 9. 1798: »Ich habe den kleinen Aufsatz des Herrn v. Ö. (der hiemit zurückkommt) mit vielem Vergnügen gelesen; ich finde ihn, bis auf die Schlußzeile, bescheiden und gelassen genug, wenn ich ihn als eine von dem bewußten Hyperbolos

zehnfach verdiente Rüge seiner an Richtern begangenen Blasphemien betrachte, und ich wünsche, ihn im Merkur gedruckt zu sehen.« Jean Paul würdigt Oertels »actio contra Schleg.« als »recht philosophisch gedacht und treffend gesagt« und gibt Herders Lob an ihn weiter (an Oertel 21. 10. u. 13. 11. 1798). Vgl. auch: Karoline an Friedrich Schlegel 14. 10. 1798 und Heinrich Meyer an Goethe 28. 11. 1798.

1 Erste Anwendung der (vom Dichter selbst bevorzugten und zum Titel seines letzten Romans gewählten) Komet-Metapher auf Jean Paul. Ästhetische Irregularität wird ins Kosmische transponiert. Friedrich Köppen, der die »Vorschule der Ästhetik« zunächst mit einem Garten vergleicht, »wo feste Sterne in dem Lichte flammen und die Sonne mitten unter ihnen«, fährt fort: »aber es gehen auch Wandelsterne und Kometen durch das Licht und verschlingen oft den Tag und trüben die Farben – und wenn Sie mich fragen: warum diese Wandel- und Schwanzgestirne? Warum nicht ein ewiges Licht und eine ewig schöne Färbung aller Früchte? – so wollte ich Ihnen antworten: dies gehört mit zu dem Garten und zu seinem Himmel darüber« (Zweyter Brief über Jean Pauls Vorschule zur Aesthetik. In: Nordische Miszellen Januar 1805, Nr. 2, S. 61). Wolfgang Menzel entschärft die Komet-Metapher, wenn er auf Heinrich Doerings Vorwurf der Formlosigkeit Jean Pauls entgegnet, »daß Jean Pauls Geist bis an sein Ende nur an Überfülle jugendlicher Schöpfungskraft gelitten habe und daß, wenn man auch eben deshalb seine Biographien Kometen (nach *Oken* unentwickelte Planeten) nennen wollte, die elliptischen Bahnen derselben dennoch an seinen Geist als an die rechte und in sich vollkommene Zentralsonne gebunden seien« (Literaturblatt. Beilage zum Morgenblatt 23. 6. 1826, Nr. 50, S. 200). »Daß Richter ein neuer Planet am geistigen Himmel ist, wagen wir nicht zu behaupten«, so Carlyle, »ein atmosphärisches Meteor ist er auch nicht ganz; vielleicht ein Komet, welcher, obgleich mit weiten Abirrungen, und gehüllt in einen nebelhaften Schleier, noch seinen Platz im Empyräum hat« (vorliegende Dokumentation S. 123). Mit Blick auf die Diskontinuität der Jean-Paul-Wirkung fragt noch 1963 Ewald Grethers: »War er nun selber ein Komet, der seinen Glanz nur kurz einer staunenden Mitwelt zeigte und dann spurlos dahinging?« (Der kleine Bund. Beilage des Berner Bund 22. 3. 1963, Nr. 124)

2 Goethe, Zueignung (1784), Vers 96 (HA Bd. 1, S. 152).

3 Vgl. die gleichgerichtete Polemik Jean Pauls in der »Geschichte meiner Vorrede« (1797): »Auf den Kubikinhalt komm' es der Form so wenig an, daß sie kaum einen brauche, wie denn schon der reine Wille eine Form ohne alle Materie sei [...] Daher lasse sich der Ausspruch Schlegels erklären, daß, so wie es ein reines Denken ohne allen Stoff gebe (dergleichen ist völliger Unsinn), es auch vortreffliche poetische Darstellungen ohne Stoff geben könne« (Hanser Bd. 4, S. 26).

4 Anspielung auf die Bedeutung der Kritischen Philosophie Kants für die frühromantische Schule.

5 Zentraler Begriff in Schlegels Aufsatz »Über das Studium der griechischen Poesie« (1795, veröffentlicht 1797): »Die sittliche Fülle, die freie Gesetzmäßigkeit, die liberale Humanität, das schöne Ebenmaß, das zarte Gleichgewicht, die treffende Schicklichkeit, welche mehr oder weniger über die ganze Masse zerstreut sind; den vollkommenen Stil des Goldnen Zeitalters, die Objektivität der Darstellung; kurz den Geist des Ganzen – die reine Griechheit soll der moderne Dichter, welcher nach echter schöner Kunst streben will, sich zueignen« (Friedrich Schlegel, Schriften zur Literatur. Hg. von Wolfdietrich Rasch. München 1970, S. 178).

6 Homer, der z.B. die grausame Rache Achills an Hektor erzählt (Ilias, 22. Buch).

15 *[Theodor Benjamin Helfrecht] · Aus: Shakal, der schöne Geist*

ED Shakal, der schöne Geist. Fragment einer Biographie aus dem 14. Jahrhundert, von dem Araber Albezor. Aus dem Arabischen ins Maleyische, aus diesem ins

Lateinische, dann ins Französische und endlich ins Teutsche übersetzt und mit schönen Anmerkungen geziert von Hanns Görg. Dintenstadt [= Leipzig] 1799. Jean Paul schreibt am 11. 6. 1799 aus Weimar an Otto: »Amöne [sc. Herold] sagt mir von einem pro patria oder ex patria Papier oder libellulum gegen mich, das mir meine Landsleute wie einer Marktdiebin auf die Brust hängen [...] Lieb ist mirs, daß mein Vaterland doch einmal etwas Gedrucktes von mir hat, das ihm – ich hoff' es – ein unvermischtes Vergnügen gewährt« (HKA Abt. III, Bd. 3, S. 203). Der Verfasser des anonymen Pasquills ist Jean Paul nicht bekannt geworden, obwohl ihn schon Fikenschers »Gelehrtes Fürstentum Baireuth« (4. Bd. Erlangen 1801) wie später Berend (Zeitschrift für Bücherfreunde N. F. 4,2 [1913], S. 297–308) mit dem Hofer Rektor Helfrecht (1752–?), einem persönlichen Bekannten Jean Pauls und Lehrer seiner Brüder, identifiziert. Helfrecht, der durch den Fragmentcharakter seines Buchs, die Einschaltung eines fiktiven Herausgebers, die Anmerkungen der verschiedenen Übersetzer und die Verrückung von Vorrede und Dedikation an den Schluß des Ganzen die offene Form des Jean-Paulschen Romans persifliert, verrätselt seine Karikatur in von den Zeitgenossen – vgl. etwa die wohlwollende Besprechung in der Neuen allgemeinen deutschen Bibliothek 55 (1800), S. 486–488 – freilich sogleich durchschauter Weise durch Rückprojektion ins maurische Spanien des späten 13. Jahrhunderts. »Shakal der schöne Geist oder Jago Piedro, wie er sich selbst, oder der Irrwisch, wie ihn einige rechtgläubige Ästhetiker nannten«, habe durch seine oberflächliche Vielschreiberei den Niedergang der arabischen Literatur mit eingeleitet. In seiner Denunziation der durch Shakal/Jean Paul vertretenen modernen Literatur (ihrer Ästhetik als Verwilderung, ihrer Produktions- und Rezeptionsbedingungen – vgl. vor allem das Protokoll des Leihbibliothekars S. 121–140 – als Kommerzialisierung) trifft sich Helfrecht mit dem konservativen Flügel der spätaufklärerischen Kritik (Merkel, Nicolai), wenn auch das Motiv seines Pamphlets eher persönlicher Natur gewesen sein mag (s. Anm. 11). Die hier abgedruckte 2. Shura (= Sure) des 2. Buchs glossiert Jean Pauls literarische Entwicklung von den Anfängen bis zur »Geschichte meiner Vorrede« (1797). Die 1. Auflage führt die Linie bis zum »Polyphem« (dem damals erst angekündigten »Titan«) weiter und läßt danach Erschlaffung, Mangel und Tod eintreten. Die Neuauflage von 1801, der »frischaufgelegte mehr dumme als böse Shakal« (Jean Paul an Otto 1. 5. 1803) ergänzt Bio- und Bibliographie durch ein neues, wesentlich milder gestimmtes Fragment: »Er schrieb aufs neue, aber mehr ernsthafte Bücher, welche dem Weisen baß gefielen als bunter Scherz und Schnickschnack« (S. 245).

1 Was noch kein anderer sang ... nichts Sterblich-Schwaches will ich dichten (Horaz, Carmina III 25,8 u. 18).
2 Medusas Antlitz ... Hunde am Unterleib eines Mädchens ... eine Chimaira ... Vierfüßler, deren Brust mit einer menschlichen Brust verbunden ist, einen dreifachen Mann und einen dreifachen Hund, die Sphinx, die Harpyien, die schlangenfüßigen Giganten, den hundertarmigen Gyes und den Mann, der halb Stier ist (Ovid, Tristia IV 7,11–18, übers. v. Georg Luck; ED: Quod nupedesque, Gygen).
3 Bilder ohne Sinn (»namenlose Gestalten«), Träume eines Fieberkranken (nach Horaz, De arte poetica 7f.).
4 Grönländische Prozesse (1783).
5 Auswahl aus des Teufels Papieren (1789).
6 Hof, wohin sich Jean Paul nach Abbruch seines Leipziger Studiums 1784 zurückzog.
7 Christian Otto (1763–1828), politischer Schriftsteller, anfangs Hof, später Bayreuth. Wichtigster Freund und Berater Jean Pauls seit ca. 1790. Vgl. Jean Paul, Briefwechsel mit seinem Freunde Christian Otto. Bd. 1–4. Berlin 1829–1833. Repr. Berlin-New York 1978.
8 Die unsichtbare Loge (1793).
9 Hesperus (1795).
10 Siehe Quintilian, Ausbildung des Redners, Vorrede zu Buch 8, Kap. 4 (in heutiger

Zählung §§ 24 u. 26): »Ist es denn nicht so, daß der eigentliche Ausdruck schon ganz verpönt ist? ... als ob es irgendeinen Vorzug von Worten gäbe, der nicht in dem Zusammenhang mit den bezeichneten Sachverhalten begründet wäre« (übers. v. Helmut Rahn).

11 Quintus Fixlein (1796). Als »Pranger für ehrliche Männer« mag Helfrecht vor allem die angehängte Humoreske »Des Rektors Florian Fälbel und seiner Primaner Reise nach dem Fichtelberg« verstanden haben, sei es, daß er sich selbst im Typus des gelehrten Schulpedanten wiedererkannte, sei es, daß er das Lob seiner eigenen Fichtelgebirgsbeschreibung (Hanser Bd. 4, S. 256) als Ironie mißverstand. Vgl. Berend, a. a. O. S. 307 f.

12 Biographische Belustigungen unter der Gehirnschale einer Riesin (1796).

13 Fernrohre (lat.).

14 Der Jubelsenior (1797).

15 Blumen-, Frucht- und Dornenstücke oder Ehestand, Tod und Hochzeit des Armenadvokaten F. St. Siebenkäs (1796/1797).

16 Das Kampaner Tal (1797).

17 Geschichte meiner Vorrede zur zweiten Auflage des Quintus Fixlein (1797).

18 ED: gewesen.

19 Hanns Görg, der fiktive Herausgeber, hinter dem sich der anonyme Verfasser verbirgt.

20 ED: feinen.

16   *Friedrich Schlegel · Aus: Brief über den Roman*

ED Athenaeum. Eine Zeitschrift von August Wilhelm Schlegel und Friedrich Schlegel. Dritten Bandes Erstes Stück. Berlin 1800, S. 112 ff.
Zu Friedrich Schlegel vgl. Einleitung zu T 13. Zur hier vollzogenen Aufwertung Jean Pauls im Zeichen der Arabeske s. die Einleitung zur vorliegenden Dokumentation.
»Friedr. Schlegel war bloß darum 1 ¹/₂ Tag in Weimar, um 1 ¹/₂ Tag in meiner Stube zu sein. Wir haben uns leicht verständigt. Er liebte mich und meine Werke von jeher – im neuesten Athenäum nahm er schon viele Invektiven zurück – und jetzt mehr und ich ihn« (Jean Paul an Otto 16. 5. 1800).

1 Jacques le fataliste et son maître (1778–1780, vollständig 1796), Roman von Denis Diderot.

2 Fliegende Insel in Swifts »Gulliver's Travels« (III 1–3), deren Bewohner durch ein Höchstmaß der Introversion und Vergeßlichkeit gekennzeichnet sind, hier Inbegriff der Narrheit.

3 Allgemeine Literatur-Zeitung. Jena 1785–1803 (fortgeführt in Halle: 1804–1841). Führende deutsche Literaturzeitschrift vor Gründung der Jenaischen Allgemeinen Literatur-Zeitung 1804.

4 »La Gierusalemme liberata, overo il Goffredo« (1581), Tassos Hauptwerk in der Nachfolge von Ariosts »Orlando furioso« (1516).

5 Antonio Allegri, gen. Correggio (1489–1534), ital. Maler, Hauptmeister der Schule von Parma, bekannt für das Helldunkel seiner Tafelbilder und die perspektivische Kühnheit der Deckenfresken.

17   *Garlieb Merkel · Aus: Briefe an ein Frauenzimmer*

ED Garlieb Merkel, Briefe an ein Frauenzimmer über die wichtigsten Produkte der schönen Literatur in Teutschland 1 (1800), 3. Brief, S. 33–46.
Garlieb Merkel (1769–1850), spätaufklärerischer Schriftsteller und Literaturkritiker in Riga, 1797–1806 in Weimar und Berlin, bekannt für seine in den »Briefen an ein Frauenzimmer« und dem zusammen mit Kotzebue gegründeten »Freimüthigen« vor-

getragene Polemik gegen die klassische und romantische Literatur. »Merkel sitzt noch auf seinem Richterstuhl, dem die Lehne fehlt, und hält seine Zunge für das Zünglein in der Themiswaage und ist mit dem stillen Beifalle zufrieden, den ihm H. Merkel zollt. Da hier [sc. in Berlin] so viele auf ihn zürnen – besonders wegen seiner Bulle gegen den ›Titan‹ – so fang' ich allmählig auch an, mich zu ereifern« (Jean Paul an Herder 8. 10. 1800). Die Kontroverse Merkel-Jean Paul (die seit 1798 persönlich miteinander bekannt waren) ist in der Tat primär Ausfluß der Polarisierung, die in Berlin das Verhältnis des aufklärerischen zum romantischen Lager bestimmte. Jean Pauls grundsätzliche Abrechnung mit der aufklärerischen Literaturkritik im »Kritischen Unter-Fraisgericht« (2. Bd. des »Komischen Anhangs zum Titan«) ist nicht zuletzt als Antwort auf Merkel zu lesen (vgl. HKA Abt. III, Bd. 4, S. 30f. 40. 42), der seine Jean-Paul-Kritik in der Rezension des Corday-Essays im 10. Frauenzimmerbrief (Bd. 1 [1800]) noch verschärft hatte. Erst 1805 geht Jean Paul anläßlich der Attacken auf Goethe zur namentlichen Denunziation der »kritischen Vogelspinne« über (Hanser Bd. 2, S. 1054f. und Bd. 6, S. 315). Zu Meusebachs Merkel-Kritik vgl. Jahrbuch der Deutschen Schillergesellschaft 22 (1978), S. 128f.; einen Querschnitt durch die romantische Reaktion auf Merkel bietet die von Karl August Varnhagen von Ense anonym herausgegebene Streitschrift: Testimonia Auctorum de Merkelio, das ist: Paradiesgärtlein für Garlieb Merkel. Kölln 1806 (vorh.: SBPK, Berlin). Vgl. im übrigen die Einleitung zur vorliegenden Dokumentation mit Anm. 34.

1 Pope, An Essay on Criticism 289–292 (Sperrungen nach Merkel): Einige schränken ihren Geschmack bloß auf witzige Einfälle ein, und jede Zeile enthält schimmernde Gedanken. Sie vergnügen sich an einem Werke, worin nichts richtig ist, nichts am rechten Orte stehet; an *einem glänzenden Chaos und einem wilden Haufen von Witz* (übers. v. J. J. Dusch).

2 Im 4.(!) Heft des von J. Smidt herausgegebenen Hanseatischen Magazins ist einer Beschreibung der Insel Neuwerk (als »Auszug aus einem Tagebuche vom 8. Aug. 1797«) eine jeanpaulisierende Schilderung der Aussicht aufs Meer eingelegt, die sich in zwei Fußnoten ausdrücklich auf ihr poetisches Vorbild bezieht: »Ich bringe hier Jean Paul noch einmal in der Note, denn im Grunde hat er mich im Texte. Diese und einige der folgenden Ausdrücke sind sein volles Eigentum. Daher bitte ich den Leser, a) zu bedenken, daß dies Auszug aus einem Tagebuche ist, b) zu erfahren, daß, seitdem ich Jean Paul gelesen habe, ich für solche Gegenstände keine *andre* Sprache weiß als *seine*.« Schon vorher war zur Feststellung, das Meer liege über die Schönheitslinie hinaus, angemerkt worden: »Ist das vielleicht der nemliche Fall mit den Schriften *Jean Pauls*, den man so häufig verkennt, weil er gegen die Regeln der Ästhetik zu verstoßen scheint. Ein *Garten* ist freilich ein Gegenstand der Kunstkritik. Aber Schweizergegenden sieht man, und meistert sie nicht« (Hanseatisches Magazin 2,2. Bremen 1799, S. 311 u. 308).

3 Pieter Breughel d. J., auch »Höllenbreughel« genannt (ca. 1564–1638), niederl. Maler, bekannt für seine spukhaften Darstellungen (Sohn Pieter Breughels d. Ä., des sog. »Bauernbreughel«).

4 Eigtl. manieristische Figurationen (z. B. bei Bracelli), hier: Kurioses, Absurdes.

5 Antiker Torso bei der Piazza Navona in Rom, wo die ›Pasquille‹ aufgehängt wurden. Vgl. Hanser Bd. 3, S. 28f. (3. Zykel).

6 Darauflosschwatzen.

7 Abführmittel. Vgl. Hanser Bd. 3, S. 202 und 206 (42./43. Zykel).

8 Isola Bella, eine der vier Inseln im Lago Maggiore, die ihren Namen von der Mailänder Familie Borromeo führen.

9 Sockel, Untersatz.

10 Frei nach Hanser Bd. 3, S. 20f. (1. Zykel). Arona Ortschaft am südlichen Lago Maggiore; die Riesenstatue des Kardinals Carlo Borromeo (1533–1584) wurde 1624 bei Arona errichtet.

11 Hanser Bd. 3, S. 43 (5. Zykel).
12 Hanser Bd. 3, S. 44–47 (6. Zykel).
13 Hanser Bd. 3, S. 189–192 (39. Zykel).
14 Hanser Bd. 3, S. 868–871 (Komischer Anhang, Bd. 1).
15 Salpetersäure.
16 Cyrano de Bergerac, eigtl. Hector Savinien Cyrano (1619–1655), frz. Schriftsteller, bekannt für die Phantastik seiner utopischen Erzählungen und den Schwulst seiner Tragödie.
17 Daniel Caspar von Lohenstein (1635–1683), deutscher Barockdramatiker der sog. 2. Schlesischen Schule.
18 Die Zeitschrift der Brüder Schlegel (vgl. T 13 und T 16), gegen die schon Friedrich Nicolai den Vorwurf barocker Unverständlichkeit erhoben hatte (»als hätten sich Kaspar Lohenstein und Jakob Böhme zusammen auf den Dreifuß der Priesterin in Delphi gesetzt«: Goethe im Urteil I, S. 178).
19 Hanser Bd. 3, S. 15 (1. Zykel; mit geringen Abweichungen). Die vom Freiherrn von Brabeck gegründete Chalkographische Gesellschaft (1795–1806) diente der Vervielfältigung wertvoller Kunstwerke in Kupferstichen.
20 Frei nach Hanser Bd. 3, S. 83 (14. Zykel). Plongierbad = Sturzbad.
21 Frei nach Hanser Bd. 3, S. 223 (46. Zykel).
22 Die monströsen Figuren in der Villa des sog. Prinzen von Palagonien (Ferdinando Francesco II. Gravina, Principe di Palagonia, 1722–1788) nahe Palermo waren in Europa durch Patrick Brydones (1738–1818) Beschreibung seiner Reise nach Malta und Sizilien bekannt und wurden auch in der »Titan«-Rezension der Pözile zur Charakterisierung der »erkünstelten Formen und gesuchten Zieraten« herangezogen (1801, Nr. 1, S. 187f.). Noch 1913 vergleicht Georg Hermann Goethes Einstellung zu Jean Paul mit seinem Entsetzen über den »Unsinn des Prinzen von Palagonien« (Zeit im Bild 11,13 [1913], S. 643).
23 Bananen.

18 *Friedrich von Oertel · Rezension über »Titan«, Bd. 1*

ED Teutsche Fama oder Leipziger Jahrbuch der neuesten Literatur 24. 7. 1800, Nr. 11, Sp. 85–88
Zu Friedrich von Oertel vgl. Einleitung zu T 14. Jean Paul dankt Oertel für die Rezension, auf deren positive Tendenz er sich auch im Brief an Otto vom 11. 9. 1800 beruft, am 12. 8. 1800: »Dein gediegner hellpolierter Stil etc. machen mein Lob zu ihrem und dadurch wieder zu meinem«. Oertel setzt die Besprechung des »Titan« in Leipziger Jahrbuch vom 26. 7. 1800 (Nr. 12, Sp. 89f.), 15. 7. 1801 (Nr. 13, Sp. 97–99), 14. 9. 1802 (Nr. 65, Sp. 516f.) und 27. 7. 1803 (Nr. 12, Sp. 189f.) fort, ohne allerdings in dieser durch das gestaffelte Erscheinen der einzelnen »Titan«-Bände bedingten Zerstückelung das Pathos und die Höhe des Überblicks wieder zu erreichen, die seine Besprechung des 1. Bandes auszeichnen.

1 Vgl. die zentrale Bekundung dieses Ideals bei Jean Paul im 1. Fruchtstück des »Siebenkäs«: »Brief des Doktor Viktor an Kato den Älteren über die Verwandlung des Ich ins Du, Er, Ihr und Sie« (Hanser Bd. 2, S. 416–440).
2 Untertitel der »Unsichtbaren Loge«.
3 Anspielung auf die bei Xenophon (Memorabilien II 1) überlieferte Fabel des Sophisten Prodikos über Herakles am Scheidewege. Herakles heißt Alkide als Sohn Alkmenes, der Gattin Amphitryons, eines Sohns des Alkaios.
4 Anspielung auf 2. Mose 13, 21f.
5 Chemische Analyse.
6 Hanser Bd. 3, S. 254f. (Titan, 52. Zykel).
7 Der Zauberstab, auch von Jean Paul selbst (vgl. Hanser Bd. 2, S. 832) gebrauchtes Bild

für die Verwandlungskraft der Phantasie, kehrt – »eingetunkt« – noch im Titel von Benjamins Kommerell-Rezension wieder: vgl. T 69.

8 Der Gegensatz der niederländischen und italienischen Schule begegnet bei Jean Paul erst in der 2. Auflage der »Vorschule« (1813) als Kernstück der Romantheorie (§ 72); die Herkunft des Gleichnisses aus der Malerei hier bei Oertel – in Verbindung mit der Dresdner Gemäldegalerie – noch mit Händen zu greifen.

9 Hanser Bd. 3, S. 221 (Titan, 45. Zykel). Der Hinweis auf »genialische Frauen« ist primär auf Emilie von Berlepsch (1755–1830) gemünzt, über deren Verhältnis zu Jean Paul Oertel genauestens orientiert war. Jean Paul hat ihr gegenüber wiederholt auf der Trennung zwischen Traum und Realität bestanden, in gewisser Weise ist die Konzeption des »Titan« eben durch diese Auseinandersetzung geprägt: vgl. vor allem Jean Pauls Brief an Emilie vom 23. 7. 1797 (HKA Abt. III, Bd. 2, S. 352), dessen Formulierungen schon den Schluß der 8. Jobelperiode des »Titan« (aus dem Oertel hier zitiert) vorwegnehmen.

10 Hanser Bd. 3, S. 57–68 (Titan, 9. Zykel).

19   *[Anonym] · Ein gut Recept zu arbeiten in Jean Pauls Manier, nach Jean Paul*

ED Vergötterungs-Almanach für das Jahr 1801. Monumente, Grabschriften, Standt- und Leichenreden auf einem Lebendige Sünder nebst einem verbesserten Heiligenka- lender nach der Kantischen Kategorientabelle. Überall und nirgends [Erfurt] o. J. [1800] (unpaginiert; vorh.: Bayer.SB und DLA Marbach, Jean-Paul-Archiv).
Der erste Teil der anonymen antiromantischen Streitschrift, der »Neue und verbes- serte Heiligen-Kalender für Schriftsteller und Bürger nach der Kantischen Katego- rientabelle auf das Jahr 1801«, ist nach folgendem Schema angelegt: links Tage mit Kalenderheiligen und Wettervoraussagen, rechts Heilmittel gegen Krankheiten. Die Heiligen sind »Verleger, Dichter, Philologen, Theologen, Juristen, Mediziner, Natur- forscher, Philosophen und Mathematiker«, die Heilmittel u. a. ironische Rezepte der Jean-Paul-Imitation. Dabei ergeben sich z. T. bizarre Querbezüge: links die »Kalen- derheiligen« Fichte und Schelling mit der Vorhersage: »Der Himmel öffnet sich, und es stürzen allerlei Schreckgestalten zur Öffnung heraus auf die Erde herab«, rechts (aus dem hier abgedruckten Rezept 3) »Suche so originell zu sein, als dieses dir immer nur möglich ist; und hüte dich ja, das nachzutun, was ein andrer dir schon vortat«. Das Titelkupfer illustriert eine Szene aus dem dritten Teil des Almanachs (»Einige Thaten und Künste der Hexe von Endor aus dem verflossenen Jahrhundert von ihr selbst erzählt«): auf einer Heugabel durch die Luft reitend, zeigt die Hexe dem Nordhäuser Ratsherrn als erstes der Monumente auf lebende Schriftsteller das »Monumentum auf Jean Paul« (»Dieses Monument stand auf dem Gipfel eines Ber- ges, der sich bis in die Wolken erstreckte [...] Er war vulkanischer Natur. Sein Krater, der in einen unermeßlichen Schlund hinablief, war fast immer von starken Dunstwol- ken umzogen, warf von Zeit zu Zeit immer glühende Lavaströme aus, und die aus ihm dann emporstehende Feuersäule war so hoch und so ätherisch feuriger Natur, daß sie, den neusten Nachrichten zufolge, durch alle Lufträume des Universums hindurch bis zum christlichen sowohl als mahomedanischen und jüdischen Himmel hinauflo- derte«). Ironisch kommentierte Auszüge aus der »Clavis Fichtiana« bilden den Schluß des Almanachs, der sich in Euphorion 26 (1925), S. 610 f. mit einigen Ungenauigkeiten beschrieben findet. – Über Jean Pauls Reaktion angesichts der 2. Auflage des Buches (Galgenreden, Monumente, Grabschriften [...] Berlin-Leipzig 1801; die 1. Aufl. wurde konfisziert) berichtet Karl Friedrich Kunz in seinem Erinnerungsband (s. u. zu T 43) S. 50.

1 Beim Schreiben (lat.).

2 Ort der »Palingenesien«; Kuhpachtel (wenn nicht verdruckt) Anspielung auf Kuh- schnappel, Ort des »Siebenkäs«.

3 S. o. Anm. 3 zu T 12.
4 Wie es das Gemenge der Dinge mit sich bringt (lat.).
5 Geheimnis (lat.).
6 Marcus Fabius Quintilianus (ca. 35–96 n. Chr.), Lehrer der Rhetorik in Rom, Verfasser der »Institutio oratoria«.
7 Karl Wilhem Ramler (1725–1798), Lyriker der Aufklärung, übersetzte Charles Batteux' »Cours de belles-lettres ou principes de la littérature« (1747–1750; als »Einleitung in die schönen Wissenschaften oder Grundsätze der Literatur« dt. 1756–1758).
8 Johann Georg Sulzer (1720–1779), Philosoph und Ästhetiker. Seine »Allgemeine Theorie der Schönen Künste« (1771–1774) war im 18. Jahrhundert von großem Einfluß.
9 Einbildungskraft (lat.).
10 Erfindungsgabe, Genie (lat.).
11 Prediger Salomo 1,2.
12 Zum richtigen Verhalten des Weisen vgl. Sprüche Salomonis und Prediger Salomo passim; Entgegensetzung Volk-Weiser so nicht nachzuweisen.
13 Gegengift (gr.-lat.).
14 ED: manchen.
15 Kirchenväter: Augustinus (354–430), Tertullian (nach 150–ca. 250), Hieronymus (ca. 347–419/420).
16 Albertus Magnus (ca. 1193–1280), Alexander von Hales (ca. 1185–1245), Anselm von Canterbury (1033–1109).
17 Rezept.
18 Es ist bewährt (lat.).

20 *[Heinrich Julius Ludwig von Rohr] · Rezension über »Der 17. Juli oder Charlotte Corday«*

ED Neue allgemeine deutsche Bibliothek 57 (1801), Nr. 2, S. 541–544 (gez. Fz [Fraktur]).
Heinrich Julius Ludwig von Rohr (?–1811), Regierungsrat in Berlin, Mitarbeiter der Neuen allgemeinen deutschen Bibliothek im letzten Jahrzehnt ihres Bestehens (seine Siglen bei Parthey [s. Einleitung zu T 2]), zusammen mit Theodor Heinsius Herausgeber der »National-Zeitschrift für Wissenschaft, Kunst und Gewerbe in den preußischen Staaten« (1801, Fortsetzung »Biennus« 1802). Vermutlich provoziert durch Jean Pauls Annäherung an die romantische Ästhetik (manifest in seinem Berliner Aufenthalt 1800/1801), nutzt von Rohr die Besprechung von Viewegs »Taschenkalender für 1801« (in dem Jean Pauls Corday-Essay erschienen war) im Rahmen einer Sammelbesprechung von Taschenkalendern zu einer Generalabrechnung mit Jean Paul, die das Ende der Toleranz bezeichnet, die das repräsentative Rezensionsorgan der Spätaufklärung bis dahin gegenüber Jean Paul beobachtet hat (s. auch T 21).

1 Johannes von Müller (1752–1809), Historiker, Verfasser der »Geschichte schweizerischer Eidgenossenschaft« (1786–1808).
2 Eigtl. Einfälle (ital.), beliebte Form des Manierismus, hier abwertend: gesuchte Formulierungen.
3 Die entsprechende Formulierung der 2. Fassung Hanser Bd. 6, S. 343.
4 Untertitel des »Hesperus«.
5 Kollektaneen: gesammelte Lesefrüchte.
6 Die entsprechende Formulierung der 2. Fassung Hanser Bd. 6, S. 345.
7 Unter vertauschtem Namen erzählst du *deine eigene* Geschichte (in Abwandlung von Horaz, Satirae I 1,69 f.).

ED Neue allgemeine deutsche Bibliothek 64 (1801), S. 74–93 (gez. Wd [Antiqua]; Rezension über »Titan«, Bd. 1.2 und »Komischer Anhang«, Bd. 1.2, hier abgedruckt: S. 79–83).

Zu Manso s. Einleitung zu T 9; Zuschreibung nach Parthey (s. Einleitung zu T 2). Das empfindsame Einverständnis, das Mansos Sammelrezension von 1798 (T 9) bei aller Kritik im einzelnen bestimmt hatte und ihn noch 1800 dem »Hesperus« – freilich in Abhebung von den kaum goutierbaren »Palingenesien« – als »Lieblingsbuch aller Leser von reinem Herzen und tiefer Empfindung« huldigen ließ (Bd. 49, S. 29), zerbricht angesichts der offenen Angriffe, die der »Komische Anhang zum Titan« (Bd. 1.2. 1800/1801) gegen Nicolai (den »berühmten Deutschlands-Renner Langheinrich, der schneckenmäßig jedes passierte Städtchen mit seiner reisehistorischen Dinte beschleimt«: Hanser Bd. 3, S. 992) und die Nicolaiten richtet. Mit seiner Aufkündigung der Grundsätze rationalistischer Literaturkritik im »Kritischen Unter-Fraisgericht« schien sich Jean Paul vollends selbst dem von den Spätaufklärern befehdeten romantischen Lager einzuordnen. Mansos Replik gerät in ihren besten Teilen zum bedeutenden Dokument für das historische Auseinanderbrechen moderner Subjektivität und bürgerlicher Normenwelt – freilich ohne daß sich der Kritiker der Endgültigkeit dieses Bruchs bewußt wäre: der erste Teil seiner »Titan«-Rezension findet neben Zeugnissen der Selbstgefälligkeit und Geschmacklosigkeit auch »viel Gutes, Schönes und Herrliches« (S. 78), der Schluß hofft optimistisch auf eine Besserung Jean Pauls: »Wir bieten ihm die Hand« (S. 93). – »In der allg. deutschen Bibliothek hat mich Nicolai bis auf ein paar Knochen aufgefressen; ich antworte dem Kläffer nichts« (Jean Paul an Otto 1.2. 1802; vgl. auch an Böttiger 12.1. 1802). Für den Bilderwitz der »Vorschule« ist Manso »der Pavian und die Laus zugleich« (Hanser Bd. 5, S. 380).

1 Unter-Fraischgericht oder, wie es bei Jean Paul heißt, Unter-Fraisgericht: Gericht der sog. niederen Frais, d.h. ohne Recht auf Leben und Tod.

2 Hanser Bd. 3, S. 906.

3 Hanser Bd. 3, S. 910. Mansos Schreibung »eccentrisch« wird hier und im folgenden in Anlehnung an Jean Pauls Diktion und in Hinblick auf die Gegenbegriffe »kon-« und »azentrisch« zu »exzentrisch« normalisiert.

4 »Lucinde«, Roman von Friedrich Schlegel, erschienen 1799.

5 »Leben und Tod der heiligen Genoveva«, Trauerspiel von Ludwig Tieck, erschienen 1800.

6 Die Fragmentsammlungen »Blüthenstaub« und »Glauben und Liebe oder Der König und die Königin«, die Novalis 1798 im »Athenäum« und den »Jahrbüchern der Preußischen Monarchie« veröffentlichte.

7 »Gigantomachia, das ist heilloser Krieg einer gewaltigen Riesen-Corporation gegen den Olympos«, Satire August Bodes auf die Brüder Schlegel mit Ausfällen gegen Kotzebue, erschienen 1800.

8 »Die Eumeniden oder Noten zum Text des Zeitalters«, anonyme Streitschrift von Franz Horn und Adolph Wagner, erschienen 1801.

9 Vgl. dagegen Jean Paul: »Exzentrisch heißen gerade die zentripetalen Menschen« (Denkwürdigkeiten Bd. 4, S. 34).

10 Hanser Bd. 3, S. 929.

11 Pandora, in griech. Mythologie die erste Frau: aus ihrer Büchse kamen die Übel in die Welt; Äolus, Gott der Winde, die er in Schläuchen aufbewahrte.

12 Entstellte Form, eigtl. eines Wortes durch Vertauschung von Buchstaben.

13 Lebemann (frz.).

14 Hinderungsgründe für ein Ordensgelübde (lat.).

15 Bei Vergil (Äneis II 199–224) trojanischer Priester, der zusammen mit seinen Söhnen von Schlangen getötet wird. Bekannt vor allem durch die hellenistische Marmorgruppe im Vatikan und Lessings an sie anknüpfende Streitschrift von 1766.

16 Etwa: es in die Tat umsetzen (frz.).

17 Plündern das Mahl, besudeln mit schmutzigem Zugriffe alles (Vergil, Äneis III 227f., übers. v. J. u. M. Götte).

18 Der Pöbel der Gentlemen, die mit Leichtigkeit schreiben (Pope, Imitations of Horace, Ep. II 1, 108, übers. v. J. J. Dusch).

22 *August Klingemann · Brief an eine Dame bei Uebersendung des Titan von Jean Paul*

ED Zeitung für die elegante Welt 7. 7. 1803, Nr. 81, Sp. 639–643.
August Klingemann (1777–1831), erfolgreicher Romanautor und Dramatiker, 1817–1831 Direktor des Braunschweiger National- bzw. Hoftheaters, rezensierte 1803–1807 Jean-Paulsche Neuerscheinungen in der von dessen Schwager Karl Spazier herausgegebenen und von Jean Paul selbst mit Beiträgen belieferten Zeitung für die elegante Welt. Die Form seiner »Titan«-Rezension knüpft direkt an Garlieb Merkels »Briefe an ein Frauenzimmer« an, dessen kämpferischem Verriß (T 17) Klingemann bewußt die sympathisierende Plauderei entgegensetzt. In seiner Distanzierung von der herrschenden »allgemeinen und objektiven« Ästhetik spricht sich zugleich die Abwendung von den eigenen frühromantischen Anfängen aus. Die Selbstbetroffenheit verratende Behandlung Roquairols gehört zu den Indizien, auf die Jost Schillemeit seine Identifizierung Klingemanns mit dem Autor der stark von Jean Paul beeinflußten »Nachtwachen des Bonaventura« (1804) stützt: vgl. Einleitung zur vorliegenden Dokumentation Anm. 108.

1 Garlieb Merkel: siehe Einleitung zum Text.

2 ED: charakterisieren.

3 Tempesta, eigtl. Pieter Mulier (1637–1701), niederl. Maler, bekannt für seine Sturmlandschaften.

23 *[Anonym] · Eduard an Theodor (Aus einem ungedruckten Roman)*

ED Aurora. Zeitschrift aus dem südlichen Deutschland. München 2. 5. 1804, Nr. 53, S. 210f.
Das angebliche Romanfragment eines unbekannten Verfassers geht von folgender komplizierten Fiktion aus: Theodor hat Eduard verschämt seine Begeisterung für Jean Paul gestanden. Eduard hat daraufhin erklärt, Theodor müsse verliebt sein. Theodor weist im »diesen Morgen« eintreffenden Brief diese Diagnose von sich wie jeden Versuch, den Zustand seines Herzens zu sondieren: Eduard selbst, scherzt er, leide wohl an Schmerzen eines Verliebten. Darauf »Eduard an Theodor«: Eduards eigene Liebe gehört der Vergangenheit an, doch gleichgültig, ob Vergangenheit oder Gegenwart: Jean Paul versteht allein die Seele, die liebt! – Jean Paul erklärt sich am 16. 4. 1805 als begeisterter Leser der von Johann Christoph Aretin (1773–1824) herausgegebenen und u. a. von Görres (vgl. T 25) belieferten Zeitschrift und macht das – nicht erfüllte – Versprechen seiner Mitarbeit (HKA Abt. III, Bd. 5, S. 36).

1 Hand vom Bild! Von Plinius d. Ä. überlieferter Ausspruch des griechischen Malers Appelles, der soviel bedeutet wie: Schluß mit der Schilderung, genug der Einzelheiten!

2 Schlußverse aus »Des Mädchens Klage« (1799): Friedrich Schiller, Sämtliche Werke. Hg. von Gerhard Fricke u. Herbert G. Göpfert. 4. Aufl. Bd. 1. München 1965, S. 410.

E Der Freimüthige 29. u. 31. 5. 1804, Nr. 107/108, S. 425 f. u. 429 f. (gez. -dt).
D JbJPG 8 (1973), S. 138–140.
Die Rezension stammt wahrscheinlich von Karl Heinrich Leopold Reinhardt
(1771–1824), Schriftsteller und Privatdozent für Philosophie in Wittenberg, unter
dessen Namen (gez. K. L. H. R-dt) im Dezember 1804 im »Freimüthigen«
(Nr. 246–248) eine Rezension der »Vorschule« erschien, die allerdings nach Rein-
hardts öffentlicher Erklärung (Intelligenzblatt der Zeitung für die elegante Welt 5. 1.
1805, Nr. 1) z. T. vom Herausgeber Garlieb Merkel (siehe zu T 17) selbst stammte.
Merkel hatte zuvor eine positive Besprechung Friedrich Köppens abgelehnt (vgl.
HKA Abt. III, Bd. 5, S. 17 u. 267). Die hier abgedruckte Rezension der ersten drei
Bände der »Flegeljahre« zeigt sich – vielleicht bis auf den Schluß – unabhängig vom
Jean-Paul-Verständnis des Herausgebers.

1 Muzio Clementi (1752?–1832), ital.-engl. Pianist, Komponist und Musikverleger, be-
   arbeitete 1800 12 Stücke aus Franz Joseph Haydns Oratorium »Die Schöpfung«
   (1798).
2 5. Kapitel (Hanser Bd. 2, S. 605 ff.).
3 S. o. Anm. 3 zu T 12.
4 Nach Pindar (Ol. 13,63 ff.) bändigt Bellerophon das Flügelpferd (Hippogryph eigtl.
   Roßgreif) Pegasus mit Hilfe Athenes.
5 Krummsprünge machen, galoppieren.
6 Griechischer Bildhauer des 4. Jahrhunderts v. Chr.
7 Der Geisterseher. Aus den Memoiren des Grafen von O. Zweiter und dritter Theil
   von XYZ. Straßburg 1796. Verfasser ist Emanuel Friedrich Wilhelm Ernst Follenius
   (1773–1809).
8 August Lafontaine (1758–1831), Verfasser zahlreicher Trivialromane.
9 Krankheiten.
10 Lafontaine (s. o. Anm. 8). Angespielt wird auf seine Romane »Fedor und Marie oder
   Treue bis zum Tode« (1802), »Leben eines armen Landpredigers« (1800) und »Sagen
   aus dem Alterthume« (1796 ff.).
11 Elster.
12 Antikisierende Modefrisur der Französischen Revolution.
13 3. Kapitel (Hanser Bd. 2, S. 652 ff.).
14 Böse Geister (gr.).
15 Grämlichkeit. Heraklit als der weinende ebenso wie Demokrit als der lachende Philosoph sprichwörtlich.
16 Anspielung auf den gleichnamigen Park in den »Flegeljahren« (vgl. 17. Kapitel).
17 Oder (lat.).

25 *Joseph Görres · Aus: Coruscationen*

E Aurora, eine Zeitschrift aus dem südlichen Deutschland. Hg. von Christoph
   v. Aretin. München 13. 6. 1804, Nr. 21.
D Joseph Görres, Gesammelte Schriften. Hg. i. A. der Görres-Gesellschaft von Wilhelm Schellberg u. Adolf Dyroff. Köln 1926 ff. Bd. 3: Geistesgeschichtliche und
   literarische Schriften I, S. 74–77.
Joseph Görres (1776–1848), politischer Publizist, Literaturkritiker, Historiker, Herausgeber und Mythologe der Romantik. Nach Brentanos Zeugnis schon 1802 »ein
tiefsinniger, in Freiheit und Gleichheit ausgetobter, einseitiger unpoetischer unkriti-
scher hölzerner eiteler Jeanpaulsleser, Goethesverächter und fader Religionsspötter«
(22. 6. 1802 an Savigny. In: Das unsterbliche Leben. Unbekannte Briefe von Clemens

Brentano. Hg. von Wilhelm Schellberg u. Friedrich Fuchs. Jena 1939, S. 262). In den »Aphorismen über die Kunst« (1804) stellt er den »männlich weiblichen Jean Paul« in die Nähe des Ideals (Gesammelte Schriften. A. a. O. Bd. 2, 1, S. 83). Im Briefwechsel, den Jean Pauls Bemerkung über Görres' kritisches Vorgehen in der Vorrede zur »Vorschule« (Hanser Bd. 5, S. 23) auslöst, zeichnet sich eine tiefgehende ästhetische und politische Affinität beider Schreiber ab, die auch den späteren religiösen Gegensatz (Görres' Katholizismus) überdauert: vgl. Görres an Jean Paul 26. 8. 1822 (Denkwürdigkeiten Bd. 3, S. 325-327). Die Kritik, die Jean Pauls Brief vom 25. 3. 1805 an Görres' »Bilder-Erstürmen« und dem Aufeinandertürmen von »philosophischem Lehrgebäude« und »Musenberg« übt (HKA Abt. III, Bd. 5, S. 30f.), erfährt eine versteckte Replik in Görres' Vorwort zur »Exposition der Physiologie« (1805): »Der andere Vorwurf wird mir von manchen gemacht werden, die ich hoch achten muß; daß ich das philosophische Lehrgebäude auf den Musenberg setze und wieder aus dieser Bergart jenes aufmaure, kurz daß ich Poesie in die Wissenschaft einmenge. Ich habe mir alles überlegt und denke, was der Himmel verbunden hat, soll der Mensch nicht trennen« (Gesammelte Schriften. A. a. O. Bd. 2, 2, S. 7). – Der vorliegende Text erschien als zweites Stück der ästhetisch-literaturkritischen Artikelserie, die Görres 1804/1805 unter dem Titel »Coruscationen« (E: Corusationen, D fälschlich: Korruskationen, Bedeutung etwa: Wetterleuchten, Gedankenblitze) neben anderen Beiträgen in Aretins »Aurora« veröffentlichte (Jean Paul spricht von Görres' »Aurorens Musenpferden in der Aurora«, über die Zeitschrift s. o. zu T 23). Die »Verteidigung Jean Pauls« (Inhaltsverzeichnis der Gesammelten Schriften) ist eine durchgängige Replik auf Friedrich Schlegels Athenäumsfragment 421 (T 13), dessen Vorwürfe z. T. wörtlich aufgenommen werden. Die ihr zugrunde liegende Aufwertung der Moderne gegenüber der Antike findet sich auch in Coruscationen 1 und 12; sie kehrt in der Heidelberger Vorlesung über Ästhetik und Geschichte der Künste wieder und bildet das zentrale Argument in der Gesamtdarstellung von 1811 (T 28), in der Görres' kritische Auseinandersetzung mit Jean Paul gipfelt.

1 Vor allem Friedrich Schlegel (T 13). Siehe Einleitung zum Text und zur vorliegenden Dokumentation.
2 Gemälde (ca. 1514) im Palazzo Pitti, Florenz.
3 Zum literarischen Streit im Anschluß an Friedrich Schlegels »Lucinde« vgl. Wilhelm Dilthey, Leben Schleiermachers. Berlin 1870, S. 486-508.
4 Anspielung auf: Wilhelmine Karoline von Wobeser, Elisa oder das Weib wie es sein sollte. Leipzig 1795 (4. Aufl. 1800). Bis 1804 waren zahlreiche Nachahmungen und Parodien erschienen, die die Titelformulierung aufgriffen: Elisa, kein Weib, wie es sein sollte; Robert oder der Mann, wie er sein sollte usw. (s. Goedekes Grundriß Bd. 6, S. 428).
5 Kraftlosigkeit, Schwäche.
6 Friedrich Schlegels. S. o. Anm. 1.

26 *Karl Wilhelm Reinhold · Jean Paul und seine Zeit*

ED Georgia. Bamberg 2. 3. 1807, Nr. 17, Sp. 127-132; 3. 4. 1807, Nr. 26, Sp. 201-206; 6. 4. 1807, Nr. 27, Sp. 209-216.
Karl Wilhelm Reinhold, urspr. Zacharias Lehmann (1777-1841), Schauspieler, dann Publizist und Komödienschreiber, Verfasser des Wörterbuchs zu Jean Pauls »Levana« (s. Einleitung zur vorliegenden Dokumentation mit Anm. 50). Jean Paul schreibt Reinhold am 25. 8. 1808: »Ich machte zuerst Ihre – und halb meine (Anm.: denn Ihr Lob ist Überlob) – Bekanntschaft in der zweiten Hälfte Ihres Aufsatzes über mich in der Georgia. Die erste hab' ich noch nicht gesehen. Ihre Lessingschen Rettungen meines Autor-Ichs, das bisher lieber sich zu fremden als eignen entschloß, haben mir wohl getan.«

1 Nicht-Existierendes, Unding (lat.).
2 Törichtes Verlangen (lat.).
3 Dr. Ihling, Grundzüge zu einer Geschichte der Aesthetik, als Einleitung in die künftige Kritik dieser Schriften. In: Revisionsblatt zur Georgia 2 (1807), Nr. 1/2.
4 ED: allgemeinen.
5 ED: traulichen (oder: Anklängen?).
6 Hanser Bd. 2, S. 587–591 (3. Kapitel).
7 In dieser Formulierung nicht bei Schiller. Vgl. aber den Abschnitt »Von der ästhetischen Größenschätzung« in den »Zerstreuten Betrachtungen über verschiedene ästhetische Gegenstände« und seine Schrift »Vom Erhabenen«.
8 Empfänglichkeit.
9 Auf des Meisters Worte (Horaz, Ep. I 14,7).
10 Anführungen, Berufungen auf andere Literatur.
11 ED: den neuesten Romanen.
12 ED: verachten.
13 Vermeiden.
14 Eine solche Abhandlung ist nicht nachzuweisen.
15 Im Sinne der rhetorischen Schule des Attizismus.
16 Flachsenfingen Schauplatz des »Hesperus«, hier wohl als Inbegriff für Jean Pauls satirische Hof- und Kleinstadtdarstellung.
17 S. o. Anm. 12 zu T 10.

27   *Ernst Moritz Arndt · Aus: Briefe an Freunde*

ED Ernst Moritz Arndt, Briefe an Freunde. Altona 1810, S. 146f. 150f.
Angesichts der Niederlage Preußens gegen Napoleon verdächtigt Ernst Moritz Arndt (1769–1860), patriotischer Dichter und Theoretiker der Befreiungskriege, den deutschen Idealismus im allgemeinen und Jean Pauls Sentimentalität im besonderen einer zersetzenden Wirkung auf die politische Kraft der deutschen Jugend. Die Publikation seines Vorwurfs 1810 fällt gerade in die Zeit, in der sich Jean Paul durch mehrere politische Schriften die enthusiastischen Sympathien der nationalen Opposition erwirbt, so daß Arndts Anklage erst in der Destruktion der politischen Führerrolle Jean Pauls durch Mundt und Gervinus mit dreißigjähriger Verzögerung zum Tragen kommt. Einzig Johannes Neeb (1767–1843) beruft sich in seinem Jean-Paul-Nekrolog auf Arndt: »Erst in neuerer Zeit erscholl und verscholl *eine* kecke Stimme des Tadels, für den Getadelten zu spät« (Karlsruher Zeitung 14. 12. 1825, Nr. 346, S. 1929f.). – Jean Paul antwortet im 25./26. Kapitel des »Fibel« (1812) unter Anspielung auf den Eingang (S. 4ff.) des Arndtschen Buchs: »Freilich sieht sich zuletzt mancher für ein Donnerpferd an, der nur ein Donneresel ist. Auch der gute Arndt findet beinahe alles um sich her klein und gemein, wenn er es mit seinem großen Leben vergleicht; dieses besteht, seinem Buche zufolge, jetzt darin, daß er sich seiner Jugendzeiten erinnert, in welchen er sich großer Ritter- und Römer-Zeiten erinnerte, wenn er die Nacht in den Rheingegenden und in Italien mit guten Freunden spazieren gegangen und getrunken« (Hanser Bd. 6, S. 501). Vgl. auch den Seitenhieb auf den »Deutschlands-Puristen« Arndt in der Vorrede zur 3. Auflage des »Hesperus« von 1819: Hanser Bd. 1, S. 476.

1 Angeredet ist Christian Ehrenfried Weigel (1776–1848), seit 1808 Leibarzt des Königs von Schweden. Dem zweiten Teil der »Briefe an Freunde« liegen Originalbriefe an Weigel zugrunde, die im Sommer 1807 geschrieben sind.
2 Schiller.

E Heidelbergische Jahrbücher der Literatur, Jg. 4,2, Nr. 76–78. Heidelberg 1811,
S. 1201–1239 (gez. φ–ς).
D Joseph Görres, Gesammelte Schriften. Hg. i. A. der Görres-Gesellschaft von Wilhelm Schellberg u. Adolf Dyroff. Köln 1926 ff. Bd. 4: Geistesgeschichtliche und
literarische Schriften II, S. 51–78 (abgedruckt: S. 51–65.73–78).
Zu Görres vgl. Einleitung zu T 25. Die Pläne zu dieser umfassenden Würdigung Jean
Pauls, die sich im Titel wie die Rezension einer fiktiven Gesamtausgabe gibt, reichen
bis 1808 zurück: vgl. Görres an Jean Paul 1. 2. 1808 (in: Joseph von Görres, Gesammelte Briefe. Bd. 2: Freundesbriefe 1802–1821. Hg. von Franz Binder. München
1874, S. 28–31). Über die weitere Entstehungsgeschichte berichtet Leo Just im Kommentar zur Druckvorlage (a.a.O. S. 283), über seine Motive spricht sich Görres am
deutlichsten im Brief an Arnim vom 18. 1. 1812 aus: »Bei Jean Paul dachte ich an die
lange Herabwürdigung, die er erfahren, an seine Ehrlichkeit und an den elenden
Botenlohn, der dem Besten gereicht wird, und den kalten faden Rezensionsschleim,
mit dem alles bekrochen wird. Daß Dir die Rezension nicht ganz zusagt, ist teils ihre
Schuld, der Anfang z.B. hat mir selbst durchaus mißfallen ... Dann aber hast Du auch
einiges gegen Jean Paul, über das ich Dich zu fragen schon mehrmals vergessen habe.
In der Tat laß Dich nicht durch Äußerlichkeiten stören, die mir nun nie etwas sind,
und lies einmal seine Schriften, mitten unter dem Schutte einer eingestürzten Bibliothek hat er Schloß und Garten und wohnt wie eine Sylphe, und die schweinsledernen
Bücher kommen einem am Ende wie helle Sterne vor« (Josef von Görres, Ausge-
wählte Werke und Briefe. Hg. von Wilhelm Schellberg, Bd. 2: Ausgewählte Briefe.
Kempten-München 1911, S. 182). Jean Paul erkennt die »überflammende Rezension«
sofort als Produkt des »bilderüppigen Görres« (HKA Abt. III, Bd. 6, S. 241) und soll
sie als Musterschema in die Hände seiner künftigen Rezensenten gewünscht haben
(Z. Funck [d.i. Karl Friedrich Kunz], Jean Paul Friedrich Richter. Schleusingen 1839,
S. XXVIII). Die Bemerkungen der 2. Auflage der »Vorschule« (verfaßt 1812) über
Musikalität und Metaphorik der Görresschen Prosa dürften sich nicht zuletzt auf die
eigene Besprechung beziehen: »Görres, ein Millionär an Bildern, obwohl als Prosaist,
drückt freilich, wenn er jedes Bild zum Hecktaler eines neuen hinwirft, zuweilen auf
die Kehrseite seiner Bildmünze ein mit der Vorderseite unverträgliches Bild« (Hanser
Bd. 5, S. 297; vgl. ebenda S. 324 f.). – Zur historischen Bewertung des Textes als
»Manifest der Hochromantik« siehe die Einleitung zur vorliegenden Dokumentation.
Als solches ist er in Heidelberg aufgenommen worden, wie Creuzers Brief an Görres
vom 12. 1. 1812 bezeugt: »Ihre Jean Paullina hat dahier allen, die nicht Philister sind,
wozu ich mich selber rechne, große große Freude verursacht und ist zu wiederholten
Malen gelesen worden. Schreiben Sie mir doch, was Jean Paul Ihnen etwa selbst
darüber sagt. Aber was wird der alte Herr zu Weimar dazu sagen? *Den* haben Sie
doch ziemlich markiert« (Joseph von Görres, Gesammelte Briefe. A.a.O. S. 288).

1 »Heißen die kleinen Feuerschnaken, so im Feuer leben« (Zedlers Universal-Lexikon).
2 Nachtigall.
3 Fragment 76 Diels.
4 Kybele.
5 1. Mose 28, 12–16.
6 Gleichnis aus der hinduistischen Mythologie: Krishna Inkarnation Vishnus, Sümarü
Weltberg, Devetas Gottheiten.
7 Griechischer Philosoph (Neuplatoniker) des 4. Jahrhunderts n. Chr.; die Legende von
der Rettung des Eros überliefert bei Eunapios.
8 Petrus (Apostelgeschichte 10, 9–16).
9 Offenbarung 10, 1.

10 In Anlehnung an Psalm 148, 7–10.
11 Archimedes und Hippokrates von Chios, griechische Mathematiker des 3. und der 2. Hälfte des 5. Jahrhunderts v. Chr., die sich mit der Quadratur des Kreises befaßten. Hippokrates näherte sich der Lösung durch die Quadrierung sogenannter Möndchen, d. h. von durch Kreisbögen begrenzten mondsichelförmigen geometrischen Gebilden.
12 Das Quadrat über der Hypotenuse eines rechtwinkligen Dreiecks ist gleich der Summe der Quadrate über den Katheten; die Zuschreibung zu Pythagoras und die Prämie von hundert Ochsen überliefert bei Proklos.
13 Gottkönig.
14 Anhänger einer indischen Sekte.
15 Kuckuck.
16 Vom »Metall im Menschen« spricht auch das Schlußwort der »Teutschen Volksbücher« (Gesammelte Schriften. A. a. O. Bd. 3, S. 280).
17 Stirnbinde des Priesters (gr.).
18 Jan Breughel d. Ä. (1601–1678), niederl. Maler; seine Paradiesdarstellung ist in mehreren Varianten erhalten. Im folgenden mit seinem Bruder Pieter kontaminiert (s. o. Anm. 3 zu T 17).
19 Gewürzpflanze, früher Heilkraut (Hyssopus officinalis).
20 Nach Herodot 3, 18.
21 Chemisch-pharmazeutische Gefäße.
22 Bei Paracelsus geheimnisvolles Allösemittel.
23 Rosenwasser (pers.).
24 Kristallisationsform des Silbers.
25 Trajan, römischer Kaiser (98–117), unter dem das Reich eine innere Stabilisierung und die größte Ausdehnung erreichte.
26 Über die etruskische Blitzreligion berichtet Plinius, Naturalis historia 2,138.
27 Hanser Bd. 5, S. 56–59 (§ 12).
27a D: ihm.
28 Nach 1. Mose 22,6.
29 S. o. Anm. 5 zu T 17.
29a D: ist.
30 Giannozzos Siechkobel (Hanser Bd. 3, S. 931).
31 In der gleichnamigen Tragödie des Seneca (Hercules Oetaeus).
32 Hier wie Yorick (s. o. Anm. 3 zu T 5) Synonym für Sterne.
33 Anspielung auf Hanser Bd. 3, S. 961 ff.
34 Zu Görres' altnordischen Studien vergleiche den Schluß seiner »Mythengeschichte der asiatischen Welt« (1810): Gesammelte Schriften. A. a. O. Bd. 5, S. 262–271.
35 Hanser Bd. 5, S. 152 u. 154 (§§ 37 u. 38).
36 Dioptrik: Lehre von der Strahlenbrechung, Katoptrik: Lehre von der Spiegelung.
37 Oder Sublimation: unmittelbarer Übergang aus dem gasförmigen in den festen Zustand und umgekehrt.
38 Zweiter Teil des »Kampaner Tals«.
39 Georg Christoph Lichtenberg, Ausführliche Erklärung der Hogarthischen Kupferstiche. Göttingen 1784ff., Buchfassung ebd. 1794–1799. Lichtenbergs Beschreibung der sozial- und moralkritischen Stiche des englischen Malers William Hogarth (1697–1764) war zugleich Vorbild und Kontrastfolie für Jean Pauls humoristische Etüden über die Holzschnitte des Ansbach-Bayreuther Katechismus.
40 Hanser Bd. 5, S. 169 (§ 42).
41 Hanser Bd. 6, S. 162.
41a Offener Kutschierwagen, nach Phaethon, dem Sohn des Sonnengottes Helios (gr.-frz.).
42 So strahlen die Ufer des Rheins. Lateinische Inschrift auf dem Rheingolddukaten und einer silbernen Denkmünze, die Kurfürst Karl Theodor von der Pfalz (1742–1799) prägen ließ.

43 S. o. S. 77.
44 Vgl. Hanser Bd. 5, S. 207 (§ 56).
45 Hanser Bd. 5, S. 208 (§ 56).
46 »Jeder Dichter gebiert seinen besondern Engel und seinen besondern Teufel« (Hanser Bd. 5, S. 212).
47 Hanser Bd. 5, S. 213 (§ 58).
48 Hier folgt eine ausführliche Charakteristik der Figuren Jean Pauls.
49 Das Feuer.
50 Heilige Pflanze des Dionysos, deren Stengel als Thyrsosstab verwendet wurde.
50a Hier und sonst für: Idoine.
51 Im »Titan« (Hanser Bd. 3, S. 767).
52 Vielmehr: Nieß.
53 Ballons.
54 Vielmehr: Maienthal.
55 Wörtliche Anspielung auf Friedrich Schlegels Athenäumsfragment, gegen das Görres schon 1804 Einspruch eingelegt hat: vgl. T 13 und T 25.
56 Personifikation des Gangesflusses (s. auch unten).
57 Im 1. Kapitel des »Heinrich von Ofterdingen«.
58 Stollen im Sinne von: Fuß. Vgl. Jean Paul als Einbein in der »Unsichtbaren Loge«.
59 Im Satirischen Appendix der »Biographischen Belustigungen« und im »Jubelsenior«.
60 Hanser Bd. 4, S. 1071 (Konjektural-Biographie, 6. Epistel).
61 Wohl Achim von Arnim.

29 *Meißner · Jean Paul Friedrich Richter*

E M[e]i[ßne]r, Richter (Jean Paul Friedrich). In: Conversations-Lexicon Bd. 8. 2. Aufl. Leipzig-Altenburg 1817, S. 286–292.
D Meißner, Jean Paul Friedrich Richter. In: Zeitgenossen. Biographieen und Charakteristiken. Bd. 2, Abt. 4. Leipzig-Altenburg 1818, S. 158–172 (revidierte u. erweiterte Fassung von E, hier abgedruckt: S. 167–170).
Die Identität des Verfassers, der sich auf persönliche Kenntnis Jean Pauls, jedenfalls vom Augenschein, beruft (S. 165), ist nicht sicher auszumachen. Vielleicht handelt es sich um Julius Gustav Meißner, den Verfasser von: Charakteristische Lebensgemählde unsrer denkwürdigsten und berüchtigtsten Zeitgenossen. Olmütz 1799 (vgl. Constant von Wurzbach, Biographisches Lexikon des Kaiserthums Oesterreich, Th. 17, S. 313 f.). Die populär gehaltene Kurzbiographie beginnt mit einer Reflexion über den aussterbenden Dichterhimmel Deutschlands, an dem als Sterne erster Ordnung nur noch die beiden schönsten: Goethe und Jean Paul, ergänzten. Ins Zentrum seiner Würdigung stellt Meißner das dem »Quintus Fixlein« vorangehende »Billett an meine Freunde« über die drei Wege zum Glück (zitiert S. 166 f.). Zum religiösen Widerspruch, den diese Aufwertung des idyllischen Lebensprogramms zum Schlüssel des Jean-Paul-Verständnisses erfuhr, vgl. die Replik Gustav Schusters (T 30). Die Kontroverse Meißner-Schuster ist die erste öffentliche Diskussion um Jean Pauls Humorbegriff, Vorläufer mancher späteren.

1 HA Bd. 7, S. 555 (Lehrjahre VIII 6).
2 Die »Poetik« des Aristoteles geht von der normativen Geltung Homers aus: nicht nur als Vertreter des Epos, sondern zugleich als Urahn des Dramas.
3 ED: dem.
4 Siehe Einleitung zum Text.
5 Dasselbe Gleichnis bei Jean Paul im Corday-Essay (Hanser Bd. 6, S. 356); zur dadurch ausgelösten Kontroverse mit Garlieb Merkel vgl. Jahrbuch der Deutschen Schillergesellschaft 22 (1978), S. 129, Anm. 63.
6 Hanser Bd. 5, S. 124 f. (Vorschule § 31).

7 Gleichfalls aus dem »Billett an meine Freunde« (hier: Hanser Bd. 4, S. 13).
8 Im Sinne von: fiktiven.
9 Griechischer Naturphilosoph des 6. Jahrhunderts v. Chr.; die Anekdote erstmals bei
   Platon, Theaitetos 174 A.
10 Vgl. Hanser Bd. 4, S. 13.
11 ED: uns.
12 Gemeint ist Jean Pauls Auseinandersetzung mit den Rezensenten der 1. Auflage in der
   Vorrede zur 2. Auflage der »Vorschule«. Anspielung auf Joh. 2, 14–16.
13 Im 26. Sektor der »Unsichtbaren Loge« wohnt der Erzähler beim Schulmeister Wutz,
   allerdings nicht beim Idyllenhelden Maria, sondern bei seinem Sohn Sebastian Wutz.

30 *Gustav Schuster · Zur Charakteristik J. P. F. Richters (Als Zusatz zu diesem*
   Artikel im Konversations-Lexikon)

   ED Der Freimüthige 4. 11. 1818, Nr. 221, S. 881–883.
   Friedrich Gustav Schuster (1791–?), Advokat und Schriftsteller in Lübben/Niederlau-
   sitz, Mitarbeiter des »Freimüthigen«, in dem er 1818 u. a. auch einen Artikel über
   »Ebensinnigkeiten« zwischen seinem Landsmann, dem Sprachforscher und Publizi-
   sten Christian Moritz Pauli (1785–?) und Jean Paul veröffentlicht (24. u. 26. 12.,
   Nr. 256 u. 258, S. 1023 f. u. 1031). Zum Bezug auf Meißners Brockhaus-Artikel vgl.
   T 29 und die Einleitung dazu.

   1 Hanser Bd. 5, S. 124 f. (Vorschule § 31).

31 *Johann Wolfgang von Goethe · Aus: West-östlicher Divan*

   E Goethe, West-östlicher Divan. Stuttgart 1819, S. 372–376.
   D Goethes Werke. Hg. i. A. der Großherzogin Sophie v. Sachsen, Bd. 7. Weimar
     1888, S. 111–114.
   Goethes (1749–1832) letzte umfassende Äußerung über Jean Paul: an die Stelle der
   klassizistischen Polemik der 90er Jahre (siehe dazu ausführlich die Einleitung zur
   vorliegenden Dokumentation) tritt – ermöglicht durch die für sein Spätwerk charakteristische Suche nach neuen Formen – ein historisch-komparatistisches Verständnis
   des Andersartigen. Vorausgegangen war Goethes anerkennende Bemerkung über die
   im Morgenblatt vom 22./23. 2. 1814 abgedruckten Abschnitte aus der 2. Auflage der
   »Levana«: »Eine unglaubliche Reife ist daran zu bewundern. Hier erscheinen seine
   kühnsten Tugenden, ohne die mindeste Ausartung, große richtige Umsicht, faßlicher
   Gang des Vortrags, Reichtum von Gleichnissen und Anspielungen, natürlich fließend,
   ungesucht, treffend und gehörig und das alles in dem gemütlichsten Elemente. Ich
   weiß nicht Gutes genug von diesen wenigen Blättern zu sagen und erwarte die neue
   Levana mit Verlangen« (an Knebel 16. 3. 1814). Jean Paul, an dessen Adresse das
   Urteil (wie es wohl auch für sie bestimmt war) sehr bald gelangte, beruft sich noch
   Jahre später auf das frühere Lob gegenüber Deutungen, die in der »Vergleichung« des
   »Divan« kritische oder spöttische Akzente vernehmen: »ihr habt alle Goethen über
   mich im Divan mißverstanden« (an den Sohn Max 4. 9. 1821). Wie wichtig ihm
   Goethes verspätete Anerkennung gewesen sein muß, läßt sich vor allem an seiner
   erbitterten Reaktion auf Adolf Müllner (1774–1829) ablesen, der in seinen Besprechungen des »Divan« von »Doppelwörter« Jean Pauls (Literaturblatt. Beilage
   zum Morgenblatt 12. 8. 1820, Nr. 67 und 24. 10. 1820, Nr. 89) »schon 2mal Goethes
   wohlwollendes Urteil über mich zu einem feindlichen verkehrte« (HKA Abt. III,
   Bd. 8, S. 76. Vgl. ebenda S. 64. 74). Müllner hatte u. a. geschrieben: »Von den mancherlei Kuriositäten, welche der Exkursus [sc. die Noten und Abhandlungen zum
   Divan] enthält, hat den Rez. keine mehr angezogen als S. 373 die Diskussion der
   Frage, inwieferne dem beliebten Schriftsteller Jean Paul *Orientalität* zugeschrieben
   werden könne. In der Auswahl Jean-Paulscher Ausdrücke S. 374, worunter auch ›der

Schmutzfink, der kanonische Billardsack‹ u.d.m. sich befinden, lauscht eine feine Satyre, die gutmütig diese Dinge mit den Ansprüchen einer ›ausgebildeten, überbildeten, verbildeten, vertrackten Welt‹ entschuldiget. Jawohl vertrackt!« (Nr. 67, S. 268).

1 Im vorangehenden Abschnitt »Warnung« (HA Bd. 2, S. 182f.), der sich gegen die Parallelisierung orientalischer mit griechisch-römischen Autoren richtet.

2 »Unendlich ist das Gebiet der Natur und die Herrschaft der Einbildungskraft, welche aus demselben ihre Vergleichungen hernimmt. Wer vermag die Gränzen der einen oder der andern dem Genius der Dichtkunst abzustecken! Indessen hat derselbe jedoch von jeher bei verschiedenen Völkern nach Maßgabe der verschiedenen Himmelsstriche, der Naturszenen, der Erziehung, der Gesetzgebung und der Religion gewisse Formen vor andern liebgewonnen und sich daran festgehalten. Dies ist besonders der Fall bei Metaphern und Gleichnissen, welche das große Farben- und Bildermagazin der Poesie sind. Ausnahmen großer origineller Geister, welche sich über die vor ihnen bestandenen Schranken erhoben und durch die Exzentrizität ihres Hippogryphenfluges die Freiheit der Einbildungskraft beurkunden und gleichsam von Zeit zu Zeit wiedergebären, gehören nicht hieher. So haben wir Deutsche einen *Jean Paul,* dessen Muse sich aus dem Orient nach dem Okzident verirrt und, um als Fremdlingin unerkannt zu bleiben, die Larve des Witzes und der Laune vorgenommen zu haben scheint, dessen Phantasie deutscher Poesie wohl als Kronjuwele, aber deutscher Kultur und Bildung nicht als Gemeingut angehört« (Joseph von Hammer, Geschichte der schönen Redekünste Persiens. Mit einer Blüthenlese aus zweyhundert persischen Dichtern. Wien 1818, S. 27).

3 Im Abschnitt »Orientalischer Poesie Urelemente« (HA Bd. 2, S. 179f.).

4 Hanser Bd. 1, S. 625–629 (Hesperus, 10. Hundsposttag).

32 *[Anonym] · [Beschreibung des Leichenbegängnisses]*

ED Baireuther Zeitung 22. 11. 1825, Nr. 231, S. 1114–1116 (»eingesandt von sehr schätzbarer Hand«).

1 S.o. Anm. 2 zu T 18.

2 »Selina oder über die Unsterblichkeit«. Das schon im Bücherverzeichnis der Ostermesse 1824 als fertig angezeigte Werk wurde von Christian Otto aus dem Nachlaß herausgegeben (Theil 1.2. Stuttgart-Tübingen 1827).

3 S.o. Anm. 7 zu T 15.

4 Hanser Bd. 5, S. 932.

5 Hier nicht abgedruckt.

6 Richard Otto Spazier (1803–1854), Sohn des Komponisten und Herausgebers der »Zeitung für die elegante Welt« Johann Gottlieb Karl Spazier, vor allem durch sein Engagement für den polnischen Freiheitskampf bekannt (Geschichte des Aufstandes des polnischen Volkes in den Jahren 1830 und 1831. Bd. 1–3. Stuttgart 1832). Seine Grabrede ist abgedruckt in: Morgenblatt 30. 11. 1825, Nr. 286, S. 1141f. Spazier, der schon 1826 die Eindrücke seines Bayreuther Aufenthalts dokumentiert hat (Jean Paul Friedrich Richter in seinen letzten Tagen und im Tode. Breslau 1826), ist unter dem Einfluß Börnes zum ersten großen Biographen Jean Pauls geworden (siehe die Einleitung zur vorliegenden Dokumentation mit Anm. 160).

33 *Ludwig Börne · Denkrede auf Jean Paul*

E Iris. Frankfurt 4. 12. 1825, Nr. 241.

D Ludwig Börne, Sämtliche Schriften. Hg. von Inge und Peter Rippmann. Bd. 1–5. Darmstadt 1964–1968, Bd. 1, S. 789–798.

Abdruck mit freundlicher Genehmigung der ABJ Melzer Productions GmbH, Dreieich.

Börnes (1786–1837) Denkrede auf Jean Paul, vorgetragen im Frankfurter Museum am 2. 12. 1825, hat durch mehrere Zeitschriftenabdrucke (außer Iris 1825 noch Morgenblatt und Flora) und Sonderausgaben (Erlangen, Berlin, Frankfurt 1826) sehr bald weiteste Verbreitung erlangt und ist bis heute kanonischer Ausdruck der Jean-Paul-Verehrung geblieben. Börnes tiefe individuelle Bindung an Jean Paul geht u. a. aus seinem Brief an Jeannette Wohl vom 15. 11. 1820 (»Jean Paul war mein Geheimer Rat, bei dem ich in jeder Not Verstand suchte und fand« [Sämtliche Schriften. A. a. O. Bd. 4, S. 324]) und der Anrede der »Ernsthaften Betrachtungen über den Frankfurter Komödienzettel« (1818) an den »unverstandenen Jüngling« hervor, dessen »heilige Schriften« Jean Pauls Schriften darstellen: »Hat er dir nicht tausend Rätsel gelöst, die dich verwirrten, und Rätsel aufgegeben, die dich ergötzten? War er nicht das treue Wörterbuch, das dir alle Gefühle deines Innern erklärte? Deckte er dir nicht alle Geheimnisse auf, selbst jene verborgenen, selten gefundenen, die auf der Oberfläche der Dinge liegen? Du suchtest einen Leidensbruder, er gab dir ihn, welcher litt, duldete wie du und genas« (ebenda Bd. 1, S. 982. Vgl. Bd. 2, S. 319 f.). Die Konsequenz, mit der die Denkrede das emotionale Rezeptionsmuster dem – hier erstmals schlüssig formulierten – liberalistischen Jean-Paul-Bild ein- und unterordnet, ist von den Zeitgenossen zunächst nicht voll realisiert worden. Selbst von Spazier nicht, wie dieser 1833 in seiner Widmung an Börne eingesteht, geschweige vom Kreis um Varnhagen von Ense oder Saphirs Berliner Mittwochgesellschaft: »Sie selbst lächeln jetzt darüber, wie man Sie damals wegen jener Rede, in der nur ein blödes Auge das kräftigste Freiheitsprogramm verkennen konnte, in Berlin in den dasigen ›Salons‹ feierte! Die große Erbitterung, die man dort jetzt gegen Sie hegt, hat zum nicht geringen Teil ihren Grund in der Beschämung, den *Börne* da so ganz und gar nicht erkannt zu haben« (Richard Otto Spazier, Jean Paul Friedrich Richter. Ein biographischer Commentar zu dessen Werken. Bd. 1–5. Leipzig 1833). Börne seinerseits distanziert sich von Spaziers Auffassung seiner Rede als Gründungsmanifest einer literaturpolitischen Tendenzwende: »Das wäre doch merkwürdig, wenn ich wirklich der erste Deutsche gewesen wäre, der in Jean Paul den Dichter des Liberalismus erkannt, wie Spazier meint! Das ist ja seine eigenste Natur« (Nachgelassene Schriften, Bd. 6. Mannheim 1850, S. 106). Vgl. ferner: Wilhelm Stadtländer, Börne und sein Verhältnis zu Goethe und Jean Paul. Berlin 1933 = Neue Forschung. Arbeiten zur Geistesgeschichte der germanischen und romanischen Völker 20.

1 »Siebenkäs« Roman der mittleren oder deutschen im Gegensatz zur hohen oder italienischen Schule des »Titan«: s. o. Anm. 8 zu T 18.

2 Der Satz erlangt Berühmtheit durch Heine, der den Passus zum Motto der »Harzreise« (1826) wählt. Er ist vorgeprägt in Honoré d'Urfés »L'Astrée« (1616): »Rien n'est constant que l'inconstance«. Vgl. Heraklits »Alles fließt« und Goethes »Dauer im Wechsel« (HA Bd. 1, S. 247 f.).

3 Titan, 1.–9. Zykel; Flegeljahre, 3. Kapitel.

4 Dem Propheten Jeremias wurden (wohl zu Unrecht) die Klagelieder zugeschrieben, die die Eroberung und Zerstörung Jerusalems durch Nebukadnezar II. (587 v. Chr.) behandeln.

5 S. Einleitung zur vorliegenden Dokumentation mit Anm. 66/67.

34   *Franz Ficker · [Zensurgutachten über Jean Pauls Werke]*

ED Karl Glossy, Jean Pauls Werke und der Nachdruck in Österreich. In: Jahrbuch der Grillparzer-Gesellschaft 20 (1911), S. 182–208, hier: S. 186–191.
Franz Ficker (1782–1849), Ästhetiker und Philologe, lehrte 1825–1848 Klassische Philologie in Wien, Hauptwerk: »Aesthetik oder Lehre vom Schönen und von der Kunst in ihrem ganzen Umfange« (Wien 1830; später einzelne Teile gesondert veröffentlicht). Fickers Gutachten war anläßlich des Gesuchs angefordert worden, mit dem

sich Jean Pauls Witwe um Privilegierung der ab 1826 bei Reimer erscheinenden Gesamtausgabe gegen den Nachdruck in Österreich bemühte. Das Gesuch blieb erfolglos; das Gutachten konnte allenfalls die Praxis der österreichischen Zensur mildern, die seit den 90er Jahren die Verbreitung Jean-Paulscher Schriften einzuschränken suchte. Zensor Engel forderte – und erreichte – 1797 ein Verbot des »Siebenkäs«: »Mir ist schon lange keine zeitverderbendere und unsinnigere Lektüre in die Hände gekommen als dieses Buch«; Klees 1832 das der »Politischen Nachklänge« (Heidelberg 1832): »Insbesondere wegen des Artikels Preßfreiheit, worin Grundsätze zur Sprache kommen, die mit den bei uns bestehenden ganz unvereinbar sind« (abgedruckt bei Glossy, a.a.O. S. 204.207). Auch die tolerantere Argumentation Fickers oder Seidls (ebenda S. 194–198) bleibt in ihrer Verrechnung politischer Radikalität mit literarischer Esoterik der zynischen Logik der Zensur treu: eben diese wirkungsästhetische Dimension aber macht den wirkungsgeschichtlichen Zeugniswert des Zensurgutachtens aus.

1 Mit Bezug auf die englische Münze: echter, vollgewichtiger (vielleicht auch: typisch englischer) Witz.
2 Jean-Paul-Wörterbuch (lat.). Gemeint ist Reinholds (T 26) Wörterbuch zur »Levana«: s. Einleitung zur vorliegenden Dokumentation mit Anm. 50.
3 Hanser Bd. 5, S. 139 (Vorschule, § 35).
4 »Freigegeben«, »Anstößig«, »Verboten« (lat.).

35 *Karl Rosenkranz · Aus: Aesthetische und poetische Mittheilungen*

ED Karl Rosenkranz, Aesthetische und poetische Mittheilungen. Magdeburg 1827, S. 28–35 (aus der »Einleitung über den Roman«).
Die erste Buchveröffentlichung des Philosophen und Literarhistorikers Johann Karl Friedrich Rosenkranz (1805–1879) zeigt als Produkt der Hallenser Studienzeit methodisch den Einfluß der ihm vor allem durch Friedrich Wilhelm Hinrichs vermittelten Hegelschen Philosophie (Rosenkranz erlangt später gerade als Biograph Hegels und Hegelianischer Goethe-Interpret Bedeutung) und verarbeitet zugleich Erfahrungen des religiösen Mystizismus, der für sein Berliner Studium bestimmend war. Die »Einleitung über den Roman«, systematisches Gegenstück zur anschließenden Romanskizze »Wolfhart«, mündet in den Entwurf eines religiösen Romans und stellt als größte Annäherungen an das Ideal eines romantischen Romans neben Cervantes' »Don Quixote« und Goethes »Lehrjahren« Jean Pauls »Titan« heraus. Über den persönlichen Hintergrund der Vertiefung, die hier die Roquairol-Gestalt gewinnt (wie auch sonst in der romantischen Rezeption: vgl. die Einleitung zur vorliegenden Dokumentation), gibt die Autobiographie Auskunft. Rosenkranz erklärt dort die »außerordentliche Wirkung« der ersten »Titan«-Lektüre in Berlin aus der »Qual, welche Schleiermachers Glaubenslehre allmählig in mir zu bereiten anfing«, ja aus der »Entdeckung, daß ich, abgesehen von der äußeren Verschiedenheit der Lage, in meinem Wesen die größte Ähnlichkeit mit Roquairol besäße. Schleiermacher zeigte mir, daß in mir die Sünde existiere, daß sie mich von Gott entfremde. Der absoluten Heiligkeit Gottes gegenüber hatte ich nie angestanden, mich als einen sündigen Menschen zu erkennen und zu bekennen, aber von einer solchen Unaufhörlichkeit der Sünde, von einer solchen totalen Infektion meines Gemüts mit dem Bösen, als seine Dogmatik mir zumutete, war ich weit entfernt gewesen [...] Je mehr ich aber in das Verständnis des ›Titan‹ eindrang, umso mehr glaubte ich in der Gestalt Roquairols den Schlüssel zu der Form zu finden, welche das Böse als ein wahrhaft teuflisches in mir angenommen habe« (Von Magdeburg bis Königsberg. Leipzig 1878, S. 241 f.).

1 D. i. Idoine.
2 Das Motto von Swifts letzten Schriften. Vgl. Hanser Bd. 5, S. 125 (Vorschule § 32).
3 D. i. Albine von Wehrfritz, Albanos Pflegemutter.

ED Wolfgang Menzel, Die deutsche Literatur, Th. 2. Stuttgart 1828, S. 236–242.
Wolfgang Menzel (1798–1873), Kritiker, Historiker und Literarhistoriker, seit 1825 in
Stuttgart, Redakteur des Literaturblatts zum Cottaschen »Morgenblatt für gebildete
Stände«, der spätere Gegner und ›Denunziant‹ des Jungen Deutschlands. Die Rigorosität, mit der der Burschenschaftler das Schöne der politischen Tugend unterordnet,
signalisiert für Heine das Sinken der Kunstidee, das Ende der Kunstperiode (vgl.
seine Rezension der Literaturgeschichte in: Politische Annalen 3/1828, S. 284–298). Dabei
richtet sich Menzels kritische Energie vor allem gegen Goethe, dessen apolitischen
Subjektivismus er schon 1824 attackiert (vgl. Goethe im Urteil I, T 67). Jean Paul
gegenüber bekundet Menzel schon in den »Streckversen« (!) die Verehrung des Imita-
tors: »Die Milch der Jean-Paulschen Sentimentalität ist Muttergottesmilch, ein edler
Wein.« »In Jean Paul ist jeder Nerve seines Gehirns die Tangente eines Blutkügel-
chens seines Herzens.« Auch hier im Gegensatz zu Goethe: »Goethe scheint die
Weiber mehr zu kennen, Jean Paul sie mehr zu lieben.« »Goethes Schriften sind das
durchsichtige Glashaus seiner Büste; die Jean Pauls ein Spiegelhaus um die seinige«
(Streckverse. Heidelberg 1823, S. 34f.).

1 Zeussöhne: Zwillingspaar der griechischen Mythologie.
2 Anspielung auf Goethes Xenie: s. Einleitung zur vorliegenden Dokumentation mit
  Anm. 66/67.
3 Teufels-Anwalt (lat.), ursprünglich bei Heiligsprechungen der katholischen Kirche
  die gegen die Kanonisation argumentierende Partei.

37   *J. von Moerner · Schiller, Goethe, Shakespeare, Jean Paul. Aphorismen*

ED Der Gesellschafter oder Blätter für Geist und Herz 17. u. 19. 1. 1831, Nr. 10/11,
   S. 45 f. 54 f. (abgedruckt: S. 46 u. 54 f.).
Über den Verfasser ist nichts Näheres zu ermitteln; seine »Aphorismen« sind ein
hervorragendes Beispiel für die literarische Gesellschaftskultur des Biedermeier und
die führende Rolle, die Jean Paul als Antipode Goethes in ihr spielt.

1 Aus meinem Leben. Dichtung und Wahrheit. Theil 1–3. Tübingen 1811–1814. Der 4.
  und letzte Teil erschien erst Stuttgart-Tübingen 1833 als Bd. 48 der Ausgabe letzter
  Hand.
2 Ausgabe letzter Hand Bd. 16–20. Stuttgart-Tübingen 1828.
3 Gemeint ist die Philosophie Hegels. Die Zusammenschau der Goetheschen Romane
  als Entwicklungsstadien seiner geistigen Individualität, bereits in Hegels Vorlesungen
  zur Ästhetik angelegt, wird zur systematischen Grundlage in der »Wanderjahre«-
  Rezension des Hegelianers Heinrich Gustav Hotho: Jahrbücher für wissenschaftliche
  Kritik 108–112/1829 und 41–48/1830.

38   *Thomas Carlyle · Urtheil eines englischen Kritikers über Jean Paul und seine*
      Schriften

Engl. E Edinburgh Review 46, Nr. 91 (Juli 1827), S. 176–195.
Dt. ED Preußische Ostseeblätter Königsberg (vorh.: UB Bremen) 5.–21.(?) 4. 1832,
   Nr. 82–94 (übers. von Robert Motherby, hier abgedruckt: Beilage zu Nr. 91
   und 94, S. 485–488.501f.).
Thomas Carlyle (1795–1881), engl. Schriftsteller, wichtiger Vermittler der deutschen
klassisch-romantischen Literatur im angelsächsischen Kulturraum. Angeregt durch
Thomas de Quincey (Letter on Jean Paul, 1821), wendet sich Carlyle 1825 Jean Paul
zu. In der Einleitung zur Veröffentlichung seiner Übersetzungen des »Quintus Fix-

lein« und »Schmelzle« (vgl. J. W. Smeed, Carlyles Jean-Paul-Übersetzungen. In: Deutsche Vierteljahrsschrift 35 [1961], S. 262–279) in »German Romance« (Bd. 3. 1827) gibt Carlyle eine erste Skizze seines Jean-Paul-Bildes; nach dem hier abgedruckten Essay nimmt er das Erscheinen der ersten Bände von »Wahrheit aus Jean Paul's Leben« zum Anlaß für eine dritte, jetzt stärker biographisch akzentuierte Behandlung des Themas (Jean Paul Friedrich Richter again, 1830). Jean Pauls Einfluß auf Carlyle gipfelt in dessen erzählerischem Hauptwerk »Sartor Resartus« (Bd. 1–3. 1836): vgl. J. W. Smeed, Thomas Carlyle and Jean Paul Richter. In: Comparative Literature 16 (1964), S. 226–253. Engagiertheit und Niveau der Jean-Paul-Rezeption Carlyles bedingt die Rückwirkung seiner für ein englisches Publikum bestimmten Essays nach Deutschland – umso mehr, als seine Auffassung des Humors und die Betonung des menschlich-moralischen Werts präzise dem Erwartungshorizont des Biedermeier entspricht. Daher die Aufnahme seines – von Berly umgehend popularisierten (Iris 14. u. 16.9. 1827, Nr. 183 u. 192) und auch von Goethe zur Kenntnis genommenen (Tagebuch 13. 3. 1829) – »Urtheils« von 1827 in diesem der deutschen Wirkungsgeschichte Jean Pauls gewidmeten Band, und zwar in der ersten vollständigen deutschen Übersetzung von 1832 (danach auch die Einordnung), die nicht zufällig in der Hippel-Stadt Königsberg erschien, seit je einem Schwerpunkt der Jean-Paul-Wirkung. Dem abgedruckten Schluß- und Hauptteil gehen (in Nr. 82) ein glänzender Verriß der zusammengestoppelten Pseudo-Biographie Heinrich Doerings (Jean Paul Fr. Richter's Leben nebst Charakteristik seiner Werke. Gotha 1826) sowie ein Überblick über Jean Pauls Leben (Nr. 85) und Werk (Nr. 88) voraus.

1 Petition.
2 Von Görres (»Dem Riesen der Apokalypse gleich«, »Zyklopenwerkstätte«): vorliegende Dokumentation S. 74.
3 Indem sie den Berg Ossa an den Olymp und auf ihn den Pelion setzen, wollen Otos und Ephialtes, Riesen der griechischen Mythologie, den Göttersitz erstürmen (Odyssee 11, 305–320).
4 »Landnachtsverhandlungen mit dem Mann im Mond samt den vier Präliminarkonferenzen« (1817), aufgenommen in Bd. 3 der »Herbstblumine«: Hanser Abt. 2, Bd. 3, S. 585–618.
5 »Saturnalien, den die Erde 1818 regierenden Hauptplaneten Saturn betreffend«: Hanser Abt. 2, Bd. 3, S. 857–891.
6 Frei nach Hanser Bd. 5, S. 450.
7 Johann Georg Zimmermann (1728–1795), Popularphilosoph unter dem Einfluß Rousseaus, Hauptwerk: Über die Einsamkeit (1756).
8 Jacques Henri Bernardin de Saint-Pierre (1737–1814), frz. Schriftsteller, Freund Rousseaus.
9 August von Kotzebue (1761–1819), erfolgreicher Verfasser sentimentaler Bühnenstücke (»Menschenhaß und Reue«, 1789).
10 Im Original: sport, Schiller: Spiel. Vgl. »Über die ästhetische Erziehung des Menschen«, Brief 15.
11 Ben(jamin) Jonson (1573–1637), engl. Dramatiker.
12 Figuren aus »Tristram Shandy« (s.o. Anm. 3 zu T 5).
13 Ludovico Ariosto (1474–1533), ital. Dichter (s.o. Anm. 4 zu T 16).
14 Karl Wilhelm Ramler (1725–1798), Lyriker der Aufklärung.
15 Friedrich von Hagedorn (1708–1754), Lyriker und Fabeldichter der Aufklärung.
16 Etwa: Spaßhaftigkeit (frz.).
17 Vgl. Friedrich von Oertels Briefbekenntnis über den »einzigen Paul« (Wahrheit Bd. 5, S. 35) und den daran anklingenden Schluß seiner »Titan«-Rezension (T 18): »Seine [sc. Jean Pauls] Werke ganz zu empfinden und zu genießen, d.h. den Plan derselben auf *einen* Überblick zu durchschauen, das Mannigfaltige unter das Eine zu ordnen – dazu scheint eine Höhe des Standpunktes, eine Seherkraft, ein Grad wiederholender

und wiederschaffender Phantasie zu gehören, auf welchen die Menschen, im Durchschnitte wenigstens, gewiß keinen Anspruch machen dürfen. Doch, wo ist ein zweiter Dichter, der einen solchen Vorwurf verdiente? Und dem einzigen [!], der ihn verdient, wird er ihm ein Vorwurf *scheinen*?« (Leipziger Jahrbuch der neuesten Literatur 27. 7. 1803, Nr. 12, Sp. 189 f.).

18 Mosaikartig.

19 Robert Burton (1577–1640), engl. Schriftsteller, Hauptwerk: The Anatomy of Melancholy (1621).

20 Jeremy Bentham (1748–1832), engl. Philosoph.

21 Lessings sämtliche Schriften. Hg. von Karl Lachmann. Bd. 13. 3. Aufl. Leipzig 1897, S. 149 (Anti-Goeze, 2. Teil).

22 Vgl. Kap. 82–87.

23 Feuerhimmel (gr.), bei antiken Naturphilosophen oberster Himmel, in Dantes »Divina Comedia« Sitz der Seligen.

24 Hier in Anlehnung an das engl. Original im Sinne von erzählerischen Werken, auch Romanen.

25 Geschickte Verbindung (Horaz, De arte poetica 48).

26 Hesekiel oder Ezechiel (um 600 v. Chr.) erfährt seine Berufung zum Propheten in einer überwältigenden Vision: Ezechiel 1.

27 »Die wunderbare Gesellschaft in der Neujahrsnacht«: Hanser Bd. 4, S. 1121–1138.

28 Bezug unklar; wahrscheinlich gegen die Isolierung der »Rede des toten Christus« gerichtet, von der Mme. de Staël im Jean-Paul-Passus (Teil 2, Kap. 28: Des romans) ihres Buchs »De l'Allemagne« (Paris 1810) eine unvollständige und überwiegend von Charles Villers stammende Übersetzung abdruckt (»Un songe«). Vgl. Germaine de Staël, Über Deutschland. Hg. von Sigrid Metken. Stuttgart 1973 = Reclam 1751–1755, S. 316–320.

29 Hanser Bd. 6, S. 30.

30 Hanser Bd. 5, S. 639 (Levana, § 74).

31 Hanser Bd. 4, S. 190 f.

32 Richard Hooker (ca. 1553–1600), Jeremy Taylor (1613–1667), Sir Thomas Browne (1605–1682), engl. Prosaschriftsteller theologisch-philosophischer Prägung.

39 *Christian Hermann Weiße · Rezension über »Wahrheit aus Jean Paul's Leben«. Zweiter Artikel*

ED Jahrbücher für wissenschaftliche Kritik Januar 1834, Nr. 15–17, Sp. 113–118. 121–132.

Christian Hermann Weiße (1801–1866), Philosoph, seit 1845 Professor in Leipzig. Hegelianer, in seinem Spätwerk Schelling nahestehend. 1830 erscheint sein »System der Aesthetik als Wissenschaft von der Idee des Schönen«; über die dort gegebene Umdeutung des Humorbegriffs vgl. die Einleitung zur vorliegenden Dokumentation. Dem hier abgedruckten zweiten Teil der Rezension von »Wahrheit aus Jean Paul's Leben« geht in Nr. 107–110 vom Dezember 1833 eine allgemeine Kritik Jean Pauls voraus, die auf den Nachweis der »Sentimentalität« (im Sinne einer zwischen Gefühlsüberschwang und Rationalität gespaltenen »Doppelnatur«) als geheimen Zentrums seines Schaffens hinausläuft. Noch Weißes berühmter »Wahlverwandtschaften«-Aufsatz von 1841 erneuert in einer anzüglichen Glosse die Diskriminierung Jean Pauls als Gegenpol einer klassischen (d. h. Objektivität erreichenden) Künstlerpersönlichkeit (Weiße, Kleine Schriften zur Ästhetik und ästhetischen Kritik. Hg. von Rudolf Seydel. Leipzig 1867. Repr. Hildesheim 1966, S. 122).

1 Vgl. den Anfang des Zweiten Artikels: »Wir haben auf die merkwürdige Doppelnatur hingewiesen, die J. P. Richters Charakter als Dichter und Schriftsteller zeigt. Das Interesse einer näheren historischen Bekanntschaft mit seinem Leben und seiner Per-

sönlichkeit wird uns nun vornehmlich darin bestehen, zu erkennen, auf welche Weise diese sonderbare Mischung seiner objektiven künstlerischen Erscheinung in seinem Selbst, in seiner sittlichen Individualität begründet war; zu untersuchen, ob und inwiefern auch diese auf entsprechende Weise in sich geteilt und gespalten war und durch welche Phänomene sich diese Spaltung im Leben kundgab.«

2 S. o. Anm. 1 zu T 37.

3 Briefwechsel zwischen Schiller und Goethe. Bd. 1–6. Stuttgart-Tübingen 1828/1829.

4 Im Ersten Artikel (s. die Einleitung zum Text).

5 S. die vorhergehende Anm.

5a Sc. geistigen Fülle und Trefflichkeit.

6 Zum Ideal der All-Liebe vgl. u. a. Wahrheit Bd. 5, S. 175 ff. (= HKA Abt. III, Bd. 2, S. 256–258).

7 Vor allem in der »Geschichte meiner Vorrede zur zweiten Auflage des Quintus Fixlein« (1797).

8 Zur »Kälte« Goethes vgl. u. a. Jean Paul an Otto 18. 6. 1796 (HKA Abt. III, Bd. 2, S. 211 f.).

9 Grundirrtum, falsche Voraussetzung (nach Aristoteles, 1. Analytik II 18).

10 Literaten.

11 Hanser Bd. 2, S. 111.

12 Beziehe auf: Pulsieren.

13 Vgl. Goethes berühmte Erklärung in »Dichtung und Wahrheit« II 7: »Und so begann diejenige Richtung, von der ich mein ganzes Leben über nicht abweichen konnte, nämlich dasjenige, was mich erfreute oder quälte oder sonst beschäftigte, in ein Bild, ein Gedicht zu verwandeln und darüber mit mir selbst abzuschließen, um sowohl meine Begriffe von den äußeren Dingen zu berichtigen als mich im Innern deshalb zu beruhigen [...] Alles, was daher von mir bekannt geworden, sind nur Bruchstücke einer großen Konfession, welche vollständig zu machen dieses Büchlein ein gewagter Versuch ist« (HA Bd. 9, S. 283).

14 Vgl. die Rezension von »Titan«, Bd. 3 in der Neuen allgemeinen deutschen Bibliothek 85 (1803), S. 96: »Das Leben mit Jean Paul dem Schriftsteller gleicht dem Leben in einem Fruchthause. Die würzigen Düfte kitzeln die Geruchsnerven. Man atmet sie begierig ein und glaubt sich wer weiß wie sehr erquickt und gestärkt. Allein nicht lange, so fühlt man sich, nicht erfrischt und belebt, sondern überfüllt und betäubt, und sehnt sich hinaus in den freien Fruchtgarten, wo des Duftes weniger, aber des wahren Genusses desto mehr ist.«

40 *Heinrich Laube · Jean Paul*

E Zeitung für die elegante Welt 17. 4. 1834, Nr. 74.

D Heinrich Laube, Gesammelte Werke in fünfzig Bänden. Hg. von Heinrich Hubert Houben, Bd. 49: Moderne Charakteristiken. Leipzig 1909, S. 329–336.

Heinrich Laube (1806–1884), Dramatiker, Erzähler und Journalist des Jungen Deutschlands. Redakteur der »Zeitung für die elegante Welt«, einem führenden Organ der Jungdeutschen. Daß seine Jean-Paul-Schelte tatsächlich den vorausgesagten Sturm gegen den Kritiker auslöste, berichtet Laube in seinen »Erinnerungen« (Gesammelte Werke. A.a.O. Bd. 40, S. 185). – Laubes Jean-Paul-Darstellung im 3. Band seiner »Geschichte der deutschen Literatur« (Stuttgart 1840, S. 261–307) bringt keine neuen Gesichtspunkte.

1 D: nun.

2 Einen solchen Rangunterschied behauptete u. a. Varnhagen von Ense in seiner Rezension des Goethe-Schillerschen Briefwechsels 1829/1830 (Goethe im Urteil I, T 77).

3 Zeitung für die elegante Welt 34 (1834), S. 181 ff., in der Sammlung der »Modernen Charakteristiken« unmittelbar dem Jean-Paul-Artikel vorausgehend.

4 Aufgenommen in die 2. Auflage seiner »Deutschen Literatur«: 4. Theil. Stuttgart
  1836, S. 269 ff., bes. S. 272–310.
5 Rahel von Varnhagen (1771–1831)? In »Ein Buch des Andenkens für ihre Freunde«
  (Th. 1–3. Berlin 1834) nicht nachgewiesen.
6 Wörtliche Aufnahme von Menzels Formulierung: vgl. den Schluß von T 36.

41 *Heinrich Heine · Aus: Die romantische Schule*

E Heinrich Heine, Die romantische Schule. Hamburg 1836.
D Heinrich Heine, Säkularausgabe Bd. 8: Über Deutschland 1833–1836. Hg. von
  Renate Franck. Berlin-Paris 1972, S. 93–96.
  Abdruck mit freundlicher Genehmigung des Akademie Verlags, Berlin.
Als Vorbild der jungdeutschen Autoren steht Jean Paul am Anfang des Abschnitts
über aktuelle Tendenzen, um den Heinrich Heine (1797–1856) den Text seiner Programmschrift »Zur Geschichte der neueren schönen Literatur in Deutschland« (1833)
1836 zur »Romantischen Schule« erweitert. Beiden Fassungen gehen französische
Versionen voran: État actuel de la littérature en Allemagne (1833) bzw. De l'Allemagne (1835). – Heines Beschäftigung mit Jean Paul dürfte vor allem auf seine Berliner Zeit fallen. Vgl. seine »Briefe aus Berlin« (1822) im Vergleich mit E. T. A. Hoffmann: »Ein Jean-Paulscher Roman fängt höchst barock und burleske an, und geht so
fort, und plötzlich, ehe man sich dessen versieht, taucht hervor eine schöne, reine
Gemütswelt, eine mondbeleuchtete, rötlich blühende Palmeninsel, die mit all ihrer
stillen, duftenden Herrlichkeit schnell wieder versinkt in die häßlichen, schneidend
kreischenden Wogen eines exzentrischen Humors.« In »Ludwig Börne« (1840) zeigt
sich Heine bemüht, die »Phantasie des konfusen Polyhistors von Bayreuth« möglichst klar von der tagespolitischen Borniertheit seines »zelotischen« Jüngers zu scheiden, wie auch der vorliegende Text deutlich von der Auseinandersetzung mit Börne
geprägt ist (Heinrich Heine, Werke. Bd. 1–4. Hg. von Wolfgang Preisendanz. Frankfurt 1968, Bd. 2, S. 60; Bd. 4, S. 349).

1 »Man kann nämlich unsere neueste deutsche Literatur nicht besprechen, ohne ins
  tiefste Gebiet der Politik zu geraten« (S. 93).
2 S. o. Anm. 28 zu T 38.
3 Von Philarète Chasles (1798–1873), dem ersten französischen Übersetzer des »Titan«
  (Paris 1834/1835), waren in der »Revue de Paris« 1830, 1831 und 1833 Übersetzungen
  verschiedener Auszüge aus Jean Pauls Werken erschienen.
4 S. o. T 38 mit Anm. 17.
5 Vgl. zu T 40.
6 Johann Friedrich Raupach (1775–1829), Reiseschriftsteller und Verfasser trivialer
  Theaterstücke, beliebtes Opfer für Heines Spott.
7 Karl Gutzkow (1811–1878), Erzähler, Dramatiker und Kritiker des Jungen Deutschlands. Erzählerisches Hauptwerk: »Die Ritter vom Geiste« (1850/1851).
8 Ludolf Wienbarg (1802–1872), Publizist, Ästhetiker und Übersetzer. Hauptwerk:
  »Aesthetische Feldzüge. Dem jungen Deutschland gewidmet« (1834).
9 Gustav Schlesier (1810–?), Publizist des Jungen Deutschlands.
10 Noch prägnanter in der französischen Fassung: J'ai dit comment Jean-Paul précéda
   les jeunes écrivains du progrès en Allemagne dans leur tendence politique et sociale.

42 *Arnold Ruge/Theodor Echtermeyer · Aus: Der Protestantismus und die
    Romantik*

ED Arnold Ruge/Theodor Echtermeyer, Der Protestantismus und die Romantik.
   Zur Verständigung über die Zeit und ihre Gegensätze. Ein Manifest. Zweiter
   Artikel. In: Hallische Jahrbücher für deutsche Wissenschaft und Kunst 6./7. 11.
   1839, Nr. 266/267, Sp. 2121–2134.

Ernst Theodor Echtermeyer (1805–1844), Schriftsteller, 1831–1841 Gymnasiallehrer am Pädagogium in Halle. – Arnold Ruge (1803–1880), philosophischer und politischer Schriftsteller, gründete 1838 zusammen mit Echtermeyer die »Hallischen Jahrbücher für deutsche Wissenschaft und Kunst«, nach dem Verbot in Preußen ab Juli 1841 fortgesetzt als »Deutsche Jahrbücher«, die das führende Organ der Junghegelianer wurden. – Das Manifest »Der Protestantismus und die Romantik« (1839/1840) ist das Kernstück der antiidealistischen und antiromantischen Literaturkritik und -politik der »Hallischen Jahrbücher«. Als Abrechnung mit der Romantik gewann es entscheidenden Einfluß auf die Ausbildung einer realistischen Ästhetik nach 1848, wie Rudolph Gottschall bezeugt (Die deutsche Nationalliteratur in der ersten Hälfte des neunzehnten Jahrhunderts. Bd. 1. 2. Breslau 1855, Bd. 2, S. 78): »Die Kriegserklärung des Protestantismus gegen die *literarische* und *politische* Romantik gehört zu den bedeutsamsten literarhistorischen Denkmalen der Epoche, zu den denkwürdigsten Aktenstücken; denn sie bezeichnet klar und mit kritischer Schärfe den Bruch zwischen der romantischen und modernen Poesie, ihre Urteile waren die Urteile des unbestechlichen, klassischen Geschmackes über die Verirrungen der ungebundenen Phantasie, sie brach wieder Produktionen die Bahn, welche aus einem geläuterten Geiste hervorgehen, und machte die Wiedergeburt einer echt künstlerischen und zugleich nationalen Poesie möglich.« Der hier abgedruckte Abschnitt des Zweiten Artikels über Jean Paul wurde nach einem Entwurf Echtermeyers von Ruge formuliert, der ihn in anderer Fassung in seine »Gesammelten Schriften« (Bd. 1. Mannheim 1846) aufnahm. Auf diesen Aufsatz verweist Ruge noch am 29. 5. 1878 Paul Nerrlich, die Nicht-Erwähnung seiner Jean-Paul-Kritik in der Einleitung zu dessen Buch »Jean Paul und seine Zeitgenossen« (Berlin 1876) monierend. Die Bedeutung Jean Pauls für Ruges eigene Entwicklung geht aus seiner für Karl Rosenkranz formulierten Vita hervor: vgl. Arnold Ruge, Briefwechsel und Tagebuchblätter aus den Jahren 1825 bis 1880. Hg. von Paul Nerrlich, Bd. 1.2. Berlin 1886, Bd. 1, S. 180f. und Bd. 2, S. 149.

1 ED: bewußter.
2 Briefe von Goethe an Lavater. Aus den Jahren 1774–1783. Hg. von Heinrich Hirzel. Leipzig 1833. Vgl. Goethes Entwurf eines Monuments in seinem Brief an Lavater vom 3.–5. 12. 1779: »[...] im Felde zur Rechten hatte ich mir den Genius, den Antreiber, Wegmacher, Fackelträger mutigen Schrittes gedacht. In dem Felde zur Linken sollte Terminus, der ruhige Gränzbeschreiber, der bedächtige, mäßige Ratgeber stillstehend mit dem Schlangenstabe einen Gränzstein bezeichnen.«
3 Hanser Bd. 4, S. 10.
4 Hanser Bd. 4, S. 186f. (gekürzt).
5 ED: der.
6 Hanser Bd. 5, S. 31 (leicht gekürzt).
7 »Vorschule«: Helden.
8 Hanser Bd. 5, S. 33f.
9 Vgl. den Abschnitt »Die Romantik in ihrem Begriff« a.a.O. 14. 10. 1839, Nr. 246, Sp. 1962–1966.
10 ED: andere.
11 Hanser Bd. 5, S. 129: »vernichtende Idee« (Vorschule, § 33).
12 Hanser Bd. 5, S. 132 (Vorschule, § 33).
13 Hanser Bd. 5, S. 101: »der romantische Mond schimmert veränderlich wie das Träumen« (Vorschule, § 25).
14 »Vorschule«: objektivem.
15 Hanser Bd. 5, S. 124f. (abgewandelt).
16 Hanser Bd. 5, S. 125 (gekürzt).
17 Hanser Bd. 5, S. 125 (Vorschule, § 32).
18 Prinz Zerbino oder die Reise nach dem guten Geschmack, gewissermaßen eine Fortsetzung des gestiefelten Katers (1799). Vgl. die 4. Szene des 6. Akts.

19 Hanser Bd. 5, S. 131 f. (Vorschule, § 33; gekürzt).
20 Vgl. Hanser Bd. 4, S. 13. S. auch T 29.

43   *Georg Herwegh · Jean Paul*

ED Deutsche Volkshalle. Bellevue bei Konstanz 22. u. 24. 11. 1839, Nr. 48/49, S. 192
u. 196 (gez. H).

Georg Herwegh (1817–1875), radikaler Lyriker und Publizist des Vormärz, redigierte
nach seiner Flucht in die Schweiz den »Kritischen Theil« der von Johann Georg
August Wirth (1789–1848), dem bedeutendsten liberalen Redner des Hambacher Festes, herausgegebenen »Volkshalle«. Kern seines Jean-Paul-Artikels ist die Rezension
des Erinnerungsbandes, den der Jean-Paul-Verehrer Karl Friedrich Kunz
(1785–1849), Buch- und Weinhändler in Bamberg, unter dem Pseudonym Z. Funck
veröffentlich hat (Jean Paul Friedrich Richter. Schleusingen 1839 [Funck, Erinnerungen aus meinem Leben in biographischen Denksteinen und andern Mittheilungen
Bd. 3]). Aus aktuellem Anlaß verbindet Herwegh sie mit polemischen Ausfällen auf
die erst zwei Wochen zuvor erschienene Jean-Paul-Kritik der »Hallischen Jahrbücher« (T 42). Mit seiner gegen Ruge/Echtermeyer gerichteten Betonung des antiidealistischen Engagements Jean Pauls und seinem politischen Verständnis des Humor-
und Alliebebegriffs treibt Herwegh die jungdeutsche Politisierung Jean Pauls bis an
die Grenzen eines sozialistischen Jean-Paul-Bildes voran.

1 T 33.
2 Heinrich Laube, Geschichte der deutschen Literatur, Bd. 1–4. Stuttgart 1839/1840.
3 Leichenredner.
4 Über Anna Dorothea Rollwenzel (1756–1830), die legendäre Wirtin Jean Pauls, vgl.
Kunz, a.a.O. S. 40. 148–166.
5 Vgl. Kunz, a.a.O. S. 17.
6 Vgl. Kunz, a.a.O. S. XVII. Zur sechsstündigen Verteidigungsrede Johann Georg August Wirths (s. Einleitung zum Text) vor dem Landauer Geschworenengericht am
8. 8. 1833 vgl. Karl Obermann, Deutschland von 1815–1849. Berlin 1961, S. 96.
7 ED: verstoßt.
8 Hanser Bd. 3, S. 1054.
9 Die 1807/1808 in Berlin gehaltenen, 1808 veröffentlichten Reden, in denen Fichte
seinen Gedanken der Nationalerziehung entwickelt, wurden von Jean Paul rezensiert: Hanser Abt. 2, Bd. 3, S. 688–703.
10 S.o. Anm. 9 zu T 17.
11 Hanser Bd. 3, S. 1056.
12 Vielmehr: »Siebenkäs« (Hanser Bd. 2, S. 270–275).
13 Vorliegende Dokumentation S. 142.
14 Zit. Kunz, a.a.O. S. 62 (Wahrheit Bd. 2, S. 41).
15 S. Einleitung zur vorliegenden Dokumentation mit Anm. 66/67.
16 Zit. Kunz, a.a.O. S. 168 (Wahrheit Bd. 2, S. 20).
17 Zit. Kunz, a.a.O. S. 7: mündliche Äußerung Jean Pauls über den Herausgeber der
Chrestomathie »Jean Pauls Geist« (s. Einleitung zur vorliegenden Dokumentation
mit Anm. 128).
18 Vgl. Kunz, a.a.O. S. 40–49.
19 Ältere Fassung von »Dr. Fenks Leichenrede« (Hanser Bd. 6, S. 153–159), durch Kunz
erstmals veröffentlicht.
20 T 28.
21 Franz Dingelstedt (1814–1891), jungdeutscher Schriftsteller, später nach politischer
Wandlung Dramaturg und Intendant, wurde als Lehrer 1838 wegen kritischer Äußerungen in seinen »Satirischen Bildern aus Hessen-Kassel« und den »Spaziergängen
eines Kasseler Poeten« von Kassel nach Fulda strafversetzt.
22 Zit. Kunz, a.a.O. S. 123 (Jean Paul an Max 20. 12. 1820).

ED G[eorg] G[ottfried] Gervinus, Neuere Geschichte der poetischen National-Literatur der Deutschen. Th. II: Von Göthes Jugend bis zur Zeit der Befreiungskriege. Leipzig 1842 = Gervinus, Historische Schriften Bd. 6: Geschichte der deutschen Dichtung V, S. 211–220, 231–235.

Georg Gottfried Gervinus (1805–1871), Historiker, Literarhistoriker und Politiker, Schüler von Friedrich Christoph Schlosser, 1835 Professor in Heidelberg, 1836 in Göttingen, wurde 1837 als einer der »Göttinger Sieben« amtsenthoben, 1844 Honorarprofessor in Heidelberg, gehörte 1848 vorübergehend der Frankfurter Nationalversammlung an. Seine fünfbändige »Geschichte der poetischen National-Literatur der Deutschen« (1835–1842) ist die bedeutendste Gesamtdarstellung der deutschen Literatur in der ersten Hälfte des 19. Jahrhunderts, ihr 46 Seiten umfassender Jean-Paul-Passus von einzigartiger Folgewirkung in dessen Rezeptionsgeschichte (s. Einleitung zur vorliegenden Dokumentation). Selbst der Goetheaner Karl August Varnhagen von Ense protestiert gegen die Rigorosität, mit der hier der biedermeierlich-jungdeutschen Verehrung Jean Pauls ein Ende gemacht wird: »Die Urteile von Gervinus über Jean Paul Richter sind wohl zum Teil gegründet, aber doch unbillig hart ausgesprochen. Gervinus sieht zu sehr auf die Richtungen und Stoffe, viel zu wenig auf die innere Stärke des Talents, auf die Schnellkraft der menschlichen Erscheinung. Durch Herz, Geist und Witz gehört Richter unter unsre Besten. Daß er nicht Goethe war noch Schiller, wissen wir; aber er steht seinen Mann. Warum ist Gervinus bei ihm nicht so billig wie bei Voß? In seiner Schilderung laufen sogar einige Gemeinheiten mit, die er beim Lesen der Reinschrift oder der Probebogen hätte ändern sollen. Und immer die falschen politischen Ansprüche! neben willkürlichem Maßstabe des Sittlichen!« (Tagebuch vom 1. 11. 1841 [!]: Varnhagen von Ense, Tagebücher. Hg. von Ludmilla Assing. Bd. 1–6. Leipzig 1861/1862. Bd. 7/8. Zürich 1865. Bd. 9–14. Hamburg 1868–1870 (Repr. Bern 1972), Bd. 1, S. 366; vgl. Bd. 3, S. 155) – Für den siebzehnjährigen Kaufmannslehrling Gervinus wurde Jean Paul nach Homer ein entscheidendes Lese-, ja Bildungserlebnis: »Jean Paul [...] hob den völlig gesunkenen Menschen in mir völlig empor« (Gervinus, Schul- und Lehrjahre. Hg. von Karl Esselborn. Darmstadt 1930, S. 12). Die Autobiographie von 1860 stellt die ausführliche Darstellung der Jean-Paul-Lektüre (wiederabgedruckt in: Gervinus, Schriften zur Literatur. Hg. von Gotthard Erler. Berlin 1962, S. 476–479) ganz in das Zeichen der Krankheit und Entartung: »Das von Grund aus Erschlaffende und Ermattende dieser verschwommenen Lektüre ward das kränkelnde Gemüt nicht gewahr, dem es wohltat, in den eigenen Leiden zu schwelgen, da ihm alles andere mangelte, an dem es sich hätte aufrichten mögen«. Im nachhinein sieht Gervinus jedoch in Jean Paul selbst den Weg zu seiner Überwindung, d.h. den Weg aus apolitischem Subjektivismus zu nationalstaatlicher Praxis angelegt: »Im ›Titan‹ steht ein inhaltschwerer Satz, den ich später als die selbstausgesprochene Verdammnis der ganzen Lebens- und Schriftstellerrichtung Jean Pauls habe bezeichnen müssen: ›Nur Taten geben dem Leben Stärke, nur Maß ihm Reiz.‹ [Hanser Bd. 3, S. 820] Dieser Satz ist mir in meinen späteren Jahren (als ich das deutsche Volk sich abmühen und abmüden sah, in trägen Schritten und törichten Wagesprüngen wechselnd, zu einem staatlichen und nationalen Leben zu gelangen) als der weiseste Wahlspruch erschienen, den ein strebsamer Mensch sich bei seiner Lebensarbeit vorschreiben könnte« (ebenda S. 479).

1 Vgl. T 11 mit Anm. 2.
2 Vgl. Varnhagens Tagebuch vom 1. 11. 1841 in Fortführung der oben zitierten Kritik an Gervinus' Literaturgeschichte: »[...] wie sehr Gervinus von dieser [sc. Goethes] Behandlungsart abweicht, so stützt er sich doch augenscheinlich auf sie und auf alles

Goethische. Mit dem Ausdrucke pathologisch z.B., welchen auf ästhetische Gegenstände Goethe zuerst angewendet hat, arbeitet er immerfort in seinem Buche.«

3 Zitat nicht nachgewiesen.

4 Vgl. Hanser Bd. 1, S. 566; Bd. 4, S. 355.

5 Hanser Bd. 6, S. 1051 (gekürzt).

6 Johann Heinrich Jung-Stilling (1740–1817), pietistischer Schriftsteller, bekannt durch seine Autobiographie, deren ersten Band (Heinrich Stillings Jugend. Eine wahrhafte Geschichte) Goethe 1777 herausgab.

7 Defoes Roman von 1719 im Gegensatz zur moralisch-didaktischen Bearbeitung durch Johann Heinrich Campe (1746–1818), die 1779/1780 erschienen war.

8 Hanser Bd. 6, S. 1091 (»Selberfreilassung«).

8a Studienbeginn und Verarmung der Familie erst 1781.

9 Vgl. Adrastea 3, 2 und 4, 1: Herder, Sämmtliche Werke. Hg. von Bernhard Suphan. Berlin 1877 ff., Bd. 23, S. 573–584; Bd. 24, S. 32–37.

10 Vgl. Wahrheit Bd. 2, S. 66 f.

11 Vgl. Wahrheit Bd. 3, S. 159; Hanser Abt. 2, Bd. 1, S. 240.

12 Hanser Bd. 4, S. 114.

13 Vgl. Hanser Bd. 5, S. 212 f. (Vorschule, § 57).

13a Vgl. Hanser Bd. 4, S. 1082 über den »neckenden Hang, den ich öfters am Schicksale bemerkt, immer nach dem Szenenplan meiner fremden Geschichten meine eigene auszuschneiden«.

14 Hanser Bd. 6, S. 1091.

15 Zitat nicht nachgewiesen.

16 In Bd. 1 seiner Literaturgeschichte (1835), S. 356–362; wiederaufgenommen in Bd. 4 (1840), S. 292 f. Die Analogie des Jean-Paulschen Romanhelden zum »tumben Tor« des höfischen Epos erlangt in den Zwanziger Jahren dieses Jahrhunderts, u. a. bei Friedrich Gundolf und Johannes Alt, neue Bedeutung: s. u. zu T 63.

17 Frei nach Heine (T 41)?

18 Krähwinkel, Schauplatz von August von Kotzebus »Die deutschen Kleinstädter« (1803) und danach einer Reihe von Lustspielen (bis hin zu Nestroys »Freiheit in Krähwinkel« von 1848), wurde in Wirklichkeit von Jean Paul in die Literatur eingeführt: »Das heimliche Klaglied« (1801) spielt in Krehwinkel.

18a Vgl. Hanser Bd. 2, S. 368.

19 Hanser Bd. 1, S. 16.

20 Juvenal (60?–120?), römischer Satiriker, bedeutend durch die Schärfe und Bitterkeit seiner Gesellschaftskritik.

21 Hanser Bd. 1, S. 15.

22 Wahrheit Bd. 2, S. 102.

23 »Goethe faßt alles bestimmt auf, ich gar nicht, bei mir ist alles romantisch zerflossen. Wenn mich eine Empfindung ergreift, daß ich sie darstellen will, so drängt sie nicht nach Worten, sondern nach Tönen, und ich will sie auf dem Klavier aussprechen« (zit. Paul Nerrlich, Jean Paul und seine Zeitgenossen. Berlin 1876, S. 194). Vgl. auch: Hanser Bd. 5, S. 277 (Vorschule, § 76).

24 Phantasiert.

25 Vgl. Wahrheit Bd. 2, S. 37.

26 An Emanuel 3. 5. 1795 (HKA Abt. 3, Bd. 2, S. 80).

27 Wahrheit Bd. 2, S. 59.

28 S. o. Anm. 22.

45 *Wilhelm Heinrich Riehl · Jean Paul's literarisches Geschick und das Frankfurter Museum*

ED Frankfurter Konversationsblatt 4./5. 3. 1846, Nr. 63/64, S. 250 f. 253 f. (Im Museum vorgetragen, gez. W. H. R.).

Wilhelm Heinrich Riehl (1823–1897), Schriftsteller und Publizist, 1848/1949 Mitglied der Frankfurter Nationalversammlung, 1854 Professor und 1885 Generalkonservator in München, Begründer der sozial-konservativen »Wissenschaft vom Volk«; theoretisches Hauptwerk: Die Naturgeschichte des Volkes als Grundlage einer deutschen Social-Politik (Bd. 1–4. 1851–1869). Riehls Museumsvortrag knüpft einerseits an Jean Pauls Mitgliedschaft im Frankfurter Museum und Börnes ebenda gehaltene Denkrede (T 33), andererseits an die Nachlaßpublikation an, die 1845 unter dem irreführenden Titel eines umfassenden literarischen Projekts aus den letzten Lebensjahren des Dichters erschienen war (obwohl die in ihr veröffentlichten Texte größtenteils nichts damit zu tun haben): Der Papierdrache. Jean Paul's Letztes Werk. Hg. von Ernst Förster. Th. 1.2. Frankfurt 1845 (Jean Paul, Sämmtliche Werke Suppl. Th. 1.2).

1 Der Papierdrache, a.a.O. Th. 1, S. V (in der Vorrede von 1823).
2 Vorliegende Dokumentation S. 105.
3 Der Papierdrache, a.a.O. Th. 1, S. 121.
4 Der Papierdrache, a.a.O. Th. 1, S. 88.
5 Ludwig von Schwanthaler (1802–1848), Bildhauer, Hauptmeister der klassizistischen Plastik in Süddeutschland. Gemeint ist sein Jean-Paul-Denkmal in Bayreuth von 1841.
6 S. Einleitung zur vorliegenden Dokumentation mit Anm. 66/67.
7 Der Papierdrache, a.a.O. Th. 1, S. VII.
8 Der Papierdrache, a.a.O. Th. 1, S. 134 (mit Bezug auf das »Freudenbüchlein«).
9 Der Papierdrache, a.a.O. Th. 1, S. 3.
10 S. o. Anm. 2.
11 Vgl. den Anfang von T 33.

46   *Gottfried Keller · Aus: Der grüne Heinrich*

E Gottfried Keller, Der grüne Heinrich. Roman. Bd. 2. Braunschweig 1854.
D Gottfried Keller, Sämtliche Werke und ausgewählte Briefe. Hg. von Clemens Heselhaus, Bd. 1. München o. J., S. 262 f.
Abdruck mit freundlicher Genehmigung des Carl Hanser Verlags, München.
»Es gab eine Zeit, wo ich selten einschlief, ohne Jean Pauls Werke unter dem Kopfkissen zu haben. Aber in jenen späteren Tagen, da ich zu schreiben anfing, tat ich längst keinen Blick mehr in seine Schriften, und von einer Wirkung auf meine Produktion kann daher in der von einigen Literarhistorikern angenommenen Weise durchaus nicht die Rede sein« (A. Frey, Erinnerungen an G. Keller. Leipzig 1892, S. 19). Mit diesen Worten erklärt Gottfried Keller (1819–1890) die bei der Überarbeitung seines Romans (2. Fassung Stuttgart 1879/1880) vorgenommene Kürzung des hier abgedruckten Jean-Paul-Passus um die letzten vier Sätze (ab: »Dazumal schloß ich einen neuen Bund«) und die Anfügung des bitteren Zusatzes: »Wenn ich dann erwachte und endlich doch an die Arbeit ging, war ich von einem Geiste träumerischer Willkür und Schrankenlosigkeit besessen, der noch bedenklicher war als die früheren Auflehnungen«. Keller vollzieht paradigmatisch die vielfach belegte Abwendung der Vormärz-Generation von Jean Paul nach 1848. 1843 hatte er noch nach der Lektüre des »Hesperus« notiert: »Jean Paul ist mir ein reicher, üppiger Blumengarten und segenvolles, nährendes Fruchtfeld zugleich. Wenn ich einen ganzen Tag nichts tue, als in ihm lesen, so glaube ich doch gearbeitet oder etwas Reelles getan zu haben. Er ist beinahe der größte Dichter, welchen ich kenne, wenn man die Natur mit ihren Wundern und das menschliche Herz als die ersten und größten Stoffe oder Aufgaben der Poesie anerkennt. Nur läßt er seine Helden allzu viel weinen, und seine Tränen und Blutstürze sowie die Gestirne und die Sonne sind gar zu oft auf dem Schlachtfeld. Auch unterbricht er sich selbst manchmal in den schönsten Stellen durch einen Witz, welcher, sei er noch so gut und schön, doch manchmal dem Leser ein wenig Unge-

duld verursacht. Bewundernswert ist die unerschöpfliche Quelle seiner trefflichen Gleichnisse aus allen Zweigen des Wissens« (Tagebuch vom 7. 8. 1843 in: J. Baechtold, G. Kellers Leben. Seine Briefe und Tagebücher. Bd. 1–3. 4. Aufl. Stuttgart-Berlin 1895, Bd. 1, S. 213).

47 *Rudolph Gottschall · Aus: Die deutsche Nationalliteratur in der ersten Hälfte des neunzehnten Jahrhunderts*

ED Rudolph Gottschall, Die deutsche Nationalliteratur in der ersten Hälfte des neunzehnten Jahrhunderts, Bd. 1. Breslau 1855, S. 103–108. 125 f. (über Jean Paul insgesamt S. 100–126).
Rudolph Gottschall (1823–1909), vielseitiger Schriftsteller, einflußreicher Literaturkritiker und auflagenstarker Literarhistoriker. Vermutlich Herausgeber der Hempelschen Jean-Paul-Ausgabe (Jean Paul's Werke. 60 Theile. Berlin [1868–1879]), die bis zu Berends Edition die verbreitetste Gesamtausgabe darstellte. Gottschall tritt noch 1890 in seiner Rezension von Nerrlichs Jean-Paul-Biographie (T 57) für Jean Pauls Aktualität ein (Jean Paul und die Gegenwart. In: Unsere Zeit 1890, S. 38–47). Die dort S. 45 f. gegebene autobiographische Mitteilung ist eins der aufschlußreichsten Zeugnisse für Jean Pauls Wirkung im vorrevolutionären Deutschland: »Ich muß hier meiner Jugend und meiner engern Familie gedenken. Es war gegen Ende der dreißiger Jahre; ich schwärmte als Gymnasiast für Jean Paul, besonders für seine großartigen Naturhymnen; ich las mit einem Freunde alle seine Dichtungen, und bei unsern Spaziergängen am herrlichen Rheinstrom, in der Umgegend des schönen Mainz, verschmolz unsere Begeisterung für Jean Paul mit derjenigen für die Schönheiten der Landschaft in ihrer wechselnden stimmungsvollen Beleuchtung. Meine Mutter war mehr von den empfindsamen Partien in seinen Dichtungen entzückt; mein Vater aber war ein eifriger Bewunderer Jean Pauls; er war ein Mann in gereiften Jahren, ein Offizier der Artillerie, der die Befreiungskriege mitgemacht hatte, der täglich von früh bis abends mit dem aufreibenden Kleinkram des praktischen Friedensdienstes beschäftigt war, der also wohl zu jenen Männern zählen durfte, für welche Gervinus die absolute Ungenießbarkeit Jean Pauls dekretiert.« Gottschalls Festhalten an Elementen der biedermeierlich-jungdeutschen Jean-Paul-Verehrung nach 1848 ist typisch für seine auf die Synthese von Idealismus und Realismus ausgerichtete Poetik und die dadurch bedingte Opposition zum Pragmatismus Julian Schmidts, der seine Literaturgeschichte im Erscheinungsjahr von Gottschalls »Nationalliteratur« um eine ganz im Sinne von Gervinus gehaltene Jean-Paul-Schelte erweitert (T 48).

1 Berlin 1798.
2 David Teniers (1610–1690), erfolgreichster Genremaler des 17. Jahrhunderts in den südlichen Niederlanden.
3 »Ländliches Gedicht in drei Idyllen« von Johann Heinrich Voß (1751–1826), erschienen 1795.
4 Offenbar mit Bezug auf Prinzessin Agnola im »Hesperus«.
5 Vgl. Friedrich Schleiermacher, Reden über die Religion an die Gebildeten unter ihren Verächtern (1799).

48 *Julian Schmidt · Jean Paul im Verhältniß zur gegenwärtigen Romanliteratur*

ED Die Grenzboten Jg. 14, Sem. 2, Bd. 3. Leipzig 1855, S. 81–95.
Julian Schmidt (1818–1886), Publizist und Literarhistoriker, ab 1848 gemeinsam mit Gustav Freytag Redakteur der einflußreichen Zeitschrift »Die Grenzboten«. Seine 1853 in zwei Bänden erschienene »Geschichte der deutschen Nationalliteratur im neunzehnten Jahrhundert« ist das programmatische Manifest des nationalliberalen Flügels des sich nach 1848 konstituierenden Frührealismus. Dem 1. Bd. ihrer 2. Aufl.

unter dem Titel »Geschichte der Deutschen Literatur im neunzehnten Jahrhundert« (Leipzig 1855) wird der vorliegende Text mit unbedeutenden Umstellungen und einigen Ergänzungen zu »Flegeljahren« und »Vorschule« eingegliedert. Auch im Vergleich mit »Wilhelm Meister« (s. u. Anm. 1) profitiert Jean Paul – der traditionelle Goethe-Antipode – nicht vom entschiedenen (in späteren Auflagen zurückgenommenen) Antiklassizismus des frühen Julian Schmidt: mit dem Idealismus der Klassik verfällt der der Romantik, mit Jungem Deutschland und Vormärz auch deren erklärtes Vorbild dem (von Gervinus vorgeprägten) Verdikt der Entfremdung vom Leben. Vgl. Karl August Varnhagen von Enses Tagebuch vom 17. 7. 1855 (in der o. Einleitung zu T 44 genannten Buchausgabe Bd. 12, S. 180 f.): »In den Gränzboten No. 29 steht wieder ein Aufsatz, der bei großen Studien und mancher triftigen Bemerkung an dem Erbübel dieser Zeitschrift leidet, an einer willkürlichen Auffassung. Es ist der gute Jean Paul Richter, der diesmal herhalten muß. Ich habe vielleicht mehr an ihm zu tadeln als dieser Kritiker. Aber nicht das Maß des Tadels, sondern die Art ist es, worauf es hier ankommt. An den Menschen wie an den Dichter werden unberechtigte Anforderungen gemacht, um die sich glücklicherweise niemand zu kümmern hat. Daß man den ›Titan‹ mit dem ›Wilhelm Meister‹ zusammenstellen will, sei es ästhetisch oder didaktisch oder historisch, zeigt wenig ästhetischen, didaktischen und historischen Sinn. Ist man etwa gemeint, ein Erzeugnis wie ›Soll und Haben‹ mit jenen hohen Gebilden zu vergleichen oder gar über sie zu stellen, so bedarf es nur der Worte, die Hamlet seiner Mutter zuruft: ›Sieh diese an, und jenes!‹« Zwanzig Jahre später distanziert sich Julian Schmidt in einem Berthold Auerbach gewidmeten literarischen Porträt von seiner einstigen an Gervinus geschulten Jean-Paul-Kritik: »Gervinus hebt mit großem Scharfsinn die Schwächen des Dichters hervor, aber dabei bleibt er stehn: was bei Jean Paul der Kern des Wollens war und wodurch er wirkte, das zu untersuchen hat er sich nicht die Mühe gegeben [...] Nun hatte aber Jean Paul ein volles Bewußtsein seiner poetischen Form, ein volles Bewußtsein des Gegensatzes derselben gegen die herrschende Richtung: eine nähere Prüfung seines Prinzips wäre also angezeigt gewesen« (s. Anm. 253 der Einleitung zur vorliegenden Dokumentation, hier: S. 39 f.).

1 Wilhelm Meister im Verhältniß zu unserer Zeit. In: Die Grenzboten Jg. 14, Sem. 2. Leipzig 1855, S. 441 ff.
2 ED: Jahrhundert.
3 Vgl. Varnhagens Tagebuch vom 15. 12. 1856 (a.a.O. Bd. 13, S. 257): »Auch der gute Jean Paul Richter hätte seinen Zettelkasten-Witz vor den Leuten offenbaren sollen, Julian Schmidt mißbraucht das Bekenntnis, um Richters ganzes Dichten als ein mechanisches Zusammenstellen und äußerliches Anordnen zu bezeichnen.«
4 Richard Otto Spazier, Jean Paul Friedrich Richter. Ein biographischer Commentar zu dessen Werken. Th. 1–5. Leipzig 1833, Th. 4, S. 172–176 (vgl. auch Th. 3, S. 35).
5 Spazier, Biographischer Commentar. A.a.O. Th. 2, S. 127 f.
5 a Unkorrekte Angaben: »Quintus Fixlein« erschien 1796, »Der Jubelsenior« 1797, »Leben Fibels« 1812.
6 »Anton Reiser«, »psychologischer« Roman von Karl Philipp Moritz, erschienen 1785–1790. Zu Moritz' Reaktion auf die »Unsichtbare Loge« s. Einleitung zur vorliegenden Dokumentation mit Anm. 4.
6 a Entstehung erst ab 1. 8. 1795 nachweisbar.
7 »Indiana«, 1832 erschienener Roman der frz. Schriftstellerin George Sand (1804–1876), hier als Verherrlichung des Ehebruchs (freilich von Seiten der Frau) dem »Siebenkäs« an die Seite gestellt.
8 S. o. Anm. 4 zu T 21.
9 Vielmehr: Marggraf.
10 Der Berliner Theologieprofessor Wilhelm Martin Leberecht de Wette (1780–1843) wies in der Nachschrift seines Trostbriefes an die Mutter des Kotzebue-Mörders Karl

Sand (vom 31. 5. 1819) auf Jean Pauls Aufsatz hin: zu dessen Replik in der 2. Aufl. des »Katzenberger« vgl. Hanser Bd. 6, S. 337.

49 *Bogumil Goltz · Jean Paul, die Romantik, die Classicität und der Geschmack*

E Bogumil Goltz, Die Deutschen. Ethnographische Studie. Berlin 1860 = Goltz, Exacte Menschen-Kenntniß in Studien und Stereoskopen, Abt. 3, Bd. 2, S. 107–128.

D Bogumil Goltz, Zur Geschichte und Charakteristik des deutschen Genius. Eine ethnographische Studie. Hg. von Hans Zimmer. Leipzig-Wien [1906], S. 309–328 (abgedruckt: S. 309–316).

Bogumil Goltz (1801–1870), Schriftsteller, Publizist, Redner. »Wo er auf seinen Wanderzügen erschien, überraschte und verblüffte er mit geplanten oder extemporierten Vorlesungen, welche nicht selten zu fesselnden, immer neuen, sprudelnden sokratischen Paroxysmen anschwollen« (Hyac. Holland in: Allgemeine Deutsche Biographie, Bd. 9. Leipzig 1879, S. 354). Stilistisch und gedanklich von Jean Paul inspiriert, wurde Goltz vor allem durch sein autobiographisches »Buch der Kindheit« (s. Einleitung zur vorliegenden Dokumentation mit Anm. 147) und die Reisebeschreibung »Der Kleinstädter in Aegypten« (Berlin 1853 ff.) bekannt.

1 Hauser (Huso), Störart.
2 Zu Arndt s. T 27.
3 Frei nach Hanser Bd. 4, S. 10.
4 Im Sinne von: er mutet zu.
5 Riesenwale.
6 Abgelagert, ausgereift.
7 Vgl. Herodots (von Jean Paul assoziierte: Hanser Bd. 2, S. 789) Beschreibung des ägyptischen Labyrinths: II 148.
8 Vielmehr: Friedrich Schlegel. S. vorliegende Dokumentation S. 25.
9 S. Einleitung zur vorliegenden Dokumentation mit Anm. 189.
10 Vgl. Hegels große Abrechnung mit Friedrich Heinrich Jacobi in »Glauben und Wissen« (1802).
11 Ernst Eiselen (1793–1846), Turn-Pädagoge.
12 Vielmehr: Wolfgang Menzel (vorliegende Dokumentation S. 114).
13 Im »Billett an meine Freunde«: Hanser Bd. 4, S. 9–13.
14 Hanser Abt. 2, Bd. 3, S. 414–424.
15 Hanser Bd. 6, S. 1206.
16 S. o. Anm. 18 zu T 38.

50 *Moriz Rapp · Aus: Schiller, Hebel und Jean Paul*

ED Moriz Rapp, Schiller, Hebel und Jean Paul. Tübingen 1861 = Rapp, Das goldene Alter der deutschen Poesie. Bd. 2, S. 306–319 (über Jean Paul insgesamt S. 260–359).

Karl Moriz Rapp (1803–1883), Dramatiker, Übersetzer, Literarhistoriker und Linguist, seit 1846 Professor in Tübingen. Die bis zum Sonderlingstum gehende Originalität seiner Arbeiten und Ansichten wurde von den Zeitgenossen mit Nichtachtung und Isolierung quittiert; Rapps heute sonderlich wirkende Zweiteilung des »Siebenkäs« stellt jedoch, wie in der Einleitung zur vorliegenden Dokumentation gezeigt, nur eine konsequente Zuspitzung der damals herrschenden Sehweise dar. An diese schließt sich Rapp an, wenn er Jean Paul für den zweiten großen Idyllendichter der Deutschen neben Hebel erklärt (S. 260) und den Zwiespalt seiner Natur darin erblickt, daß »nur seine komischen und idyllischen Werke vollendet klassisch« seien: »über den sentimentalen und heroischen Teil werden die Liebhaber immer uneinig bleiben« (S. 263).

Indem der »Siebenkäs« beide ersten Bestimmungen erfüllt, erweist er sich als – zwei-
geteiltes – Meisterwerk.

1 ED: was.
2 Gemeint sind die väterlichen Erbstücke, die Siebenkäs auf dem Dachboden entdeckt.
3 Höhepunkt (lat.).
4 Vgl. Spazier, Biographischer Commentar. A.a.O. (s. o. Anm. 4 zu T 48) Th. 3, S. 201.
4a Richtig: Lichnowsky, Christiane geb. Gräfin Thun (1765–nach 1840). Vgl. die Fußnote Hanser Bd. 2, S. 276.
5 Salomon Geßner, Idyllen. Zürich 1756; erweitert als »Neue Idyllen« ebenda 1772.
6 Johann Peter Hebel, Alemannische Gedichte. Karlsruhe 1803 (von Jean Paul besprochen: Hanser Bd. 6, S. 145–147); erweiterte Fassung Aarau 1820.
7 Faust I 1112.
8 Zwillinge (gr.).
9 Hanser Bd. 2, S. 349 (»Solchen Lesern [...]«).
10 Streitschriften (gr.).
11 Vgl. Spazier, Biographischer Commentar. A.a.O. Th. 4, S. 72f.
12 Vgl. Hegel, Sämtliche Werke (Jubiläumsausgabe). Hg. v. Hermann Glockner. 3. Aufl.
   Bd. 8. Stuttgart 1955, S. 445; Bd. 10. Stuttgart 1958, S. 105–107.
13 Johann Bernhard Hermann (1761–1790), Jugendfreund Jean Pauls, gilt als Urbild
   seiner humoristischen Figuren.
14 S. o. Anm. 7 zu T 15.
15 Adam Lorenz von Oerthel (1763–1786), Jugendfreund Jean Pauls. ED (fälschlich):
   Örtel.
16 Rousseau.
17 Zugeständnisse (frz.).
18 So Wolfgang Menzel in seiner »Deutschen Literatur« (1828): Goethe im Urteil I,
   S. 395f.
19 Faust II 10259.

51   *[Charles Edouard Duboc] · Jean-Pauls-Feier*

ED Jean-Pauls-Feier. Dresden, März. In: Morgenblatt für gebildete Stände 7. 5.
   1863, Nr. 19, S. 448–450.
Robert Waldmüller, der im Text genannte Festredner, hat nach dem handschriftlichen
Vermerk im Verlagsexemplar des »Morgenblatts« (Cotta-Archiv im Deutschen Lite-
raturarchiv Marbach) auch den Bericht über die »Jean-Pauls-Feier« verfaßt. Hinter
dem Pseudonym verbirgt sich der vor allem durch ethnographische Erzählungen und
Abenteuerromane bekannte Schriftsteller Charles Edouard Duboc (1822–1910), Bruder des (seit 1870 gleichfalls in Dresden ansässigen) Schriftstellers und Philosophen
Carl Julius Duboc (1829–1903), der später auch mit Studien über Jean Paul hervortrat. Vgl. hauptsächlich: Jean Paul's Character in seinem Liebesleben. Eine psycholo-
gisch-ethische Studie (1878). In: Julius Duboc, Reben und Ranken. Studienblätter.
Halle 1879, S. 1–77.

1 Bühnenvorhang.
2 Abraham a Sancta Clara, eigtl. Johann Ulrich Megerle (1644–1709), Kanzelredner der
   Gegenreformation in Wien.
3 »Der 17. Juli oder Charlotte Corday« und »Wünsche für Luthers Denkmal, von
   Musurus«. Die 1799 und 1805 entstandenen Schriften wurden (z.T. verändert) in den
   »Katzenberger« übernommen: Hanser Bd. 6, S. 332–357.310–331. Zur Fichte-Rezen-
   sion s. o. Anm. 9 zu T 43.
4 Tübingen 1805 (Hanser Abt. 2, Bd. 2, S. 809–876).
5 18. Oktober 1813, Tag der Völkerschlacht bei Leipzig. Jean Paul hat öffentlich dazu

aufgefordert, den Jahrestag des Sieges auch in Bayreuth mit Freudenfeuern zu feiern (Hanser Abt. 2, Bd. 3, S. 835).

6 »Ein deutscher Jüngling in der Nacht des 18ten Oktobers 1814« und »Die Schönheit des Sterbens in der Blüte des Lebens; und ein Traum von einem Schlachtfelde«. Die 1814 entstandenen Schriften wurden in Bd. 3 der »Herbstblumine« aufgenommen: Hanser Abt. 2, Bd. 3, S. 485–492.408–424.

7 »Sieben letzte oder Nachworte gegen den Nachdruck« (1815). Wieder in: Herbstblumine, Bd. 3 (Hanser Abt. 2, Bd. 3, S. 493–516).

8 »Amaranth«, lyrische Erzählung von Oscar von Redwitz (1823–1891), erschienen 1849.

9 ED: der.

10 »Was sich der Wald erzählt«, Märchen von Gustav zu Putlitz (1821–1890), erschienen 1850.

11 »Die Weisheit des Brahmanen«, Nachdichtung fernöstlichen Spruchguts von Friedrich Rückert (1788–1866), erschienen in 6 Bänden 1836–1839.

12 Vorliegende Dokumentation S. 156.

13 Vgl. z.B. Anm. 17 zu T 43.

14 S. Einleitung zur vorliegenden Dokumentation mit Anm. 128–130.

15 Wohl Verwechslung mit Bayreuth. S.o. Anm. 5 zu T 45.

16 Johann Heinrich Pestalozzi (1746–1827) und Johann Bernhard Basedow (1723–1790), Pädagogen und Schriftsteller.

17 Anspielung auf Jean Pauls Schwarzenbacher Lehrtätigkeit 1790–1794.

52 *Karl Christian Planck · Aus: Jean Paul's Dichtung im Lichte unserer nationalen Entwicklung*

ED K[arl] Ch[ristian] Planck, Jean Paul's Dichtung im Lichte unserer nationalen Entwicklung. Ein Stück deutscher Kulturgeschichte. Berlin 1867, S. 118–124.134–136.
Karl Christian Planck (1819–1880), Philosoph, 1848 Stiftsbibliothekar in Tübingen, 1856–1879 im Schuldienst. Formal von Hegel beeinflußt, wendet sich Planck in Natur- und Sozialphilosophie (beide vereinigt sein Hauptwerk: Die Weltalter, Th. 1.2. Tübingen 1850/1851) scharf gegen die materialistischen Tendenzen der Philosophie des 19. Jahrhunderts und die Vereinzelung des Individuums in der bürgerlichen Gesellschaft. Die politischen Spekulationen des Bismarck-Gegners laufen auf eine Umgestaltung der Gesellschaft zu einer »organischen« Berufsgemeinschaft hinaus (Süddeutschland und der deutsche Nationalstaat. Stuttgart 1868). Sein Jean-Paul-Buch, »dem das Verdienst zugesprochen werden muß, den Beginn einer neuen Epoche der J.P.-Beurteilung eingeleitet zu haben« (Wilhelmine Schroll, Johann Paul Richter. Der Wandel seines Bildes. Diss. Phil. Wien 1942 [Masch.], S. 47), stellt den ersten Versuch einer literatursoziologischen (»kulturgeschichtlichen«) und entwicklungsgeschichtlichen Gesamtdeutung des Dichters dar. Zu Vischers großer Rezension s. T 53.

53 *Friedrich Theodor Vischer · Jean Paul's Dichtung*

ED Blätter für literarische Unterhaltung 17./24. 9. 1868, Nr. 38/39, S. 593–596.609–613 (abgedruckt S. 593–596).
Friedrich Theodor Vischer (1807–1887), Philosoph, Literaturkritiker und Dichter, der bedeutendste nachhegelsche Ästhetiker des 19. Jahrhunderts, seit 1837 Professor in Tübingen, 1855–1866 in Zürich, 1866–1877 in Stuttgart, 1848 Abgeordneter der gemäßigten Liberalen in der Frankfurter Nationalversammlung. Die Rezension über das Jean-Paul-Buch seines Freundes Karl Christian Planck (T 52) hat diesen selbst weit überlebt: die anthropologische siegte über die sozialutopische, die ästhetische

über die historische Jean-Paul-Sicht. Zum Widerspruch Planck-Vischer als einem Widerspruch in Vischers eigener – auch politischer – Entwicklung s. ausführlich die Einleitung zur vorliegenden Dokumentation. Der vollständige Text der Rezension, von der hier nur der allgemeinere erste Teil wiedergegeben wird, ist in der stilistisch überarbeiteten Fassung von 1873 abgedruckt in: Vischer, Kritische Gänge N.F. H.6. 2. verm. Aufl. München [1922], S. 426–447 und (von einer Kürzung abgesehen) in: Jean Paul. Hg. von Uwe Schweikert. Darmstadt 1974 = Wege der Forschung 336, S. 13–32. – Vischers persönliches Verhältnis zu Jean Paul ist das einer Haßliebe, gespalten zwischen sympathisierender Faszination durchs Komisch-Groteske und dem normativen Anspruch der klassizistischen Ästhetik. Dieser veranlaßt Vischer schon 1840 (nach der Griechenlandreise – siehe Text!) zur Verurteilung Jean Pauls: »Hier in Tübingen geriet mir in den ersten Tagen Jean Paul in die Hände; ich mußte ihn wegwerfen; diese schönen Seelen mit runzligen, skurrilen Körpern, Siebenkäsens lange dürre Arme, dies Mißverhältnis, aus dem der Humor entspringt. Ich lechze wie der Hirsch zurück nach der klaren, wohltätig klaren Quelle, nach der kräftig kühlen Brust der Alten« (an Märklin 14. 12. 1840). Doch auch nach seiner dezidierten Absage an die »pathologische« Formlosigkeit Jean Pauls in der Planck-Rezension bleibt Vischer im Bannkreis Jean Pauls. Sein jeanpaulisierender Roman »Auch Einer. Eine Reisebekanntschaft« (Bd. 1.2. Stuttgart-Leipzig 1879 [1878!]) huldigt dem heimlichen Vorbild in einem ambivalenten Poem (Bd. 2, S. 56 f.):

> O du, dem unter Narrheit, unter Witzen
> Der Sehnsucht Zähren an der Wimper blitzen,
> In Scherz und Schmerzen schwärmender Bacchant!
> Der Kunstform unbarmherziger Vernichter!
> Du Feuerwerker, der romanische Lichter
> Aufwirft und Wasser, Kies und Kot und Sand!
> O du, dem hart am überschwellten Busen
> Ein Spötter wohnt, ein Plagegeist der Musen,
> Der Todfeind des Erhabnen, der Verstand!
> Grabdichter, Jenseitsmensch, Schwindsuchtbesinger!
> Herz voll von Liebe, sel'ger Freude Bringer
> Im armen Hüttchen an des Lebens Strand!
> Du Kind, du Greis, du Kauz, Hanswurst und Engel,
> Durchsicht'ger Seraph, breiter Erdenbengel,
> Im Himmel Bürger und im Bayerland!
> Komm, laß an deine reiche Brust mich sinken,
> Komm, laß uns weinen, laß uns lachen, trinken,
> In Bier und Tränen mächtiger Kneipant!

1 ED (fälschlich): Entwickelung, Culturgeschichte, K. Th. Planck, 1868.
2 Bockshirsch (gr.): s. Einleitung zur vorliegenden Dokumentation mit Anm. 64.
3 Titel der 2. Auflage von Johann Fischarts (ca. 1546–1590) Rabelais-Bearbeitung 1582 (1. Auflage: Affentheurliche und ungeheurliche Geschichtschrift, 1575).
4 Siebenkäs rezensiert unter Zeitdruck für Geld (vgl. Hanser Bd. 2, S. 306–308); der Ausspruch so nicht im Roman.
5 Vischer bereiste Italien und Griechenland 1839/1840.
6 T 44.
7 Gervinus, Geschichte der poetischen National-Literatur. A.a.O. (s. zu T 44) S. 240. Vgl. Einleitung zur vorliegenden Dokumentation mit Anm. 221.
8 »Schoppe wird zuletzt wahnsinnig über das Fichtische Ich, was, ich weiß nicht, ob eine Satire auf diese Philosophie oder auf jenen Humor ist« (a.a.O. S. 244).
9 S. o. Anm. 4 zu T 48.
10 Vgl. sinngemäß vorliegende Dokumentation S. 175.
11 T 47.

12 A.a.O. (s.u. T 47) Bd. 1, S. 102f.
13 Hanser Bd. 4, S. 10.
14 Planck, Jean Paul's Dichtung. A.a.O. S. 17.
15 Planck, Jean Paul's Dichtung. A.a.O. S. 133f.
16 Planck, Jean Paul's Dichtung. A.a.O. S. 10–14.

54   *Hermann Hettner · Aus: Geschichte der deutschen Literatur im achtzehnten*
      Jahrhundert

ED Hermann Hettner, Geschichte der deutschen Literatur im achtzehnten Jahrhun-
   dert (= Literaturgeschichte des achtzehnten Jahrhunderts, Th. 3), Buch 3,
   Abt. 2. Braunschweig 1870, S. 404–412.
Hermann Hettner (1821–1882), Kunst- und Literarhistoriker, 1847 Privatdozent in
Heidelberg, 1851 Professor in Jena, 1855 Direktor der Antikensammlung in Dresden
und Professor für Kunstgeschichte und Literatur an der Akademie der bildenden
Künste. Der junge Hettner steht Feuerbach und Keller nahe und tritt in Ablehnung
der ästhetischen Tradition für einen demokratischen Klassizismus ein. Den sozialkri-
tisch und sozialutopisch fundierten Anti-Idealismus seiner »Romantischen Schule«
(1850) gibt Hettner in den 60er Jahren auf; die Darstellung des »Klassischen Jahrzehnts der deutschen Literatur« im Schlußteil seiner »Literaturgeschichte des achtzehnten Jahrhunderts« wird zum gültigen (beachte die Neuauflage mit Nachwort von
Johannes Anderegg: Literaturgeschichte der Goethezeit. München 1970) Muster bürgerlicher Literaturgeschichtsschreibung und zugleich zum locus classicus für die ›realistische‹ Reduktion Jean Pauls auf den Dichter des »Wutz« und »Fixlein«.

 1 HKA Abt. 3, Bd. 5, S. 126.
 2 Hanser Bd. 3, S. 273; Bd. 4, S. 141 (abgewandelt).
 3 Hanser Bd. 4, S. 28.
 3a Entstanden 1791.
 4 Vgl. die Anrede an Christian Otto: Hanser Bd. 1, S. 422.
 5 Vgl. Hanser Bd. 1, S. 1031f. (Hesperus, 33. Hundsposttag).
 6 Hanser Bd. 1, S. 430f.
 7 Hanser Bd. 1, S. 461f. (gekürzt).
 8 Hanser Bd. 4, S. 99 (4. Zettelkasten).
 9 Vgl. Hanser Bd. 4, S. 11 (»Erdstöße und Brandungen des Lebens«).
10 Vgl. T 44.
11 Vgl. T 13 (»die an Armut grenzende Monotonie seiner Phantasie«).
12 Vgl. T 13 (»Porzellanfiguren seines wie Reichstruppen zusammengetrommelten Bilderwitzes«).

55   *Theodor Fontane · [Über »Dr. Katzenbergers Badereise«]*

E Festgabe für Eduard Berend zum 75. Geburtstag am 5. 12. 1958. Hg. von Hans
  Werner Seiffert und Bernhard Zeller. Weimar 1959, S. 168f. (in: Kurt Schreinert,
  Fontane und Jean Paul).
D Theodor Fontane, Literarische Essays und Studien. Teil 1. München 1963 = Fon-
  tane, Sämtliche Werke 21,1, S. 45f.
Abdruck mit freundlicher Genehmigung des Carl Hanser Verlags, München.
Theodor Fontane (1819–1898) las den »Katzenberger« 1872 in der zweiten Reimer-
schen Gesamtausgabe (Bd. 24. 1842). Anläßlich der Lektüre des »Tristram Shandy«
im Sommer 1873 kommt Fontane – im kritischen Vergleich mit Sterne – wieder auf
Jean Paul zurück: »Jean Paul kommt ihm [sc. Sterne] in seiner Schreibweise am
nächsten, doch erreicht er ihn nicht. Den Gründen dafür nachzuspüren, wäre sehr
interessant. Ich finde sie zunächst in folgendem: Jean Paul, bei vielleicht verwandtem

Talent und gleicher Espritfülle, ist doch gesuchter, sentimentaler und noch willkürlicher. Gestalten und Situationen Jean Pauls, soweit sie humoristisch sind, wirken minder natürlich, man kommt seltner zu einem herzhaften Lachen, man empfindet öfter Störung als Bewunderung; soviel über *Natur* und *Gesuchtheit*. Dieselbe Überlegenheit zeigt sich auf dem Gebiete des *Sentimentalen*. Sterne ist nur sehr selten *gefühlvoll;* überall da, wo er es ist, ist er es mit außerordentlicher Macht [...] Jean Paul endlich ist auch *willkürlicher*. Nicht im Aufbau des Ganzen – hier erlaubt er sich geringere Freiheiten und eine *Art* von regelrechtem Verfahren wird innegehalten. Aber er ist noch viel willkürlicher im *Detail*. Alles was ihm in den Kopf kommt, schreibt er nieder, während Sterne – so abstrus die Sachen auf den ersten Blick erscheinen mögen – doch immer die Frage im Auge behält: dient es deinem Zweck, deiner künstlerischen Aufgabe?« (Literarische Essays und Studien. A.a.O. S. 391 f.)

1 Schleim, Auswurf.
2 11. Summula.
3 13. Summula.
4 14. Summula.
5 15. Summula.

56 *Friedrich Nietzsche · Aus: Der Wanderer und sein Schatten*

E Friedrich Nietzsche, Der Wanderer und sein Schatten. Zweiter und letzter Nachtrag zu der früher erschienenen Gedankensammlung »Menschliches, Allzumenschliches. Ein Buch für freie Geister«. Chemnitz 1880 (Nr. 99: nur 1. Absatz).
D Friedrich Nietzsche, Werke. Kritische Gesamtausgabe. Hg. von Giorgio Celli und Mazzino Montinari. Abt. 4, Bd. 3. Berlin 1967, S. 234.446 (zum Anschluß des 2. Absatzes vgl. ebenda Bd. 4, S. 482).
Abdruck mit freundlicher Genehmigung des Verlags Walter de Gruyter, Berlin.
Friedrich Nietzsches (1844–1900) Diktum vom »Verhängnis im Schlafrock« hat sprichwörtliche Gewalt erlangt, ist aber nur bedingt originär: zu seiner Vorbereitung, wenn nicht Vorwegnahme in der aufklärerischen Jean-Paul-Kritik s. die Einleitung zur vorliegenden Dokumentation mit Anm. 40–43. Vielleicht enthält auch »Also sprach Zarathustra« (3. Teil. 1884) einen versteckten Seitenhieb auf Jean Paul: »In Mumien [= »Unsichtbare Loge«?] verliebt die einen, die andern in Gespenster [= Ibsens Drama von 1882?]; und beide gleich feind allem Fleisch und Blute – oh wie gehen beide mir wider den Geschmack! Denn ich liebe Blut« (Werke. A.a.O. Abt. 6, Bd. 1, S. 240). Der Schlußsatz der »Ideen zur Geschichte der litterarischen Studien« (1867) lädt zur Rückanwendung auf Nietzsche und seine Generation ein: »Das Urteil über gewisse Philosophen und Dichter usw. ist immer charakteristisch für den einzelnen Menschen und für eine Zeit. Besonders wenn jene Männer charakteristisch auffallend sind, z.B. Heraklit, Schopenhauer, Sappho, Jean Paul« (Nietzsche, Gesammelte Werke. Musarionausgabe. Bd. 1. München 1922, S. 290).

1 S. o. Einleitung zu T 38.
2 Ralph Waldo Emerson (1803–1882), amerikanischer Schriftsteller, Freund Carlyles.

57 *Paul Nerrlich · Aus: Jean Paul. Sein Leben und seine Werke*

ED Paul Nerrlich, Jean Paul. Sein Leben und seine Werke. Berlin 1889, S. 60–62.65–68.
Paul Nerrlich (1844–1905), Gymnasiallehrer in Berlin, Literarhistoriker und pädagogischer Schriftsteller. Nerrlichs Beschäftigung mit Jean Paul geht nach eigener Aussage auf die Anregung Friedrich Theodor Vischers (T 53) zurück; im Brief an Arnold Ruge vom 8. 6. 1878 schreibt er über die Entstehung seines früheren Buchs »Jean Paul

und seine Zeitgenossen« (Berlin 1876): »Da las ich [...] etwa im Jahre 1873 die Vischersche Anzeige von Planck [sc. in: Kritische Gänge. N.F. H.6. Stuttgart 1873]. Hierbei kam mir zum ersten Male der Gedanke, über Jean Paul zu schreiben, und ich machte mich mit Beginn des nächsten Jahres an die Arbeit. Was ich in Vischers ›Aesthetik‹ über den Humor fand, nahm mich dermaßen gefangen, daß ich darin den treuesten Ausdruck dessen, was ein Hegelianer über Jean Paul zu sagen habe, erblickte. Es schien mir, als wenn die notwendige Konsequenz des Buches [sc. ›Jean Paul und seine Zeitgenossen‹] eine Rehabilitation Jean Pauls sein müsse« (Ruge, Briefwechsel und Tagebuchblätter aus den Jahren 1825–1880. Hg. von Paul Nerrlich. Bd. 1.2. Berlin 1886, S. 424). Nerrlichs Rehabilitation Jean Pauls greift im Unterschied zu der Plancks nicht auf die reale historische Situation, sondern auf die geistige Strömung der Zeit zurück: Jean Paul als Gipfel der Sentimentalitätsepoche verkörpert zugleich deren Umschlag in Realismus und Humor. In seiner Betonung der Modernität Jean Pauls geht Nerrlich nicht nur über Ruge (zur Kontroverse mit Ruge s. die Einleitung zur vorliegenden Dokumentation mit Anm. 205), sondern auch über seinen Anreger und brieflichen Lobredner (s. Vorwort) Vischer hinaus.

1 Hegel, Sämtliche Werke. Jubiläumsausgabe. Hg. von Hermann Glockner, Bd. 4. 3. Aufl. Stuttgart 1958, S. 546.

2 Johann Georg Hamann (1730–1788), philosophischer Schriftsteller.

3 Im Mai 1805 auf der Durchreise nach Erlangen.

4 »Clavis Fichtiana« im »Komischen Anhang zum Titan« (Bd. 1; separat Erfurt 1800).

5 Vischer, Aesthetik. A.a.O. (Einleitung zur vorliegenden Dokumentation, Anm. 48) § 398.

6 Hanser Bd. 4, S. 894.

7 Gervinus, Neuere Geschichte der poetischen National-Literatur der Deutschen. A.a.O. (s. T 44) S. 210. Vgl. vorliegende Dokumentation S. 204.

8 Vgl. das den »Teufels-Papieren« entnommene Motto des »Hesperus« (Hanser Bd. 1, S. 474).

9 »Siegwart. Eine Klostergeschichte«, empfindsamer Roman von Johann Martin Miller (1750–1814), erschienen 1776.

9a Vgl. Hanser Bd. 1, S. 650f. (Hesperus, 11. Hundsposttag).

10 T 44.

11 T 52.

12 Vischer, Aesthetik. A.a.O. § 180 E.

13 Vischer, Aesthetik. A.a.O. § 211/212.

14 Vischer, Aesthetik. A.a.O. § 229 E.

15 Erasmus von Rotterdam (1469?–1536), Hauptgestalt des deutschen Humanismus, verfaßte die Satire »Morias encomium« (1511).

16 Vgl. »Über Thomas Abbts Schriften. Erstes Stück« (1768): Herder, Sämmtliche Werke. Hg. von Bernhard Suphan, Bd. 2. Berlin 1877, S. 249–294, hier: S. 281–283.

17 David Friedrich Strauß (1808–1874), Philosoph und Theologe, erregte Aufsehen durch seine Schrift »Das Leben Jesu« (Bd. 1.2. 1835/1836).

58 *Stefan George · Lobrede auf Jean Paul*

ED Blätter für die Kunst. Folge 3, Bd. 2. Berlin März 1896, S. 59–62.
Abdruck mit freundlicher Genehmigung des Verlages Helmut Küpper, vormals Georg Bondi, Stuttgart.
Stefan Georges (1868–1933) Aktualisierung Jean Pauls entspringt, wie in der Einleitung zur vorliegenden Dokumentation gezeigt, primär dem Bemühen um eine Verankerung der symbolistischen Poetik in der nationalen Tradition. Anregung durch Karl Wolfskehl (s. zu T 66), wie Manfred Schlösser sie vermutet (Karl Wolfskehl 1869–1969. Leben und Werk in Dokumenten. Darmstadt [1969], S. 85), ist nicht

auszuschließen. Wichtiger ist Wolfskehls Anteil jedenfalls an der gemeinsam herausgegebenen dreibändigen Anthologie »Deutsche Dichtung«, deren 1. Band (Berlin 1900) als »Stundenbuch fuer seine Verehrer« ausschließlich Jean Paul gewidmet ist. Die Vorrede legitimiert die vorgenommene Isolierung einzelner »gedichte« Jean Pauls aus der »tatsachen-schilderung über die er selber zu spotten pflegte« mit der »spaltung seines ganzen wesens« und formuliert als literaturpolitische Funktion der Sammlung: »Entgegen dem formend-antiken und begrifflichen der goethischen erfüllung bietet er [sc. Jean Paul] unsrem schrifttum das farbige und klangliche das wir ohne ihn in der vollendung entbehren müssten (eine ganze schule [sc. der Impressionismus] vertrat es mangelhaft oder bloss im lehrsatz), und aus seinen schöpfungen allein ergibt sich die möglichkeit eines bezugs zu unsren andren künsten vornehmlich zur tönenden«. Die Anthologie stieß in Fachpresse und literarischer Öffentlichkeit auf z. T. heftigen Widerspruch. Rudolf Alexander Schröder erklärte es in der »Insel« (I, 4 [August 1900], S. 244–250) für »durchaus unangebracht [...] das Werk eines Dichters in Auszügen vorzuführen. Es wundert uns ein derartiges Verfahren besonders von den Herausgebern der Blätter für die Kunst, denen wir eine solche – unserer Meinung nach – unverzeihliche Geschmacklosigkeit nicht zugetraut hätten. [Sie] suchen Jean Paul anscheinend zu einer Art von Klassiker zu stempeln, indem sie alles beiseite lassen, was nicht zu den in den Blättern vertretenen Grundsätzen oder erstrebten Zielen paßt.« (Zwei Jahrzehnte später wird Schröder freilich selbst einer florilegischen Rezeption Jean Pauls das Wort reden: s. Einleitung zur vorliegenden Dokumentation mit Anm. 131.) In der Vorrede zur 2. Ausgabe (1910) weisen George/Wolfskehl alle »sachlichen einwände« ab: »Denn um alles dies handelte es sich nicht, sondern darum: dass der noch ungesehene Jean Paul der töne und träume, durch diese seiten offenbart, zum erstenmal von einer gemeinschaft gesehen wurde und dass die grösste dichterische kraft der Deutschen (nicht der grösste dichter, denn der ist Goethe) nun nicht mehr gänzlich ungenutzt daliegen muß.« Es ist dieselbe Intention, die aus dem Gedicht »Jean Paul« im »Teppich des Lebens« (1900) spricht:

> Wenn uns Stets-wandrern und die heimat schmälend
> Zu ihr die liebe schönerer nachbar würgt
> So rufst du uns zurück – verlockend quälend
> Du voll vom drange der den Gott verbürgt.
>
> In dir nur sind wir ganz: so wirkt kein weiser
> Der grauen gaue zwischen meer und kolk..
> Du sehnenvoll des heitren südens preiser –
> Wie unser breites etwas schlaffes volk
>
> In trübem dämmer bergend stahl und zunder
> Draus gluten fahren grell und schillernd mild
> Du bist der führer in dem wald der wunder
> Und herr und kind in unsrem saatgefild.
>
> Du regst den matten geist mit sternenflören
> Dann bettest du den wahn auf weichem pfühl..
> Goldharfe in erhabnen himmels-chören
> Flöte von Maiental und Blumenbühl!

– Im Gegensatz zu den anderen Dokumenten des Bandes wird Georges Text orthographisch nicht angepaßt.

1 Hanser Bd. 1, S. 1224 (Hesperus, 45. oder letztes Kapitel).
2 Hanser Bd. 1, S. 983 (Hesperus, 30. Hundsposttag).

3 Hanser Bd. 1, S. 985 (Hesperus, 30. Hundsposttag).
4 Hanser Bd. 1, S. 657 (Hesperus, 12. Hundsposttag).
5 Hanser Bd. 1, S. 1049 (Hesperus, 34. Hundsposttag).
6 Hanser Bd. 1, S. 679 (Hesperus, 13. Hundsposttag).
7 Vgl. Hanser Bd. 2, S. 25 f. 28 f. (Siebenkäs, Vorrede zum 1. Bd.).
8 Vgl. Hanser Bd. 1, S. 1135 f. (Hesperus, 38. Hundsposttag).

59 Karl Hertling · Ein Antipode des Zeitgeschmacks

ED Die neue Gesellschaft. Sozialistische Wochenschrift 2 (1906), S. 33–35.
Die erste dezidiert sozialistische Jean-Paul-Interpretation.

1 T 33 und T 41.
1 a Richtig: über Jean Paul selbst, der Schiller in Jena besucht hatte und im genannten
Brief – freilich mißverständlich – als »Hesperus« tituliert wird. S. auch Einleitung zur
vorliegenden Dokumentation mit Anm. 77.
2 Hanser Bd. 2, S. 871 f. (41. Kapitel).
3 Zitat nicht nachgewiesen.
4 Hanser Bd. 2, S. 713 (Flegeljahre, 18. Kapitel).
5 Vgl. Ellen Key, Über Liebe und Ehe. Essays. 2. Aufl. Berlin 1905.
6 Vorliegende Dokumentation S. 102.
7 Die letzten drei Beispiele aus den »Flegeljahren«.
8 1. Zykel.
9 42. Kapitel.
10 Werner Sombart (1863–1941), Volkswirtschaftler, bedeutend durch seine entwick-
lungsgeschichtliche Untersuchung des Kapitalismus (Der moderne Kapitalismus,
Bd. 1. 1903).
11 Hanser Bd. 2, S. 797 f. (33. Kapitel).
12 Hanser Bd. 2, S. 742 (22. Kapitel).
13 Vorliegende Dokumentation S. 101.

60 Wilhelm Dilthey · Aus: Studien zur Geschichte des deutschen Geistes

ED Wilhelm Dilthey, Von deutscher Dichtung und Musik. Aus den Studien zur
Geschichte des deutschen Geistes. Hg. von Herman Nohl und Georg Misch.
Leipzig-Berlin 1933, S. 435–440 (über Jean Paul S. 428–463).
Abdruck mit freundlicher Genehmigung der B. G. Teubner Verlagsgesellschaft,
Leipzig.
Wilhelm Dilthey (1833–1911), der Begründer der für die Literaturwissenschaft folgenreichen geistesgeschichtlichen Methode, hat sein Werk »Studien zur Geschichte
des deutschen Geistes« unvollendet hinterlassen. Die Herausgeber der Nachlaßpublikation haben in Abgrenzung gegenüber den »Gesammelten Schriften« die Stücke
zusammengestellt, »die, relativ vollendet und nicht ohne inneren Zusammenhang,
aussprechen, was Dilthey unter dem Germanischen im deutschen Wesen verstand
und wie er die Dichtung und die Musik benutzte, um dies sichtbar zu machen« (S. V).
Die enge Beziehung, die Dilthey zwischen deutscher Dichtung und Musik herstellt,
gipfelt in Jean Paul. Der Jean-Paul-Essay, dessen Abdruck folgerichtig das Schluß-
stück des Bandes bildet, ist wahrscheinlich 1906 entstanden (auf Doktordiplomen von
1903–1906 geschrieben).

1 Sinngemäß identisch mit Hanser Abt. 2, Bd. 2, S. 109 (Vorfassung von ebenda S. 371).
2 Hanser Bd. 1, S. 906 (Hesperus, 26. Hundsposttag).
3 Ebenda (»und fand es fast lächerlich, auf der Erde ernsthaft zu sein«).
4 Zit. Gervinus, Geschichte der poetischen National-Literatur der Deutschen. A.a.O.
(T 44), S. 225.

61 *Hugo von Hofmannsthal · Blick auf Jean Paul. 1763–1913*

E Freie Presse. Wien 23. 3. 1913, Nr. 17451, S. 33.
D Hugo von Hofmannsthal, Gesammelte Werke in Einzelausgaben. Prosa III. Frankfurt 1952, S. 153–158.
Abdruck mit freundlicher Genehmigung des S. Fischer Verlags, Frankfurt am Main.
»EDUARD (hebt das heruntergefallene Buch auf): Jean Paul. MALWINE (hauchend): ›Titan‹. EDUARD: Liane! Ein Tempel ist um dich, Mädchen. Alle himmlischen Geister lächeln dir zu, ihre Tränenperlen sind Tau auf deiner Seele. MALWINE: Ihre Seufzer der Wind, der auf der Äolsharfe spielt. EDUARD: Die Äolsharfe–« Nur im Kontext der Komödie (Eduard und die Mädchen. Phantasie über ein Raimund'sches Thema, 1917) zitiert Hugo von Hofmannsthal (1874–1929) das sentimentale Pathos Jean Pauls. In Abgrenzung gegen George (siehe Einleitung zur vorliegenden Dokumentation) betont sein Gedenkartikel von 1913 dagegen die idyllische Dichtung Jean Pauls. In seine Anthologien deutscher Prosa (Deutsche Erzähler. Bd. 1.2. Leipzig 1912; Deutsches Lesebuch. Teil 1.2. München 1922) nimmt Hofmannsthal von Jean Paul das »Schulmeisterlein Wutz« und (aus den »Flegeljahren«) »Das Glück eines schwedischen Pfarrers« auf. Nur Dichtung der »Nähe« ist – dem späten – Hofmannsthal nah.

1 Zitat nicht nachgewiesen.
2 S.o. Anm. 17 zu T 38.
3 »Jean Pauls Phantasie, so herrlich im Abspiegeln innerer Zustände, ist aber beinahe gar nicht geeignet zum Darstellen äußerer Handlungen« (Aufzeichnung von 1820/ 1821 in: Grillparzers sämtliche Werke. Hg. von August Sauer, Bd. 18. Stuttgart-Berlin o. J., S. 79).
4 Zitat nicht nachgewiesen.
5 S.o. Anm. 8 zu T 18.

62 *Johannes Nohl · Jean Paul der Flieger*

ED Johannes Nohl, Jean Paul der Flieger. Zu seinem hundertfünfzigsten Geburtstag (21. März 1913). In: Die Schweiz. Schweizerische illustrierte Zeitschrift 17 (1913), S. 180–183 (15. 4. 1913; nicht bei Berend/Krogoll).
Johannes Nohl (1882–1963), Schriftsteller mit anarchistischen Neigungen und psychoanalytischer Ausbildung, »der typische Bohemien« (Erich Mühsam zit. in: Monte Verità. Berg der Wahrheit. Lokale Anthropologie als Beitrag zur Wiederentdeckung einer neuzeitlichen sakralen Topographie. Hg. von Harald Szeemann. Civitanova Marche 1978, S. 28). Nohl trat 1913 durch mehrere Artikel über Jean Paul hervor, die sich sämtlich durch die Tendenz zu konsequenter Aktualisierung und antibürgerliche Polemik auszeichnen: s. die Einleitung zur vorliegenden Dokumentation mit Anm. 268.

1 Faust I 1074 (HA Bd. 3, S. 40).
2 Hanser Bd. 3, S. 77 (12. Zykel).
3 Hanser Bd. 3, S. 959f. (6. Fahrt).
4 Hanser Bd. 3, S. 959 (6. Fahrt).
5 »Journal meiner Reise im Jahre 1769«, Tagebuch Herders von seiner Seereise nach Frankreich, aus dem Nachlaß veröffentlicht 1846, späterhin von Johannes Nohl selbst herausgegeben und umfänglich eingeleitet (Weimar 1949).
6 Hanser Bd. 3, S. 961 (6. Fahrt).
7 Hanser Bd. 3, S. 929 (1. Fahrt).
8 Hanser Bd. 3, S. 975 (8. Fahrt).

9 Hanser Bd. 3, S. 928 (1. Fahrt).
10 Hanser Bd. 3, S. 1010.
11 Geo Chavez (1887–1910), frz. Flieger, überquerte als erster die Alpen.
12 Hanser Bd. 4, S. 624f. (507. Station; gekürzt).
13 Hanser Bd. 4, S. 625 (507. Station).
14 Erschienen im Morgenblatt 8.6. 1808, Nr. 137; wieder in: Herbstblumine, Bd. 2
   (Hanser Abt. 2, Bd. 3, S. 278–284). Der Aufsatz ist ausgelöst durch die Nachricht der
   Baireuther Zeitung vom 15. 5. 1808, der Wiener Uhrmacher Degen habe mit Flügeln
   aus zusammengenähtem Papier erfolgreiche Flugversuche unternommen.
15 Zitat nicht nachgewiesen.
16 Hanser Abt. 2, Bd. 2, S. 1035 (Blicke in die Traumwelt, § 5).
17 Ebenda.
18 Johannisthal bei Berlin und Saint-Cyr-l'Ecole, Zentren der Fliegerausbildung vor
   dem (und im) 1. Weltkrieg.
19 Hanser Bd. 3, S. 967 (Giannozzo, 7. Fahrt).
20 Hanser Bd. 3, S. 222 (Titan, 45. Zykel).

63   *Johannes Alt · Aus: Jean Paul*

ED Johannes Alt, Jean Paul. München 1925, S. 10–13.15f.
Aus der Flut von Publikationen zum 100. Todestag Jean Pauls 1925 ragen die Gesamt-
biographien von Johannes Alt und Walther Harich (siehe T 64/65) hervor. In seiner
Betonung der jünglingshaften »Gestalt« Jean Pauls und der scharfen Trennung von
Überzeitlichem und »Zopfwelt« zeigt sich der Literaturwissenschaftler Johannes Alt
(geb. 1896, 1936 Professor in Würzburg) deutlich der Ästhetik und Jean-Paul-Sicht
des George-Kreises verpflichtet. Zur Herkunft der Genealogie Parzival-Simplicius-
Walt (= Jean Paul) aus Gundolfs Grimmelshausen-Aufsatz und zum Gegensatz der
»Titan«-Interpretationen Alts und Kommerells s. Einleitung zur vorliegenden Dokumentation. – »Wie ich zu Jean Paul kam«, berichtet Alt in: Jean-Paul-Kalender 1
(1928), S. 70f.

1 In der sog. Literaturschau seines Versromans »Tristan und Isolde« 4638ff.
2 S. Einleitung zur vorliegenden Dokumentation mit Anm. 66/67.
3 Aus »Der Rhein. An Isaak von Sinclair«, 3. Strophe: Hölderlin, Werke und Briefe.
   Hg. von Friedrich Beißner und Jochen Schmidt. Bd. 1–3. Frankfurt 1969, Bd. 1,
   S. 148.

64   *Hans Franck · Jean Paul. Zur hundertjährigen Wiederkehr seines Todestages
     am 14. November 1925*

ED Der Sammler. Unterhaltungs- und Literaturbeilage Nr. 142 der München-Augs-
   burger Abendzeitung. München 14. 11. 1925.
Im gleichen Jahr wie Alts Biographie (T 63) erschienen, stellt die Jean-Paul-Biographie (Jean Paul. Leipzig 1925) des Schriftstellers Walther Harich (1888–1931) die
systematischste Ausprägung dar, die die antiklassizistische Jean-Paul-Tradition im 20.
Jahrhundert gefunden hat. Sie bildet die alleinige Grundlage für den Gedenkartikel
des Schriftstellers (früheren Volksschullehrers und Dramaturgen) Hans Franck
(1879–1964), in dem zugleich in paradigmatischer Form deutlich wird, wie die –
subjektiv – demokratische Akzentuierung des Volk-Begriffs bei Harich in der Rezeption der Zeitgenossen nationalistisch-faschistischen Lesarten weicht (wie sie z.T. ja
auch Francks späteres Werk kennzeichnen). S. auch T 65.

1 Vorliegende Dokumentation S. 101.
2 ED: Moser. S. Einleitung zur vorliegenden Dokumentation mit Anm. 4.
3 Vgl. Harich, Jean Paul. A.a.O. S. 213 und die offenkundig zugrunde liegende Formulierung in Goethes »Maximen und Reflexionen«: »Ein edler Philosoph [sc. Schelling]
sprach von der Baukunst als einer *erstarrten Musik* und mußte dagegen manches
Kopfschütteln gewahr werden. Wir glauben diesen schönen Gedanken nicht besser
nochmals einzuführen, als wenn wir die Architektur eine verstummte Tonkunst nennen« (HA Bd. 12, S. 474, Nr. 776).
4 Vgl. T 13 (»je kleinstädtischer, desto göttlicher: denn seine Ansicht des Kleinstädtischen ist vorzüglich gottesstädtisch«).
5 Vgl. Jean Pauls Selbstinterpretation des »Titan« im Brief an Jacobi vom 8. 9. 1803:
»Das Buch ist der Streit der Kraft mit der Harmonie. Sogar Liane (Schoppe) muß
durch Einkräftigkeit versinken; Albano streift daran und leidet wenigstens« (HKA
Abt. 3, Bd. 4, S. 237).
6 In Anspielung auf den Armenadvokaten Siebenkäs.
7 Vgl. Harich, Jean Paul. A.a.O. S. 200.
8 S. Einleitung zum Text.
9 Harich, Jean Paul. A.a.O. S. 199.

65 *Werner Deubel · Jean Paul. Eine Studie über das Wesentliche seines Werkes*

ED Rheinisch-Westfälische Zeitung. Essen 15. 11. 1925, Nr. 712.
Werner Deubels Gedenkartikel stellt – neben Wolfskehls »Dämon und Philister«
(T 66) – einen der wenigen konsequenten Versuche zur Anwendung jener mythischen
Sehweise auf Jean Paul dar, wie sie Ludwig Klages (1872–1956; Vom kosmogonischen Eros, 1922) und der um ihn gruppierte Kosmikerkreis entwickelt und in die
literarische Debatte eingeführt hatten. Deubel formuliert seine Vorstellungen in polemischer Abgrenzung gegenüber der Jean-Paul-Biographie Walther Harichs (s. zu
T 64), deren geistesgeschichtliche Geprägtheit gerade in dieser Konfrontation hervor-
tritt.

1 Ludwig Klages, Über Konrad Ferdinand Meyers Gedichte. In: Der Bücherwurm 11
(1925/1926), S. 5–10, hier: S. 5.
2 S. Einleitung zu T 64.
3 »Ausläuten oder Sieben letzte Worte«: im Anhang zur »Unsichtbaren Loge«.
4 An Moritz 6. 7. 1792.
5 Hanser Bd. 1, S. 466.
6 »Hyperion oder der Eremit in Griechenland«, Hölderlins 1797–1799 erschienener
Roman.
7 Conrad Ferdinand Meyer, Sämtliche Werke. Bd. 1.2. Darmstadt 1968, Bd. 2, S. 198f.
8 S. Einleitung zum Text.
9 Hanser Bd. 3, S. 581 (Titan, 104. Zyklus).
10 Zitat nicht nachgewiesen.
11 Hanser Bd. 3, S. 102 (Titan, 17. Zyklus; abgeändert).
12 Hanser Bd. 3, S. 624 (Titan, 110. Zyklus).
13 Hanser Bd. 3, S. 21 (Titan, 1. Zyklus).
14 Hanser Bd. 3, S. 21f. (Titan, 1. Zyklus).
15 Hanser Bd. 3, S. 51 (Titan, 8. Zyklus; gekürzt).
16 Hanser Bd. 3, S. 51 (Titan, 8. Zyklus).
17 Hanser Bd. 3, S. 22 (Titan, 1. Zyklus).
18 Hanser Bd. 3, S. 352 (Titan, 66. Zyklus).
19 Hanser Bd. 3, S. 121 (Titan, 22. Zyklus).
20 Harich, Jean Paul. A.a.O. S. 217.

66 *Karl Wolfskehl · Dämon und Philister (Jean Paul Friedrich Richter)*

ED Der Querschnitt 7,4 (April 1927), S. 265–270.
Abdruck mit freundlicher Genehmigung des Econ Verlags, Düsseldorf.
Karl Wolfskehl (1869–1948), Dichter und Essayist, dem Kreis um Stefan George
nahestehend, mit dem zusammen er die Anthologie »Deutsche Dichtung« herausgab
(s. Einleitung zu T 58). Wolfskehl kannte Jean Paul von seiner Studienzeit her und
gab als literarischer Leiter der Rupprecht-Presse 1927 den »Flüchtigen Plan zu einem
Jubiläum des Mülanzer Galgens« (aus »Giannozzos Seebuch«) und 1930 die »Flegeljahre« heraus. Sein Essay von 1927 ist ein hervorragendes Beispiel für die mythisieren-
den Tendenzen, die sowohl die Jean-Paul-Rezeption der Zwanziger Jahre als auch
Wolfskehls eigene Literaturauffassung bestimmen.

1 Vgl. Hanser Bd. 2, S. 625 f. (Flegeljahre, 7. Kapitel).
2 Jean Pauls Werke. Hg. von Eduard Berend. Bd. 1–5. Berlin [1923].
3 In der nordischen Mythologie wird der beliebte und schöne Gott Balder, Sohn Odins,
 obwohl durch Träume gewarnt, von seinem blinden Bruder Höder mit einem Mistel-
 Pfeil erschossen.
4 Am 15. 11. 1790, dem »wichtigsten Abend meines Lebens« (Jean Pauls Tagebuch):
 »an jenem Abend drängte ich vor mein künftiges Sterbebett durch 30 Jahre hindurch,
 sah mich mit der hängenden Totenhand, mit dem eingestürzten Krankengesicht,
 mit dem Marmorauge – ich hörte meine kämpfenden Phantasien in der letzten
 Nacht« (Jean Paul 1763–1963. Sonderausstellung des Schiller-Nationalmuseums.
 Katalog Nr. 11. Bearb. von Eduard Berend und Werner Volke. Marbach 1963,
 S. 18 f.).
5 Vgl. Jean Pauls Persönlichkeit S. 7, Nr. 12. – Entgegen der von Wolfskehl vorgenom-
 menen Verbindung (»damals«) ist der Vorfall aller Wahrscheinlichkeit nach *nicht* mit
 der Todesvision vom 15. 11. 1790 (s. vorherg. Anm.) identisch.
6 »Die Brühlische Terrasse abends mit ihren Lichtern und Gebirgen und der Brücke
 und Elbe gab mir einmal eine Stunde der innern Verklärung, die ich seit vielen Jahren
 [...] umsonst gesucht« (Jean Paul nach der Rückkehr aus Dresden an Heinrich Voß
 25. 6. 1822).

67 *Wolf Zucker · Aus: Der barocke Konflikt Jean Pauls*

ED Wolf Zucker, Der barocke Konflikt Jean Pauls. In: Geschichte und Gesellschaft.
 Breslau 1927 (Geist und Gesellschaft. Kurt Breysig zu seinem 60. Geburtstage,
 Bd. 2), S. 122–153, hier: S. 140–148.
Wolf Zuckers Studie ist neben Benjamins skizzenhaften Andeutungen (T 69) das
wichtigste Zeugnis für die Schlüsselrolle, die die Analogie zum – durch die Stilanalyse
Heinrich Wölfflins erfaßten – Barock für das Jean-Paul-Verständnis der Zwanziger
Jahre besitzt. Zucker, der in den »Kulturstilen« Barock und Romantik eine »Möglichkeit seelischen Stellungnehmens zu der großen Welt in all ihrer Mannigfaltigkeit«
erblickt, erklärt sich weniger an einer Stilanalyse der Barock-Kultur oder der romantischen Zeit als am »Phänomen Jean Paul« interessiert: »Finden wir in der ganzen
Struktur des Geisteslebens Züge, in denen wir denselben Geist wie in den Abformun-
gen barocken Geistes spüren, so wird uns diese Entdeckung nicht deshalb freuen, weil
wir für Jean Paul ein Schlagwort gefunden hätten, sondern weil wir bestätigt finden,
was wir hoffend ahnen, daß es ewig mögliche Stellungnahmen durch die Zeiten
hindurch gibt, daß die im Geist Verwandten sich, durch Jahrhunderte getrennt, nahe-
bleiben« (a.a.O. S. 122 f.).

1 Baruch de Spinoza (1632–1677), Nicole Malebranche (1638–1715), Vertreter des Pan-
 theismus bzw. Okkasionalismus, die von der Gegenwärtigkeit Gottes in der Welt
 ausgehen.

2 Goethes Kritik an Jean Paul, von diesem selbst referiert im Brief an Otto vom 17. 1.
   1798 (HKA Abt. 3, Bd. 3, S. 37).
3 S. o. Anm. 5 zu T 9.
4 S. Einleitung zur vorliegenden Dokumentation mit Anm. 48.
5 Fritz Strich, Deutsche Klassik und Romantik. Oder Vollendung und Unendlichkeit.
   Ein Vergleich. München 1922, S. 34: »[...] die Reizbarkeit Jean Pauls durch Sprache,
   durch das Wort, ist wahrhaft grenzenlos. Die Urbedeutung des Wortes, seine Bildlichkeit, sein Doppelsinn, sein Klang, reizt ihn zu immer neuer Wendung und Verwandlung. Er scheint mit der Sprache zu spielen. Aber sie spielt in Wahrheit mit
   ihm.«
6 Karl Freye, Jean Pauls Flegeljahre. Materialien und Untersuchungen. Berlin 1907 =
   Palaestra 61.
7 Eduard Berend, Jean Pauls Ästhetik. Berlin 1909 = Forschungen zur neueren Literaturgeschichte 35.
8 Hanser Bd. 4, S. 547.
9 Théodore Géricault (1791–1824), frz. Maler, Überwinder des Klassizismus.
10 Genauer: mit Jan und Pieter Breughel. Vgl. T 28 mit Anm. 18 (vorliegende Dokumentation S. 77).
11 Hanser Bd. 2, S. 670.
12 Hanser Bd. 1, S. 590 (8. Hundsposttag; gekürzt).
13 Vielmehr: § 31 (Hanser Bd. 5, S. 566).
14 Das 2. Kapitel von Wilhelm von Humboldts »Ideen zu einem Versuch, die Grenzen
   des Staats zu bestimmen«, beginnt mit dem Satz: »Der wahre Zweck des Menschen
   [...] ist die höchste und proportionierlichste Bildung seiner Kräfte.«
15 Johann Czerny, Sterne, Hippel und Jean Paul. Ein Beitrag zur Geschichte des humoristischen Romans in Deutschland. Berlin 1904 = Forschungen zur neueren Literaturgeschichte 27.
16 In E. T. A. Hoffmanns »Der goldne Topf. Ein Mährchen aus der neuen Zeit« (1814).
17 »Nachtwachen des Bonaventura« (1804). S. Einleitung zu T 22.
18 »Die Poesie ist die einzige zweite Welt in der hiesigen« (Hanser Bd. 5, S. 30).
19 Anspielungen auf »Leben Fibels«, »Hesperus« und »Komet«.
20 Josef Müller, Jean-Paul-Studien. München 1900.
21 »Es ist so leicht, den Leser zu interessieren – ohne Witz, ohne Empfindung, ohne
   Wahrheit, durch bloße Geschichte, wie es auch eine Stadtanekdote tut [...] – so leicht
   also, und von der andern Seite so unwürdig einer menschlichen Anstrengung, daß mir
   mein zu schwerer Zweck, Empfindungen und Wahrheiten darzustellen, lieber ist als
   jeder andre, den ich besser erreichte« (HKA Abt. 3, Bd. 1, S. 348).
22 Vgl. Gervinus, Neuere Geschichte der poetischen National-Literatur. A.a.O. (T 44)
   S. 236f.

68 *Max Kommerell · a. Gespräch Albanos mit Wilhelm Meister. b. Aus: Jean
    Paul*

   a. Gespräch Albanos mit Wilhelm Meister
   ED Max Kommerell, Der Dichter als Führer in der deutschen Klassik. Klopstock –
      Herder – Goethe – Schiller – Jean Paul – Hölderlin. Berlin 1928, S. 391–394 (als
      Abschluß des Jean-Paul-Kapitels).
   Abdruck mit freundlicher Genehmigung des Mundus Verlags, Stuttgart.
   b. Aus: Jean Paul
   ED Max Kommerell, Jean Paul. Frankfurt 1933, S. 299–310 (abgedruckt:
      S. 299–302.304–310).
   Abdruck mit freundlicher Genehmigung des Verlags Vittorio Klostermann, Frankfurt
   am Main.
   Max Kommerell (1902–1944), Schriftsteller und Literarhistoriker, 1924–1929 intimer

Vertrauter Georges, 1930 Professor in Frankfurt (Antrittsvorlesung über Hofmannsthal!), 1941 in Marburg. Kommerell, der schon 1924 über Jean Paul promovierte (Jean Pauls Verhältnis zu Rousseau. Nach den Hauptromanen dargestellt. Marburg 1924 = Beiträge zur deutschen Literaturwissenschaft 23), hat wiederholt die polare Bezogenheit Jean Pauls aufs Kräftefeld der Weimarer Klassik herausgestellt: die im Gespräch Albano-Wilhelm Meister gipfelnden Thesen des Jean-Paul-Kapitels seines Buches »Der Dichter als Führer« werden in »Jean Paul in Weimar« wieder aufgenommen (Das innere Reich 3,1 [1936], S. 47–65). In seiner nach dem Bruch mit George verfaßten, ihm gleichsam als Abschiedsgeschenk gewidmeten Jean-Paul-Monographie – »ein gewisser Abstand von dem Gründer der Schule mag eine unerläßliche Bedingung für eine gültige Darstellung von Jean Paul gewesen sein« (Benjamin) – verselbständigt sich die humoristische Alternative zur autonomen Daseinsform, zur faszinierend-radikalen Konsequenz aus der Krise des modernen Bewußtseins. »Allerdings bin ich auch emsig gebeugt über ›ernsten Geschäften‹, nämlich dem Jean-Paul-Buch, von dem der mittelste und schwerste Teil, der nicht eigentlich die Werke und auch nicht eigentlich das Künstlerische behandelt, sondern den sonderbaren vielklüftigen, echoreichen, von Unholden und Neckgeistern und einem sich selbst zerfleischenden Dämon behausten Hohlraum des Jean-Paulischen Humors und solche tektonischen Erdbeben und Einstürze darin wie Schoppes Wahnsinn. Das gibt das ganze Rätsel der Person und ihres Blicks ins Dasein auf, und der ganze lammliebe Humorbegriff häuslicher Seelen ist dabei auf den Misthaufen zu führen. Ich habe mich tief hineinverloren, versuchte mit Schoppe verrückt zu werden und mich am Ariadnefaden Jean-Paulischen Gelächters wieder herauszulachen« (an Ernst Kayka 30. 12. 1932. In: Kommerell, Briefe und Aufzeichnungen 1919–1944. Hg. von Inge Jens. Olten-Freiburg i. Br. 1967, S. 25 f.). Zu Benjamins Kritik s. T 69.

1 S. Anm. 15 zu T 24.
2 Vgl. Stefan Georges »Tafel« »Gespenster: An H.«: »[...] fremd blieb ihnen / Das goldne lachen und das goldne licht« (Werke. Bd. 1.2. München-Düsseldorf 1958, Bd. 1, S. 325).
3 Hanser Bd. 3, S. 241 (Titan, 49. Zykel).
4 Hanser Bd. 1, S. 712 (16. Hundsposttag).
5 Hanser Bd. 1, S. 304.
6 Hanser Bd. 1, S. 305 f.
7 Es folgen weitere Beispiele für die Darstellung des Ich-Schauders aus »Unsichtbarer Loge«, »Hesperus«, »Siebenkäs« und »Titan«.
8 Hanser Bd. 5, S. 789 f.
9 Hanser Bd. 6, S. 1061.
10 Ebenda.
11 Engels- oder Himmelsbrot, Manna (nach Psalm 78,25).
12 Zitat nicht nachgewiesen.
13 Hanser Bd. 1, S. 333 (Unsichtbare Loge, 37. Sektor).
14 Hanser Bd. 1, S. 1145–1148 (Hesperus, 38. Hundsposttag).
15 Hanser Bd. 2, S. 1084–1088 (Flegeljahre, 64. Kapitel).
16 Hanser Bd. 1, S. 299 (33. Sektor).
17 Hanser Bd. 3, S. 625 (110. Zykel).
18 Hanser Bd. 2, S. 762 (25. Kapitel).

69 *[Walter Benjamin] · Der eingetunkte Zauberstab*

E Frankfurter Zeitung 29. 3. 1934, Nr. 160/161 (gez. K. A. Stempflinger).
D Walter Benjamin, Gesammelte Schriften. Hg. von Rolf Tiedemann und Hermann Schweppenhäuser, Bd. 3. Hg. von Hella Tiedemann-Bartels. Frankfurt 1972, S. 409–417 (abgedruckt S. 414–417).

Abdruck mit freundlicher Genehmigung des Suhrkamp Verlags, Frankfurt am Main.
Walter Benjamin (1892–1940), der philosophische Essayist, Literatur- und Zeitkritiker, hat schon in seiner 1925 als Habilitationsschrift eingereichten Abhandlung über
den »Ursprung des deutschen Trauerspiels« Zusammenhänge zwischen Jean Paul und
der barocken Allegorie hergestellt. Er hat damit vor allem auf Günther Voigt Einfluß
ausgeübt, dessen bemerkenswerte Studie über »Die humoristische Figur bei Jean
Paul« (1934, wieder als JbJPG 4 [1969]) wesentlich auf Benjamins Allegoriebegriff
zurückgeht, den Anreger Benjamin freilich nicht zufriedengestellt hat (vgl. dessen
Anzeige: Gesammelte Schriften. A.a.O. Bd. 3, S. 421–423). Im hier abgedruckten
zweiten Teil seiner Rezension von Kommerells Jean-Paul-Buch (T 68b) erweitert
Benjamin seine Barock-These um die historische Situation des Biedermeier; der erste
Teil (vollständiger Abdruck außer a.a.O. u.a. in: Jean Paul. Hg. von Uwe Schweikert.
Darmstadt 1974 = Wege der Forschung 336, S. 106–114) führt die ideologiekritische
Auseinandersetzung Benjamins mit dem heroischen Irrationalismus der George-
Schule weiter. Während noch Kommerells Buch über den »Dichter als Führer«
(T 68a) dem totalen Verdikt Benjamins verfallen war (»Wider ein Meisterwerk«:
Gesammelte Schriften. A.a.O. Bd. 3, S. 252–259), findet die »bedeutungsvolle Konzeption« des Humoristen die zögernde Anerkennung des Rezensenten, der sich
grundsätzlich »auch hier entscheidend [...] von der Gesinnung des Verfassers geschieden sieht« (ebenda S. 410f.). – Ihre eigentliche Wirkung hat Benjamins Rezension, deren Veröffentlichung – auch unter dem Pseudonym – fast schon gegen die
Erwartung des Autors erfolgte, erst Ende der 60er Jahre entfaltet, als sie – im Rahmen
der allgemeinen Aktualität Benjamins in der Studentenbewegung – gleichsam als
Signal für die Abkehr von geistesgeschichtlichen Traditionen nicht nur in der Jean-
Paul-Forschung fungierte.

1 »Man mag das Biedermeier lieben oder schelten: es ist das Bürgertum als Stil – nach
  ihm besteht es ohne solchen weiter« (Kommerell, Jean Paul. A.a.O. S. 418).
2 Ebenda S. 390.
3 Ebenda S. 312.
4 Ebenda S. 23.
5 Hanser Bd. 1, S. 305 (Unsichtbare Loge, 34. Sektor).
6 Kommerell, Jean Paul. A.a.O. S. 169.
7 Ebenda S. 171.
8 Ebenda S. 17.
9 Zitat nicht nachgewiesen.
10 Johann Peter Lyser, eigtl. Ludwig Peter August Burmeister (1803–1870), Schriftsteller u. Illustrator. Einzelne Motive in: Titelblatt der »Umrisse zu Schillers Werken«
   (1835), abgebildet in: Friedrich Hirth, Johann Peter Lyser. Der Dichter, Maler, Musiker. München-Leipzig 1911, S. 241.

70 *Anton Zeheter · Jean Paul und die Nöte unserer Wirklichkeit*

ED A. Zeheter, Jean Paul und die Nöte unserer Wirklichkeit. Ein Wort an alle, die es
   angeht. In: Jean Paul-Blätter. Hg. von der Jean Paul-Gesellschaft 10,2 (August
   1935), S. 21–47 (abgedruckt: S. 21f.32–36).
Abdruck mit freundlicher Genehmigung der Jean-Paul-Gesellschaft, Erlangen.
Anton Zeheter aus Wunsiedel, reger Beiträger der Jean Paul-Blätter in den Jahren der
faschistischen Machtübernahme (vgl. seine ablehnende Besprechung von Kommerells
Jean-Paul-Buch [T 68b]: Jean Paul-Blätter 9 [1934], S. 52–58). Der forsche Ton seiner
Schreibanweisungen für nationalsozialistische Jean-Paul-Forscher veranlaßt die
Schriftleitung zum (scheinbar) mildernden Nachwort: »Die temperamentvollen Ausführungen unseres geschätzten Mitarbeiters werden voraussichtlich in einzelnen

373

Punkten Widerspruch hervorrufen, aber sie haben den Vorzug, die Jean-Paul-For-schung vor wichtige Entscheidungen zu stellen, die unsere Zeit gebieterisch fordert.«

1 Gorch Fock [= Johann Kinau], Sämtliche Werke. Bd. 1-5. Hamburg 1935, Bd. 5, S. 185 (statt Räume: Kontore).

2 Meister Eck(e)hart (ca. 1260–1327/1328), bedeutendster dt. Mystiker des Mittelalters.

3 Paul Anton de Lagarde, eigtl. Bötticher (1827–1891), Kulturphilosoph konservativ-nationaler Prägung.

4 Houston Stewart Chamberlain (1855–1927), aus England stammender Schriftsteller, Wagnerianer, betonte in »Die Grundlagen des 19. Jahrhunderts« den Anteil des Ger-manentums an der europäischen Kulturentwicklung.

5 Vgl. Wagners Schrift »Das Kunstwerk der Zukunft«: »Das Volk ist der Inbegriff aller derjenigen, *welche eine gemeinschaftliche Not empfinden* [...] Wer gehört nun *nicht* zum Volke, und wer sind seine Feinde? Alle diejenigen, *die keine Not empfinden,* deren Lebenstrieb also in einem Bedürfnisse besteht, das sich nicht bis zur Kraft der Not steigert, somit eingebildet, unwahr, egoistisch [...] ist [...] Die Befriedigung des eingebildeten Bedürfnisses aber ist der *Luxus,* welcher nur im Gegensatze und auf Kosten der Entbehrung des Notwendigen von der anderen Seite erzeugt und unter-halten werden kann« (Richard Wagner, Gesammelte Schriften und Dichtungen. 4. Aufl. Bd. 3. Leipzig 1907, S. 48 f.).

6 Wilhelm Raabe, Ausgewählte Werke. Hg. von Peter Goldammer und Helmut Rich-ter. Bd. 1-6. Berlin-Weimar 1964–1966, Bd. 3, S. 157 (Der Hungerpastor, 12. Kapitel).

7 S. o. Anm. 5.

8 So nicht nachweisbar.

9 Hanser Bd. 5, S. 1110.

10 Hanser Abt. 2, Bd. 3, S. 719.

11 Hanser Abt. 2, Bd. 3, S. 723.

12 Hanser Abt. 2, Bd. 2, S. 839.

13 Hanser Bd. 6, S. 1149.

14 August Caselmann in Bayreuth war 1. Vorsitzender der Jean-Paul-Gesellschaft 1925–1937.

15 Vgl. den Artikel »Die Ziele der Jean-Paul-Gesellschaft im neuen Deutschland« (a.a.O. S. 2–4), in dem August Caselmann u. a. den (gegen Eduard Berend gerichteten) Tagungsbeschluß der Gesellschaft verteidigt, »daß die kritische Gesamtausgabe von einem arischen Bearbeiter vollendet werden möge«.

16 Vgl. Joseph Müller, Jean Paul und die Juden. In: Jean Paul-Blätter 13 (1938), S. 15–20.

17 Emanuel Osmund (1766–1842), nächst Christian Otto beständigster Freund Jean Pauls.

18 Vgl. dazu a.a.O. S. 26: »Diese dynamische Lebensansicht, die das Werden mehr be-tont als das Sein, ist spezifisch deutsch und durchaus unfranzösisch. Daher ist der französische Staat statisch, auf Sicherung des Bestehenden bedacht, der deutsche nationalsozialistische Staat dagegen dynamische Bewegung. [Absatz] Und daher ist Jean Pauls dynamische Weltanschauung tiefste Offenbarung nordisch-germanischer Seelenhaltung und eben dadurch eine der Wurzeln des Nationalsozialismus.«

19 Vgl. Hans Friedrich Karl Günther, Rasse und Stil. Gedanken über ihre Beziehungen im Leben und in der Geistesgeschichte der europäischen Völker, insbesondere des deutschen Volkes. München 1926, S. 67.

20 Alfred Baeumler (geb. 1887), Philosoph, Vertreter des Irrationalismus (Studien zu Kant und Bachofen), stark vom Nationalsozialismus beeinflußt (Alfred Rosenberg und der Mythos des 20. Jahrhunderts, 1943).

21 Jg. 8, H. 2/3 (1933), S. 62–87.

22 In der aberwitzigen Broschüre des früheren Reichstagsabgeordneten Hermann Ahl-wardt (Mehr Licht! Die Ermordung Friedrich Schillers, Lessings und Mozarts vor

dem Forum moderner Literatur- und Weltgeschichte. 6–10. Tausend. Berlin 1914)
wird S. 60 tatsächlich die Behauptung aufgestellt, es habe eine auf Betreiben der
Jesuiten aus dem Buchhandel gezogene Ausgabe mit Briefen von Heinrich Voß aus
der Zeit vor 1817 gegeben, in denen Einzelheiten über Schillers »Hinrichtung« durch
den Illuminaten-Orden mitgeteilt würden. Ahlwardts Phantasie hat sich offenbar an
Andeutungen entzündet, die Heinrich Voß im Brief an Jean Paul vom 29. 10. 1817
über seine Pflegedienste an Schillers Krankenlager macht (in der im Besitz der heutigen Staatsbibliothek Preußischer Kulturbesitz befindlichen Ausgabe des Briefwechsels zwischen Heinrich Voß und Jean Paul [Hg. von Abraham Voß. Heidelberg 1833]
S. 14).
23 Paul de Lagarde, Schriften für das deutsche Volk. Bd. 2: Ausgewählte Schriften. Hg.
von Paul Fischer. 2. verm. Aufl. München 1934, S. 65, Anm. 1.
24 Vgl. T 20 u. T 56; s. Einleitung zur vorliegenden Dokumentation mit Anm. 40–43.

71   *Benno von Wiese · Jean Paul als Dichter des deutschen Volkstums*

ED Zeitschrift für Deutschkunde 1935. Jg. 49 der Zeitschrift für den deutschen Un-
    terricht, S. 673–687 (abgedruckt: S. 673–677. 680 f. 683–685. 686 f.).
Abdruck mit freundlicher Genehmigung des Autors.
Benno von Wiese (geb. 1903), 1932 Professor in Erlangen, 1949 Ordinarius in Bonn,
Schiller-Forscher, einer der angesehensten Literaturhistoriker nach dem 2. Weltkrieg.
Sein am 26. Oktober 1935 vor der Jean Paul-Gesellschaft und der NS-Kulturgemeinde Bayreuth gehaltener Vortrag erschien auch in: Jean Paul-Blätter 11 (1936),
S. 1–14. Hier gedruckt mit freundlicher Genehmigung des Verfassers: »Der Autor
dieses vor Jahrzehnten geschriebenen Aufsatzes erklärt ausdrücklich, daß er seine
damalige Betrachtung Jean Pauls unter der Kategorie des ›deutschen Volkstums‹
heute für zu einseitig hält und sich daher von einigen Thesen, z.B. seiner Dichtung als
deutscher Bekenntnisdichtung, eindeutig distanziert. Jean Paul, der Sympathisant der
französischen Revolution und der leidenschaftliche Demokrat, verdiente statt dessen
eine größere Beachtung.«
1 Nämlich die Feier des 10jährigen Bestehens der Jean-Paul-Gesellschaft.
2 Vgl. Hanser Bd. 5, S. 96 f. (Vorschule, § 24).
3 T 68 b.
4 Hanser Bd. 5, S. 258 (Vorschule, § 73).
5 Albrecht Haller (1708–1777), Schweizer Naturforscher und Dichter. Idyllische Züge
  trägt sein episches Lehrgedicht »Die Alpen« (1729).
6 T 60.
7 Hanser Bd. 4, S. 11.
8 Anspielung auf Vischers in der Einleitung zu T 53 zitiertes Gedicht (»im Himmel
  Bürger und im Bayerland«).
9 Otto Mann, Jean Paul und die deutsche bürgerliche Idylle. In: Dichtung und Volkstum. N.F. des Euphorion 36 (1935), S. 262–271, hier: S. 266.
10 Hanser Bd. 5, S. 444.

72   *Walther Rehm · Aus: Experimentum suae medietatis*

ED Walther Rehm, Experimentum suae medietatis. Eine Studie zur dichterischen
    Gestaltung des Unglaubens bei Jean Paul und Dostojewski. In: Jahrbuch des
    Freien Deutschen Hochstifts 1936–1940, S. 237–336, hier: S. 241–247.
Abdruck mit freundlicher Genehmigung des Freien Deutschen Hochstifts, Frankfurt
am Main.
Walther Rehm (1901–1963), 1938 Ordinarius in Gießen, 1943 in Freiburg, Schüler
Heinrich Wölfflins und hervorragender Vertreter der geistesgeschichtlichen Frage-

stellung in der Germanistik. Rehm vereinigte die in seinem Lebenswerk antithetisch der Beschäftigung mit »Griechentum und Goethezeit« (1936) entgegengesetzte Studie, die hier auszugsweise abgedruckt wird, 1947 mit Aufsätzen zu Gontscharow und Jacobsen zum Band »Experimentum medietatis. Studien zur Geistes- und Literaturgeschichte des 19. Jahrhunderts«; in überarbeiteter Form erschien sie als Einzelausgabe 1962 unter dem Titel »Jean Paul – Dostojewski. Eine Studie zur dichterischen Gestaltung des Unglaubens« in der Kleinen Vandenhoeck-Reihe (149/150). Als Seitenzweig kann Rehms Arbeit »Roquairol. Eine Studie zur Geschichte des Bösen« von 1950 gelten (s. Einleitung zur vorliegenden Dokumentation mit Anm. 112).

1 Blaise Pascal (1623–1662), frz. Schriftsteller und Mystiker (Pensées sur la religion, 1669).
2 Versuch des Menschen, selbst eine eigene Mitte darzustellen (nach Augustin in: Patrologia Latina. Hg. von Migne, Bd. 42, Sp. 1000 f.).
3 Anspielung auf Faust II 10404 (»Könnt ich Magie von meinem Pfad entfernen«).
4 Hanser Bd. 1, S. 460.
5 HKA Abt. 2, Bd. 4, S. 485.
6 Richtig: HKA Abt. 2, Bd. 4, S. 189 (Neues Kampaner Tal).
7 S. Einleitung zur vorliegenden Dokumentation mit Anm. 102.
8 Hanser Abt. 2, Bd. 2, S. 1035.
9 In Anspielung auf »Les Paradis artificiels« von Charles Baudelaire (1860).
10 Hanser Bd. 3, S. 271 (Titan, 55. Zykel).
11 Hanser Bd. 3, S. 495 (Titan, 89. Zykel).
12 Hanser Bd. 5, S. 31 (§ 2).
13 Äußerste Grenzerfahrung (gr.).
14 »Wir hatten nichts genährt als die Phantasie, und sie hat uns teils wieder aufgefressen« (Clemens Brentano an Sophie von Schweitzer 18. 4. 1842, in: Brentanos gesammelte Schriften. Hg. von Christian Brentano. Bd. 9. Frankfurt 1855, S. 423).
15 Hieronymus Bosch, eigtl. van Aken (ca. 1450–1516), niederl. Maler, bedeutend durch seine allegorischen Darstellungen des Jüngsten Gerichts und der Höllenstrafen.
16 S. o. Anm. 3 zu T 17.
17 Hanser Bd. 6, S. 258.
18 Hanser Bd. 5, S. 31 (§ 2).
19 Hanser Abt. 2, Bd. 2, S. 1038 (nur das 1. Zitat).
20 Richtig: HKA Abt. 2, Bd. 4, S. 211.186.212.215 (Neues Kampaner Tal).

73 *Emil Staiger · Aus: Jean Paul: »Titan«. Vorstudien zu einer Auslegung*

ED Emil Staiger, Meisterwerke deutscher Sprache aus dem neunzehnten Jahrhundert. Zürich 1943, S. 39–81, hier: S. 80 f.
Abdruck mit freundlicher Genehmigung der Artemis Verlags AG, Zürich und München.
Emil Staiger (geb. 1908), Schweizer Germanist, Professor in Zürich seit 1943, Hauptvertreter der werkimmanenten Interpretation (Die Kunst der Interpretation, 1955), Biograph Goethes und Schillers (1952–1959, 1967), löste mit seiner einem konservativen Literaturbegriff verpflichteten Rede »Über Literatur und Öffentlichkeit« 1966 den sog. Zürcher Literaturstreit aus (dokumentiert in: Sprache im technischen Zeitalter 22/1967). Der hier abgedruckte Text bildet den Abschluß seiner »Titan«-Analyse, die ihren ästhetischen Bezugspunkt durchweg in der klassischen Norm Goethe findet (der Gegensatz wird aufgenommen in der Goethe-Biographie: s. Einleitung zur vorliegenden Dokumentation mit Anm. 79). Vgl. den vollständigen Abdruck in: Jean Paul. Hg. von Uwe Schweikert. Darmstadt 1974 = Wege der Forschung 336, S. 115–154.

1 Faust I 348 f. (HA Bd. 3, S. 19).

ED Wolfdietrich Rasch, Die Erzählweise Jean Pauls. Metaphernspiele und dissonante Strukturen. München 1961, S. 34–41.
Abdruck mit freundlicher Genehmigung des Carl Hanser Verlags, München.
Wolfdietrich Rasch (geb. 1903), Professor in Würzburg (1941) und Münster (1958),
promovierte 1927 in Breslau über »Die Freundschaft bei Jean Paul«. In Erweiterung
des geistesgeschichtlichen Ansatzes, dem Rasch hier wie in der Ergänzung des Disser-
tationsthemas in der Hallenser Habilitationsschrift von 1936 (Freundschaftskult und
Freundschaftsdichtung im deutschen Schrifttum des 18. Jahrhunderts vom Ausgang
des Barock bis zu Klopstock) verpflichtet ist, wendet er sich – vielleicht beeinflußt
durch seine Freundschaft mit Robert Musil – schon früh Problemen der Erzähltechnik zu: die bahnbrechende Arbeit über Jean Paul, aus der hier ein zentraler Passus
wiedergegeben wird, ist im Kontext verwandter Arbeiten Raschs zu Arnim (1955)
und Musil (1963) zu sehen.

1 Wassily Kandinsky (1866–1944), russ. Maler, Mitbegründer des Blauen Reiter, begann 1910 als erster, ungegenständliche Bilder zu malen. Vgl. seine Schrift »Über das
Geistige in der Kunst« (1912).
2 Friedrich Schiller, Sämtliche Werke. Hg. von Gerhard Fricke und Herbert Göpfert.
München 1959, Bd. 5, S. 581 (5. Brief).
3 Hanser Bd. 5, S. 183 (Vorschule, § 49).
4 Die vielzitierte Stelle steht im 6. Gesang der »Chants de Maldoror« (1869): Lautréamont, Oeuvres complètes. Paris 1946, S. 199.
5 Hanser Bd. 2, S. 34f.
6 Hanser Bd. 2, S. 42f. Vgl. Rasch, Die Erzählweise Jean Pauls. A. a. O. S. 16–18.
7 Vgl. Hanser Bd. 2, S. 39 (»dieselbe Lachlust in der schönen Irrenanstalt der Erde«).
8 Vgl. Vorschule der Ästhetik, § 54: »Chemica non agunt nisi soluta (d. h. nur die
Flüssigkeit gibt die Freiheit zu neuer Gestaltung – oder: nur entbundne Körper
schaffen neue)« (Hanser Bd. 5, S. 200, bei Rasch zitiert a. a. O. S. 31).
9 Hanser Bd. 5, S. 187 (Vorschule, § 50).
10 Hanser Bd. 2, S. 224f. (dort die folgenden Zitate).
11 Hanser Bd. 2, S. 257.
12 Hanser Bd. 2, S 227f.
13 Hanser Bd. 4, S. 197.
14 »Rede des toten Christus vom Weltgebäude herab, daß kein Gott sei« (Hanser Bd. 2,
S. 266–271). Aus ihr stammen die folgenden Zitate.

75 *Robert Minder · Die Verlassenheit eines Genius. Jean Paul, geboren am
21. März 1763*

ED Frankfurter Allgemeine Zeitung 16. 3. 1963, Bilder und Zeiten.
Abdruck mit freundlicher Genehmigung des Autors.
Robert Minder (geb. 1902), frz. Germanist, Professor in Nancy (1934) und Paris
(1951), Mitglied des Collège de France (1957), Vermittler zwischen französischer und
deutscher Kultur, Förderer eines gesellschaftsbezogenen Literaturverständnisses und
der Jean-Paul-Forschung, zu der er mehrere (sich z. T. überschneidende) Beiträge
lieferte. Minders hier aufgenommener Gedenkartikel wurde 1966 mit geringen Erwei-
terungen und Veränderungen unter dem Titel »Jean Paul oder die Verlassenheit eines
Genius« (ohne Angabe des früheren Publikationsorts) in den Sammelband »Dichter
in der Gesellschaft« aufgenommen und in dieser Fassung mehrfach nachgedruckt.

1 Hanser Bd. 3, S. 33 (Titan, 1. Zykel).
2 T 68 b.

3 In den Nachworten der Hanser-Klassiker-Ausgabe.

4 T 74.

5 Richard Benz, Die Zeit der deutschen Klassik. Stuttgart 1953, S. 567–571.

6 »Le neveu de Rameau. Satire seconde«, philosophisch-satirischer Dialog von Denis Diderot, entstanden um 1762, bekannt durch Goethes Übersetzung (1805).

7 »Von Jean Pauls neuestem Erziehungsbüchlein [sc. der ›Levana‹] sagte G.: Es komme ihm vor wie ein Züchtling, dessen Ketten man immer klirren höre, wenn er auch noch so leise Bewegungen mache. Man höre immer die Catena von Zitaten, Exzerpten, Kollektaneen und so fort« (Riemer über ein Gespräch mit Goethe am 15. 12. 1806: Goethes Gespräche. Hg. von Flodoard von Biedermann. Bd. 1–5. Leipzig 1909–1911, Bd. 1, S. 465).

7a Vgl. »Etwas über den Menschen« (1781): »Er fühlt, wie wenig ihm das genug tut, was ihn umgibt; deswegen ersetzt seine Einbildungskraft, was ihm seine Macht nicht geben kann; er stillt seine Wünsche durch sich selbst« (Hanser Abt. 2, Bd. 1, S. 192 f.).

8 In Anlehnung an Vischers Gedicht (s. o. Einleitung zu T 53).

8a Richtig: 1791.

9 Ludwig Richter (1803–1884), Maler und Zeichner, bekannt durch seine idyllisierenden Buchillustrationen.

10 S. o. Anm. 5 zu T 50.

11 Hanser Bd. 1, S. 422.

12 »Der Bau«, entstanden 1923/1924, aus dem Nachlaß veröffentlicht 1931.

13 Hanser Bd. 1, S. 459.

14 Hofmannsthals fundamentales Selbstbekenntnis erschien 1902 in der Berliner Zeitung »Der Tag« unter dem Titel »Ein Brief«.

15 In: Revue germanique 20/21 (1862), übersetzt von Charles Guillemot.

16 In der Übersetzung von Alexander Büchner und Léon Dumont (Paris 1862).

17 »Un coup de dés jamais n'abolira le hasard« (»Ein Würfelwurf niemals auslöschen wird der Zufall«), zuerst in der Zeitschrift Cosmopolis 1897, als Buch in abweichender Fassung posthum 1914.

18 Frei nach Hanser Bd. 6, S. 1053.

19 S. Einleitung zu T 58.

20 Hanser Bd. 6, S. 1048.

21 Erstveröffentlichung 1796 unter dem Titel »Die Neujahrsnacht eines verdorbnen Jünglings«, später aufgenommen in »Jean Pauls Briefe und bevorstehender Lebenslauf«: Hanser Bd. 4, S. 965–967.

22 Evangelisch-lutherischer Kirchenbote für Elsaß und Lothringen. Hg. von Albert Schweitzer 50 (1921).

23 Vgl. Meister Antons Selbstbekenntnis in Friedrich Hebbels Trauerspiel »Maria Magdalene« von 1844: »Ich bin so wenig als Er [sc. Leonhard] als ein borstiger Igel zur Welt gekommen, aber ich bin nach und nach einer geworden. Erst waren alle Stacheln bei mir nach innen gerichtet [...] Aber das Ding gefiel mir nicht, ich kehrte meine Haut um, nun fuhren ihnen [sc. allen] die Borsten in die Finger« (I, 5).

24 S. o. Anm. 15 zu T 72.

25 Adam Lorenz von Oerthel und Johann Bernhard Hermann. S. o. Anm. 15 und 13 zu T 50. »Bettelstudenten« gilt freilich nur für Hermann.

26 Hanser Bd. 6, S. 1061.

27 S. o. Anm. 4 zu T 66.

28 Beethovens in Heiligenstadt bei Wien im Oktober 1802 verfaßtes Testament gilt als zentrales Zeugnis seines künstlerischen Selbstverständnisses.

29 T 72.

30 S. o. Anm. 28 zu T 38.

31 Gérard de Nerval, eigtl. Labrunie (1808–1855); Alfred Comte de Vigny (1797–1863); Alfred de Musset (1810–1857), Romantiker.

32 Ernest de Renan (1823–1892), Religionswissenschaftler u. Schriftsteller.

33 »Profession de foi du vicaire savoyard« (»Glaubensbekenntnis des savoyischen Vikars«), Rousseaus philosophisch-religiöse Standortbestimmung von 1762.

34 T 56.

35 Hanser Bd. 4, S. 248.

36 Franz Xaver von Baader (1765–1841), katholischer Philosoph und Theologe.

37 Vgl. Jean Pauls Empfehlung von »Die Welt als Wille und Vorstellung« (1819) in der »Kleinen Nachschule zur ästhetischen Vorschule«: Hanser Bd. 5, S. 507 f.

38 William Blake (1757–1827), engl. Dichter, Maler und Kupferstecher, bedeutend durch die mythische Symbolik und die visionäre Kühnheit seiner epischen Gedichte.

39 Hanser Bd. 4, S. 191 (Quintus Fixlein, Letztes Kapitel; mit Abweichungen).

76 *Vincenzo Maria Villa · Wiederbegegnung mit einem Modernen. Jean Paul zum 200. Geburtstag*

ED Der Tagesspiegel. Berlin 21. 3. 1963.
Abdruck mit freundlicher Genehmigung des Autors.
Vincenzo Maria Villa, Professor für Germanistik an der Mailänder Universität, lieferte den vielleicht originellsten auf eine ästhetische Aktualität abzielenden Beitrag, der anläßlich des 200. Geburtstags Jean Pauls in der deutschsprachigen Presse erschien.

1 Carlo Emilio Gadda (1893–1973), ital. Erzähler mit Vorliebe für groteske Perspektiven und neubarock-drastische Stillagen.

2 An Jean Paul 29. 2. 1796: »Wieland hat vieles im Hesperus und Quintus ausnehmend gefallen, er nennt Sie unsern Yorick, unsern Rabelais« (Briefe von Charlotte von Kalb an Jean Paul und dessen Gattin. Hg. von Paul Nerrlich. Berlin 1882, S. 1).

3 Nachahmer (frz.).

4 Vgl. u. a. Johann Czernys Studie (s. o. Anm. 15 zu T 67).

5 Vgl. Hermann Hesses Vorwort zur Jean-Paul-Anthologie »Der ewige Frühling« (Leipzig-Wien-Zürich 1922) und sein Nachwort zur Epikon-Ausgabe des »Siebenkäs« (Leipzig [1924]), beide wiederabgedruckt in: Hermann Hesse, Gesammelte Werke. Bd. 1–12. Frankfurt 1970, Bd. 12: Schriften zur Literatur 2, S. 203–213. 213–221. Die spezifische Tendenz der Jean-Paul-Rezeption Hesses klingt schon im Eingangssatz des erstgenannten Textes an: »Wenn man mir die Examensfrage stellen würde, in welchem Buche der neueren Zeit sich Deutschlands Seele am stärksten und charaktervollsten ausdrücke, so würde ich ohne Besinnen Jean Pauls ›Flegeljahre‹ nennen.« S. auch die Einleitung zur vorliegenden Dokumentation mit Anm. 275.

6 Glücksfunde (frz.).

7 Hier etwa: einer Buch-Manie entspringend (frz.).

8 S. o. Anm. 28 zu T 38. In der dort genannten Ausgabe von Sigrid Metken heißt es S. 318: »wenn ein Studium und angestrengte Aufmerksamkeit vonnöten sind, um einen Scherz zu verstehen, so sind eben nur die Deutschen so gutwillig, schließlich noch zu lachen und sich ebenso viel Mühe zu geben, um das zu verstehen, was sie ergötzt, als um das zu fassen, was sie belehrt«.

9 Jean Pauls Witz ähnelt oft dem Witz Montaignes (ebenda).

10 Das Hauptwerk von Michel Eyquem, Seigneur de Montaigne (1533–1592) erschien in drei Hauptfassungen 1580, 1588 und 1595.

11 Lieblingsbuch (frz.).

12 »Jean Paul ist das personifizierte Alpdrücken der Zeit« (zu Riemer 7. 12. 1807: Goethes Gespräche. Hg. von Flodoard von Biedermann. Bd. 1–5. Leipzig 1909–1911, Bd. 1, S. 514).

13 Nicht ermittelt.

14 Hanser Bd. 4, S. 1087–1120.

15 Vgl. T 13 (»Gliederfrauen«).

Helmut Richter · Idylle, Humor und tiefere Bedeutung. Zum 200. Geburtstag des deutschen Dichters Jean Paul

ED Der Morgen. Berlin/DDR 21. 3. 1963, Nr. 69.
Abdruck mit freundlicher Genehmigung des Autors.
Helmut Richter promovierte 1959 bei Hans Mayer in Leipzig über Kafka (Franz Kafka. Werk und Entwurf. Berlin 1962) und trat seitdem vor allem durch Forschungsbeiträge zu Erzählern des 19. Jahrhunderts hervor. Auch in »Wege zu Jean Paul« (Sinn und Form 15 [1963], S. 462–481; im Mittelteil enge Berührungspunkte zu dem hier abgedruckten Gedenkartikel) setzt sich Richter für eine verstärkte Rezeption Jean Pauls in der DDR ein. Sein Rekurs auf inhaltliche Momente (die Lage der Schullehrer) ist Zeugnis der Vorrangstellung, die Kategorien wie Widerspiegelung und vorbildlicher Charakter im damaligen Stadium der DDR-Literaturkritik einnahmen, und gibt somit indirekt die Gründe für die langjährige Vernachlässigung Jean Pauls in der DDR an.

1 In seiner Rezension von »Denkwürdigkeiten aus dem Leben J. P. Fr. Richters« in: Leipziger Illustrirte Zeitung 23. 3. 1863, Nr. 1038, wo es mit Bezug auf den stillen Verlauf des 100. Geburtstags Jean Pauls am 21. 3. 1863 heißt: »Es ist [...] vollkommen in der Ordnung, daß die deutsche Nation auf ein Goethe- und ein Schiller-Fest keine Richter-Feier folgen ließ, denn ein Partialtalent hat keinen Anspruch auf die Huldigung, die dem Universalgenius gebührt« (Friedrich Hebbel, Sämtliche Werke. Hg. von Richard Maria Werner, Bd. 12: Vermischte Schriften 4, S. 354).
2 So beispielsweise Georg Lukács: s. Einleitung zur vorliegenden Dokumentation mit Anm. 335.
3 Hanser Bd. 1, S. 430.
4 Hanser Bd. 1, S. 431.
5 Hanser Bd. 1, S. 425 f.

Walther Killy · Es gibt keinen rosa Jean Paul. Einspruch gegen ideologischen Mißbrauch

ED Die Zeit. Hamburg 29. 3. 1963, Nr. 13, S. 14.
Abdruck mit freundlicher Genehmigung des Autors.
Walther Killy (geb. 1917), Professor in Berlin (1956), Göttingen (1960), Bern (1970), bekannter Literaturwissenschaftler. Killys polemischer Artikel wurde ausgelöst durch den verkürzten Abdruck eines Vortrags über »Jean Pauls Nachruhm«, den Hans Mayer (geb. 1903), damals noch Professor in Leipzig, als Gast der Goethe-Gesellschaft in Hamburg gehalten hatte (der vollständige Text in: Études Germaniques 18 [1963], S. 58–73; die Kurzfassung unter dem Titel »Jean Pauls wechselnder Nachruhm. Zum zweihundertsten Geburtstag des Dichters am 21. März« in: Die Zeit 22. 3. 1963, Nr. 12, S. 13). Ausgehend von der These, daß »alle Aussagen über Jean Paul, die Deutungen wie die Umdeutungen [...] stets mit einem Wandel der gesellschaftlichen Lage in Deutschland zu tun« haben, versucht Mayer, die Geschichte von Jean Pauls Wirkung »nicht bloß [als] deutsche Literaturgeschichte, sondern auch [als] deutsche Geschichte« zu lesen. Er konzentriert sich vor allem auf das Phänomen des Humors und akzentuiert den Verlust an politischer Bedeutung, der im Vergleich späterer verharmlosender Adaptionen mit seiner ursprünglichen Funktion bei Jean Paul sichtbar werde. Der zentrale Passus lautet in der Kurzfassung der »Zeit«: »Bei Jean Paul war der Humor – in den ästhetischen Überlegungen jedenfalls – keineswegs mit der Aufgabe betraut worden, eine Versöhnung zwischen Subjektivität und Objektwelt herbeizuführen. Wenn Jean Paul im § 31 seiner ›Vorschule der Ästhetik‹ den Begriff

des Humors zu erläutern unternimmt, geht er in der Tat von einem Gegensatz zwischen Ich und Welt aus und von dem Bemühen, in der romantischen Poesie alles auf die ›Unendlichkeit des Subjekts‹ zu stellen, ›worin die Objekten-Welt wie in einem Mondlicht ihre Grenzen verliert‹. Der Verstand und die Welt der Objekte kenne nur die bloße Endlichkeit, meint Jean Paul. Aus dem Zusammenstoß des Subjekts mit dieser endlichen Welt aber könne bloß Komik entspringen, kein Humor. Unendlich sei bloß der Kontrast zwischen den Ideen der Vernunft und der Endlichkeit des Verstandes. Man müsse aber weitergehen, um bis zum Humor zu gelangen, nämlich zur wahren Unendlichkeit. Wenn nämlich das Bewußtsein der unendlichen Distanz, also der Unerreichbarkeit, mit der Idee konfrontiert wird, muß schließlich – so wird man Jean Paul interpretieren dürfen – eine Dichtung des bloßen Sehnens entstehen, das sich stets zur Vereinigung mit Idee oder Ideal, jenseits der Objekten-Welt, aufschwingen möchte, aber in allem Sehnen niemals das Bewußtsein der Vergeblichkeit dieses Bemühens verliert. Daraus wird eine Sehnsucht, die nicht bloß erfolglos ist, sondern von Anfang an weiß, daß sie es sein wird. Hierin erblickt Jean Paul die eigentliche Grundlegung für den Humor, so daß er im § 32 sagen kann: ›Der Humor, als das umgekehrte Erhabene, vernichtet nicht das Einzelne, sondern das Endliche durch den Kontrast mit der Idee.‹ [Absatz] Von hier aus wird die Position Jean Pauls in der deutschen Literaturgeschichte, und nicht zuletzt in der deutschen Gesellschaftsgeschichte, besser sichtbar. Die ›Vorschule der Ästhetik‹ entstand 1804 und bleibt untrennbar mit diesem geschichtlichen Augenblick verbunden. Die Idee, die Jean Paul immer wieder meinte, weist hinüber zur französischen Aufklärung und zu Rousseau. [Absatz] Die Idee der Aufklärung, der Verrat an dieser Idee in Frankreich wie in Deutschland, die deutschen Zustände der Kleinstaaterei und der Kleinstädterei – dies alles steht hinter Jean Pauls Bemühung um eine Begriffsbestimmung des Humors. Die ›Vorschule der Ästhetik‹ bemüht sich um theoretische Positionen für eine Dichtung der vergeblichen Sehnsucht nach anderen Zuständen, nach Verwirklichung jener Humanität, der sich Jean Paul in seiner engen Freundschaft mit dem späten Herder immer bewußt bleibt. Der Kontrast zwischen Idee und deutscher Misere wird nicht als schroffer kantianischer Dualismus verstanden wie bei Schiller in seinem Begriff der ›Resignation‹, er wird auch nicht in dramatische Gegenspieler auseinandergelegt wie bei Kleist. Jean Paul kennt ebenso wenig das Nebeneinander von angreifender Satire und kapitulierender Ironie, wie Heinrich Heine. Er möchte mit den Mitteln des Humors den aktuellen Gegensatz dadurch verewigen, daß er ihn aus der objektiven in die subjektive Sphäre verpflanzt: Als unlösbaren Konflikt im Inneren des Subjekts, ›worin die Objekten-Welt wie in einem Mondlicht ihre Grenzen verliert‹.« – Fünf Wochen nach Killys hier abgedruckter Entgegnung nimmt die »Zeit« (3. 5. 1963, Nr. 18, S. 10) die »intelligente Kontroverse zwischen West und Ost« durch den Abdruck neuer Stellungnahmen Hans Mayers (»Der garstige, der rote Jean Paul«) und Walther Killys (»Hier scheiden sich die Geister«) auf. Mayer verweist auf die wissenschaftlich ausgewiesene Fassung in »Études Germaniques«, ohne zu verkennen, daß es in dieser Auseinandersetzung um mehr als Formfragen: um ›grundsätzliche Betrachtungsweisen der Literaturwissenschaft« geht. »Es ist – das zeigt Walther Killys Polemik – immer wieder die gleiche Frage, an der sich die Geister scheiden. Man postuliert sonderbarerweise stets von neuem, das Schaffen der Klassiker und Romantiker mitsamt allen Diatriben zwischen beiden habe nichts zu tun mit den geschichtlichen Ereignissen einer Epoche, die besonders reich war an bis dahin unerhörten Umwälzungen. Französische Aufklärung, Jakobinismus, Thermidor, Bonaparte, Invasion und Okkupation: das alles möchte man aus den zeitgenössischen großen Dichtungstexten eliminieren. Als bewiesen nicht gerade die Interpretationsschwierigkeiten bei Hölderlin, Kleist und auch bei Jean Paul, daß man mit den geistesgeschichtlichen Kategorien nicht weiterkommt, sondern die geschichtlichen Phänomene genauer untersuchen sollte. Es besteht auch in der Jean-Paul-Forschung gar kein Anlaß zu übertriebener Selbstzufriedenheit.« Killy sieht den entscheidenden

Stein seines Anstoßes: die politische Deutung des Idee-Begriffs in § 32 der »Vorschule der Ästhetik«, auch in der vollständigen Fassung von Mayers Vortrag nicht ausgeräumt. »Um der Geschichte und um der deutschen Misere willen« erklärt er: »Hans Mayers Gleichsetzung von Geschichte und Gesellschaftsgeschichte ist eine ideologische Voraussetzung, an der sich die Geister allerdings scheiden. Wer sie verneint, behauptet deshalb noch lange nicht, daß das ›Schaffen‹ der Klassiker und Romantiker mit den geschichtlichen Ereignissen der Epoche nichts zu tun habe (hier ist die gleiche Verschiebungsmethode am Werk wie bei unserem Paragraphen 32!). Es hat so viel damit zu tun, es verwirklicht ihre ganze Not und Fülle so sehr, daß man ihm mit dem schwächlichen Werkzeug einer einzigen überanstrengten Frage nicht beikommen kann.«

1 S. Einleitung zum Text.
2 S. Einleitung zum Text.
3 Zu ähnlichen Prägungen bei Jean Paul vgl. Leo Tönz, Das Wirtshaus »Zum Wirtshaus«. Zu einem Motiv in Jean Pauls »Flegeljahren«. In: JbJPG 5 (1970), S. 105–123.
4 »Jean Pauls Grundphänomene waren in der geschichtlichen deutschen Wirklichkeit ungelöst geblieben. Weder 1848 noch 1871 oder gar 1914 hatte sich das Spannungsverhältnis zwischen Humanitätsideal und realer Misere gelöst« (Mayer a. a. O.).
5 Hanser Bd. 2, S. 1008 (Flegeljahre, 57. Kapitel).
6 S. o. Anm. 4.
7 Hanser Bd. 2, S. 531 (Siebenkäs, 22. Kapitel).
8 »Der Humor, als das umgekehrte Erhabene, vernichtet nicht das Einzelne, sondern das Endliche durch den Kontrast mit der Idee« (Hanser Bd. 5, S. 125; Vorschule, § 32).
9 S. Einleitung zum Text.
10 Zu »Brotverwandlung« vgl. Hanser Bd. 5, S. 43 (Vorschule, § 4).
11 Hanser Bd. 5, S. 246f. (Vorschule, § 68).
12 T 72.
13 T 68.
14 Max Kommerell, Jean Paul. Frankfurt 1933, S. 268f.

79 *Martin Walser · Goethe hat ein Programm, Jean Paul eine Existenz (Über »Wilhelm Meister« und »Hesperus«)*

ED Literaturmagazin 2. Von Goethe lernen? Fragen der Klassikrezeption. Hg. von Hans Christoph Buch. Reinbek 1974 = das neue Buch 49, S. 101–111 (abgedruckt: S. 107–111).
Abdruck mit freundlicher Genehmigung des Autors.
Wie in seinem dramatischen und epischen Werk und seinen theoretischen Aussagen zur Literatur nimmt der Schriftsteller Martin Walser (geb. 1927; Promotion 1951 über Kafka) auch in seinen Überlegungen zu Jean Paul und Goethe, die ein Kapitel des angekündigten Buchs »Von Bis oder Die ausklingende Behauptung« darstellen, die Lage des Kleinbürgertums zum Ausgangspunkt. Er gelangt so in überraschende Nähe zur bewußt kleinbürgerlichen Antithese, die Ludwig Börne zwischen dem »Dichter der Niedergebornen« und dem Großbürger Goethe aufgestellt hat (T 33).

1 Hanser Bd. 5, S. 30 (Vorschule, § 1).
2 HA Bd. 7, S. 291 (V, 3).
3 Goethe im Urteil I, S. 175.
4 HA Bd. 7, S. 499 (VIII, 1).
5 »Und schnell ward sein Name [...] dieser aus Süd und Nord zusammengesetzte Klang, dieser exotisch angehauchte Bürgername zu einer Formel, die Vortreffliches bezeichnete« (Thomas Mann, Sämtliche Erzählungen. Frankfurt 1963, S. 229).

ED Der Spiegel. Hamburg 1. 7. 1974, Nr. 27, S. 92–96.
Abdruck mit freundlicher Genehmigung des Autors.
Rudolf Augstein (geb. 1923), Herausgeber des Hamburger Nachrichtenmagazins
»Der Spiegel«. Seine Rezension des vor allem in der bundesdeutschen Öffentlichkeit
und Fachpresse (vgl. JbJPG 9 [1974]) stark beachteten Buchs des Ostberliner Philosophen und Literaturkritikers Wolfgang Harich (geb. 1923) über »Jean Pauls Revolutionsdichtung« (Versuch einer neuen Deutung seiner heroischen Romane. Berlin/
DDR und Reinbek 1974; s. auch T 81 und die Einleitung zur vorliegenden Dokumentation) nimmt zugleich auf Walsers (Augstein wohl als Vorabdruck vorliegende) Stellungnahme zu Jean Paul (T 79) Bezug und zielt so auf die Frage ab, wieweit sich in
den Unterschieden der Jean-Paul-Rezeption die unterschiedlichen Voraussetzungen
des deutschen Sozialismus spiegeln. Die Aufmachung des Artikels entspricht dem Stil
des Magazins: Abbildungen zeigen den Sturm auf die Tuilerien, Jean Paul und Harich
(»Erbteil für die Arbeiterbewegung«), Jean-Paul-Kritiker Lukács (»Winkelige Welt«),
Jean-Paul-Bewunderer Walser (»Satiren gegen die Katze«) und – als krönenden
Abschluß – Jean-Paul-Leserin Königin Luise (»Diner mit dem Dichter«).

1 Freies Resümee von T 79.
2 Walser, Goethe hat ein Programm. A.a.O. S. 107.
3 Hanser Bd. 1, S. 1135 (Hesperus, 38. Hundsposttag; zit. Walser a.a.O. S. 104).
4 Hanser Bd. 1, S. 1018 (Hesperus, 32. Hundsposttag; zit. Walser vorliegende Dokumentation S. 304).
5 Harich, Jean Pauls Revolutionsdichtung. A.a.O. S. 369 (»emanzipatorischer Akt von
   großer Tragweite«).
6 Ebenda S. 542 (»grandioseste Leistung [...], die der Klassizismus in Deutschland auf
   dem Gebiet der erzählenden Prosa vollbracht hat«).
7 Ebenda S. 174 (»die herrlichsten humoristischen Romane deutscher Sprache«).
8 Ebenda S. 556.
9 S.o. Anm. 6.
10 Aus dem »Hesperus« zit. Harich, Jean Pauls Revolutionsdichtung. A.a.O. S. 41.
11 Hanser Bd. 3, S. 189f. (39. Zykel; zit. Harich a.a.O. S. 36).
12 »Setzen aber nicht Sparter Heloten voraus, Römer und Deutsche Sklaven, und Euro-
   päer Neger?« (Flamin im Hesperus, 32. Hundsposttag; zit. Walser a.a.O. S. 107).
13 Fraischdörfer in der »Geschichte meiner Vorrede zur zweiten Auflage des Quintus
   Fixlein«: Hanser Bd. 4, S. 22.
14 Vgl. Harich, Jean Pauls Revolutionsdichtung. A.a.O. S. 178–193.
15 Hanser Bd. 1, S. 186 (21. Sektor; zit. Harich a.a.O. S. 278).
16 »Daß er [sc. Jean Paul] aus der Ferne die Vorgänge von 1793, die über die Abschaffung
   der Monarchie hinausführten und einer Diktatur der Volksmassen nahekamen, in
   ihrer eigentlichen Bedeutung begriffen hätte, ist [...] ausgeschlossen« (Harich, Jean
   Pauls Revolutionsdichtung. A.a.O. S. 121; ebenda S. 117–126 wird allerdings gerade
   die zeitliche Verzögerung – bis 1795 – betont, mit der Jean Pauls Ablehnung des
   Terrors wirksam wird).
17 An Otto 27. 3. 1793 (HKA Abt. 3, Bd. 1, S. 377; zit. Harich a.a.O. S. 119).
18 Vgl. Hanser Bd. 1, S. 1018f. (Hesperus, 32. Hundsposttag).
19 Hanser Bd. 1, S. 1166 (Hesperus, 40. Hundsposttag).
20 Jean Pauls Revolutionsdichtung. A.a.O. S. 428.
21 Hanser Bd. 1, S. 1166 (Hesperus, 40. Hundsposttag; zit. Harich a.a.O. S. 301).
22 Jean Pauls Revolutionsdichtung. A.a.O. S. 13.
23 Hanser Bd. 5, S. 471 (Nachschule, § 11; zit. Walser a.a.O. S. 105).

24 Jean Pauls Revolutionsdichtung. A. a. O. S. 337.
25 Ebenda S. 203.
26 Hanser Bd. 3, S. 589 (105. Zykel).
27 Hanser Bd. 3, S. 792 (137. Zykel).
28 Jean Pauls Revolutionsdichtung. A. a. O. S. 488.
29 Ebenda S. 466.
30 Hanser Bd. 3, S. 820 (144. Zykel).
31 Zit. Harich, Jean Pauls Revolutionsdichtung. A. a. O. S. 356.
32 Ebenda S. 518.
33 Hanser Bd. 3, S. 10.
34 Jean Pauls Revolutionsdichtung. A. a. O. S. 332.
35 An Otto 28. 9. 1799 (HKA Abt. 3, Bd. 3, S. 233; zit. Harich a. a. O. S. 592).
36 Karl Theodor von Dalberg (1744–1817), 1802 Erzbischof von Mainz, 1806 Fürstpri- mas des Rheinbundes, 1810–1813 Großherzog von Frankfurt, setzte Jean Paul 1809 eine jährliche Rente von 1000 Gulden aus, die 1815 vom bayrischen König übernom- men wurde.
37 Harich, Jean Pauls Revolutionsdichtung. A. a. O. S. 179.
38 Ebenda S. 430.
39 An Otto 19. 6. 1804 (HKA Abt. 3, Bd. 4, S. 301; zit. Harich a. a. O. S. 124).
40 S. Einleitung zur vorliegenden Dokumentation mit Anm. 334.
41 S. Einleitung zur vorliegenden Dokumentation mit Anm. 187.
42 S. Einleitung zur vorliegenden Dokumentation mit Anm. 335.
43 Jean Pauls Revolutionsdichtung. A. a. O. S. 158.
44 Ebenda S. 555.
45 Hanser Bd. 1, S. 509 (zit. Walser vorliegende Dokumentation S. 306).
46 Vorliegende Dokumentation S. 306.
47 Vgl. das Gedicht »Dem Revolutionär Jesus zum Geburtstag« (1930) in: Erich Käst- ner, Gesammelte Schriften, Bd. 1. Köln 1959, S. 207.

81 *Friedrich Sengle · Wie revolutionär war Jean Paul? Zu Wolfgang Harichs soeben erschienenem Buch über den Dichter der Romantik*

ED Die Welt 17. 7. 1974.
Abdruck mit freundlicher Genehmigung des Autors.
Friedrich Sengle (geb. 1909), Professor in Köln (1951), Marburg (1952), Heidelberg (1959) und München (1965), Wieland- und Biedermeierforscher, erklärtermaßen um »Widerstand gegen die politische Jean-Paul-Verfälschung in Deutschland« bemüht. So die Schlußbemerkung zum Abdruck der Manuskriptfassung seiner in der »Welt« publizierten Artikel über Jean Paul in: Aspekte der Goethezeit. Hg. von Stanley A. Corngold u. a. Göttingen 1977, S. 214. Sengles Harich-Rezension ist ebenda S. 209–214 unter dem Titel »Plädoyer für Jean Paul« abgedruckt; sie erschien – mit anderen Kürzungen als in der »Welt« – auch in der »Deutschen Zeitung« 19. 7. 1974, Nr. 29, S. 13 (»Jean Paul als Klassenkämpfer«). – Zu Wolfgang Harich s. Einleitung zu T 80 und die Einleitung zur vorliegenden Dokumentation.

1 Vgl. Harich, Jean Pauls Revolutionsdichtung. A. a. O. S. 10f.
2 S. o. Anm. 7 zu T 15.
3 Nämlich Marx und Engels, deren Hochschätzung der deutschen Klassik für die mar- xistische Literaturkritik verbindlich wurde.
4 Friedrich Gundolf, eigtl. Gundelfinger (1880–1931), Schüler Georges, trieb in zahlrei- chen literarhistorischen Arbeiten das geistesgeschichtliche Erfassen der individuellen »Gestalt« zu höchster Vollendung (Goethe, 1916; Romantiker, 1930/1931).
5 Vgl. Harich, Jean Pauls Revolutionsdichtung. A. a. O. S. 312 (»schlüpfrig-galanter Wieland«, »Behagen an schlüpfrigen Sujets«).

6 Vgl. ebenda S. 308.
7 Vgl. ebenda S. 369.
8 Hier folgt im Original (wie auch im Abdruck der »Deutschen Zeitung«) eine längere Auslassung über die universalgeschichtlich progressive Rolle der deutschen Klassik, Jean Pauls Abstand zum Klassizismus im Sinne einer »Homer-Sophokles-Synthese« und den von Harich benutzten Begriff des »Prosa-Epos«.
9 Harich, Jean Pauls Revolutionsdichtung. A. a. O. S. 154f.
10 Ebenda S. 158.
11 Zit. ebenda S. 555; s. Einleitung zur vorliegenden Dokumentation mit Anm. 335.
12 Matthäus 18, 3.

Register

Das Register bezieht sich auf die Einleitung des Herausgebers und die in diesem Band abgedruckten Dokumente. Es gliedert sich in drei Teile: ein Personenregister, ein Register der Werke Jean Pauls und ein Begriffsregister. Das Begriffsregister bietet in strenger Auswahl zentrale Deutungskategorien und -aspekte. – Zahlen in eckigen Klammern verweisen auf Stellen, an denen die Personen ohne Namen, die Werke ohne Titel erwähnt werden. – Zahlen mit vorangestelltem Sternchen verweisen auf Verfassernamen und Werke in den Überschriften der Dokumente.

1. Personen

Abraham a Sancta Clara (eigtl. Johann Ulrich Megerle) 194
Adorno, Theodor W. LXXXV
Ahlwardt, Hermann 272
Albertus Magnus 46
Alewyn, Richard LXXIII
Alexander von Hales 46
Alt, Johannes LXXVII–LXXVIII, *234
Amanshauer, Gerhard LXXXIV
Anselm von Canterbury 46
Apelt, Franz Ulrich LXIX
Archimedes 75
Ariosto, Ludovico 33, 35, 121
Aristoteles 50, 93, [129], 308
Aristophanes 217
Arndt, Ernst Moritz L, *71, 181
Arnim, Bettina von, geb. von Brentano 165
Arnim, Ludwig Achim von XLII, [92], 303
Ast, Friedrich XCII
Auerbach, Berthold XCI
Augstein, Rudolf *307
Augustinus, Aurelius 46, 280

Baader, Franz Xaver von 295
Bach, Hans 283
Bach, Johann Sebastian 293
Baeumler, Alfred LXXVII, 272

Baggesen, Jens Peter XXIX, XXXIV–XXXV
Balzac, Honoré de 273, 295
Basedow, Johann Bernhard 196
Batteux, Charles 45
Baudelaire, Charles XXXIX, [282], 295
Beckett, Samuel LXXXIV
Beethoven, Ludwig van 222, [230], 290, [294]–295, 303
Benjamin, Walter LXXII, LXXIV–LXXV, LXXX, *266
Bentham, Jeremy 122
Benz, Richard XLIII, 290
Berend, Eduard LXXXI, XCII, 245, 250–251, 254
Berlepsch, Emilie von 189
Bernhardi, August Ferdinand XLVII
Blake, William 296
Bloch, Ernst LXXXIV
Bode, August [49]
Böhme, Jakob 249
Börne, Ludwig XVIII, XXX, XLII, L–LII, LXII, LXXXV, LXXXVII, *101, 150, 164, 166, 220–221, 223, 237, 291, 314
Böschenstein, Bernhard LXX
Böttiger (Bötticher), Karl August 21
Bosch, Hieronymus (eigtl. van Aken) 283, 294

2. Jean Pauls Werke

3. Begriffe

Ästhetik LVII–LXI, LXXXI–LXXXII, 146–149, 286–287, 297, 301–303

Äußere Erscheinung XXV–XXVI, 260, 291

Anthologien, florilegische Rezeption Jean Pauls XLIII–XLV, 59, 213, 228

Antiquiertheit, Zopfstil etc. LXVIII–LXIX, 164, 203–204, 219, 223

Arabeske, Groteske XXXV, 25, 32–34, 36, 94, 106, 122, 203, 225, 250, 295

Arbeitsweise (auch: Exzerpte, Notizsammlungen) 28–30, 32, 44, 47, 69, 133–134, 149, 174, 226, 252–253, 294, 296

Barock, Affinität Jean Pauls zum B., barocke Züge seiner Werke XXI, XXXV, 25, 140, 212, 228–229, 249–254, 267, 275, 296

Bürgerlichkeit – Unbürgerlichkeit XLVII, LXIX, LXXII, LXXVIII, 245–249, 291

Charaktere (vgl. Frauen, Humoristen) 14, 37, 41–42, 53–54, 58, 69–70, 86–87, 109–111, 113, 115–116, 123–124, 169–170, 177–179, 211, 213

Deutschheit, Jean Paul als deutscher Dichter LXXV–LXXVII, 183, 185, 197–201, 234–242, 268–279

Doppelnatur, Gespaltenheit Jean Pauls LVIII, 57, 112, 131, 160, 163, 169, 178

Egoismus, Eitelkeit, Selbstgenuß des Ich LX, 49–51, 133, 144–145, 175

Entwicklung, Frage der E. Jean Pauls LVI, LXII, 157, 207, 227, 297

Erzählweise (auch: Digressionen, Auflösung der Fabel) XIX–XX, LXXXI, LXXXIV, 10–11, 22, 67, 84, 87–89, 106–107, 180, 211–212, 250–253, 286–290, 297

Essay, Jean Paul als Essayist LXIX, 194–195, 297–298

Extreme, Jean Pauls Schwanken in Extremen, Mangel einer Mitte LXIII, 160, 206

Exzentrizität XXIV, LXVII, 45, 49–50, 107, 123, 155, 177–178

Form, innere oder gesetzmäßige F. 90–91, 112, 236–237, 250

Formlosigkeit, Verwilderung der F., Chaos XXVIII–XXIX, XXXIII–XXXIV, LXII, LXXV, 25, 32, 56, 173, 180–181, 193, 203, 241, 275

Frauen, Jean Pauls Darstellung von F. XXXVIII, 26, 37, 53, 60–61, 124, 170, 211, 309

Frauen als Publikum Jean Pauls XXVII–XXVIII, 8, 36, 52, 59, 62, 68, 165

Genialität, Originalität 9, 52, 63, 79–81, 292

Geschmacklosigkeit XXI–XXIII, XXVI, LIV, 7, 16, 26, 36–40, 56, 90, 184, 195, 212, 214, 225

Gleichnisse, Metaphorik XX, LXXXIII, LXXXV, 8, 96, 153, 183, 287–290

Goethe, Vergleich Jean Pauls mit G. XVI, XXIX, LIV–LVI, LXV, LXXIX, LXXXI, LXXXIII, LXXXVII–LXXXVIII, 14–15, 112, 115–116, 127, 131, 133, 142, 162, 172–174, 189, 200–201, 220, 254–258, 304–307

Harmonie, Versöhnung LXVIII, 90–91, 96, 252, 315

Humor, Jean Paul als Humorist, seine Theorie des Humors XXIV, XXXVI, LI–LII, LVI–LXIII, LXXVIII–LXXIX, 5, 26, 28, 74, 78, 81–83, 92–95, 104, 106, 108, 112–113, 119–121, 146–149, 151–152, 166, 170–171, 178, 199–200, 206–207, 216–217, 236, 248, 258–266, 277–279, 302

Humoristen, Jean Pauls Darstellung von H. LXXIX, 58, 170, 217

Icherfahrung LXXIX, 258–266, 276, 294

Idylle, Jean Paul als Idyllendichter XLVI–XLVIII, LIV, LXV–LXVII, LXXIII, LXXXIV, LXXXV, 65–66, 168–169, 175–176, 182, 185–187, 206–212, 228–229, 276–278, 292, 298–300, 315

Individualität, Hervortreten der I. Jean Pauls in seinen Werken XLVI–XLVII, 14–15, 24, 32, 52–53, 60, 91–92, 97–98, 112, 193, 221–222

Innerlichkeit LIV, LXXXV, 148, 295, 305–306, 313

Buchanzeigen

Goethe, Briefe

Herausgegeben von Karl Robert Mandelkow unter Mitarbeit von Bodo Morawe
2028 Seiten Text. 894 Seiten Kommentar und Register

Band 1 Briefe der Jahre 1764–1786. 2. Auflage 1969
Band 2 Briefe der Jahre 1786–1805. 2. Auflage 1969
Band 3 Briefe der Jahre 1805–1821. 2. Auflage 1970
Band 4 Briefe der Jahre 1821–1832. 2. Auflage 1976

Briefe an Goethe

Herausgegeben von Karl Robert Mandelkow
1170 Seiten Text. 312 Seiten Kommentar und Register

Band 1 Briefe der Jahre 1764–1808. 1. Auflage 1965
Band 2 Briefe der Jahre 1809–1832. 1. Auflage 1969

Die mit größter Akribie veranstaltete *vierbändige Edition von Briefen Goethes* enthält insgesamt 1530 Briefe, die auf über 800 Seiten kommentiert werden. Der leitende Gesichtspunkt bei dieser Ausgabe ist die Wahrung des organischen Zusammenhangs mit den Werkbänden. Der erste Band enthält die Briefe bis 1786, dem Jahr des Aufbruchs nach Italien, der zweite Band (bis zum Todesjahr Schillers) zeigt die sogenannte ›klassische‹ Epoche im Leben und Wirken Goethes, der dritte und vierte Band zeigen den späten Goethe, dessen Briefsprache zu einem wandlungs- und nuancenreichen Instrumentarium ausgebildet ist.

Die *zweibändige Sammlung von Briefen an Goethe* schließt eine empfindliche Lücke in der Goethephilologie. Zum ersten Mal liegen die zum vollen Verständnis der Briefe Goethes notwendigen Briefe seiner Korrespondenten, die bisher mühsam in den schwer greifbaren und oft seit mehr als hundert Jahren nicht mehr aufgelegten Einzelbriefwechseln oder in entlegenen Zeitschriften aufgesucht werden mußten, in einer alle wesentlichen Texte berücksichtigenden, umfassenden Auswahlausgabe vor. Die Bände enthalten in chronologischer Folge 700 Briefe von mehr als 200 Adressanten und geben ein repräsentatives Bild der alle Bereiche der Kunst, Literatur, Wissenschaft und Politik seiner Zeit widerspiegelnden weltweiten brieflichen Beziehungen des Dichters. Neben bekannten Briefpartnern findet der Leser auch weniger beachtete und weithin unbekannte berücksichtigt. Reich vertreten sind die ausländischen Korrespondenten des Dichters, deren Briefe die einzigartige Ausstrahlungskraft Goethes in den Raum der von ihm zuerst bezeichneten Weltliteratur dokumentieren.

Verlag C. H. Beck München

WIRKUNG DER LITERATUR

Deutsche Autoren im Urteil ihrer Kritiker

Herausgegeben von Karl Robert Mandelkow

Band 1: *Lessing – ein unpoetischer Dichter*

Dokumente aus drei Jahrhunderten zur Wirkungsgeschichte Lessings in Deutschland. Herausgegeben, eingeleitet und kommentiert von Horst Steinmetz. 1969. 598 Seiten.

Band 2/I: *Schiller – Zeitgenosse aller Epochen*

Dokumente zur Wirkungsgeschichte Schillers in Deutschland. Teil I: 1782 bis 1859. Herausgegeben, eingeleitet und kommentiert von Norbert Oellers. 1970. 608 Seiten.

Band 2/II: *Schiller – Zeitgenosse aller Epochen*

Dokumente zur Wirkungsgeschichte Schillers in Deutschland. Teil II: 1860–1964. Herausgegeben, eingeleitet und kommentiert von Norbert Oellers. 1976. LV, 632 Seiten.

Band 3: *Benn – Wirkung wider Willen*

Dokumente zur Wirkungsgeschichte Benns. Herausgegeben, eingeleitet und kommentiert von Peter Uwe Hohendahl. 1971. 512 Seiten.

Band 4: *Hofmannsthal im Urteil seiner Kritiker*

Dokumente zur Wirkungsgeschichte Hugo von Hofmannsthals in Deutschland. Herausgegeben, eingeleitet und kommentiert von Gotthart Wunberg. 1972. 612 Seiten.

Band 5: *Goethe im Urteil seiner Kritiker*

Dokumente zur Wirkungsgeschichte Goethes in Deutschland. Herausgegeben, eingeleitet und kommentiert von Karl Robert Mandelkow.
Teil I: 1773–1832. 1975. LXXVI, 606 Seiten.
Teil II: 1832–1870. 1977. LXIX, 579 Seiten.
Teil III: 1870–1918. 1979. LXIX, 575 Seiten.

Band 6: *Jean Paul im Urteil seiner Kritiker*

Dokumente zur Wirkungsgeschichte Jean Pauls in Deutschland. Herausgegeben, eingeleitet und kommentiert von Peter Sprengel. 1980. XCII, 400 Seiten.

Verlag C. H. Beck München